1855-1900

Estudo de Small sobre a aprendizagem em labirinto	**1900**	
	1899	Wilde: *A Importância de ser Prudente*
Thorndike pesquisa a aprendizagem animal com o experimento da gaiola	1898	Estados Unidos declaram guerra à Espanha por causa de Cuba
Ellis: *Studies in the Psychology of Sex*	1897	
Dewey escreve sobre o arco reflexo; fundação da clínica de Witmer	1896	Tem início a corrida do ouro de Klondike (Alasca)
Breuer e Freud: *Studies on Hysteria*	**1895**	Roentgen descobre os raios X
Ph.D. de Washburn (o primeiro obtido por uma mulher)	1894	
Külpe: *Outline of Psychology*	1893	Feira Mundial de Chicago
Hall cria a APA (American Psychological Association)/ Titchener e Münsterberg chegam	1892	Aberto o novo centro de imigração da ilha de Ellis
	1891	
James: *Principles of Psychology*	**1890**	São exibidos os primeiros filmes (Nova York)
	1889	Assassinatos cometidos por "Jack, o estripador", em Londres
	1888	Rimsky-Korsakov lança a sinfonia *Sheherazade*
Hall lança o *American Journal of Psychology*	1887	
	1886	Stevenson: *O Médico e o Monstro*
Ebbinghaus: *On Memory*	**1885**	Gilbert e Sullivan: *The Mikado* (ópera cômica)
Abertura do laboratório antropométrico de Galton em Londres	1884	
Abertura do primeiro laboratório nos Estados Unidos (Johns Hopkins University)	1883	Inauguração da ponte do Brooklyn em Nova York
	1882	Stevenson: *A Ilha do Tesouro*
	1881	
Breuer inicia o tratamento de Bertha Pappenheim (Anna O.)	1880	Rodin esculpe *O Pensador*
Ano oficial da fundação do laboratório de Wundt em Leipzig	1879	A França aprova leis antijesuíticas
	1878	Gilbert e Sullivan: H.M.S. Pinafore (ópera cômica)
Darwin publica esboço biográfico do filho bebê	1877	
Lançamento do periódico *Mind* na Inglaterra	1876	Graham Bell inventa o telefone; é aberta a Johns Hopkins University
Galton publica escritos sobre gêmeos	**1875**	Twain: *As Aventuras de Tom Sawyer*
Wundt publica *Principles of Physiological Psychology*	1874	Primeira exposição de arte impressionista em Paris
	1873	
Darwin: *Expressions of the Emotions*	1872	
Darwin: *The Descent of Man*	1871	O grande incêndio de Chicago
Fritsch e Hitzig: primeira estimulação elétrica do cérebro	**1870**	J. D. Rockefeller funda a Standard Oil Company
J. S. Mill: The Subjection of Women	1869	É lançado o clíper Cutty Sark
Donders publica trabalho sobre o tempo de reação	1868	
	1867	A Rússia vende o Alasca aos Estados Unidos por US$ 7,2 milhões
	1866	Nobel inventa a dinamite
James acompanha Agassiz à Amazônia	**1865**	
	1864	A frase "In God We Trust" aparece pela primeira vez numa moeda norte-americana
Wundt: *Lectures on Human and Animal Psychology*	1863	Lincoln profere o discurso de Gettysburg
	1862	
Broca faz a autópsia de "Tan"	1861	Início da Guerra Civil nos Estados Unidos (fim: 1865)
Fechner: *Elements of Psychophysics*	**1860**	Primeiro British Open de golfe
Darwin publica Origin of Species	1859	
Wundt torna-se assistente de Helmholtz	1858	Burton e Speke exploram o Nilo
	1857	
	1856	Crânio de um homem de Neanderthal encontrado perto de Düsseldorf
Spencer: *Principles of Psychology*	**1855**	Florence Nightingale trabalha como enfermeira na guerra da Crimeia
Helmholtz publica pesquisa sobre a velocidade dos impulsos neurais	1854	O Papa declara a Imaculada Conceição um dogma
	1853	
Congresso libera verba para construção do primeiro hospital psiquiátrico dos E.U.A	1852	Stowe: *A cabana do*
	1851	Melville: *Moby Dic*
Insight de Fechner sobre a psicofísica (22 de outubro)	1850	

HISTÓRIA DA PSICOLOGIA MODERNA

C. JAMES GOODWIN
Western Carolina University

Tradução
MARTA ROSAS

Editora
Cultrix
SÃO PAULO

Para Susan

Título original: *A History of Modern Psychology – Third Edition*.

Copyright © 2008 John Wiley & Sons, Inc.

4ª edição 2010.
1ª reimpressão 2015.

Foto da capa de Paul Hardy/Corbis Images.

Design da capa: Jeof Vita

Crédito da capa © Derek Gardner/Getty Images.

Todos os direitos reservados. Nenhuma parte deste livro pode ser reproduzida ou usada de qualquer forma ou por qualquer meio, eletrônico ou mecânico, inclusive fotocópias, gravações ou sistema de armazenamento em banco de dados, sem permissão por escrito, exceto nos casos de trechos curtos citados em resenhas críticas ou artigos de revistas.

Dados Internacionais de Catalogação na Publicação (CIP)
(Câmara Brasileira do Livro, SP, Brasil)

Goodwin, C. James
  História da psicologia moderna / C. James Goodwin ; tradução Marta Rosas. – 4ª ed. – São Paulo : Cultrix, 2010.

  Título original: A history of modern psychology.
  Bibliografia.
  ISBN 978-85-316-1077-6

  1. Psicologia – História – I. Título.

10-06038   CDD: 150.19

Índices para catálogo sistemático:
1. Psicologia moderna : História   150.19

Direitos de tradução para a língua portuguesa
adquiridos com exclusividade pela
EDITORA PENSAMENTO-CULTRIX LTDA.
Rua Dr. Mário Vicente, 368 – 04270-000 – São Paulo, SP
Fone: (11) 2066-9000 – Fax: (11) 2066-9008
E-mail: atendimento@editoracultrix.com.br
http://www.editoracultrix.com.br
que se reserva a propriedade literária desta tradução.
Foi feito o depósito legal.

PREFÁCIO

AO INSTRUTOR

Como você já sabe, se tiver dado o curso de história e sistemas, os alunos costumam resistir. Eles geralmente chegam ao curso com ideias preconcebidas negativas e profundamente arraigadas acerca do estudo da história, e estão prontos a concordar em que a história é "só uma besteira atrás da outra", como alguém disse certa vez. E quando descobrem o sobrenome do principal historiador da psicologia, E. G. Boring,* eles balançam a cabeça, com ar de: "Eu sabia...". Essa atitude, naturalmente, é péssima, pois eu não consigo imaginar um tema mais fascinante que a história da psicologia. Além de estar repleta de pessoas e fatos extraordinários, ela nos permite uma profunda percepção de questões básicas que ainda hoje são discutidas na psicologia.

Ninguém pode ser um psicólogo informado sem algum conhecimento da história da disciplina. Nossa tarefa como instrutores é mostrar aos alunos o valor desse conhecimento, ajudá-los a relacionar o presente ao rico passado da psicologia e fazê-los entender o quanto esse percurso é emocionante. Espero que este livro contribua para isso.

Ele se intitula história da psicologia *moderna*, o que reflete a decisão acerca de onde começar, a qual precisa ser tomada por todos aqueles que dão este curso. A psicologia tem raízes profundas no pensamento filosófico ocidental e, por conseguinte, uma sólida compreensão dos temas recorrentes e importantes requer alguma compreensão dessa herança. Contudo, os textos diferem no grau de cobertura dado aos nossos ancestrais filosóficos, tendendo a dividir-se em dois grupos. Alguns autores esforçam-se por explorar as questões filosóficas e fornecer uma ampla cobertura, remontando-se aos antigos gregos. Essa é, sem dúvida, uma estratégia legítima (inclusive um colega meu, que é filósofo, acha que não aconteceu nada de maior importância desde Platão e Aristóteles), mas não é a que escolhi. Meu texto pertence aos do segundo grupo, ou seja: embora de modo algum ignore as raízes filosóficas, ele dedica menos espaço a elas e mais à história recente da psicologia, em especial a dos últimos 150 anos. Como outras histórias "modernas", ele trata da filosofia a partir de Descartes e dos empiristas britânicos.

A decisão quanto ao ponto de partida é em parte pragmática – ela provém da minha experiência como professor desse curso (que normalmente tem duração de quinze semanas por semestre), segundo a qual o tratamento extensivo do pensamento filosófico dos gregos a Descartes impede que avancemos muito no século XX ("Já estamos em dezembro e mal começamos Watson!"). Sempre procuro ter em mente que esse curso não é apenas de história ou de filosofia, mas parte do currículo de psicologia e que, se eu quiser que os alunos tracem relações significativas entre ele e seus outros cursos de psicologia, um objetivo para mim importante, é preciso entrar nos séculos XIX e XX o mais rápido possível. O curso de história deve ensinar aos alunos acerca das ideias e das pesquisas dos pioneiros da psicologia, principalmente os que traba-

---

* A palavra "boring" pode significar, entre outras coisas, "monótono", "chato". (N.T.)

lharam nos últimos cem anos. Os alunos já terão ouvido falar de alguns deles em outros cursos (por exemplo, de Hall no da psicologia do adolescente, de Watson no da aprendizagem, de Freud no da personalidade, de Binet no de testes e medições, de Münsterberg no da psicologia industrial/organizacional); o curso de história serve para aprofundar esse conhecimento rudimentar e, a partir daí, "amarrá-lo".

Este livro inclui várias ferramentas pedagógicas. A principal, empregada a partir da presente edição, é um Guia de estudo *online* para os alunos, que inclui uma revisão orientada de conceitos e várias amostras de testes com respostas. Os alunos podem acessá-lo no *website* do livro (www.wiley.com/college/goodwin), clicando em "Student Companion Site". Quanto ao texto, todos os capítulos começam com uma *Visão geral* e um conjunto de *Objetivos*, que preparam o terreno para o que virá em seguida, e terminam com um *Resumo* detalhado do conteúdo abordado, e uma breve lista comentada de artigos e/ou livros, constante da seção *Leitura Suplementar*. Os artigos de publicações especializadas, especificamente, são úteis como possíveis leituras extras, já que fornecem uma boa compreensão da forma como os historiadores da psicologia fazem seu trabalho. Os artigos e livros funcionam também como pontos de partida para pesquisas e monografias. Cada capítulo é encabeçado por uma citação cuidadosamente selecionada que também é trabalhada posteriormente, em algum momento da narrativa. Para cada capítulo selecionei ainda um ano, que corresponde a algum fato especialmente importante na história da psicologia, e uma caixa com *Datas-chave*, onde são destacados outros fatos, exteriores ao âmbito da psicologia, ocorridos nesse mesmo ano. Para facilitar ainda mais aos alunos a associação entre a psicologia e o resto do mundo, o livro apresenta cronologias em ambas as contracapas. Para os professores que adotarem o *História da psicologia moderna*, estão disponíveis um Manual do instrutor e um Banco de testes (visite www.wiley.com/college/goodwin, localize o texto e clique em "Instructor Companion Site").

Novidades da Terceira Edição

A organização geral do livro é a mesma da segunda edição. Porém eu revisei cada linha, esclarecendo pontos que estavam obscuros e fornecendo explicações quando necessário.

Os usuários da primeira e segunda edições deste texto notarão a ausência, nesta terceira edição, daquilo que eu chamava de Trechos de fontes originais. Estes consistiam em um amplo conjunto de citações de escritos famosos na história da psicologia (por exemplo, do livro de Ebbinghaus sobre a memória ou do manifesto behaviorista de Watson). Embora considerassem essa estratégia interessante, os revisores acharam que ela poderia interromper o fluxo geral da narrativa de cada capítulo. Por isso, incorporei o conteúdo desses trechos ao próprio texto. Isso me permitiu acrescentar conteúdo sem tornar o livro mais extenso, além de incluir um número maior de citações menores de um grupo de fontes mais variadas. Para os professores que gostavam dos Trechos de fontes originais e os utilizavam como uma miniantologia de leituras, preservei os excertos, que podem ser encontrados *online*, nos Recursos para o instrutor. Assim, eles poderão ser dados aos alunos se o professor quiser.

Na primeira e na segunda edições, alguns capítulos eram concluídos com uma seção chamada *Em Perspectiva*. Nesta terceira edição, com exceção do primeiro e do último, todos os capítulos terminam com essa seção.

As caixas de datas-chave foram aprimoradas com o acréscimo de informações contextuais mais detalhadas e a apresentação de mais informações relativas à psicologia. As cronologias de ambas as contracapas também foram ampliadas e aprimoradas.

Procurei manter-me atualizado no que diz respeito às novas publicações na área da história da psicologia, e isso se reflete no acréscimo de trinta novas referências.

Acrescentou-se a cobertura dos seguintes temas: controvérsia Huxley-Wilberforce; ideias não darwinistas sobre a evolução; novos dados sobre a pesquisa de imagens de Galton; controvérsia Baldwin-Titchener; George Trumball Ladd (primeira geração de psicólogos norte-americanos e famoso autor de livros-textos); James Mark Baldwin (pioneiro na fundação de um laboratório e na psicologia do desenvolvimento); contribuição de Walter Dill Scott à psicologia aplicada; influência de Franz Brentano sobre psicólogos gestaltistas; o trabalho de Vladimir Bekhterev, contemporâneo e rival de Pavlov; a significação do discurso de posse de Watson na presidência da APA (American Psychological Association); as ideias de Watson acerca do pensamento; o garoto selvagem de Aveyron; Henry Murray e o TAT – Thematic Apperception Test (Teste de Apercepção Temática); uma avaliação de Freud.

AO ALUNO

Um dos temas básicos deste livro é que a compreensão do presente requer o conhecimento do passado. Você sabe alguma coisa sobre o atual estado da psicologia em virtude de outros cursos que já fez, mas provavelmente não atentou para as várias interconexões que existem entre as diferentes áreas da psicologia que estudou. Uma das metas de um curso de história da psicologia é estabelecer essas conexões. Por exemplo, embora certamente saiba algo sobre a polêmica *nature/nurture* (inato/adquirido), você provavelmente não está informado do quanto a nossa atual compreensão da questão foi afetada pelas consequências da teoria de Darwin, pela busca de testes de capacidade mental e pelo comportamento de ratos em labirintos. Presumivelmente esta última afirmativa terá um significado mais profundo para você depois da conclusão do curso do que agora.

Você está prestes a conhecer pessoas fascinantes que contribuíram para dar forma à psicologia que você vem estudando em outros cursos. Embora nossa tendência seja pensar nas figuras históricas como gente que está acima de nós, procuro mostrar que eles eram seres humanos de carne e osso, muitas vezes em luta com os mesmos tipos de problemas que todos nós enfrentamos. Nas páginas seguintes, você conhecerá algumas pessoas cujos esforços levaram a realizações formidáveis, mas que também tiveram de lidar com alguns dos mesmos problemas que interessam a você. Por exemplo:

- Você está cansado da escola e pronto para entrar no mundo "real" e aprender as coisas por si mesmo?
  Leia sobre René Descartes (Capítulo 2)
- Está cansado das coisas como são, gostaria de poder mudá-las e assumir sua própria autoridade?
  Informe-se sobre John B. Watson (Capítulo 10) e B. F. Skinner (Capítulo 11)
- Precisa tomar decisões importantes para seu futuro e está preocupado com a possibilidade de correr um risco muito grande?
  Consulte a discussão sobre E. B. Titchener (Capítulo 7) ou Wolfgang Köhler (Capítulo 9)
- Você é fascinado por pesquisa e gosta de coletar e analisar dados?
  Veja Hermann Ebbinghaus (Capítulo 4) ou Ivan Pavlov (Capítulo 10)
- Sente uma grande vontade de ajudar os outros?
  Leia sobre Dorothea Dix (Capítulo 12) ou Carl Rogers (Capítulo 13)
- Você tem muito ímpeto para a realização, mas enfrenta empecilhos por sexismo ou racismo?
  Conheça a determinação de Mary Calkins e Francis Sumner (Capítulo 6)
- Você demora a "pegar o ritmo", está indo mal na escola e começa a perguntar-se se terá um futuro?
  Analise a vida de Charles Darwin (Capítulo 5) ou Donald Hebb (Capítulo 14)

- Receia que uma deficiência ou problema de saúde dificulte-lhe atingir suas metas? Leia sobre Lewis Terman (Capítulo 8) ou Clark Hull (Capítulo 11)

Espero que você desfrute da leitura deste livro, que aprenda algo sobre o presente da psicologia conhecendo o seu passado e que, nesse processo, aprofunde a sua percepção do comportamento humano (inclusive o seu próprio). Ao fim do curso, espero que você queira continuar a aprender sobre a fascinante história da psicologia.

Para ajudá-lo a dominar o material deste livro, preparei um Guia de estudo *online*. Você o encontrará em www.wiley.com/college/goodwin, clicando em "Student Companion Site".

AGRADECIMENTOS

Minha formação na pós-graduação foi em psicologia experimental da memória e foi também típica em muitos aspectos: horas intermináveis no laboratório e alegria toda vez que *p* era menos que 0,05. Porém o que para mim foi um pouco diferente foi o fato de meu orientador, Darryl Bruce, ser apaixonado pela história da psicologia, e essa paixão é contagiosa. Enquanto me ensinava a ser um bom cientista, ele também me convencia da grande verdade da história: não podemos entender o presente sem conhecer o passado. Portanto, com você, Darryl – a quem procuro, sempre que possível, para nossos quase anuais cafés da manhã de três horas na APA –, tenho uma dívida imensa que jamais conseguirei saldar.

No Capítulo 1, você encontrará uma foto de John Popplestone e Marion White McPherson, dos Archives of the History of American Psychology (AHAP), em Akron, Ohio. Como a sede fica a cerca de duas horas de carro da minha casa, aproveitei-me várias vezes da sua hospitalidade e do seu entusiasmo em ajudar os aspirantes a historiador. John agora está aposentado e Marion faleceu em 2000. Sempre penso neles. O novo diretor dos AHAP, David Baker, também me foi imensamente útil, e acabamos nos tornando bons amigos. Gostaria de agradecer também a Ludy Benjamin, Mike Sokal, Don Dewsbury, Laurel Furumoto, Chris Green e Randall Wight pelo apoio e incentivo à minha luta para tornar-me um historiador melhor de psicologia.

Os editores e a equipe da John Wiley devem ser os melhores do ramo: tornaram todo o processo de produção facílimo (ou, pelo menos, muito menos trabalhoso do que eu jamais poderia esperar). Meus agradecimentos especiais ao meu editor, Chris Johnson, que o tempo todo apoiou o projeto, e a suas assistentes Maureen Clendenny e Eileen McKeever, cujo entusiasmo, alegria e perspicácia tornaram o processo de revisão consideravelmente menos penoso. Por fim, meu "muito obrigado" a todos os dedicados revisores do texto:

Danny Benbassat, *Ohio Northern University*
Daniel J. Calcagnetti, *Farleigh Dickinson University*
Stewart W. Ehly, *University of Iowa*
Carlos A. Escoto, *Eastern Connecticut State University*
John D. Hogan, *St. John's University*
Janet L. Kottke, *California State University at San Bernardino*
Paul Kulkosky, *Colorado State University*
Otto H. MacLin, *University of Northern Iowa*
Ronald B. McCarver, *University of Alabama*
Susan Naylor, *Kutztown University of Pennsylvania*
Brady J. Phelps, *South Dakota State University*
John K. Robinson, *Stony Brook University*
Harold Rodinsky, *University of the Incarnate Word*
Bernard Whitley, *Ball State University*

Agradeço também a Patty Donovan, da Pine Tree Composition, Inc., que coordenou o processo de produção.

SUMÁRIO

PREFÁCIO 3
AGRADECIMENTOS 7
SUMÁRIO DE DATAS E CAIXAS DE
DATAS-CHAVE 15

CAPÍTULO 1
INTRODUÇÃO À HISTÓRIA DA PSICOLOGIA 17

A psicologia e sua história 18
Por que estudar história? 20
Por que estudar a história da psicologia? 23
Questões-chave na história da psicologia 25
    História velha x história nova 25
        Presentismo x historicismo 25
        História interna x história externa 27
Close-Up: Edwin G. Boring (1886-1968) 29
        História personalística x história naturalística 31
        O ponto de vista deste livro 33
Historiografia: fazer e escrever a história 34
    Fontes de dados históricos 34
    Problemas na escritura da história 36
        Problemas na seleção de dados 36
        Problemas de interpretação 38
A abordagem da verdade histórica 40

CAPÍTULO 2
O CONTEXTO FILOSÓFICO 45

Um longo passado 46
Descartes: os primórdios da ciência e da filosofia modernas 47
    Descartes e o argumento racionalista 48
    O sistema cartesiano: racionalismo, nativismo e interacionismo mecanicista 50
    Descartes acerca do reflexo e da interação mente-corpo 51
O argumento dos empiristas britânicos e os associacionistas 54
    John Locke (1632-1704): as origens do empirismo britânico 54
        Locke acerca da compreensão humana 55
        Locke acerca da educação 58
    George Berkeley (1685-1753):
        o empirismo aplicado à visão 59
    O associacionismo britânico 62
        David Hume (1711-1776): as regras da associação 62
        David Hartley (1705-1757): um associacionismo fisiológico 64
Close-Up: A criação de um filósofo 66
    John Stuart Mill (1806-1873): à beira da ciência psicológica 68
        A psicologia de Mill 69
        A lógica de Mill 70
Reações racionalistas ao empirismo 72
    Gottfried Wilhelm Leibniz (1646-1716) 72
    Immanuel Kant (1724-1804) 73
Em perspectiva: Bases filosóficas 74

CAPÍTULO 3
O CONTEXTO FISIOLÓGICO: PRIMEIRAS PESQUISAS SOBRE O SISTEMA NERVOSO 79

A ciência heroica na era do iluminismo 80
O funcionamento do sistema nervoso 81
    O ato reflexo 82
    A lei de Bell-Magendie 83
    As energias específicas dos nervos 85
    Helmholtz: o fisiólogo dos fisiólogos 85
        A medição da velocidade dos impulsos nervosos 87
        Helmholtz acerca da visão e da audição 88
        Helmholtz e o problema da percepção 90
Localização da função cerebral 91
    A frenologia de Gall e Spurzheim 91
Close-Up: O marketing da frenologia 95
    Flourens e o método da ablação 96
    O método clínico 98
        O notável Phineas Gage 99
        Broca descobre o centro da fala 100
        Mapeando o cérebro: a estimulação elétrica 101
Estudos do início do século XX sobre o comportamento e o sistema nervoso 103
    A teoria dos neurônios 103
    Sir Charles Sherrington: a sinapse 105
    Karl Lashley: a aprendizagem e o córtex 106

A equipotencialidade e a ação de massa 107
Em perspectiva: O comportamento e o sistema nervoso 109

CAPÍTULO 4
WUNDT E A PSICOLOGIA GERMÂNICA 113

A formação na Alemanha 114
No limiar da psicologia experimental: a psicofísica 115
    Ernst Weber (1795-1878) 116
        Limiares de dois pontos 116
        A lei de Weber 117
    Gustav Fechner (1801-1889) 118
        Elements of Psychophysics, de Fechner 120
Wundt estabelece uma nova psicologia em Leipzig 121
    Wilhelm Wundt (1832-1920): a criação de uma nova ciência 121
    A concepção de Wundt da nova psicologia 124
        O estudo da experiência consciente imediata 125
        O estudo dos processos mentais superiores 125
    Dentro do laboratório de Wundt 126
        Sensação e percepção 126
        Cronometria mental 127
Close-Up: Um norte-americano em Leipzig 130
    Reescrevendo a história: um Wilhelm Wundt novo e aperfeiçoado 132
        A fonte do problema 132
        A redescoberta de Wundt 133
        O verdadeiro Wundt 133
        O legado de Wundt 134
A difusão da nova psicologia 135
    Hermann Ebbinghaus (1850-1909): o estudo experimental da memória 135
        Outras contribuições de Ebbinghaus 139
    G. E. Müller (1850-1934): o protótipo do experimentalista 140
    Oswald Külpe (1862-1915): a escola de Würzburg 141
        Predisposições mentais e pensamentos sem imagens 142
Em perspectiva: Uma nova ciência 143

CAPÍTULO 5
O SÉCULO DE DARWIN: O PENSAMENTO EVOLUCIONISTA 147

O problema das espécies 148
Charles Darwin (1809-1882) e a teoria da evolução 149
A formação de um naturalista 150
A viagem do *Beagle* 151
    Darwin, o geólogo 152
    Darwin, o zoólogo 153
    As ilhas Galápagos 153
A evolução da teoria de Darwin 154
    O adiamento de Darwin 157
    Elementos da teoria da evolução 158
    Após *A Origem das Espécies* 160
Darwin e a história da psicologia 162
As origens da psicologia comparada 162
    Darwin acerca da evolução das expressões emocionais 162
Close-Up: Douglas Spalding e o estudo experimental dos instintos 165
    George Romanes (1848-1894): o método anedótico 167
    Conwy Lloyd Morgan (1852-1936): o princípio da parcimônia 168
    A psicologia comparada nos Estados Unidos 170
O estudo das diferenças individuais 171
    Francis Galton (1822-1911): o "homem das sete ciências" 171
        A natureza da inteligência 172
        O laboratório antropométrico 174
        A investigação de imagens e associações 175
Em perspectiva: O século de Darwin 177

CAPÍTULO 6
PIONEIROS NORTE-AMERICANOS 181

A psicologia nos Estados Unidos do século XIX 182
    A psicologia das faculdades 182
        O primeiro livro-texto da psicologia norte-americana 183
    A universidade moderna 184
        A educação para as mulheres e as minorias 185
William James (1842-1910): o primeiro psicólogo norte-americano 189
    Os anos de formação 190
    A vida em Harvard 191
    A criação do livro-texto de psicologia mais famoso dos Estados Unidos 192
        Sobre a metodologia 193
        A consciência 194
        O hábito 195
        As emoções 196
    Os últimos anos de James 197
        O espiritismo 197
        Resumindo William James 198

G. Stanley Hall (1844-1924): a profissionalização da nova psicologia 199
   A juventude e a formação de Hall 200
   Da Johns Hopkins à Clark 201
   A psicologia na Clark 203
Close-Up: A criação da aprendizagem em labirinto 204
      Hall e a psicologia do desenvolvimento 206
      Hall e a psicanálise 208
Mary Whiton Calkins (1863-1930): desafiando o monopólio masculino 208
   A vida e a obra de Calkins 209
      A pós-graduação para mulheres 209
      A pesquisa de Calkins sobre a associação 210
      Da psicologia à filosofia 212
   Outras pioneiras: vidas não contadas 212
      Christine Ladd-Franklin (1847-1930) 212
      Margaret Floy Washburn (1871-1939) 213
Outros pioneiros: Ladd e Baldwin 214
   George Trumbull Ladd (1842-1921) 214
   James Mark Baldwin (1861-1934) 215
Em perspectiva: A nova psicologia no milênio 217

CAPÍTULO 7
ESTRUTURALISMO E FUNCIONALISMO 221

A psicologia de Titchener: o estruturalismo 222
   De Oxford a Cornell, passando por Leipzig 223
   Promovendo a psicologia experimental em Cornell 224
      "Os manuais" 225
      Os experimentalistas 226
   O sistema estruturalista de Titchener 229
Close-Up: A atitude introspectiva 231
      Os elementos estruturais da experiência consciente humana 232
   Uma avaliação da contribuição de Titchener para a psicologia 233
A psicologia norte-americana: o funcionalismo 235
   Os funcionalistas de Chicago 236
      John Dewey (1859-1952): o arco reflexo 237
      James R. Angell (1869-1949): o campo da psicologia funcional 239
      Harvey Carr (1873-1954): o amadurecimento do funcionalismo 242
   Os funcionalistas de Columbia 243
      Edward L. Thorndike (1874-1949): o conexionismo 243
      Thorndike acerca da aprendizagem dos animais em gaiolas 245
      A controvérsia Thorndike-Mills 248
      Robert S. Woodworth (1869-1962): uma psicologia dinâmica 250
Em perspectiva: Estruturalismo e funcionalismo 253

CAPÍTULO 8
APLICANDO A NOVA PSICOLOGIA 257

Pressões para a aplicabilidade 258
O movimento da testagem mental 260
   James McKeen Cattell (1860-1944): um Galton norte-americano 260
   Alfred Binet (1857-1911): o nascimento dos testes de inteligência 264
      As escalas de Binet-Simon 267
   Henry G. Goddard (1866-1957): o teste de Binet chega aos Estados Unidos 268
      A família Kallikak 269
      Goddard e os imigrantes 272
   Lewis M. Terman (1877-1956): a institucionalização do QI 273
      O teste de QI de Stanford-Binet 275
      Terman estuda os superdotados 275
Close-Up: Leta Hollingworth: em defesa das crianças superdotadas e pela derrubada dos mitos acerca da mulher 277
   Robert M. Yerkes (1876-1956): o programa de testagem do exército 280
      Alfa e Beta 281
   A controvérsia em torno da inteligência 286
Aplicação da psicologia ao trabalho 288
   Hugo Münsterberg (1863-1916): a diversidade da psicologia aplicada 289
      Münsterberg e a seleção de funcionários 290
   Outros psicólogos industriais importantes 293
      Walter Van Dyke Bingham (1880-1952) 293
      Lillian Moller Gilbreth (1878-1972) 294
      Harry Hollingworth (1880-1956) 296
Em perspectiva: A psicologia aplicada 296

CAPÍTULO 9
A PSICOLOGIA DA GESTALT 301

Origens e desenvolvimento da psicologia da Gestalt 302
   Max Wertheimer (1880-1943): o fundador da psicologia da Gestalt 304
   Koffka (1886-1941) e Köhler (1887-1967): os cofundadores 306

Close-Up: Um caso de espionagem? 308
A psicologia da Gestalt e a percepção 310
    Princípios da organização perceptual 310
    Ambientes comportamentais x
    geográficos 312
    O isomorfismo psicofísico 313
A abordagem gestaltista da cognição e
da aprendizagem 313
    Köhler acerca da percepção nos primatas 313
    Wertheimer acerca do pensamento
    produtivo 315
    Outras pesquisas gestaltistas sobre a
    cognição 317
Kurt Lewin (1890-1947): expandindo a visão
da Gestalt 318
    Juventude e início de carreira 318
    Teoria de campo 320
    O efeito Zeigarnik 321
    Lewin como psicólogo do
    desenvolvimento 322
    Lewin como psicólogo social 325
        A pesquisa-ação 326
    Avaliando Lewin 328
Em perspectiva: A psicologia da Gestalt nos
Estados Unidos 328

CAPÍTULO 10
AS ORIGENS DO BEHAVIORISMO 333

Os antecedentes do behaviorismo 334
A vida e a obra de Pavlov 336
    A criação de um fisiologista 336
    O trabalho no laboratório de Pavlov 338
    A pesquisa clássica de Pavlov sobre o
    condicionamento 340
        Condicionamento e extinção 341
        Generalização e diferenciação 342
        Neurose experimental 342
        Um programa de pesquisa 343
    Pavlov e os soviéticos 343
    Pavlov e os norte-americanos 345
Close-Up: A distorção na representação do
equipamento de Pavlov 345
John B. Watson e a fundação do behaviorismo 347
    O jovem funcionalista em Chicago 347
        Os estudos de Watson e Carr com
        labirintos 349
    A oportunidade bate à porta na
    Johns Hopkins 350
        Watson e o comportamento animal 351
        O manifesto behaviorista de Watson 352
        O discurso de posse de Watson na
        presidência da APA 354
        O estudo do desenvolvimento

        emocional 355
    O zênite e o nadir de uma carreira:
    o bebê Albert 355
    Uma nova vida na publicidade 359
    A popularização do behaviorismo 361
    Avaliando o behaviorismo de Watson 362
Em perspectiva: As origens do behaviorismo 363

CAPÍTULO 11
A EVOLUÇÃO DO BEHAVIORISMO 367

O behaviorismo pós-watsoniano 368
    O positivismo lógico e o operacionismo 369
    O neobehaviorismo 372
Edward C. Tolman (1886-1959): um behaviorismo
intencionado 373
    O sistema de Tolman 374
        Comportamento molar x comportamento
        molecular 374
        Intencionalidade 375
        Variáveis intervenientes 375
    O programa de pesquisa de Tolman 378
        Aprendizagem latente 378
        Mapas cognitivos 380
    Avaliando Tolman 382
Clark Hull (1884-1952): um sistema
hipotético-dedutivo 384
    O sistema de Hull 387
        O postulado 4: a força do hábito 388
        Potencial de reação 388
    Avaliando Hull 390
B. F. Skinner (1904-1990):
um behaviorismo radical 391
    A análise experimental do
    comportamento 393
        O condicionamento operante:
        uma introdução 394
    Skinner e a teoria 396
    Skinner e o problema da explicação 398
    Uma tecnologia do comportamento 399
Close-Up: Uma utopia skinneriana 400
    Avaliando Skinner 402
Em perspectiva: O neobehaviorismo 403

CAPÍTULO 12
A DOENÇA MENTAL E SEU TRATAMENTO 409

Os primeiros tratamentos da doença mental 410
    A reforma "iluminada": Pinel, Tuke,
    Rush e Itard 411
    A reforma dos manicômios: Dix e Beers 413
Close-Up: O diagnóstico da doença mental 416
O mesmerismo e a hipnose 418
    O mesmerismo e o magnetismo animal 418

Do mesmerismo à hipnose 420
As controvérsias sobre o hipnotismo 421
Sigmund Freud (1856-1939):
a fundação da psicanálise 423
    Juventude e formação 424
        Breuer e o método da catarse 426
    A criação da psicanálise 428
        A importância do sexo 429
        A psicanálise chega ao século XX 430
    A evolução da teoria psicanalítica 431
    Os seguidores de Freud: lealdade e dissensão 433
    A psicanálise nos Estados Unidos 435
    Freud em perspectiva 437
        Contribuições 437
        Críticas 438
A psicologia clínica nos Estados Unidos 439
    Lightner Witmer (1867-1956): a criação da primeira clínica de psicologia 439
    A psicologia clínica antes da Segunda Guerra Mundial 442
Em perspectiva: O tratamento da doença mental 443

CAPÍTULO 13
OS PRATICANTES DA PSICOLOGIA 449

Pesquisadores e praticantes 450
A emergência da moderna psicologia clínica 452
    O modelo de Boulder 452
    O estudo de Eysenck: problemas para a psicoterapia tradicional 454
Close-Up: A estratégia médica: lobotomias transorbitais e outras 455
    A terapia do comportamento 457
    A abordagem humanística da psicoterapia 459
        Carl Rogers e a terapia centrada no cliente 460
    A conferência de Vail e o título de doutor em psicologia 464
A psicologia e o mundo do comércio e da indústria 466
    Os estudos de Hawthorne 468
Em perspectiva: Os psicólogos como praticantes 470

CAPÍTULO 14
A CIÊNCIA DA PSICOLOGIA NA ERA DO PÓS-GUERRA 475

A volta da psicologia cognitiva 476
    As origens da moderna psicologia cognitiva 476
    Frederick C. Bartlett (1886-1969): a construção da memória 477
        Bartlett sobre a memória 478
    Uma convergência de influências 481
        Influências internas à psicologia 481
        Influências externas à psicologia 482
Close-Up: Que revolução? 486
    Números mágicos, filtros seletivos e TOTEs 488
    Neisser e o "batismo" da psicologia cognitiva 491
    A evolução da psicologia cognitiva 492
        A inteligência artificial 493
    Avaliando a psicologia cognitiva 496
Outras áreas de pesquisa 496
    O cérebro e o comportamento 497
        Donald O. Hebb (1904-1985) 497
    A psicologia social 500
        Leon Festinger (1919-1989) 500
    A psicologia da personalidade 503
        Gordon Allport (1897-1967) 504
    A psicologia do desenvolvimento 507
        Jean Piaget (1896-1980) 507
Em perspectiva: A ciência da psicologia 509

CAPÍTULO 15
UNINDO O PASSADO DA PSICOLOGIA A SEU PRESENTE 513

O crescimento e a diversidade da psicologia 514
    As mulheres na história da psicologia 514
        Eleanor Gibson (1910-2002) 515
    As minorias na história da psicologia 517
        Kenneth B. (1914-2005) e Mamie Phipps Clark (1917-1983) 518
Tendências na psicologia contemporânea 520
O futuro: psicologia ou psicologias? 521

REFERÊNCIAS BIBLIOGRÁFICAS 525
GLOSSÁRIO 547
CRÉDITOS DE FOTOS, TEXTOS E ILUSTRAÇÕES 561
ÍNDICE REMISSIVO 564

SUMÁRIO DE DATAS E CAIXAS DE DATAS-CHAVE

Sumário de Trechos de Fontes Originais

CAPÍTULO 2
1843 (*Logic*, de Mill) 69

CAPÍTULO 3
1861 ("Tan", de Broca) 102

CAPÍTULO 4
1879 (O laboratório de Wundt) 122

CAPÍTULO 5
1859 (*Origin*, de Darwin) 158

CAPÍTULO 6
1890 (*Principles*, de James) 193

CAPÍTULO 7
1906 (O discurso de Angell na APA) 237

CAPÍTULO 8
1917 (O programa de testagem do exército) 280

CAPÍTULO 9
1929 (O congresso internacional de Yale) 322

CAPÍTULO 10
1913 (O manifesto de Watson) 351

CAPÍTULO 11
1953 (*Science and Human Behavior*, de Skinner) 397

CAPÍTULO 12
1900 (*A Interpretação dos Sonhos*, de Freud) 429

CAPÍTULO 13
1949 (A conferência de Boulder) 454

CAPÍTULO 14
1932 (O livro de Bartlett sobre a memória) 483

CAPÍTULO 1
INTRODUÇÃO À HISTÓRIA DA PSICOLOGIA

> Os assentos do trem do progresso são todos voltados para trás: embora seja possível ver o passado, só podemos adivinhar o futuro. No entanto, o conhecimento da história, apesar de jamais poder ser completo e, desgraçadamente, não servir para a previsão do futuro, tem uma tremenda capacidade de dar significado à compreensão do presente.
>
> – E. G. Boring, 1963a

VISÃO GERAL E OBJETIVOS DO CAPÍTULO

Este capítulo se inicia com a descrição das origens do interesse da psicologia no seu passado e das razões pelas quais é importante conhecer e saber apreciar a história. Será feita uma comparação entre as histórias tradicionais da psicologia, que enfatizam a contribuição dos psicólogos mais importantes, os resultados de experimentos famosos e os debates entre os defensores de diferentes "escolas" da psicologia, e uma abordagem mais nova, que procura situar os fatos e as pessoas num contexto histórico mais amplo. Este capítulo avalia ainda os métodos usados pelos historiadores na pesquisa da história e os problemas que enfrentam ao construir uma narrativa histórica com base nos dados coletados. Após a conclusão deste capítulo, você deve ser capaz de:

- Apontar os acontecimentos dos anos 1960 que levaram à renovação do interesse pela história da psicologia
- Explicar por que é importante compreender a história em geral
- Explicar por que é especialmente importante para os alunos de psicologia compreender a história da psicologia
- Distinguir entre a "antiga" e a "nova" história, na acepção dada aos termos pela psicóloga e historiadora Laurel Furumoto
- Distinguir a visão historicista da visão presentista da história e identificar os riscos que lhe são inerentes
- Distinguir a história interna da história externa da psicologia e as vantagens da análise de cada uma
- Definir o apelo e os problemas da abordagem personalista da história
- Descrever a abordagem naturalista da história, o tipo de provas que utiliza (por exemplo, múltiplos) e suas limitações
- Definir a historiografia e descrever os problemas de interpretação e seleção enfrentados pelos historiadores
- Distinguir entre fontes primárias e fontes secundárias de informação

histórica e descrever os tipos de informações de fontes primárias geralmente encontrados pelos historiadores em arquivos
- Explicar como o processo de fazer história pode trazer um certo grau de segurança na obtenção da verdade

A PSICOLOGIA E SUA HISTÓRIA

O número cem é um bom número redondo e um centenário é motivo suficiente para comemoração. Nos últimos anos, os psicólogos dotados de senso histórico têm tido muito que celebrar. As celebrações começaram em 1979, com o centenário da fundação do laboratório de Wilhelm Wundt em Leipzig, Alemanha. Em 1992, a APA (American Psychological Association) promoveu uma série de eventos ao longo de um ano para comemorar o centenário de sua fundação no estúdio de G. Stanley Hall, na Clark University, em 8 de julho de 1892. Durante esse ano, saíram vários artigos sobre história em todas as publicações da APA, e um número especial do *American Psychologist* foi dedicado à história; vários livros sobre a história da APA foram encomendados (por exemplo, Evans, Sexton e Cadwallader, 1992); várias convenções regionais enfocaram temas históricos e a convenção anual, em Washington, contou com eventos que iam desde os habituais simpósios e discursos sobre história até um baile de gala na Union Station com trajes de época (1892) e um imenso bolo de aniversário em homenagem à APA.

O interesse pela história da psicologia não se limitou às comemorações do centenário, naturalmente. As histórias da psicologia vêm sendo escritas desde o surgimento da própria psicologia no cenário acadêmico (por exemplo, Baldwin, 1913) e pelo menos dois dos mais famosos livros de psicologia, *A History of Experimental Psychology* (1929; 1950), de E. G. Boring, e *Seven Psychologies* (1933), de Edna Heidbreder, são histórias. Mas só a partir da década de 1960 é que se pode dizer que houve um interesse significativo na história da psicologia como área especializada de pesquisa.

Ao longo dessa década, vários pesquisadores com formação em psicologia e um vivo interesse pela história reuniram-se e começaram a fazer as coisas que marcam a criação de uma nova disciplina especializada – fundaram organizações, criaram uma publicação e estabeleceram as bases para a produção de pesquisa.

Muita gente estava envolvida, mas o maior impulso veio de um psicólogo clínico que tinha paixão pela história, Robert I. Watson (1909-1980) (Figura 1.1.). Ele começou com um grito de guerra, um artigo

DATA-CHAVE 1892

Este ano marcou a fundação da *American Psychology Association*.

Os seguintes fatos também ocorreram:
- Foi lançada a primeira central telefônica automática
- Diesel patenteou seu motor de combustão interna
- "Gentleman Jim" Corbett derrotou John L. Sullivan na disputa pelo título dos pesos pesados
- Tchaikovsky criou o balé *Quebra-nozes*
- Toulouse Lautrec pintou *No Moulin Rouge*
- Grover Cleveland foi eleito presidente dos Estados Unidos
- Nasceram:
  Francisco Franco, ditador espanhol
  Pearl S. Buck, romancista norte-americana vencedora do prêmio Nobel
  J. R. R. Tolkien, filologista e escritor britânico
- Morreram:
  Walt Whitman, poeta norte-americano
  Alfred Lord Tennyson, poeta britânico

FIGURA 1.1 Robert I. Watson (1909-1980), um ardoroso defensor da história da psicologia.

publicado no *American Psychologist* intitulado "The History of Psychology: A Neglected Area" (Watson, 1960). Watson conseguiu mobilizar um grupo de psicólogos com ideias afins dentro da APA para formar um Grupo de História da Psicologia que culminou com a criação de uma nova seção da APA (nº 26) em 1965 (Hilgard, 1982). Naturalmente, Watson foi o primeiro presidente dessa seção.[1] Também em 1965, (a) John Popplestone e Marion White McPherson (outros dois clínicos apaixonados por história) fundaram os Archives of the History of American Psychology em sua universidade, a University of Akron, e nomearam Watson para presidente do conselho da entidade e (b) foi publicado o primeiro número do *Journal of the History of the Behavioral Sciences*, editado por Watson. Alguns anos mais tarde, como parte de uma reorganização de seus programas de pós-graduação, a University of New Hampshire criou o primeiro programa de doutorado especializado em história da psicologia. Adivinhe quem foi o primeiro diretor desse programa? Por fim, também sob a liderança de Watson, Joseph Brozek e Barbara Ross, a National Science Foundation patrocinou um curso de verão de seis semanas no campus da UNH em 1968, que deu origem à última realização de Watson, a Cheiron Society, uma "Sociedade Internacional pela História das Ciências do Comportamento e da Sociedade" (Brozek, Watson e Ross, 1970). No espaço de dez anos, então, Watson foi o principal motor no desenvolvimento da história da psicologia como especialidade de pesquisa.

Desde a década de 1960, o interesse pela história da psicologia tem crescido a um ritmo constante. Por exemplo, o número de membros da seção 26 da APA em 2006 beirava os seiscentos, em comparação com os 234 que se associaram como membros fundadores em 1965. O mesmo se aplica à Cheiron Society. Os psicólogos também reconhecem a importância do curso de história para o currículo de psicologia. Na última conferência sobre o currículo da graduação, ocorrida no St. Mary's College, Maryland, em 1991, uma das recomendações do grupo foi

---

[1]. Hoje a Seção 26 também é conhecida como Society for the History of Psychology – consulte www.hood.edu/shp/.

a inclusão no currículo de um curso final avançado que promovesse a integração da experiência adquirida pelos alunos em outros cursos. E o curso de história e sistemas foi mencionado como o exemplo por excelência desse tipo de disciplina (Lloyd e Brewer, 1992). Em uma recente pesquisa do "estado atual" do curso de história da psicologia, Fuchs e Viney (2002) levantaram a questão da possibilidade de o conteúdo programático e os livros-texto nem sempre refletirem os avanços acadêmicos mais recentes da história da psicologia, mas concluíram que praticamente todas as faculdades de psicologia oferecem o curso e que em mais da metade ele é obrigatório para os alunos de psicologia. No geral, eles deram a consolidação do curso de história da psicologia por "firme e forte" (p. 12).

A despeito do consenso entre os psicólogos sobre a importância do estudo da história da disciplina, os alunos de psicologia muitas vezes se surpreendem ao saber que o curso de história da psicologia é oferecido e talvez exigido em sua faculdade. Eles vão conversar com os amigos que fazem química e descobrem que na faculdade de química não há nada comparável. Então procuram o catálogo de cursos da universidade e veem que o curso que mais se parece com o deles é o de história da ciência, só que esse é ministrado na faculdade de história, e não em um dos departamentos de alguma faculdade de ciências. O que está acontecendo? Por que existe um curso de história da psicologia, dado por um psicólogo, e não um de história da química, dado por um químico?

A lógica subjacente ao curso de história da psicologia é importante e merece ao menos uma breve consideração. Porém, primeiro, vamos analisar a questão mais geral da razão da importância de se estudar a história de qualquer coisa, seja ela o que for. Vejamos se, como disse Henry Ford, a "história é mais ou menos uma bobagem" ou se é mais provável, para usarmos as palavras de Abraham Lincoln, que "não podemos escapar da história" (ambas as citações extraídas de Simonton, 1994, p. 3) e que "negligenciar a história não significa fugir à sua influência", conforme declarou Robert Watson (1960, p. 255) em seu apelo a que os psicólogos se envolvessem mais com a história da sua disciplina.

POR QUE ESTUDAR HISTÓRIA?

Em todo curso de história que você já fez repetiu-se que conhecer a história ajuda-nos a evitar os erros do passado e dá-nos um guia para o futuro. Há uma dose de verdade nessas velhas e batidas afirmações, mas ambas são um pouco simplistas. Em relação ao argumento dos "erros", boa parte da história parece demonstrar que, em vez de aprender com o passado, os seres humanos deliberadamente o ignoram. Essa possibilidade levou o filósofo e historiador G. W. F. Hegel a recear que a única verdadeira lição da história é que as pessoas não aprendem nada com a história (Gilderhus, 2000). Isso naturalmente é um exagero. Também é verdade que, quando tentamos convencer alguém a fazer qualquer coisa, parte do argumento passa geralmente por referências ao passado. E se aparentemente ignoramos o passado mais do que lhe damos atenção, também é verdade que o conhecimento do passado propicia apenas um guia muito tosco, pois a história jamais se repete — todo fato está preso ao contexto histórico em que ocorre. A história também não é um guia muito confiável do futuro, algo admitido pelos historiadores, embora esse reconhecimento raramente os impeça de arriscar previsões. Em seu celebrado *What is history?*, por exemplo, o historiador E. H. Carr diz que "os bons historiadores, suspeito, têm o futuro no sangue, pensem nele ou não. Além de perguntar por quê?, o historiador também pergunta para onde?" (1961, pp. 142-43). Talvez sim, mas vale a pena observar que tudo que já ouvi ou li que tivesse o objetivo de prever o futuro começava com essa mesma declaração de isenção de responsabilidade. Quem falava ou escrevia sempre começava fazendo de tudo para garantir a seu público que as previsões sobre o futuro são notoriamente imprecisas. Como disse o eminente historiador da psicologia E. G. Boring, "O passado não é uma bola de cristal. Ele tem em si mais 'de onde' que 'para onde'. Os assentos do trem do progresso são todos voltados para trás: embora seja possível ver o passado, só podemos adivinhar o futuro" (1963a, p. 5).

Se o conhecimento da história não é garantia de que os erros não se repetirão e se a história é um meio (na melhor das hipóteses) imperfeito de prever o futuro, então o que nos resta? *O presente*. Na frase que vem imediatamente após as da citação que acabo de fazer, Boring escreveu: "No entanto, o conhecimento da história, apesar de jamais poder ser completo e, desgraçadamente, não servir para a previsão do futuro, tem uma tremenda capacidade de dar significado à compreensão do presente" (1963a, p. 5). Acredito que a razão mais importante que possamos ter para estudar história é que o presente em que vivemos não pode ser compreendido sem algum conhecimento do passado; de como o presente se tornou o que é. O historiador David McCullough (1992) expressou essa ideia com eloquência em um discurso de formatura, quando traçou uma analogia entre conhecer a história e conhecer alguém a quem amamos:

> Imaginem um homem que professa continuamente seu amor eterno a uma mulher, mas não sabe onde ela nasceu, quem eram seus pais, que escola frequentou nem como foi a vida dela até o dia em que *ele* chegou – e que, além disso, não se importa em não saber. O que você pensaria dessa pessoa? No entanto, nós aparentemente temos um contingente inesgotável de patriotas que não sabem nada da história deste país nem estão interessados em saber (p. 222, itálico no original).

Pense em qualquer fato da atualidade e verá que é impossível entendê-lo realmente sem conhecer um pouco da história de que ele é fruto. Pense, por exemplo, na história recente da psicologia. Estou certo de que você já ouviu falar da APA, a American Psychological Association. Talvez você também conheça ou tenha ouvido falar da APS, a Association for Psychological Science.[2] Você pode até saber que a APS é relativamente nova, pois surgiu em 1988. Talvez você saiba também que a APS está mais voltada para a pesquisa científica que a APA, embora talvez possa também não ter tanta certeza disso e estar agora se perguntando por que existem duas organizações para psicólogos. Conhecendo um pouco da história, você poderia entender isso. Especificamente, sua compreensão da razão da existência da APS e de sua finalidade seria muito maior se você soubesse das tensões antigas entre os psicólogos dedicados à pesquisa e aqueles cujo interesse principal é a prática profissional da psicologia, isto é, a psicoterapia. O problema remonta aos primórdios da APA, no final do século XIX, e contribuiu para a formação de um grupo à parte em 1904: os "experimentalistas" (a história desse grupo notável é detalhada no Capítulo 7). Além disso, quando a APA foi reorganizada após a Segunda Guerra Mundial, a estrutura de seções que existe hoje em dia foi pensada em parte para conciliar as metas conflitivas de cientistas e praticantes. A boa vontade que acompanhou o fim da guerra levou os que tinham interesses distintos na psicologia a uma união, mas esta não durou muito. Sem saber algo dessa história, você jamais poderia ter uma boa compreensão da APS, da razão por que ela existe hoje ou por que há uma tensão persistente entre os líderes da APS e a estrutura que rege a APA.

Outro aspecto da importância do passado para a compreensão do presente é que conhecer a história ajuda-nos a ver o presente de uma perspectiva melhor. No mes-

---

2. Em 2005, a APS – que era a American Psychological Society – passou a chamar-se Association for Psychological Science. Além de evidenciar o foco científico da organização, a mudança de nome torna seu escopo internacional.

mo discurso de formatura que cito acima, David McCullough conta um encontro que teve com uma amiga, possuidora de formação aparentemente muito boa, que acabava de visitar o Memorial do Vietnã em Washington. E, como todos os que o fazem, estava visivelmente emocionada. Ela perguntou a McCullough se conhecia o local, e este respondeu que sim, que o havia conhecido no mesmo dia em que visitara Antietam, um campo de batalha da Guerra Civil, que fica próximo. McCullough ficou espantado ao saber que a amiga nunca tinha ouvido falar nessa batalha, na qual em um só dia perderam-se mais vidas que em qualquer outro dia na história dos Estados Unidos. McCullough disse-lhe que o Memorial do Vietnã relaciona os nomes dos cerca de 57 mil norte-americanos mortos ao longo de onze anos, mas que só no dia 17 de setembro de 1862 em Antietam morreram 23 mil pessoas. Conhecer o episódio de Antietam não diminui de modo algum a tragédia da guerra do Vietnã. Sem dúvida, todo norte-americano deveria visitar o Memorial, mas uma importante perspectiva é obtida conhecendo-se a história desse campo de batalha, que está no início da mesma rua. Esse tipo de informação traz uma apreciação do sacrifício daqueles que viveram em outras épocas e uma compreensão da ideia de que a guerra e a morte insensata não estão exclusivamente relacionadas a um único período da história recente.

O conhecimento da história dá perspectiva ao presente de mais uma maneira: às vezes acreditamos que a época em que vivemos é, como disse Dickens, "a pior de todas". Queixamo-nos dos problemas aparentemente insuperáveis e dos riscos constantes que aparentemente acompanham a vida no início do século XXI. Desejamos voltar aos "velhos tempos", a uma época mais simples em que ninguém trancava a porta e se podia comprar uma casa boa num *kit* da Sears (verdade!). Achamos que realmente havia lugares como a rua principal da Disney World, EUA. Mas o conhecimento da história é um bom corretivo aqui. O conhecido historiador e ex-funcionário da Biblioteca do Congresso Daniel Boorstin descreve essa falácia num artigo de 1971, intitulado "The Prison of the Present":

> Gritamos contra a Poluição Ambiental – como se ela tivesse começado com a era do automóvel. Comparamos o nosso ar não com o cheiro de excremento de cavalo, a praga das moscas ou o fedor de lixo e fezes humanas que enchia as cidades do passado, mas com o perfume de madressilva de alguma inexistente Cidade Bela. Ainda que a água de muitas cidades de hoje não seja potável, [...] esquecemos que ao longo da maior parte da história a água das cidades (e do campo) não podia ser bebida. Reprovamo-nos pelos males das doenças e da desnutrição e esquecemos que, até pouco tempo atrás, a enterite, o sarampo e a coqueluche, a difteria e a febre tifoide eram doenças infantis letais [...] [e] a pólio, um monstro do verão. (pp. 47-8)

Conhecer a história não dará respostas fáceis para os atuais problemas, mas certamente nos imunizará contra a crença de que esses problemas são muitas vezes piores do que eram. Na verdade, conhecendo o passado, poderemos estabelecer uma relação mais cômoda com ele e, sabendo como outros lutaram com problemas semelhantes, poderemos ter uma orientação no presente. Ganhamos, pelo menos, a possibilidade de aprender com o passado.

Além de permitir-nos compreender melhor o presente, o estudo da história tem outras vantagens. Por exemplo, obriga-nos a um ajuste de atitude: mantém-nos humildes de duas maneiras. Primeiro, nós ocasionalmente nos iludimos e pensamos que sabemos muito (e isso é especialmente verdadeiro em minha profissão de professor universitário). O estudo da história é um bom antídoto. Por exemplo, fui criado no sudeste da Nova Inglaterra, em Plymouth, e achava que sabia um pouco sobre os Peregrinos. Porém, quando acabei de ler a brilhante história dos peregrinos escrita por Nathaniel Philbrick, *Mayflower* (2006), fiquei espantado ao constatar quão pouco sabia e quanto do que eu achava que sabia (por exemplo, sobre as conflituosas relações dos Peregrinos com as tribos locais) estava inteiramente errado. Segundo, às vezes a ignorância do passado pode levar-nos a uma espécie de arrogância – acreditamos que o presente seja a culminação de séculos de progresso e que o pensamento e os avanços de hoje sejam mais sofisticados, superando em muito os de um passado rudimentar e sem informação. Contudo, o conhecimento da história permite-nos compreender que cada era tem suas realizações próprias, maravilhosas, e seus próprios gênios criadores. Os neurocientistas da atualidade fazem descobertas fascinantes a cada dia, mas a importância dessas descobertas e a qualidade de seu pensamento científico não superam a elegância das investigações novecentistas de Pierre Flourens sobre o cérebro, que afinal desmentiram a frenologia (Capítulo 3).

Finalmente, estudar a história significa, em última análise, buscar respostas para uma das mais fundamentais e desconcertantes perguntas da vida: *O que significa ser humano?* Ou seja, estudar a história da Segunda Guerra Mundial é pesquisar a natureza essencial do preconceito, da agressividade e da violência. Estudar a Revolução Americana é analisar o desejo humano de liberdade e autodeterminação. Estudar a história da arte renascentista é estudar a paixão humana pelo prazer estético. E, na medida em que a história envolve o comportamento humano em situações diversas, estudar a história significa estudar e tentar compreender o comportamento humano. Só por essa razão, os psicólogos deveriam ter por ela um interesse intrínseco.

POR QUE ESTUDAR A HISTÓRIA DA PSICOLOGIA?

As razões precedentes para o estudo da história são, por si sós, suficientes para justificar o estudo da história da psicologia, mas há ainda outras razões para os psicólogos deverem interessar-se por suas origens. Primeiro, comparada a outras ciências, a psicologia ainda está na tenra infância, já que tem pouco mais de 125 anos de idade. Boa parte dos demais cursos de psicologia que você fez até hoje remonta a pelo menos metade desses anos, e muitos dos assim chamados estudos clássicos que você já analisou (por exemplo, os de Pavlov sobre o condicionamento) formam parte importante da primeira metade desses anos. Portanto, a psicologia moderna está estreitamente ligada a seu passado; para ser um psicólogo informado você precisa necessariamente conhecer um pouco de história.

Uma segunda razão relacionada para o interesse pela história da psicologia entre os psicólogos é que o campo ainda está às voltas com muitas das mesmas questões que o ocupavam há um século. Assim, uma questão importante atualmente é a possibilidade de haver herança de traços como a inteligência, a timidez e a esquizofrenia. A questão do inato x adquirido, popularizada inicialmente há mais de 130 anos por *Sir Francis Galton* (consulte o Capítulo 5) e ponderada pelos seres humanos há séculos, reverbera ao longo da história da psicologia. Conhecendo os paralelos entre os argumentos feitos hoje sobre a relativa influência da hereditariedade e do meio e comparando-os aos apresentados em outras épocas, o psicólogo terá uma compreensão mais informada da questão. Familiarizando-se com as origens e o desenvolvimento inicial do conceito do QI, os psicólogos contemporâneos poderão compreender mais profundamente os problemas que o cercam.

Antes, levantei a questão da presença de um curso de história da psicologia e da ausência de um curso de história da química. Embora a compreensão da pesquisa atual e dos problemas conexos seja essencial na psicologia, a situação é um tanto diferente na química. Apesar de ser fascinante e ter muito a nos ensinar sobre a forma como a ciência funciona e evolui, a história da alquimia não informa os alunos de hoje sobre as propriedades químicas do chumbo ou do ouro. Os químicos, que tendem a pensar (com ingenuidade, diga-se de passagem) que sua ciência progrediu gradualmente dos erros do passado à verdade do presente, normalmente não se interessam em encher a cabeça de seus alunos com ideias "antigas". Há algo de verdadeiro nesse modelo da ciência como avanço através da história (ninguém mais tenta atingir a meta dos alquimistas de transformar chumbo em ouro), mas de todo modo é triste que tantos cientistas deixem de reconhecer o valor do estudo da história de sua disciplina. No mínimo, ele enriqueceria sua formação e lhes ensinaria alguma coisa sobre a evolução do pensamento científico. Na verdade, deveria haver um curso de história da química para os alunos dessa área.

Uma terceira razão para a existência de um curso de história da psicologia é que ele pode propiciar uma certa coesão num campo que se diversificou e se tornou altamente especializado. Apesar de sua juventude, a psicologia no início do século XX caracterizou-se pela falta de unidade. Para alguns observadores (por exemplo, Koch, 1992a), inclusive, a psicologia já não existe como campo único – o neurocientista que investiga o funcionamento das endorfinas não teria praticamente nada em comum com o psicólogo industrial que estuda a eficácia de diferentes tipos de administração. No entanto, todos os psicólogos têm algo em comum: sua história. Para o aluno que fez diversos cursos aparentemente desconexos, como psicologia do desenvolvimento, psicologia social e psicologia do anormal, o curso de história representa uma experiência de síntese. Quando você chegar ao último capítulo deste livro, onde a questão da crescente especialização da área voltará a ser abordada, terá aprendido o bastante para entender as inter-relações existentes entre as diferentes subáreas da psicologia.

Em quarto lugar, a compreensão da história da psicologia contribuirá para torná-lo um pensador mais crítico. Consciente da história dos vários tratamentos para os distúrbios psicológicos, o psicólogo rigoroso estará mais apto a avaliar supostos "avanços revolucionários" na psicoterapia. A análise mais atenta de uma terapia que se apresenta como única pode revelar pontos em comum com abordagens anteriores. O psicólogo versado em história também saberá que, em muitas ocasiões, o entusiasmo inicial diante de uma nova terapia muito comentada se esvaziará caso depois não se consiga provar que ela funciona. Além disso, conhecendo o curso do desenvolvimento de várias abordagens pseudocientíficas da psicoterapia na história e as características que compartilham, o psicólogo poderá identificar a presença de uma que seja realmente nova.

Por último, o curso de história da psicologia pode ser um curso de história, mas é também um curso de psicologia. Por isso, um de seus objetivos é continuar a informar-nos sobre o comportamento humano. O estudo de vultos da história e sua contribuição para o desenvolvimento da ciência da psicologia só poderá aumentar a nossa compreensão do que faz as pessoas agirem como agem. Por exemplo, nossa compreensão da criatividade científica pode enriquecer-se com o estudo da vida e da obra de personagens criativos da história (Hermann Ebbinghaus é um bom exemplo; seu trabalho é apresentado no Capítulo 4). Podemos ganhar alguma percepção da psicologia da controvérsia e da adesão rígida e dogmática a convicções próprias estudando o comportamento dos cientistas que entraram em amargos debates com seus pares (confira, por exemplo, a polêmica Baldwin-Titchener apresentada no Capítulo 7). Em geral, se todo comportamento humano é reflexo de uma complexa interação do indivíduo com o meio em que vive, então o estudo das vidas das figuras da história sendo influenciadas pelo ambiente e, por sua vez, influindo sobre ele só aumentará a nossa compreensão das forças que afetam o comportamento humano.

QUESTÕES-CHAVE NA HISTÓRIA DA PSICOLOGIA

Segundo uma concepção falsa e muito generalizada da história, os historiadores simplesmente "descobrem o que aconteceu" e depois colocam isso por escrito em ordem cronológica. Conforme você verá nas duas próximas seções deste capítulo, o processo é infinitamente mais complexo. Quando exercem seu ofício, os historiadores precisam avaliar diversas questões importantes e assumir uma posição.

História Velha x História Nova

Em 1980, a APA criou a G. Stanley Hall Lecture Series. Trata-se de uma série de palestras proferidas por psicólogos de destaque, destinadas a contribuir para a instrução dos alunos da graduação informando os professores acerca dos avanços mais recentes das várias subáreas da psicologia. Em 1988, Laurel Furumoto, psicóloga e historiadora do Wellesley College, fez a primeira da série de palestras dedicadas ao ensino de história da psicologia. Seu foco recaiu na distinção entre o que ela denominou história "velha" e história "nova".

De acordo com Furumoto (1989), a velha história da psicologia seria aquela que dá ênfase às realizações dos "grandes" filósofos e psicólogos e concentra-se em celebrar os "estudos clássicos" e as "descobertas revolucionárias". Dentro da área, a preservação e difusão desses "grandes acontecimentos" ajudaram a psicologia a criar uma identidade como disciplina científica respeitável. Os marcos, descritos acuradamente ou não, são passados de um texto de história a outro, já que seus autores costumam recorrer bastante a fontes secundárias (isto é, textos de história anteriores). Além disso, as percepções e realizações pregressas são valorizadas apenas em função do seu poder de "antecipar" alguma ideia ou resultado de pesquisa da modernidade. A pesquisa antiga que não tem validade atual é considerada errada ou curiosa, sendo descartada ou mostrada como exemplo "do quanto progredimos". Assim, do ponto de vista da história velha, o objetivo da história da psicologia é ressaltar e mesmo glorificar a psicologia atual, mostrando como esta surgiu triunfante das obscuras profundezas do seu passado.

Ainda segundo Furumoto, a história velha tende a ser presentista, interna e personalística. A história nova, por outro lado, é mais historicista, externa e naturalística. Examinemos esses conceitos um pouco mais detalhadamente.

Presentismo x Historicismo

Anteriormente, argumentei que uma das razões mais importantes para o estudo da história é a melhor compreensão do que se passa no presente. Esse é, de fato, um argumento válido. Mas, por outro lado, interpretar o passado em termos apenas de conceitos e valores do presente é incorrer no que George Stocking (1965) chamou de **presentismo**. Em editorial publicado no volume de abertura do *Journal of the History of the Behavioral Sciences*, ele opôs o presentismo a uma abordagem denominada **historicismo**. Conforme descreve Stocking, o presentista interpreta os eventos históricos apenas em relação ao conhecimento e aos valores modernos, ao passo que o historicista tenta entender o mesmo evento em termos do conhecimento e dos valores vigentes à época desse evento. Como o historicista procura situar os fatos históricos no contexto geral das épocas em que transcorreram, essa abordagem é por vezes chamada de abordagem contextual da história.

Em termos absolutos, é impossível evitar o pensamento presentista. Nosso pensamento de hoje foi moldado pelas experiências que tivemos, e não podemos simplesmente ignorá-las. Para exemplificar, pensemos em ocasiões nas quais tivemos de tomar a mesma decisão essencial em dois diferentes momentos. Suponha que você acaba de comprar um computador para substituir o que havia comprado cinco anos antes. Agora você poderia dizer para si mesmo: "Mas como é que pude ter tão pouca visão de futuro naquela época? Comprar um computador com um disco rígido de apenas 100MB?" Só que você estaria esquecendo o contexto original em que esse primeiro computador foi comprado, quando um disco de 100MB era tão apropriado quanto um de 100GB é agora. Assim, é fácil criticar o passado quando a base é o conhecimento do presente. Também é fácil pensar que, por ter passado de um disco rígido de 100MB para 100GB, por exemplo, você *progrediu* de algum modo em termos de tomada de decisões. O disco de maior capacidade de fato pode tornar sua vida mais fácil agora (ou seja, houve algum progresso), mas isso não quer dizer de maneira alguma que você seja capaz de tomar decisões melhores agora que há cinco anos. A antiga decisão pode parecer burrice, mas só devido ao que sabemos agora. Naquele momento, ela era uma decisão tão sensata quanto a que você tomou agora. Para entender a decisão antiga, precisamos evitar vê-la à luz do que sabemos agora.

Para ilustrar a questão usando um fato histórico mais complexo que a compra de um computador, pensemos em alguns aspectos da história da testagem da inteligência. Como você vai ver no Capítulo 8, nos anos imediatamente anteriores à Primeira Guerra Mundial, Henry Goddard, um norte-americano encarregado de aplicar testes de inteligência, foi convidado à ilha de Ellis, em Nova York, a fim de colaborar na triagem de imigrantes. Os imigrantes considerados "incapazes" por qualquer razão eram enviados de volta a seus países de origem. Goddard tinha plena convicção de que a inteligência era hereditária e podia ser medida com uma tecnologia absolutamente nova – algo que havia sido criado na França e começava a ser chamado de teste de QI. Goddard usou uma versão desse teste, traduzida por ele do francês, para identificar os imigrantes que fossem "mentalmente deficientes". Ele chegou até a convencer as autoridades de que podia identificar esses imigrantes simplesmente olhando para eles.

Seu trabalho contribuiu para a questionável deportação de um número incalculável de pessoas, e sua conclusão de que grande parte dos imigrantes era formada por "imbecis"* pode ter contribuído para criar o clima que levou o Congresso a decretar cotas de restrição à imigração na década de 1920. Do ponto de vista de hoje, com base em mais ou menos 75 anos de pesquisa, conhecemos os problemas dos testes de QI e sabemos da necessidade de cautela ao aplicá-los e interpretá-los. Por conseguinte, podemos achar difícil acreditar que um homem inteligente como Goddard possa ter sido tão obviamente tendencioso. "O que era que ele estava pensando?", é o que nos perguntamos. Porém, para entender seu comportamento, é necessário estudá-lo do ponto de vista do contexto histórico em que ele ocorreu, e não do presente. Isso implica saber de fatos como (a) a forte influência do pensamento darwinista sobre os responsáveis pela aplicação de testes psicológicos à época, que os predispunha facilmente a crer que a inteligência era um traço selecionado pela natureza e que permitia a uma espécie fisicamente fraca (como a humana) adaptar-se ao meio ambiente durante a "luta pela sobrevivência", sendo portanto herdada, (b) o medo da nação de ver-se invadida por imigrantes (a imigração em larga escala era um fenômeno novo à época) e (c) o pressuposto, ainda não colocado em questão por coisas como bombas atômicas e aerossóis, que atacam a camada de ozônio, de que toda nova tecnologia (como os testes de QI) que tivesse o selo de aprovação da "ciência" tinha de ser boa. A lista poderia ir adiante, mas o ponto está claro. O trabalho de Goddard não pode ser avaliado com justiça pelos padrões modernos; ele só pode ser compreendido no contexto de sua época. Por outro lado, seu trabalho tem relevância para nós no presente. Conhecendo-o, pode-

---

* Goddard propôs a utilização do termo *moron*, equivalente a "imbecil", para definir uma subcategoria da "debilidade mental". (N. da T.)

mos (a) compreender melhor a moderna inquietude diante da imigração, (b) informar-nos sobre a sutil influência do racismo e outras formas de intolerância, mesmo em pessoas inteligentes, e (c) acautelar-nos devidamente com relação às supostas maravilhas propiciadas pelas novas tecnologias atuais.

O episódio Goddard ilustra o quanto é difícil evitarmos a perspectiva presentista. Afinal de contas, somos produto de nossa história individual e talvez nos seja impossível pensar como se não conhecêssemos a MTV, os computadores, a Segunda Guerra Mundial ou os eventos de 11 de setembro de 2001. Contudo, tanto para o historiador quanto para o leitor de história, é importante estar pelo menos consciente dos riscos de uma visão estritamente presentista da história e buscar constantemente entender os episódios da história em seus próprios termos. É preciso reconhecer, como afirma o historiador Bernard Baylin (Lathem, 1994), que "o passado é não apenas distante, mas diferente" (p. 53). Baylin observa que o maior obstáculo à superação do presentismo (ou "anacronismo", como prefere chamá-lo) é "a superação do conhecimento do desfecho. Esse é um dos grandes impedimentos que enfrenta uma história verdadeiramente contextualizada" (p. 53). No que se refere à possibilidade de ir além do conhecimento dos desfechos e superar o raciocínio presentista, ele tem a seguinte sugestão:

> É preciso de algum modo recapturar a ignorância que os contemporâneos tinham do futuro e incluí-la no quadro da narrativa [...]. Devemos frisar as contingências – buscar os acidentes da época e tentar evitar atribuir o heroísmo ou a vilania, que então eram imprecisos, mas que acabaram sendo determinados por desfechos posteriores. E, se possível, fazemos um relato empático dos perdedores. Quando conseguimos, até certo ponto, ver os perdedores com empatia, podemos superar – ao menos um pouco – o conhecimento do desfecho (pp. 53-4).

Fechemos esta seção com um exemplo de escrita presentista que encontrei ao ler uma biografia de *Sir* Isaac Newton (White, 1997). Um dos maiores interesses de Newton era a alquimia, a busca de um meio de produzir ouro a partir de outros metais. Ao descrever o interesse pelo tema de um dos predecessores de Newton, Paracelso (famoso, por sua vez, na história da medicina), o autor diz que "[c]omo muitos outros alquimistas, ele tinha uma fixação estereotípica em encontrar o inatingível e obter o impossível, tendo viajado por toda a Europa em busca dos segredos dos antigos, desperdiçando muito do seu talento e todo o dinheiro que ganhava" (p. 120). Esse é um bom exemplo do ponto de vista de quem conhece o desfecho (a alquimia fracassou), além de ignorância da importância da alquimia para a história da ciência e do contexto histórico que, por algum tempo, viu na alquimia um esforço digno de respeito.

História Interna x História Externa

Histórias da psicologia são muitas vezes escritas por psicólogos que desejam traçar o desenvolvimento de teorias do comportamento defendidas por psicólogos diversos, com base em pesquisas realizadas por psicólogos. Esse tipo de abordagem é conhecido como **história interna**: o que é descrito se processa inteiramente dentro da disciplina da psicologia (é "interior a" ela). Essa abordagem tem o mérito de fornecer descrições detalhadas da evolução da teoria e da pesquisa, mas deixa de lado as influências exteriores à psicologia que, apesar de tudo, influenciaram a disciplina. A **história externa** detém-se sobre essas influências.

As histórias internas são muitas vezes chamadas de histórias das ideias. Costumam ser escritas por pessoas com formação na disciplina em foco, que tendem a ser também pessoas com pouca ou nenhuma experiência na área da história *per se*. Essas histórias voltam-se para dentro, concentrando-se no desenvolvimento das ideias em detrimento do mundo em que este se deu. As histórias externas, por sua vez, adotam um ponto de vista mais amplo, analisando as influências sociais, econômicas, institucionais e extradisciplinares. A história que é exclusivamente interna é estreita porque perde a riqueza do contexto histórico, ao passo que a história excessivamente externa deixa de propiciar uma compreensão adequada das ideias e contribuições das figuras-chave de uma disciplina. É necessário um equilíbrio.

A interação entre a história interna e a história externa é bem demonstrada na história da psicologia comparada, o estudo do comportamento animal feito com base na evolução. Ela desenvolveu-se na segunda metade do século XIX, basicamente em razão do interesse em demonstrar a continuidade das espécies conforme implicava a teoria darwiniana da evolução. Um dos interesses dos primeiros psicólogos comparatistas era determinar até que ponto outras espécies demonstravam possuir consciência. Do ponto de vista da história interna, os alunos aprendem que os psicólogos comparatistas que se debruçaram sobre a questão contribuíram para fazer a transição da psicologia como estudo da consciência para a psicologia como o estudo do comportamento. Por quê? Porque o estudo do comportamento animal, mesmo que o interesse fosse a compreensão da "consciência animal", requer o desenvolvimento de procedimentos (por exemplo, a aprendizagem em labirinto) que envolvem a medição objetiva de comportamentos observáveis. John B. Watson, geralmente considerado o fundador do behaviorismo como escola de pensamento (consulte o Capítulo 10), se familiarizou com a pesquisa no universo da psicologia comparada e viu como os métodos para o estudo dos animais poderiam ser aplicados também ao estudo dos seres humanos. Assim, aparentemente há uma progressão lógica entre (a) ter de usar métodos behavioristas para o estudo de animais e (b) ver que esses métodos poderiam ser usados também para o estudo de seres humanos. Na pesquisa de Watson, por exemplo, há uma mudança gradual do estudo do comportamento animal para o do comportamento humano. Além disso, outros comparatistas da época, especialmente Robert Yerkes, promoveram uma transformação semelhante, partindo do estudo dos animais para o das pessoas.

Há uma certa verdade nessa história interna da psicologia comparada. O próprio Watson afirmou que seu sistema de behaviorismo foi antes de mais nada uma evolução do seu trabalho com animais. Mas, ainda assim, a plena compreensão do impacto da psicologia comparada exige o conhecimento de alguns dos fatores externos que levaram os pesquisadores a deixar de estudar animais para estudar seres humanos. Considere, por exemplo, o contexto institucional. Nos primeiros anos do século XX, a psicologia experimental era relativamente nova, e os psicólogos normalmente estavam lotados nos departamentos de filosofia. Na luta por uma fatia adequada do bolo do orçamento, os psicólogos tiveram necessidade de justificar os custos de seus laboratórios. Os membros mais antigos desses departamentos, geralmente da área de filosofia, às vezes não se deixavam convencer facilmente. Uma das saídas foi demonstrar a utilidade do conhecimento psicológico na solução de problemas práticos. Por exemplo, às vezes se argumentava que os frutos da pesquisa em psicologia poderiam ser aplicados à melhoria do ensino. Essa questão da demonstração da utilidade já era difícil o bastante para os pesquisadores que estudavam os seres humanos em seus laboratórios; para os psicólogos comparatistas que estudavam outras espécies, era ainda mais árdua. Seus argumentos em defesa de sua pesquisa eram ainda mais difíceis de sustentar. Além disso, havia um problema específico inerente a seus interesses de pesquisa – os laboratórios em que trabalhavam eram uma agressão ao olfato. O mau cheiro e a falta de ar-condicionado relegaram muitos laboratórios a cantos obscuros dos *campi* (O'Donnell, 1985). Para muitos, então, o desejo de melhorar o *status* institucional foi um dos principais

CLOSE-UP:
Edwin G. Boring (1886-1968)

É uma pena que o sobrenome do mais famoso historiador da psicologia permita aos alunos uma infeliz associação com o tópico geral da história. Na verdade, a escrita de E. G. Boring é viva e elegante. Nos últimos anos, sua versão da história da psicologia tem sido criticada, mas também é verdade que os historiadores da psicologia devem muito ao trabalho histórico pioneiro de Boring.

Quando ainda estudava engenharia na Cornell University, Boring teve o primeiro contato com a psicologia no outono de 1905, ao fazer um curso eletivo de fundamentos da psicologia, dado pelo grande E. B. Titchener (Capítulo 7). Ele descreveu as palestras como "mágicas, tão grande era seu impacto que até os meus colegas de quarto exigiam, cada dia em que havia aula, que eu lhes contasse o que havia sido dito" (Boring, 1961b, p. 18). No entanto, àquela altura Boring ainda não havia se convertido e continuou seu curso de engenharia, alcançando o grau de mestre em 1908. Depois de dois anos de sucesso mínimo como engenheiro de uma siderúrgica e professor secundário, ele voltou a Cornell e recebeu de Titchener um Ph.D. em 1914. Durante a permanência em Cornell, suas pesquisas abarcavam: (a) a aprendizagem humana de labirintos, pesquisa ao longo da qual conheceu e apaixonou-se por um dos sujeitos observados, Lucy May, colega de doutorado com quem viria posteriormente a se casar (falecida em 1996 aos 109 anos); a regeneração nervosa, estudada de maneira direta e um tanto drástica (cortou um nervo do próprio braço e rastreou sua recuperação); (c) os processos de aprendizagem dos esquizofrênicos e (d) o tópico de sua tese, a sensibilidade visceral. Boring a estudou aprendendo a engolir um tubo estomacal até atingir diferentes profundidades e, em seguida, administrando-se diferentes substâncias por meio desse tubo e anotando os (geralmente desagradáveis) efeitos sensoriais (Jaynes, 1969b). Ninguém jamais poderá acusar Boring de não se haver envolvido com o próprio trabalho!

Depois de terminar o doutorado em Cornell e ali permanecer um breve período como monitor, Boring serviu na Primeira Guerra Mundial como membro do programa de testagem de QI no exército (consulte o Capítulo 8) e lecionou outro breve período na Clark University até decidir-se, em 1922, por Harvard. Em Harvard, onde permaneceu até o fim da sua vida acadêmica, Boring dedicou-se na primeira década a construir o laboratório e a tentar convencer as autoridades de que a psicologia deveria ser um departamento separado do de filosofia, o que só viria a acontecer em 1934. Foi durante os anos de 1920 que ele escreveu a famosa *History of Experimental Psychology* (1929), em parte para levar adiante a briga política com os filósofos e administradores de Harvard e em parte para incrementar a pesquisa básica na psicologia experimental, num momento em que a maioria dos psicólogos norte-americanos estava interessada na psicologia aplicada (O'Donnel, 1979).

Nos anos em que esteve em Clark e Harvard, os hábitos de trabalho de Boring, como os de Titchener, tornaram-se lendários. Em suas próprias palavras,

[...] meus amigos, meus filhos e meus alunos sabem o quanto defendi a semana de 84 horas e o ano de cinquenta semanas (o ano de quatro mil horas de trabalho) e o quanto censurei os acadêmicos de quarenta horas, que tiram longas férias do trabalho no verão. Não tenho *hobbies*, a não ser por uma oficina em meu porão. Minhas férias nunca deram certo, até que consegui um estúdio com uma máquina de escrever e pude responder oito cartas por dia e escrever os *papers* que me aguardavam. (Boring, 1961b, p. 14)

Também na tradição de Titchener, Boring deu o curso de introdução à psicologia, na convicção de que o primeiro contato de um aluno com a psicologia deveria ser por meio do mestre. Ele tornou-se inclusive um pioneiro do videocurso: 38 programas de meia hora no canal WGBH, da TV educativa de Boston, mostraram Boring demonstrando, ao longo do ano de 1960, diversos fenômenos, mas basicamente sentando-se "na beira da mesa e falando de modo amigável, entusiasta e paternal às luzes vermelhas da câmara que estivesse no ar" (Boring, 1961b, p. 77; Figura 1.2).

Vimos que a Seção 26 da APA, estabelecida em 1965, elegeu Robert Watson como primeiro presidente. Segundo Hilgard, isso só ocorreu após Boring haver-se recusado a concorrer ao cargo, concordando apenas em ser nomeado "presidente honorário". A progressiva surdez de Boring o manteve afastado do encontro inaugural da seção na convenção de 1966 da APA, mas ele enviou uma introdução escrita ao discurso de posse de Watson, em que se descrevia como "o fantasma do Passado da História, quando o interesse na história da psicologia ainda não havia atingido o vigor de hoje" (Hilgard, 1982, p. 310). Os historiadores da psicologia de hoje devem muito ao exemplo de Boring.

FIGURA 1.2 Ensinando as massas: E. G. Boring no canal educativo (foto extraída de Boring, 1961b).

móveis na mudança da psicologia animal para a humana.

A experiência de Robert Yerkes ilustra o problema dos pesquisadores de animais. Psicólogo comparatista brilhante da Harvard University na virada do século, ele a princípio viu-se incentivado a dedicar-se a essa pesquisa, principalmente por razões políticas. Harvard queria manter sua posição de prestígio no mundo acadêmico, e isso implicava sair-se bem na disputa com jovens concorrentes, como a Clark University, situada a 60 quilômetros, em Worcester. Clark havia instituído um programa forte em psicologia comparada, Harvard não podia ficar para trás e Yerkes foi o escolhido para carregar a tocha. Mas ele logo descobriu que seu trabalho não era muito valorizado em um departamento no qual trabalhavam três dos mais famosos filósofos dos Estados Unidos: Josiah Royce, Charles S. Peirce e William James. Ele não era promovido, enfrentava dificuldades para garantir espaço para o laboratório e, à medida que os anos iam passando, percebia que seu trabalho com animais era considerado irrelevante. Para ser promovido, teria de dedicar-se mais "ao lado humano". E foi o que acabou fazendo, primeiro escrevendo um livro-texto para a graduação que destacava a psicologia experimental humana e, depois, embarcando no caso de amor da psicologia com a testagem da inteligência (O'Donnell, 1985). Assim, para entender por que alguns psicólogos abandonaram o estudo de animais em favor do estudo de seres humanos, é necessário conhecer mais que apenas as ideias que estavam sendo debatidas dentro da disciplina.

História Personalística x História Naturalística

Além das distinções presentista/historicista e interna/externa, precisamos estabelecer mais uma antes de retornar à história velha x história nova de Furumoto. Essa distinção é a que existe entre a história personalística, aquela que vê nos atos dos personagens históricos o mais importante motor da história, e a história naturalística, a que enfatiza o clima intelectual e cultural de uma determinada época histórica, algo que o filósofo alemão Hegel chamou de *Zeitgeist*.

Segundo a **história personalística**, antigamente chamada de teoria do "Grande homem", os fatos históricos importantes resultam dos atos heroicos (ou maléficos) de indivíduos e, sem esses indivíduos, a história seria muito diferente. Essa abordagem muitas vezes é associada ao historiador e ensaísta do século XIX Thomas Carlyle, cujo "On Heroes, Hero Worship and the Heroic in History", escrito em 1840, é quase sempre lembrado por esta afirmação: "A história do que o homem atingiu neste mundo é no fundo a história dos grandes homens que aqui realizaram sua obra" (citado por Boring, 1963a, p. 6). De acordo com essa visão, pessoas como Newton, Darwin e Freud mudaram o curso da história da ciência. Sem eles, a história teria sido completamente diferente. Desse ponto de vista, o método preferencial de escrita da história é a biografia e, graças a essa abordagem, criam-se os assim chamados **epônimos** (Boring, 1963a). Ou seja, os períodos históricos são associados aos indivíduos cujos atos são considerados críticos à formação dos fatos. Assim, lemos sobre a física newtoniana, a biologia darwiniana e a psicologia freudiana.

A abordagem personalística tem apelo intuitivo. Embora o mais famoso historiador da psicologia, Edwin G. Boring (apresentado no *Close-Up*), preferisse o modelo naturalístico da história, argumentando que "a [h]istória é regular e contínua", ele admitia que os grandes vultos "são os nossos pontos de apoio nas regularidades" (Boring, 1963b, p. 130). Para Boring, a persistência da abordagem personalística da história decorre de diversos fatores, entre os quais a necessidade humana de heróis e a necessidade que os cientistas têm de ser reconhecidos por seus árduos esforços (quem quer abolir o prêmio Nobel de ciência?). O mais importante é que, se é regular e contínua, a história é também imensamente complexa. Na tentativa de entendê-la, procuramos reduzir a complexidade a dimensões compreensíveis. De uma forma mais geral, um processo cognitivo universal, essencial à obtenção da compreensão, consiste em organizar a informação em categorias. Nossa capacidade de recuperar da memória conceitos como inconsciente freudiano e condicionamento pavloviano é facilitada pela utilização de epônimos.

A alternativa à história personalística é a **história naturalística**, abordagem que enfatiza as forças históricas que atuam sobre o indivíduo. O romancista russo Leon Tolstói foi um dos famosos defensores dessa abordagem determinista. Um de seus objetivos ao escrever o épico *Guerra e Paz* foi demonstrar que a história é movida por forças que estão além do controle das pessoas. Para ele, os assim chamados "grandes homens", como Napoleão, eram na verdade meros agentes de causas históricas maiores que eles mesmos. No Livro IX de *Guerra e Paz*, Tólstoi se refere a reis e generais como escravos da história: "Cada um de seus atos, que a eles parece um ato de sua própria vontade é, no sentido histórico, involuntário e está relacionado a todo o curso da história e predestinado desde a eternidade" (Tolstói, 1942, p. 671).

Entre os psicólogos, Boring foi quem mais promoveu a visão naturalística da história. Especialmente em seus últimos anos, ele defendeu o conceito do *Zeitgeist*, tanto na segunda edição de sua famosa *History of Experimental Psychology* (1950) quanto em diversos ensaios. Para Boring, a compreensão da história significava a compreensão das forças históricas que influenciaram os homens e mulheres que viveram numa determinada época. Embora não negasse o gênio de Darwin, por exemplo, Boring argumentava que o conceito da evolução era comum no século XIX e transcendia a mera biologia (aplicava-se também à geologia, por exemplo). Se não fosse Darwin, outra pessoa teria proposto uma teoria da evolução biológica. E, com efeito, a teoria de Darwin foi por algum tempo chamada de teoria da evolução de Darwin-Wallace, em reconhecimento a Alfred Russell Wallace, contemporâneo de Darwin que desenvolveu independentemente uma teoria praticamente igual (consulte o Capítulo 5 para conhecer melhor essa interessante história). Um grande cientista pode influir e influi sobre os fatos, mas o foco exclusivo sobre o indivíduo deixa sem resposta a questão de como este foi afetado pelo mundo em que viveu.

Em respaldo ao conceito de *Zeitgeist*, Boring sustentava que existem dois tipos de fatos históricos. No primeiro, chamado de **múltiplo** pelo historiador Robert Merton (1961), duas ou mais pessoas fazem independentemente a mesma descoberta mais ou menos ao mesmo tempo. A codescoberta da seleção natural por Darwin e Wallace num momento em que o pensamento evolucionário estava "no ar" é um exemplo. O avô de Darwin, Erasmus Darwin, é um exemplo do segundo tipo: a descoberta ou teoria que é considerada "à frente de seu tempo". Como o neto mais famoso, Erasmus desenvolveu uma teoria da evolução, mas o fez no século XVIII, quando a crença na imutabilidade das espécies (ou seja, cada espécie seria criada por Deus em sua forma final e não mudaria com o tempo) era ainda mais forte que no século XIX.

Mas o recurso ao *Zeitgeist* como modo de explicar a história pode ser problemático. Por exemplo, o observador acrítico pode ver-se tentado a *reificar* (isto é, dar uma existência concreta e separada a uma abstração) o conceito e considerá-lo uma força controladora independente dos vultos da história que na verdade lhe dão sentido. Ou seja, em resposta à pergunta: "Por que ocorreu o fato X, em vez do fato Y, no momento Z?", ele poderia dizer: "Por causa do espírito da época". Só que essa resposta dificilmente explica os fatos em questão. O conceito de *Zeitgeist* convida-nos a examinar as atitudes, valores e teorias existentes na época em que transcorre o fato a ser explicado, mas não existe por si só como agente direcionador misterioso. Como observa a historiadora Dorothy Ross, (1969) com relação à história da psicologia da educação:

Já se disse, por exemplo, que James, Dewey, Hall, Thorndike, Cattell, Galton e Darwin não foram necessários ao rápido desenvolvimento da psicologia da educação nos Estados Unidos, pois essa era a tendência do *Zeitgeist*. Mas o certo é que só sabemos como de fato *era* esse espírito pelo modo como James, Hall, Cattell, Darwin e outros se comportaram. Se eles não tivessem pensado e agido do modo como agiram, tampouco o *Zeitgeist* que eles personificam seria o mesmo. (p. 257, itálico no original)

Assim, a visão equilibrada da história reconhece as complexas inter-relações entre as pessoas e o ambiente em que atuam. Os personagens históricos que você está para conhecer foram todos produtos do mundo em que viveram, mas também tomaram decisões que contribuíram para formar e transformar o contexto histórico em que estavam inseridos. Wallace pode ter sido inspirado a escrever um estudo propondo uma teoria da evolução equivalente em essência à de Darwin, mas não é coincidência que o termo evolução seja associado a Darwin e não a Wallace. Foi Darwin quem investiu anos de pesquisa examinando as complexidades de diversas espécies, assim como também foi ele quem deu prosseguimento aos escritos iniciais com os textos monumentais que levaram a evolução a seu pleno desenvolvimento.

O Ponto de Vista Deste Livro

Esta seção do capítulo começou com uma referência à distinção proposta por Furumoto entre a velha e a nova história. As abordagens presentistas, internas e personalísticas geralmente andam juntas e constituem o que ela chama de velha história da psicologia. Trata-se de uma história que interpreta os eventos apenas do ponto de vista do presente, concentrando-se no desenvolvimento das ideias no interior de uma determinada disciplina, e vê o progresso como reflexo das realizações sequenciais de pessoas importantes. A nova história da psicologia, por sua vez, alia as abordagens his‑ toricista, externa e naturalística, na tentativa de analisar os fatos históricos em seus próprios termos, em relação às épocas em que transcorreram. Ela procura identificar a influência de forças extradisciplinares e ver além dos grandes homens e mulheres, no intuito de analisar os fatores contextuais que deram origem a suas ideias. Furumoto observa ainda que a nova história recorre a dados encontrados mais em arquivos e fontes primárias que em fontes secundárias, sendo mais criticamente analítica que cerimoniosa e apologista.

A descrição da nova história da psicologia fornecida por Furumoto propicia aos historiadores da psicologia que conduzem pesquisas um conjunto muito claro de diretrizes relativas a como prosseguir. A melhor pesquisa histórica publicada hoje em dia é aquela que é historicista, externa e naturalística. Para o autor de um livro-texto e o professor de um curso de história da psicologia, contudo, as prescrições já não são tão claras. Como observa Dewsbury (1990) numa resenha de diversos textos de história da psicologia, é importante distinguir entre "a pesquisa acadêmica destinada a colegas e [...] livros-textos destinados a alunos principiantes" (p. 372). No segundo caso, os ideais da nova história precisam ser incorporados ao curso, mas devem ser pesados em relação à necessidade de informar os alunos acerca de conteúdos relevantes ao currículo de psicologia. Este livro apresenta uma história da psicologia que se inclina em direção aos valores adotados por Furumoto, mas é importante lembrar que o curso ao qual ele se destina é não apenas um curso de história, mas também um curso de psicologia. Portanto, enquanto é importante compreender o trabalho de Pavlov dentro do clima histórico da Rússia do início do século XX, é importante compreender também os vários fenômenos clássicos de condicionamento que ele investigou e como esse trabalho se relaciona ao behaviorismo norte-americano e à pesquisa mais recente do condicionamento. Enquanto é importante compreender a influência do contexto insti‑

tucional sobre o destino dos que, como Yerkes, dedicavam-se à psicologia comparada, também é importante para o aluno de psicologia conhecer a pesquisa com animais que Yerkes teve condições de conduzir. E, embora a história puramente personalística possa degenerar em meros relatos curiosos e subestimar as complexidades dos fatos históricos, também é verdade que é interessante estudar as pessoas e que as informações biográficas podem aumentar a compreensão do comportamento humano no aluno de psicologia.

Este livro adotará então o seguinte posicionamento:

presentista............•....................historicista
interno..................•....................externo
personalístico......•....................naturalístico

Ou seja, a única tendência forte será a de (tentar) evitar as interpretações presentistas. Nas demais dimensões da história velha e da história nova, este livro mescla (a) as diversas ideias, pesquisas e teorias que constituem a história interna da psicologia e o contexto histórico externo em que estas se desenvolveram a (b) relatos acerca das pessoas que fizeram a história da psicologia e das características mais importantes das épocas em que elas viveram.

HISTORIOGRAFIA: FAZER E ESCREVER A HISTÓRIA

A definição mais simples de **historiografia** provém das origens da própria palavra: significa escrever a história. Mas o termo vai muito além da escrita de narrativas históricas. A historiografia refere-se também a questões teóricas como as que acabam de ser descritas e aos métodos que os historiadores utilizam ao realizar a pesquisa histórica. Embora o principal objetivo deste livro seja informá-lo acerca da história da psicologia, um dos objetivos secundários é permitir-lhe uma maior percepção do comportamento profissional dos historiadores. Ou seja, analisaremos os tipos de dados que têm interesse para os historiadores e os problemas que enfrentam ao realizar seu trabalho.

Fontes de Dados Históricos

Os historiadores da psicologia, principalmente aqueles que escrevem livros-textos, muitas vezes recorreram a fontes secundárias para redigir seus textos. A **fonte secundária** é qualquer documento publicado, em geral, uma análise ou resumo de algum personagem, fato ou período histórico. Entre essas fontes estão livros e artigos publicados em jornais, revistas, enciclopédia, e coisas semelhantes. Todavia, os pesquisadores da história da psicologia cada vez mais recorrem a **fontes primárias** de informação, encontradas geralmente em arquivos. O **arquivo** normalmente é uma área dentro da biblioteca de uma universidade onde se guardam informações não publicadas. Essa fonte primária abarca registros da universidade como correspondência, diários, discursos, atas de reuniões de organizações profissionais e artigos doados por indivíduos ligados de alguma maneira à universidade. Além desses arquivos universitários, os historiadores de psicologia muitas vezes encontram material de fontes primárias nos arquivos da Biblioteca do Congresso, em Washington D.C., na Biblioteca do British Museum, em Londres, e principalmente nos Archives of the History of American Psychology (AHAP), na University of Akron, em Akron, Ohio. Em geral, esse material é constituído por itens escritos ou criados mais ou menos no momento do fato histórico, ao passo que o material proveniente de fontes secundárias é escrito algum tempo depois do fato e destina-se a resumi-lo ou analisá-lo.

Como mencionado anteriormente, a fundação dos AHAP em 1965 por John Popplestone e Marion McPherson (Figura 1.3) fez parte de uma série de eventos decorrentes do empenho de Robert I. Watson em fomentar o interesse pela história da psicologia. Aos 40 anos de sua fundação em 2005, o acervo dos AHAP abriga documentos de mais de 750

FIGURA 1.3 Marion White McPherson e John Popplestone, dos Archives of the History of American Psychology, University of Akron (Cohen, 1991).

psicólogos (por exemplo, Abraham Maslow e Henry Goddard) e organizações (por exemplo, a seção 26 da APA, dedicada à história), mais de mil itens originais provenientes da parafernália de laboratórios, aproximadamente 20 mil fotografias e 6 mil filmes e mais de 15 mil testes psicológicos.

O que você imaginaria encontrar num lugar como os AHAP? Lá se encontra de tudo. Pesquisando os registros de uma organização profissional, por exemplo, você provavelmente encontraria listas de membros e de sua correspondência, atas de reuniões, rascunhos de comunicados e coisas semelhantes. Ao examinar os documentos de um determinado psicólogo, você poderia encontrar (a) a correspondência dele com outros psicólogos, (b) diários e/ou agendas pessoais, (c) apontamentos de aulas, palestras e programas de cursos, (d) protocolos de laboratórios, desenhos de aparelhos, resumos de dados e outras informações relativas a laboratórios, (e) primeiras versões de escritos que posteriormente se tornariam fontes secundárias, (f) fotos e filmes de pessoas, lugares e equipamentos de pesquisa e (g) atas de reuniões profissionais de que esse psicólogo participou. E também há surpresas. Por exemplo, os AHAP abrigam os documentos do psicólogo experimental Walter Miles. Só que, ao chegarem ali, além do usual, junto havia também um tijolo que Miles guardou da construção de um novo laboratório. Um caso ainda mais espantoso foi relatado em *Civilization*, uma revista publicada pela Biblioteca do Congresso. Um pesquisador estava estudando o médico vienense novecentista (Carl Koller), que havia feito experimentos com o uso da cocaína como anestésico na cirurgia ocular. Uma das pastas continha um pequeno pacote no qual havia, adivinhe, uma amostra do pó branco. As autoridades federais foram chamadas para remover a droga, mas o envelope continua no acervo do arquivo. O rótulo diz o seguinte: "Resto da 1ª dose de cocaína, que usei nos primeiros experimentos com cocaína em agosto de 1884. Dr. Koller" ("A Stash", 1996, p. 15).

Como o pesquisador interessado na história da psicologia descobre os arquivos que deve contatar ou visitar ao iniciar um projeto? Por ter um acervo tão grande, os AHAP são um bom começo. Mesmo que não sejam o principal repositório em termos dos documentos da pessoa enfocada, os AHAP podem ter alguma correspondência dela. Outro bom ponto de partida é a universidade em que essa pessoa trabalhou. Em terceiro lugar, há fontes bibliográficas. A mais conhecida é *A Guide to Manuscript Collections in the History of Psychology and Selected Areas* (Sokal e Rafail, 1982). Suponhamos que você se interesse pelo trabalho do pesquisador de QI Henry Goddard, por exemplo. Esse guia fornece uma breve descrição do conteúdo dos documentos de Goddard, que, por coincidência, estão guardados nos AHAP. Ele menciona ainda outros materiais acerca de Goddard nos documentos de Edgar Doll e Emily Stogdill, também mantidos nos AHAP, e nos documentos do psicólogo desenvolvimentista Arnold Gesell, na Biblioteca do Congresso.

Os historiadores recorrem também ao próprio conhecimento geral para sua pesquisa. Por exemplo, há alguns anos interessei-me por Edmund Clark Sanford (1859-1924), primeiro diretor do laboratório de psicologia da Clark University (Goodwin, 1987). Naturalmente, Clark seria então o ponto de partida para a pesquisa. Depois de entrar em contato com o arquivista de lá e fazer duas visitas, coletei algumas informações, mas não muitas. Sanford talvez não gostasse muito de guardar papéis ou, em caso contrário, o material não estava em Clark. Alguns dos registros da universidade foram úteis, porém, na determinação de coisas como compras de laboratório, e os documentos do psicólogo e reitor da universidade, G. Stanley Hall, acrescentaram alguns dados adicionais, entre os quais uma descoberta emocionante – uma série de fotos tiradas no laboratório em 1892, várias das quais são reproduzidas em capítulos posteriores deste livro. Muitas delas mostram (ou, mais provavelmente, simulam) experimentos em progresso, permitindo assim um vislumbre de como se fazia pesquisa em psicologia naquela época. Pesquisando fontes secundárias, soube de outros psicólogos contemporâneos de Sanford e descobri em seus obituários que ele era muito amigo de E. B. Titchener, de Cornell, e Mary Calkins, de Wellesley (Sanford faleceu de um ataque cardíaco em 1924 quando estava a caminho justamente de Wellesley para dar uma palestra). Uma visita a Wellesley e duas a Cornell resultaram em mais informações. Os documentos de Titchener foram especialmente úteis – ele aparentemente guardava tudo. Escrevi também para dezenas de outros arquivos que julguei poderem ter material escrito por Sanford a colegas. Recebi cópias de uma ou outra carta. Ao mesmo tempo, li tudo que Sanford publicou (não muito, na verdade) e qualquer outra coisa que pudesse lançar alguma luz tanto sobre ele quanto sobre o mundo em que vivera.

Problemas na Escritura da História

A jornada desde a visita a um arquivo até a publicação de um ensaio ou livro é longa, muitas vezes tediosa, algumas vezes emocionante, mas nunca fácil. Ao longo do caminho, o historiador enfrenta duas grandes dificuldades. Em primeiro lugar, os problemas relativos à coleta dos dados. Ele precisa avaliar a validade desses dados e selecionar um subconjunto, que é o que será incluído na narrativa histórica. O segundo problema diz respeito à escritura da história. Os historiadores são humanos e, por isso, sua interpretação dos dados é um reflexo de suas crenças, de suas teorias sobre a natureza da história e, potencialmente, de tendenciosidades não analisadas.

Problemas na Seleção de Dados

Os historiadores em geral coletam muito mais informações do que as que utilizam para construir sua narrativa histórica. Por conseguinte, eles precisam julgar a adequação e a relevância dos dados que têm em mãos e selecionar uma amostra, descartando o restante. Às vezes, embora eles possam encontrar muitos dados na visita a um arquivo, faltam informações importantes, o que lhes complica ainda mais a vida. Por exemplo, Titchener e Sanford escreviam-se com frequência, mas só o primeiro guardou a correspondência. Os documentos de Titchener contêm centenas de cartas de Sanford, mas nos de Sanford não há *nenhuma* de Titchener. Ao tentar montar a relação entre os dois, o historiador obtém apenas metade da história.[3] Outro exemplo diz respeito a Walter Miles, psicólogo experimental de Stanford, que certa vez escreveu um artigo sobre a criação de labirintos quando esta ainda estava nos primórdios (Miles, 1930). Nesse artigo, ele incluiu excertos de cartas que recebeu de alguns dos pioneiros na área (por exemplo, Willard Small, que fez o pri-

---

3. Na verdade, mais da metade: a partir de 1910, aproximadamente, Titchener começou a fazer e guardar cópias das cartas que enviava.

meiro estudo sobre a aprendizagem dos ratos em labirintos). Porém entre os documentos de Miles guardados nos AHAP não existe nenhuma correspondência relacionada ao artigo sobre a história dos labirintos. Esse fato causa surpresa, tendo em vista o tamanho do acervo de Miles, mantido em 128 caixas; só o inventário tem 756 páginas (Goodwin, 2003).

Às vezes informações que ajudariam o historiador se perdem devido ao que no jargão de seguros é chamado de catástrofe natural. Por exemplo, depois de um minucioso rastreamento dos descendentes de Mary Whiton Calkins, Laurel Furumoto, a primeira mulher a presidir a APA, descobriu que muitos de seus documentos haviam sido confiados a seu irmão mais novo. Infelizmente, ele os colocou no porão de sua casa, onde foram destruídos pela inundação que sucedeu a um furacão que devastou a Nova Inglaterra em 1938 (Furumoto, 1991).

Também é possível que dados importantes se percam intencionalmente. Em seu último ano de vida, John Watson, o fundador do behaviorismo, queimou todos os rascunhos, apontamentos e cartas que guardava. Segundo seu biógrafo, quando "sua secretária protestou contra o que seria uma perda para a posteridade e a história, Watson respondeu apenas: 'Quando se morre, deve-se morrer por inteiro'" (Buckley, 1989, p. 182). Sigmund Freud fez o mesmo em duas ocasiões distintas, em parte para dificultar a descoberta das fontes de suas ideias (o Capítulo 12 menciona um desses episódios).

Além de dados que faltam, algumas informações podem ser mantidas em sigilo pelo responsável e, assim, tornar-se inacessíveis ao historiador. Isso poderia acontecer até mesmo a alguém da estatura de E. G. Boring. Em carta a John Popplestone, dos AHAP, ele afirma que, mesmo sendo um historiador famoso e professor de Harvard, haviam-lhe impedido acesso a certos documentos dos arquivos de Harvard. Em suas palavras,

Em geral confio nos arquivistas de Harvard. Isso porque negaram-me, gentilmente, acesso a certas coisas que não são da minha conta, pois sou professor de lá. Seja como for, não posso chegar perto de certos arquivos de William James. (Popplestone, 1975, p. 21)

Além de lidar com informações perdidas ou incompletas, o historiador deve analisar a adequação dos dados disponíveis. Sabemos que a descrição de fatos cotidianos por testemunhas oculares às vezes é bastante errada e que o relato de duas testemunhas pode diferir drasticamente. Se essa falta de fidedignidade pode ser facilmente demonstrada nos laboratórios de psicologia do fim do século XX, podemos dizer com segurança que a mesma falta de fidedignidade se verifica nos relatos de testemunhas oculares de eventos históricos da psicologia. Um bom exemplo disso ocorreu com E. G. Boring. Enquanto preparava uma história dos experimentalistas de Titchener, um grupo de pesquisadores que se encontravam anualmente para discutir seu trabalho (consulte o Capítulo 7), Boring lançou um apelo, escrevendo aos colegas que haviam participado dessas reuniões, para que lhe dessem seus depoimentos. Houve inúmeras discrepâncias, inclusive uma engraçada, de um colega que relatou a Boring em detalhes uma conversa que tivera num jantar com Hugo Münsterberg, de Harvard, no encontro de 1917 em Harvard. Boring respondeu ao amigo lembrando-lhe gentilmente que Münsterberg havia falecido em 1916 (Goodwin, 2005). Em geral, toda descrição autobiográfica está sujeita a lapsos de memória.

As informações encontradas no diário ou na correspondência de uma pessoa também podem ter valor questionável. O remetente da carta estaria apresentando uma percepção fundamentada sobre a personalidade de um colega ou simplesmente repetindo fofocas cruéis e infundadas? Quando o autor do diário descreve uma reunião como uma perda de tempo, seria essa a mesma opinião dos demais participantes? Poderiam as cartas e diários ter sido escritos com parcialidade pelo fato de seu autor antever a possibilidade de serem lidos algum dia por historiadores? Até que ponto o conteúdo de cartas e diários reflete os preconceitos pessoais do autor? Acredito que você agora perceba melhor a dificuldade.

Aqueles que criam os registros que por fim são guardados em arquivos são seres humanos e, portanto, suscetíveis às sutilezas das crenças, preconceitos e parcialidades humanas. Os que pesquisam os arquivos e escrevem a história também são humanos e sujeitos às mesmas fraquezas. Em virtude da sua formação, os historiadores certamente são mais disciplinados que os leigos. Ainda assim, ao decidir sobre as informações a selecionar para incluir em narrativas e análises históricas, o historiador não é uma máquina. E. G. Boring expressou o problema com muita eloquência no prefácio ao texto que escreveu em 1942 sobre a história da pesquisa da sensação e da percepção:

> De fato, a preparação de um texto histórico é a tal ponto uma questão de seleção que a responsabilidade funciona para mim como uma lição. O texto [sobre a história da psicologia] de 1929 já existe há tempo suficiente para que eu veja como *o espírito que determinou a escolha da aula de uma tarde pode fixar a "verdade" de uma determinada questão entre os alunos por anos a fio.* Com empenho e paciência, pode-se evitar a falsificação dos fatos, mas essas virtudes não são o bastante para o acerto na escolha do que deixar de lado. Para isso, é preciso ter a sabedoria e a integridade da objetividade, e quem saberá ao certo se de fato as possui? (Boring, 1942, p. viii, itálico nosso)

Como você verá dentro de alguns parágrafos, esse trecho de Boring é irônico. Um dos temas dentro da moderna historiografia da psicologia é que Boring teria distorcido a história da psicologia e que seus textos refletiriam uma grande parcialidade por um determinado tipo de psicologia. Aparentemente, ele teria sido motivado também, ao menos em parte, pelo contexto político e institucional em que se inseria.

Problemas de Interpretação

Winston Churchill, que fez e também escreveu a história, teria afirmado que a história lhe seria gentil porque seria ele quem a iria escrever. Os historiadores normalmente tentam ser mais objetivos que isso, apesar de saberem que toda narrativa histórica necessariamente reflete alguma coisa de quem a produz. As decisões tanto na seleção quanto na escritura da história envolvem a interpretação das informações disponíveis, e essa interpretação sofre a influência das características pessoais do historiador e do contexto histórico em que este escreve. Ou seja, os historiadores serão influenciados por seus preconceitos, pelo conhecimento que já acumularam e também por suas próprias teorias acerca da natureza da história (que podem ser, por exemplo, personalísticas ou naturalísticas). Além disso, mesmo sem perceber, eles podem ser influenciados de diversas formas por elementos do ambiente em que suas histórias estão sendo escritas. Por exemplo, você verá no Capítulo 4 que a obra de Wilhelm Wundt foi recentemente reavaliada (por exemplo, Blumenthal, 1975) e que assim se descobriu que muitas de suas ideias são similares às dos atuais psicólogos cognitivos. Naturalmente, essa semelhança não teria sido percebida antes do advento da moderna psicologia cognitiva – Blumenthal escreveu no auge da assim chamada revolução cognitiva na psicologia. Desse modo, não são apenas os personagens históricos que são influenciados pelo contexto histórico em que vivem; os historiadores também são afetados da mesma maneira.

A história escrita por E. G. Boring é exemplar. Você viu no *Close-Up* deste capítulo que ele era um aluno dedicado de E. B. Titchener e que na década de 1920 foi defensor ardoroso da criação em Harvard de um departamento à parte para a psicologia, voltado para a pesquisa de laboratório "pura", em vez de aplicada. Ambos os fatos influíram sobre a maneira como Boring escreveu sua história. Em primeiro lugar, a formação em psicologia experimental que tivera no laboratório de Titchener em Cornell sem dúvida afetou sua concepção geral da psicologia. Essa formação influiu, mais especificamente, sobre o que Boring pensava a respeito de Wilhelm Wundt, em cujo laboratório Titchener obteve um Ph.D. em 1892. Em geral, Boring acreditava que a corrente da psicologia experimental de Titchener, chamada de estruturalismo, era praticamente a mesma da psicologia de Wundt e que Titchener simplesmente a havia importado para os Estados Unidos. Na verdade, o sistema de Wundt era bem diferente do de Titchener (você conhecerá os detalhes de cada um desses sistemas nos Capítulos 4 e 7, respectivamente). Mas, devido à influência de Titchener sobre Boring, aliada ao fato de Titchener haver traduzido muitos dos trabalhos de Wundt e de Boring não estar familiarizado com alguns dos escritos não experimentais de Wundt, as distinções se perderam. Assim, ao escrever sua história, Boring descreve Wundt usando o filtro da versão de Titchener e, por isso, sua descrição é falha. Como o conhecimento de história da maioria dos psicólogos norte-americanos formados entre 1950 e 1980 se deu mediante a leitura de *A History of Experimental Psychology* (1929; 1950), de Boring, a mitológica identificação entre os sistemas de Wundt e Titchener tornou-se estabelecida.

Uma segunda distorção na história de Boring diz respeito a sua ênfase na psicologia experimental básica em detrimento da psicologia aplicada. Como mostrou O'Donnell (1979), Boring sentia-se incomodado pelo crescente *status* da psicologia aplicada, em especial da testagem mental. Acreditando que a pesquisa de laboratório básica estivesse em risco, ele adotou diversas medidas para restaurar seu estatuto. Uma delas foi ignorar a maior parte do trabalho de um número considerável de psicólogos que, em 1929, ano da primeira edição de sua história, estavam aplicando princípios psicológicos à educação, à saúde mental e ao local de trabalho. O leitor dessa edição estaria desculpado se pensasse que a psicologia aplicada mal existia.

Uma das interpretações errôneas e difundidas da história é mais ou menos assim: os fatos ocorreram no passado; agora eles fazem parte de uma narrativa histórica cronologicamente linear e ponto final. Como mostra o caso de Boring, porém, as análises históricas exigem revisão contínua à luz de novas informações e novos meios de analisar antigas informações. Nos últimos anos, por exemplo, vários acadêmicos (como é o caso de Leahey, 1981) lançaram um novo olhar sobre (a) a relação entre as ideias de Wundt e as de Titchener e (b) o papel da aplicação no desenvolvimento da psicologia nos Estados Unidos. Em decorrência disso, as histórias mais novas descrevem as diferenças entre Wundt e Titchener com maior precisão, além de documentar a influência onipresente da psicologia aplicada.

A comparação de diferentes edições do mesmo texto de história pode ilustrar esse processo de reanálise. Por exemplo, um dos mais populares textos de história para alunos da graduação nos Estados Unidos, que tinha clara influência de Boring em suas primeiras edições, mostra nas últimas o impacto das pesquisas acadêmicas mais recentes sobre Wundt. Na terceira edição do livro (Schultz, 1981), Wundt é descrito em um capítulo cujo título é "Estruturalismo". O capítulo seguinte, sobre Titchener, refere-se ao "transplante" da psicologia wundtiana para os Estados Unidos realizado por este com afirmativas como: "O conhecimento da psicologia de Wundt propicia um quadro razoavelmente preciso do sistema de Titchener" (p. 87). Seis anos mais tarde, na quarta edição, a palavra "estruturalismo" já não consta do título do capítulo sobre Wundt, há uma descrição explícita dos problemas do relato histórico de Boring e na abertura do capítulo sobre Titchener diz-se que os sistemas de Wundt e Titchener eram "radicalmente diferentes" e que este "alterou drasticamente o sistema de Wundt enquanto alegava ser seu discípulo fiel" (Schultz e Schultz, 1987, p. 85).

A lição importante para o leitor de história é que se deve ficar de sobreaviso contra os riscos de presumir que se uma coisa tiver sido impressa, deve ser verdade de qualquer modo. Em vez disso, ele deve procurar ler as histórias, inclusive esta, com uma dose saudável de ceticismo e conscientização de que outras informações poderiam haver sido selecionadas para inclusão na narrativa e de que existem outras maneiras de interpretar os registros históricos. Isso nos leva a uma pergunta muito interessante: poderá a história descobrir a verdade?

A Abordagem da Verdade Histórica

Com base na discussão anterior, você pode ver-se tentado a aceitar a versão do relativismo histórico, que permite que cinco diferentes historiadores defendam cinco diferentes verdades e que não haja nenhum meio razoável de optar por uma delas. O relativismo entre os historiadores é uma reação pós-moderna contra a história tradicional, que sustentava que a tarefa do historiador é buscar os fatos naquilo que "realmente aconteceu" e colocá-los em uma narrativa de estilo bom o bastante para atrair os leitores. O resultado era a tendência a narrar a história do ponto de vista do que aconteceu para aqueles que detinham poder e influência, ignorando a rica variedade de perspectivas alternativas. Assim, a história tradicional do oeste norte-americano ensinada às crianças nas escolas baseava-se na crença em uma ideia de destino manifesto e glorificava a resistência inquebrantável dos pioneiros diante dos obstáculos mais colossais, entre os quais seres bárbaros que gostavam de disparar flechas. Está claro, porém, que a mesma história poderia ter sido escrita do ponto de vista dos índios americanos, que corajosamente defenderam sua terra natal contra a invasão de seres bárbaros que gostavam de disparar suas armas.

A crítica pós-modernista da estreiteza e da arbitrariedade da história tradicional teve o mérito de enriquecer o nosso conhecimento a respeito dessa história. Assim, passamos a reconhecer que a história transcende as vidas, façanhas e crimes dos mortos estereotípicos: machos, brancos, europeus; que ela deve ser mais inclusiva. Por outro lado, uma consequência infeliz dessa crítica foi um relativismo que, se levado a extremos (um relativismo absoluto?), pode levar a alegações absurdas como a de que o Holocausto Judeu na Segunda Guerra Mundial jamais aconteceu, mas foi simplesmente "construído" a partir de alguns fatos isolados (que supostamente teriam outras explicações que não o genocídio) por historiadores simpatizantes do movimento judaico que queriam incentivar a criação da nação de Israel após a guerra. Os que defendem a ideia de que o holocausto é um "mito" alegam que sua versão é tão válida quanto qualquer outra. No entanto, o exemplo deixa claro que algumas versões da história são, de fato, melhores (isto é, mais próximas da verdade) que outras. Como se pode decidir?

Para chegar à verdade por meio da análise histórica, é preciso uma objetividade que reconheça os limites da visão de um historiador, mas que também tenha fé na possibilidade de, mediante o esforço conjunto de muitos historiadores, atingir-se a análise e a narrativa histórica significativas, segundo a visão das historiadoras Joyce Appleby, Lynn Hunt e Margaret Jacob. Em *Telling the Truth About History* (1994), elas defendem uma historiografia na qual a verdade da história emerge de uma luta darwiniana entre ideias que competem entre si, defendidas pelos historiadores, afirmando que "a busca do conhecimento requer uma luta polêmica e viva entre os diversos grupos de pessoas que buscam a verdade" (p. 254). Uma certa verdade, então, adviria dessa luta. Assim, da mesma maneira que a variação individual no seio de uma espécie propicia a base para a operação da seleção natural, existem diferentes versões de episódios históricos, sujeitas a análises críticas que competem entre si e determinam qual das versões melhor se adapta ao ambiente acadêmico. Isso não significa que a meta seja uma única versão da verdade, que então se "cristaliza" e se torna imune à mudança. Em vez disso, a verdade histórica continua a evoluir, à medida que novas informações são descobertas e antigas informações são submetidas a novas interpretações. Além disso, a verdade histórica em evolução inclui uma variedade de perspectivas. É possível que várias testemunhas oculares deem diferentes versões de um fato, mas todas concordam em que ele de fato ocorreu. Combinando-se as informações por elas propiciadas, poderia emergir uma verdade complexa que teria o poder de aperfeiçoar a descrição fornecida por qualquer perspectiva isoladamente. Se um dos historiadores da Guerra Civil norte-americana "vir um fato do ponto de vista de um escravo, seu relato não oblitera a perspectiva do senhor de escravos; ele apenas complica a tarefa da interpretação" (p. 256).

Assim como as teorias da ciência são verdades temporárias de trabalho que orientam as pesquisas subsequentes, dependendo seu futuro da investigação honesta e aberta dos cientistas, as verdades da história podem ser consideradas guias provisórios que, no entanto, têm seu valor para a pesquisa ulterior de historiadores intelectualmente honestos que disponham de acesso a materiais históricos. E assim como algumas teorias científicas são mais duráveis que outras, assim são algumas verdades históricas: "todo conhecimento pode ser provisório, em teoria, sem eliminar a possibilidade de algumas verdades prevalecerem por séculos e, talvez, para sempre" (Appleby, Hunt e Jacob, 1994, p. 284).

Presumivelmente, com base no árduo trabalho de muitos historiadores de psicologia, um certo grau de verdade sobre a história da disciplina emergiu nos últimos cem anos. Eu farei todo o possível para descrevê-la para você nos capítulos que virão a seguir. Existem muitas divergências entre os historiadores da psicologia, mas Appleby, Hunt e Jacob (1994) considerariam isso bom, a base para o desenvolvimento de verdades históricas ao longo dos próximos cem anos da psicologia. Reconheço o fato de que agora existem outras histórias, e mais existirão no futuro. Contudo, acredito que o que você vai ler contém alguma verdade sobre a disciplina que decidiu estudar. Na medida em que parte da verdade pode ser provisória, espero que você se sinta motivado a continuar a aprender sobre a história da psicologia muito depois de ter terminado de ler esta que é uma de suas versões.

RESUMO

A PSICOLOGIA E SUA HISTÓRIA

- Recentemente, os psicólogos comemoram vários centenários, entre os quais o da fundação do laboratório de Wilhelm Wundt em Leipzig, Alemanha, em 1879, e o da criação da American Psychological Association (APA), em 1892.
- O interesse pela história da psicologia tem crescido a um ritmo constante desde meados da década de 1960, muito em decorrência das iniciativas de Robert Watson. Ele ajudou a instituir organizações profissionais para os historiadores da psicologia (a seção 26 da APA, a Cheiron Society), uma publicação especializada (*Journal of the History of the Behavioral Sciences*), um arquivo na University of Akron (Archives of the History of American Psychology, AHAP) e um programa de doutorado em história da psicologia na University of New Hampshire.

POR QUE ESTUDAR HISTÓRIA?

- Conhecer a história às vezes nos ajuda a evitar os erros do passado e a prever o futuro, mas seu maior valor está em permitir-nos compreender o presente. O conhecimento da história coloca os fatos da atualidade numa perspectiva melhor.
- Conhecer a história contribui para que nos imunizemos contra a crença de que o presente tem problemas insuperáveis, em relação aos "velhos (e bons) tempos". Cada era tem seus problemas. O conhecimento da história também contribui

para reduzir a tendência a pensar que as realizações da atualidade representam uma culminância do "progresso" que conseguimos em relação às realizações inferiores do passado.

POR QUE ESTUDAR A HISTÓRIA DA PSICOLOGIA?

- Por ser a psicologia uma ciência relativamente jovem, boa parte de sua história é recente e relevante para a compreensão de conceitos e teorias psicológicos. Além disso, muitas das questões que interessavam aos primeiros psicólogos (por exemplo, a questão *nature-nurture*, inato-adquirido) continuam sendo importantes hoje.
- O curso de história da psicologia propicia uma experiência de síntese, amarrando os fios soltos que constituem a diversidade da psicologia atual.
- Conhecendo exemplos históricos de (a) supostos avanços revolucionários na pesquisa ou na prática da psicologia e (b) novas teorias que afinal se revelaram pseudocientíficas, o aluno de história está apto para avaliar mais criticamente as propostas e alegações atuais.
- Por informar o aluno acerca do comportamento de personagens historicamente importantes em seu contexto histórico, o curso de história da psicologia permite uma compreensão mais profunda do comportamento humano.

QUESTÕES-CHAVE NA HISTÓRIA

- A abordagem tradicional da história da psicologia tem sido presentista, interna e personalística. Recentemente, os historiadores adotaram uma tendência mais historicista, externa e naturalística.
- O presentista avalia o passado em termos dos valores e do conhecimento do presente, muitas vezes emitindo juízos injustos. O historicista tenta evitar impor valores modernos ao passado, procurando compreendê-lo do ponto de vista dos valores e do conhecimento vigentes no passado.
- A história interna da psicologia é uma história das ideias, pesquisas e teorias existentes dentro da disciplina da psicologia. A história externa enfatiza o contexto histórico – institucional, econômico, social e político – e sua influência sobre a história da psicologia.
- A abordagem personalística da história glorifica as figuras históricas mais importantes e defende a tese de que a história se move em decorrência dos atos de indivíduos heroicos. Quando os períodos históricos são rotulados com base em pessoas, esses rótulos são chamados de epônimos (por exemplo, biologia darwiniana). A abordagem naturalística enfatiza o papel do *Zeitgeist*, ou espírito da época, como principal força motora da história. A existência de múltiplos e de pessoas cujas ideias são consideradas "além de sua época" coaduna-se com a visão naturalística.

HISTORIOGRAFIA: FAZER A HISTÓRIA

- A historiografia consiste no processo de fazer pesquisa histórica e escrever narrativas históricas.
- Os historiadores recorrem tanto a fontes primárias quanto a fontes secundárias de informação. A fonte secundária é qualquer documento publicado que inclui a análise. As fontes primárias, que são a matéria-prima dos historiadores, incluem documentos criados no momento ou logo após o fato histórico em questão (exemplo: diários, cartas etc.).
- A pesquisa histórica muitas vezes transcorre em arquivos, os quais guardam informações de fontes primárias como diários, notas, manuscritos originais e correspondência e fontes secundárias. O principal arquivo para os historiadores de psicologia são os Archives of the History of American Psychology (AHAP), localizados na University of Akron.
- Os acervos dos arquivos podem ser grandes, mas também podem ser incompletos, não possuindo informações importantes por diversas razões. As informações disponíveis estão sujeitas a numerosas fontes de erros (por exemplo, a parcialidade de quem escreve o diário ou a imprecisão das lembranças das testemunhas).
- Os historiadores enfrentam dois principais problemas: a seleção das informações para suas narrativas históricas e a interpretação das informações de que dispõem. Essas decisões podem refletir tendenciosismos por parte do historiador e também o contexto histórico em que este escreve. Contudo, a maior parte dos historiadores acredita que se possa chegar a um certo grau de verdade por meio da troca de informações e do exame dos fatos históricos adotando diversas perspectivas.

QUESTÕES PARA ESTUDO

1. Descreva as contribuições de Robert Watson ao longo dos anos de 1960 para a disciplina da história da psicologia.
2. Explique por que "compreender o presente" é uma razão mais forte para o estudo da história que o tradicional argumento de evitar os erros do passado e prever o futuro.
3. Explique por que é importante para (a) qualquer pessoa que tenha formação acadêmica compreender e apreciar a história e para (b) qualquer estudante de psicologia compreender a história da disciplina.
4. Qual o argumento defendido por Boorstin no ensaio sobre a prisão do presente (*The Prison of the Present?*)
5. Explique por que é mais provável que os alunos que fazem psicologia precisem estudar a história da psicologia que os alunos que fazem química, a história de sua disciplina.
6. Defina o presentismo, dê um exemplo de raciocínio presentista e explique quais os riscos dessa forma de ver a história.
7. Explique por que a abordagem historicista da história é às vezes chamada de história contextualizada.
8. Estabeleça distinções entre as histórias interna e externa. Use o exemplo da psicologia comparada para ilustrar a questão.
9. O que é uma história personalística, de que modo ela se relaciona ao conceito de epônimo e quais são as suas limitações?
10. O que é uma abordagem naturalística da história e que tipos de provas são usadas para defendê-la?
11. Distinga entre as fontes primárias e as fontes secundárias de informações e cite algumas das fontes primárias que provavelmente se encontram em arquivos.
12. Dê exemplos da história da psicologia que ilustrem o problema da seleção de dados que todos os historiadores enfrentam.
13. Use o exemplo do famoso texto de Boring para ilustrar os problemas de interpretação encontrados pelos historiadores.
14. Em *Telling the Truth About History*, Appleby, Hunt e Jacob (1994) descrevem o processo de atingir a verdade na história em termos darwinistas. Explique o que elas querem dizer e por que afirmam que, embora a verdade absoluta possa não ser encontrada, alguns relatos históricos são "mais verdadeiros" que outros.

LEITURA SUPLEMENTAR

APPLEBY, J., HUNT, L., E JACOB, M. (1994). *Telling the Truth About History*. Nova York: W. W. Norton.

Pesquisa as origens de "absolutismos intelectuais", como o ideal iluminista da ciência e da história como uma crônica puramente objetiva dos fatos, e sua substituição por um relativismo pós-moderno que questiona a possibilidade de a história chegar algum dia a atingir a verdade; propõe uma abordagem darwiniana "pragmática" da história que opta por um rumo intermediário.

BORING, E. G. (1963a). Eponym as a placebo. *In* ROBERT L. WATSON e DONALD T. CAMPBELL (orgs.), *History, psychology and science: Selected papers by Edwin G. Boring, Harvard University* (pp. 5-25). Nova York: John Wiley & Sons.

Um bom exemplo da erudição de Boring e de sua defesa do conceito de Zeitgeist; ele argumenta que o efeito da teoria do "grande homem" é a criação de "epônimos" que nos dão uma visão supersimplificada e distorcida da história; dada a complexidade da história, os epônimos funcionam como meios de classificar as informações.

FURUMOTO, L. (1989). The new history of psychology. *In* I. S. COHEN (org.), *The G. Stanley Hall lecture series. Vol. 9* (pp. 9-34). Washington, D.C.: American Psychological Association.

Uma excelente introdução às questões historiográficas, escrita para professores, mas de interesse também para os alunos; inclui um exemplo de história velha e nova por meio da comparação de artigos mais antigos e mais recentes escritos por Furumoto sobre Mary Whiton Calkins, a primeira mulher a exercer a presidência da APA.

LATHEM, E. C. (1994). *Bernard Bailyn on the teaching and writing of history: Responses to a series of questions*. Hanover, NH: University Press of New England.

Um breve livro que resume uma ampla sessão de perguntas e respostas com um eminente historiador, cobrindo tópicos que vão desde a historiografia às razões para estudar a história, o presentismo e o ensino da história.

O'DONNELL, J. M. (1979). The crisis of experimentalism in the 1920s: E. G. Boring and his uses of history. *American Psychologist, 34*, 289-95.

A melhor descrição breve do modo como a preocupação de Boring com a psicologia aplicada contribuiu para seus esforços no sentido de restabelecer a primazia da pesquisa básica por meio de sua atuação nos bastidores da APA e da construção de uma história que enfatizava a importância da psicologia experimental.

CAPÍTULO 2
O CONTEXTO FILOSÓFICO

A psicologia tem um longo passado, não obstante, sua verdadeira história é curta.

– Hermann Ebbinghaus, 1908

VISÃO GERAL E OBJETIVOS DO CAPÍTULO

Este capítulo lhe apresentará conceitos e questões filosóficas que foram e continuam sendo importantes para os psicólogos. O conhecimento dessas ideias, juntamente com a compreensão do modo como foram tratadas pelos principais filósofos, propicia uma base necessária à compreensão da moderna psicologia. Embora os filósofos se vejam a braços com uma grande variedade de problemas, os que são especialmente relevantes para a psicologia dizem respeito (a) à questão da semelhança ou diferença essencial entre os eventos mentais e os físicos e, no caso de haver diferença, como os dois tipos de eventos relacionam-se um ao outro; (b) à questão da possibilidade de nosso conhecimento de mundo ser derivado primariamente de nossa singular capacidade de raciocínio ou resultar dos efeitos cumulativos de nossas experiências sensoriais; (c) ao grau em que nossa herança e nosso ambiente nos moldam; (d) à questão da possibilidade de nossos pensamentos, sentimentos e atos resultarem de nosso livre-arbítrio ou de leis determinísticas da natureza e (e) à questão da possibilidade de melhor compreensão de fenômenos complexos quando estes são divididos nas partes que os compõem. Esses problemas serão explorados por meio do exame das ideias de vários filósofos famosos, especialmente René Descartes, o mais conhecido dos racionalistas e pai da filosofia moderna, John Locke, fundador do empirismo britânico, e John Stuart Mill, empirista/associacionista do século XIX. Após a conclusão deste capítulo, você deverá ser capaz de:

- Explicar o sentido da citação de Ebbinghaus que abre este capítulo
- Explicar de que modo o contexto histórico determinou as ideias de Descartes (por exemplo, o mecanicismo)
- Explicar por que Descartes é conhecido como racionalista e descrever seus argumentos em relação à questão mente-corpo
- Descrever como Descartes explicaria um movimento involuntário (reflexo) do pé e um movimento voluntário do pé (isto é, um movimento que exige a participação da mente)
- Descrever as características básicas das ideias de Locke acerca do mo-

do como desenvolvemos nosso conhecimento de mundo e a maneira como ele aplicou essas ideias à educação
- Distinguir entre Locke e Berkeley na questão relativa às qualidades primárias e secundárias da matéria
- Descrever como o sistema de Berkeley foi uma tentativa de refutar o materialismo
- Distinguir entre Hume e Hartley na questão relativa às leis básicas da associação
- Distinguir entre J. S. Mill e seu pai na questão relativa ao atomismo e ao holismo
- Descrever como as regras de Mill para a lógica indutiva forneceram um lastro para os modernos conceitos de pesquisa na psicologia
- Descrever a alternativa à metáfora do papel em branco de Locke proposta por Leibniz
- Descrever a solução mente-corpo proposta por Leibniz e a maneira como suas ideias se relacionam aos conceitos psicológicos do inconsciente e dos limiares
- Descrever os argumentos de Kant acerca das origens do conhecimento

UM LONGO PASSADO

A maioria dos estudantes de psicologia conhece Hermann Ebbinghaus como o inventor da "sílaba sem sentido" e a primeira pessoa a estudar experimentalmente a memória humana (ele é o autor do trecho citado no Capítulo 4). Mesmo hoje em dia, é impossível chegar ao fim de um texto de introdução à psicologia sem encontrar a famosa curva do esquecimento de Ebbinghaus. Entre os historiadores da psicologia, Ebbinghaus é conhecido também pela frase de abertura de um breve livro-texto introdutório que escreveu em 1908: trata-se de "longo passado, história curta", que constitui a citação que abre este capítulo.

Com a referência ao "longo passado" da psicologia, Ebbinghaus lembrava aos leitores que as questões básicas acerca da natureza humana e as causas do comportamento humano não são novas. Pelo contrário, elas foram formuladas de uma maneira ou de outra desde que o ser humano começou a fazer perguntas. Mais especificamente, Ebbinghaus estava mostrando que os psicólogos devem reconhecer as raízes profundas que sua disciplina tem na filosofia; a história da psicologia não pode ser plenamente compreendida sem algum conhecimento da história da filosofia. Todas as importantes questões que hoje interessam aos psicólogos foram tratadas pelos filósofos. Na verdade, você poderá observar a estreita associação entre a psicologia e a filosofia na próxima vez em que for à biblioteca – os livros de psicologia encontram-se espremidos entre os de lógica, conhecimento e filosofia geral e os de ética e estética.

Essa ligação tão íntima implica que a psicologia seja apenas outro nome da filosofia? Não. Na última metade do século XIX, inúmeras forças convergiram na tentativa de estudar o comportamento humano e os processos mentais por meio da aplicação de métodos científicos, e não da análise filosófica, do raciocínio lógico ou da especulação – ou seja, a investigação saiu da poltrona e foi para o laboratório. Assim, aquilo que viria a chamar-se "nova psicologia" começou a surgir como disciplina à parte há mais ou menos 130 anos, o que levou Ebbinghaus, há pouco menos de cem anos, a dizer que a história da psicologia como nova ciência fora muito curta.

A análise minuciosa do longo passado a que se referiu Ebbinghaus exige um espaço muito maior que o possível neste capítulo.

Ela nos levaria à Grécia antiga, aos escritos de Platão e Aristóteles, entre outros; aos grandes filósofos religiosos medievais, como Tomás de Aquino, que uniu a fé cristã à lógica aristotélica; à renascença. Em vez disso, apesar de atingirmos a renascença para obter um pouco de contexto histórico, começaremos pelo século XVII e pelo multitalentoso René Descartes, por vezes considerado o pai da moderna filosofia, matemática, fisiologia e psicologia.

DESCARTES: OS PRIMÓRDIOS DA CIÊNCIA E DA FILOSOFIA MODERNAS

Descartes entrou em cena no final da renascença, beneficiando-se assim das mudanças que ocorreram durante essa importante era histórica. A renascença durou aproximadamente duzentos anos, estendendo-se ao longo dos séculos XV e XVI, e deve esse nome à redescoberta dos textos dos antigos gregos e romanos, especialmente os de Platão e Aristóteles, que estiveram perdidos para o mundo ocidental por centenas de anos. O período foi marcado por tremendos avanços nas artes, começando pelo norte da Itália e logo espalhando-se por toda a Europa. Essa foi a época de Leonardo Da Vinci (1452-1519), protótipo do "homem da renascença", cujo gênio abarcava tanto a arte quanto a ciência. Sua *Última Ceia* e *Mona Lisa* estão entre as pinturas mais conhecidas do mundo, e seus interesses científicos abrangiam a geologia, a astronomia, a botânica, a anatomia e as ciências aplicadas da aeronáutica, engenharia e armamentos. Outro gigante da renascença foi Michelangelo Buonarotti (1475-1564), que criou tesouros artísticos que vão desde uma representação do livro do Gênesis, no teto da Capela Sistina do Vaticano, à colossal escultura de Davi, que mede mais de cinco metros e hoje encontra-se em Florença, cidade natal do artista.

Além da redescoberta de antigos textos e da revolução nas artes, a renascença produziu alguns avanços notáveis no terreno da ciência e da tecnologia. Na década de 1450, por exemplo, Johannes Gutenberg (c. 1394-1468) inventou uma nova forma de prensa tipográfica, a qual permitia a criação de um número maior de livros do que jamais se pudera imaginar e a preços que levaram a literatura, a filosofia e a Bíblia a um público nunca atingido. Também nessa época, os relojoeiros aperfeiçoaram os simples instrumentos medievais para criar elaborados painéis mecânicos montados nas catedrais e edifícios públicos da Europa. Ao começar cada nova hora, os visitantes da catedral de Wells, na Inglaterra, por exemplo, podiam assistir a uma exibição com figuras em tamanho real de cavaleiros armados em combate, um dos quais derrubava outro do cavalo enquanto um terceiro personagem uniformizado sinalizava as horas batendo o número correspondente com um martelo (Boorstin, 1983). O conhecimento acerca do funcionamento interno do corpo humano avançou significativamente em 1543, quando o médico belga Andreas Vesalius consolidou sua reputação como fundador dos modernos estudos de anatomia com *Fabric of the Human Body*, livro que contava com ilustrações incrivelmente detalhadas (Klein, 1970). No campo da astronomia, em meados do século XVI, o astrônomo amador polonês Nicolau Copérnico colocou em questão a visão tradicional **geocêntrica** do universo, segundo a qual a Terra ("geo") ocupava o centro do universo, substituindo-a por uma teoria **heliocêntrica**, segundo a qual o Sol ("hélio") é que estava no centro e a Terra se movia em torno dele como os demais planetas. Ciente da controvérsia religiosa que seria provocada pela ideia de que o "planeta de Deus" afinal não estava no centro do cosmos, Copérnico atrasou a publicação até pouco antes de sua morte, em 1543. O surgimento das obras científicas clássicas de Vesalius e Copérnico no mesmo ano levou um historiador da ciência a declarar 1543 o ano de nascimento da moderna ciência (Singer, 1957).

O modelo do universo apresentado por Copérnico, que surgiu quase no fim da renascença, é o exemplo mais representativo de um dos temas cuja gradual evolução caracteriza essa época – o questionamento da autoridade, em especial a autoridade da igreja e seu filósofo oficial, Aristóteles. O antigo modelo geocêntrico colocava a maior criação de Deus, o homem, no centro do universo, e Copérnico questionou essa noção. Um desafio ainda maior surgiu em seguida, na pessoa do renomado cientista italiano Galileu Galilei (1564-1642), que deu suporte à teoria de Copérnico por meio de observações empíricas auxiliadas por um telescópio com poder de ampliação de vinte vezes, que construíra em 1609.[1] As observações de coisas jamais vistas, como as luas de Júpiter, feitas por Galileu corroeram ainda mais a autoridade tradicional. Como a visão aristotélica do universo poderia estar correta quando Aristóteles não podia ver o que agora se via? Galileu, que era católico devoto (sua filha era freira), viria afinal a ser acusado de heresia pela Inquisição e forçado a abjurar a alegação do heliocentrismo do universo, mas o fez com os dedos cruzados. Embora seus escritos tenham sido incluídos na *lista de obras proibidas* da Igreja Católica, e aí permanecido por quase duzentos anos, suas obras continuaram a ser amplamente publicadas e lidas (Sobel, 2000). Antes do fim do século XVII, o modelo geocêntrico virou, como se costuma dizer, história.

Outra ameaça à ordem estabelecida proveio da Inglaterra, durante a época de Galileu, na pessoa de *Sir* Francis Bacon (1561-1626). Bacon era defensor ferrenho da abordagem **indutiva** na ciência. Ou seja, ele argumentava que o cientista deveria observar a natureza atenta e sistematicamente conforme esta se apresentava, e não seguir as conclusões derivadas da análise dedutiva de Aristóteles e outras autoridades. A partir de muitas observações minuciosas de casos, seria possível chegar a afirmações gerais acerca da natureza. Bacon acreditava ainda que a ciência deveria ter um papel ativo no controle direto da natureza; com efeito, para ele, a verdadeira compreensão da natureza só poderia decorrer da capacidade do cientista de criar e recriar seus efeitos livremente (Smith, 1992). Isso, naturalmente, é um apelo à experimentação direta da natureza para suplementar a observação cuidadosa. A insistência de Bacon na aquisição de conhecimento por meio da experiência torna-o um precursor do empirismo britânico; sua ênfase na indução e no controle da natureza o transformou num herói para o behaviorista B. F. Skinner (Capítulo 11), que adotou, no século XX, um sistema explicitamente baconiano de valores.

Descartes e o Argumento Racionalista

No ano em que Galileu estava observando o céu com seu telescópio, René Descartes (1596-1650), filho de um próspero advogado francês, já cursava o terceiro ano do College de la Flèche, instituição aberta havia pouco pelos jesuítas, conhecidos pela fama de bons educadores.[2] Descartes tinha apenas 13 anos nessa época, e sua educação baseava-se na tradição **escolástica**, a qual aliava a sabedoria recebida da autoridade da igreja ao uso rigoroso da razão. Essa educação recorria particularmente a argumentos racionais derivados da obra de Aristóteles para defesa dos preceitos religiosos. Descartes logo se revelou um aluno brilhante; tão bom que tinha privilégios especiais. Ele

---

1. Há uma certa controvérsia quanto ao inventor do telescópio, mas não foi Galileu – ele apenas aperfeiçoou a tecnologia existente. A invenção do telescópio geralmente é atribuída a Hans Lipperhey (morto em 1619), um fabricante de lentes da Holanda, com base em uma carta que serve de solicitação de patente arquivada em setembro de 1608 (King, 1955).

2. A data de nascimento de Descartes foi 31 de março de 1596, conhecida apenas pelo fato de estar inscrita em um retrato publicado após sua morte. Enquanto viveu, Descartes manteve a vida pessoal em segredo, recusando-se a divulgar a própria data de nascimento por medo de dar margem a especulações por parte de astrólogos (Vrooman, 1970).

possuía, coisa rara, um quarto individual e estava liberado de frequentar as aulas e fazer as tarefas de rotina.

Descartes concluiu sua formação em 1614, aos 18 anos, não inteiramente satisfeito com a formação jesuítica. Como muitos estudantes de hoje, surpresos ao perceber que a educação formal não lhes propicia respostas para as perguntas importantes da vida, Descartes descobriu consternado que a filosofia "havia sido estudada por muitos séculos pelas mentes mais extraordinárias sem haver produzido nada que não fosse objeto de controvérsia" (Descartes, 1637/1960, p. 8). Por conseguinte, resolveu descobrir as coisas por conta própria, em vez de recorrer à autoridade do conhecimento estabelecido. Com uma sensação familiar a todos os alunos de último ano de faculdade, ele estava pronto a abandonar a sala de aula e lançar-se ao mundo lá fora, "disposto a não buscar nenhum outro conhecimento que não o que pudesse encontrar dentro de mim mesmo ou, talvez, no grande livro da natureza" (p. 8).

Já que Descartes procurou manter sua vida particular em sigilo, os anos seguintes não estão muito bem documentados, mas aparentemente ele passou algum tempo experimentando tudo aquilo que Paris tinha a oferecer (Vrooman, 1970). Em 1619, ele viveu algo que só se pode descrever como uma experiência de conversão, na qual uma série de sonhos o instou a tomar providências no sentido de fazer uma contribuição significativa ao conhecimento. E então passou os dez anos seguintes vivendo em Paris ou nas cercanias, aprendendo tudo o que podia sobre o máximo de tópicos diferentes, especialmente as ciências, na convicção de que conseguiria promover uma "união do conhecimento" com base nas matemáticas. Embora nesta era de sobrecarga de informações possa parecer absurdo que alguém almeje unificar todo o conhecimento em um único sistema, esse não era o caso no século XVII. O enfraquecimento da autoridade, aliado a uma crescente fé na ciência, criou a visão otimista de que tudo no mundo poderia ser conhecido, talvez ao longo de uma vida.

A época de Descartes, no início do século XVII, é conhecida como uma era de avanços revolucionários na ciência. Foi a época de Bacon, Galileu e, no fim da segunda metade do século, do incomparável *Sir* Isaac Newton. Ela contou com o advento do telescópio e do microscópio do holandês Antoni van Leewenhoek, fabricante de lentes que possibilitaram a observação de coisas nunca antes vistas nos céus e numa gota d'água (Boorstin, 1983). Na medicina, por exemplo, a observação sistemática empreendida, em 1628, pelo médico britânico William Harvey refutou a crença amplamente difundida de que o coração criava o sangue que seria consumido por outras partes do corpo, demonstrando que, em vez disso, ele funciona como uma bomba mecânica que faz o sangue recircular pelo corpo.

No início da década de 1620, Descartes era mais um cientista que um filósofo, estudando física, ótica, geometria e fisiologia. Por exemplo, ele unia os interesses que tinha pela ótica e pela fisiologia extraindo o olho de um boi e analisando as propriedades das lentes, descobrindo assim que as imagens da retina são invertidas (Vrooman, 1970). Em 1633, Descartes já havia escrito *The World*, destinado a resumir todo o trabalho que fizera até aquele ponto e a demonstrar como as várias disciplinas poderiam unir-se com o uso rigoroso da razão e com base nos fundamentos da matemática. O livro era uma tentativa de descrever as origens e a estrutura do universo conhecido, possuindo tópicos como geologia, astronomia e fisiologia humana. Porém a parte dedicada à astronomia, centrada em uma defesa muito forte do modelo heliocêntrico do universo de Copérnico e Galileu, foi um problema. Descartes estava prestes a publicar *The World* quando soube que a igreja havia condenado o trabalho de Galileu. Temendo destino semelhante e desejando evitar a notoriedade e manter as boas graças da Igreja Católica, Descartes evitou a publicação, e o livro só foi conhecido depois de sua morte. Partes dele, contudo, foram inseridas em diversos tratados publicados ao longo de sua vida, inclusive o *Discurso do Método*, para o qual nos voltaremos agora.

O Sistema Cartesiano: Racionalismo, Nativismo e Interacionismo Mecanicista

Embora cético quanto aos méritos da escolástica que conheceu quando estudante, Descartes sempre foi grato aos jesuítas por o haverem ensinado a pensar com lógica e precisão. Sua convicção de que a verdade poderia advir do uso cuidadoso da razão tornou-se seu *modus operandi* e o marca como um **racionalista**. Em seu *Discourse on Method* (1637/1960), ele explica como só aceitava como verdadeiro aquilo de que não se podia duvidar. Assim, rejeitou a proposição de que os sentidos fossem absolutamente verazes, pois podem iludir, além de questionar os argumentos plausíveis de outros filósofos pelo fato de existirem contra-argumentos igualmente plausíveis. No entanto, descobriu que a única coisa de que não podia duvidar era o fato de que ele era o único que duvidava. Conforme disse em um dos trechos mais famosos da filosofia,

> Percebi que, enquanto eu desejava pensar que tudo era falso, era necessariamente verdadeiro que eu, que assim pensava, era algo. Desde que esta verdade, "penso, logo existo", era tão firme e certa que nem as mais extravagantes suposições dos céticos poderiam abalá-la, julguei ter segurança para aceitá-la como o primeiro princípio da filosofia que buscava (Descartes, 1637/1960, p. 24, itálico nosso).

Assim, para Descartes, o caminho para a verdade estava na capacidade humana do raciocínio. Em *Discurso do Método*, ele descreve as quatro regras básicas que usava para chegar à verdade de algum tema. Primeiro, não aceitava nada como verdadeiro, a menos que "se apresentasse de modo tão distinto e claro à mente que não houvesse razão para dúvida" (Descartes, 1637/1960, p. 15). Segundo, ele tomava os problemas e analisava-os, reduzindo-os a seus elementos fundamentais. Terceiro, trabalhava sistematicamente do mais simples para o mais complexo desses elementos, e quarto, revisava cuidadosamente suas conclusões para ter certeza de não haver omitido nada. Agora, para nosso modo moderno de pensar, essas regras de método podem não parecer extraordinárias. Descartes parece simplesmente estar dizendo que se deve pensar com clareza, lógica e imparcialidade, que se devem reduzir os problemas em subproblemas, que se deve trabalhar sistematicamente do mais simples para o mais complexo e que se deve revisar o trabalho. No entanto, concluir que essas regras são ordinárias é ser vítima do raciocínio presentista que discutimos no Capítulo 1. No contexto da época de Descartes, quando o poder da autoridade ainda era considerável, apesar de se estar debilitando, suas regras de método eram verdadeiramente revolucionárias. Na verdade, ele estava abandonando inteiramente a autoridade. A única maneira de chegar à certeza da verdade é *por meio de si mesmo*, recorrendo ao uso lúcido do próprio poder de raciocínio. Um indício do quanto essa ideia perturbou as autoridades está no fato de a obra de Descartes, assim como a de Galileu, haver sido colocada após sua morte no *Index*, a lista de escritos proibidos pela igreja aos católicos de bem (Vrooman, 1970).

Uma das implicações do racionalismo cartesiano era a de que a capacidade de raciocínio seria inata e certos tipos de conhecimento não se baseariam diretamente na experiência dos sentidos, mas decorreriam de nossa capacidade inata de raciocinar. Por exemplo, embora nosso conhecimento das propriedades da cera (o fato de que ela derrete com o calor, por exemplo) se baseie na experiência, existem certas coisas a respeito da cera que compreendemos em decorrência simplesmente de uma análise lógica, usando a faculdade inata do raciocínio. Assim, Descartes diria que podemos concluir, sem nenhuma dúvida, que a cera tem a propriedade intrínseca da "extensão" – ela existe no espaço e, apesar de poder mudar de forma (derretendo-se, por exemplo), jamais pode desaparecer. Como podemos usar a nossa faculdade inata do raciocínio para chegar ao conhecimento do conceito de extensão, Descartes considerava esse atributo um exemplo de **ideia inata**. Da mesma forma, ele acreditava que temos outras ideias inatas às quais podemos chegar usando a capacidade de raciocínio, entre as quais as ideias de Deus, do eu e de certas verdades matemáticas básicas. Por outro lado, muitos de nossos conceitos resultam de nossas experiências no mundo. A essas, Descartes chamou **ideias derivadas**. Saber que uma vela de cera de um determinado tamanho leva 10 horas para acabar seria um exemplo desse tipo de ideia. A posição de Descartes no que se refere às ideias inatas permite que ele seja considerado tanto um racionalista quanto um **nativista**, pois sua distinção entre ideias inatas e ideias derivadas antecipa um dos temas recorrentes da psicologia, a relação entre o que é inato e o que é adquirido (*nature/nurture*).

Descartes foi também o mais famoso **dualista** da história, defendendo uma separação nítida entre mente (ou "espírito") e corpo. Para ele, estes poderiam ser distinguidos pela propriedade acima mencionada da extensão, juntamente com a propriedade adicional do movimento – os corpos ocupam espaço e movem-se através dele. A mente, por sua vez, não possui nem extensão nem movimento. A principal característica da mente não extensível é a capacidade humana do raciocínio, ao passo que o corpo é em essência uma máquina. Uma das implicações desse dualismo viria a ser conhecida como **dicotomia cartesiana**, que separa os seres humanos dos animais. Descartes argumentava que os animais são simples máquinas, incapazes de raciocinar ou falar e, portanto, desprovidos de mente. Os seres humanos, por sua vez, aliam o corpo mecânico à mente capaz de raciocínio. Assim, os animais consistem apenas de corpos, ao passo que os seres humanos possuem corpos e mentes. Além de racionalista e nativista, Descartes também pode ser considerado um **mecanicista**, por acreditar que o corpo funciona como uma máquina complexa. Ele é também um **interacionista**, pois julgava que a mente podia ter influência direta sobre o corpo (a decisão de melhorar a saúde leva-nos a fazer exercícios) e vice-versa (uma lesão nos ligamentos do joelho leva-nos a repensar o nosso plano de exercícios).

O uso que Descartes fez da metáfora da máquina ao descrever as propriedades dos corpos não foi por acaso. Vimos que na Renascença a tecnologia de fabrico de relógios avançara a ponto de permitir a exibição de figuras mecânicas verossímeis a cada hora nas catedrais e edifícios públicos da Europa. Além disso, a riqueza desse continente criara jardins que possuíam elaboradas fontes e estátuas mecânicas, dotadas de movimento pela ação de sistemas hidráulicos. O incauto que visitasse um desses Disney Worlds do século XVII e pisasse em uma placa escondida poderia acionar um sistema que fazia uma estátua de Netuno emergir da água de um lago próximo. Um exemplo menos extravagante do *Zeitgeist* mecanicista que permeava a época de Descartes foi a demonstração de Harvey de que o coração era uma bomba mecânica.

Descartes Acerca do Reflexo e da Interação Mente-Corpo

No ano que antecedeu sua morte, Descartes publicou *The Passions of the Soul* (1649/1969), que estabeleceu sua posição como pioneiro da psicologia e da fisiologia. Essencialmente um tratado sobre as emoções humanas, esse livro apresentava uma tentativa de explicar o que hoje chamamos **reflexo**, uma reação automática de estímulo-reação, além de fornecer um modelo fisiológico para o posicionamento de Descartes acerca da questão mente-corpo. Ele inicia o livro com um característico ataque à abordagem tradicional, autorizada, do estudo das emoções, argumentando logo na primeira frase que "não há nada que mostre com mais nitidez a natureza falha das ciências que herdamos dos antigos do que o que eles escreveram sobre as paixões" (Descartes, 1649/1969, p. 331). Em seguida, ele apresenta sua distinção mente-corpo e inicia uma discussão da "máquina do corpo", na qual há uma referência direta às descobertas de William Harvey sobre o caráter mecânico do coração e uma descrição da ação muscular. Os músculos, por sua vez, "dependem dos nervos, os quais se parecem [...] com pequenos tubos, todos procedentes do cérebro, e contêm, como este, um ar ou sopro muito sutil chamado de espíritos animais" (pp. 333-34).

Pensava-se que os **espíritos animais** a que Descartes se refere, uma noção que remonta aos antigos gregos, provinham do "calor" do sangue e eram a força responsável por todos os movimentos. Descartes achava que esses espíritos se compunham de minúsculas partículas em constante movimento, encontradas no cérebro, nos nervos e nos músculos. O movimento muscular resultava da ação dos espíritos animais provenientes do cérebro, mas o que determinava quais músculos se moveriam? Duas coisas, segundo Descartes. Em primeiro lugar, a mente daria início ao movimento dos espíritos animais no cérebro por meio da ativação dos nervos que controlam determinados músculos, em vez de outros. Ou seja, a mente poderia influenciar o corpo (em breve, veremos mais acerca disso). Em segundo lugar, certos músculos poderiam mover-se automaticamente em reação aos resultados de certos eventos sensoriais. Ou seja, ocorreriam *reflexos*.[3]

---

3. Embora Descartes estivesse sem dúvida descrevendo o ato reflexo, ele não inventou nem usou o termo "reflexo". Essa distinção pertence a Thomas Willis (1621-1675), fisiólogo britânico que chamou o fenômeno de "reflexão". Willis cunhou também o termo "neurologia" (Finger, 2000).

Descartes explicou os reflexos propondo a existência de "filamentos" estreitíssimos nos nervos, os quais se estenderiam até o cérebro. Segundo Descartes, quando os sentidos eram estimulados, esses filamentos se moveriam, promovendo a abertura de certos "poros" do cérebro. Isso, por sua vez, acarretaria o fluxo de espíritos animais, o qual produziria o movimento reflexo, como ocorre quando nos queimamos acidentalmente. A Figura 2.1 mostra um famoso esboço de Descartes dessa retração involuntária (isto é, reflexa) do pé diante do fogo, retirada de uma obra anterior, intitulada *Treatise on Man* e publicada em 1637. O fogo toca o pé, causando um puxão nos filamentos do nervo ali existente. Esses filamentos estendem-se até o cérebro, onde os espíritos animais são liberados no "tubo" do nervo. Os espíritos, por sua vez, são transportados, "em parte, para os músculos que retiram o pé do fogo; em parte, para os que fazem os olhos e a cabeça voltarem-se para contemplá-lo e, em parte, para aqueles que servem para levar as mãos à frente e dobrar o corpo para proteger-se" (Descartes, 1637, citado por Fearing, 1930, p. 24).

Além de promoverem atos reflexos, as sensações também podem dar lugar, no cérebro, ao movimento de espíritos animais que leve a decisões deliberadas de agir, e a mente, por si só, pode dar início à ação. Ou seja, a mente pode intervir entre o estímulo sen-

FIGURA 2.1 Ilustração de Descartes do ato reflexo, extraída de Fearing (1930).

sorial e a reação motora. Como explicar a natureza dessa interação entre a mente e o corpo era, todavia, um problema. Uma coisa é dizer que a mente pode afetar diretamente o movimento do corpo e vice-versa. Mas outra é demonstrar como isso ocorre. Depois de uma análise cuidadosa, Descartes concluiu que essa interação se processava numa parte do cérebro chamada de **glândula pineal**. Ele a selecionou porque acreditava que ela estivesse estrategicamente localizada num ponto em que o fluxo de espíritos animais poderia ser controlado. Na Figura 2.2, Descartes mostrou como o movimento da glândula pineal podia provocar a emissão de espíritos animais em diferentes direções (representadas pelas linhas retas). A glândula pineal, além disso, não era uma estrutura dupla; não existia em ambos os lados do cérebro. Como a mente (ou alma) era considerada unitária, Descartes ponderou que ela deveria exercer seu efeito por meio de uma estrutura que também fosse unitária. Vale a pena observar que Descartes não estava argumentando que a glândula pineal tivesse essa função especial porque era encontrada apenas no cérebro humano – ele sabia, com base em suas próprias dissecações, que outros animais eram dotados da estrutura (Finger, 2000). O que ele argumentava era que a glândula tinha nos seres humanos uma função que não era encontrada entre os animais – a de sede da interação mente-corpo.

Descartes não estava afirmando que a mente estava *na* glândula pineal, mas apenas que esta era o local em que a mente e o corpo influenciavam um ao outro. Assim, as sensações produzem um alongamento dos pequenos filamentos que abrem os poros do cérebro, provocando desse modo a moção dos espíritos animais. Esses movimentos são percebidos pela glândula pineal e promovem o evento mental da "sensação". Os espíritos animais continuam sua ação, por meio das fibras nervosas, de volta aos músculos, produzindo movimento. O movimento também pode ser criado pela ação direta da vontade. A decisão do movimento leva a glândula pineal a mover-se, o que, por

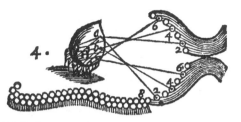

FIGURA 2.2 Ilustração de Descartes da ação da glândula pineal, extraída de Finger (2000).

sua vez, produz os movimentos dos espíritos que, por fim, movem os músculos.

Contudo, a despeito do nobre esforço, Descartes evidentemente estava errado no que diz respeito à fisiologia. Por exemplo, a glândula pineal, que secreta o hormônio melatonina e ainda hoje permanece pouco conhecida (ao menos nos mamíferos), não é uma "estação central" da interação mente-corpo. Um problema mais importante, apontado quase imediatamente pelos críticos de sua própria época, é que a proposta da glândula pineal como ponto da interação mente-corpo na verdade não explicava *nada*, mas simplesmente fazia o estudo da questão retroceder um passo. Da mesma maneira que não está claro como a mente não extensível pode influenciar e ser influenciada pelo corpo extensível, não está claro como a mente não extensível pode influenciar e ser influenciada pelos movimentos de uma pequena parte extensível do cérebro (Cottingham, 1986). Para a psicologia, a importância da obra de Descartes não está no seu esforço rigoroso, porém falho, de solucionar o problema mente-corpo. A importância é que, ao empreendê-lo, ele criou o conceito de ato reflexo, com sua distinção explícita entre estímulo sensorial e reação motora, e tentou explicar conceitos psicológicos (como o da memória) usando um modelo fisiológico. Descartes foi o primeiro psicólogo fisiologista.

Logo após a publicação de *As Paixões da Alma* em 1649, a Rainha Cristina da Suécia convenceu Descartes a mudar-se para Estocolmo, para ser seu professor particular. Cristina enquadrava-se muito pouco no estereótipo da realeza feminina – diz-se, inclusive, que "faltavam-lhe praticamente todos os encantos femininos" (Vrooman, 1970, p. 212). No entanto, possuía uma mente aguda, falava fluentemente cinco idiomas e estava determinada a transformar Estocolmo num dos centros de aprendizagem da Europa. Para tanto, construiu uma biblioteca de categoria internacional e começou a convidar especialistas para fazer parte de sua corte, tendo sido Descartes um dos primeiros. Ele aceitou com um certo receio, mas em pouco tempo estava convivendo com Cristina, dando-lhe três aulas semanais de cinco horas, que começavam às 5 da manhã em um inverno que foi considerado rigoroso até mesmo para os padrões suecos. Para alguém que costumava ficar na cama até tarde, refletindo sobre as grandes questões da época, esse horário foi fatal. Com efeito, Descartes contraiu pneumonia em 1º de fevereiro de 1650 e faleceu dez dias depois, pouco antes de completar 54 anos.

O ARGUMENTO DOS EMPIRISTAS BRITÂNICOS E OS ASSOCIACIONISTAS

O espírito da filosofia, no continente europeu, tem sido muitas vezes racionalista, especialmente depois de Descartes. Na Inglaterra, porém, surgiu outra tradição mais ou menos na mesma época em que a influência deste se difundia. A tradição britânica é fortemente **empirista**, baseada na ideia de que nosso conhecimento de mundo é construído a partir das experiências que nele vivemos. Como esse conhecimento é tecido pelas associações entre nossas ideias, o empirismo britânico está estreitamente vinculado às doutrinas do **associacionismo**. Boa parte da história da filosofia britânica a partir do século XVII interessou-se pelas questões epistemológicas de como a experiência cria o conhecimento e como as regras da associação funcionam para organizar esse conhecimento.

O empirismo britânico tem suas raízes no pensamento científico indutivo de Sir Francis Bacon e nas teorias sociais de Thomas Hobbes, contemporâneo tanto de Bacon quanto de Descartes. Mas talvez para nós seja mais conveniente começar por John Locke, geralmente considerado o fundador desse movimento. Em seguida, analisaremos a obra de outros dos principais empiristas e associacionistas britânicos, terminando com o mais eminente filósofo britânico do século XIX, John Stuart Mill.

John Locke (1632-1704): As Origens do Empirismo Britânico

John Locke foi um homem sensato que viveu numa época insensata. Passou a maior parte da vida adulta como professor no racional ambiente acadêmico de Oxford, mas entremeou a vida contemplativa de filósofo à carreira político-diplomática. Além disso, tinha formação médica, mas estava interessado principalmente nos aspectos científicos da medicina e pouco a praticou. Ao longo de sua vida, testemunhou: (a) a Guerra Civil Inglesa, que promoveu a derrocada da monarquia em favor de um parlamento civil; (b) a execução de um rei e a deposição de outro (talvez tenha presenciado o primeiro fato e seguramente participou do segundo); (c) diversas mudanças na religião oficial da Inglaterra, cada qual acompanhada de vários graus de perseguição daqueles que professavam a fé "errada"; (d) um incêndio que destruiu dois terços de Londres (em Oxford, ele via a fumaça) e (e) uma aliança política que o obrigou a fugir da Inglaterra e exilar-se por algum tempo na segurança da Holanda (Jeffreys, 1967). A partir dessas experiências, Locke desenvolveu uma filosofia política liberal baseada na tolerância das dissensões e no direito das pessoas de decidir como viver sua vida pública e espiritual e, em particular, de escolher sua forma de governo. Em sua mais famosa obra política, *Two Treatises on Government* (1690/1960), ele explica a ideia hobbesiana de **contrato social** entre o governo e o povo. O governo deveria concordar em governar com sabedoria e proteger os direitos, o bem-estar e o bem comum de seus cidadãos; estes, por sua vez, deveriam concordar em apoiar o governo e dele participar. Aqueles que não o fizessem deveriam esperar do governo uma ação contrária (por exemplo, pô-los na cadeia por não pagar os devidos impostos). Por outro lado, o governo que não cumprisse com a sua parte deveria esperar ser interditado pelo povo e substituído por outro mais justo. Esse conceito deve parecer familiar aos norte-americanos, pois Thomas Jefferson baseou-se nas ideias de Locke ao criar a Declaração de Independência dos Estados Unidos.

Locke é importante para a psicologia devido aos conceitos que exprimiu em duas de suas obras, *An Essay Concerning Human Understanding* (1690/1963) e *Some Thoughts Concerning Education* (1693/1963). A primeira, sobre a compreensão humana, explica a visão de Locke acerca da aquisição do conhecimento; como nós, como seres humanos, chegamos a compreender o mundo em que vivemos. A segunda, sobre a educação, baseia-se em uma série de cartas a um amigo e mostra como o pensamento empirista pode ser aplicado a todos os aspectos da educação infantil.

Locke Acerca da Compreensão Humana

Como Descartes, Locke tinha paixão pela ciência que tanto caracterizou o século XVII. Enquanto estudava em Oxford, ele interessou-se pelas ideias de *Sir* Francis Bacon e rejeitou terminantemente o mesmo escolasticismo que Descartes questionava. Quando estudava medicina, Locke tornou-se amigo de outros cientistas, entre eles Robert Boyle (1627-1692), um dos pioneiros da química moderna e um dos fundadores da British Royal Society, estabelecida em 1662 para o avanço da ciência (Boorstin, 1983). Locke também foi contemporâneo de *Sir* Isaac Newton, cujo *Principia Mathematica* foi publicado apenas três anos antes do *Essay* de Locke. O que Galileu, Harvey, Boyle, Newton e outros estavam fazendo pelas ciências físicas, ao transformá-las da "filosofia natural" de base aristotélica que eram num grupo de disciplinas experimentais de base empírica, Locke estava determinado a fazer pela **epistemologia**, o estudo do conhecimento humano e sua aquisição.

Como observa Locke na "epístola ao leitor" que abre seu livro, as ideias do *Essay* provêm de discussões com amigos em Oxford que evoluíram para uma série de notas, "escritas de forma aleatória e, após longos intervalos de abandono, retomadas conforme permitisse meu humor ou a ocasião" (Locke, 1690/1963, p. xlvii). Vinte anos depois dessas discussões originárias, *An Essay Concerning Human Understanding* finalmente surgiu em 1690.

Antes de descrever como surgem nossas ideias, Locke considerou e rejeitou a existência de ideias inatas. Porém ele não ficou inteiramente a favor da aquisição na questão do inato x adquirido. Ele admitia que tínhamos "faculdades" inatas, como a capacidade de raciocínio, mas não aceitava a opinião de Descartes, segundo a qual as ideias que provinham do raciocínio lógico (por exemplo, a extensão) poderiam ser consideradas inatas. Locke começou por argumentar que não há nenhuma necessidade de propor ideias inatas porque é possível demonstrar que as ideias provêm de outras fontes, exigindo apenas o uso de nossas capacidades ("faculdades") mentais básicas. Por exemplo, se nossa capacidade de raciocínio nos permite concluir que todos os objetos físicos têm a propriedade da extensão, a conclusão baseia-se no fato de havermos vivenciado inúmeros objetos extensíveis ao longo da vida. Para Locke, faltando essa experiência, não chegaríamos à conclusão de que a extensão é uma propriedade geral da matéria; inclusive, nem sequer nos ocorreria pensar nela.

Outro argumento em favor das ideias inatas era a crença de que certas ideias são universais, encontradas em todas as pessoas. Se todas as culturas possuem o conceito de Divindade, por exemplo, pode-se afirmar que o conceito de Deus não requer nenhuma experiência específica, sendo portanto inato. Locke não concordava com isso. Embora não tenha usado este exemplo, ele poderia ter afirmado que a crença universal em Deus não implica necessariamente que a ideia de Deus seja inata. Ela poderia decorrer do fato de que, se todas as pessoas morrem (ou seja, uma experiência comum), todas preocupam-se com a morte e a existência de uma vida subsequente. Propor a existência de um ser supremo seria uma consequência natural e inevitável dessa linha de raciocínio.

Um argumento final em favor das ideias inatas é o de que certas ideias aparentemente surgem tão cedo na vida que devem ser inatas. Locke rejeitou também esse argumento, ressaltando que antes mesmo de poder usar a linguagem, as crianças já se beneficiam da experiência, aprendendo a reconhecer a diferença entre o doce e o amargo, por exemplo. Além disso, adotando uma linha semelhante à que viria a ser adotada pelos behavioristas norte-americanos no século XX, Locke observou que nós muitas vezes desconsideramos o fato de que a criança pode ter um bom número de experiências importantes bem cedo na vida. Assim, o fato de um bebê de 2 anos falar em Deus não nos permite concluir que Deus seja uma ideia inata. Essa criança provavelmente terá sido exposta a um ambiente muito religioso nesses dois anos.

Tendo rejeitado o conceito de ideia inata, Locke voltou-se para a questão de como a nossa mente desenvolve ideias. Em um dos trechos mais citados da filosofia, ele declara que *todo* o nosso conhecimento de mundo decorre das experiências que nele temos:

> Suponhamos então que a mente seja, como se diz, uma folha de papel em branco, sem nada escrito, nenhuma ideia; como é que ela é preenchida? Como é que ela se torna esse vasto repositório que a incansável e ilimitada imaginação do ser humano pinta com uma variedade quase infinita? Como é que ela possui todos os materiais da razão e do conhecimento? *A essas perguntas, eu respondo com uma só palavra: experiência.* Na experiência jaz o fundamento de todo o nosso conhecimento, o qual, em última análise, dela provém. (Locke, 1690/1963, pp. 82-3, itálico nosso)

Quando o indivíduo nasce, portanto, a mente é uma folha vazia de **papel em branco** (Locke estava dando novo nome à antiga metáfora aristoteliana da mente como códice, ou tábula de cera, em branco), pronta para ser escrita pelas experiências de vida que ele vai vivendo. Além disso, de acordo com Locke, as ideias que resultam da experiência e compõem a mente têm duas e apenas duas fontes. Para ele, toda ideia que temos, sem exceção, deriva dos processos de sensação e reflexão. Conforme sua descrição:

> Primeiro, nossos sentidos [...] transmitem à mente diversas percepções distintas das coisas [...] e assim chegamos às ideias que temos do que seja o amarelo, o branco, o calor, o frio, o mole, o duro, o amargo, o doce e tudo aquilo que chamamos qualidades sensíveis. [...] A essa grande fonte da maior parte das ideias que temos, inteiramente dependente dos sentidos e por eles propiciadas à compreensão, chamo SENSAÇÃO.
>
> [...] Segundo, a outra fonte, com a qual a experiência fornece ideias à compreensão, é a percepção das operações de nossa própria mente dentro de nós, da forma que é usada pelas ideias que temos; [essas] operações [...] são a percepção, o raciocínio, a dúvida, a crença, a lógica, o conhecimento, a vontade e todas as diferentes ações da nossa mente; [...] a isso chamo REFLEXÃO. As ideias que ela propicia só são ideias à medida que a mente as obtém refletindo sobre suas próprias operações dentro de si mesma. (Locke, 1690/1963, pp. 83-4)

Portanto, a sensação refere-se a todas as informações apreendidas do ambiente por nossos sentidos, e a reflexão refere-se às atividades mentais exigidas ao processamento das informações provenientes tanto dos sentidos quanto da memória. Assim, nosso conceito de verde deriva de todas as nossas experiências com objetos verdes e nossas posteriores reflexões sobre a "verdura". O processo de reflexão também pode produzir novas ideias não conhecidas inicialmente pelos nossos sentidos. Mesmo que não conheçamos a história do Dr. Seuss diretamente, podemos conceber "ovos verdes com presunto" combinando, por meio dos processos reflexivos da memória e da imaginação, nossas ideias de verde, ovos e presunto.

Em outra parte do *Essay*, Locke faz uma distinção entre ideias simples e ideias complexas. As **ideias simples** resultam da experiência de qualidades sensoriais básicas, como amarelo, branco, calor etc., e da realização de reflexões simples, como "agradável". As **ideias complexas** abrangem várias outras, que podem ser combinações de ideias simples e outras ideias complexas. A ideia complexa de uma bebida fria em um dia muito quente, por exemplo, compõe-se de diversas ideias simples relativas a cor, temperatura, forma, satisfação, sabor e da ideia complexa adicional de uma boa vida. As ideias complexas são compostos que podem ser reduzidos a ideias simples, da mesma maneira que os compostos químicos podem ser reduzidos a elementos simples. Essa ideia da mente como uma construção intrincada que incorpora camadas de ideias de complexidade variável era comum ao pensamento empirista britânico e reflete a influência de outras ciências, especialmente a física e a química. Assim como a água pode ser reduzida a seus elementos e a luz pode ser decomposta nas cores que formam o espectro, a mente poderia ser analisada em suas unidades fundamentais. A ideia de que a complexidade da natureza pode ser entendida pela redução dos objetos a seus elementos mais básicos é às vezes chamada de **atomismo** e constitui um pressuposto que subjaz a muitos dos primeiros sistemas da psicologia, inclusive o estruturalismo de E. B. Titchener (Capítulo 7) e o behaviorismo de Watson (Capítulo 10).

Na quarta edição do *Essay*, Locke abordou a questão de como as ideias simples formam ideias compostas e, ao fazê-lo, introduziu na discussão o conceito de **associação**. Assim como a gravidade, que mantém unidos os elementos do universo, foi o conceito central da física newtoniana, a associação seria a cola que interligaria as experiências de vida do indivíduo. Porém, como Locke discutiu o conceito da associação apenas até certo ponto, caberia a outros filósofos britânicos, os quais conheceremos em breve, desenvolvê-lo mais minuciosamente. Como ficará claro, o empirismo e o associacionismo britânico caminharam lado a lado.

Uma distinção final digna de nota é a que Locke traçou entre as qualidades primárias e secundárias da matéria. Trata-se de uma distinção muito famosa no século XVII, inicialmente difundida por Galileu. Afirmava-se que as **qualidades primárias** seriam uma propriedade inerente aos objetos. Extensão, forma e movimento são exemplos dessas qualidades. Essas eram as características que Descartes acreditava serem ideias inatas. Para Locke, elas não tinham nada de inato; os conceitos de fato poderiam resultar da reflexão da mente, mas os dados para essa reflexão provinham das experiências sensoriais com diversos objetos. As **qualidades secundárias**, por sua vez, não seriam atributos inerentes aos objetos, mas sim dependentes da percepção. A cor, o odor, o calor e o sabor dos objetos são exemplos de qualidades secundárias. Assim, a vermelhidão de um objeto não existe nesse objeto em si, mas sim na experiência perceptual do observador. À medida que se torna mais escuro, o tomate na horta não muda de forma, mas sua cor se altera, passando gradualmente do vermelho ao negro. A distinção primário-secundário levantou também outras questões que levaram naturalmente a uma análise direta de como os sistemas sensoriais de fato funcionam para criar nossas "compreensões". Se "vermelho" não está no objeto, mas no cérebro, como é que ele vai parar lá?

A filosofia empirista de Locke suscitou diversas implicações interessantes. Primeiro, se nosso conhecimento de mundo baseia-se em nossas experiências e a sensação é uma das principais fontes da experiência, uma falha dos sentidos deveria produzir uma visão distorcida do mundo. Essa questão foi colocada em carta a Locke por William Molyneux, um amigo de Dublin. Molyneux perguntava o que aconteceria se um cego de nascença, cuja experiência de objetos como cubos e esferas se limitasse ao sentido do tato, reconheceria esses objetos se sua visão de repente se restabelecesse. E respondia com uma negativa, com a qual Locke concordou. Depois que sua visão voltasse a funcionar, esse cego teria de aprender novamente a distinguir o cubo da esfera, criando relações entre as informações recebidas dos sentidos da visão e do tato. Já no século XVIII, a catarata congênita estava sendo operada, permitindo assim um teste direto e uma forte defesa dessa alegação empirista (Morgan, 1977).

Outra implicação da teoria de Locke liga sua visão da psicologia à sua teoria política e ilustra como os tempos agitados em que viveu contribuíram para a formação de suas ideias. Se a compreensão humana resulta da experiência, então as pessoas que vivem em diferentes ambientes terão necessariamente experiências diferentes. Daí, haverá diferenças entre as pessoas que vão desde preferências alimentares a preferências religiosas, passando por crenças acerca da melhor forma de viver a vida. Locke não acreditava num relativismo total – nem todos os sistemas de crença têm o mesmo valor, tanto intelectual quanto moralmente. Mas sua convicção da importância do ambiente na moldagem da mente, e as resultantes diferenças entre as pessoas, estava intimamente ligada a seu liberalismo político e, em especial, a sua convicção de que as diferenças individuais, mesmo em se tratando de preferências religiosas, deveriam ser toleradas. Tendo testemunhado diversos períodos de extrema intolerância religiosa, Locke conhecia sua influência destrutiva.

Locke Acerca da Educação

Uma implicação final do pensamento empirista de Locke diz respeito à criação e à educação das crianças. Se a mente é moldada por suas experiências, um programa de educação expressamente baseado nos princípios empiristas deveria produzir o cidadão ideal. A contribuição de Locke à questão veio em *Some Thoughts Concerning Education* (1693/1963), um breve volume baseado em cartas a um amigo que buscava sugestões para educar o filho. Entre seus vastos conselhos, encontravam-se os seguintes:

1. Formado em medicina, Locke estava convencido da importância da saúde física e inicia o livro defendendo a ideia de que a mente sã requer um corpo são. As sugestões que especificamente deu eram um reflexo de sua rígida criação puritana, que fomentava a simplicidade, a iniciativa e o esforço individual e a crença de que os bons desfechos exigem um certo grau de sofrimento. Por exemplo, para ele, as camas das crianças não deveriam ser macias e sim duras, pois estas instilam nas pessoas a resistência, ao passo que "enterrar-se cada noite em plumas promove a lassidão do corpo, muitas vezes causa fraqueza e é prenúncio de uma morte prematura" (Locke, 1693/1963, p. 22). Usando a lógica da inoculação, ele sugeriu também que as crianças poderiam criar resistência às doenças se lavassem os pés diariamente em água fria e usassem sapatos furados.

2. O treinamento deve começar cedo porque as crianças menores são mais maleáveis e, se não cultivarem bons hábitos desde o início da vida, acabarão criando maus hábitos. Locke achava que um dos maiores erros dos pais era não tornar "a mente [dos filhos] obediente à disciplina e suscetível à razão quando esta se mostra mais flexível e fácil de dobrar" (Locke, 1693/1963, p. 27). Os bons hábitos também exigem prática. As crianças os aprendem fazendo as coisas repetidamente e não por meio de regras, "que sempre lhes fugirão à memória" (p. 46).

3. Locke condenava o uso do castigo, principalmente à medida que as crianças iam crescendo. A criança que apanha por não fazer suas lições logo passa a ter aversão total à aprendizagem (e aos instrutores). Além disso, embora possa reduzir a indisciplina da criança, se for severo e repetido, o castigo tem o risco de "domar a mente e, assim, em lugar de um jovem rebelde, tem-se uma criatura apática e deprimida" (Locke, 1693/1963, p. 38).
4. As recompensas concretas também deveriam ser evitadas. Dar doces a uma criança pelo bom desempenho produz uma criança que só se interessa em ganhar doces. Por outro lado, Locke recomendava o uso de castigos e recompensas na forma de reprovação e aprovação dos pais. "Quando se consegue instilar numa criança o amor ao mérito e a apreensão da vergonha, instila-se então o verdadeiro princípio, que funcionará constantemente e a fará tender ao que é certo" (Locke, 1693/1963, p. 41).

Os pontos de vista de Locke em relação à educação, assim como sua filosofia empirista em geral, apresentam uma grande afinidade com o behaviorismo do século XX, como se evidenciará nos Capítulos 10 e 11. Embora Locke estivesse interessado pela vida mental e os behavioristas pela ação visível, há fortes semelhanças. Como os atuais behavioristas, Locke acreditava que a complexidade podia ser entendida por meio da análise dos elementos que a compõem, que o ambiente moldava diretamente a mente e o comportamento e, por fim, que se pode dizer muito acerca de alguém quando se conhece algo de suas experiências na vida. O empirismo e o behaviorismo também compartilham a ênfase na importância da associação, embora, como foi mencionado antes, tenha cabido aos empiristas que sucederam a Locke desenvolver plenamente a doutrina associacionista. É, portanto, para os descendentes intelectuais de Locke que nos voltaremos agora.

George Berkeley (1685-1753): O Empirismo Aplicado à Visão

À medida que o século XVII se aproximava do fim, ficou claro para a *Intelligentsia* que sua marca havia sido o declínio gradual da autoridade da igreja e do escolasticismo, seguido e, em grande medida, precipitado por enormes avanços da ciência. De Bacon a Galileu e de Harvey a Boyle e Newton, evoluiu um *Zeitgeist* que via o universo como uma grande máquina, composta de peças materiais e sujeita a leis cuja descoberta só poderia ser feita mediante a união entre os métodos científicos e o rigor matemático. Embora só no século XIX o **materialismo** viesse a atingir seu pleno desenvolvimento, suas raízes estão fincadas no século XVII. Os materialistas são monistas no que se refere à questão mente-corpo, acreditando que a única realidade é a realidade física e que todo evento do universo, inclusive aqueles que denominamos eventos mentais, envolve objetos materiais mensuráveis que se movem no espaço físico. O materialismo inclui o acima mencionado atomismo, a ideia de que as entidades complexas podem ser entendidas mediante sua redução às partes que as compõem. O materialismo também constitui uma ameaça ao conceito de livre-arbítrio por implicar o **determinismo**, a crença de que todos os eventos possuem causas prévias. Se não tivermos liberdade de opção, então talvez não possamos ser responsabilizados por nossos atos.

Essa visão de mundo materialista e cientificista não exclui necessariamente a religião (Boyle, por exemplo, afirmava que fazer ciência era descobrir o desígnio de Deus), mas põe em risco os conceitos de livre-arbítrio e responsabilidade moral e, por isso, alguns a viram como um perigo. Um pensador especialmente preocupado com as implicações materialistas da ciência setecentista foi George Berkeley, bispo da igreja anglicana na Irlanda.

Berkeley concluiu sua obra filosófica mais importante antes de completar 30 anos de idade. Nascido na Irlanda e educado no

Trinity College de Dublin, Berkeley tornou-se diácono da igreja anglicana em 1709, aos 24 anos. Foi professor de várias cadeiras e por fim foi nomeado, em 1734, Bispo de Cloyne, na Irlanda. Ao atingir a meia-idade, deixou-se fascinar pela possibilidade de ser missionário no Novo Mundo. Ele acreditava que a América era a grande esperança da civilização e afirmou isso em um poema intitulado "Destiny of America", o qual contém o famoso verso "rumo ao oeste segue o curso do império". Berkeley viveu algum tempo em Newport, Rhode Island, e tentou, sem sucesso, fundar uma universidade nas Bermudas. A cidade de Berkeley, na Califórnia, situada no extremo oeste dos Estados Unidos, ganhou seu nome.

Berkeley é importante para a psicologia devido a dois livros que publicou aos vinte e tantos anos: *An Essay Towards a New Theory of Vision* (1709) e *Treatise Concerning the Principles of Human Knowledge* (1710). Ambos são bastante empiristas e baseiam-se numa análise dos processos sensoriais. Segundo reza a lenda, o interesse de Berkeley pela sensação provém de um enforcamento que testemunhou quando era estudante. Curioso acerca das sensações que acompanham o enforcamento, ele teria *enforcado a si próprio* nas vigas do teto, em companhia de amigos instruídos a soltá-lo após alguns minutos! Evidentemente, Berkeley perdeu a consciência e quase morreu nesse incidente, que contribuiu para a sua fama de excêntrico (Klein, 1970).[4]

A obra de Berkeley sobre a visão foi o primeiro exemplo sistemático de aplicação do pensamento empirista ao estudo da percepção. E foi muito oportuna, pois surgiu quando os avanços da ótica já permitiam telescópios, microscópios e óculos novos e aperfeiçoados, mas o conhecimento do sistema visual era rudimentar. No livro, Berkeley procurou mostrar que nossas percepções da distância, tamanho e local dos objetos são julgamentos que dependem inteiramente da *experiência*. Ao julgar a distância, por exemplo, Berkeley utilizou aquilo que seu livro de psicologia geral chama de pistas monoculares (que exigem só um olho) da superposição, clareza relativa e tamanho relativo:

[A] nossa estimativa da distância de objetos consideravelmente remotos é um juízo que se baseia mais na experiência que na sens[ação]. Por exemplo, quando percebo um grande número de objetos intermediários, como casas, campos, rios e coisas que tais, que, por experiência, sei que ocupam espaço considerável, formo o juízo ou conclusão de que o objeto que vejo além deles está a uma grande distância. Da mesma maneira, quando um objeto que, por experiência, sei que de perto é grande e volumoso parece pequeno e quase imperceptível, concluo imediatamente que ele está muito longe. (Berkeley, 1709/1948, p. 171)

Berkeley analisou também a questão do julgamento da profundidade de objetos que se encontram relativamente próximos, descrevendo minuciosamente fenômenos hoje conhecidos como convergência, uma pista binocular (que exige dois olhos) e acomodação. Na **convergência**, quando os objetos se aproximam ou se afastam de nós, "alteramos a conformação de nossos olhos, reduzindo ou ampliando a distância entre as pupilas" (Berkeley, 1709/1948, p. 174). Esses movimentos dos olhos são resultantes de movimentos musculares que, por sua vez, criam as sensações que associamos a várias distâncias. Da mesma forma, a percepção nítida dos objetos dá-se pela **acomodação**, na qual mudanças na forma da lente mantêm os objetos em foco na retina. Os objetos mais próximos promovem na lente um aumento maior que os mais distantes. Mais uma vez, essas mudanças são acompanhadas de ação muscular e sensações que se associam a diferentes distâncias.

---

4. Essa fama aumentou quando Berkeley morreu. Ele acreditava que a decomposição visível era o único sinal inequívoco da morte e, por isso, deixou instruções para só ser enterrado depois que seu corpo começasse a exalar mau odor.

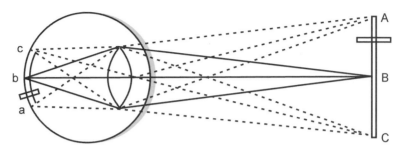

FIGURA 2.3 A imagem retinal invertida (ilustração extraída de Berkeley, 1709/1948).

Os princípios básicos da ótica já eram conhecidos havia algum tempo, e desde Descartes o fato de a imagem retinal ser invertida, conforme mostra a Figura 2.3, extraída do livro de Berkeley, era de domínio público. A questão era como conseguíamos ver o mundo "de cabeça para cima". Para Berkeley, a noção de que o cérebro simplesmente opera uma correção era demasiado simplista e, assim, propôs que, mais uma vez, a chave estava em nossa experiência do mundo. Especificamente, aprendemos a relacionar aquilo que vemos ao que experimentamos usando nossos demais sentidos, em especial o tato e os sentidos associados ao movimento físico. Desenvolvemos conceitos como acima e abaixo por meio do sentido do tato, segundo Berkeley, aprendendo que "acima" está mais longe da Terra que "abaixo". Quando atingimos a parte superior e a parte inferior da cruz da Figura 2.3, aprendemos a fazer a conexão entre a porção inferior da imagem retinal e a parte superior da cruz e passamos a "vê-la" como mais distante da Terra (ou seja, mais alta) que a parte inferior. Mais uma vez, tudo depende da experiência.

Um tema importante na teoria da visão de Berkeley, evidenciado na frase de abertura da citação referente às pistas monoculares, é que não vemos os objetos diretamente. Em vez disso, fazemos juízos sobre eles com base em informações visuais e em nossas experiências. Esse tema foi levado para sua principal obra, *Treatise Concerning the Principles of Human Knowledge* (Berkeley, 1710/1957), e forneceu a base para seu ataque ao materialismo. Assim como não vemos a "distância" diretamente, não vemos os "objetos materiais" diretamente. Em ambos os casos, eles são "julgados" com base na percepção. Desse modo, não podemos ter plena certeza da realidade dos objetos materiais; a única certeza é que estamos percebendo. Essa posição de Berkeley é conhecida como **idealismo subjetivo** (ou, às vezes, "imaterialismo"). Ela se situa na tradição empirista porque a experiência é a fonte de todo conhecimento, mas destrói a distinção que Locke traçou entre as qualidades primárias e secundárias da matéria. Para Berkeley, tudo era qualidade secundária. Se a cor depende da pessoa que a percebe, o mesmo se aplica à extensão. A única coisa real para nós é a nossa própria percepção.

Isso implica que jamais podemos ter certeza da realidade do mundo? A árvore que cai na floresta só existe se a escutarmos cair? Não. A realidade de fato existe, segundo Berkeley, porque os objetos, inclusive a árvore da floresta, são *sempre* percebidos por Deus, por ele chamado de "Perceptor Permanente". Podemos ter certeza da permanência da realidade, mas só mediante a fé em Deus. Desse modo, Berkeley procurou atacar o que via como materialismo ímpio, sugerindo que a fé em Deus era essencial à nossa compreensão do mundo.

Berkeley não conseguiu refutar a tendência ao materialismo, como se verá no próximo capítulo. E, apesar da complexidade de sua obra sobre a visão, ele não fazia experimentos e, por isso, não pode ser incluído entre os primeiros psicólogos experimentais. Porém, enfatizando a importância da percepção na compreensão da realidade e atacando diretamente a questão do real funcionamento da percepção visual, ele fortaleceu a causa do empirismo britânico, ao mesmo tempo que contribuiu para que o problema do *modo como o conhecimento é adquirido* se tornasse menos filosófico e mais psicológico. Como afirma o historiador da psicologia Daniel Robinson, Berkeley "tornou a epistemologia um ramo da psicologia e desde então elas não se divorciaram" (1981, p. 228). Uma vez que o problema do conhecimento humano se tornou um problema psicológico, as pessoas começaram a fazer outras perguntas. Em vez de uma pergunta filosófica como "Quanto se pode conhecer acerca da natureza da realidade?", os pensadores passaram a fazer perguntas como "De que modo exatamente a percepção visual contribui para aprimorar aquilo que sabemos?" Essa mudança seria responsável pelo surgimento de uma psicologia científica.

O Associacionismo Britânico

Como John Locke, Berkeley tinha pouco a dizer sobre a maneira como nossas experiências sensoriais e nossas reflexões se aliam para criar formas mais complexas de conhecimento. Isto é, embora ambos tenham abordado a questão da associação de ideias, nenhum deles examinou atentamente o fenômeno. A associação, no entanto, logo viria a ocupar o centro do palco para os filósofos britânicos, sendo vista como uma força que controlava os eventos da vida mental. O associacionismo é a doutrina segundo a qual a mente pode ser entendida como um conjunto complexo de ideias relacionadas entre si por força das associações que existem entre elas. As coisas são associadas em nossa mente em virtude de nossa experiência no mundo; portanto, o associacionismo se baseia no empirismo. Os filósofos britânicos David Hume e David Hartley deram importantes contribuições para a compreensão do funcionamento da associação.

David Hume (1711-1776): As Regras da Associação

Hume nasceu perto de Edimburgo, na Escócia, mais ou menos na época em que Berkeley publicou os dois livros acima citados. Ele entrou para a University of Edinburgh aos 12 anos de idade, apaixonou-se pela literatura e pela filosofia, mas três anos depois abandonou o curso sem obter o diploma. Tentou estudar direito, mas detestou a matéria e decidiu então dedicar-se ao comércio, que detestou igualmente. Determinado a tornar-se um erudito, refugiou-se por três anos no interior da França,[5] onde escreveu seu primeiro livro, *A Treatise of Human Nature* (1739-1740/1969). Assim, como Berkeley, Hume publicou um tratado de peso antes de chegar aos 30 anos. Infelizmente, o livro não vendeu bem, decepcionando o ambicioso Hume, que depois diria: "Ele caiu natimorto da prensa, sem provocar sequer um murmúrio entre os fanáticos" (citado por Klein, 1970, p. 552). Posteriormente, escreveu versões reduzidas do *Treatise* com diferentes títulos, mas não foram seus escritos filosóficos que o tornaram mais conhecido, e sim uma monumental história em cinco volumes da Inglaterra. Ainda hoje respeitada, ela foi além da usual história militar e política, incorporando à narrativa a história social e literária.

Nunca modesto, Hume estava convencido de que seu *Treatise* faria pela filosofia o que Newton fizera pela física. Com efeito, o subtítulo do tratado é "Being an Attempt to Introduce the Experimental Method of Reasoning into Moral Subjects" [Uma Tentativa de Introduzir o Método Experimental da Lógica nas Disciplinas Morais]. Com "método experimental", Hume não se referia ao

---

5. Hume escolheu a tranquila La Flèche, conhecida pela escola jesuíta onde Descartes havia estudado.

emprego de experimentos, como entendemos a expressão hoje, mas a observação cuidadosa e sistemática do raciocínio e do comportamento humanos, principalmente os seus próprios, seguida de uma análise lógica do processo a fim de descobrir as leis básicas da mente.

Como bom seguidor da tradição empirista britânica, Hume criou seu sistema com base no princípio de que toda a nossa compreensão tem origem na experiência. Para dissecar a experiência humana, Hume primeiro tentou descobrir os elementos básicos da mente, análogos aos átomos do físico. Depois de refletir, ele concluiu que esses elementos eram em número de dois: impressões e ideias. As **impressões** são sensações básicas, os dados não processados da experiência. Sentimos prazer, vemos o vermelho, provamos o doce e assim por diante. As **ideias**, por sua vez, são "cópias vagas" das impressões. Ou seja, embora semelhantes a impressões e delas provenientes, as ideias não são tão vívidas. Para apoiar seu argumento de que as ideias provinham das impressões, Hume observou que é possível reduzir todas as nossas ideias a impressões, inclusive as ideias complexas, jamais experimentadas diretamente. Assim, mesmo que nunca tenhamos encontrado um trevo de quatro folhas, podemos ter dele uma ideia complexa, criada pela combinação de ideias simples (isto é, "quatro", "trevo" e "verde") que, com efeito, podem ter suas origens descobertas em impressões.

Observe que a análise que Hume faz de impressões e ideias se insere na corrente dominante do empirismo britânico. Se todas as ideias são cópias vagas das impressões, então todas as ideias derivam das impressões que experimentamos na vida. Por conseguinte, não existem ideias inatas. Além disso, Hume abraçou a distinção de Locke entre ideias simples e complexas. Mas como as impressões se conectam às ideias e como se formam as ideias complexas? Como uma ideia leva a outra? Para resumir, por meio de um processo de associação, cuja análise Hume considerava sua maior realização.

Hume propôs três leis da associação: semelhança, contiguidade e causa/efeito. Às vezes um objeto nos lembra outro por ser parecido ou ter com ele uma relação de **semelhança**. Assim, a foto da meia abóbada do parque Yosemite lembra essa formação real de granito e traz à mente recordações (ideias), talvez de uma visita ao vale. A **contiguidade** diz respeito à vivência simultânea de duas ou mais coisas. Assim, como o purista só come lagosta no Maine, pensar em lagosta evoca na mente o litoral desse estado. A terceira lei da associação de Hume refere-se à relação entre **causa e efeito**. Se um evento acompanha outro com certa regularidade, desenvolveremos uma associação entre os dois. O exemplo dado por Hume foi o da ferida cicatrizada. A ferida original nos "fez" sentir dor; assim, quando agora vemos a antiga ferida, lembramo-nos da dor e das circunstâncias que a produziram. Mas o que determina causas e efeitos? A resposta de Hume o tornou uma figura controvertida em sua época, mas talvez seja a sua mais importante contribuição para a psicologia moderna.

Hume achava que nunca podemos ter absoluta certeza acerca das causas dos eventos; que tudo o que podemos saber é que eles ocorrem juntos com certa regularidade e previsibilidade. Segundo ele, para concluir que A causa B, é necessário saber que (a) quando A ocorre, B regularmente ocorre também, (b) A ocorre antes de B e (c) B não ocorre se A não ocorrer. Recorrendo ao empirismo e ciente do problema básico da indução, Hume observou que só sabemos dessas regularidades por causa da experiência. Além disso, como a experiência é limitada, jamais podemos ter certeza absoluta das causas dos eventos. A conclusão de Hume de que a certeza absoluta era impossível lhe valeu o rótulo de "cético" e o colocou em conflito com autoridades como a igreja, que naturalmente se sentiram ofendidas pela implicação de que a existência de Deus poderia ser questionada.

Entretanto, é importante observar que Hume não negou a existência da realidade, de Deus nem da possibilidade de os eventos terem causas absolutas. Seu argumento era a impossibilidade de certeza na determinação dessas causas. Do ponto de vista prático e cotidiano, o que ele achava importante era a capacidade de acumular experiência suficiente para poder fazer as melhores previsões possíveis. Se há sistematicidade na ocorrência conjunta de determinados eventos no passado, tudo leva a crer que eles co-ocorrerão no futuro. Assim, Hume não estava negando a causalidade; simplesmente a deslocou da busca de causas absolutas para a busca de regularidades maiores que o acaso. Os psicólogos de hoje que buscam as "causas" dos comportamentos são essencialmente seguidores de Hume nesse aspecto. Eles reconhecem que vários fatores contribuem para todo comportamento e que o máximo que se pode esperar é a identificação dos fatores que prenunciam os comportamentos com probabilidades maiores que o acaso.

David Hartley (1705-1757):
Um Associacionismo Fisiológico

Hume certamente deu atenção ao processo da associação, mas o tema interessou ainda mais a David Hartley. Ele não promoveu avanços revolucionários nem ficou conhecido como pensador original, mas seu livro *Observations on Man, His Frame, His Duty, and His Expectations* (1749/1971), resumiu com grande clareza o essencial do pensamento empirista britânico, além de fornecer uma descrição contundente de como a associação poderia ser o princípio-guia de uma teoria da estrutura e do funcionamento da mente humana. Como também tentava descrever os correlatos neurológicos da atividade mental, o livro marcou ainda um passo importante no desenvolvimento da psicologia fisiológica. Publicado exatos cem anos depois de *The Passions of the Soul*, de Descartes, ele constitui um digno sucessor seu.

Hartley nasceu no norte da Inglaterra, formou-se em Cambridge e preparava-se para abraçar uma carreira de ministro religioso, como o pai, quando surgiram conflitos de ordem doutrinária. Ele descobriu que era incapaz de acreditar na ideia da danação eterna, um dos assim chamados 39 artigos de fé que os ministros da igreja Anglicana tinham de aceitar. Optou então pela medicina e exerceu a profissão com sucesso. Em seu tempo livre, fundou o associacionismo britânico.

Hartley era contemporâneo de Hume, mas não sofreu sua influência. Seus primeiros rascunhos de *Observations* datam do início da década de 1630, sendo portanto anteriores ao *Treatise* de Hume, que é de 1639. Ao que tudo indica, Hartley não conheceu a obra de seu contemporâneo (o que não é de admirar, dado o fracasso de vendas do livro de Hume). Três anos antes da publicação final de *Observations*, ele publicou uma versão do livro como apêndice a uma obra médica sobre os cálculos dos rins e da bexiga. Esse apêndice, escrito em latim, tem um título que sugere um caráter incipiente: *Conjecturae*. Aparentemente, Hartley queria submeter suas ideias à avaliação prévia de um grupo restrito de especialistas antes de publicá-las.

Hartley deixa claro na frase que abre o livro que era dualista no que diz respeito à questão mente-corpo: "O ser humano consiste em duas partes: corpo e mente" (Hartley, 1749/1971, p. i). Ao contrário de Descartes, Hartley não defendeu o interacionismo, adotando uma posição conhecida como **paralelismo psicofísico**. Ou seja, considerava os eventos psicológicos e físicos (fisiológicos) separadamente, mas os via atuar paralelamente, chegando mesmo a estruturar o livro numa série de proposições que se alternavam entre mente e corpo. As proposições 10 e 11, muito citadas, demonstram o núcleo do seu associacionismo, primeiro no lado mental e, em seguida, no físico. A proposição 10 diz, em parte, que:

> Quaisquer Sensações A, B, C *et coetera*, por estarem associadas umas às outras um Número de Vezes suficiente, assumem tal Força diante das correspondentes Ideias a, b, c *et coetera* que qualquer das Sensações A, quando ocorrer sozinha, será capaz de excitar na Mente as demais ideias b, c *et coetera*.

Pode-se dizer que as Sensações se associam quando suas Impressões se verificam precisamente no mesmo Instante de Tempo ou nos Instantes contíguos sucessivos. Podemos, portanto, distinguir dois tipos de Associações: as sincrônicas e as sucessivas. (Hartley, 1749/1971, p. 65)

Assim, para Hartley a principal lei da associação é a contiguidade, a experiência concomitante de eventos. Se repetidamente vemos Adam (A), Brent (B) e Charlie (C) juntos, com cada experiência sensorial produzindo as ideias que a eles correspondem (a, b e c), então se no futuro virmos Adam (A), as ideias de Brent (B) e Charlie (C) também nos ocorrerão. A probabilidade de isso acontecer está ligada ao número de vezes que os vimos juntos. Assim, a força da associação jaz na **repetição**. Além disso, a contiguidade se verifica no caso de eventos vivenciados tanto simultaneamente quanto em rápida sucessão. Embora Hartley tenha usado os termos sincrônico e sucessivo, esses conceitos costumam ser usados em referência à **contiguidade espacial** e à **contiguidade temporal**, respectivamente. Ao pensar em sua casa, você pode ser levado a pensar em seu cachorro sentado diante da porta de entrada (espacial), enquanto que a salivação do cão pode ser o resultado da associação que ele faz entre ver você sorrir e a apresentação da comida (temporal).[6]

Não há necessidade de citarmos a Proposição 11 porque ela é idêntica à 10, exceto pelo fato de a palavra "Vibrações" substituir "Sensações" e a frase "Vibrações miniaturais" substituir "Ideias". Essa era a versão de Hartley da atividade do sistema nervoso, emprestada de *Sir* Isaac Newton, que sugeriu que toda matéria pode ser conceitualizada como partículas que vibram no espaço. Hartley tinha sobre Descartes a vantagem de saber que os nervos não são ocos e que, portanto, não havia espaço para o fluxo de ida e vinda de espíritos animais. Em vez disso, os nervos seriam feixes de fibras muito compactas que Hartley acreditava poderem transmitir informações sensoriais por meio da vibração. No cérebro, nervos menores produziriam vibrações ainda menores, que Hartley denominou "vibrações miniaturais", ou miniaturas, e que corresponderiam às ideias. Como Hume, que afirmava serem as ideias "cópias vagas" das impressões, Hartley via as ideias (vibrações miniaturais) como menos "vigorosas" que as sensações (vibrações).

O modelo criado por Hartley para a mente era uma espécie de estrutura básica, na qual as ideias complexas seriam construídas a partir das partes que as compunham. Ele usou como exemplo a ideia complexa de um cavalo, afirmando que "não poderíamos ter uma ideia apropriada do Cavalo se cada uma das ideias de Cabeça, Pescoço, Corpo, Pernas e Rabo, peculiares a esse animal, não se juntasse às outras na Imaginação [isto é, não nos ocorressem], a partir da frequente Impressão conjunta" (Hartley, 1749/1971, p. 71). Essas subpartes também podem ser divididas em ideias ainda mais simples (por exemplo, as pernas possuem cascos etc.). Se nossa experiência nos expuser com frequência suficiente a esses elementos atomísticos, ao vermos parte de um cavalo (por exemplo, um casco), pensaremos no cavalo como um todo.

A análise de Hartley põe em foco a questão do atomismo x "holismo". A maioria dos filósofos britânicos adotou a abordagem atomística, sendo Hartley talvez o mais explícito dentre os que consideramos até aqui. Um dos problemas dessa abordagem é que exige o conhecimento das partes antes que se possa conhecer o todo. Ou seja, as ideias complexas criam-se a partir de ideias mais simples. No exemplo do cavalo, Hartley fala de partes que "se fundem" até criar-se o animal inteiro. O todo é igual à soma das partes. O **holismo**, por sua vez, defende a primazia do todo sobre as partes que o

---

6. Como você pode deduzir do último exemplo, a contiguidade foi um conceito importante para o fisiólogo russo Ivan Pavlov, que você encontrará no Capítulo 10.

constituem, sugerindo que as partes não têm sentido se antes não conhecermos o todo. O psicólogo G. F. Stout certa vez usou o caso da pirâmide construída com pedras ovais como exemplo (Klein, 1970). Cada elemento da pirâmide pode ser perfeitamente arredondado, mas o todo da figura possui uma forma triangular não encontrada em nenhuma de suas partes. A abordagem holística finalmente viria a encontrar voz dentro da psicologia com a obra dos psicólogos gestaltistas (Capítulo 9).

Hartley pertencia claramente à ala dos atomistas e teve influência direta sobre James Mill (1773-1836), outro representante da longa linhagem de empiristas e associacionistas britânicos. Essa influência se evidencia no exemplo abaixo, muito citado, fornecido por Mill em *Analysis of the Phenomena of the Human Mind* (1829/1948):

> Tijolo é uma ideia complexa; cimento, outra. Essas ideias, juntamente com ideias de posição e quantidade, compõem a ideia que faço de uma parede. Minha ideia de prancha é uma ideia complexa, minha ideia de viga é uma ideia complexa, minha ideia de prego é uma ideia complexa.
>
> Essas, unidas às mesmas ideias de posição e quantidade, compõem minha ideia dúplice de piso. Da mesma maneira, minhas ideias complexas de vidro, madeira etc., compõem minha ideia dúplice de janela; e essas ideias dúplices, unidas, compõem minha ideia de casa. [...] Quantas ideias complexas, ou ideias dúplices, estão reunidas na ideia de mobília? Quantas mais na ideia de mercadoria? E quantas mais na ideia daquilo a que chamamos Tudo? (p. 154)

Mill foi personagem importante na filosofia britânica e, como Hume, era também famoso como historiador: sua *History of British India*, escrita em 1817, ajudou-o a obter segurança financeira. Porém James Mill não foi tão importante quanto o filho, coisa que se empenhou em produzir empregando sistematicamente a doutrina empirista e associacionista à educação da criança. Leia o *Close-Up* para conhecer melhor a criação deliberada de um filósofo.

CLOSE-UP
A CRIAÇÃO DE UM FILÓSOFO

James Mill não se contentou em simplesmente escrever acerca da importância da experiência no desenvolvimento da mente. Quando o filho nasceu, ele se dispôs a colocar o empirismo em prática preenchendo a folha em branco de sua mente com o máximo possível de informação. John Stuart Mill teve (melhor dizer: resistiu a) uma infância incomum, a qual descreveu mais tarde numa autobiografia breve, porém notável (Mill, 1873/1989).

Mill, filho, jamais foi à escola com outras crianças, mas, antes de completar 12 anos, já era capaz do mesmo desempenho intelectual de qualquer aluno saído da universidade. Sob a tutela do pai, começou a aprender grego aos 3, latim aos 8 e, ao atingir os 10 anos de idade, havia lido a maioria dos textos clássicos dos gregos e romanos, das *Fábulas de Esopo* e dos *Diálogos* de Platão às histórias de Heródoto (o "pai" da história) e à *Retórica* de Aristóteles. Além disso, devorava arte e literatura e dominava a álgebra e a geometria. Para distrair-se, lia livros como *Robinson Crusoé*, *As Mil e Uma Noites* e as peças históricas de Shakespeare. Essa última leitura talvez tenha sido um ato menor de rebeldia diante do pai, que "jamais foi um grande admirador de Shakespeare, cuja idolatria inglesa atacava com certa severidade" (Mill, 1873/1989, p. 35).

O jovem Mill passava a maior parte do dia estudando suas lições. O pai era seu instrutor, mas esperava que ele aprendesse muito por conta própria. A rotina geralmente consistia na leitura de trechos de alguma obra, realização de anotações e relatório ao pai no dia seguinte, durante caminhadas no campo antes do café da manhã. Mill escreveria depois: "minhas primeiras lembranças de campos verdejantes e flores silvestres [estavam] misturadas [ao] relatório que lhe fazia diariamente daquilo que lera no dia anterior" (p. 29). Durante essas caminhadas, o pai também dava-lhe palestras sobre "civilização, governo, moralidade [e] cultivo da mente, pedindo-me em seguida que as reproduzisse para ele em minhas próprias palavras" (p. 30). A educação prosseguia mesmo quando Mill, pai, estava ocupado com seu próprio trabalho. Mill admirava a capacidade que o pai tinha de escrever, mesmo sendo constantemente interrompido pelo garoto sentado à outra ponta da mesa. A imagem que ele pinta é, sem querer, engraçada:

> Até que ponto ele estava disposto a ir em nome da minha instrução se depreende do fato de que eu preparava minhas lições de grego na mesma sala e à mesma mesa em que ele escrevia. E, como naquela época não existiam vocabulários de grego e inglês, eu era obrigado a perguntar-lhe o significado de cada palavra que desconhecia. A essa interrupção incessante, ele, um dos mais impacientes entre os homens, acedia, tendo escrito em meio a ela vários volumes de sua *History* [of India] e tudo mais que tivesse de escrever naqueles anos. (p. 28)

John Stuart Mill é muitas vezes citado como exemplo de criança-prodígio, alguém cujos dotes intelectuais inatos permitiram aprender tanto tão cedo. Provavelmente há alguma verdade nisso, mas Mill jamais acreditou um só minuto nessa história. Como não tinha permissão para brincar com outras crianças, ele não tinha outra referência que não o pai. Com efeito, ao longo da infância tinha a impressão, como ele mesmo disse, de "estar bastante atrasado nos estudos, já que me via sempre assim diante do que meu pai esperava de mim" (Mill, 1873/1989, p. 46). Quando finalmente percebeu o quanto estava avançado, demonstrou o espírito empirista creditando-o a suas experiências, e não a alguma capacidade inata. Na verdade, Mill acreditava que seus "dotes naturais [estão] mais abaixo que acima do esperado" (p. 44) e que suas vantagens diante de outros deviam-se à inferior qualidade da educação destes. Em suas modestas palavras, suas realizações "não poderiam ser atribuídas a nenhum mérito em mim, mas à vantagem extremamente incomum que me coube, de ter um pai que me pôde ensinar" (pp. 46-7).

John Stuart Mill (1806-1873): À Beira da Ciência Psicológica

A vida adulta de Mill não foi menos extraordinária que sua infância. Seguindo os passos do pai, ele se mantinha graças a um emprego na British East India Company, onde começou aos 17 anos como atendente e gradualmente ascendeu ao cargo de executivo. Os direitos autorais da venda dos livros que escrevia por fim lhe garantiram uma vida confortável. Em seus últimos anos, foi eleito para a Câmara dos Comuns do Parlamento e ali trabalhou por três anos. De resto, muito pouco em sua vida foi convencional. Criado pelo pai para tornar-se uma "máquina de raciocinar", aos 15 anos tornou-se um dedicado ativista de reformas políticas e sociais, mas aos 20 teve uma grave "crise mental". Enquanto se via num estado de "embotamento nervoso", Mill se perguntava:

> "Suponha que todos os seus objetivos de vida se tenham concretizado; que todas as mudanças que você deseja nas instituições e nas opiniões se realizarão neste exato momento: isso seria para você uma grande felicidade?" E uma autoconsciência irreprimível respondia claramente: "Não!" Com isso, meu coração afundou dentro de mim: toda a base em que minha vida fora construída ruiu. [...] Era como se eu não tivesse nada por que viver. (Mill, 1873/1989, p. 112)

Depois de vários anos de letargia, Mill recuperou-se dessa depressão, em parte por haver descoberto Wordsworth. A beleza das palavras do poeta de "O lago" despertou pela primeira vez uma vida emocional em Mill, mostrando-lhe que a vida era mais que a fria racionalidade. Seus sentimentos atingiram um grau de desenvolvimento ainda maior quando ele conheceu e se apaixonou por Harriet Taylor, uma mulher notável que, além de muito bela, possuía agudos dotes intelectuais. Infelizmente para Mill, Taylor era casada e, aparentemente, feliz no casamento. Apesar desse obstáculo, estabeleceu-se entre os dois uma relação, tendo Mill inclusive vivido com o casal por um breve período, acompanhando-o em algumas viagens de férias. A aliança era evidentemente platônica, mas mesmo assim promoveu um pequeno escândalo. Os dois finalmente se casaram em 1851, dois anos depois da morte de John Taylor. Enquanto viveu, Harriet contribuiu significativamente para a obra de Mill, principalmente para seu ensaio político mais importante, *On Liberty*, publicado em 1858. Após sua morte repentina em 1858, sua filha, Helen Taylor (Figura 2.4), deu prosseguimento à parceria intelectual com o padrasto, tendo contribuído para o clássico ensaio feminista de Mill, *The Subjection of Women* (1869), que era bem avançado para a época e defendia veementemente a igualdade de direitos das mulheres, inclusive o direito ao voto. Helen foi mais ativista que a mãe, tendo colaborado para a criação da primeira organização britânica em defesa do voto feminino e recrutado para o grupo mulheres famosas como Florence Nightingale.

A política de Mill provinha de sua psicologia, tendo para ela contribuído. Como

FIGURA 2.4 John Stuart Mill e a enteada, Helen Taylor (extraída de Mazlish, 1975).

empirista, ele acreditava que todo conhecimento vinha da experiência e que, em circunstâncias adequadas, qualquer um poderia ser culto. Assim, era favorável ao apoio do governo à educação universal, mostrando-se horrorizado com o sistema tradicional inglês, que favorecia a aristocracia latifundiária, uma elite minoritária. Ao mesmo tempo, era contra o sufrágio universal, endossando uma espécie de meritocracia na qual só teria direito a votar o homem ou mulher que tivesse atingido um certo nível de educação. Em resumo, ele almejava uma sociedade que tentasse preencher ao máximo a tábula rasa de todos os seus membros.

A Psicologia de Mill

As opiniões de Mill acerca da psicologia encontram-se dispersas em várias de suas obras, entre elas *System of Logic* (1843/1987), que veremos em breve, nas extensas notas que escreveu para uma reedição em 1869 de *Analysis*, de seu pai, e no seu *Examination of Sir William Hamilton's Philosophy* (1865). O ataque de Mill a Hamilton é mais um exemplo da forte ligação existente entre seu ardor reformista e suas opiniões acerca da psicologia, colocando-o inteiramente do lado da aquisição no que se refere à questão inato-adquirido. Mill associou o racionalismo de Hamilton à crença nas ideias inatas e argumentou que seu resultado era uma filosofia antirreforma. Conforme afirmou,

> Há muito venho sentindo que a tendência reinante a considerar todas as marcadas distinções do caráter humano como inatas e, no geral, indeléveis, bem como a ignorar as provas incontestáveis de que a maior parte dessas diferenças, sejam entre indivíduos, raças ou sexos, é em grande parte [...] resultante de diferenças de circunstâncias, é um dos principais obstáculos ao tratamento racional de grandes questões sociais e um dos maiores obstáculos ao aperfeiçoamento humano. (Mill, 1873/1989, p. 203)

DATA-CHAVE 1843

Este ano marcou a publicação de *Logic*, de John Stuart Mill, que apresentava as regras fundamentais para a condução da pesquisa empírica.

Os seguintes fatos também ocorreram:

- Tentando assassinar o primeiro-ministro inglês, *Sir* Robert Peel, Daniel M'Naughton mata por engano seu secretário particular, tendo sido posteriormente absolvido por ser considerado incapaz de distinguir o certo do errado. A subsequente "regra de M'Naughton" tornou-se a base da defesa moderna de inculpabilidade por motivo de insanidade

- A primeira leva de migrantes para o oeste norte-americano segue a lendária trilha do Oregon; cerca de meio milhão de pessoas fizeram a mesma viagem durante os 25 anos seguintes

- O *S.S. Great Britain*, primeiro navio a motor a cruzar o Atlântico, é lançado ao mar

- O Congresso dos Estados Unidos concede a Samuel Morse a verba de US$30 mil para a construção da primeira linha de telégrafo (Washington-Baltimore)

- Charles Dickens publica *Martin Chuzzlewit* e *Conto de Natal*

- William Wordsworth é laureado poeta da Inglaterra

- O líder mórmon Joseph Smith proclama que Deus aprova a poligamia

- Nasceram:

    William McKinley, presidente dos Estados Unidos (assassinado em 1901, no início do seu segundo mandato)

    Henry James, escritor (*A Volta do Parafuso*) e irmão do psicólogo William James

- Morreram:

    John Trumbull, pintor norte-americano, conhecido por seus retratos de líderes da revolução norte-americana

    Noah Webster, lexicógrafo norte-americano (*Dicionário Webster's*)

Mill defendia os princípios básicos do empirismo/associacionismo britânico, mas ampliou as ideias do pai e de outros (principalmente Hartley) recorrendo a uma metáfora química, e não mecânica, ao descrever como as ideias complexas se constroem a partir de ideias simples. A citação anterior de James Mill ("Tijolo é uma ideia complexa; cimento, outra" etc.) retrata a mente como agente de uma acumulação passiva de experiências, na qual os elementos se combinam mecanicamente para formar todos maiores. Porém John Stuart Mill acreditava que a mente fosse uma força mais ativa na síntese das experiências; ele defendia a posição holística de que as ideias complexas são mais que a combinação passiva de elementos:

> Quando muitas ideias ou impressões estão em ação na mente ao mesmo tempo, às vezes se verifica um processo semelhante no tipo ao da combinação química. Quando as impressões são experimentadas em conjunto tantas vezes que cada uma invoca imediata e instantaneamente as ideias de todo o grupo, essas ideias às vezes se fundem umas nas outras e parecem, não várias, mas uma só. [...] Parece-me [portanto] que a Ideia Complexa, formada pela mescla de várias ideias mais simples, deveria, quando realmente parece simples (isto é, quando os elementos separados não são conscientemente distinguíveis nela) julgar-se *resultante* das ou *gerada* pelas ideias simples, e não *consistente* nelas. (Mill, 1843/1987, pp. 39-40, *itálico* no original)

A parede, então, decorre das ideias simples de nossas experiências, mas vai além da combinação elementar de tijolo e cimento e possui propriedades inteiramente suas, assim como a água tem suas próprias propriedades, mesmo que resulte de elementos simples (hidrogênio e oxigênio). Para usar a frase que viria a ser popularizada pelos gestaltistas, o todo é maior que a soma das partes.

A Lógica de Mill

Em 1843, Mill publicou *A System of Logic, Ratiocinative and Inductive, Being a Connected View of the Principles of Evidence, and the Methods of Scientific Investigation*. Nesse estudo, abordou algumas de suas convicções acerca da associação e da química mental e incluiu uma defesa da criação de uma abordagem científica ao estudo da psicologia, com base no fato de que, embora pudesse não atingir o grau de precisão da física, poderia ter resultado tão bom quanto em outras disciplinas que eram consideradas científicas na época (por exemplo, a meteorologia). A obra delineava ainda uma série de métodos para a aplicação da lógica indutiva na tentativa de determinar a causalidade na ciência. Mill os denominou os métodos da Concordância, Diferença e Variação Concomitante. A descrição desses métodos continua popular atualmente nos textos modernos de pesquisa.

No **Método da Concordância**, procura-se um elemento comum em várias ocorrências de um evento. Por exemplo, suponhamos que um pesquisador suspeite que um determinado gene cause a depressão. Digamos que X represente a causa proposta (o gene) e Y, seu efeito (a depressão). Para usar o método da concordância, o pesquisador estuda um grupo de amostragem de pessoas deprimidas e procura determinar se todas possuem o gene X. Se tal for o caso, pode-se então afirmar que X é suficiente para que ocorra Y: "se X, então Y". Isso implica que X causou Y? Não necessariamente, e o exemplo ilustra o problema presente na indução. Cada um dos deprimidos da amostra poderia ter X, mas seria possível que uma pessoa deprimida ainda não descoberta não possuísse o gene X. Além disso, a coexistência de X e Y não implica por si só que ambos tenham relação. Poderia ser uma coincidência que todas as pessoas do grupo de amostragem possuíssem o gene X. O método da concordância tanto pode apoiar uma hipótese quanto colocá-la em questão, mas por si só não pode determinar as causas.

Tampouco o pode o **Método da Diferença**, no qual se buscam provas de que a ausência de um efeito seja sempre acompanhada da ausência de uma determinada causa: "se não X, então não Y". Para continuarmos com o exemplo da depressão, isso implica o exame de pessoas não deprimidas em busca do gene X, na esperança de não o encontrar. Se esse for o resultado, será possível afirmar que o gene X é necessário para que haja depressão, pois sem X (o gene) ninguém é Y (deprimido). Mais uma vez, há problemas. A amostragem de não deprimidos que não possuem o gene não comprova a hipótese: ainda poderia haver pessoas não deprimidas que tivessem o gene X.

Combinados no que Mill chamou de **Método Conjunto**, os métodos da concordância e da diferença têm a possibilidade de identificar causas, dentro dos limites da indução (ou seja, nunca se estudarão todos os casos). Assim, caso se pudesse determinar que todo aquele que possuísse o gene X também estaria deprimido e que todo aquele que não o possuísse não teria depressão, poder-se-ia concluir que o gene X é tanto suficiente quanto necessário à ocorrência da depressão (ou seja, o gene causa a depressão). Naturalmente, a conclusão acerca da causa seria tentativa, sujeita a refutação potencial em algum momento do futuro.

A lógica dos métodos da concordância e da diferença subjaz ao atual emprego do método experimental na psicologia, sendo o método da concordância correspondente a um grupo experimental, e o da diferença, a um grupo de controle (Rosnow e Rosenthal, 1993). Assim, um experimento hipotético sobre o efeito do gene (X) sobre a depressão (Y) envolveria a identificação de dois grupos iguais e a implantação do gene no grupo experimental, mas não no de controle. Se todos os membros do grupo experimental se deprimirem (se X, então Y) e se nenhum dos do grupo de controle se deprimir (se não X, então não Y), tem-se a prova de que X causa Y (novamente, dentro dos limites da amostra do estudo). Naturalmente, seria muito difícil encontrar voluntários para esse estudo, uma limitação ética reconhecida por Mill que, juntamente com a preocupação com a precisão das medições e do controle, o tornou cético quanto à possibilidade de a psicologia vir a ser tão rigorosamente experimental quanto a física:

> Serão as leis da formação do caráter [isto é, da personalidade] suscetíveis de investigação satisfatória pelo método da experimentação? Evidentemente não, pois, mesmo que suponhamos o poder ilimitado de variar o experimento (o que em abstrato é possível, mas ninguém senão [um] déspota tem esse poder [...]), faltaria uma condição ainda mais essencial: o poder de conduzir todos os experimentos com precisão científica. (Mill, 1843/1987, pp. 50-1)

O terceiro método de Mill, o da **Variação Concomitante**, faz lembrar Hume e subjaz ao atual método correlacional. Com essa abordagem, busca-se determinar se as alterações em X associam-se a alterações previsíveis em Y. O método é especialmente útil quando X ou Y (ou ambos) encontram-se em certo grau em todas as pessoas. Por exemplo, todo mundo faz ao menos um pouco de exercício e é mais ou menos saudável. Usando o método da variação concomitante, o pesquisador poderia determinar se os que se exercitam muito são mais saudáveis que os que o fazem de maneira irregular.

Ao contrário de todos os filósofos até aqui considerados, John Stuart Mill não tentou escrever um ensaio sobre a compreensão humana (Locke), um tratado sobre o conhecimento humano (Berkeley) ou sobre a natureza humana (Hume), uma série de observações sobre o homem (Hartley) nem uma análise da mente (o pai). Ou seja, nenhum dos seus livros pode ser rotulado como "a psicologia de J. S. Mill". Como ele se julgava acima de tudo um filósofo político e econômico, isso não chega a surpreender muito. No entanto, Mill é tão importante para a psicologia moderna quanto qualquer dos filósofos que escreveram uma "psicologia". Com ele, o associacionismo britânico atingiu o ápice e dele é uma análise do pensamento científico que norteia ainda hoje a pesquisa em psicologia. Mill foi uma figura-chave na transição entre a filosofia da mente e a ciência da mente.

REAÇÕES RACIONALISTAS AO EMPIRISMO

Excetuando a parte sobre Descartes, este capítulo concentrou-se na filosofia empirista e associacionista britânica. Porém outras vozes de peso, nas quais também ressoaram aspectos da moderna psicologia, também se fizeram ouvir na época que estamos estudando. Dois filósofos alemães representaram um contraste marcante em relação ao empirismo/associacionismo britânico. Gottfried Leibniz foi contemporâneo de Locke e respondeu ao *Essay Concerning Human Understanding*, de Locke, com o seu *New Essays on Human Understanding*, publicado postumamente em 1765. Immanuel Kant (1724-1804) viveu na mesma época que Hume e Hartley, e seus escritos constituem uma resposta a eles (especialmente a Hume).

Gottfried Wilhelm Leibniz (1646-1716)

Leibniz era um homem cujos interesses abrangiam a política, a matemática, a engenharia, a alquimia e a filosofia. Como matemático, ficou conhecido como coinventor (ao lado de Newton) do cálculo, acontecimento comemorado com a emissão do selo alemão apresentado na Figura 2.5. Sua importância para a psicologia está na resposta que deu a Locke, em sua abordagem do problema mente-corpo e em sua "monadologia". Grande admirador de Locke, ele concordava em que a experiência era essencial à formação do conhecimento. Contudo, discordava de sua metáfora da "mente como folha em branco", propondo em seu lugar que a mente fosse vista como análoga ao mármore e seus veios (Leibniz, 1765/1982). Trata-se de uma bela metáfora da questão do inato x adquirido. O escultor pode pegar um bloco de mármore e dar-lhe muitas diferentes formas, mas o modo como os veios se dispõem no mármore limita o número de formas possíveis. Os veios representam em essência as propriedades inatas do mármore, que a habilidade do artista irá revelar. Do mesmo modo, segundo Leibniz, a mente possui propriedades inatas que contribuem para determinar os limites e a forma dos efeitos da experiência. As propriedades inatas, como a razão, permitem ao indivíduo chegar ao que Leibniz chamou "verdades necessárias": verdades provadas pela razão e pela lógica, e não pela experiência direta. Os princípios fundamentais da matemática (por exemplo, a soma dos três lados do triângulo sempre é igual a 180°) são exem-

FIGURA 2.5 Selo alemão em homenagem a Leibniz e à descoberta do cálculo.

plos de verdades necessárias. À alegação empirista de que não haveria nada no intelecto que não estivesse primeiro nos sentidos, Leibniz respondeu: "Exceto o próprio intelecto!" Como Descartes, ele achava que aos animais faltavam as propriedades inatas encontradas nos seres humanos e, por isso, poderiam ser considerados "empíricos" puros.

No que se refere à questão mente-corpo, Leibniz não aceitava a noção cartesiana de influência direta e mútua, pois ela conduzia inevitavelmente a uma busca pela forma da interação e resultava no que considerava ser uma busca infrutífera por coisas como glândulas pineais. Em vez disso, ele propôs uma solução paralelista psicofísica semelhante à que havia sido proposta de Hartley. Assim, para Leibniz a mente ("psico-") e o corpo ("físico") funcionavam paralelamente, em "harmonia preestabelecida" pela mão de Deus. Ele ilustrou esse paralelismo com a metáfora de dois relógios construídos para entrar em harmonia perfeita. Como a mente e o corpo, eles funcionam independentemente um do outro, mas em concordância. Por implicação, o paralelismo legitima o estudo separado dos eventos mentais (psicológicos) e dos eventos físicos (biológicos), fornecendo assim uma base filosófica para a "futura emergência da psicologia como ciência à parte, distinta da fisiologia como ciência à parte" (Klein, 1970, p. 353).

Os elementos das realidades mental e física foram chamados por Leibniz de **mônadas**. Estas seriam infinitas em número e mais semelhantes a forças de energia que a átomos materiais. Estavam organizadas hierarquicamente, de racionais a sensíveis e de sensíveis a simples. De acordo com Leibniz, as mônadas racionais constituiriam a essência da mente humana; as sensíveis se encontrariam em todos os seres vivos não humanos; as simples constituiriam a realidade física. As mônadas racionais seriam responsáveis pela consciência, mas Leibniz não acreditava que a percepção fosse uma questão de tudo ou nada. Em vez disso, propôs um *continuum* de percepção, lançando assim a base para dois importantes avanços da psicologia. Primeiro, o *continuum* implica um nível de percepção, uma ideia semelhante ao conceito do inconsciente, que viria a ser o eixo principal das teorias de Freud. Leibniz distinguia entre o que chamou de apercepção, percepção e pequenas percepções. A **apercepção** constituía o mais alto nível de percepção, no qual a atenção se concentra em alguma informação e a apreende integralmente. A **percepção** seria a consciência de alguma coisa, porém não tão aguda quanto na apercepção. As **pequenas percepções** estavam abaixo do nível da percepção, mas seriam essenciais à ocorrência de níveis mais elevados. Para ilustrar estas últimas, Leibniz usou o exemplo da onda do mar ou da queda-d'água. Cada pequena percepção é formada por uma única gota de água, que jamais escutamos. No entanto, todas as gotas juntas são necessárias para que possamos perceber ou aperceber a realidade maior da onda do mar.

A segunda implicação da proposta de diferentes níveis de percepção é a existência de pontos no *continuum* da consciência em que se passa da não percepção à percepção; esses pontos podem ser chamados de **limiares** e, como veremos no próximo capítulo, sua determinação e mensuração constituíram importantes características dos primeiros experimentos psicológicos.

Immanuel Kant (1724-1804)

Em sua carreira diplomática, Leibniz viajou por toda a Europa. Já Immanuel Kant nunca se aventurou além de um raio de oitenta quilômetros de sua casa, na cidade de Königsberg, Alemanha Oriental. Ali ele nasceu, frequentou a escola e, por fim, tornou-se professor universitário. Apesar do aparente provincianismo, Kant foi um dos mais destacados intelectos da filosofia alemã do século XVIII, tendo feito pela visão racionalista o mesmo que Leibniz fizera no século XVII. Kant é mais conhecido entre os psicólogos por três livros publicados em sua maturidade: *Crítica da Razão Pura* (1781/1965), *Crítica da Razão Prática*

(1788/1959) e *Crítica da Faculdade do Juízo* (1790/1952).

Kant concordava com os empiristas em que o conhecimento se constrói com a experiência, mas, assim como Leibniz, argumentava que a questão mais importante era como o processo ocorria. Ou seja, ele estava interessado em saber como a experiência em si era possível e concluiu que ela exigia a existência de algum conhecimento *a priori* (anterior à experiência) que contribua para dar forma às nossas experiências. Por exemplo, Kant observou que, sempre que experimentamos os eventos do mundo, nós os organizamos com relação ao espaço e ao tempo. Assim, molhamos o jardim, o que ocupa espaço e exige X tempo para se desenvolver. Nossa compreensão do conceito de "molhar o jardim" não é possível sem o conhecimento *a priori* de espaço e tempo. E esses conceitos de espaço e tempo, por sua vez, nós conheceríamos "intuitivamente", de acordo com Kant; não precisaríamos "aprendê-los". Em contraposição à ideia de Hume de que a certeza acerca da causalidade é impossível, Kant argumentou que a mente pensa inevitavelmente em termos de causa e efeito – a experiência de mundo que todos temos é que ele funciona segundo leis causais (a água derramada sobre a terra sempre cai). Como espaço e tempo, causa e efeito eram considerados por Kant propriedades inatas da mente.

Uma consideração final acerca de Kant é que ele argumentava que a psicologia jamais poderia tornar-se uma ciência como as ciências físicas. Ele chamou a atenção para o fato de que, ao contrário dos objetos físicos, os fenômenos mentais não podiam ser diretamente observados nem definidos ou medidos com precisão matemática. Como veremos em breve, quando declararam no século XIX a psicologia uma ciência, os psicólogos alemães, como Wilhelm Wundt, tiveram de refutar a opinião desse compatriota quanto à viabilidade desse empreendimento.

EM PERSPECTIVA: BASES FILOSÓFICAS

Este capítulo apenas arranha a superfície do "longo passado" da psicologia. Entretanto, você deve concluir a leitura deste material com a compreensão básica de alguns dos fundamentos filosóficos da psicologia moderna. Além disso, deve começar a formar uma noção da continuidade das ideias históricas de nossa disciplina. A psicologia não surgiu do nada, assim simplesmente, no final do século XIX. Seus fundadores se viram a braços com os mesmos problemas por que se interessaram as pessoas destacadas neste capítulo. Eles preferiram atacar essas questões de um ângulo um pouco diferente do dos filósofos, o da experimentação direta, mas estavam tentando responder as mesmas perguntas: Como acumulamos o nosso conhecimento do mundo? Como se organiza a mente? Como funcionam os sentidos? O conhecimento está de algum modo embutido no sistema (ou seja, é inato)? Os fundadores da psicologia do século XIX também dispunham de um conhecimento crescente do funcionamento do cérebro e do sistema nervoso e começavam a criar métodos objetivos para o estudo da mente. Você conhecerá esses avanços na fisiologia e nos métodos no Capítulo 3.

Antes de encerrarmos este capítulo, porém, há um ponto importante a ressaltar acerca do presentismo. Do ponto de vista do início do século XXI, sabendo que a psicologia evoluiu até estabelecer-se como uma disciplina científica, é fácil olhar para trás e perguntar por que os primeiros filósofos não conseguiram dar este que parecia ser um passo fácil – ir das observações cuidadosas e da minuciosa análise lógica de certos fenômenos mentais à sua investigação experimental. Ou seja, quando inicialmente lemos acerca de pessoas como Descartes, Locke e Mill, tendemos a vê-las aproximando-se gradualmente, mas jamais atingindo o "santo graal" da psicologia científica. Porém é um erro grave pensar que esses indivíduos de algum modo fracassaram. Na verdade, eles foram os melhores de sua era, superando em muito seus pares pelo brilhantismo de suas ideias. A maneira apropriada de vê-los é situando-os no contexto do tempo em que viveram e pensando que lutaram da melhor maneira possível com os problemas da época. O fato de esses filósofos haverem lutado com as mesmas questões que existem hoje não é indicação de progresso estável daquele momento para o agora, mas sim da universalidade dos problemas. É inútil e extremamente injusto criticá-los por não verem o que outros viram depois.

RESUMO

UM LONGO PASSADO

- A afirmativa de Ebbinghaus de que a psicologia possui um longo passado e uma história curta faz-nos lembrar que as questões que interessam aos psicólogos têm sido tratadas por pensadores sérios há milhares de anos, mesmo que, como disciplina estabelecida, a psicologia tenha apenas pouco mais de 120 anos. A "nova psicologia" que surgiu no final do século XIX diferia da filosofia pelo fato de as questões sobre o comportamento humano e a vida mental terem sido levadas ao laboratório pela primeira vez.

DESCARTES E OS PRIMÓRDIOS DA CIÊNCIA E DA FILOSOFIA MODERNAS

- Descartes viveu no final da renascença, num momento de grandes avanços na ciência e na tecnologia. Foi uma era que questionou a autoridade da igreja e de Aristóteles recorrendo, por exemplo, ao apoio de Galileu ao modelo heliocêntrico do universo proposto por Copérnico para substituir o modelo geocêntrico tradicional. Descartes foi contemporâneo de *Sir* Francis Bacon, que defendeu o emprego de uma estratégia científica indutiva para a compreensão do universo.
- Descartes era racionalista e acreditava que o caminho para o verdadeiro conhecimento passava pelo uso sistemático da faculdade do raciocínio. Como considerava que certas verdades fossem universais e pudessem ser atingidas por meio da razão, sem necessidade da experiência sensorial, Descartes era também um nativista. Além disso, ele era dualista e interacionista, acreditando que mente e corpo eram essências distintas que exerciam influência recíproca direta.
- Para explicar a interação mente-corpo, Descartes criou um modelo da atividade do sistema nervoso, tendo sido o primeiro a descrever o ato reflexo. Seu modelo da atividade corporal era mecanicista – o corpo era como uma máquina. Segundo a dicotomia cartesiana, os animais são máquinas puras, mas os seres humanos têm uma mente racional (alma) que complementa seu corpo mecânico.

O ARGUMENTO DOS EMPIRISTAS BRITÂNICOS E OS ASSOCIACIONISTAS

- O fundador do empirismo britânico foi John Locke, que rejeitou a crença nativista nas ideias inatas e argumentou que a mente era como uma folha de papel em branco, a ser preenchida por nossas experiências. As ideias resultantes da experiência têm duas fontes: a sensação e a reflexão. Locke utilizou um modelo atomista, partindo do princípio de que as ideias complexas se construíam a partir dos elementos básicos das ideias simples. As qualidades primárias (por exemplo, a extensão) existem independentemente de quem as percebe, mas as secundárias (por exemplo, a percepção das cores) dependem da percepção. As convicções de Locke levaram-no a recomendar aos pais que assumissem papel ativo na educação dos filhos, que os incentivassem com elogios, em vez de recompensas concretas, e que evitassem a punição como estratégia educacional.
- George Berkeley fez uma análise detalhada da percepção visual com base nos argumentos empiristas, descrevendo nesse processo fenômenos visuais como a convergência, a acomodação e os efeitos da inversão da imagem retinal. Ele rejeitou a distinção entre qualidades primárias e secundárias proposta por Locke e, para contra-atacar o materialismo, propôs que é impossível ter certeza da realidade dos objetos, exceto por meio da fé em Deus, o Perceptor Permanente (idealismo subjetivo).
- David Hume era um empirista/associacionista conhecido pela distinção que traçou entre as impressões, resultantes da sensação, e as ideias, por ele chamadas de cópias vagas das impressões.

Além disso, ele classificou as regras da associação como semelhança, contiguidade e causa/efeito. Hume acreditava que não podemos conhecer a causalidade de maneira absoluta, mas apenas saber que certos eventos ocorrem conjuntamente com regularidade.
- David Hartley é considerado o fundador do associacionismo por causa de sua tentativa sistemática de resumir tudo que se sabia a respeito e do seu argumento de que a essência da associação eram a contiguidade (tanto espacial quanto temporal) e a repetição. Ele criou um modelo da ação do sistema nervoso com base no conceito newtoniano de vibração e adotou uma postura paralelista psicofísica no que se refere à questão mente-corpo.
- John Stuart Mill, criança-prodígio, foi o principal filósofo britânico do século XIX. Ao contrário de outros (inclusive seu pai, o filósofo empirista James Mill), que descreveram a mente em termos mecânicos e atomísticos de seus componentes básicos, J. S. Mill usou uma metáfora química mais holística, argumentando que as ideias complexas são maiores que a soma das ideias simples que as compõem. Mill analisou a lógica da ciência e descreveu vários métodos para tentar atingir a verdade científica indutiva: os métodos da concordância e da diferença (subjacentes ao atual método experimental) e o método da variação concomitante, semelhante ao atual método correlacional.

REAÇÕES RACIONALISTAS AO EMPIRISMO

- Gottfried Leibniz questionou a analogia da folha de papel em branco proposta por Locke, sugerindo que a mente era mais como o mármore, cujos veios são análogos às aptidões e ideias inatas que moldam nossas experiências. Ele questionou também o interacionismo de Descartes, argumentando em favor de uma postura paralelista e defendendo sua opinião com a metáfora dos dois relógios em sincronia. Sua monadologia forneceu a base para os conceitos de inconsciente e limiares sensoriais.
- Immanuel Kant reconheceu a importância da experiência no desenvolvimento da compreensão de mundo, mas argumentou que a experiência por si não era possível sem uma base em algum conhecimento *a priori* que fornecesse um arcabouço para a experiência. Kant acreditava que a psicologia não poderia atingir o *status* de ciência.

QUESTÕES PARA ESTUDO

1. O que Ebbinghaus queria dizer quando afirmou que a psicologia tinha um longo passado e uma história curta?
2. De que maneira o *Zeitgeist* "mecanicista" influiu sobre o pensamento de Descartes?
3. Trace distinções entre os modelos heliocêntrico e geocêntrico do universo e explique por que a defesa do primeiro valeu a Galileu a acusação de heresia.
4. Explique o que significa advogar uma estratégia indutiva para conhecer o comportamento humano.
5. Explique por que Descartes é considerado (a) um racionalista e (b) um nativista.
6. Segundo Descartes, como funciona o ato reflexo? Use o exemplo do garoto que põe o pé no fogo.
7. No modelo cartesiano do sistema nervoso, como se processava a interação entre mente e corpo e por que a glândula pineal foi escolhida como o local onde essa interação ocorria? Qual a falha essencial da lógica de identificar uma parte do cérebro (a glândula pineal) como ponto de influência mútua entre mente e corpo?
8. O que quer dizer "dicotomia cartesiana"?
9. Compare as explicações racionalista e empirista da forma como chegamos ao conhecimento de conceitos amplamente difundidos (por exemplo, Deus).
10. Compare a metáfora da folha de papel em branco de Locke à do mármore com veios de Leibniz e relacione-as a questões epistemológicas fundamentais.
11. Diferencie as qualidades primárias das qualidades secundárias da matéria e compare as opiniões de Locke e Berkeley no que diz respeito a essas qualidades.
12. Defina "materialismo" e explique como o idealismo subjetivo de Berkeley constituiu um ataque a esse conceito.
13. Usando os exemplos de percepção da profundidade fornecidos por Berkeley, mostre como os empiristas britânicos aplicaram seus próprios conceitos à percepção visual.
14. Aponte as diferenças entre as leis da associação de Hume e de Hartley.
15. Descreva a química mental de J. S. Mill e com-

pare-a à visão mais mecanicista defendida por seu pai.
16. Mostre como as regras da lógica indutiva de Mill se relacionam aos conceitos modernos dos métodos experimental e correlacional.
17. Mostre como a monadologia de Leibniz se relaciona aos conceitos de inconsciente e limiares.
18. Descreva a reação racionalista de Kant ao pensamento empirista.

LEITURA SUPLEMENTAR

VROOMAN, J. R. (1970). *René Descartes: A biography*. Nova York: G. P. Putnam's Sons.

Uma biografia relativamente breve e de leitura bastante fácil, que descreve especialmente bem a época em que Descartes viveu; fornece um bom resumo das ideias do biografado e mostra as várias experiências que o levaram a elas.

BOORSTIN, D. J. (1983). *The Discoverers*. Nova York: Vintage Books.

Fornece tratamento substancial de vários dos cientistas rapidamente mencionados neste capítulo, entre os quais Vesalius, Galileu, Bacon, Boyle, Newton e Harvey; escrito num estilo que valeu a Boorstin um lugar entre os historiadores mais lidos da atualidade.

MILL, J. S. (1989). *Autobiography*. Londres: Penguin Books. (Obra originalmente publicada em 1873)

Fascinante relato da infância de Mill e de seu relacionamento com o pai, da crise mental e da superação, do seu relacionamento com Harriet Taylor e do desenvolvimento de suas ideias; pode às vezes causar uma certa confusão se o leitor não dispuser de conhecimento sobre a história política da Grã-Bretanha da época de Mill.

SOBEL, D. (2000). *Galileo's daughter: A historical memoir of science, faith and love*. Nova York: Penguin.

Relato bem escrito das pesquisas de Galileu e de como estas o colocaram em apuros com a Igreja Católica; apresentação elegante do contexto histórico de Galileu (e, portanto, também de Descartes), com parte da história narrada por meio de cartas notáveis trocadas entre Galileu e a filha, uma freira enclausurada.

CAPÍTULO 3
O CONTEXTO FISIOLÓGICO: PRIMEIRAS PESQUISAS SOBRE O SISTEMA NERVOSO

> Toda a doutrina [da frenologia] está contida em duas proposições fundamentais, das quais a primeira é que a compreensão reside exclusivamente no cérebro e a segunda, que cada faculdade da compreensão se faz presente no cérebro com um órgão que lhe é próprio. Agora, quanto a essas duas proposições, certamente não há nada de novo na primeira e talvez nada de verdadeiro na segunda.
> – Pierre Flourens, 1846

VISÃO GERAL E OBJETIVOS DO CAPÍTULO

A divisão dos antecedentes filosóficos da psicologia e do contexto da neurofisiologia em dois capítulos implica a presença de dois caminhos não sobrepostos que, por fim, se fundiram para formar a nova psicologia do final do século XIX. Isso não deixa de ser verdade, pois os empiristas britânicos não passavam o tempo dissecando medulas espinhais nem estimulando os nervos das pernas dos sapos, e os cientistas que estudaremos neste capítulo não escreveram longos tratados filosóficos sobre a "compreensão humana". Mas a distinção entre os antecedentes filosóficos e fisiológicos da psicologia é artificiosa, decorrente das decisões tomadas quando se estrutura um livro-texto. Na verdade, os avanços da filosofia e das ciências naturais processaram-se rapidamente, principalmente nos séculos XVIII e XIX. Os fisiologistas e outros cientistas naturais tinham profundo interesse pelas questões filosóficas, em especial as questões epistemológicas da compreensão humana e o problema da relação entre a realidade física e a realidade mental (o problema mente-corpo). Os filósofos, por sua vez, estavam plenamente cientes dos avanços da fisiologia, tendo algumas vezes contribuído para eles (por exemplo, Berkeley e sua obra sobre a visão) e proposto teorias que levavam naturalmente à pesquisa fisiológica.

Este capítulo se concentrará nos estudos feitos no século XIX e início do século XX acerca da natureza e do funcionamento do sistema nervoso. Analisaremos em particular as pesquisas que exploraram (a) a fisiologia dos reflexos e processos sensório-motores básicos, (b) a questão da possibilidade de funções específicas se "localizarem" em diferentes áreas do cérebro e (c) a natureza da unidade básica do sistema nervoso, o neurônio. O capítulo se encerra com uma descrição da pesquisa de Karl Lashley sobre o papel do córtex na aprendizagem. Lashley foi o primeiro psicólogo e fisiólogo importante do século XX. Depois da conclusão deste capítulo, você deve ser capaz de:

- Mostrar como o pensamento iluminista contribuiu para a ideia de que a psicologia poderia tornar-se científica
- Descrever e explicar a importância da pesquisa de Whytt sobre o ato reflexo
- Descrever a pesquisa de Magendie sobre a função sensório-motora na medula espinhal e explicar a razão do possível equívoco do nome da lei de Bell-Magendie
- Descrever a doutrina das energias nervosas específicas
- Descrever a pesquisa de Helmholtz sobre a velocidade dos impulsos nervosos e relacioná-la à questão do vitalismo-materialismo
- Descrever a contribuição de Helmholtz para a visão, a audição e o problema da percepção
- Descrever os princípios essenciais da frenologia e explicar por que esta afinal fracassou cientificamente
- Explicar a popularidade da frenologia, em especial nos Estados Unidos
- Descrever a lógica do método da ablação e mostrar como Flourens o utilizou para contestar a frenologia
- Descrever o método clínico e dar dois diferentes exemplos de sua contribuição para a compreensão da função cerebral
- Descrever o método da estimulação elétrica e os resultados que produziu
- Descrever a teoria dos neurônios e a pesquisa que levou à conclusão da necessidade da existência das sinapses
- Descrever a pesquisa de Lashley sobre a aprendizagem e o cérebro, seus princípios da ação de massa e da equipotencialidade e as semelhanças em relação às conclusões obtidas por Flourens

A CIÊNCIA HEROICA NA ERA DO ILUMINISMO

Conforme discutimos no capítulo anterior, os anos que marcaram o fim da renascença caracterizaram-se por uma gradual passagem da dependência da autoridade como fonte da verdade à convicção de que a metodologia científica e a faculdade humana do raciocínio poderiam levar à compreensão do universo natural. Bacon, Galileu, Harvey e Descartes foram exemplo dessa mudança no início do século XVII. *Sir* Isaac Newton a reforçou na segunda metade desse século. Com a publicação de *Principia Mathematica* em 1687, pensadores sérios começaram a dar por certo a ideia de que a verdade objetiva poderia ser atingida por meio dos métodos da ciência e do emprego imparcial da razão. Como a ciência e a razão passaram a ser vistas como o único meio seguro de lançar luz sobre as trevas da ignorância, esse período tornou-se conhecido como **Iluminismo** (Appleby, Hunt e Jacob, 1994). Cientistas como Newton tornaram-se figuras heroicas que iam em busca da verdade objetiva do universo mediante a aplicação da metodologia científica a seu estudo. A influência de Newton sobre os filósofos já foi mencionada no capítulo anterior – sua divisão da luz em componentes básicos e sua teoria da gravidade influenciaram os empiristas britânicos, que tentaram fazer uma análise semelhante da mente e viram na associação uma força análoga à da gravidade.

O pensamento iluminista difundiu-se até na arena política. Os fundadores da nação norte-americana eram versados na ciência e apaixonados por ela, tendo Benjamin Franklin feito contribuições substanciais à teoria da eletricidade, inclusive à invenção do para-raios. A própria Constituição norte-americana tomou emprestado o conceito newtoniano de equilíbrio para desenvolver o conceito de equilíbrio de poderes entre o executivo, o legislativo e o judiciário (Cohen, 1995).

O Iluminismo atingiu o ápice de sua influência na segunda metade do século XVIII, porém seus ideais permaneceram entranhados ao longo do século XIX e até do século XX. No início do século XIX, a fé na ciência estava rendendo seus frutos sob a forma das inovações tecnológicas que viriam a promover a Revolução Industrial. Assim, a ciência parecia levar inevitavelmente ao progresso, e os cientistas eram vistos como totalmente objetivos, simplesmente buscando a verdade, sem impor seus valores de modo algum, e melhorando a sociedade com as invenções produzidas por sua ciência. Só depois de inovações tecnológicas como o gás venenoso, que ominosamente se disseminou nos campos de batalha da Primeira Guerra Mundial, e a bomba atômica é que começaram a levantar-se questionamentos sérios sobre a possibilidade de a ciência ser totalmente objetiva e desprovida de valores e de as descobertas científicas necessariamente significarem progresso. Todavia, ao longo do período em que a ideia da abordagem científica da psicologia começou a ganhar forma na mente de filósofos como os empiristas britânicos, o modelo do cientista como herói predominava. Se o pensamento científico e a razão humana podiam iluminar o mundo no que se refere à física e à química, por que não no que diz respeito à biologia? E, sendo assim, por que não também à psicologia?

Em meados do século XIX, a psicologia científica evoluiu a partir das questões filosóficas examinadas no Capítulo 2 e das pesquisas sobre o sistema nervoso que serão descritas neste capítulo. Na tentativa de "lançar luz" sobre o real funcionamento dos sentidos e do sistema nervoso, os fisiologistas criaram métodos e promoveram descobertas diretamente relevantes para as questões epistemológicas sobre a natureza e as origens do conhecimento humano que estavam sendo levantadas por filósofos como John Stuart Mill. Essa dinâmica convergência da filosofia e da ciência fisiológica criaram uma atmosfera na qual a psicologia "científica" talvez fosse inevitável.

O FUNCIONAMENTO DO SISTEMA NERVOSO

No Capítulo 2, vimos como Descartes desenvolveu um modelo do funcionamento do sistema nervoso ao buscar respostas para a questão mente-corpo. Suas ideias atiçaram a imaginação dos seus contemporâneos, e ao longo dos séculos seguintes nossa compreensão do sistema nervoso aumentou gradualmente. Muitos dos avanços provinham da tentativa da comunidade médica de tratar o problema dos danos ao sistema nervoso e ao cérebro, que era relativamente comum, tendo em vista o contexto de duas guerras europeias em meados do século XVIII e ambas as revoluções francesa e norte-americana durante a segunda metade desse mesmo século. Numa era muito anterior ao desenvolvimento dos antibióticos e procedimentos cirúrgicos antissépticos, a grande maioria dos que sofreram ferimentos na cabeça morreu de infecção. Muitos dos que sobreviveram, porém, tornaram-se casos cujo estudo aumentou nosso conhecimento do cérebro e do sistema nervoso.

Um problema que suscitava interesse consistia em saber se o cérebro era o centro da consciência e do controle da ação voluntária. Soldados decapitados muitas vezes continuavam apresentando movimentos nos braços e pernas por algum tempo. Como isso acontecia? O problema pôde ser diretamente investigado graças às execuções feitas durante a Revolução Francesa, no fim do século XVII, com o invento do famoso médico francês Joseph Guillotin. O aparelho, que hoje leva seu nome, foi considerado um avanço fantástico em relação aos homenzarrões peludos com machados, que às vezes precisavam de várias tentativas até realizar sua horripilante tarefa de separar as cabeças dos corpos. Embora a guilhotina fosse limpa e rápida e, por isso, considerada humana, os corpos continuavam a contorcer-se por alguns instantes após a execução. Verificavam-se também movimentos oculares e contração dos músculos faciais. Haveria ainda algum nível de consciência, e talvez de percepção da dor, após a decapitação? Nesse caso, talvez o instrumento não fosse afinal tão humano. O problema foi investigado no início do século XIX por Theodor Bischoff, que conseguiu permissão para examinar a cabeça decapitada de um criminoso imediatamente após a execução. Se a consciência permanecesse, raciocinou Bischoff, então a cabeça deveria reagir de forma previsível à ameaça de enfiar dedos em seus olhos, à colocação de sais odorantes sob seu nariz e, cruel dade, à escuta da palavra "pardon" dita ao seu ouvido. Bischoff executou todos esses testes, mas a infeliz cabeça não apresentou nenhuma reação (Fearing, 1930). Ele concluiu então que a consciência cessava no momento da execução, reforçando assim a teoria de que o cérebro era a sede da consciência e reconfortando os que investiam em guilhotinas. As contrações musculares que ocorriam após a morte eram, portanto, atos involuntários não relacionados à consciência. A questão da razão de sua ocorrência, porém, permaneceu em aberto, promovendo uma pesquisa intensiva sobre a natureza do ato reflexo básico e o papel da medula espinhal nesses movimentos.

O Ato Reflexo

Como vimos, Descartes foi o primeiro a criar um modelo da ação reflexa, parte da sua tentativa de mostrar como o corpo funcionava da mesma forma que uma máquina. Depois de Descartes, e antes do século XIX, a contribuição mais importante para o estudo dos reflexos veio de Robert Whytt (1714-1766) (pronuncia-se como "White"), de Edimburgo, na Escócia. O mais importante neurologista de sua época, Whytt é conhecido pelos historiadores da psicologia principalmente por sua pesquisa da fisiologia do reflexo, mas ele é merecidamente famoso também na história da medicina pediátrica por ter sido o primeiro a descrever adequadamente a meningite tuberculosa (Radbill, 1972). Com relação aos reflexos, em 1751 Whytt publicou *The Vital and Other Involuntary Motions of Animals*,[1] resultante de anos de pesquisa sobre o papel da medula espinhal na mediação do ato reflexo e o primeiro estudo extensivo dos reflexos com base numa pesquisa experimental (Fearing, 1930). Estudando animais decapitados (principalmente sapos), Whytt demonstrou que os músculos das pernas reagiam de forma previsível à estimulação física. Beliscando-se a perna de um sapo recém-decapitado, produzia-se nela uma contração muscular visível. Porém se a conexão entre o nervo da perna do animal e a medula espinhal fosse cortada, esses "movimentos involuntários" da perna não ocorriam. Assim, Whytt provou que a medula espinhal tinha papel decisivo no comportamento reflexo.

Whytt distinguiu os atos voluntários dos involuntários, os primeiros eram controlados pela vontade, originavam-se no cérebro e exigiam que este estivesse intacto; os segundos eram controlados por meio da medula espinhal. A meio caminho entre os controles voluntário e involuntário, e servindo de ligação entre eles, estava a forma-

---

1. Whytt foi contemporâneo de David Hartley e publicou seu livro apenas dois anos depois de este haver publicado *Observations of Man*. Como você deve estar lembrado, Hartley foi além do tratamento filosófico da questão, tentando explicar o sistema nervoso recorrendo a "vibrações". Whytt, ao que parece, não foi diretamente influenciado por Hartley, mas o fato de ambos estarem interessados pelo sistema nervoso indica a importância do tema para os intelectuais da época.

ção de hábitos. Assim, os atos que se iniciam como voluntários, e sob o controle deliberado da vontade, tornam-se semelhantes a reflexos quando são suficientemente praticados. Como afirmou Whytt:

> Nós não apenas adquirimos, com o hábito e o costume, a faculdade de executar determinados movimentos com mais facilidade do que estamos acostumados, mas também, à medida que essa facilidade aumenta, tornamo-nos menos suscetíveis a qualquer participação que a mente neles possa ter. (citado por Fearing, 1930, p. 79)

Whytt observou ainda que uma das consequências da formação de hábitos era que, às vezes, a simples ideia de um estímulo era suficiente para provocar uma reação. Em um trecho que nos faz pensar em Ivan Pavlov (Capítulo 10), Whytt ilustrou a questão com dois exemplos cotidianos daquilo que afinal viria a chamar-se reflexo condicionado: "Assim a visão, ou mesmo a ideia da grata comida, provoca um fluxo incomum de saliva na boca do faminto; a visão de um limão cortado promove o mesmo efeito em muita gente" (citado por Fearing, 1930, p. 80).

A existência dos tipos de reflexos documentados por Whytt exige que se faça uma distinção entre os componentes sensório e motor de uma reação, o que, por sua vez, implica que certos nervos podem destinar-se à transmissão de informações sensoriais e outros, à transmissão de mensagens aos músculos, dizendo-lhes que se movam. Essa distinção entre os nervos sensoriais e os motores estabeleceu-se por obra de dois cientistas que trabalharam mais ou menos na mesma época em países diferentes.

A Lei de Bell-Magendie

Como você deve estar lembrado, no Capítulo 1 vimos que o "múltiplo" é aquele caso em que duas ou mais pessoas fazem a mesma descoberta na mesma época histórica, mas de forma independente. E. G. Boring (1950) usou o conceito para defender a ideia de que o *Zeitgeist* contribuía para determinar as atividades e a forma de pensar dos cientistas de um determinado momento histórico. A lei de Bell-Magendie é às vezes citada como exemplo de múltiplo – dois cientistas, trabalhando em diferentes laboratórios (neste caso, em diferentes países), mais ou menos ao mesmo tempo, e sem que um conheça a pesquisa do outro, chegam aos mesmos resultados. Porém a situação não foi assim tão simples no caso de Bell e Magendie e, nos anos posteriores à descoberta, houve uma briga feia pela prioridade. O julgamento da história é que Magendie deveria ficar com o crédito; sua pesquisa era mais sistemática e ele a divulgou numa publicação especializada. A pesquisa de Bell, por outro lado, apesar de haver sido conduzida alguns anos antes da de Magendie, foi publicada num folheto particular de distribuição limitada e baseava-se mais em inferências da anatomia que na experimentação propriamente dita (Sechzer, 1983). Além disso, Magendie acertou; Bell, não. O fato de o nome de Bell ter ficado ao lado do de Magendie é mais um tributo ao clamor público do politicamente influente Bell e seus igualmente vociferadores amigos que à qualidade da sua pesquisa.

François Magendie (1783-1855) cresceu durante os conturbados anos da Revolução Francesa. Era filho de um cirurgião que militava politicamente em favor da deposição da monarquia francesa. Com uma educação formal que deixava a desejar, François usou a influência do pai para tornar-se aprendiz em um hospital de Paris, onde, na flor dos seus 16 anos, foi encarregado de executar dissecações anatômicas (Grmek, 1972). Depois de entrar para a faculdade de medicina e formar-se em 1808, ganhou rapidamente a fama de cientista talentoso que preferia a coleta indutiva de "fatos" à teoria. Magendie descreveria assim essa atitude baconiana: "Me comparo a um catador de lixo: com meu espeto na mão e minha cesta nas costas, atravesso o campo da ciência e vou coletando o que encontro" (citado por Grmek, 1972, p. 7).

Em 1822, Magendie publicou um artigo de três páginas que resumia os resultados de um estudo sobre as raízes dorsal e ventral (ou posterior e anterior) da medula espinhal. Com base em suas anteriores dissecações, ele sabia que as fibras nervosas saíam da medula aos pares antes de juntar-se, com um tipo de fibra, à raiz posterior, mais próxima da superfície da pele, e que a outra (a raiz anterior) ficava mais para dentro do corpo. Diferentes estruturas sugerem diferentes funções, e a pesquisa de Magendie visava a identificá-las. Usando um cão de seis semanas de idade como cobaia, Magendie expôs-lhe a medula espinhal e cortou as fibras posteriores (isto é, as mais próximas da superfície), deixando a medula intacta. Suturou a incisão e observou o animal após a recuperação. Conforme sua descrição,

> Eu não sabia o que iria resultar dessa operação. [...] A princípio, pensei que o membro correspondente aos nervos cortados ficaria completamente paralisado; era insensível a picadas e às pressões mais fortes e, além disso, parecia imóvel. Mas logo, para grande surpresa minha, moveu-se claramente, embora a sensibilidade permanecesse completamente ausente. (Magendie, 1822/1965, p. 20)

Portanto, as raízes posteriores controlavam a sensação. Quando destruídas, o animal ainda conseguia mover o membro, mas nele não tinha sensação alguma. Em seguida, Magendie cortou a raiz anterior em outro animal, tarefa que exigiu toda a sua considerável perícia cirúrgica. Como a raiz anterior fica abaixo da posterior, é difícil chegar até ela sem danificar esta última. Mesmo assim, Magendie executou com êxito o procedimento, conseguindo cortar com destreza uma raiz anterior (coisa que Bell nunca pôde fazer). Os resultados foram claros: "não podia haver nenhuma dúvida; o membro ficou completamente flácido e imóvel, embora retivesse uma sensibilidade inequívoca. Finalmente, para ir até o fim, eu cortei ambas as raízes anterior e posterior; houve uma perda absoluta de sensação e de movimento" (Magendie, 1822/1965, p. 20). Em resumo, então, a descoberta de Magendie, hoje conhecida como **lei de Bell-Magendie**, era que as raízes posteriores da medula espinhal controlavam a sensação, ao passo que as anteriores controlavam as reações motoras. Tratava-se de uma descoberta de grande importância, pois fornecia uma base anatômica ao posterior estudo dos dois lados do reflexo: a sensação e o movimento. Além disso, a distinção implicava que os nervos enviam mensagens em uma só direção e que há diferentes tratos, sensório e motor, na medula e, talvez, diferentes regiões sensoriais e motoras no cérebro.

Quanto a *Sir* Charles Bell (1774-1842), escreveu *Idea of a New Anatomy of the Brain: Submitted for the Observation of His Friends* onze anos antes da publicação do trabalho de Magendie, mas o enviou em particular a um grupo de menos de cem colegas. Bell era um importante anatomista inglês que tinha amigos influentes e, juntos, lançaram uma campanha contra Magendie quando seu trabalho foi publicado, acusando-o de tudo que é possível, desde reprodução desnecessária da descoberta de Bell até a crueldade contra os animais (o éter ainda não tinha sido descoberto quando Magendie fez seus experimentos, portanto a cirurgia deve ter sido dolorosa para os cães). Bell chegou ao ponto de alterar as palavras do seu trabalho anterior e republicá-lo, para dar a impressão de haver-se antecipado a Magendie em uma década (Gallistel, 1981). No entanto, Magendie não conhecia o trabalho de Bell, que consistia em uma análise anatômica da medula espinhal e um experimento com um "coelho inconsciente". Bell merece algum crédito por haver concluído que as raízes anteriores e posteriores tinham diferentes funções, mas ele também concluiu, erroneamente, que ambas tinham funções sensórias e motoras, diferenciando-se essencialmente em virtude de suas conexões ao cerebelo (raízes posteriores) e ao cérebro (raízes anteriores) (Sechzer, 1983).

Magendie, afrontado pessoalmente pelos ataques que lhe eram dirigidos do outro lado do Canal da Mancha, reconheceu o valor da pesquisa de Bell ao tomar conhecimento dela, mas recusou-se a dar-lhe prioridade na descoberta da distinção crítica (e correta) entre as funções sensórias e motoras. E particularmente, apesar de reconhecer a prioridade de Bell em relação à estratégia de segregar as raízes da medula espinhal e à descoberta de que a raiz anterior influenciava a "contratilidade muscular" mais que a raiz posterior, Magendie afirmou energicamente que "quanto ao estabelecimento de que essas raízes têm propriedades distintas e funções distintas, que as anteriores controlam o movimento e as posteriores, a sensação, *trata-se de uma descoberta que pertence a mim*" (citado por Grmek, 1972, itálico nosso).

As Energias Específicas dos Nervos

Outra característica do folheto que Bell publicara em 1811 era o argumento de que diferentes nervos sensoriais possuem diferentes "qualidades". Assim, "uma impressão produzida em dois diferentes nervos dos sentidos, embora com o mesmo instrumento, produzem duas sensações distintas" (Bell, 1811/1965, p. 24). Como exemplo, Bell citou as "papilas" da língua, algumas das quais transmitem o sentido do paladar e outras, o do tato. Quando esse segundo tipo de papila é tocado com um objeto metálico pontiagudo e afiado, a sensação resultante é a da "agudeza". Quando o primeiro é tocado com o mesmo objeto, porém, a sensação resultante é a do "sabor metálico". Da mesma maneira, se dois diferentes tipos de estímulo afetam um único tipo de nervo, então a sensação experimentada é determinada pelo tipo do nervo sensorial estimulado. Assim, as ondas luminosas estimulam o nervo ótico a produzir uma sensação visual, mas a pressão no lado do globo ocular também provoca a sensação de um clarão luminoso e, segundo Bell, os pacientes afetados por catarata costumavam relatar a visão de "uma centelha de fogo" quando o bisturi do cirurgião lhes picava o olho.

Essa ideia de Bell viria a ser conhecida como a doutrina das **energias nervosas específicas** e, embora seu estudo de 1811 novamente tivesse prioridade cronológica, os créditos foram dados a outrem, desta vez ao importante fisiólogo alemão Johannes Müller (1801-1858). Müller, cujo frenético ritmo de trabalho era muitas vezes interrompido por longos períodos de grave depressão, foi o primeiro professor de "fisiologia" da Universidade de Berlim, a mais prestigiosa da Alemanha. Müller explicou em mais detalhes a doutrina das energias específicas, desenvolvendo-a mais plenamente que Bell. Além de defender a diferença das qualidades sensoriais, Müller argumentou que, na percepção, não temos consciência direta do mundo exterior; que só percebemos a ação do sistema nervoso, que nos transmite informações sobre o mundo. Assim, nosso conhecimento do mundo é filtrado pela fisiologia do sistema nervoso.

A doutrina das energias nervosas específicas acabou por ser associada mais a Müller que a Bell, basicamente porque Müller assim a nomeou e apresentou, como uma série de dez princípios correlatos, em seu colossal manual de fisiologia humana (*Handbook of Human Physiology*, oito volumes e mais de 1.600 páginas), originalmente publicado em 1840. Esse tornou-se o texto de referência em fisiologia do século XIX e, por sua estatura, garantiu que o nome de Müller, e não o de Bell, fosse associado à doutrina (Boring, 1950).[2]

Helmholtz: O Fisiólogo dos Fisiólogos

Se Müller foi o principal fisiólogo alemão da primeira metade do século XIX, a honra de

---

2. Müller acreditava que seu prestígio havia sofrido um declínio depois da publicação do seu famoso *Handbook* e, em meados da década de 1850, convenceu-se de que seus anos como cientista produtivo haviam acabado. Isso o fez mergulhar em sua última depressão, e quase todos os seus amigos acharam que sua morte em 1858 não foi senão uma *overdose* deliberada de morfina (Steudel, 1972).

ser o principal da segunda vai para um dos seus discípulos, Hermann von Helmholtz (1821-1894), mostrado na Figura 3.1. Logo após a morte de Helmholtz, Carl Stumpf, outro famoso fisiólogo alemão, dedicou-lhe um necrológio no qual lhe atribuía a responsabilidade pela construção da "ponte entre a fisiologia e a psicologia, hoje percorrida em ambos os sentidos por milhares de estudiosos" (citado por Turner, 1972). Helmholtz tornou-se *a* autoridade novecentista nos sistemas sensoriais da visão e da audição, tendo desenvolvido teorias que ainda são consideradas ao menos parcialmente corretas. Além disso, ele forneceu uma demonstração simples da velocidade dos impulsos nervosos que abriu caminho para um dos métodos mais utilizados na psicologia: o do tempo de reação. E, apesar de ter realizado mais que qualquer outro fisiólogo de seu século, sua verdadeira paixão era a física, à qual também deu contribuições originais.

Helmholtz nasceu em Potsdam, Alemanha, em 1821, filho de uma família modesta (o pai era professor). Logo se destacaria como aluno-prodígio no ginásio local, onde teve início seu longo amor pela física, mas as limitações econômicas o impediam de frequentar uma universidade. Porém o governo estava oferecendo bolsas integrais para alunos interessados em entrar para a faculdade de medicina de Berlim, e Helmholtz agarrou a oportunidade, mesmo que ela implicasse o compromisso de servir por oito anos na equipe médica do exército após o término dos cinco anos de estudos. Ele foi para Berlim em 1838 e completou o curso em quatro anos. Embora matriculado no instituto de medicina, também estudou informalmente na Universidade de Berlim com o grande Johannes Müller. Helmholtz rapidamente seria admitido no círculo íntimo do professor, tendo feito amizades que durariam a vida inteira com outros três alunos que também viriam a ser expoentes da ciência alemã: Ernst Brücke, Emil du Bois Reymond e Karl Ludwig.

Embora tenha sido o maior fisiólogo de seu tempo, Müller já estava sendo questionado pelos alunos na década de 1840, em especial no que se refere à questão **vitalismo X materialismo**. Müller acreditava que, além das propriedades físicas e químicas dos sistemas fisiológicos, havia uma "força vital" que não poderia ser reduzida. Tratava-se de uma ideia profundamente arraigada e dotada de evidentes conotações teológicas. Em oposição ao vitalismo havia uma abordagem, cuja história também era antiga, mas que estava começando a ganhar especial relevância no século XIX – o materialismo (Capítulo 2). De acordo com essa visão, a força vital era um mito: a matéria física era a única realidade e todos os organismos vivos poderiam reduzir-se a processos físicos, mecânicos e químicos que finalmente seriam compreendidos com a aplicação de métodos científicos. O movimento naturalmente se afinava com os avanços científicos que se verificavam nessa época. Os alunos de Müller, bem como Helmholtz, eram materialistas ardorosos, com o entusiasmo e a confiança da juventude (todos tinham menos de 30 anos), e as importantes contribuições que todos deram à fisiologia apoiavam a posição materialista.

FIGURA 3.1 Hermann von Helmholtz (1821-1894).

Depois de obter o diploma de médico em 1842, Helmholtz começou a cumprir seu período como cirurgião do exército, mantendo ao mesmo tempo seus contatos em Berlim. Foi durante essa época que ele fez a primeira de suas contribuições duradouras, a qual refletia tanto seu amor à física quanto seu desejo de apoiar a fisiologia materialista. Tratava-se de um estudo sobre a base matemática de uma possível lei da **conservação da energia**, apresentado pela primeira vez a uma comunidade científica em Berlim em 1847 e publicado em seguida de forma particular, após ser rejeitado por uma das principais publicações especializadas da época (Warren, 1984). Helmholtz é considerado hoje um dos precursores desse importante princípio da física, segundo o qual o total de energia de um sistema permanece constante, mesmo que este sofra mudanças. Para Helmholtz, o princípio era uma arma importante na luta contra o vitalismo. Assim, ele afirmou que o calor corporal e a força muscular poderiam ser explicados pelo acúmulo de energia química durante o processo de oxidação que acompanha a digestão – não havia necessidade de propor nenhuma força vital especial para criar essa energia. E defendeu seu argumento mostrando que as contrações musculares geravam quantidades mensuráveis de calor (Turner, 1972).

A Medição da Velocidade dos Impulsos Nervosos

Tendo sido liberado do seu compromisso com o exército antes do prazo inicialmente previsto, Helmholtz foi contratado pela University of Königsberg em 1849, onde permaneceu por seis anos.[3] Foi nessa época que ele concluiu uma série de ensaios que trouxeram importantes implicações para o estudo do ato reflexo, fornecendo a base para a metodologia do tempo de reação, que viria a ser uma característica-chave de todo laboratório de psicologia experimental.

Quando Helmholtz começou a estudar a questão da velocidade dos impulsos nervosos no início da década de 1850, já se sabia que o impulso possuía propriedades elétricas. No século XVIII havia sido proposta uma teoria da eletricidade, e vários cientistas, entre eles um amigo materialista de Helmholtz, du Bois Reymond, haviam demonstrado que os nervos conduziam eletricidade para fazer os músculos se contraírem. Autoridades como Müller acreditam que o impulso nervoso podia ser instantâneo ou, no mínimo, ocorria demasiado rápido para poder ser medido. Mas um estudo de du Bois Reymond sugeriu em 1850 que o impulso se propagava ao longo do nervo por um processo eletroquímico mais lento que uma transmissão elétrica pura. Nesse caso, talvez a velocidade do impulso pudesse ser medida. Helmholtz conseguiu fazê-lo isolando um nervo motor e um músculo a ele associado na perna de um sapo. Ele então estimulou o nervo eletricamente a diversas diferentes distâncias do músculo e registrou o tempo entre o estímulo e a reação. Conhecendo a distância e o tempo, o cálculo da velocidade era fácil (velocidade = distância/tempo). Ela era, em média, de 90 pés/segundo (ou pouco mais de 95 km/hora), bem lenta em relação às estimativas que a colocavam perto da velocidade da luz. Helmholtz também calculou a velocidade dos nervos sensoriais ao mostrar que os seres humanos demoravam mais a reagir a um estímulo no dedo do pé que a um estímulo na coxa.

Para Helmholtz, as implicações da pesquisa eram óbvias. Havia ali mais provas de que o vitalismo estava errado e o materialismo, certo. Os vitalistas argumentavam que a decisão consciente de mover um braço e o movimento deste eram simultâneos, mas Helmholtz provou que o evento trans-

---

3. Ter amigos bem relacionados nunca faz mal. A vaga em Königsberg foi aberta quando Brücke, um dos amigos que Helmholtz fizera em Berlim, saiu para assumir uma cadeira em Viena (onde seria professor de ninguém menos que Sigmund Freud). O cargo foi inicialmente oferecido a du Bois Reymond, que o recusou, mas aparentemente recomendou Helmholtz, que o aceitaria (Turner, 1972).

corria em um tempo que podia ser medido, conclusão compatível com a ideia de que a ação nervosa envolvia o movimento de entidades físicas, materiais. Para Helmholtz, essa conclusão era suficiente: ele já não estava mais interessado em nenhum outro tipo de aplicação do conceito de tempo de reação. Caberia a outros desenvolvê-lo para criar uma técnica de medição do tempo de diversas atividades mentais. Essa história será contada no próximo capítulo.

Helmholtz Acerca da Visão e da Audição

Nos anos que passou em Königsberg, Helmholtz começou a investigar também a fisiologia da visão e da audição, tendo inventado um instrumento que o tornou famoso entre os oftalmologistas: o **oftalmoscópio**, aparelho que permitia o exame direto da retina. Sua pesquisa sobre a visão culminou num importante texto sobre ótica fisiológica, o *Handbook of Physiological Optics*, dividido em três volumes publicados ao longo de um período de onze anos, entre 1856 e 1867. Nesse meio-tempo, ele se mudou duas vezes, primeiro para Bonn e depois para Heidelberg, onde viveu treze dos mais produtivos anos de sua carreira (1858-1871).

Talvez Helmholtz seja mais lembrado pela elaboração de uma teoria da visão em cores inicialmente proposta no início do século XIX pelo cientista inglês Thomas Young. Às vezes considerada outro exemplo de múltiplo, ela passou a chamar-se teoria de Young-Helmholtz ou, como a denominou este, **teoria tricromática**. Ela baseia-se em fatos provenientes de experimentos de combinação de cores. Se você dirigir o foco de um holofote vermelho contra uma parede e, em seguida, superpuser o de um verde ao primeiro, as cores da área de superposição se "misturarão", sendo vistas como uma nova cor, amarelo. Tanto Young quanto Helmholtz demonstraram que, mesclando-se diferentes combinações das cores vermelha, verde e azul, obtinha-se como cor resultante uma que correspondia a qualquer das cores individuais. Com base nisso, eles concluíram que o olho deveria conter três tipos de receptores de cor, um para cada uma dessas cores primárias, vermelho, verde e azul ou violeta. A incidência de luz de um determinado comprimento de onda estimulava, em graus variáveis, esses receptores, produzindo a percepção de uma certa cor. Nas palavras de Helmholtz,

> Suponha que as cores do espectro estejam plotadas horizontalmente na figura [3.2] em sua sequência natural, de vermelho a violeta, e que as três curvas possam ser tomadas como indicação de algo como o grau de excitação dos três tipos de fibras: no 1, das fibras sensíveis ao vermelho, no 2, das sensíveis ao verde e no 3, das sensíveis ao violeta.
>
> A luz *vermelha* pura estimula fortemente as fibras sensíveis ao vermelho e debilmente os dois outros tipos de fibra, produzindo a sensação do vermelho.
>
> A luz *amarela* pura estimula moderadamente as fibras sensíveis ao vermelho e ao verde e debilmente as sensíveis ao violeta, produzindo a sensação do amarelo.
>
> A luz *verde* pura estimula fortemente as fibras sensíveis ao verde e muito mais debilmente os dois outros tipos, produzindo a sensação do verde.
>
> [...] Quando todas as fibras são estimuladas mais ou menos igualmente, a sensação é a do *branco* ou de tons claros. (Helmholtz, 1860/1965, p. 42, itálico no original)

Embora fosse hipotética, a Figura 3.2 de

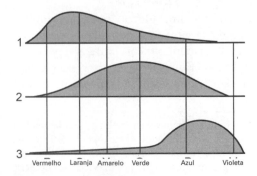

FIGURA 3.2 Sensibilidade relativa dos três receptores de cores conforme proposta por Helmholtz em *Handbook of Physiological Optics*.

Helmholtz é bastante semelhante aos gráficos atuais, plotados nas assim chamadas curvas de sensibilidade espectral. Desse modo, a teoria tricromática sustentou-se ao longo dos anos, ao menos em parte. Porém ela não dava conta de certos fenômenos cromáticos que foram mais bem explicados por outras teorias, especialmente a de Ewald Hering, que veio a chamar-se **teoria do processo oponente**. Hering propôs que as células sensíveis às cores reagiam a pares de cores opostas (isto é, vermelho-verde, amarelo-azul, preto-branco). Quando o olho registrava o vermelho, por exemplo, ocorria uma redução química no receptor de vermelho-verde, num processo que ele chamou de "catabólico". A visão do verde provocava um processo "anabólico", ou seja, de acumulação. Se o vermelho e o verde estivessem misturados, Hering acreditava que os dois processos se anulariam, resultando na percepção de uma cor cinzenta, neutra. Um dos problemas da teoria tricromática era sua previsão de que alguém que sofresse de daltonismo pronunciado tampouco seria capaz de ver o amarelo adequadamente. Segundo Helmholtz, o amarelo exigia a estimulação de fibras receptoras de vermelho e verde que apresentassem bom funcionamento, as quais não estariam presentes nos daltônicos. Contudo, eles enxergam o amarelo. Além disso, o fenômeno da persistência de imagens coloridas prestava-se mais ao modelo de Hering que ao de Helmholtz. Se fixarmos um quadrado vermelho por um minuto mais ou menos e, em seguida, fixarmos uma superfície branca, a persistência da imagem na forma de um quadrado verde se verifica por um breve instante. O amarelo e o azul complementam-se de modo semelhante. Hoje em dia as teorias da visão de cores incorporam elementos de ambas as teorias. A versão de Young-Helmholtz aplica-se bem ao nível da retina – aparentemente, de fato há três diferentes tipos de cones, cada um dos quais reage o máximo possível às cores da teoria tricromática: vermelho, verde e azul. Quanto à teoria de Hering, suas noções de processos anabólicos e catabólicos no interior de cada tipo de receptor não se sustentaram, mas aparentemente existem pares opostos de células em inúmeras partes do caminho visual. Por exemplo, no núcleo lateral geniculado, a mais ou menos metade da distância entre a retina e o córtex visual, existem células que se acionam rapidamente sempre que o vermelho se apresenta à retina, mas isso não ocorre quando o verde é mostrado. Além dessas células receptoras de vermelho+verde–, o núcleo possui diversas células vermelho-verde+, azul+amarelo– e azul–amarelo+ (Goldstein, 1996).

A visão de cores constituiu apenas uma pequena parte do trabalho de Helmholtz sobre o sentido da visão. Sua paixão pela física, por exemplo, levou-o a analisar a questão básica da ótica: como a luz é enfocada na retina? Assim, empreendeu uma análise sistemática de como os raios luminosos são curvados, tanto pela córnea quanto pelo processo da **acomodação**, no qual a lente muda de forma para alterar o foco dos objetos a diferentes distâncias. Ele analisou também a percepção da profundidade por meio da operação da **visão binocular** e, no mesmo espírito do bispo Berkeley, adotou uma postura extremamente empirista na questão da percepção dos objetos no espaço.

Helmholtz seria merecidamente famoso mesmo que tivesse se dedicado apenas à visão. Mas em 1863, entre a publicação do segundo e do terceiro volumes de *Optics*, ele publicou também um texto que rapidamente se tornou referência nos estudos da audição: *The Theory of the Sensation of Tone as a Physiological Basis for the Theory of Music*. Nele, Helmholtz apresentou sua famosa **teoria da ressonância** da audição, que propunha que diferentes frequências sonoras eram detectadas por receptores situados em diferentes pontos ao longo da membrana basilar da cóclea.

Vale a pena ressaltar que tanto a teoria tricromática da visão de cores quanto a teoria da ressonância da audição tomaram como ponto de partida a doutrina de Müller das energias nervosas específicas. Enquanto Müller propunha uma energia específica para cada um dos cinco sentidos básicos, as teorias de Helmholtz sugeriram que havia mais de uma: três, no caso da visão de cores, e várias, no da audição.

Helmholtz e o Problema da Percepção

Como físico, Helmholtz estava acostumado a buscar a precisão na natureza. Por conseguinte, ele estava perplexo diante de algo que poderia ser chamado de **problema da percepção**. Por um lado, os sistemas sensoriais humanos destinados à visão e à audição são singularmente desenvolvidos. Mas, por outro, as estruturas destinadas a possibilitar o funcionamento desses sentidos parecem terrivelmente falhas. Na visão, por exemplo, Helmholtz observou que as aberrações da córnea costumavam distorcer as ondas luminosas, que os fluidos oculares distorciam as percepções de forma, movimento e cor e, o pior de tudo, que quando a luz atingia a retina, tinha de passar por várias camadas de vasos sanguíneos e fibras nervosas antes de atingir os receptores. Helmholtz afirmou certa vez que "[...] se um ótico quisesse vender-me um instrumento que tivesse todos esses defeitos, eu me julgaria plenamente justificado em reprovar severamente sua falta de cuidado e devolver-lhe esse instrumento" (citado por Warren, 1984, p. 257). Problemas do mesmo tipo verificavam-se na audição e na estrutura do ouvido.

Dados esses defeitos de *design*, perguntava-se Helmholtz, o que explica a qualidade de nossa percepção? A resposta, segundo ele, encontrava-se na doutrina das energias nervosas específicas e na filosofia empirista britânica tradicional. Assim, pelo fato de o nosso sistema nervoso mediar entre a realidade e a mente, nossa percepção do mundo exterior é apenas indireta. Por conseguinte, o papel da experiência deve ser fundamental à percepção, raciocinou ele. Portanto, as informações brutas processadas pelos sistemas sensoriais não têm significado em si, só ganhando sentido quando uma determinada combinação de eventos sensoriais se associa a determinadas consequências. Considere-se, por exemplo, a percepção de objetos situados a diferentes distâncias. Segundo Helmholtz, chegamos ao que ele denominou **inferência inconsciente** da distância baseando-nos em nossas experiências pregressas de várias pistas associadas à distância (isso deveria fazer-nos lembrar de Berkeley). À medida que alguém se aproxima de nós, por exemplo, a imagem retinal aumenta, mas percebemos a pessoa se aproximando, e não crescendo em tamanho. Helmholtz diria que, graças ao fato de sabermos *pela experiência* que as pessoas não aumentam nem encolhem quando se aproximam ou se afastam, concluímos logicamente (ou seja, inferimos inconscientemente) que a pessoa deve estar se aproximando. Tudo isso ocorre rapidamente e sem que estejamos conscientes, daí a expressão escolhida.

Apesar de ter sido um jovem de saúde frágil, Helmholtz atingiu a maturidade forte e cheio de energia. Como seu passatempo predileto era o alpinismo, ele muitas vezes era visto fazendo caminhadas pelos Alpes (Wade, 1994). A experiência forneceu-lhe uma metáfora que resumiu sua abordagem da ciência. A elegância da forma final de suas teorias contrasta com o desorganizado e imprevisível processo cotidiano da pesquisa. Para explicar como trabalhava, ele comparou-se a

> um alpinista que deseja escalar os Alpes: sem conhecer o caminho, ele sobe devagar e com grande esforço, sendo muitas vezes obrigado a retroceder porque vê seu progresso impedido. Às vezes com ajuda do raciocínio; às vezes por acaso, ele encontra indícios de uma trilha recém-aberta que o leva um pouco mais longe até que, finalmente, quando atinge seu objetivo, descobre para sua irritação uma esplêndida estrada, pela qual poderia haver subido se tivesse sido inteligente o bastante para encontrar o ponto de partida certo logo no início. Em minhas memórias, naturalmente não dou ao leitor o relato das minhas errâncias, mas sim o caminho batido, pelo qual ele pode chegar ao cume sem problemas. (citado por Warren, 1984, p. 256)

Em 1871, aos 50 anos de idade, Helmholtz mudou-se de Heidelberg para Berlim, onde havia sido convidado a ocupar uma prestigiosa cadeira de física. Assim, na última etapa de sua carreira, ele voltou para o seu primeiro amor, a física. E viajou muito, tendo inclusive visitado os Estados Unidos em 1893 para representar a ciência alemã na *Columbian Exposition* (Feira Mundial de Chicago). Na viagem de volta, ao cair de uma escada, sofreu uma grave concussão que lhe rendeu uma diplopia persistente, vindo a falecer no ano seguinte de hemorragia cerebral.

LOCALIZAÇÃO DA FUNÇÃO CEREBRAL

Além dos avanços do conhecimento acerca da fisiologia sensorial, o século XIX viu seus cientistas debruçarem-se sobre a natureza do cérebro e discutirem sobre o problema da localização. Mesmo a inspeção visual superficial revela certas diferenças estruturais óbvias. Existem claramente dois hemisférios, o córtex subdivide-se ainda em diversas dobras (circunvoluções), o cerebelo é separado do cérebro e as partes inferiores deste, extensões da medula espinhal, têm suas próprias formas e características. Nada mais natural, então, supor que a essas estruturas correspondessem diferenças de função, e isso levantava a questão da **localização da função**. Até que ponto diferentes partes do cérebro corresponderiam a diferentes atributos fisiológicos e psicológicos? Ou seja, com que grau de precisão a localização poderia ser determinada?

A Frenologia de Gall e Spurzheim

Os frenologistas foram os responsáveis pela primeira grande teoria da localização. Segundo os defensores da **frenologia**, as "faculdades" humanas poderiam ser identificadas e localizadas em áreas do cérebro precisamente definidas. Embora tivesse início como uma tentativa científica legítima de estudar o cérebro, a frenologia degenerou gradualmente no melhor exemplo de pseudociência do século XIX. Quando retratada nos textos atuais de introdução à psicologia, geralmente é caricaturizada como um bizarro beco sem saída da ciência, no qual charlatães liam o caráter com base nas protuberâncias da cabeça das pessoas (ou seja, nisso se evidencia uma forte tendência ao presentismo). Na verdade, a história é bem mais complicada, e muito do que caracteriza a psicologia norte-americana tem suas bases no movimento frenológico.

Pode-se dizer que as origens da frenologia remontam ao respeitado e excêntrico médico vienense e estudioso da anatomia comparada Franz Josef Gall (1758-1828). Gall nasceu em Tiefenbronn, Alemanha, numa família católica extremamente devota – seus pais presumiam que um dia ele se tornaria padre. Mas, em vez disso, sua teoria sobre o cérebro foi considerada antirreligiosa, seus livros foram banidos pela igreja, o melhor que se pode dizer sobre sua vida pessoal é que ela foi moralmente anticonvencional e, quando morreu, em 1828, foi-lhe negado um enterro religioso (Young, 1972). Gall resolveu muito cedo seguir carreira na medicina e formou-se em Viena em 1785. Ali estabeleceu um bem-sucedido consultório médico e tornou-se um perito anatomista, embora fosse criticado pela cobrança de uma entrada aos que desejavam observá-lo na sala de cirurgia e por sua controversa teoria sobre a função cerebral. Ao ser proibido de fazer suas palestras e demonstrações cirúrgicas públicas sob a acusação de estar supostamente promovendo a imoralidade e o ateísmo, ele pôs o pé na estrada, dando palestras por toda a Europa antes de estabelecer-se em 1807 em Paris, onde permaneceu até sua morte.

Gall garantiu seu lugar na história da medicina pelo cuidado do seu trabalho anatômico. Ele identificou as fibras que conectavam os dois hemisférios e confirmou especulações anteriores de que certas fibras cruzavam de um lado do cérebro a outro da medula espinhal, confirmando assim o conceito da **função contralateral**, noção segundo a qual cada lado do cérebro controla o lado oposto do corpo. Gall também comparou as estruturas cerebrais de diferentes espécies e defendeu o argumento convincente de que as habilidades mentais de diferentes espécies correlacionavam-se ao tamanho e à complexidade do cérebro, especialmente o córtex. Além disso, ele foi o primeiro a argumentar que as circunvoluções cerebrais seguiam um mesmo padrão dentro de cada espécie; por conseguinte, a superfície do cérebro não era uma mixórdia aleatória de vales e cristas, mas obedecia a uma estrutura previsível. Sua pesquisa anatômica era impecável – o grande fisiólogo francês Pierre Flourens, crítico acérrimo da frenologia (veja a seguir), apesar disso relatou que, ao presenciar Gall dissecar um cérebro, foi como se tivesse visto o órgão pela primeira vez. Ao contrário da maioria dos anatomistas, inclusive Flourens, que dissecava cérebros cortando segmentos de cima para baixo, Gall trabalhava do tronco encefálico para cima, removendo as estruturas uma por uma e, assim, traçando as interconexões entre elas com uma precisão impossível quando se começava de cima (Temkin, 1947).

Apesar desses feitos notáveis, Gall ficou famoso por dar origem à frenologia, ou, como ele a chamava, "cranioscopia". A teoria é historicamente significativa por ter sido a primeira teoria séria da localização da função cerebral, e Gall é considerado com justiça um dos primeiros a afirmar que o cérebro era o órgão dos componentes tanto intelectuais quanto emocionais da mente. Gall começou a desenvolver suas ideias sobre a localização muito cedo na vida. Quando jovem, ele pensou haver detectado uma relação entre a forma da cabeça e certas características comportamentais das pessoas. Notou, por exemplo, que a memória dos colegas de escola que tinham olhos salientes aparentemente era melhor que a sua. Essa antiga experiência deu início à busca, que se estenderia por toda a sua vida, de provas indutivas que servissem de apoio a suas teorias. Assim, alegou que o impulso de roubar provinha do desenvolvimento excessivo da faculdade da "Propriedade" (posteriormente chamada de "Aquisitividade"), situada no lobo temporal do córtex, em posição ântero-superior em relação ao ouvido em cerca de 2,5 cm. Segundo Gall,

> [q]uando essas partes cerebrais são muito desenvolvidas, geram uma proeminência na cabeça e no crânio. [...] Encontro-a frequentemente em todos os ladrões inveterados encarcerados, em todos os idiotas que têm propensão irresistível a roubar e em todos aqueles que, embora bem-dotados em intelecto, extraem do roubo um prazer inconcebível, sendo mesmo incapazes de resistir à paixão que os obriga a roubar. Um dos meus amigos [...] tem esse órgão muito grande. Quando vê tesouras, canivetes e outras ninharias semelhantes, ele sente uma certa ansiedade [...] que só cessa quando as coloca nos bolsos. (Gall, 1825/1965, p. 218).

As convicções de Gall por fim evoluíram para a teoria que seus seguidores denominaram frenologia, termo derivado das palavras gregas "-logia" (ciência) e "phrenós" (mente). A palavra foi cunhada por Johannn Spurzheim (1776-1832), que foi colaborador de Gall por algum tempo, mas depois veio a romper com este. Spurzheim é o maior responsável pela difusão da teoria, tanto na Europa quanto nos Estados Unidos. Conforme afirmou em *Outlines of Phrenology* (1832/1978) e em outros livros, os princípios essenciais da frenologia reduziam-se a cinco:

a. O cérebro é o órgão da mente.
b. A mente compõe-se de um grande número de habilidades (cerca de 35) ou atributos chamados "faculdades", algumas intelectuais (cognitivas) e outras afetivas (emocionais).
c. Cada faculdade tem seu local próprio no cérebro.
d. Certas pessoas são mais dotadas que outras quanto a certas faculdades; nesse caso, têm mais tecido cerebral no local correspondente que as menos dotadas.

e. Como o formato do crânio corresponde mais ou menos ao do cérebro, a intensidade de várias faculdades pode ser inferida pela forma do crânio.

O último princípio, que ficou conhecido como **doutrina do crânio**, representava para os frenologistas a chave da mensuração. Se o tamanho e a forma dos vários locais do cérebro refletiam a força das faculdades e se a forma do cérebro afetava a do crânio, a medição deste permitiria a das faculdades. Em resumo, tudo que havia de importante sobre uma pessoa poderia ser conhecido por meio do exame da forma do seu crânio. A Figura 3.3 mostra um crânio frenológico típico, com identificação das faculdades.

Nas duas primeiras décadas do século XIX, a cranioscopia/frenologia foi uma tentativa legítima de identificar as funções localizadas no cérebro. Quando Spurzheim publicou seu *Outlines of Phrenology*, no mesmo ano em que faleceu durante o *tour* de palestras que estava fazendo nos Estados Unidos (1832), milhares de crânios haviam sido examinados com vistas à correlação entre sua forma e o caráter dos seus possuidores. O livro descrevia detalhadamente as faculdades, situando-as no cérebro e fornecendo algumas das provas que as sustentavam. A análise mais atenta, porém, deixava claro que essas provas tinham graves pontos fracos. Como indicamos anteriormente, ao falarmos da faculdade da Propriedade (Aquisitividade), os frenólogos recorriam muito a **relatos de casos**. Ou seja, buscavam casos específicos que servissem de apoio à sua teoria. Essa abordagem não é necessariamente falha, pois a coleta de dados em grandes quantidades para depois traçar generalizações é uma estratégia indutiva comum. Contudo o problema é que os frenólogos não estavam interessados nos exemplos que contradissessem suas conclusões. Assim, sua teoria não obedeceu a um importante critério para as teorias autenticamente científicas: o de que a teoria deve ser formulada com precisão tal que permita

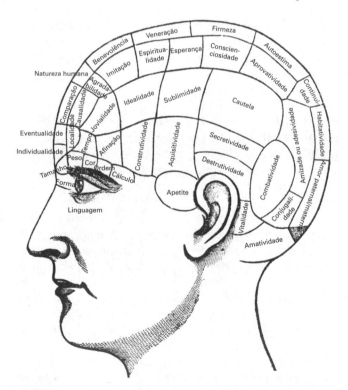

FIGURA 3.3 Crânio frenológico com identificação das faculdades.

a refutação. Só que os frenólogos não fizeram isso. O ladrão que apresentasse uma área de Aquisitividade pequena seria ignorado, descrito como ladrão potencial ("qualquer dia desses, ele vai começar a roubar") ou explicado com a referência a combinações de outras faculdades que compensariam a falta de Aquisitividade. Por exemplo, esse ladrão poderia ser descrito como detentor de áreas grandes de Imitação ou Autoestima e, por isso, mantinha a autoimagem copiando o irmão mais velho, que era ladrão, apesar de sua falta de Aquisitividade "natural". Talvez o exemplo supremo da recusa frenológica em aceitar as refutações seja o comentário atribuído a um frenólogo, ao saber que o crânio de Descartes era bastante pequeno em certas áreas relacionadas a algumas das faculdades intelectuais. Sua conclusão foi que talvez Descartes, afinal, não fosse tão inteligente assim (Fancher, 1990)!

O fracasso da frenologia enquanto teoria aparentemente não incomodou os frenólogos, mas outros cientistas logo o viram como um problema fatal, e assim a frenologia foi relegada ao *status* de pseudociência em meados do século XIX. Infelizmente, ela possuía algo em comum com outras pseudociências (como, por exemplo, a análise da caligrafia para avaliação da personalidade) – o grande público a adorava. A frenologia tornou-se extremamente popular ao longo do resto do século XIX. Gall e Spurzheim a disseminaram na Europa e, juntamente com outros, Spurzheim a exportou para os Estados Unidos.

E foi nos Estados Unidos que a frenologia atingiu o auge de sua popularidade. A versão que Spurzheim e outros levaram para esse país encaixava-se à perfeição na cultura norte-americana do "homem comum", em especial durante a segunda metade do século XIX (Bakan, 1966). Embora Gall pensasse que o tamanho das faculdades de uma pessoa fosse indicação de traços inatos, Spurzheim argumentava que as faculdades poderiam ser afetadas pelo que o indivíduo adquire. Para ele, o cérebro era análogo a um músculo – suas faculdades poderiam ser exercitadas e fortalecidas com a educação e a autoajuda. Assim, a frenologia forneceu uma base aparentemente científica à tradicional crença dos norte-americanos de que qualquer um, independentemente de sua herança, poderia "fazer-se sem ajuda de ninguém" e conseguir praticamente qualquer coisa na vida (por exemplo, sair de uma cabana de lenhador para a Casa Branca). A noção esperançosa de que o cérebro das crianças e, portanto, seu futuro, poderia ser moldado por meio do controle da sua educação e do ambiente em que viviam teve profunda ressonância entre os norte-americanos. Esse mesmo otimismo colocaria o behaviorismo em moda entre o público na década de 1920. A frenologia coadunava-se ainda com essa ideia tão norte-americana de que cada pessoa é única, possuindo seus próprios talentos especiais. Em termos frenológicos, isso traduzia-se na configuração própria de faculdades de cada um, as quais poderiam ser medidas com as ferramentas frenológicas certas. Assim, a frenologia foi um dos primeiros exemplos mais importantes de um grande tema de pesquisa que persiste ainda hoje: a busca de meios de identificar, medir e avaliar diferenças individuais (Bakan, 1966). E se as diferenças individuais podiam ser identificadas e medidas, os pontos fortes e fracos das pessoas poderiam ser conhecidos, permitindo a orientação em termos de profissão, seleção de parceiros etc. Por conseguinte, a promessa de aplicações práticas que melhorassem a vida cotidiana foi mais uma razão para o apelo que a frenologia teve nos Estados Unidos.

A popularidade da frenologia entre as massas aumentou ainda mais com os agressivos esforços de *marketing* da firma Fowler and Wells. Sediada na Broadway, em Nova York, e com filiais em Boston e na Filadélfia, ela dominou o negócio da frenologia desde o início, em 1844, até a virada do século XX. Apesar de a comunidade científica e os círculos de melhor nível de escolaridade a terem rapidamente rejeitado, o público parecia não se cansar nunca da frenologia. Como você pode ver no *Close-Up* deste capítulo, a frenologia foi um grande negócio nos Estados Unidos do fim do século XIX.

CLOSE-UP
O MARKETING DA FRENOLOGIA

Quando era aluno do Amherst College no início da década de 1830, Orson Fowler defendia uns trocados examinando a cabeça dos colegas de sala a dois centavos cada análise (Joynt, 1973). Depois de formado, juntou-se aos irmãos Lorenzo e Charlotte para criar em Nova York um museu de frenologia que dispunha de uma vasta coleção de crânios, moldes de cabeças e outros instrumentos frenológicos do gênero. A entrada era livre, mas assim que passavam pela porta, os visitantes eram tentados com uma avaliação frenológica cujo preço variava entre 1 e 3 dólares. Quando Charlotte se casou com um estudante de medicina chamado Samuel Wells, a firma Fowles and Wells nasceu. Situada no número 753 da Broadway, com filiais em Boston e na Filadélfia, a firma dominaria o mercado da frenologia desde o início, em 1844, até a virada do século XX.

A Fowler and Wells, Inc. publicou uma lista interminável de folhetos destinados a levar a frenologia a todos os lares dos Estados Unidos. Além disso, lançou o popular *Phrenological Journal* (veja a Figura 3.4), treinou e "certificou" frenólogos e, numa época em que as palestras públicas eram um dos principais meios de comunicação, tinha uma lista de hábeis palestrantes, prontos a disseminar o credo frenológico. Para ter uma ideia da variedade dos tópicos abordados pela firma, observe abaixo os títulos de alguns dos livros e folhetos comercializados pela Fowler and Wells, conforme anunciado no número de outubro de 1881 do *Phrenological Journal*:

> *The Indications of Character*, as manifested in the general shape of the head and the form of the face [As indicações do caráter, segundo sua manifestação por meio da forma geral da cabeça e do rosto]. Ilustrado. 15 centavos.
>
> *Wedlock*; or, The Right Relations of the Sexes. A Scientific Treatise disclosing the Laws of Conjugal Selection, Pre-natal Influences, and showing Who Ought and Who Ought Not to Marry [O matrimônio ou a relação certa entre os sexos. Tratado científico que divulga as leis da seleção conjugal, as influências pré-natais e mostra quem deve e quem não deve casar-se]. $1,50; em encadernação de luxo, $2,00.
>
> *Amativeness*; or, Evils and Remedies of Excessive and Perverted Sexuality; including Warning and Advice to the Married and Single [A amatividade ou os males da sexualidade excessiva e pervertida e suas soluções (inclui advertências e conselhos para casados e solteiros)]. 25 centavos.
>
> *Choice of Pursuits*; or, What to do and Why. Describing Seventy-five Trades and Professions, and the Temperaments and Talents required for each [A escolha de uma carreira ou o que fazer e por quê (inclui a descrição de 75 ofícios e profissões e os temperamentos e talentos exigidos em cada um)]. 508 pp. $1,75.

Quanto ao próprio *Phrenological Journal*, cada número apresentava breves esboços frenológicos de pessoas famosas, artigos sobre outros temas quentes na época (como o hipnotismo, o espiritismo e a fisiognomonia) e matérias curtas sobre toda sorte de coisa (por exemplo, "Por que as abelhas trabalham no escuro"). Embora hoje não exista nada semelhante ao *Phrenological Journal*, a sabedoria popular propagada em certo tipo de almanaque como o *Old Farmer's Almanac* tem alguma semelhança.

Os artigos típicos do *Phrenological Journal* apresentavam uma pessoa famosa e mostravam como a avaliação frenológica poderia "explicar" o caráter e o comportamento dessa pessoa. O número de setembro de 1873, por exemplo, tinha uma matéria sobre um notório assassino triplo. Eis aqui como ele foi descrito pelo frenólogo que o entrevistou:

> Sua cabeça tem circunferência de 56 cm, 34,5 cm da Individualidade até o côndilo do occipital e 35,5 cm de Destrutividade a Destrutividade, por sobre o alto da cabeça na Firmeza. A porção animal do cérebro predomina sobre todas as demais. A Destrutividade é o maior órgão do seu cérebro; a cabeça incha-se bastante acima das orelhas. O órgão da Conscienciosidade é, creio eu, o menor que já vi. [...] Todos os órgãos espirituais são pequenos e inativos, e a Cautela e a Secretividade estão abaixo da média.

A Fowler and Wells teve vida longa, mas o interesse pela frenologia finalmente começou a decair perto do fim do século XIX, à medida que a opinião pública se informou melhor acerca do funcionamento do cérebro e que outras formas de medição (por exemplo, o teste de QI) começaram a ganhar popularidade. Em 1911, o *Phrenological Journal* publicou seu último número.

Flourens e o Método da Ablação

A frenologia pode ter parecido boa ciência para o populacho norte-americano, mas os verdadeiros cientistas não se deixaram enganar. Conforme dissemos anteriormente, a comunidade científica rejeitou a teoria de Gall/Spurzheim bem antes de o século XIX chegar à metade. O pior inimigo da frenologia foi o eminente fisiólogo e cirurgião francês Pierre Flourens (1794-1867), que se dispôs a mostrar que os frenologistas estavam errados. Assim, ele reduziu a frenologia a dois pontos principais: a mente concentrava-se no cérebro e compunha-se de numerosas faculdades, cada uma situada em locais específicos do cérebro. No contundente *Examination of Phrenology*, originalmente publicado em 1843, ele observa sarcasticamente que "quanto a essas duas proposições, certamente não há nada de novo na primeira e talvez nada de verdadeiro na segunda" (Flourens, 1846/1978, p. 18).

Para desmentir as alegações dos frenólogos, Flourens abordou o problema da localização de um ponto de vista experimental, usando o método da **ablação**. Embora não tenha sido o criador do procedimento, ele o elevou a tamanho grau de refinamento que hoje este está associado a seu nome. Em vez de esperar que os experimentos ocorressem de maneira natural, por lesão cerebral acidental, Flourens removeu partes específicas do cérebro ("ablação" é uma palavra derivada do latim que significa "ação de tirar, roubar") e observou os efeitos. Se o resultado de uma ablação fosse a incapacidade de ver, presumivelmente a área da porção removida teria algo que ver com a visão. Evi-

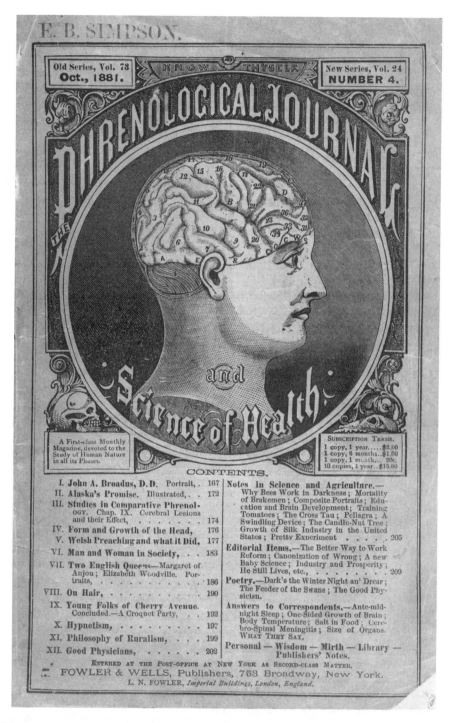

FIGURA 3.4 A capa do número de outubro de 1881 do popular *Phrenological Journal*, da Fowler and Wells.

dentemente, o método só poderia ter animais como cobaias de pesquisa, e Flourens fez experimentos com várias espécies, de cães a pombos.

O ataque de Flourens à frenologia consistiu em demonstrar que as áreas do cérebro que os frenólogos diziam servir à função X na verdade serviam à função Y e que o córtex cerebral funciona como um todo integrado, e não como um grande grupo de faculdades localizadas em determinados pontos. Um dos focos de sua pesquisa foi o cerebelo. Para os frenólogos, ele controlaria o comportamento sexual e seria o centro da faculdade da "amatividade". Flourens teve pouco trabalho para desmentir isso, demonstrando que o cerebelo era o centro da coordenação motora. Assim, os pombos privados do órgão não conseguiam coordenar os movimentos das asas para voar e os cães não conseguiam andar direito: cambaleavam, caíam ou davam encontrões em objetos dos quais normalmente se desviariam. Além disso, o grau de anormalidade dos movimentos era diretamente proporcional à quantidade de cerebelo removida.

Depois da remoção de quantidades variáveis do córtex cerebral, Flourens encontrou uma relação semelhante entre a quantidade de córtex extraída e a gravidade da sequela. Porém ele não encontrou nenhum indício de que diferentes funções estivessem ligadas a áreas específicas do córtex e, por isso, concluiu que este funcionava como um todo, servindo às funções gerais da percepção, inteligência e vontade. Assim, os pombos que haviam ficado com pouco ou nada do córtex aparentemente percebiam o mundo a sua volta, mas não davam nenhum sinal de poder aprender alguma coisa com suas experiências nem fazer nada senão vegetar. A diferença entre o pombo que não tinha cerebelo e o que não tinha córtex era que o primeiro tentava voar, mas não conseguia, ao passo que voar jamais estava entre as tentativas do segundo.

Os princípios gerais de que o córtex funciona como um todo e de que a extensão da incapacidade é proporcional à da ablação foram verificados e ampliados pelas descobertas do grande psicólogo fisiologista americano Karl Lashley, que os denominou de princípios de equipotencialidade e de ação de massa, respectivamente (o trabalho de Lashley será abordado rapidamente no final deste capítulo). Porém se, por um lado, esses princípios deram a Flourens armas para atacar a frenologia de uma maneira irrevogável, ao menos na visão dos cientistas, por outro, ele exagerou, pois argumentou contra a possibilidade de qualquer grau de localização no córtex, algo que logo seria declarado improcedente por outros cientistas que utilizaram métodos distintos da ablação.

O Método Clínico

Os resultados dos estudos que envolvem ablação nem sempre são fáceis de interpretar, principalmente porque a destruição de uma parte do cérebro influi também sobre as conexões a essa parte, promovendo efeitos nem sempre previsíveis ou consistentes. Além disso, são estudos que muitas vezes não podem ser feitos, como no caso dos seres humanos. Uma coisa é remover sistematicamente partes do cérebro de uma pessoa por razões benéficas do ponto de vista médico (por exemplo, a ablação do corpo caloso para tratamento da epilepsia). Porém a destruição do tecido cerebral humano pela simples razão de observar o que ocorre é de difícil justificativa.[4] Uma alternativa ao estudo da função cerebral humana é o **método clínico**. Ele requer ou (a) o estudo das consequências mentais e comportamentais de lesões cere-

---

4. Essa questão ética óbvia escapou ao Dr. Roberts Bartholow, de Cincinnatti: em 1874, ele inseriu eletrodos no córtex de uma imigrante, que era trabalhadora doméstica e o procurara para tratar de uma ferida ulcerativa no couro cabeludo, a qual havia deixado exposta parte do seu cérebro. A estimulação moderada produziu algumas contrações musculares, mas o curioso Bartholow inseriu mais fundo os eletrodos e aumentou a força da corrente, provocando fortes convulsões que levaram a infeliz à morte (Hothersall, 1995).

brais, eventos como derrames e outros males ou (b) a identificação de portadores de algum distúrbio mental ou comportamental e o exame de seus cérebros, após sua morte, para detecção de anormalidades. A pessoa que geralmente obtém os créditos pelo desenvolvimento do método clínico é Paul Broca, a quem conheceremos dentro em breve, mas existem inúmeros exemplos de casos clínicos famosos em meados do século XIX. Talvez o mais conhecido diga respeito a um respeitável trabalhador ferroviário norte-americano, Phineas Gage.

O Notável Phineas Gage

Em 1848, quando explodia rochas para abrir caminho para uma nova linha ferroviária perto de Cavendish, Vermont, Gage sofreu um acidente que tinha tudo para ser fatal. Depois de colocar um pouco de pólvora e um pavio num orifício escavado numa rocha que deveria ser explodida, Gage usou um espeto de ferro para comprimi-la. Tendo-se distraído, ele arranhou a superfície da rocha o suficiente para criar uma centelha que acendeu a pólvora. Isso transformou o espeto em um míssil que voou pelos ares e caiu a 30 m de distância. Mas infelizmente, para Gage, sua cabeça estava na trajetória. O espeto entrou logo abaixo do olho e saiu na parte superior esquerda do crânio, arrancando uma boa parte do córtex esquerdo frontal (veja a Figura 3.5). Milagrosamente, Gage ficou inconsciente por pouco tempo e, ao chegar à vila, pôde caminhar (amparado) até o consultório do médico. Ali ele se sentou e conversou com amigos (!) até a chegada do médico, cerca de trinta minutos depois do acidente. Dois meses depois, ele havia se recuperado o suficiente para voltar a viver só,[5] mas jamais conse-

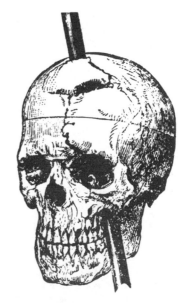

FIGURA 3.5 Ilustração representativa do crânio de Gage, mostrando a posição do espeto de ferro, extraída do relatório médico original de Harlow (1869).

guiu voltar ao trabalho e sua personalidade mudou drasticamente. Gage, que havia sido um líder comunitário consciencioso e respeitado (era, inclusive, o capataz da equipe de construção da linha de ferro), tornou-se um constrangimento para a comunidade com sua obstinação e seu comportamento irresponsável e blasfemo (MacMillan, 1986).

Um de seus médicos, John Harlow, era simpatizante da frenologia e viu no caso uma prova da crença frenológica na localização cerebral. Harlow fez anotações meticulosas sobre o caso e publicou relatos sobre ele em 1848 e 1868, referindo-se à lesão provocada no lobo frontal de Gage como um dano que

> destruiu o equilíbrio [...] entre suas faculdades intelectuais e propensões animais. Ele apresenta comportamento irregular e irreverente, proferindo às vezes as mais vulgares blasfêmias (algo que não era de seu costume), manifestando pouco respeito pelos companheiros, recusando conselhos ou coibições quando contradizem seus desejos, às

---

5. O fato de Gage haver sobrevivido numa época anterior aos antibióticos é simplesmente incrível, mas sua recuperação provavelmente foi possível porque a ferida criou uma área de drenagem natural que impediu o surgimento dos abscessos que, com toda a probabilidade, teriam provocado sua morte (McMillan, 1986).

vezes obstinado e às vezes caprichoso e hesitante, criando muitos planos futuros que logo em seguida são abandonados. [...] Antes do ferimento, embora não possuísse educação formal, ele tinha uma mente equilibrada e era considerado pelos que o conheciam um comerciante arguto, muito enérgico e persistente quando se tratava de executar todos os planos que traçava. Nesse aspecto, sua mente alterou-se radicalmente, a ponto mesmo de os amigos e conhecidos declararem que ele "já não era o mesmo Gage". (Harlow, 1868, citado por MacMillan, 1986, p. 85)

Assim, embora tenha sobrevivido ao acidente, Gage mudou radicalmente – a lesão cerebral promoveu mudanças irreversíveis em sua personalidade e em seu comportamento. Menos de doze anos depois, viria a falecer (aos 37 anos de idade), depois de uma série de convulsões que foram tornando-se gradualmente mais fortes. O espeto e o crânio de Gage podem ser vistos hoje no Warren Anatomical Medical Museum de Harvard.

Broca Descobre o Centro da Fala

No caso de Gage, Harlow podia relacionar o desfecho psicológico à lesão cerebral inicial. Mas há outro tipo de caso clínico no qual o paciente manifesta algum problema mental ou comportamental específico que não pode ser correlacionado a uma lesão cerebral até a realização de uma análise *post-mortem*. Essa foi a situação enfrentada pelo neurologista francês Paul Broca (1824-1880) em abril de 1861, ao tratar de um paciente muito pouco comum, por razões que logo ficarão evidentes, que ficou conhecido como "Tan".

O paciente havia estado internado no hospital Bicêtre, em Paris, por 21 anos e nos sete anos anteriores a 1861 estivera incapacitado e confinado ao leito, até que uma gangrena grave o levou aos cuidados de Broca. Quando deu entrada no hospital, aos 30 anos de idade, havia perdido a capacidade de falar com coerência. Segundo a descrição feita por Broca (1861/1965), o paciente era

bem saudável e inteligente, diferindo de uma pessoa normal apenas na perda da linguagem articulada. Entrava e saía do hospital, onde ficou conhecido pelo nome de "Tan". Entendia tudo o que lhe diziam. Sua audição na verdade era muito boa, mas sempre que lhe faziam uma pergunta, respondia: "Tan, tan", acompanhando a frase com gestos variados, com os quais conseguia expressar quase todas as suas ideias. Quando não entendiam esses gestos, ele ficava muito zangado e acrescentava a seu vocabulário uma expressão grosseira ("Sacré nom de Dieu!"). (p. 224)

Quando já tinha dez anos (!) no hospital, Tan começou a perder o controle do lado direito do corpo e, ao longo dos onze anos seguintes (!), seu quadro piorou. No momento em que Broca foi chamado, Tan estava à beira da morte. Broca relata que hesitou em examiná-lo, pois seu estado geral era "tão grave que teria sido cruel" (p. 225). Todavia, Broca foi adiante, realizando não só o exame físico, que confirmou a paralisia da perna e do braço direito, mas também um exame das capacidades mentais de Tan:

Suas respostas numéricas, feitas com o abrir ou fechar dos dedos, eram as melhores. [...] Há quantos anos estava em Bicêtre? Abriu a mão quatro vezes e acrescentou um dedo, o que totalizava 21 anos, a resposta correta. [...] Em dois dias seguidos, mostrei-lhe meu relógio [...] e, depois de observá-lo um instante, em ambas as vezes conseguiu indicar a hora corretamente. Não havia dúvida, portanto, de que o homem era inteligente, podia pensar, havia até certo ponto retido a lembrança de antigos hábitos. Conseguia inclusive entender ideias bastante complexas. Por exemplo, perguntei-lhe qual a ordem que suas paralisias haviam seguido. Primeiro, ele fez um gesto com o indicador esquerdo, para mostrar que havia compreendido; em seguida, mostrou sucessivamente a língua, o braço direito e a perna direita. Estava inteiramente certo, pois naturalmente atribuía a perda da fala à paralisia da língua. (p. 226)

Broca imaginou que Tan havia sofrido uma lesão cerebral que, nos primeiros dez anos, permanecera restrita a uma área relativamente limitada do lado esquerdo do cérebro, mas que em seguida se disseminara. E não precisou esperar muito para confirmar o diagnóstico – Tan faleceu seis dias após o exame inicial de Broca. O médico imediatamente realizou uma autópsia e removeu o cérebro do paciente (que hoje se encontra no Musée Depuytren, em Paris). Conforme atesta a Figura 3.6, a lesão é claramente visível. O distúrbio que acometia Tan logo é conhecido como **afasia motora** ou expressiva e caracteriza-se pela incapacidade de articular verbalmente as ideias, mesmo que o aparelho vocal esteja intacto e a inteligência geral seja normal. Nos anos seguintes, Broca conheceu diversos pacientes afásicos como Tan, encontrou o mesmo padrão geral de dano no lobo frontal esquerdo e concluiu que a capacidade de produção da fala estava localizada nesse lobo. Em homenagem a ele, essa parte do cérebro é denominada de área de Broca.

A pesquisa de Broca colocava em questão as conclusões de Flourens acerca do grau de localização a encontrar no córtex. Novos indícios de localização da função da linguagem foram propiciados pelos estudos clínicos realizados pelo neurologista alemão Carl Wernicke (1848-1905). Ele estudou um grupo de dez pacientes que eram capazes de gerar um discurso articulado, mas em geral carente de sentido. Esses pacientes, além disso, tinham dificuldade em compreender o que lhes diziam. Wernicke chamou a esse distúrbio **afasia sensória**, para distinção em relação à afasia motora, e descobriu que ela implica a lesão de uma área do lobo temporal esquerdo do cérebro, vários centímetros atrás da área de Broca.

MAPEANDO O CÉREBRO: A ESTIMULAÇÃO ELÉTRICA

Vimos que, no século XIX, as descobertas sobre a natureza da eletricidade estavam sendo aplicadas à pesquisa da fisiologia sensorial e a ideia de que a atividade neurológica era de natureza eletroquímica estava evoluindo. Nesse contexto, dois jovens fisiólogos alemães, ambos professores da Universidade de Berlim, quiseram investigar se a superfície do córtex reagiria a correntes elétricas não muito fortes. Embora relacionado como coautor no famoso estudo que fizeram, o principal investigador foi Edward Hitzig (1838-1907), auxiliado por Eduard Fritsch (1838-1927), que logo deixou a fisiologia para dedicar-se à antropologia. Hitzig havia observado movimentos musculares ao expor o cérebro de um soldado ferido a estimulação mecânica, mas

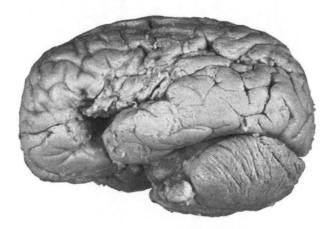

FIGURA 3.6 O cérebro de Tan – observe-se o dano na parte inferior esquerda.

geralmente acreditava-se que o toque da superfície cerebral não produzia efeitos consideráveis. Hitzig e Fritsch expuseram o córtex de diversos cães, usados como cobaias, e fizeram experimentos com diferentes superfícies. O estímulo era uma corrente elétrica "cuja intensidade mal provocava uma sensação sensorial na língua" (Fritsch e Hitzig, 1870/1965, p. 230). Ela foi conduzida por dois finos fios de platina que poderiam ser afastados entre 2 e 3 mm. Apesar da relativa rusticidade dos procedimentos – os experimentos eram conduzidos na casa de Fritsch –, eles forneceram provas da localização ao identificar vários centros motores na metade anterior do cérebro. A estimulação das áreas marcadas na Figura 3.7 produziu movimentos consistentes no lado direito do corpo dos cães, como detalhado abaixo:

Área 1:   pescoço
Áreas 2 e 3:   perna anterior (extensão e flexão, respectivamente)
Área 4:   perna posterior
Área 5:   focinho

A pesquisa de Fritsch e Hitzig motivou diversos fisiólogos a mapear as áreas motoras em outras espécies e com maior precisão.

FIGURA 3.7 Centros motores do cérebro de um cão, identificados por meio da estimulação elétrica por Fritsch e Hitzig (1870/1965).

DATA-CHAVE 1861

Este ano marcou a descoberta e o estudo do paciente afásico "Tan" por Broca, além da descoberta da localização do centro cerebral da fala.

Os seguintes fatos também ocorreram neste ano:

- Wilhelm Wundt (Capítulo 4), então assistente do laboratório de Hermann Helmholtz (visto neste mesmo capítulo), apresenta um estudo sobre o tempo de reação num congresso de cientistas alemães em Speyer. Era sua primeira apresentação pública da pesquisa que posteriormente faria parte do seu trabalho em psicologia experimental

- Louis Pasteur propõe a teoria da fermentação por meio de micro-organismos

- Surgem as previsões meteorológicas diárias na Grã-Bretanha

- O serviço Pony Express, criado em 1860 para entrega de correspondências na região oeste dos Estados Unidos, é suspenso após apenas um ano de funcionamento devido ao desenvolvimento do serviço de telegramas transcontinentais

- O esqueleto de um elo entre os répteis e os pássaros (o arqueoptérix) é descoberto na Alemanha

- O sistema de passaporte é introduzido nos Estados Unidos

- O czar russo Alexandre II abole a servidão

- A Guerra Civil Americana começa, com as vitórias confederadas de Fort Sumter, na Carolina do Sul, e Bull Run, na Virgínia

- A convenção de Wheeling aprova a constituição de um novo estado, a ser chamado de Virgínia Ocidental

- Nasceram:

  Alfred North Whitehead, filósofo e matemático inglês

  Frederick Remington, artista/escultor do oeste norte-americano

  James Naismith, inventor do basquete

- Morreram:

  Elizabeth Barrett Browning, poeta inglesa, autora de *Sonnets from the Portuguese*

  Albert, príncipe-consorte da Inglaterra, marido da rainha Vitória

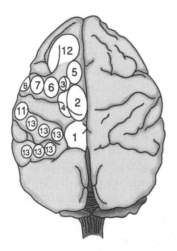
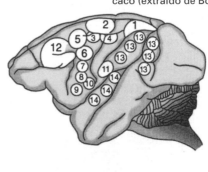

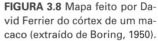

FIGURA 3.8 Mapa feito por David Ferrier do córtex de um macaco (extraído de Boring, 1950).

Essa atividade ficou conhecida como a "nova frenologia" ou "frenologia científica": a meta era a localização, mas agora as funções cerebrais seriam identificadas cientificamente, e não por meio dos casos exemplares selecionados por Gall e Spurzheim. Alguns anos depois da publicação do trabalho de Fritsch e Hitzig, por exemplo, o neurologista escocês David Ferrier (1843-1928) escreveu *Functions of the Brain* (1876), que continha o mapa do cérebro de um macaco mostrado na Figura 3.8. Comparando-se esta à Figura 3.7, podemos ver como a ciência do cérebro estava avançando rápido. Ferrier, além disso, levou a busca da localização para além das funções motoras, tendo identificado diversas áreas sensoriais. Usando tanto a estimulação elétrica quanto a ablação, Ferrier conseguiu identificar no lobo occipital a área sensorial primária da visão e, numa parte do lobo temporal, o centro da audição. Começaram a surgir indícios de que os nervos sensoriais diferiam mais em termos de seus destinos no córtex que em termos de "energias específicas".

ESTUDOS DO INÍCIO DO SÉCULO XX SOBRE O COMPORTAMENTO E O SISTEMA NERVOSO

Perto da virada do século XX, o conhecimento acerca do sistema nervoso, em geral, e do cérebro, em particular, cresceu a uma grande velocidade. Porém, além da pesquisa sobre a fisiologia sensorial e a localização da função cerebral, surgiu outra linha de pesquisa que prosseguiu após a chegada do século XX. Essa pesquisa voltava-se para a natureza da própria unidade básica do sistema nervoso, o neurônio. Embora tenha história longa e complicada, destacaremos aqui alguns dos seus momentos mais importantes.

A Teoria dos Neurônios

A descoberta do neurônio como unidade básica do sistema nervoso não se daria senão após a segunda metade do século XIX, quando vários importantes avanços ocorreram na histologia (estudo da estrutura microscópica dos tecidos vegetal e animal). Os microscópios tornaram-se mais potentes, por exemplo, e as técnicas de endurecimento do cérebro foram aperfeiçoadas. Antes da descoberta de que ele poderia solidificar-se se embebido em álcool, a dissecação precisa era impossível. Todavia, depois que se determinou como endurecer o cérebro, foi possível traçar pela primeira vez com alguma precisão os trajetos de seus nervos. Por exemplo, em 1857, Louis Gratiolet conseguiu observar o nervo ótico desde a retina até a parte posterior do cérebro, de onde se irradia para o córtex occipital (Diamond, 1985).

FIGURA 3.9 Camillo Golgi (1844-1926).

Descobriu-se também que o cérebro poderia ser imerso em parafina, solidificado e então cortado em fatias muito finas, procedimento denominado seccionamento. Além disso, se essas seções fossem tingidas com pigmentos variados, podiam-se identificar estruturas no microscópio, pois esses pigmentos se infiltravam nelas. O italiano Camillo Golgi (1844-1926) (Figura 3.9) produziu as primeiras imagens nítidas das células nervosas na década de 1870 quando impregnou seções de tecido cerebral em nitrato de prata. A prata pigmentou cerca de 3% das células do corte, que apareceram ao microscópio como imagens negras sobre fundo amarelado (Finger, 2000). A técnica da pigmentação valeu a Golgi uma fatia do prêmio Nobel de medicina de 1906. Ele acreditava que o sistema nervoso era composto desses neurônios, mas argumentava também que as células eram fisicamente ligadas umas às outras numa "rede de nervos", posicionamento que foi afinal descartado em favor da teoria proposta pelo outro ganhador do Nobel de medicina de 1906.

Santiago Ramón y Cajal (1852-1934) (Figura 3.10) foi um talentoso neuroanatomista espanhol que também amava a arte, cuja pesquisa forneceu a base da moderna teoria do neurônio (Taylor, 1972). O lado artístico de Ramón y Cajal pode ser apreciado em sua eloquente descrição do neurônio como o "aristocrata das estruturas do corpo, com seus braços gigantes estendidos como os tentáculos de um polvo para as áreas fronteiriças do mundo exterior" (citado por Restak, 1984). Como Golgi, Ramón y Cajal acreditava que o neurônio fosse a unidade básica do sistema nervoso. Mas, ao contrário de Golgi, ele achava que cada neurônio era uma unidade à parte, que apenas estava em contato com os demais, porém sem apresentar conexão física com eles. Por ironia, ao apresentar pela primeira vez sua teoria em 1889, ele usou as técnicas de pigmentação do próprio Golgi para provar suas alegações. Assim, os dois vencedores do prêmio Nobel de medicina de 1906 tinham posições radicalmente opostas quanto à natureza da estrutura do neurônio. Para complicar ainda mais a situação, o italiano Golgi e o espanhol Cajal eram ambos patriotas ferrenhos que estavam convencidos da inferioridade da pesquisa um

FIGURA 3.10 Santiago Ramón y Cajal (1852-1934).

do outro. Por isso, houve uma certa tensão na cerimônia de entrega do prêmio Nobel, quando os dois se encontraram pela primeira vez. Golgi defendeu com veemência sua teoria da rede de nervos – que, já em 1906, havia sido refutada pela maior parte da comunidade científica e declarou sarcasticamente que a teoria do neurônio, de Cajal, era uma moda passageira (Finger, 2000). Este, quando tomou a palavra, elegantemente deu a Golgi os créditos por seu trabalho pioneiro na técnica da pigmentação, mas declarou-se irredutível na opinião de que a teoria da rede de nervos tinha interesse histórico apenas.

Sir Charles Sherrington: A Sinapse

As provas fotográficas diretas em favor da teoria dos neurônios de Ramón y Cajal e contra a de Golgi só poderiam ser apresentadas após a descoberta do microscópio eletrônico. Mas as provas empíricas da existência de lacunas entre os neurônios foram fornecidas por um contemporâneo de ambos, o britânico *Sir* Charles Sherrington (1857-1952).[6] Foi ele quem cunhou a palavra **sinapse** (do étimo grego que significa "juntar, ligar") para esse suposto espaço entre os neurônios. Ele não observou sua existência diretamente, mas a deduziu por meio de uma brilhante série de estudos sobre os reflexos espinais. A pesquisa foi apresentada como parte de uma prestigiosa série de palestras proferidas na Yale University em 1904 e publicada como *The Integrative Action of the Nervous System* em 1906, ano em que Golgi e Ramón y Cajal compartilharam o Nobel. Sherrington por fim ganharia seu próprio prêmio Nobel em 1932 (Swazey, 1972).

Na tradição de Whytt, mas com a vantagem dos avanços tecnológicos, Sherrington analisou o ato reflexo em cães cuja medula espinhal tinha sido cirurgicamente separada do cérebro. Como sabem todos os donos de cães, quando se estimula a lateral de sua caixa torácica, a perna traseira do cão apresenta um reflexo rápido e repetitivo de coçadura. O fato de Sherrington encontrar esses reflexos nos cães operados replicou a descoberta básica de Whytt quanto ao papel da medula espinhal no ato reflexo. Além disso, o reflexo era ainda mais pronunciado nos cães operados que nos intactos, o que levou Sherrington a concluir que o córtex tinha efeito inibitório sobre o ato reflexo.

As diversas observações feitas por Sherrington dos cães operados o levaram a inferir que a sinapse tinha de existir. Primeiro, o tempo de reação dos reflexos que observou era muito mais lento que o previsto com base no que se sabia acerca da velocidade da transmissão neural. Então, algo deveria estar retardando o impulso. Uma segunda linha de evidências foi fornecida pelos fenômenos da soma temporal e espacial. Sherrington descobriu que o estímulo de um certo ponto da pele poderia não produzir o reflexo da coçadura, mas que, se fosse estimulado muitas vezes sucessivas (a uma frequência de 18 vezes por segundo), o reflexo ocorria (Sherrington, 1906). Isso é **soma temporal** – os estímulos separados no tempo combinam-se para provocar uma reação. A **soma espacial** ocorria quando dois ou mais pontos adjacentes na pele eram estimulados ao mesmo tempo. Mais uma vez, as reações só ocorriam se houvesse combinação de estímulos. Sherrington concluiu que a soma deveria processar-se nos pontos em que as extremidades dos neurônios se encontravam, ou seja, na sinapse. Cada estímulo subliminar provocava uma ação inespecífica na extremidade do

---

6. Os obituários de Sherrington descrevem-no como um homem afável e cordial. Ele era considerado "[g]entil nas críticas e incondicional no apreço e admiração pela obra alheia, personifi[cando] a serenidade física e intelectual que tanto caracteriza a era vitoriana" (Denny-Brown, 1952, p. 447). No entanto, essa "serenidade" não o impediu de praticar seu esporte favorito na juventude – enquanto foi professor de fisiologia do St. Thomas's Hospital, em Londres, passava as manhãs de domingo saltando de para-quedas da torre do hospital (Swazey, 1972).

neurônio A, a qual era, em si, insuficiente para acionar o neurônio B, mas a ação cumulativa de várias transmissões de informação provindas de A (temporal) ou de outros locais (espacial) deflagrava o acionamento de B. Com efeito, Sherrington predisse a posterior descoberta dos neurotransmissores químicos que percorrem a sinapse para promover (ou inibir) o acionamento dos neurônios. Portanto, depois de Golgi, Ramón y Cajal e Sherrington, o neurônio foi definido como a unidade fundamental do sistema nervoso, mantendo inter-relações com outros neurônios por meio da atividade sináptica.

Karl Lashley: A Aprendizagem e o Córtex

Uma breve consideração da vida e obra de Karl Spencer Lashley (1890-1958) será uma excelente maneira de fecharmos este capítulo. Como os demais fisiólogos, neurologistas e físicos novecentistas que vimos até aqui, sua formação não havia sido em psicologia. Porém, ao contrário de todos eles, Lashley viria a considerar-se antes de mais nada um psicólogo. Assim, ele constitui uma transição entre os fisiólogos do século XIX e os psicólogos fisiologistas do século XX. Você voltará a encontrá-lo no Capítulo 10, como colega de pesquisa do fundador do behaviorismo, John B. Watson, e novamente no Capítulo 13, onde veremos como seu ensaio sobre a "ordem serial" atacava os modelos de comportamento simplistas de estímulo-resposta, contribuindo para estabelecer o cenário da mudança do behaviorismo para a psicologia cognitiva.

Karl Lashley nasceu na agrária Virgínia Ocidental. Obteve o diploma de zoólogo na West Virginia University e de mestre em bacteriologia na University of Pittsburgh, antes de matricular-se no doutorado em zoologia da Johns Hopkins University em 1911. Ali escreveu sua tese de Ph.D. sob a orientação do famoso zoólogo H. S. Jennings. O mais importante do ponto de vista da história da psicologia, porém, foi a influência que ele viria a sofrer do behaviorista Watson e de S. I. Franz, psicólogo do St. Elizabeth's, hospital psiquiátrico de Washington, D.C., que estava interessado nos efeitos das lesões cerebrais sobre o comportamento. Com Watson, Lashley conduziu estudos de campo sobre o comportamento animal, experimentos de laboratório sobre as habilidades sensoriais de várias espécies e uma pesquisa sobre o condicionamento das reações salivares e motoras, adaptando os procedimentos de dois fisiólogos russos que apenas começavam a ser conhecidos nos Estados Unidos: Vladimir Bekhterev e Ivan Pavlov. A pesquisa sobre o condicionamento é particularmente digna de nota porque marca o ponto em que Lashley decidiu que seu futuro não seria em biologia, mas sim na interseção entre esta e a psicologia (Bruce, 1986). A decisão foi reforçada quando ele concluiu pesquisas pós-doutorais com Franz acerca dos efeitos dos danos cerebrais sobre o comportamento. Ao chegar a 1920, Lashley já estava certo de que se tornaria um psicólogo experimental especializado nos efeitos da aprendizagem e da memória sobre o cérebro.

A reconhecida carreira acadêmica de Lashley incluiu passagens pelas universidades de Minnesota e Chicago e pela Harvard University. Em 1942, tornou-se diretor do Yerkes Laboratory of Primate Biology, na Flórida, onde sua pesquisa do comportamento animal abarcava a psicologia comparada, de laboratório, preferida pelos cientistas norte-americanos, e a abordagem naturalista, de campo, dos etologistas europeus (Bruce, 1991). Lashley morreu de falha no coração em 1958, quando em visita de férias à França. Entre os psicólogos, ele é mais conhecido pela pesquisa que concluiu na década de 1920, quando se encontrava em Chicago: uma série de experimentos que foi considerada, quando de sua morte, como "sem igual na psicologia experimental recente" (Hebb, 1959).

A Equipotencialidade e a Ação de Massa
O ano de 1929 foi importante para Lashley. Seus pares o elegeram presidente da American Psychological Association, reconhecendo o valor da pesquisa a que se dedicara ao longo da década de 1920. Essa pesquisa é resumida em *Brain Mechanisms and Intelligence*, publicado também em 1929. Lashley definiu o termo inteligência num contexto de aprendizagem animal, tendo-o usado para referência ao comportamento dos ratos quando aprendem como sair de labirintos e resolver problemas simples de discriminação e gaiolas com alavancas. Ele prontamente admitiu que sua escolha de testes poderia ser criticada: "Todos eles lidam com algum aspecto do processo de aprendizagem, [mas sua] relação com o problema da inteligência ainda não foi claramente estabelecida" (Lashley, 1929, p. 14). Ainda assim, ele argumentou que as meras explicações mecânicas ou reflexas da aprendizagem, como as propostas por Watson e Pavlov, não se prestavam a capturar a complexidade do processo por que passavam os animais para solucionar os problemas que lhes permitiam sobreviver em seu meio ambiente. Por conseguinte, considerou as tarefas exigidas dos ratos suficientemente complexas para manter ao menos alguma relação com o comportamento inteligente, adaptativo, encontrado no ambiente real dos animais.

Os procedimentos de Lashley inseriam-se na tradição do grande fisiólogo francês Flourens – ele observava os efeitos da ablação do cérebro sobre o comportamento, destruindo sistematicamente diferentes quantidades do córtex e observando os efeitos sobre a aprendizagem e a retenção. Um de seus procedimentos foi a aprendizagem em labirinto, e a Figura 3.11 mostra três dos quatro labirintos que utilizou. O labirinto I era um labirinto em T simples, no qual o animal precisava fazer apenas uma opção pela esquerda ou pela direita. O labirinto II apresentava três possibilidades de bloqueio, ao passo que o labirinto III apresentava oito.[7] Durante o treinamento, os ratos com danos cerebrais tinham de sair de um dos labirintos cinco vezes por dia, e a aprendizagem definia-se como dez saídas sem erro, consecutivas, do labirinto. A relação entre o grau de dano sofrido pelo córtex e o desempenho em cada um desses labirintos pode ser vista num gráfico do próprio Lashley (Figura 3.12). No caso de labirintos simples, como o I, o desempenho foi bastante bom, mesmo após a destruição de grandes porções do córtex. No caso do labirinto II, o desempenho caiu um pouco, mas permaneceu apenas marginalmente afetado pelas lesões cerebrais. Só quando diante de um problema mais difícil, como o labirinto III,

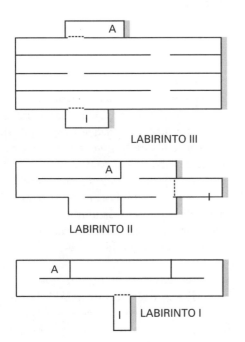

FIGURA 3.11 Labirintos usados por Lashley (1929) em seus estudos sobre a equipotencialidade e a ação de massa (I = início; A= alimento).

---

7. O projeto do labirinto IV era idêntico ao projeto do III, mas seu padrão era invertido. Além disso, enquanto os labirintos I-III eram planos (ou seja, os caminhos eram determinados por paredes), o IV era elevado. O rato tinha de percorrer pranchas (de menos de 0,5 cm de largura) colocadas verticalmente na mesa.

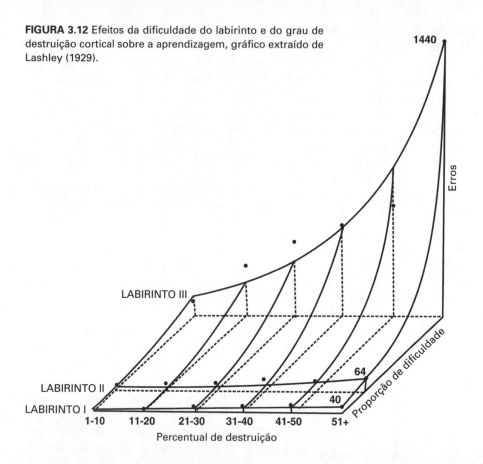

FIGURA 3.12 Efeitos da dificuldade do labirinto e do grau de destruição cortical sobre a aprendizagem, gráfico extraído de Lashley (1929).

o desempenho do rato foi drasticamente alterado pela extensão do dano. Quanto maior o percentual de destruição, mais vertiginoso o declínio no desempenho. Assim, o que Lashley estava relatando equivalia a uma interação entre a complexidade do labirinto e o grau de lesão cortical. Nas tarefas simples, o grau de destruição tinha pouco efeito, ao passo que, nas difíceis, o desempenho estava diretamente relacionado ao volume da destruição do córtex.

Com base nos estudos com os labirintos e experimentos similares com seus demais procedimentos, Lashley chegou a duas conclusões muito semelhantes às atingidas por Flourens quase um século antes. A primeira foi o princípio que Lashley denominou **equipotencialidade**, termo

usado para designar a aparente capacidade de desempenhar, com ou sem redução na eficiência, por parte de qualquer porção intacta de uma área funcional, as funções que se perdem com a destruição do todo. Essa capacidade varia de uma área para outra e segundo o caráter das funções envolvidas. Ela provavelmente se aplica apenas às áreas em que há associações e às funções mais complexas que a simples sensibilidade ou coordenação motora. (Lashley, 1929, p. 25)

A equipotencialidade foi um argumento forte contra a localização cerebral da função, ao menos dentro da área mais ampla da aprendizagem e das áreas corticais que não estavam associadas ao controle de funções sensório-motoras específicas. Ela foi suplementada, porém, pela lei da **ação de massa**:

[A] equipotencialidade não é absoluta, mas está sujeita à lei da ação de massa, segundo a qual a eficiência do desempenho de toda uma função complexa pode ser reduzida conforme a extensão da lesão cerebral de uma área cujas partes não são mais especializadas para um dos componentes da função que para os demais. (Lashley, 1929, p. 25)

Assim, o processo da aprendizagem não parece estar localizado em nenhuma área específica do córtex, mas sua eficiência é proporcional ao volume de destruição cortical.

Os princípios da equipotencialidade e da ação de massa foram as principais descobertas de Lashley, mas ele também se interessava pelo processo geral da aprendizagem em labirintos. Ele estava inteiramente a par da pesquisa de labirintos do seu ex-colega John Watson, por exemplo, e discordava deste quando acreditava que essa aprendizagem exigisse a cinestesia e o condicionamento de uma cadeia de reações motoras específicas (consulte o Capítulo 10). Lashley argumentava que o modelo de Watson não poderia dar conta do comportamento estranho dos animais portadores de lesões que afetavam os movimentos motores. Eles ainda conseguiam sair do labirinto, mesmo que seus movimentos motores mostrassem consideráveis alterações:

> Um se arrasta até a saída com as patas dianteiras; outro cai a cada passo, mas também consegue sair com uma série de arrancadas; um terceiro rola a cada curva que faz, mas consegue evitar cair num beco sem saída e realiza um percurso sem erro algum. [...] Se a sequência habitual de movimentos empregados para alcançar o alimento for impossibilitada, outra, não utilizada pelo costume e representativa de um padrão inteiramente diferente, pode substituí-la direta e eficazmente, sem nenhuma atividade aleatória. (Lashley, 1929, p. 136)

As conclusões de Lashley acerca da maneira como os ratos aprendiam a sair do labirinto eram semelhantes às que logo viriam a ser defendidas pelo neobehaviorista Edward Tolman (Capítulo 11), que argumentou que os ratos desenvolviam um "mapa cognitivo" geral do labirinto e, assim, percebiam a direção geral do objetivo. Ao descrever esses mapas, Tolman (1948, p. 203) menciona especificamente o trabalho de Lashley. Embora não tenha usado o termo "mapa", Lashley pensava claramente no conceito de direcionalidade ao planejar a seguinte variação do labirinto III. Removendo a malha metálica que normalmente cobria o labirinto, alguns dos ratos (cinco dos vinte por ele testados) subiam pelo labirinto e iam diretamente, por cima, ao ponto em que estava o objetivo. Lashley observou que "o comportamento desses cinco que seguiam o curso direto até o alimento sugeria que eles estavam perfeitamente orientados com relação ao local deste, embora jamais o tivessem atingido senão pela via indireta do labirinto" (Lashley, 1929, p. 137).

A sofisticada pesquisa de Lashley acerca da relação entre o cérebro e o comportamento foi a culminância natural dos avanços na fisiologia do sistema nervoso testemunhados pelo século XIX, além de constituir um elo para a psicologia fisiológica do século XX. Agora, todavia, estamos um pouco à frente nessa história e precisamos voltar ao século XIX para analisar como a psicologia surgiu na Alemanha como uma "nova ciência" (Capítulo 4) e como foi influenciada pela teoria da evolução, o evento intelectual mais importante desse século (Capítulo 5). Como você está começando a perceber, a psicologia norte-americana tem raízes profundas.

EM PERSPECTIVA: O COMPORTAMENTO E O SISTEMA NERVOSO

Durante o século XIX, os cientistas fizeram importantes descobertas acerca da natureza do cérebro e do sistema nervoso. No início do século, já havia uma compreensão geral dos reflexos (ao menos do fato de que eles podiam funcionar sem a intervenção do cérebro) graças ao trabalho de Robert Whytt e outros, mas não se sabia como os nervos de fato funcionavam, o conceito de "neurônio" não existia e a ideia mais sofisticada da função cerebral vinha da emergente teoria frenológica. Em cem anos houve mudanças surpreendentes. Descobriu-se que os nervos sensoriais e motores eram distintos, os próprios neurônios foram identificados e até visualizados graças a novas técnicas de pigmentação, o conceito de sinapse começou a ser aceito, a fisiologia da função do sistema nervoso começou a ser entendida e o conhecimento da função cerebral foi muito além da frenologia e determinou as áreas responsáveis pela compreensão e produção da linguagem, além de várias funções sensoriais e motoras. Realmente, um século notável.

Nos trinta últimos anos do século XIX, como você verá a seguir, vários cientistas envolvidos no estudo da fisiologia do sistema nervoso começaram a achar que os métodos científicos que estavam usando poderiam ser aplicados a questões de natureza caracteristicamente psicológica. A ciência poderia lançar luz sobre a maneira como percebemos o mundo? Sobre nossa forma de entender as coisas? Sobre a própria natureza da experiência consciente humana? Um desses cientistas foi Wilhelm Wundt: aluno do mais importante fisiologista do século XIX, Hermann Helmholtz, no início da década de 1870, Wundt achou que já era hora de nascer uma nova ciência – a ciência da psicologia. Esse extraordinário alemão é a figura central do próximo capítulo.

RESUMO

A CIÊNCIA HEROICA NA ERA DO ILUMINISMO

- O Iluminismo foi um período durante os séculos XVIII e XIX no qual houve uma grande fé na capacidade da ciência e da razão humana de produzir um verdadeiro conhecimento de mundo. Os cientistas eram heróis, considerados objetivos e isentos de valores, sendo Newton seu maior exemplo. Pensava-se que, por meio da inovação tecnológica, a ciência conduziria inevitavelmente ao progresso. Nesse contexto, começou a firmar-se a ideia de que a psicologia poderia tornar-se científica.

A FISIOLOGIA DOS SENTIDOS

- Desde a época de Descartes, os cientistas se haviam interessado pela natureza do reflexo. No século XVIII, Whytt concluiu os primeiros estudos sistemáticos, demonstrando conclusivamente que a medula espinhal era necessária à ocorrência dos reflexos. Whytt mostrou ainda que as relações entre estímulo e reação poderiam desenvolver-se por meio do hábito, ideia semelhante às explicações behavioristas modernas do condicionamento.
- Quando Magendie cortou a raiz posterior da medula espinhal de um cão, a área afetada podia mover-se, mas ficou insensível à estimulação. Quando foi cortada a raiz anterior, não se verificou nenhum movimento. Magendie concluiu então que a raiz posterior controlava a sensação, ao passo que a anterior controlava a ação motora. Bell fez observações similares, embora não tenha sido tão sistemático quanto Magendie. A distinção entre as funções das suas raízes é hoje conhecida como Lei de Bell-Magendie.
- Segundo a doutrina das energias nervosas específicas de Müller, (a) temos percepção direta do nosso sistema nervoso, e não do mundo, e (b) os cinco sistemas sensoriais básicos têm fibras nervosas destinadas especificamente a cada um deles.
- Helmholtz opôs-se ao vitalismo e contra ele lutou pregando sua doutrina da conservação da energia e medindo a velocidade finita do impulso neural. Helmholtz destacou-se como o maior perito em percepção visual e auditiva de sua época, tendo ficado conhecido por sua teoria tricromática da visão das cores, pela teoria da ressonância na audição e por sua abordagem empirista da percepção, que enfatizava a inferência inconsciente.

LOCALIZAÇÃO DA FUNÇÃO CEREBRAL

- A frenologia, desenvolvida por Gall e promovida por Spurzheim, constituiu a primeira teoria séria da localização da função cerebral. Os frenologistas acreditavam que diferentes partes do cérebro

serviam a diferentes faculdades, que a porção do cérebro alocada a uma faculdade era proporcional à força que esta possuía e que as faculdades e suas forças poderiam ser determinadas medindo-se o crânio.
- Como se baseava excessivamente em provas extraídas de casos e numa lógica falha, a frenologia logo perdeu credibilidade científica. Entretanto, permaneceu em voga junto ao grande público, tendo-se coadunado com os ideais norte-americanos de individualidade e autoaperfeiçoamento.
- Ao desenvolver o método da ablação, Flourens teve condições de refutar a doutrina frenológica e, ao mesmo tempo, demonstrar que o córtex funciona como um sistema integrado.
- As provas da localização vieram dos estudos clínicos de portadores de várias formas de danos ou distúrbios cerebrais. O caso de Phineas Gage ilustrou os efeitos de lesões graves no lobo frontal sobre o julgamento e a personalidade. O estudo realizado por Broca em "Tan", que sofria de afasia motora, demonstrou que a capacidade de produção de um discurso articulado depende de uma área relativamente restrita do córtex esquerdo.
- Desenvolvendo o procedimento da estimulação elétrica sobre a superfície do córtex, Fritsch e Hitzig, na Alemanha, e Ferrier, na Grã-Bretanha, começaram a mapear as funções da superfície do cérebro com uma "frenologia científica".

ESTUDOS DO INÍCIO DO SÉCULO XX SOBRE O COMPORTAMENTO E O SISTEMA NERVOSO

- A identificação dos neurônios como unidades básicas do sistema nervoso foi feita por Golgi, que acreditava que eles fossem fisicamente conectados uns aos outros, e por Ramón y Cajal, que acreditava que os neurônios estivessem fisicamente separados uns dos outros.
- A teoria de Ramón y Cajal foi verificada por Sherrington, que detém os créditos pela descoberta da sinapse e pela demonstração de sua existência com sua pesquisa dos reflexos e com os fenômenos da soma temporal e espacial.
- A pesquisa de Lashley sobre o cérebro e a aprendizagem mostrou que a aprendizagem em labirinto não se localizava em nenhuma área específica do córtex. Em vez disso, o córtex funcionava como um sistema e caracterizava-se pela equipotencialidade e pela ação de massa.

QUESTÕES PARA ESTUDO

1. Qual a atitude Iluminista diante da ciência e qual a sua influência sobre a história da psicologia?
2. Robert Whytt demonstrou que a medula espinhal, mas não o cérebro, era necessária à ocorrência de reflexos. Qual a pesquisa que o levou a essa conclusão?
3. Em que consiste a Lei de Bell-Magendie? Explique por que ela provavelmente deveria ter sido chamada de "Lei de Magendie".
4. Em que consiste a questão vitalismo X materialismo e de que maneira Helmholtz fortaleceu o materialismo?
5. Como Helmholtz mediu a velocidade dos impulsos neurais e qual a importância desse trabalho?
6. Compare e integre as teorias da visão de cores de Helmholtz e Hering.
7. Segundo Helmholtz, qual é o "problema da percepção"? Explique a afinidade entre seu conceito de inferência inconsciente e o pensamento empirista britânico.
8. Descreva os cinco princípios essenciais da frenologia e explique por que ela fracassou como ciência. Não esqueça de incluir a pesquisa de Flourens em sua resposta.
9. Explique por que a frenologia popularizou-se tanto nos Estados Unidos. Por que a versão de Spurzheim foi mais favorecida nesse país que a de Gall?
10. Mostre como os casos de (a) Phineas Gage e (b) Tan ilustram os dois tipos de método clínico de estudo do cérebro.
11. Como Broca estabeleceu o fato de que Tan tinha capacidade mental relativamente normal? Qual a sua conclusão, com base na autópsia que fez de Tan?
12. Descreva a importância da pesquisa do fim do século XIX que veio a ser conhecida como "nova frenologia"?
13. Em que consiste a teoria do neurônio e quais as duas versões propostas pelos cientistas que dividiram o prêmio Nobel de medicina de 1906?
14. Descreva o trabalho de Sherrington que conduziu à ideia da sinapse.
15. Descreva a pesquisa de Lashley e seus dois princípios e relacione-a à de Flourens.

LEITURA SUPLEMENTAR

BAKAN, D. (1966). The influence of phrenology on American psychology. *Journal of the History of the Behavioral Sciences*, 2, 200-20.

Análise minuciosa do desenvolvimento da frenologia, sua rejeição pela comunidade científica e sua popularidade entre o público norte-americano; mostra como a frenologia encaixou-se no progressismo e constituiu um dos primeiros exemplos de abordagem psicológica que enfatiza as diferenças individuais.

BRUCE, D. B. (1986). Lashley's shift from bacteriology to neuropsychology, 1910-1917, and the influence of Jennings, Watson, and Franz. *Journal of the History of the Behavioral Sciences*, 22, 27-44.

Descrição dos anos de formação de Lashley e da maneira como sua autodefinição final como psicólogo fisiologista foi afetada pelos estudos de doutorado com Jennings, sua colaboração com Watson e seu trabalho pós-doutoral com Franz.

FINGER, S. (2000). *Minds behind the brain: A history of the pioneers and their discoveries.* Nova York: Oxford University Press.

Usando uma abordagem biográfica, Finger descreve a vida e a obra dos principais pioneiros do estudo do cérebro, começando pelos antigos egípcios, continuando por muitos dos cientistas apresentados neste capítulo (por exemplo, Gall, Broca e Ferrier) e entrando pelo século XX e a pesquisa do cérebro dividido; inclui mais de cem fotos e ilustrações em meio-tom.

MACMILLAN, M. B. (1986). A wonderful journey through skull and brain: The travels of Mr. Gage's tamping iron. *Brain and Cognition*, 5, 67-107.

Apesar do título curioso, é um relato acadêmico detalhado do caso de Phineas Gage que inclui uma descrição feita por Harlow do tratamento médico e uma análise da relação entre o caso e a questão da localização.

RAMÓN Y CAJAL, S. (1999). *Advice for a young investigator.* (Trad. N. SWANSON e L. W. SWANSON). Cambridge, MA: MIT Press.

Recente tradução de um breve livro de Ramón y Cajal, que, sob pretexto de aconselhar os cientistas iniciantes, revela toda a profundidade de sua reflexão sobre as questões da filosofia da ciência e sua paixão pela ciência.

CAPÍTULO 4
WUNDT E A PSICOLOGIA GERMÂNICA

O livro que aqui apresento ao público é uma tentativa de demarcar um novo domínio da ciência.

– Wilhelm Wundt, 1874

VISÃO GERAL E OBJETIVOS DO CAPÍTULO

Os Capítulos 2 e 3 descrevem o contexto em que a psicologia moderna surgiu no século XIX. Os filósofos, interessados nas mesmas questões fundamentais sobre a mente e o comportamento humanos que ainda hoje ocupam os psicólogos, começaram a especular acerca da necessidade de analisar essas questões cientificamente. Ao menos um filósofo do século XIX, o britânico John Stuart Mill, chegou a propor o desenvolvimento de uma psicologia científica. Enquanto isso, os médicos e fisiólogos europeus avançaram muito no conhecimento da fisiologia do sistema nervoso e, em particular, do cérebro. Este capítulo examina como essa fisiologia experimental aliou-se ao questionamento filosófico para criar uma nova psicologia experimental na Alemanha no fim do século XIX. O capítulo começa com uma breve discussão de alguns dos aspectos da formação germânica que atraíram alunos norte-americanos e, em seguida, continua com uma análise de como a psicofísica de Gustav Fechner forneceu um conjunto de métodos padronizados para o estudo da mente. A criação da "nova psicologia" e seu primeiro laboratório, fundado por Wilhelm Wundt, de Leipzig, ocupam o foco da parte intermediária do capítulo, que se encerra com a abordagem de outros três importantes psicólogos alemães: Hermann Ebbinghaus, G. E. Müller e Oswald Külpe. Depois da conclusão deste capítulo, você deve ser capaz de:

■ Descrever como a filosofia da educação na Alemanha propiciou o desenvolvimento das ciências, inclusive a psicologia
■ Descrever os primeiros avanços da psicofísica com a obra de Weber
■ Descrever os métodos que Fechner criou para a psicofísica e o modo como seu trabalho se relacionava à postura filosófica do materialismo
■ Explicar por que Wundt, e não Fechner, é considerado o fundador da psicologia moderna
■ Descrever como Wundt via a sua "nova psicologia", distinguindo entre seus dois tipos de abordagem da disciplina
■ Descrever os tipos de pesquisas geralmente conduzidas no laboratório de Wundt em Leipzig
■ Descrever a lógica do experimento da complicação e explicar por que ele foi tão valorizado na época

- Comparar a descrição tradicional de Wundt e seu trabalho com revisões mais recentes e explicar por que houve discrepâncias
- Descrever os métodos criados por Ebbinghaus para o estudo da memória, suas conclusões e a importância de sua pesquisa
- Descrever as contribuições de G. E. Müller à incipiente psicologia experimental e comparar sua abordagem da memória à de Ebbinghaus
- Descrever as contribuições feitas por Oswald Külpe e seus alunos de Würzburg, especialmente sua explicação do conceito de introspecção

A FORMAÇÃO NA ALEMANHA

Os estudantes norte-americanos sempre viram as universidades europeias como um meio de aprofundar sua formação. Mesmo hoje em dia, um semestre no exterior é uma experiência acadêmica valorizada. No século XIX, a Alemanha era um local especialmente atrativo para os jovens acadêmicos; estima-se que entre 1820 e 1920 pelo menos nove mil alunos norte-americanos matricularam-se em alguma universidade alemã (Sahakian, 1975), geralmente para estudar medicina ou alguma das ciências. No fim desse século, eles iam para lá a fim de estudar psicologia.

Uma das razões da popularidade das universidades alemãs era a simples quantidade. Entre o Congresso de Viena em 1815 e a unificação promovida por Bismarck em 1871, a Alemanha não existia como "país", mas era uma federação mais ou menos organizada de 38 "principados" autônomos (por exemplo, Bavária, Hanover, Saxônia) (Palmer, 1964). Naturalmente, nenhum desses miniestados queria ficar por baixo dos demais, e um dos meios para atingir essa meta era ter sua própria universidade. Assim, as universidades proliferaram entre os principados da federação, embora algumas fossem pouco mais que um edifício com algumas salas de aula e uns poucos professores. Várias, porém, ganharam estatura internacional e atraíram alunos de todas as partes da Europa e também dos Estados Unidos.

As circunstâncias na Alemanha do século XIX foram especialmente propícias ao desenvolvimento de uma abordagem nova e mais científica da psicologia. A partir de meados do século, as universidades alemãs, a começar pela de Berlim, cultivaram uma filosofia da educação característica, conhecida como *Wissenschaft*.* Tratava-se de uma abordagem que ressaltava a pesquisa acadêmica e a liberdade no ensino, permitindo aos professores dedicar-se a seus interesses e trabalhar sem medo de censura administrativa ou política. Os alunos tinham a liberdade de ir de uma universidade para outra e, para receber um diploma, precisavam, antes de mais nada, ser aprovados em exames especiais e defender uma tese, e não simplesmente concluir um determinado currículo.

Para os professores que viriam a criar a nova psicologia científica, muitos dos quais você conhecerá neste capítulo, a conjuntura não poderia ser mais oportuna. O sucesso dos fisiólogos (Capítulo 3) reforçou a ênfase da *Wissenschaft* na pesquisa, contribuindo diretamente para o crescimento de uma nova abordagem experimental da psicologia na Alemanha, especialmente em Leipzig. Como ressaltou Blumenthal, os métodos que os fisiólogos estavam desenvolvendo, "que envolviam mensuração, replicabilidade, dados públicos e testes controlados" (1980, p. 29), e aplicando ao estudo do sistema nervoso talvez pudessem ser aplicados também ao de outros aspectos do comportamento humano. Gradualmen-

---

* Em tradução literal, o mesmo que "ciência". (N. da T.)

te, o termo "fisiológico" passou a significar "experimental" na Alemanha. Quando afirmou que a nova psicologia era uma "psicologia fisiológica", Wilhelm Wundt referia-se a esse sentido mais amplo do termo, que implicava que a psicologia seria uma disciplina baseada na metodologia científica. O que ele queria dizer, ao usar a palavra "fisiológica", era que a maior parte dos métodos utilizados nessa nova abordagem laboratorial da psicologia provinha das técnicas inicialmente desenvolvidas pelos fisiólogos do século XIX (Greenwood, 2003).

O estudante norte-americano da década de 1880 que quisesse aprender sobre essa nova área do estudo tinha diversas opções (por exemplo, Göttingen, Heidelberg, Berlim: consulte o mapa da Figura 4.1). Mas, como o laboratório de Wundt era o mais bem equipado e o que possuía melhor reputação, ir para Leipzig tornou-se a opção mais em moda. Enquanto Wundt foi professor titular, cerca de 35 alunos norte-americanos concluíram teses de doutorado sob sua supervisão e inúmeros outros pelo menos tiveram contato com o ambiente acadêmico de Leipzig (Benjamin, Durkin, Link, Vestal e Accord, 1992). Antes de passarmos a Wundt e a sua influência no desenvolvimento da psicologia norte-americana, porém, são necessários alguns preâmbulos importantes.

NO LIMIAR DA PSICOLOGIA EXPERIMENTAL: A PSICOFÍSICA

Há fortes razões para afirmar que a pesquisa científica de temas psicológicos surgiu como extensão natural da pesquisa fisioló-

FIGURA 4.1 Mapa da Alemanha, com localização das universidades relevantes do ponto de vista da história da psicologia.

gica que estava sendo feita no século XIX. Adiante, neste mesmo capítulo, você encontrará um exemplo disso, na relação entre os estudos fisiológicos de Helmholtz sobre a velocidade do impulso nervoso e o método psicológico do tempo de reação. Na presente seção, analisamos a relação entre a pesquisa fisiológica dos processos sensoriais e o desenvolvimento da **psicofísica**, que é o estudo da relação entre a percepção de um estímulo ("psico-") e as dimensões físicas do estímulo percebido ("física"). A psicofísica teve origem na pesquisa sensorial de Ernst Weber e foi definida claramente pelo enigmático Gustav Fechner.

Ernst Weber (1795-1878)

Weber passou a maior parte de sua carreira acadêmica na Universidade de Leipzig, primeiro como aluno e depois, de 1818 até a aposentadoria, em 1871, como professor de anatomia e fisiologia. Na década de 1820, os fisiólogos começaram a descobrir muita coisa sobre as sensações visual e auditiva, mas pouco se sabia dos demais sentidos. Weber dispôs-se a corrigir esse desequilíbrio, tornando-se a maior autoridade no sentido do tato (Dorn, 1972). Suas duas maiores contribuições: o mapeamento da sensibilidade relativa de vários locais da pele e a demonstração de uma relação matemática entre o elemento psicológico e o físico, que posteriormente seria conhecida como Lei de Weber.

Limiares de Dois Pontos

Para examinar a sensibilidade tátil, Weber usou uma técnica na qual tocava a pele com um dispositivo simples, provido de duas

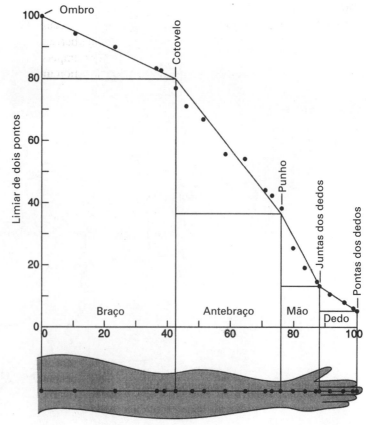

FIGURA 4.2 Limiares de dois pontos de vários locais entre o ombro e a ponta do dedo, extraídos de Boring (1942).

pontas e parecido com um compasso de desenho. A distância entre essas pontas era variável, e a tarefa do observador vendado era julgar se sentia uma ou duas pontas. Em qualquer área da pele, existe um **limiar de dois pontos** – o ponto em que a percepção muda, passando da sensação de "um" para "dois" pontos. Nas áreas da epiderme em que há maior sensibilidade, o polegar, por exemplo, Weber descobriu que o limiar era bastante baixo. Ou seja, as pontas não precisavam estar muito afastadas para serem percebidas como duas, em vez de uma. Por outro lado, nas áreas de menor sensibilidade, o braço, por exemplo, as pontas tinham de estar mais separadas para serem percebidas como duas. A Figura 4.2 mostra uma série de limiares de dois pontos do ombro à ponta do dedo, extraída de um estudo posterior (1870) de Vierordt (citado por Boring, 1942, p. 478).

Weber acreditava que os diferentes limiares de dois pontos decorriam de diferenças no tamanho daquilo que denominou de "círculos sensoriais", mostrados como hexágonos em seu esboço, na Figura 4.3 (Weber, 1852, mostrado em Boring, 1942, p. 476). Eles consistiam em áreas da pele que as fibras ramificadas percebiam como um único nervo sensorial. Weber pensou que se as duas pontas do compasso tocassem a pele dentro do mesmo círculo sensorial, a percepção seria de um só ponto. Quando as duas pontas tocassem dois diferentes círculos, seriam sentidos dois pontos. As áreas da pele que tinham maior sensibilidade possuíam círculos menores. Assim, o grupo de quatro círculos sensoriais da esquerda, na Figura 4.3, poderiam pertencer a uma área próxima do ombro, ao passo que o da direita poderia estar mais perto da ponta do dedo. O sentido do tato na verdade é mais complexo que isso, mas o modelo de Weber teve a vantagem de gerar um volume considerável de pesquisas acerca do funcionamento da percepção tátil. Além disso, embora não pensasse a respeito da pesquisa nestes termos, Weber estava medindo eventos mentais (percepções).

A Lei de Weber

A segunda contribuição de Weber provinha do seu interesse pelo "sentido muscular", que hoje chamaríamos de cinestesia. Ele queria saber qual a importância desse sentido no julgamento do peso relativo dos objetos (Heidbreder, 1933). Imagine duas tarefas: na primeira, você está com a mão em repouso sobre uma mesa e, então, são colocados dois cilindros de diferentes pesos em sua palma. Sua tarefa é julgar qual dos dois é mais pesado. Na segunda, os dois cilindros estão na mesa e, desta vez, você levanta cada um antes de fazer a mesma avaliação. Ao conduzir esse experimento, Weber descobriu que tanto ele quanto os demais observadores eram capazes de discriminar com maior acerto quando levantavam os cilindros, o que coloca em jogo o sentido muscular. O mais importante para a história da psicologia é que Weber descobriu também que a capacidade de discriminar os dois diferentes cilindros não dependia da sua diferença absoluta de peso, mas sim de uma relação mais complexa. Essa relação veio a ser conhecida como lei de Weber.

Nos experimentos de levantamento de peso, Weber estava mais uma vez lidando com limiares. Por exemplo, se os observadores não conseguem distinguir entre 30 e 31 gramas e entre 30 e 32 gramas (acham que o peso é o mesmo), mas *conseguem* distinguir entre 30 e 33 gramas, então fica cla-

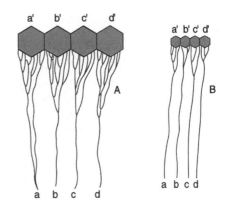

FIGURA 4.3 Concepção de Weber dos círculos sensoriais, extraída de Boring (1942).

ro que algum tipo de limiar é ultrapassado aos 33 gramas. Weber referiu-se à discriminação entre 30 e 33 gramas como uma "diferença minimamente perceptível" ou **dmp**. O que ele descobriu foi que a dmp dependia, não do tamanho absoluto da diferença entre os pesos, mas da relação entre essa dmp e o menor dos dois pesos (chamado de "estímulo-padrão" ou EP). À medida que o estímulo-padrão se tornava mais pesado, era necessário que a diferença entre os pesos fosse maior para ser percebida. Ou seja, a **lei de Weber** é: *dmp/EP=k*. Portanto, os observadores perceberão uma diferença entre 30 e 33 gramas, mas não entre 60 e 63 gramas. Se o estímulo-padrão tiver 60 gramas, em vez de 30, não se detectará diferença até que o segundo peso tenha pelo menos 66 gramas (3/30 = 60/60). Da mesma maneira, se EP = 90 gramas, a dmp será de 9 gramas. Por conseguinte, a dmp é proporcional ao tamanho do EP.

A importância da lei de Weber é tríplice. Primeiro, como na pesquisa sobre o limiar de dois pontos, ele estava sujeitando eventos mentais à medição e à formulação matemática. Isso iria por fim tornar a psicofísica um elemento essencial da nova psicologia de Wundt, a qual reivindicou o *status* de ciência. A ciência exige medições objetivas, e a pesquisa de limiares preenchia perfeitamente esse requisito. Segundo, Weber mostrou que não havia correspondência perfeita (um a um) entre as alterações no mundo físico e a experiência psicológica dessas alterações. O aumento de um peso em 3 gramas nem sempre produz a mesma sensação. Às vezes, a diferença é percebida (se EP = 30); às vezes, não (se EP = 60). Por conseguinte, para compreender como a mente organiza suas experiências é preciso saber mais que as dimensões físicas dos estímulos a que somos submetidos: é necessário também determinar como a mente percebe esses estímulos físicos. Terceiro, a lei de Weber mostrou que os eventos mentais e físicos poderiam ser matematicamente relacionados. Essa compreensão foi mais plenamente desenvolvida por outro cientista de Leipzig.

Gustav Fechner (1801-1889)

A meta de Weber como fisiólogo era entender a natureza dos sentidos tátil e muscular e, para isso, ele usou métodos que viriam a ser conhecidos como psicofísicos. Seu colega em Leipzig, o mais jovem Gustav Fechner, contudo, tinha uma meta ainda mais ambiciosa: Fechner estava obcecado pela ideia de resolver o eterno problema mente-corpo de uma maneira que derrotasse o materialismo e convenceu-se de que a psicofísica era o meio para tal. Embora tivesse se formado em medicina, ficado famoso como físico e, quando estava mergulhado em sua pesquisa pioneira em psicofísica, se considerasse um filósofo, Fechner poderia ser considerado o primeiro psicólogo experimental.

Fechner (Figura 4.4) nasceu no sul da Alemanha em 1801, numa família luterana. Foi um garoto precoce, que aos 5 anos já estava familiarizado com o latim e aos 16 já era aluno de medicina da Universidade de Leipzig, onde aprendeu fisiologia com Weber. Embora se diplomasse médico em 1822, Fechner jamais exerceu a medicina. Na década de 1820, seus interesses giraram em torno da matemática e da física, nessa época, ele dava aulas (sem remuneração) sobre essas disciplinas e mantinha-se traduzindo textos de física e química do francês para o alemão. Também nessa época, ele contribuiu com pesquisas originais na nova área da física da eletricidade.[1] Seu trabalho

---

1. A pesquisa de Fechner sobre a eletricidade revela uma interessante relação com seu pai, um ministro luterano cuja fé se estendia até a ciência. O velho Fechner tinha conhecimento dos famosos experimentos de Benjamin Franklin com a eletricidade e de sua invenção do para-raios em 1787. Sabendo que as torres das igrejas são alvos comuns dos raios, ele instalou um, por precaução, na torre da sua. Os fiéis acharam que seu pastor não estava demonstrando muita fé em Deus nem em sua capacidade de proteger a igreja, mas o pastor Fechner observou que as leis da física também tinham de ser levadas em consideração (Boring, 1950). Apesar de ter perdido o pai quando tinha apenas 5 anos, o jovem Gustav aparentemente herdou dele o amor e o respeito pela ciência.

FIGURA 4.4 Gustav Fechner (1801-1889).

destacou-se tanto que lhe valeu o cargo de professor de física em Leipzig em 1834, ano em que Weber publicou sua pesquisa sobre a sensação do tato.

Na década de 1830, os interesses científicos de Fechner ampliaram-se. Ele estudou o fenômeno da persistência visual das imagens, ou seja, aquelas imagens que surgem após a percepção de uma luz forte e intermitente, descobrindo entre a intensidade da luz e a força da imagem residual uma relação que o levou a avaliar a qualidade desse tipo de imagem quando provocada pela mais forte de todas as fontes de luz: o sol. As observações, que começaram com rápidas olhadas em direção ao sol, foram tornando-se gradualmente mais longas e, embora usasse filtros, Fechner acabou prejudicando seriamente a própria visão. O problema foi grave o suficiente para obrigá-lo a renunciar à cadeira de professor e aceitar da universidade uma aposentadoria por invalidez.

Se muito antes desse episódio Fechner já sofria de dores de cabeça e de uma ocasional impossibilidade de controlar os próprios pensamentos, a cegueira degringolou numa neurose que se arrastou por muitos anos (Balance e Bringmann, 1987). Fechner tornou-se um inválido atormentado por diversos sintomas somáticos, de ansiedade e depressão, que era obrigado a passar longos períodos em total escuridão. Em suas próprias palavras,

> Minha situação [...] tornou-se ainda mais deprimente. Já que estava acostumado a usar a mente, tinha pouca habilidade na interação apenas social com as pessoas e não sabia fazer outra coisa senão trabalhar com o livro e a caneta, em pouco tempo estava sofrendo a tortura de um tédio mortal [...]. (Citado em Balance e Bringmann, 1987, p. 39)

A volta de Fechner à normalidade começou em 1842 e concluiu-se por volta de meados da década. Em grande parte, deveu-se a seu empenho em recuperar o controle sobre a própria vida, mas foi facilitada também pela melhora progressiva da visão. Após a recuperação, voltou sua atenção para questões filosóficas e em 1851 foi renomeado professor da Universidade de Leipzig. Foi nesse período que ele mergulhou na questão da relação entre mente e corpo e se deixou consumir pela ideia de derrotar o materialismo. Como você viu no capítulo anterior, o materialismo, a crença de que todos os fatos têm causas que podem ser atribuídas a alterações físicas e químicas, era a vertente preferida pela maioria dos fisiólogos mais jovens da época (por exemplo, Helmholtz).

Fechner referia-se ao materialismo como *Nachtansicht* ou "visão da noite" e esperava poder substituí-lo por uma visão oposta *Tagesansicht* ou "visão do dia". Essa visão do dia derivava de um movimento idealista então popular na filosofia alemã, segundo o qual o universo como um todo tinha uma forma de consciência que ia além da consciência individual de cada um dos organismos que o compunham. Após a morte, a consciência pessoal fundia-se a essa consciência cósmica. Para Fechner, isso queria dizer que, embora a mente e o corpo pudessem ser considerados dois aspectos da mesma realidade fundamental, a mente era a característica primária e dominante dessa realidade. Foi na busca de uma maneira de conceitualizar a relação exata entre a mente e o corpo que ele criou a psicofísica. Posteriormente, ele diria que teve uma intuição repentina, ao despertar na manhã de 22 de outubro de 1850.[2] Ocorreu-lhe então que a mente e o corpo poderiam ser unidos com harmonia e com precisão matemática por meio da medição das sensações psicológicas e dos estímulos físicos que as produziam. A intuição marcou o início de um trabalho intenso ao longo de uma década, culminando na publicação, em 1860, de *Elements of Psychophysics*, geralmente considerado o primeiro livro de psicologia experimental.

Elements of Psychophysics, de Fechner

Fechner tinha conhecimento da pesquisa de Weber sobre os limiares, mas só depois de sua grande intuição de 22 de outubro de 1850 percebeu sua importância. O que mudou, para Fechner, foi a convicção de que as sensações poderiam ser submetidas a mensuração exata, partindo do pressuposto de que as dmps eram subjetivamente iguais em magnitude. Assim, os pesos de 30 e 33 gramas são percebidos como apenas minimamente diferentes, da mesma maneira que os de 60 e 66 gramas. As diferenças em peso entre os dois pares de estímulos são 3 e 6 gramas, respectivamente. Porém, de acordo com Fechner, psicologicamente a diferença entre 30 e 33 é *percebida* como idêntica (ou seja, é subjetivamente igual) à diferença entre 60 e 66. Esse pressuposto da igualdade subjetiva levou Fechner a reformular a lei de Weber como

$$S = k \log R$$

onde S é a sensação, o tamanho percebido do estímulo em dmps, k é uma constante e R é a medição física do estímulo.

---

2. Se você quiser impressionar o professor, mande-lhe um cartão de "Feliz Dia de Fechner" no dia 22 de outubro. Até hoje, os psicólogos experimentais, principalmente os que estudam a sensação e a percepção, saem nesse dia para fazer um brinde a essa intuição de Fechner.

Partindo do princípio de que a unidade de medição psicológica poderia ser a dmp, Fechner concebeu uma escala que tinha início no ponto em que a sensação era inicialmente percebida, o qual chamou de **limiar absoluto**. À medida que a intensidade do estímulo cresce, ultrapassando esse limiar, a pessoa por fim experimenta uma diferença minimamente perceptível, seguida de outra, e assim sucessivamente. As dmps situadas acima do limiar absoluto são os **limiares da diferença**. Considere o familiar exemplo do interruptor de luz com controle de gradação (*dimmer*). Quando a luz está inteiramente apagada, naturalmente não há estímulo nem nenhuma sensação de luz. À medida que o interruptor é lentamente acionado, por um breve período a sensação continuará sendo zero, mas em seguida percebemos vagamente um princípio de claridade. Esse é o limiar absoluto. Se continuarmos a acionar o interruptor, chegaremos a um ponto em que a luz se tornará perceptivelmente mais forte que um segundo antes. Esse é o limiar da diferença.

O pressuposto de Fechner da igualdade das dmps foi quase imediatamente questionado, e sua relação matemática revelou-se verdadeira apenas em determinadas circunstâncias. Não importa. O verdadeiro legado de seus *Elements of Psychophysics* foi a sistematização dos métodos usados para estabelecer os limiares, os quais ainda hoje são usados, tanto em laboratório quanto em exames de visão e de audição. Eles são conhecidos como métodos dos limites, dos estímulos constantes e do ajuste.[3] Considere sua utilização no contexto de um exame de audição destinado a estabelecer limiares absolutos. No **método dos limites**, é apresentado um estímulo que está bem acima do limiar e, em seguida, sua intensidade é gradualmente reduzida até o sujeito indicar que já não consegue ouvi-lo. Essa é a chamada tentativa descendente, que é seguida

---

3. Fechner os chamou de métodos da diferença minimamente perceptível, casos certo e errado e erro médio, respectivamente.

de uma tentativa ascendente, na qual o estímulo é apresentado inicialmente abaixo do limiar, sendo sua intensidade aumentada aos poucos até o sujeito o escutar pela primeira vez. As tentativas descendentes e ascendentes são alternadas algumas vezes para que o limiar possa ser calculado como a média de todas elas. No **método dos estímulos constantes**, são apresentados sons de intensidade variada em ordem aleatória, e a tarefa do sujeito é indicar se eles são ou não ouvidos. Esse método resolve um problema do anterior, que é a tendência do sujeito de antecipar-se ao ponto em que está o limiar. No **método do ajuste**, o sujeito varia diretamente a intensidade do estímulo até que ele atinja o limiar. Embora esses exemplos envolvam limiares absolutos, todos os três métodos podem ser usados também em experimentos com limiares de diferença. Dos três, o método do ajuste é o que toma menos tempo, mas é o menos preciso; o dos estímulos constantes é o mais preciso de todos, mas também o que leva mais tempo (Goldstein, 1996). Nos exames reais de audição, normalmente é usado o método dos limites com tentativas descendentes, com adoção de algumas tentativas falsas ("pegadinhas") para evitar que os sujeitos levantem a mão para indicar que "escutaram" o estímulo quando, na verdade, nenhum foi apresentado.

Boring (1963b) referiu-se a Fechner como "fundador acidental da psicofísica". Ele achava que o principal objetivo de Fechner era filosófico: com sua visão do dia, derrotar o materialismo (a visão da noite). Infelizmente, para Fechner, esse objetivo não foi atingido, e as implicações filosóficas de sua obra foram em grande parte ignoradas. Felizmente, para a psicologia, os esforços de Fechner promoveram a criação de um programa de pesquisa e um conjunto de métodos que permitiram que outros vissem aquilo que ele não viu: que os fenômenos psicológicos podiam ser submetidos à metodologia científica. Criando por acaso a psicofísica em 1860, Fechner abriu caminho para que outro fisiólogo alemão, Wilhelm Wundt, proclamasse alguns anos depois uma "nova psicologia".

WUNDT ESTABELECE UMA NOVA PSICOLOGIA EM LEIPZIG

A breve citação que abre este capítulo foi extraída do prefácio de *Principles of Physiological Psychology*, publicado em dois volumes entre 1873-1874 pelo alemão descrito com muita frequência como o "fundador" da psicologia experimental, Wilhelm Wundt. Afirmar, como fez Wundt, que se está fazendo uma "tentativa de demarcar um novo domínio da ciência" é o tipo de coisa que separa os fundadores de seus contemporâneos. Sem dúvida, a obra de Fechner sobre a psicofísica assegura-lhe o lugar de primeiro psicólogo experimental. Porém vimos que ele tinha outros objetivos mais filosóficos. Assim, como ressaltou Boring (1950), os fundadores são promotores; eles podem não ser os primeiros a atingir alguma coisa, mas são os primeiros a proclamar o pioneirismo de suas realizações. Sua contribuição científica pode ser importante, mas seu principal talento está na capacidade de divulgação. E Wundt tinha esse talento.

Wilhelm Wundt (1832-1920): A criação de uma Nova Ciência

A infância do fundador da psicologia experimental é modesta em fatos dignos de nota. A tendência ao excesso de devaneios e o desempenho medíocre caracterizaram seus primeiros anos de escola, e só no final da adolescência é que ele se interessou pelo rumo de sua formação. Apesar do fraco desempenho acadêmico, conseguiu aos 19 anos, utilizando contatos da família, entrar para a escola de medicina da Universidade de Tübingen. Depois de um ano, transferiu-se para Heidelberg, onde afinal começou a mostrar-se um aluno promissor. Antes do fim de 1855, já se havia diplomado com distinção em medicina na Universidade de

DATA-CHAVE 1879

Este ano marca a data normalmente associada ao estabelecimento do laboratório de psicologia experimental de Wundt em Leipzig.

Os seguintes fatos também ocorreram:

- Thomas Edison patenteia a luz elétrica
- Tem lugar em Londres a primeira conversa telefônica
- Ferdinand de Lesseps cria a Panama Canal Company
- A Inglaterra amplia seu império derrotando os zulus numa breve guerra na África do Sul
- O escritor norte-americano Henry James, irmão do psicólogo William James, publica *Daisy Miller*
- Frank Woolworth abre em Utica, Nova York, uma loja na qual nenhum artigo custava mais do que 5 centavos de dólar. A loja faliu logo em seguida, o que o levou a tentar a sorte em Lancaster, Pensilvânia, dessa vez acrescentando artigos que custavam 10 centavos e assim dando início à cadeia de lojas Woolworth, conhecida pela venda de mercadorias com preço entre 5 e 10 centavos
- Mary Baker Eddy torna-se pastora da igreja de Cristo, em Boston
- O primeiro Madison Square Garden (já houve quatro) foi aberto em Nova York
- Nasceram:

    Joseph Stálin, ditador soviético

    Albert Einstein, físico alemão

    Will Rogers, humorista e comentarista social norte-americano do qual se afirma jamais ter conhecido alguém de quem não gostasse

- Morreram:

    William Lloyd Garrison, abolicionista norte-americano, criador da American Anti-Slavery Society em 1833

    Sir Rowland Hill, detentor do título graças à invenção do primeiro selo postal adesivo em 1837

Heidelberg e obtido o primeiro lugar num exame de certificação promovido pelo governo (Bringmann, Balance e Evans, 1975).

Nos anos que passou em Heidelberg, Wundt viu crescer também o seu interesse pela ciência. O famoso químico Robert Bunsen (que inventou o aquecedor que leva seu nome) causou-lhe uma impressão duradoura: quando afinal tornou-se professor, Wundt copiou a técnica de Bunsen de exemplificar os tópicos das aulas por meio do uso frequente de demonstrações e material visual. Também foi Bunsen quem inspirou o primeiro projeto de pesquisa independente de Wundt, um exame dos efeitos da restrição da ingestão de sal na composição química de sua própria urina. Ao longo desses anos, Wundt conduziu também pesquisas mais sofisticadas, entre as quais um estudo dos papéis desempenhados por diversos nervos cranianos na respiração. Esse estudo exigia o método da ablação em cães e coelhos vivos, procedimento que Wundt considerava penoso. Porém o levou a cabo, animado com o apoio da mãe, que o assistia nas cirurgias, realizadas na casa do próprio Wundt, e não na universidade (Bringmann, Balance e Evans, 1975). Wundt conduziu ainda um experimento com a sensibilidade tátil em pacientes histéricos, no qual empregava a técnica do limiar de dois pontos de Weber; esse estudo foi a pesquisa que apresentou em sua monografia de conclusão do curso de medicina.

Depois de concluir a graduação em novembro de 1855, Wundt exerceu a medicina por seis meses como assistente de clínica do hospital da Universidade de Heidelberg. Mas já começava a achar que a vida de pesquisador seria mais interessante que a de um médico dedicado a prescrever receitas e consertar ossos quebrados. Foi então para Berlim, onde passou um semestre estudando fisiologia experimental com o grande Johannes Müller (Capítulo 3) e, ao voltar para Heidelberg, estava decidido a tornar-se professor de fisiologia. Em fevereiro de 1857, conseguiu o cargo de *Privatdozent*, o qual, no sistema alemão, implicava que poderia oferecer cursos, mas seu salário dependeria inteiramente da matrícula dos alunos. O primeiro curso de Wundt atraiu apenas quatro alunos e, perto de chegar ao término, ele caiu doente, provavelmente de tuberculose (Bringmann, Bringmann e Balance, 1980). Após quase um ano de recuperação, Wundt candidatou-se à vaga de assistente no laboratório do respeitado Hermann Helmholtz (Capítulo 3), que acabava de assumir sua cadeira em Heidelberg. E conseguiu o emprego, que viria a ter grande importância para sua carreira.

Wundt trabalhou arduamente como assistente de Helmholtz por seis anos, de 1858 a 1864, mas seu trabalho foi muito além da simples administração do laboratório. Ele continuou a oferecer cursos como *Privatdozent* e a publicar a uma frequência incrível segundo qualquer padrão.[4] Além de diversos artigos, Wundt publicou dois importantes livros que o destacaram como psicólogo experimental: *Contributions to a Theory of Sensory Perception*, em 1862, e *Lectures on Human and Animal Psychology*, um ano depois. O primeiro é digno de nota porque marca a primeira vez em que Wundt advogou uma abordagem explicitamente experimental para questões psicológicas básicas. Assim, ele estava pensando na possibilidade de a psicologia ser uma ciência muito antes do seu famoso pronunciamento em 1873-1874. O segundo livro reiterava isso e descrevia parte da sua pesquisa inicial em psicofísica e tempo de reação.

Wundt deixou o laboratório de Helmholtz em 1864, mas permaneceu em Heidelberg por mais dez anos. Ele montou seu laboratório particular e ganhava um salário decente com as aulas que ministrava e os direitos autorais da venda dos livros. Em 1871, seus esforços finalmente foram recompensados pela universidade, que o nomeou professor adjunto. Pela primeira vez na vida, Wundt faria parte do corpo docente efetivo e teria um salário independente das matrículas dos alunos. Perto dos 40 anos, finalmente adquiriu segurança financeira para casar com a noiva de muitos anos. Nesse período, escreveu seu trabalho mais conhecido entre os psicólogos, os dois volumes de *Principles of Physiological Psychology* (1873-1874/1910), cujo prefácio tem a frase citada na abertura deste capítulo. O livro, que teve seis reedições, valeu-lhe o cargo de professor de "filosofia indutiva" da Universidade de Zurique em 1874. Após apenas um ano na Suíça, recebeu uma oferta semelhante da mais prestigiosa Universidade de Leipzig, a maior universidade alemã na época, e aceitou imediatamente. Wundt permaneceu em Leipzig até aposentar-se em 1917, três anos antes de sua morte.

As pessoas tendem a associar Wundt apenas a Leipzig, mas é importante lembrar que, ao ir para lá em 1875, ele já tinha quarenta e tantos anos de idade e 17 de experiência científica em Heidelberg. Já havia também escrito três livros importantes e inúmeros artigos, mais do que a maioria dos professores escreve na vida inteira. Além disso, já havia anunciado que pelo menos alguns aspectos da psicologia poderiam ser experimentais e concebido um plano para estabelecer aquilo que rapidamente viria a chamar-se a "nova psicologia". Assim, ao chegar a Leipzig, Wundt já havia realizado o que, para muita gente, representa o esforço de uma vida inteira. No entanto, lá ele ainda teria mais de quarenta anos extremamente produtivos pela frente.

Nos anos que passou em Heidelberg, Wundt criou uma vasta coleção particular de aparelhos de laboratório, tanto para suas próprias pesquisas quanto para demonstração de fenômenos diversos nas aulas (no espírito de seu antigo professor de química, Robert Bunsen). Ao chegar a Leipzig, ele solicitou espaço para guardar esses equipamentos. Embora, segundo os relatos tradicionais, quando ele chegou em 1875 a universidade tenha disponibilizado uma sa-

---

4. Conforme uma estimativa, Wundt publicou 53.735 páginas ao longo de sua carreira, o que representa uma média de 2,2 páginas por dia (Boring, 1950, p. 345)!

FIGURA 4.5
Wundt, já idoso (centro), em seu laboratório de Leipzig.

la, que afinal se tornou seu famoso laboratório, cuidadosas pesquisas de arquivo (Bringmann, Bringmann e Ungerer, 1980) revelam que Leipzig adiou a entrega dessa sala por um ano, apesar das repetidas solicitações de Wundt. Seja como for, é notável que a universidade tenha atendido ao pedido, pois a limitação de espaço era grande na época. Assim, com uma sala de menos de 40 m², teve seu modesto começo aquele que seria o primeiro laboratório de psicologia experimental e um modelo copiado dezenas de vezes. Wundt inicialmente o usou para demonstrações, mas, já em 1879, com seus alunos conduzia pesquisas originais no que ele passou a chamar de *Psychologisches Institut*. O Instituto logo tornou-se um ímã, atraindo alunos curiosos de toda a Europa e também dos Estados Unidos. Com o passar dos anos, novas salas foram anexadas e, em 1897, foi construído um novo laboratório com base nas especificações do próprio Wundt. Um bombardeio dos Aliados o destruiu em 1943. Dentro em pouco, veremos como funcionava o laboratório de Wundt (Figura 4.5), mas, antes, é preciso analisar a visão que ele tinha da sua nova psicologia.

A Concepção de Wundt da Nova Psicologia

O "novo domínio da ciência" que Wundt tentava "demarcar" em *Principles of Physiological Psychology* correspondia a uma visão delineada pela primeira vez doze anos antes, no livro que publicara em 1862 sobre a percepção (*Contributions to a Theory of Sensory Perception*). Essa nova psicologia exigia o exame científico da experiência consciente humana, por meio de métodos tomados de empréstimo à fisiologia experimental e suplementados por novas estratégias. Observe que, hoje em dia, quando vemos um livro sobre "psicologia fisiológica", costumamos pensar que ele se concentrará na relação entre a biologia e o comportamento. Porém Wundt usou o termo "fisiológico" apenas para referência ao fato de que muitos dos métodos de sua nova psicologia (o tempo de reação, por exemplo) haviam sido desenvolvidos em laboratórios de fisiologia (Greenwood, 2003). Ele poderia, da mesma maneira, ter dito que seu livro era de "psicologia experimental". A nova psicologia de Wundt possuía dois programas principais: o exame da experiência consciente "imediata", por meio de métodos experimentais de laboratório, e o estudo de processos mentais superiores, por meio de métodos não laboratoriais.

O Estudo da Experiência Consciente Imediata

Para entender a distinção que Wundt traçou entre a experiência imediata e a experiência "mediata", usemos um exemplo simples. Se você observar pela janela um termômetro colocado do lado de fora e a temperatura indicada for 15°C, você não estará sentindo o fenômeno da temperatura diretamente, pois ela estará sendo *mediada* por um instrumento científico. Por outro lado, se você for para o lado de fora sem um casaco, terá uma experiência direta do frio. Essa será uma experiência consciente imediata. Ou seja, não haverá entre você e as condições climáticas nenhum termômetro; você as viverá em primeira mão. Para Wundt, era essa experiência consciente imediata que deveria ser o tema de sua psicologia de laboratório.

Wundt reconheceu o problema que há no estudo da consciência imediata. Examinar objetivamente a experiência mediata é simples. Como a leitura da temperatura é um evento público, dois ou mais observadores podem concordar com ela, e aplicar métodos científicos a partir daí é uma questão simples. Vários aspectos do ambiente podem ser manipulados sistematicamente, e os resultados sobre a temperatura podem ser avaliados com uma certa precisão. Porém a descrição da experiência imediata é mais difícil. Como posso ter certeza de que sua experiência do frio é comparável à minha? Aqui Wundt fez uma distinção crítica entre *auto-observação* e *percepção interna*. Essa distinção foi perdendo seu caráter com os anos, segundo Danziger (1980), pois ambos os termos passaram a chamar-se **introspecção**. A auto-observação é a tentativa filosófica tradicional de analisar as experiências da vida por meio da introspecção reflexiva. Mas ela não é sistemática – e como, por definição, se processa algum tempo após a ocorrência do fato experimentado, baseia-se demasiadamente na memória, a qual está sujeita a falhas. Wundt rejeitou a auto-observação por julgá-la mera especulação filosófica. A **percepção interna**, por sua vez, era como a auto-observação, mas constituía um processo muito mais estreito de reação imediata a estímulos controlados com precisão. O problema da memória era reduzido pelo imediatismo da reação e pela utilização de observadores treinados (Wundt e seus alunos) para reagir automática e imparcialmente. Mas essa precisão tinha um preço: a percepção interna só poderia gerar dados científicos válidos se seus resultados pudessem ser replicados. Para Wundt, isso queria dizer que a pesquisa de laboratório teria de limitar-se a uma estreita faixa de experiências. Na prática, elas se resumiam então a experiências sensoriais/perceptuais/atentivas básicas. Essas experiências poderiam ser controladas por meio de aparelhos sofisticados, usados para apresentar estímulos aos observadores, os quais manifestariam reações simples a esses estímulos. No laboratório de Wundt, esse tipo de reação introspectiva "limitava-se em grande parte a julgamentos de tamanho, intensidade e duração de estímulos físicos, suplementados às vezes por julgamentos de simultaneidade e sucessão" (Danziger, 1980, p. 247). Esse, naturalmente, é o tipo de julgamento que é feito nos experimentos da psicofísica, os quais representavam boa parte da pesquisa conduzida no laboratório de Wundt. Como veremos em breve, o conceito que Wundt tinha da introspecção como percepção interna diferia muito da "introspecção experimental sistemática" usada por dois de seus alunos mais famosos, Oswald Külpe (que veremos neste mesmo capítulo) e Edward B. Titchener (Capítulo 7).

O Estudo dos Processos Mentais Superiores

Embora acreditasse que a investigação de laboratório se limitasse necessariamente à experiência consciente imediata de processos mentais básicos, Wundt tinha em mente um objetivo mais amplo para sua psicologia. Ele queria analisar outros processos mentais, como a aprendizagem, o raciocínio, a linguagem e os efeitos da cultura, mas achava que, pelo fato de estarem tão imbricados na história pessoal, na história cultural e no ambiente social do indivíduo, esses processos não poderiam ser controlados o suficiente para o exame em laboratório. Em vez disso, poderiam ser estudados apenas por meio de técnicas de observação indutivas, comparações entre culturas, análises históricas e estudos de caso.

Wundt esteve toda a vida interessado nesses processos mentais superiores, que inicialmente delineou em detalhes em seu segundo livro mais importante (*Lectures on Human and Animal Psychology*, 1863). Deles ocupou-se inteiramente em seus vinte últimos anos de vida, período em que sua fama de escritor prodigioso aumentou com a publicação do colossal *Völkerpsychologie*. A obra contém análises detalhadas da língua e da cultura e abrange tópicos que hoje seriam considerados parte da psicolinguística, da psicologia dos mitos e da religião, da psicologia social, da psicologia forense e da antropologia. Dos dez volumes, três são dedicados aos mitos e à religião, dois à linguagem, dois à sociedade e um à cultura e história, um à lei e um à arte (Blumenthal, 1975).

Como outros pensadores de sua época, Wundt acreditava que uma das implicações da teoria da evolução era a possibilidade de organizar as culturas dentro de um *continuum*, das "primitivas" (por exemplo, a cultura aborígine australiana) às "avançadas" (a alemã, presumivelmente). Assim, achava que seria possível chegar à compreensão da evolução dos processos mentais humanos por meio do estudo dos mitos, religiões, línguas e costumes sociais de culturas diferentes em seu grau de sofisticação (Farr, 1983). Ele tinha especial interesse pela linguagem, e suas descrições bem poderiam valer-lhe o título de fundador da moderna psicolinguística. Muito do que escreveu sobre o tema foi ignorado na época, só vindo a ser redescoberto entre as décadas de 1950 e 1960, quando a psicolinguística ganhou importância fundamental no surgimento da psicologia cognitiva (Blumenthal, 1975). Wundt distinguia, por exemplo, entre a ideia que uma sentença transmitia e sua estrutura e a maneira como o ouvinte a recebia e deduzia o sentido que o falante queria dar-lhe. A relação que ele propunha entre a ideia a ser transmitida e a estrutura da sentença é semelhante à distinção, feita posteriormente pelo linguista Noam Chomsky, entre a estrutura superficial e a estrutura profunda da gramática. E sua intuição de que o ouvinte não se lembra da sentença em si, mas do seu sentido, é ratificada pelas pesquisas posteriores sobre a memória que envolvem a "essência" das mensagens transmitidas.

Dentro do Laboratório de Wundt

Quando os alunos de Wundt começaram a produzir pesquisas originais em Leipzig, tornou-se necessário encontrar uma forma de publicá-las. Wundt resolveu o problema criando, em 1881, a revista *Philosophische Studien*. Essa foi a primeira publicação destinada a relatar os resultados de pesquisas experimentais em psicologia editada por Wundt nas duas primeiras décadas (de 1881 a 1903). A revista tornou-se porta-voz do trabalho dele e dos seus alunos, e seu conteúdo revela o tipo de pesquisa que se fez em Leipzig nos vinte últimos anos do século XIX. Segundo Boring (1950), que analisou os cerca de cem estudos experimentais nela publicados ao longo desse período, pelo menos metade da pesquisa inseria-se na área da sensação e da percepção. Entre os trabalhos restantes, a maior parte era de estudos de tempo de reação, seguidos de estudos da atenção, do sentimento e da associação.

Sensação e Percepção
A maioria das informações básicas sobre os sistemas sensoriais encontradas nos atuais cursos de sensação/percepção já era conhecida na virada do século, e parte da pesquisa foi conduzida no laboratório de Wundt. Conforme mencionamos anteriormente, a

maior parte desses estudos de "percepção interna" era de natureza psicofísica, analisando tópicos como as capacidades de distinção de cores apresentadas a diferentes áreas da retina e de tons apresentados em várias combinações de timbre e volume. Em termos de percepção, os wundtianos estudaram temas como as imagens residuais positivas e negativas, o contraste visual e a percepção de tamanho, profundidade e movimento (Boring, 1950).

Cronometria Mental

Quando mediu a duração de um impulso nervoso e descobriu que era mais lento do que se imaginava, Helmholtz (Capítulo 3) abriu caminho para um método que viria a ser chamado de **cronometria mental** no laboratório de Wundt e hoje é conhecido como tempo de reação. Wundt já conhecia essa pesquisa muito antes de ir para Leipzig. Ele havia sido assistente de Helmholtz em Heidelberg logo após a realização dos estudos sobre os impulsos nervosos e interessara-se muito pela questão da medição da velocidade mental na década de 1860. O problema já havia sido colocado alguns anos antes sob a forma de uma dificuldade prática encontrada pelos astrônomos. A criação de tabelas para o cálculo da longitude exigia o conhecimento da posição precisa de diversas estrelas e planetas em momentos específicos do ciclo lunar (Sobel, 1995). A identificação dessas posições exigia um complicado procedimento de medição do tempo que cada corpo celeste levava para efetuar o "trânsito" de um lado da mira da lente do telescópio até o outro. O julgamento dessa medição naturalmente era feito por seres humanos e, apesar de serem todos astrônomos treinados, seus julgamentos dos tempos dos trânsitos diferiam devido a pequenas diferenças em seus tempos de reação. Para resolver o problema, fez-se a tentativa de "calibrar" um astrônomo em relação a outro por meio da determinação da **equação pessoal** de cada um. Assim, se o astrônomo A fosse regularmente 0,12 segundo mais lento que o astrônomo B, seus tempos de trânsito poderiam tornar-se comparáveis por meio de uma equação pessoal: A = B + 0,12 segundo.

O responsável pelo aperfeiçoamento do procedimento do tempo de reação usado pelos wundtianos foi o fisiólogo holandês F. C. Donders (1818-1889). O raciocínio de Donders foi que, se o tempo dos impulsos nervosos podia ser medido e se a atividade mental se compunha de impulsos nervosos, então seria possível medir com alguma precisão diversos eventos mentais. Partindo do princípio de que os eventos mentais poderiam ser somados, Donders criou o **método subtrativo** no fim da década de 1860. Primeiro ele mediu o tempo de uma reação simples: pressionar uma tecla de telégrafo e liberá-la o mais rápido possível após a percepção de uma luz, por exemplo. O procedimento foi então "complicado" pelo acréscimo de outras tarefas mentais. Por exemplo, o observador deveria reagir apenas se visse uma luz vermelha; se a luz fosse de outra cor, ele não deveria esboçar nenhuma reação. Esse "tempo de reação discriminativa" (TRD) compunha-se de tudo aquilo que havia no tempo de reação simples (TRS) *mais* o evento mental de discriminar as cores. Assim,

TRD = TRS + tempo de discriminação
tempo de discriminação = TRD - TRS

De acordo com o mesmo princípio, o "tempo de reação eletiva" (TRE) exigia a liberação de uma determinada tecla se a luz fosse de uma certa cor e de outra tecla, no caso de uma cor diferente. Além do tempo de reação simples e do tempo exigido para discriminar entre as duas cores, o observador tinha de escolher a tecla que liberar. Assim:

TRE = TRS + tempo de discriminação
+ tempo de eleição
tempo de eleição = TRE −
(TRS + tempo de discriminação)
tempo de eleição = TRE − TRD

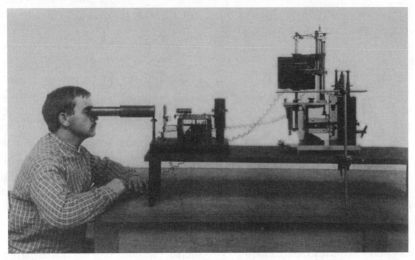

FIGURA 4.6 Experimento de tempo de reação em andamento na Clark University, 1892.

Por razões óbvias, esse método foi chamado também de **experimento da complicação**. No laboratório de Wundt foram realizados diversos estudos que o utilizaram, principalmente na década de 1880. Porém o método afinal foi descartado quando ficou claro que as pressuposições aditivas a ele subjacentes eram demasiado simplistas. Nos procedimentos acima mencionados, por exemplo, certas reações mais complexas deveriam ser mais longas que as menos complexas, mas isso nem sempre se verificava nos experimentos. Um dos alunos de Wundt, Oswald Külpe (em quem nos deteremos adiante, neste mesmo capítulo), mostrou que alterar o procedimento acumulando discriminação e/ou eleição não apenas acrescenta mais elementos, mas muda toda a experiência psicológica.

James McKeen Cattell (Capítulo 8), talvez o mais conhecido dos alunos norte-americanos de Wundt, foi um defensor entusiástico do método do tempo de reação (Garrett, 1951). Ele iniciou a pesquisa quando ainda estudava na Johns Hopkins, em Baltimore, e prosseguiu com ela após ir para Leipzig, em 1883. A análise de um de seus estudos (Cattell, 1885) ilustra muito bem a lógica do método do tempo de reação e a grande atenção aos detalhes que esse tipo de pesquisa exigia. No artigo, Cattell descreve uma pesquisa feita com seu colega alemão Gustav Berger sobre os tempos de reação simples, de discriminação e de eleição. Essa pesquisa foi a base da tese de doutorado apresentada por Berger a Wundt, sobre os efeitos da intensidade do estímulo sobre o tempo de reação (Sokal, 1981b).

No primeiro experimento, Cattell e Berger deram tempos de reação simples a luzes de intensidade variável. O experimento provavelmente foi montado de uma forma parecida à que se vê na Figura 4.6 (foto tirada na Clark University em 1892). Conforme a descrição de Cattell, "o observador sentava-se, no escuro, e fixava o ponto em que a luz apareceria por meio de um tubo telescópico (1885/1948, p. 323). Cattell e Berger reagiram, cada um, 150 vezes a cada um dos oito níveis de intensidade, descobrindo que o tempo de reação geralmente diminuía à medida que a luz se tornava mais forte. Além disso, descobriram diferenças individuais – Cattell era quase sempre mais veloz.

Berger e Cattell realizaram também outro experimento em que variavam a intensidade de um choque elétrico no antebraço esquerdo, a fim de examinar o efeito no tempo de reação da mão direita. Mais uma vez, o tempo de reação diminuía à medida que a intensidade aumentava, embora quando atingia o máximo "a reação provavelmente era retardada porque o choque doía" (p. 325). Em seus resumos de dados, Cattell anotou tanto a média quanto uma medida de variabilidade (o desvio médio, um precursor do atual desvio-padrão). Além disso, observe que há apenas dois observadores no estudo: Berger e Cattell. Essa era uma situação comum nos primórdios da psicologia experimental – muito poucos participantes, cada um contribuindo com um volume grande de dados e nenhuma distinção nítida entre o que posteriormente se chamaria *experimentador* e *sujeito*. Além disso, não se fazia a média dos dados de vários participantes. Em vez disso, os dados de cada sujeito eram relatados, e os demais sujeitos que porventura existissem serviam ao propósito da replicação.

Depois de relatar os tempos de reação simples, Cattell descreveu a lógica do experimento da complicação e, usando três das oito intensidades das luzes, apresentou os resultados do TR simples ("tempo de reação"), do TR com discriminação ("tempo de reação com percepção") e do TR com eleição ("tempo de reação com percepção e vontade"). Assim, o "tempo de percepção" equivale ao tempo de discriminação e o "tempo de vontade", ao tempo de eleição. A seguir, sua descrição da lógica da complicação e dos dados:

O tempo é maior quando é necessário distinguir as cores antes de esboçar a reação. Podemos determinar esse tempo se, em vez de reagirmos o mais rápido possível, o fizermos se ela for vermelha, mas não se for azul. Assim, acrescentamos algo ao tempo simples de reação. Podemos ainda pedir ao sujeito que levante a mão direita se a luz for vermelha e a esquerda, se for azul e, assim, teremos, além do tempo necessário à simples reação e à distinção da cor, o tempo exigido para a opção entre dois movimentos. Os resultados dos experimentos realizados com três intensidades de luz (V, III e I) são apresentados na tabela. [Veja a Tabela 4.1] (Cattell, 1885/1948, p. 325)

Como você pode ver, Cattell usou o sistema de Donders para chegar a seus tempos de "percepção" (isto é, discriminação) e de "vontade" (isto é, eleição). Por exemplo, com Cattell como observador, quando a intensidade do estímulo é V,

tempo de
discriminação = TRD — TRS
= 274 — 189
= 85 (isto é, 0,85 segundo)
tempo de eleição = TRE — (TRS + tempo de discriminação)
= 356 — (189 + 85)
= 82 (isto é, 0,82 segundo)

Como Külpe, Cattell posteriormente também criticou o experimento da compli-

TABELA 4.1 Resultados de um experimento de complicação

	B[erger] V	B[erger] III	B[erger] I	C[attell] V	C[attell] III	C[attell] I
Tempo de reação	189	218	273	189	209	303
Tempo de reação com percepção	238	293	373	274	328	417
Tempo de reação com percepção e vontade	287	320	393	356	388	495
Tempo de percepção	49	75	100	85	119	114
Tempo de vontade	49	27	20	82	60	78

cação, mas continuou vendo a utilidade do método do tempo de reação na testagem de várias hipóteses acerca do processamento mental. Ou seja, ele por fim rejeitou o método da acumulação, mas manteve a ideia de que o tempo de reação poderia ser usado para comparar atividades mentais que diferiam em complexidade. Isso o levou a estudar as diferenças individuais no tempo de reação e fenômenos como o tempo de reconhecimento de diferentes letras do alfabeto e o tempo de reação para associações verbais (por exemplo, Cattell, 1886). Cattell deixou também um relato minucioso do cotidiano no laboratório de Wundt, parte do qual é transcrito a seguir no Close-Up deste capítulo.

CLOSE-UP
UM NORTE-AMERICANO EM LEIPZIG

Em 1886, James McKeen Cattell (1860-1944) tornou-se o primeiro norte-americano a obter um Ph.D. em psicologia experimental em Leipzig sob a supervisão de Wundt (Benjamin, Durkin, Link, Vestal e Accord, 1992). Enquanto viveu em Leipzig, Cattell manteve um diário muito rico em detalhes e escreveu frequentemente para os pais, nos Estados Unidos. Esse material foi cuidadosamente coletado, organizado e comentado pelo historiador da ciência Michael Sokal, que o publicou com o título de *An Education in Psychology: James McKeen Cattell's Journal and Letters from Germany and England, 1880-1888* (1981b). O livro constitui uma rica fonte de informações sobre a vida nos primeiros anos do laboratório de Wundt em Leipzig.

Cattell visitou Leipzig pela primeira vez numa viagem que fez pela Europa entre 1881 e 1882. Ele então passou o ano acadêmico de 1882-1883 na Johns Hopkins University, em Baltimore, estudando no laboratório criado por G. Stanley Hall (Capítulo 6). Retornou a Leipzig no outono de 1883 e obteve seu doutorado três anos depois. Aqui você conhecerá algumas de suas observações sobre o trabalho no laboratório de Wundt.

A maior parte da pesquisa de Cattell tratava do problema do tempo de reação. Numa carta enviada aos pais em 1884, ele a descreve brevemente. Como outros que se dedicam à pesquisa básica – que pode parecer banal aos não iniciados –, Cattell adota uma postura aparentemente defensiva, como se achasse que era necessário convencer os pais do valor do seu trabalho:

CARTA AOS PAIS, 8 DE OUTUBRO DE 1884

Na [minha pesquisa] eu determino o tempo exigido por processos mentais simples – quanto tempo precisamos para ver, ouvir ou sentir alguma coisa – para compreender, decidir, pensar. Talvez vocês não considerem isso assim tão interessante ou importante. Mas se quisermos descrever o mundo – que é o objetivo da ciência –, sem dúvida o conhecimento preciso da mente é mais importante que qualquer outra coisa. [...] Quando se está convencido que o conhecimento por si só vale a busca, certamente o conhecimento da mente é o melhor de todos. A importância da mente humana é infinitamente maior que a de qualquer outra coisa, pois de sua natureza depende o mundo inteiro.

> Com relação ao meu trabalho em si – certamente [...] é interessante saber a rapidez com que o homem pensa –, pois é disso, e não do número de anos que ele vive, que depende a duração da sua vida. (p. 125)

Ao que tudo indica, os pais de Cattell estavam preocupados com o excesso de trabalho do filho durante sua permanência em Leipzig. Para tranquilizá-los, ele descreveu um típico dia de pesquisa ao lado do colega Gustav Berger. Segundo Cattell, apenas parte do dia exigia o tipo de concentração que poderia causar fadiga:

CARTA AOS PAIS, 26 DE NOVEMBRO DE 1884
> Berger voltou a trabalhar comigo esta manhã. Não acho que possa machucar-me trabalhando se me exercitar [...] constantemente. Sem dúvida, servir de sujeito nos próprios experimentos é cansativo, mas não faço isso o tempo todo. Quando um dia eu fico seis horas fazendo esse tipo de trabalho, duas eu passo cuidando dos aparelhos, preparando as coisas etc. Na verdade, é um trabalho bem fácil. E também, em duas das outras quatro horas, meu colega é o sujeito e, aí, meu trabalho não tem nada de especialmente difícil. Então, como vocês podem ver, eu só levo duas horas no trabalho cansativo. Seria uma pena se, aos 25 anos, eu não tivesse condições de aguentar isso. (p. 141)

A observação de Cattell sobre as duas horas dedicadas a cuidar dos aparelhos indica a dificuldade inerente ao desenvolvimento de uma nova ciência. A maioria dos aparelhos vinha dos laboratórios de física ou fisiologia ou tinha de ser inventada ali mesmo. Os problemas com eles eram uma fonte de irritação constante, como atesta a carta abaixo:

CARTA AOS PAIS, 5 DE JANEIRO DE 1885
> Berger chegou cedo hoje de manhã e começamos a trabalhar. Para variar, as duas baterias elétricas deram problema. Vocês não fazem ideia da confusão que esses aparelhos criam. A questão não é só conhecer física, mas ser um investigador original em física. Por exemplo, o Prof. Wundt achava que o campo magnético criado quando se passava uma corrente em torno de um pedaço de ferro maleável se estabelecia instantaneamente. Mas eu descobri que, com a corrente que ele usou, demora mais de um décimo de segundo. Todas as vezes que ele mediu deu esse tempo. Agora, o tempo necessário à criação de magnetismo em ferro maleável simplesmente não tem nada que ver com psicologia. E, no entanto, se eu não tivesse dedicado um bom tempo a essa matéria, todo o meu trabalho estaria errado. E também é difícil encontrar quem faça os aparelhos da forma certa. [...] Tudo isso, obter o aparelho e fazê-lo funcionar, é muito irritante quando se tem pressa. (pp. 151-52)

Ao longo de toda a carreira, Cattell nunca pensou duas vezes antes de dizer o que achava, não tendo ficado conhecido nem pela modéstia nem pela tolerância. No comentário abaixo, feito perto do fim de sua estada em Leipzig, ele deixa claro o que pensava do laboratório de Wundt.

> **CARTA AOS PAIS, 22 DE JANEIRO DE 1885**
> Esta tarde trabalhei no laboratório de Wundt provavelmente pela última vez. [...] O laboratório de Wundt tem mais fama do que merece – decididamente, o trabalho aqui é amadorístico. Só se trabalhou em duas áreas – a relação entre o estímulo interno e a sensação [isto é, psicofísica] e o tempo do processo mental [isto é, tempo de reação]. Meu tema é a segunda – comecei a trabalhar nela ainda em Baltimore [na Johns Hopkins], antes de ler uma palavra escrita por Wundt – e o que fiz lá era sem dúvida original. Tenho certeza de que meu trabalho tem mais valor que tudo que foi feito por Wundt e seus alunos nessa matéria e, como disse antes, é uma das duas em que eles trabalham. E olhem que não acho que meu trabalho tenha nenhuma importância especial – só que, para mim, o de Wundt tem ainda menos. (p. 156)

Reescrevendo a História: Um Wilhelm Wundt Novo e Aperfeiçoado

No Capítulo 1, você viu que as histórias se reescrevem constantemente, à luz de novas informações, novas maneiras de interpretar a informação, e assim por diante. A psicologia de Wundt é uma ilustração perfeita disso. Se você tivesse feito um curso de psicologia há trinta anos, teria aprendido o seguinte sobre Wundt:

- Ele fundou a primeira "escola" de psicologia, chamada estruturalismo.
- O principal objetivo da escola de Wundt era analisar o conteúdo da mente reduzindo-a a seus componentes ou elementos estruturais, tendo como método principal a introspecção dos conteúdos mentais.
- Ele na verdade não estava interessado na psicologia cultural; os dez volumes de *Völkerpsychologie* foram apenas um passatempo secundário de um velho.
- O filho intelectual de Wundt foi E. B. Titchener, que disseminou o evangelho do estruturalismo wundtiano nos Estados Unidos.
- Seu modelo da mente era semelhante ao dos empiristas britânicos, ou seja, ele não aceitava o conceito da mente como agente ativo, mas sim como resultado de experiências associativas passivas.

Hoje em dia, você só verá descrições como essas nas seções de capítulos que as usarem como exemplos de graves distorções ou simples erros. Nos anos de 1970, os historiadores começaram a analisar Wundt mais detidamente (por exemplo, Blumenthal, 1975; Danziger, 1980; Leahey, 1979) e descobriram que os relatos tradicionais eram problemáticos. Desde então, as histórias passaram a apresentar descrições mais precisas da vida e da obra de Wundt. Colocam-se três questões: Como essas distorções ocorreram? Por que só foram descobertas recentemente? e O que Wundt realmente disse?

A Fonte do Problema

Parte da dificuldade decorre do fato de Wundt haver escrito mais do que a maioria das pessoas lê ao longo da vida inteira. Além disso, boa parte de sua obra não foi traduzida do alemão. Por conseguinte, os que não falam essa língua tendem a recorrer ao que se escreveu sobre Wundt, em vez de usar aquilo que ele próprio disse. A maioria dos psicólogos norte-americanos conhece a história da psicologia por meio de E. G. Boring, que, por sua vez, a aprendeu com Titchener, e aí está a raiz do problema. Como você verá no Capítulo 7, Titchener estudou dois anos com Wundt e obteve um Ph.D. em Leipzig em 1892. Depois ele seguiu carreira acadêmica em Cornell, de onde divulgou o evangelho do estruturalismo – que é sua escola, não a de Wundt. Titchener também traduziu vários dos livros do mestre e escreveu um longo obituário logo após a morte deste (Titchener, 1921a). Em resumo, Titchener tomou uma parte do trabalho de Wundt e exagerou sua importância, ao mesmo tempo que minimizou ou ignorou outras partes da sua obra. As distorções refletem-se na forma como falava de Wundt em suas aulas e nas traduções que fez de seus escritos. Não há nenhuma prova de tentativa deliberada de distorção. Titchener só estava enfatizando aquilo que tinha maior afinidade com seu próprio modo de pensar. Por exemplo, sua falta de interesse no que não era psicologia experimental o levou a fazer caso omisso do interesse de Wundt pela psicologia cultural, a ponto mesmo de chegar às espantosas afirmações, no obituário que lhe dedicou, de que os dez volumes de *Völkerpsychologie*, que custaram a Wundt mais de vinte anos de elaboração, eram pouco mais que "uma grata ocupação para sua velhice" (Titchener, 1921a, p. 175) e de que "a ideia dominante na vida de Wundt [...] é a ideia de uma psicologia experimental" (p. 175).

Boring foi o mais famoso aluno de Titchener e o mais venerável dos historiadores norte-americanos da psicologia (veja o Close-Up do Capítulo 1). O seu *A History of Experimental Psychology*, escrito em 1929 e revisado em 1950, foi o livro que informou várias gerações de psicólogos e, até recentemente, constituiu um modelo para outros textos de história. Ele o dedicou a Titchener, e o capítulo sobre Wundt contém muitas das distorções que Titchener perpetuou a respeito deste. A obra *Völkerpsychologie*, por exemplo, mal é mencionada.

A Redescoberta de Wundt

Há duas razões para as ideias de Wundt começarem a ser reexaminadas nos anos de 1970. Primeiro, como você deve estar lembrado pelo que vimos no Capítulo 1, a história da psicologia foi uma disciplina que ganhou novo impulso sob a liderança de gente como Robert Watson a partir do fim dos anos de 1960 e início dos anos de 1970.

Até certo ponto, esse interesse pela história de Wundt é reflexo de um interesse maior pela história da psicologia. A segunda razão é mais sutil e mostra outro motivo para que a história seja continuamente reescrita. Como você verá no Capítulo 14, na década de 1960, a psicologia cognitiva aconteceu. Ou seja, os psicólogos interessaram-se cada vez mais pelo estudo experimental dos processos mentais, tema que havia sido deixado de lado nos Estados Unidos entre as décadas de 1930 e 1960, devido à influência do behaviorismo. Alguns estudiosos que conheciam a fundo a nova pesquisa cognitiva, principalmente Arthur Blumenthal e Thomas Leahey, perceberam relações entre a psicologia cognitiva dos anos de 1960 e a anterior psicologia wundtiana. Com efeito, alguns dos métodos da pesquisa cognitiva eram essencialmente cópias da pesquisa que havia sido feita em Leipzig, ainda que os novos pesquisadores aparentemente não se dessem conta disso. Blumenthal e Leahey começaram a examinar a obra de Wundt à luz da nova psicologia cognitiva e escreveram artigos que mostravam as ligações entre as duas (Blumenthal, 1975; Leahey, 1979). A lição mais importante é que as histórias às vezes são fortemente influenciadas pelo contexto histórico em que são produzidas. Um dos efeitos da moderna psicologia cognitiva foi promover uma nova visão de Wundt. Nos dias em que o behaviorismo imperava, esse reexame não poderia ter acontecido.

O Verdadeiro Wundt

A visão tradicional, porém errônea, é que Wundt era um estruturalista. Mas agora não há dúvida de que uma das metas do seu trabalho de laboratório era identificar os elementos da experiência consciente imediata. Afinal, ele era formado em medicina e fisiologia e tinha uma propensão natural para a classificação. Assim, entre seus escritos experimentais havia descrições dos elementos básicos da consciência, que ele dividiu em sensações e sentimentos. Além disso, cada um desses elementos poderia ser subdividido em novas categorias. As sensações, por exemplo, foram classificadas de acordo com dimensões como qualidade (por exemplo, as de diferentes cores), intensidade e duração.

Porém, a análise e a classificação eram aspectos apenas secundários do sistema de Wundt, sendo seu interesse por elas relativo. Ele estava mais preocupado com a maneira como a mente organiza as experiências com um ato da vontade. Wundt chamou seu sistema de **voluntarismo** para indicar a natureza ativa da mente. Um dos conceitos centrais do seu sistema voluntarista era o fenômeno da **apercepção**, termo que ele tomou emprestado do filósofo alemão Leibniz (Capítulo 2). Aperceber um evento é percebê-lo com toda a clareza e tê-lo sob o foco da atenção. Enquanto você lê esta página, por exemplo, toda a sua atenção e concentração (espero eu) estão nesta oração e no seu sentido. Ela está sendo apercebida. As demais informações estão ocupando a periferia da sua atenção – Wundt diria que elas estão sendo apreendidas, mas não apercebidas.[5] Assim, em qualquer momento dado, há informações que ocupam o foco da atenção e outras informações que se encontram às margens. As primeiras são apercebidas e as segundas, apreendidas. Além disso, a apercepção é um processo que organiza ativamente as informações em grupos que constituem um todo significativo. Quando vemos a palavra "cão", não percebemos três letras separadamente, mas sim um único conceito que para nós tem sentido. A visão pode a princípio processar linhas e símbolos desprovidos de significado, mas a mente cria um todo significativo. Wundt referia-se ao processo aperceptivo como uma "síntese criadora".

O conceito da apercepção de Wundt estava muito longe do associacionismo mais passivo. No entanto, ele reconheceu que alguns elementos da experiência consciente de fato se combinam como associações passivas. Como diziam os associacionistas britânicos, se vir John e Mary juntos com frequência suficiente, você logo vai pensar em um quando vir o outro. Isso ocorre de maneira automática graças a uma associação que se forma passivamente. Por outro lado, ocorre apercepção se, ao ver John e Mary, você os colocar no foco de sua atenção e os perceber como um casal especial ou como duas pessoas que não combinam em nada. Ou seja, você estará indo além das informações dadas e percebendo-os de modo claro e significativo.

O Legado de Wundt

Como sua intenção era criar uma nova forma de conceitualizar a psicologia, Wundt é merecidamente considerado o primeiro verdadeiro psicólogo da era moderna. Embora seja difícil identificar um wundtiano entre os primeiros psicólogos norte-americanos, ele teve forte influência sobre as origens da psicologia nos Estados Unidos. Os norte-americanos que estudaram com Wundt podem não ter se tornado discípulos seus, e Blumenthal (1980) sugere que a maioria voltou para os Estados Unidos com pouco mais na bagagem que uma planta de laboratório e uma lista de equipamentos. Entretanto, eles saíram de Leipzig convencidos de que havia algo de novo e emocionante no ar, algo do qual queriam fazer parte. A psicologia norte-americana rapidamente assumiu contornos próprios, não wundtianos, porém boa parte de sua motivação provinha do exemplo deixado por Wundt.

---

5. A diferença entre a apreensão e a apercepção foi componente-chave de uma importante teoria proposta por um dos mais famosos alunos de Wundt, o psiquiatra Emil Kraepelin (1856-1926). Kraepelin criou o esquema para classificação de doenças mentais que deu origem à primeira descrição clara daquilo que hoje chamamos de esquizofrenia. Para maiores informações sobre Kraepelin, consulte o Close-Up do Capítulo 12.

A DIFUSÃO DA NOVA PSICOLOGIA

Não chega a ser surpreendente que Wundt não tenha detido o monopólio da nova psicologia. Como vimos no início deste capítulo, o ambiente da *Wissenschaft* criou um clima propício à criação de uma análise empírica dos fenômenos psicológicos. Com efeito, vários dos contemporâneos alemães de Wundt dedicaram-se a explorar essa nova abordagem para compreensão da mente humana. Analisaremos três deles: Hermann Ebbinghaus, G. E. Müller e Oswald Külpe.

Hermann Ebbinghaus (1850-1909): O Estudo Experimental da Memória

Um dos efeitos indiretos de *Elements of Psychophysics*, de Fechner, foi contribuir para o lançamento do estudo experimental da memória. Isso ocorreu em meados da década de 1870, quando o jovem filósofo alemão Hermann Ebbinghaus topou com uma tradução inglesa do livro de Fechner num sebo de Paris. A eloquência de Fechner na demonstração de que a mente poderia ser submetida a métodos científicos inspirou Ebbinghaus, que na época se dedicava ao problema filosófico da associação de ideias.

Pouco se sabe sobre os anos de formação de Hermann Ebbinghaus. Depois de concluir a escola secundária, ele estudou em diversas universidades e lutou por um breve período pela Alemanha na guerra franco-prussiana no início da década de 1870. Seus interesses acadêmicos passaram da história à filologia (o estudo histórico da língua) e daí à filosofia, na qual se doutorou pela Universidade de Bonn em 1873. Sua tese consistiu em uma análise da "Filosofia do inconsciente de Hartmann". Ainda nos anos de 1970, ele viajou pela Inglaterra e pela França, descobriu o livro de Fechner no caminho e começou a pensar em como estudar a formação de associações.

Como filósofo, Ebbinghaus tinha pleno conhecimento das análises que os associacionistas e empiristas britânicos faziam dos processos da associação. Como você deve estar lembrado, vimos no Capítulo 2 que eles consideravam a associação uma força análoga à da gravidade na atração e ligação das ideias. Os filósofos britânicos consideravam a associação um componente essencial da estrutura organizacional da mente, mas divergiam quanto às suas leis básicas (por exemplo, a contiguidade era suficiente para explicar as associações ou faziam-se necessários outros princípios?). No caso de Ebbinghaus, a proposta de Fechner para a abordagem científica da mente aparentemente promoveu um salto criativo. Se as sensações podiam ser medidas, por que não outros processos mentais? Por que não a associação? Em algum momento do fim da década de 1870, Ebbinghaus decidiu estudar empiricamente a formação e a retenção das associações e em 1885 publicou *Memory: A Contribution to Experimental Psychology* (1885/1964). Esse breve estudo (123 páginas numa reimpressão de 1964), cujos resultados podem ser encontrados em diversos dos atuais livros-textos de psicologia geral, inaugurou uma tradição de pesquisa que persiste ainda hoje. Como disse Ernest Hilgard na introdução a essa reimpressão de 1964, "[p]ara o estudo experimental da aprendizagem e da memória, há uma fonte que está acima de todas as demais: esta breve monografia de Ebbinghaus" (Hilgard, 1964, p. vii).

Ebbinghaus (1885/1964) abriu seu livro com uma consideração sobre as várias formas de memória e a dificuldade de estudar experimentalmente o seu processo, ressaltando que o pouco que se sabia sobre o tema provinha do senso comum e de exemplos de "casos extremos e particularmente espantosos" (p. 4). Quanto às questões fundamentais acerca das relações exatas entre a experiência e a memória, porém, "[a] essas e outras questões semelhantes ninguém pode responder" (p. 5). Além disso, ele reconheceu que, para poder estudar a formação inicial de associações, seria preciso usar materiais com os quais não estivesse familiarizado. Ebbinghaus percebeu que a memorização de materiais com sentido, como trechos de poesia ou prosa, seria um problema, pois eles já trariam consigo inúmeras associações significativas que afetariam a velocidade da aprendizagem. Num dos mais extraordinários atos de criatividade da psicologia, ele teve a ideia de usar materiais que, além de não se relacionarem uns aos outros de nenhuma maneira significativa, não tinham em si nenhum significado especial. Ou seja, ele criou **sílabas sem sentido**, unidades compostas de três letras ou duas consoantes com uma vogal no meio, perfazendo um total de cerca de 2.300.

Embora soubesse que algumas dessas sílabas teriam sentido (isto é, soariam como palavras completas), Ebbinghaus não estava muito preocupado com o fato. Além disso, vale a pena lembrar que seu principal interesse era determinar como as associações *entre* sílabas inicialmente se formavam, e não a possível significação relativa de cada sílaba. Apesar de algumas sílabas poderem ter sentido, a probabilidade de que duas sílabas sucessivas estivessem significativamente relacionadas uma à outra era remota. Gundlach (1986) chamou a atenção para o fato de que uma das frases de Ebbinghaus foi traduzida para o inglês como "*series of nonsense syllables*",[6] ou série de sílabas sem sentido, quando uma melhor tradução provavelmente seria "*meaningless series of syllables*", ou série não significativa de sílabas. O fato de Ebbinghaus haver elegido como sua tarefa de memorização a **aprendizagem serial** é mais uma indicação de sua intenção de analisar a concentração de associações entre os elementos de uma sequência fixa. A aprendizagem serial, na qual o desempenho correto requer a reprodução precisa de um conjunto de estímulos na ordem exata em que são apresentados, presta-se bem ao exame de associações existentes numa "série não significativa de sílabas".

---

6. A frase aparece no final da página 24, no contexto de uma comparação com a memorização de poemas.

Não se sabe ao certo como Ebbinghaus chegou à ideia de usar sílabas sem sentido, mas a análise de Hilgard (1964) é a que parece mais provável. Familiarizado com os pressupostos mecanicistas e atomísticos do empirismo/associacionismo britânico, Ebbinghaus teria buscado a unidade mais simples possível que, ainda assim, permitisse um grande número de estímulos. As letras e os números existentes eram insuficientes, e as palavras, demasiado significativas. As sílabas das palavras são a unidade pronunciável mais simples da língua; portanto, seriam uma opção lógica. O fato de Ebbinghaus ter chamado seus estímulos de "sílabas" sem sentido sugere que ele de fato estava pensando nessa redução a uma pequena unidade funcional.

Depois de ter criado seu material, Ebbinghaus (1885/1964) elaborou listas e, em seguida, começou a memorizá-las. Ele as lia para si mesmo a um ritmo constante, com auxílio de um metrônomo ajustado para dar 150 toques por minuto, posteriormente substituído pelo tique-taque de um relógio. Ele considerava uma lista devidamente memorizada "quando, à menção da primeira sílaba, a série fosse recitada na íntegra na primeira tentativa, sem hesitação" (p. 23). Além disso, ele não fez "nenhuma tentativa de conectar as sílabas sem sentido por meio da invenção de associações especiais de caráter mnemônico: a aprendizagem transcorreu com base exclusivamente na mera repetição do material com o intuito de gravá-lo na memória natural" (p. 25).

Como você certamente já deve ter percebido, uma característica importante desse projeto é que Ebbinghaus era o *único* sujeito. Ele concluiu sua pesquisa após dois períodos de um ano (1879-1880 e 1883-1884), tendo o segundo grupo de experimentos servido basicamente para replicar o primeiro. Além disso, a fim de adquirir proficiência na tarefa, ele dedicou um "longo tempo" (Ebbinghaus 1884/1964, p. 33), de duração não especificada, à prática antes do início dos experimentos do primeiro período. Assim, por mais dois anos, Ebbinghaus dedicou boa parte do seu tempo à memorização de listas de sílabas sem sentido (entre uma e duas horas diárias em média), uma tarefa tediosa o bastante, como ele mesmo admitiu, para ocasionalmente gerar "exaustão, dores de cabeça e outros sintomas" (p. 55). Em apenas um dos grupos de experimentos, os que produziram sua famosa curva do esquecimento (veja adiante), ele memorizou mais de 1.300 listas diferentes. Um dos atributos com que se costuma caracterizar os cientistas famosos é a imersão total no trabalho. Ebbinghaus certamente é um exemplo disso.

Ebbinghaus descreveu os resultados de sua pesquisa em vários capítulos. Primeiro, ele analisou a velocidade com que uma série de sílabas poderia ser memorizada enquanto função do número de sílabas por lista. A classificação "rápida" equivalia ao número de repetições necessárias para reprodução sem erros das sílabas da lista. Os resultados são apresentados numa tabela (p. 47):

Número de sílabas de uma série	Número de repetições necessárias para primeira reprodução sem erro (excluindo-se a mesma)	Erro provável
7	1	
12	16,6	+/– 1,1
16	30,0	+/– 0,4
24	44,0	+/– 1,7
36	55,0	+/– 2,8

Aqui, duas coisas são dignas de nota. Em primeiro lugar, embora o fato de que listas mais longas precisem de mais repetições possa ser lógico, essa era a primeira vez que alguém documentava, com precisão, a relação exata entre a extensão do material a ser aprendido e o esforço exigido para a aprendizagem. Em segundo, o esforço necessário era pouco quando a lista era de apenas sete sílabas. Esse resultado tem sido recorrente na história da psicologia experimental. A investigação sistemática de George Miller (1956) desse "mágico número sete" tornou-se uma referência durante a ascensão da psicologia cognitiva (consulte o Capítulo 13). Você provavelmente se lembra de haver aprendido sobre o número "7 mais ou menos 2" no curso de psicologia geral, geralmente incluído na parte de memória, sob a rubrica de "capacidade da memória de curto prazo".

Depois de demonstrar que as listas mais longas demandam mais repetições, Ebbinghaus se pergunta se o aumento do número de repetições *originais* fortaleceria a memória. Assim, repetiu listas de 16 sílabas 8, 16, 24, 32, 42, 53 ou 64 vezes e descobriu que a facilidade de reaprender a lista 24 horas depois era diretamente proporcional ao número de repetições originais. Além disso, descobriu que o desempenho de sua memória era melhor quando ele distribuía o estudo ao longo do tempo que quando tentava memorizar tudo de uma só vez. Ele chegou, inclusive, a fornecer a gradação da vantagem da prática distribuída sobre a prática concentrada – eram necessárias 68 repetições em um dia para atingir efeitos iguais aos de apenas 38 repetições distribuídas ao longo de três dias.

O mais famoso dos estudos realizados por Ebbinghaus voltava-se para a taxa de esquecimento de informações que já haviam sido aprendidas. Aqui, ele recorreu a um engenhoso procedimento que chamou de **método da economia**, que lhe permitiu medir a memória após a passagem do tempo, mesmo que nada pudesse ser lembrado depois do intervalo. A lógica do método é descrita logo no início do livro:

Um poema é aprendido de cor e não volta a ser repetido. Suponhamos que após seis meses ele tenha sido esquecido e que nenhum esforço consiga trazê-lo de volta à consciência, a não ser, talvez, fragmentos isolados, na melhor das hipóteses. Suponhamos que o poema seja novamente aprendido de cor. Torna-se evidente então que, embora tudo indique que tivesse sido totalmente esquecido, de certo modo esse poema existe e de uma forma que pode revelar-se eficaz. A segunda aprendizagem exige tempo perceptivelmente menor ou número de repetições perceptivelmente inferior ao da primeira. (p. 8)

Para analisar os efeitos do tempo sobre a memória, Ebbinghaus memorizou listas de sílabas, tentou reaprendê-las depois de decorrido um período predeterminado e aplicou seu método da economia para avaliar o resultado. Ebbinghaus registrou o tempo total para a aprendizagem original das listas, que em geral consistia em cerca de vinte minutos, e o tempo para a reaprendizagem. A aprendizagem original menos a reaprendizagem fornecia uma medida da economia, que era convertida em porcentagem por meio da divisão pelo tempo da aprendizagem original. Assim, se esta levasse vinte minutos, e a reaprendizagem, cinco minutos, 15 minutos – ou 75% (15/20 x 100) – do tempo de aprendizagem original eram economizados.

Ebbinghaus relatou separadamente os resultados de cada um dos 163 experimentos (isto é, "testes duplos") que realizou ao longo dos diferentes intervalos de retenção. Os resultados desse estudo constam em quase todos os livros-textos de introdução à psicologia do século XX. Eles são normalmente apresentados em um gráfico como o da Figura 4.7 (embora em seu livro Ebbinghaus os tenha apresentado numa tabela). Os resultados são claros – o esquecimento era muito rápido a princípio, mas depois o ritmo diminuía. Assim, depois de apenas vinte minutos (1/3 de hora), a memória de Ebbinghaus retinha apenas cerca de 60% do material aprendido; 40% se perdiam. Depois de uma hora, perdiam-se 55% e, decorrido um dia, cerca de 66%.

Um último exemplo do projeto de pesquisa da memória de Ebbinghaus está em sua investigação das **associações remotas**. Quando as sílabas A, B e C devem ser aprendidas nessa sequência, formam-se associações diretas entre A e B e entre B e C, mas essas associações também se formam (re-

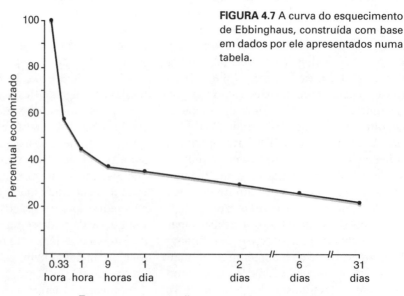

FIGURA 4.7 A curva do esquecimento de Ebbinghaus, construída com base em dados por ele apresentados numa tabela.

motamente) entre A e C? Nesse caso, o conceito de associação vai além da ideia de dois eventos contíguos. Ebbinghaus concebeu um procedimento inteligente para testar essas potenciais associações remotas. Primeiro, aprendeu uma lista de 16 sílabas na ordem serial normal:

LISTA A 1 2 3 4 5 6 7 8 9 10 11 12 13 14 15 16

Em seguida, reaprendeu a lista saltando uma sílaba, da seguinte forma:

LISTA B 1 3 5 7 9 11 13 15 2 4 6 8 10 12 14 16

Por fim, reaprendeu a lista saltando duas sílabas:

LISTA C 1 4 7 10 13 16 2 5 8 11 14 3 6 9 12 15

Caso estivesse havendo formação de associações remotas durante a aprendizagem original das sílabas 1 a 16 (lista A), então a reaprendizagem das listas B e C seria mais rápida que a aprendizagem de uma nova lista de 16 sílabas, e foi exatamente isso que Ebbinghaus descobriu. Além disso, havia uma relação direta entre a facilidade da reaprendizagem e o grau de distância das associações.

No Capítulo 13, você verá como se desenvolveu a moderna psicologia cognitiva. Uma de suas tendências recentes é a crítica à estreiteza e ao artificialismo da "tradição de Ebbinghaus". Para os atuais psicólogos cognitivos, quem memoriza na verdade está processando ativamente informações, e não fortalecendo passivamente associações com a repetição mecânica. Além disso, hoje há mais ênfase na **memória ecológica**, que é a memória usada para eventos cotidianos mais realistas, em vez de listas abstratas. Um eminente pesquisador contemporâneo lamentou a "terrível luta que nossa área teve de empreender só para superar a sílaba sem sentido" (Kintsch, 1985, p. 461). A crítica tem seu mérito, mas para o historiador ela tem um tom claramente presentista. Por levar em consideração a pesquisa da memória feita por Ebbinghaus no contexto de sua época, uma avaliação mais apta de sua relevância está na resenha retrospectiva de *On Memory* que Roediger escreveu, exatos cem anos após sua publicação:

> Em suma, o corpus de resultados experimentais de Ebbinghaus é amplo. Considerando que ele só começou sua pesquisa no mesmo ano em que Wundt fundou seu laboratório de psicologia e que, apesar de ter sido o único sujeito de todos os experimentos que realizou, obteve resultados tão regulares e convincentes, seu feito é quase inacreditável. (Roediger, 1985, p. 522)

Outras Contribuições de Ebbinghaus

A pesquisa da memória foi a maior contribuição de Ebbinghaus, mas não a única. Ele também foi pioneiro na área da testagem mental, inventando em 1895 um teste de frases para completar cujo espírito era semelhante ao do teste de inteligência que Binet viria a criar em seguida na França (consulte o Capítulo 8). Ebbinghaus ocupou cargos acadêmicos nas universidades alemãs de Berlim e Breslau, cujos laboratórios de psicologia criou, e de Halle, onde reconstruiu um laboratório que era inadequado. Em 1890, fundou a publicação *Zeitschrift für Psychologie und Physiologie der Sinnesorgane* (Revista de psicologia e fisiologia dos órgãos dos sentidos). Enquanto os *Philosophischen Studien* de Wundt eram essencialmente um meio de publicar os trabalhos realizados em seu laboratório de Leipzig, as páginas da *Zeitschrift* de Ebbinghaus enchiam-se com as pesquisas de laboratórios de toda a Alemanha. A variedade de interesses da revista e o prestígio de seus colaboradores – gente como Helmholtz e G. E. Müller – levaram um historiador a descrevê-la como "o órgão psicológico mais importante da Alemanha" (Shakow, 1930, p. 509). Além disso, Ebbinghaus escreveu dois conhecidos textos de introdução à psicologia, inclusive a breve versão (logo antes de sua morte repentina de pneumonia em 1909) em que figura a famosa frase de abertura, citada no início do Capítulo 2: "A psicologia tem um longo passado, não obstante, sua verdadeira história é curta" (Ebbinghaus, 1908, p. 3).

G. E. Müller (1850-1934): O Protótipo do Experimentalista

Embora Wundt receba merecidamente os créditos pela fundação da psicologia experimental, a psicologia de laboratório constituía apenas uma pequena parte de seus interesses. Este é um tema recorrente: muitos dos pioneiros da psicologia de laboratório na verdade passaram pouco tempo dentro dele. Uma exceção é G. E. Müller,[7] o experimentador dos experimentadores, que dedicou quarenta anos de sua vida profissional à psicologia de laboratório na Universidade de Göttingen. De 1881 até sua aposentadoria, em 1921, Müller teve um laboratório que rivalizou com os demais laboratórios alemães em termos de qualidade da pesquisa produzida. Os estudos feitos no laboratório eram conhecidos pela precisão, controle experimental e atenção meticulosa aos detalhes. Se Müller não é muito conhecido hoje em dia, isso se deve ao fato de pouco do seu trabalho ter sido traduzido para o inglês. Além disso, grande parte de suas pesquisas não chegou a inovar radicalmente; elas replicavam e ampliavam sistematicamente as pesquisas de outros. Assim, ele contribuiu significativamente para ampliar o trabalho de Fechner na área da psicofísica,[8] o de He-

ring na da visão de cores e o de Ebbinghaus na da memória. No que se refere a esta última, Müller foi um sucessor digno do venerável Ebbinghaus (Haupt, 1998).

Durante a década de 1890, Müller e seus alunos replicaram e explicaram muitos dos dados obtidos por Ebbinghaus, acrescentando diversas melhorias metodológicas e chegando a diferentes conclusões acerca da formação de associações. Enquanto Ebbinghaus concluiu que as associações formavam-se automática e mecanicamente em decorrência de estímulos como o número de repetições e a extensão da lista e que o memorizador tinha um papel relativamente *passivo* no processo, Müller acreditava que o indivíduo responsável pela formação das associações tinha um papel mais *ativo*. A conclusão decorria de uma modificação no procedimento – Müller incluiu a introspecção no processo, e seus observadores relataram terem recorrido a diversas estratégias ativas para aprender as sílabas sem sentido. Viram-se, por exemplo, reunindo essas sílabas em grupos, organizando-as por diferentes graus de sentido e, em geral, fazendo bem mais que simplesmente associá-las por contiguidade. Esse resultado prefigurou a moderna forma de encarar a memória, que postula que o aprendiz tem papel ativo no processo de memorização.

Müller e seus alunos fizeram também algumas descobertas que foram além das de Ebbinghaus. Por exemplo, com Alfons Pilzecker ele descobriu que, se uma segunda lista for aprendida entre a aprendizagem da lista 1 e a subsequente tentativa de reaprender essa mesma lista 1, a segunda lista interfere com a reaprendizagem. Eles chamaram o fenômeno de **inibição retroativa**, dando início assim à longa linha de pesquisa que afinal produziu, na década de 1960, a teoria da interferência do esquecimento. Com outro aluno, Adolph Jost, Müller descobriu que, se duas associações tiverem força igual, a continuação da prática reforçará mais a mais antiga das duas que a associação mais recente. Embora se baseasse em indícios relativamente parcos, esse fenôme-

---

7. Não há nenhum parentesco com Johannes Müller, o famoso fisiólogo que você conheceu no Capítulo 3. O sobrenome Müller é muito comum na Alemanha, assim como "Smith" nos países de língua inglesa.

8. Segundo Boring (1950), E. B. Titchener suspendeu a publicação do segundo volume do seu famoso manual de laboratório (Capítulo 7) até que o manual de psicofísica de Müller fosse publicado, em 1903. Titchener teve de reescrever as partes relativas à psicofísica do seu livro depois do surgimento do de Müller e, assim, o segundo volume do seu manual de laboratório só foi publicado em 1905, quatro anos depois do primeiro volume.

no – posteriormente referido como **lei de Jost** – foi considerado importante enquanto parte da explicação da vantagem da prática distribuída sobre a prática concentrada, outro fenômeno estudado no laboratório de Müller (Woodworth, 1938).

Outra contribuição de Müller ao estudo experimental da memória foi a invenção do **tambor de memória**, que automatizava a apresentação de materiais de estímulo. Müller e seu assistente Friedrich Schumann engenhosamente modificaram um quimógrafo, um tambor ou cilindro rotativo geralmente usado para registrar dados (como o mostrado na foto do tempo de reação da Figura 4.6). Os estímulos eram montados no tambor, que girava a uma velocidade fixa, apresentando-os sucessivamente conforme decorresse o tempo estabelecido (Popplestone, 1987). Assim, o procedimento tornou-se mais preciso. Os tambores de memória foram equipamento padrão dos laboratórios até os anos de 1990, quando a apresentação computadorizada de estímulos se tornou mais eficaz.

Um último ponto a destacar é que, embora a Universidade de Göttingen não fornecesse diplomas avançados a mulheres, Müller acolheu em seu laboratório diversas distintas psicólogas norte-americanas, entre as quais Christine Ladd-Franklin, de Columbia (Capítulo 6), Lillien Martin, de Stanford, e Eleanor Gamble, de Wellesley. Como você verá no Capítulo 6, as mulheres enfrentavam diversos obstáculos para obter formação acadêmica. Embora esse fosse o caso especialmente nos Estados Unidos, também se verificava na Europa. Müller colocou-se muito à frente do seu tempo ao reconhecer que as mulheres eram capazes de conduzir pesquisas experimentais de alta qualidade.

Oswald Külpe (1862-1915): A Escola de Würzburg

Depois de flertar com a história e a filosofia, Oswald Külpe interessou-se pela psicologia ao fazer um curso com Wundt no início da década de 1880. Em seguida, ele foi para Berlim, a fim de estudar história, e para Göttingen, onde um ano e meio no laboratório de G. E. Müller o convenceu de que sua carreira estava na psicologia. Külpe por fim retornou a Leipzig e obteve um doutorado em 1887 sob a orientação de Wundt, com quem permaneceu por mais sete anos, ganhando a vida como *Privatdozent* e assistente do mestre no laboratório, onde sucedeu a Cattell. Foi nesse período que ele conheceu E. B. Titchener (Capítulo 7), que se encontrava em Leipzig, e estabeleceu com este uma amizade que duraria toda a vida. Em 1894, Külpe foi convidado a ir para Würzburg, onde criou um laboratório por vezes considerado inferior apenas ao de Wundt e certamente comparável ao de Müller em Göttingen. Foi em Würzburg que Külpe criou uma psicologia experimental diferente o bastante para ser chamada de "escola de Würzburg", a qual veio a investigar temas e produzir resultados que o incompatibilizaram tanto com seu mentor, Wundt, quando com o amigo Titchener.

Wundt havia declarado os processos mentais superiores (como a memória e o pensamento) fora da alçada da pesquisa de laboratório, pois os julgava demasiado complexos e influenciados pela língua e cultura do sujeito para poderem ser adequadamente controlados. Em vez disso, deveriam ser investigados com métodos não laboratoriais, ficando o laboratório restrito a temas como a sensação/percepção e a cronometria mental. No entanto, Ebbinghaus e Müller haviam conseguido controlar as condições razoavelmente bem em seus estudos sobre a memória. Todavia, caberia a Külpe desafiar seu antigo mentor diretamente ao estudar em laboratório processos mentais como o do pensamento e ampliar significativamente o procedimento da introspecção.

Külpe publicou pouca pesquisa experimental em seu próprio nome, mas supervisionava seus alunos de perto e de uma maneira que lhes resultava agradável. De acordo com Robert Ogden, um dos seus alunos norte-americanos, Külpe participava intimamente de tudo que se passava em seu laboratório. Para ele, era uma questão de princípio atuar como observador no trabalho experimental de seus alunos. No caso do meu próprio estudo, [...] ele vinha quase que diariamente ao laboratório e ali permanecia horas que só poderiam ser muito cansativas, graças à tarefa de memorizar sílabas sem sentido. Sua influência sobre os alunos jamais foi dominadora. Pelo contrário, juntos eles se dedicavam à tarefa comum da descoberta científica. (Ogden, 1951, p. 9)

Para estudar os processos de raciocínio no laboratório, Külpe julgou necessário expandir o conceito wundtiano da introspecção. Lembre-se de que Wundt distinguia entre a "auto-observação"– na qual se vivencia um evento e, então, descrevem-se de memória os processos mentais nele ocorridos – e a "percepção interior", um procedimento introspectivo mais controlado, no qual estímulos simples são apresentados muitas vezes (isto é, replicados) e as reações se verificam imediatamente após a apresentação desses estímulos. Para Wundt, apenas o segundo procedimento era aceitável em laboratório. Porém no laboratório de Külpe a introspecção, que veio a chamar-se **introspecção experimental sistemática**, era mais como o conceito Wundtiano da auto-observação. Os observadores vivenciavam eventos mais complexos que no laboratório de Wundt e, em seguida, relatavam em detalhes os processos mentais envolvidos. Isso criava um potencial problema de memória porque, como assinalou posteriormente Woodworth (1938), a experiência mental de um evento de dez segundos pode exigir dez minutos de descrição. Para contornar o fato de que o relato introspectivo de um evento complexo está sujeito à distorção da memória, Külpe e seus alunos criaram um procedimento chamado **fracionamento**, uma divisão da tarefa em suas partes componentes, cada uma das quais poderia ser introvertida. Por exemplo, em um estudo de Watt sobre associação de palavras no qual o sujeito deveria dizer a primeira palavra que lhe ocorresse após ouvir a palavra-estímulo, a tarefa foi fracionada nas seguintes partes: "a preparação para o experimento, a aparição da palavra-estímulo, a busca da palavra-reação (se essa busca ocorresse) e, finalmente, o surgimento da palavra-reação" (Watt, 1904, citado por Sahakian, 1975, p. 162).

Külpe acreditava que estava aperfeiçoando o procedimento da introspecção ao permitir a sua aplicação aos processos mentais superiores, mas Wundt rejeitou a técnica de Würzburg, acusando-a de não ser outra coisa senão a auto-observação assistemática que rejeitara anos antes. Assim, por julgar que os resultados da pesquisa de Würzburg baseavam-se em métodos precários, Wundt os descartou. Que resultados eram esses?

Predisposições Mentais e Pensamentos sem Imagens

A pesquisa de Würzburg sobre o pensamento gerou diversos resultados surpreendentes. Por exemplo, em um estudo de Narziss Ach, apresentaram-se aos observadores pares de números depois de instruí-los a realizar alguma operação específica (por exemplo, adicioná-los ou subtraí-los). Ach mediu o tempo de reação e também solicitou introspecções detalhadas. O que ele descobriu foi que o tempo de reação era o mesmo, independentemente do tipo de operação solicitado aos sujeitos, e que estes relataram não detectar nenhuma percepção consciente das instruções em si depois do início da tarefa. Em outras palavras, depois de receberem as instruções, sua mente se "preparava" para funcionar de uma determinada forma (por exemplo, somar), de maneira que, depois da apresentação do par de números, a adição se processava automaticamente e sem mais reflexão. Assim, as instruções criavam o que os pesquisadores de Würzburg chamaram de tendência determinante ou **predisposição mental**. Esse conceito viria a ter importância para os psicólogos gestaltistas alemães (Capítulo 9). A ausência de diferença no tempo de reação também era significativa, pois Külpe a usou para questionar a validade do pressuposto subtrativo subjacente aos experimentos de cronometria mental que tanta importância tinham no laboratório de Leipzig. Ele argumentou que, como as instruções criam uma predisposição mental, o tempo de reação de discriminação não poderia ser igual ao tempo de reação simples mais o evento mental da discriminação. Em vez disso, o TRD resulta de um tipo de "predisposição" diferente do TRS.

Uma segunda descoberta importante, e controversa, do laboratório de Würzburg diz respeito ao fenômeno do **pensamento sem imagens**. Segundo Titchener (e Wundt), a análise minuciosa dos processos do pensamento revela que o elemento essencial em todo raciocínio é algum tipo de imagem. Segundo a descrição padrão de um experimento psicofísico de levantamento de peso, por exemplo, o observador levantava um peso e dele formava uma imagem cinestésica. Em seguida, levantava o segundo peso e comparava a sensação que tinha dele à imagem do primeiro, para decidir se os pesos eram iguais ou diferentes. O processo de julgamento abrangia os componentes sensoriais e imagéticos dos dois pesos. Contudo, em um estudo de levantamento de peso realizado por Karl Marbe, nenhuma sensação nem imagem ocorria no momento do julgamento. Os observadores relataram sensações e imagens enquanto levantavam os pesos, mas o julgamento aparentemente transcorria de maneira automática e sem a presença de imagens. Ou seja, o julgamento era um pensamento sem imagens. Além disso, os observadores de Marbe relataram outros processos mentais ocorridos logo antes do julgamento, mas tampouco esses pareciam redutíveis a sensações ou imagens. Entre esses processos estavam a hesitação, a dúvida e a vacilação, coletivamente referidas como **atitudes conscientes**.

A potencial existência de pensamentos sem imagens, predisposições mentais e atitudes conscientes representava uma ameaça especialmente séria ao colega de Külpe, Titchener, o qual acreditava que a análise de todo conteúdo mental revelaria a existência dos elementos básicos da experiência consciente (veja mais a respeito de Titchener no Capítulo 7). Contudo, se alguns pensamentos ocorriam sem imagens, nem todo pensamento poderia ser reduzido aos elementos. A controvérsia gerada pelos pensamentos sem imagens jamais se resolveu, mas seu efeito colateral mais importante foi levantar questões sobre a validade da introspecção como método e contribuir para abrir caminho para um movimento novo e radical na psicologia: o behaviorismo, sobre o qual você aprenderá nos Capítulos 10 e 11.

EM PERSPECTIVA: UMA NOVA CIÊNCIA

A nova psicologia de laboratório que surgiu na Alemanha logo chamou a atenção de vários intelectuais norte-americanos, em particular de William James, G. Stanley Hall e James McKeen Cattell. Os três visitaram laboratórios alemães ou, no caso de Cattell, obtiveram um Ph.D. em um. Você terá mais informações sobre esses pioneiros nos Capítulos 6-8. Inúmeros outros estudantes norte-americanos seguiram-lhes os passos, obtendo doutorados no laboratório de Leipzig e em outros e voltando para casa entusiasmados com a ideia de tornar a psicologia uma ciência. Além disso, com base no espírito alemão da *Wissenschaft*, nos trinta últimos anos do século XIX criaram-se diversas universidades nos Estados Unidos (por exemplo, a Johns Hopkins) com laboratórios que imitavam os alemães. Portanto, a psicologia norte-americana deriva do movimento iniciado por Wundt. Mais genericamente, se poderia dizer que a nova disciplina teve como pais dois grupos distintos – os filósofos que você viu no Capítulo 2 e os fisiólogos, abordados no Capítulo 3. Mas às vezes a paternidade é algo meio delicado, e no caso da psicologia há um terceiro envolvido – a biologia darwiniana. Darwin e sua influência sobre a psicologia moderna são o foco do Capítulo 5.

RESUMO

A FORMAÇÃO NA ALEMANHA

- No século XIX, diversos alunos norte-americanos ingressaram nas universidades europeias, principalmente nas alemãs, para estudar as ciências. Na segunda metade do século, muitos alunos foram para a Alemanha, em especial para Leipzig, para estudar a nova abordagem da psicologia que ali estava sendo desenvolvida.
- O sistema educacional alemão promovia a filosofia da *Wissenschaft*, que enfatizava a originalidade da pesquisa e a liberdade acadêmica. Assim, criou-se um ambiente propício a novas ideias, entre as quais a de uma nova psicologia.

NO LIMIAR DA PSICOLOGIA EXPERIMENTAL: A PSICOFÍSICA

- A psicofísica é o estudo da relação entre os estímulos físicos e a reação psicológica que provocam. A primeira pesquisa na área foi conduzida por Ernst Weber, que investigou a sensibilidade relativa de várias áreas da superfície do corpo usando o limiar de dois pontos. Nos experimentos em que os observadores comparavam dois pesos, Weber descobriu que a capacidade de distinguir entre eles dependia de diferenças relativas, e não absolutas, entre suas massas (lei de Weber).
- Gustav Fechner aprofundou a pesquisa de Weber, e seu *Elements of Psychophysics* é considerado o primeiro texto de psicologia experimental. Embora mais interessado em usar sua pesquisa para derrotar o materialismo, Fechner é conhecido por ter desenvolvido diversos métodos psicofísicos importantes, muitos dos quais estão em uso hoje em dia (limites, estímulos constantes e ajuste), e pela sua precisão ao medir limiares absolutos e diferenciais.

WUNDT CRIA UMA NOVA PSICOLOGIA EM LEIPZIG

- Wundt é geralmente conhecido como fundador da psicologia experimental. Ele deliberou-se a criar uma nova psicologia que utilizasse os métodos experimentais da fisiologia e fundou o primeiro laboratório de psicologia experimental e a primeira publicação científica voltada especificamente para a divulgação dos resultados da pesquisa da psicologia.
- A nova ciência de Wundt envolvia o estudo da experiência consciente imediata sob condições controladas em laboratório. Como não podiam ser submetidos a controle e replicação experimentais, os processos mentais superiores (por exemplo, a linguagem) deveriam ser estudados por meio de métodos não laboratoriais (por exemplo, a observação).
- No laboratório de Wundt, a maior parte da pesquisa dizia respeito aos processos sensoriais e perceptuais básicos. O laboratório produziu também um grande volume de estudos de "cronometria mental", os quais procuravam medir o tempo exigido por várias atividades mentais. James McKeen Cattell, um aluno norte-americano e o primeiro assistente oficial de Wundt nesse laboratório, conduziu muitos desses estudos de "complicação", que empregavam o método de subtração desenvolvido por F. C. Donders.
- A recente pesquisa acadêmica histórica revelou sérias distorções nos relatos tradicionais das ideias de Wundt. Em vez de ser um estruturalista que buscava reduzir a consciência a seus elementos básicos, Wundt estava mais interessado na capacidade que a mente apresenta de organizar ativamente as informações. Um dos seus principais interesses estava no processo da apercepção, isto é, a percepção ativa, atenta e significativa de um evento. Wundt chamou seu sistema de voluntarismo, visando frisar a natureza ativa do processamento mental.

A NOVA PSICOLOGIA SE DIFUNDE

- Um dos mais importantes programas de pesquisa já levados a cabo na história da psicologia foi o estudo da memória empreendido por Hermann Ebbinghaus. Para investigar o desenvolvimento de novas associações entre estímulos não associados, ele inventou sílabas sem sentido. Ebbinghaus mediu a retenção em termos do esforço "economizado" na reaprendizagem. Sua famosa curva do esquecimento mostrou que este se verifica a um ritmo muito rápido logo após a aprendizagem inicial, mas em seguida esse ritmo decai.
- G. E. Müller e seus alunos ampliaram consideravelmente a pesquisa existente na época sobre a visão de cores, a pesquisa de Fechner sobre a psicofísica e a pesquisa de Ebbinghaus sobre a memória. Acrescentando a introspecção aos experimentos com as sílabas sem sentido, ele argumentou que a memória era um processo ativo, e não o acúmulo passivo de força associativa. Müller foi o primeiro a identificar a inibição retroativa (isto é, o esquecimento em decorrência

da interferência de eventos ocorridos entre a aprendizagem inicial e o desempenho) e o inventor do tambor da memória.
• Oswald Külpe e seus alunos criaram a escola de psicologia de Würzburg, que desafiou Wundt ao estudar o pensamento em laboratório e liberalizar o método da introspecção. Em suas pesquisas, eles encontraram indícios de predisposições mentais, pensamentos sem imagens e atitudes conscientes.

QUESTÕES PARA ESTUDO

1. Descreva a filosofia educacional da *Wissenschaft* que se desenvolveu na Alemanha ao longo do século XIX. Quais foram as suas implicações para a psicologia?
2. Mostre como os três métodos psicofísicos de Fechner podem ser usados para determinar um limiar de dois pontos.
3. Descreva a lei de Weber e o conceito de dmp.
4. Por que Wundt, e não Fechner, é considerado o fundador da moderna psicologia experimental?
5. Descreva as contribuições de Wundt à psicologia antes de sua chegada a Leipzig.
6. O conceito que Wundt tinha da psicologia abrangia dois principais programas. Descreva cada um deles.
7. Descreva como Wundt (e outros) usaram o tempo de reação para medir a duração de vários eventos mentais. Em que aspecto o método era falho?
8. Descreva e critique o relato tradicional do "sistema" de Wundt. Como surgiram as distorções?
9. Explique por que Wundt chamou seu sistema de voluntarismo e mostre como o conceito de apercepção era importante para ele.
10. O que eram as sílabas sem sentido, por que Ebbinghaus as usou e qual o objetivo geral do seu projeto de pesquisa?
11. Em que consistia o método da economia e por que representava uma maneira tão criativa de estudar a memória?
12. Descreva três das conclusões da pesquisa de Ebbinghaus.
13. Diga em que a visão da memória de G. E. Müller diferia da de Ebbinghaus. Por que Müller é considerado o "protótipo" do experimentalista?
14. Defina a versão de Külpe da introspecção e como essa ocorria nos processos mentais complexos.
15. Como a predisposição mental foi investigada no laboratório de Külpe e quais as implicações das descobertas para o experimento da complicação?
16. Em que consistia um pensamento sem imagens e como foi estudado no laboratório de Külpe?

LEITURA SUPLEMENTAR

BLUMENTHAL, A. L. (1975). A reappraisal of Wilhelm Wundt. *American Psychologist*, 30, 1081-1086.

Provavelmente o mais citado dentre os artigos surgidos nos anos de 1970 que apontavam os erros nos relatos tradicionais sobre Wundt; estabelece comparações entre a pesquisa e as teorias deste e conceitos modernos da psicologia cognitiva.

EBBINGHAUS, H. (1964). *Memory: A contribution to experimental psychology* (Trad. H. A. RUGER e C. A. BUSSENIUS). Nova York: Dover. (Obra originalmente publicada em 1885)

Relato breve (123 páginas) e de leitura muito fácil dos famosos experimentos de Ebbinghaus; a edição da Dover possui um útil prefácio de Ernest Hilgard; uma boa resenha retrospectiva do livro pode ser encontrada em Roediger (1985).

LEAHEY, T. H. (1981). The mistaken mirror: On Wundt's and Titchener's psychologies. *Journal of the History of the Behavioral Sciences, 17*, 273-82.

Descrição clara dos sistemas psicológicos de Wundt e de Titchener, destacando suas diferenças e chamando a atenção para as falácias que se criaram com os anos; mostra como as filosofias da ciência de Wundt e Titchener eram radicalmente diferentes (para Wundt, a ênfase estava na causalidade e para Titchener, na descrição).

SOKAL, M. M. (org.) (1981b). *An education in psychology: James McKeen Cattell's Journal and Letters from Germany and England, 1880-1888.* Cambridge, MA: MIT Press.

Relato minucioso e fascinante dos anos que Cattell passou com Wundt em Leipzig, com Hall na Johns Hopkins e com Galton na Inglaterra. As entradas são de cartas escritas por Cattell, em geral aos pais, e em um diário; os comentários de Sokal são extremamente detalhados e tão informativos quanto os relatos do próprio Cattell.

BRINGMANN, W. G. e TWENEY, R. D. (orgs.) (1980). *Wundt studies: A centennial collection.* Toronto: C. J. Hogrefe, Inc.

Coletânea de 21 artigos sobre a vida e a obra de Wundt que variam da biografia à interpretação; as seções principais são os anos de Heidelberg, o período de Leipzig, o impacto e sua avaliação.

CAPÍTULO 5
O SÉCULO DE DARWIN: O PENSAMENTO EVOLUCIONISTA

> A essa preservação das variações e diferenças individuais favoráveis, aliada à destruição das que são prejudiciais, chamei de Seleção Natural.
> – Charles Darwin, 1859

VISÃO GERAL E OBJETIVOS DO CAPÍTULO

O Capítulo 4 documentou a ascensão da psicologia científica na Alemanha do século XIX. Os capítulos anteriores examinaram o crescimento explosivo do conhecimento acerca do cérebro e do sistema nervoso nesse mesmo século, além do amadurecimento do pensamento empirista e associacionista britânico na época. Por notáveis que tenham sido, esses avanços ficaram à sombra do impacto da teoria de um homem sobre a evolução da própria vida. Os biólogos acertadamente apontam Charles Darwin como seu mais eminente vulto histórico, mas suas ideias também influíram no rumo da história da psicologia. Este capítulo analisa a vida de Darwin e o desenvolvimento de sua teoria, passando em seguida à avaliação do impacto de suas ideias sobre a história da psicologia. Seu argumento em favor da continuidade entre as espécies desafiou a distinção cartesiana entre os seres humanos e os animais e levou ao estabelecimento da psicologia comparativa, o estudo sistemático do comportamento animal. Sua ênfase na variabilidade encontrada entre as espécies levou ao estudo das diferenças individuais, manifesto mais claramente na obra do seu primo, *Sir* Francis Galton. Em capítulos posteriores, descreveremos como o pensamento darwinista estava em sintonia com o movimento funcionalista que sempre ocupou posição central na psicologia norte-americana. Depois da conclusão deste capítulo, você deve ser capaz de:

- Descrever o problema das espécies e dizer como a comunidade teológica reagiu a ele
- Descrever como o conceito de "mudança evolucionária" veio a permear o pensamento novecentista tanto na geologia quanto na biologia, criando assim um ambiente propício às ideias de Darwin
- Apontar a influência da formação de Darwin e da viagem do *Beagle* sobre suas ideias acerca da evolução
- Mostrar os efeitos da teoria malthusiana da população e dos princípios de seleção artificial dos criadores de pombos sobre o pensamento de Darwin
- Descrever os princípios básicos da teoria darwiniana da evolução e explicar por que ele adiou em quase vinte anos a sua publicação

- Explicar como Darwin estudou e interpretou as expressões das emoções
- Descrever e analisar criticamente a psicologia comparativa de George Romanes
- Explicar a importância do cânone de C. Lloyd Morgan para o subsequente estudo do comportamento animal (e humano)
- Descrever o trabalho de Douglas Spalding e mostrar como ele se relaciona com a moderna etologia
- Descrever as ideias de Galton acerca da natureza da inteligência, mostrar como ele chegou a elas e explicar como essas ideias desembocaram em seu interesse pela eugenia
- Descrever como Galton abordava a testagem mental
- Descrever o trabalho de Galton nos temas psicológicos da associação e das imagens
- Mostrar como as ideias de Darwin influenciaram a moderna psicologia

O PROBLEMA DAS ESPÉCIES

A partir da explosão da física newtoniana no final do século XVII, os intelectuais se convenceram cada vez mais que a abordagem científica era o meio para atingir todas as verdades; que ela lançaria luz sobre as trevas da nossa ignorância acerca das leis da natureza e que, por meio do avanço tecnológico, levaria a uma inevitável melhoria da vida. Assim, conforme vimos no Capítulo 3, o século XVIII ficou conhecido como o século das luzes, dando à ciência o estatuto de religião e aos cientistas, o de heróis.

Uma das características da ciência Iluminista era o questionamento da verdade literal da versão bíblica da origem das plantas e dos animais. As viagens exploratórias estavam promovendo a descoberta de milhares de novas espécies de plantas e animais em todo o mundo. Como podia ter sido a Terra povoada com tal diversidade? Por que algumas espécies teriam desaparecido, deixando apenas fósseis como prova de sua existência? Por que alguns dos animais existentes pareciam estruturalmente semelhantes, apesar de não idênticos, aos fósseis? E, para os que aceitavam a verdade literal da Bíblia, como teriam todas essas espécies cabido na arca? Juntas, essas questões ficaram conhecidas como **problema das espécies**, por vezes chamado de "mistério dos mistérios".

O problema criava muita tensão na comunidade acadêmica britânica, onde os representantes da elite intelectual eram também líderes da Igreja Anglicana, a Igreja da Inglaterra. Uma solução era transformar o problema num argumento em favor do poder supremo da divindade. Esse **argumento do desígnio**[1] é geralmente associado a *Natural Theology*, obra publicada em 1802 pelo reverendo William Paley, mas também pode ser reconhecido como uma das provas da existência de Deus aventadas pelo grande filósofo medieval Tomás de Aquino (Scott-Kakures, Castagnetto, Benson, Taschek e Hurley, 1993). O argumento sustentava que a própria existência de precisão e complexidade na natureza exigia um ser supremo para a sua criação e gerenciamento. Paley traçou uma analogia entre a complexidade do projeto de um relógio, cuja execução exige um relojoeiro, e o projeto do infinitamente mais complexo olho humano, cuja execução exige um "criador" que, por definição, é infinitamente superior ao ser que possui esse olho (Ruse, 1979). O argumento do desígnio permitia aos ministros-cientistas estudar

---
1. A versão moderna dessa ideia – que não é, de modo algum, substancialmente diferente – chama-se "desígnio inteligente".

o funcionamento da natureza e manter a fé no Criador Supremo. Não havia necessidade de especular acerca de como as espécies poderiam ter-se desenvolvido; era mais simples presumir que Deus, em Sua infinita sabedoria, havia criado as espécies e destinado cada uma a seu respectivo lugar no mundo. Por conseguinte, a ordem encontrada na natureza decorria de um desígnio expresso, que, por sua vez, provinha de uma mente superior a toda a natureza, e essa mente pertencia a Deus.

Apesar da força da versão teológica do argumento do desígnio, várias ideias evolucionistas surgiram nos séculos XVIII e XIX. Dois exemplos pré-darwinistas são dignos de nota. Em primeiro lugar, Darwin não foi sequer o primeiro de sua família a propor uma solução evolucionista para o problema das espécies. Um século antes, seu um tanto excêntrico avô, o médico Erasmus Darwin (1731-1802), havia rejeitado categoricamente a versão bíblica da criação e proposto que toda a vida orgânica havia evoluído de um simples filamento vivo. Com o tempo, novas espécies se desenvolveram a partir das antigas, sendo as posteriores mais "avançadas" que suas predecessoras. A espécie humana representava a culminância da evolução, mas não havia razão para presumir que ela não continuaria a aperfeiçoar-se. Em 1794, ele publicou *Zoonomia*, uma divagação sobre o conhecimento médico da época entremeada por suas especulações acerca das origens e da evolução da vida.

Contudo, a mais famosa teoria pré-darwiniana da evolução não foi a do avô de Darwin, mas a de um eminente naturalista francês, Jean Baptiste de Lamarck (1744-1829). Como Erasmus Darwin, Lamarck acreditava que todas as espécies da Terra podiam ser organizadas em escala linear com relação a sua complexidade, ideia às vezes chamada de **cadeia da vida** (Ruse, 1979). Além disso, ele acreditava que cada espécie estava constantemente evoluindo rumo a outra mais complexa, e uma nova vida na parte inferior da escala estava continuamente se formando a partir da vida inorgânica. Assim, em qualquer instante dado, sempre existia uma espécie que podia ser classificada em termos do quanto evoluiu desde a primeira centelha de vida. Lamarck acreditava também que a capacidade de transmissão das mudanças ocorridas na vida de um organismo aos seus descendentes era um importante mecanismo da evolução. Por exemplo, se no decorrer da sua vida um animal desenvolvesse a capacidade de usar ferramentas simples, essa nova habilidade seria herdada pela geração seguinte. Esse conceito, que ficou conhecido como **herança de características adquiridas**, foi aceito durante a maior parte do século XIX antes de finalmente ser descartado. E também fazia parte da teoria original de Darwin – mas estamos nos antecipando à história.

CHARLES DARWIN (1809-1882) E A TEORIA DA EVOLUÇÃO

Pouca coisa na infância de Charles Robert Darwin poderia dar a supor toda a grandeza que um dia lhe tocaria: ao que tudo indicava, ele seria apenas mais um filho mimado de pais ricos, sem objetivo na vida. Nascido e criado em Shrewsbury, no oeste agrário da Inglaterra, era filho de Robert Darwin, abastado médico rural, e Susannah Wedgwood, herdeira da fortuna da família que criou a famosa porcelana Wedgwood. Como quase todos os homens bem-sucedidos e ambiciosos, Robert Darwin esperava muito do filho e frustrou-se ao constatar sua indiferença na escola e sua aparente falta de objetivos. O comportamento frívolo do jovem tirou o pai do sério: "As únicas coisas que lhe interessam são caçar, cuidar dos cães e pegar ratos; desse jeito, você será uma vergonha para si mesmo e para toda a família!", exclamou certo dia (citado por Desmond e Moore, 1991, p. 20), numa cena fácil de imaginar para qualquer um que tenha filhos adolescentes.

A Formação de um Naturalista

Decidido a fazer o filho seguir-lhe os passos, Robert Darwin mandou Charles para a escola de medicina de Edimburgo, na Escócia, uma das melhores da Europa e, na época, ainda mais prestigiosa que as de Oxford e Cambridge. Porém a experiência fracassou. O desempenho acadêmico de Darwin não melhorou em nada, e os procedimentos clínicos de então o repugnavam. A anestesia ainda não existia e a importância da esterilização do ambiente não era amplamente reconhecida. Assim, as cirurgias eram eventos truculentos, cujo principal objetivo era aliviar o paciente que gritava com a conclusão do procedimento o mais rápido possível. Para o jovem Charles, a medicina não "daria pé". Ele deixou Edimburgo em 1827.

A parada seguinte foi o Christ's College, na Cambridge University, onde Darwin entrou para tornar-se clérigo. A Cambridge que ele encontrou no período de 1828 a 1831 não era a sofisticada instituição acadêmica que se conhece hoje: estava sob o firme controle da igreja da Inglaterra; seus professores eram sacerdotes anglicanos que normalmente esperavam pouca erudição dos alunos, e estes (todos do sexo masculino) tendiam a corresponder à expectativa.[2] Embora a maioria dos alunos estivesse lá para preparar-se para o clero, sua principal preocupação era aprender como tornar-se verdadeiros cavalheiros. Estudar para ser clérigo da Igreja Anglicana era comum entre os filhos dos britânicos abastados, atividade considerada uma "rede de proteção para evitar que os segundos filhos se tornassem uns vadios" (Desmond e Moore, 1991, p. 47). Havia cursos especializados na área de clássicas e matemáticas para os alunos sérios, mas na época em que a Inglaterra era a nação mais poderosa do mundo e liderava a Revolução Industrial, a universidade era estranhamente deficiente no estudo das ciências e da tecnologia (Ruse, 1979). Darwin, evidentemente, nunca chegou a ser sacerdote da Igreja Anglicana. Apesar disso, acalentou essa ideia por vários anos, inclusive depois de ter encontrado sua verdadeira vocação.[3]

Embora não estivesse destinado ao clero, a experiência em Cambridge revelou-se crucial para Darwin. Ali ele encontrou sua verdadeira vocação. As pessoas que crescem em áreas rurais muitas vezes criam amor pela natureza, e Darwin não era exceção. Ele pode ter sido um aluno medíocre e um futuro fracassado aos olhos do pai, mas também tinha a curiosidade insaciável que marca o verdadeiro cientista. Da infância, ele lembra ter colecionado itens da natureza como pedras, besouros e borboletas. Foi em Cambridge que Darwin percebeu pela primeira vez que seu amor pela natureza poderia tornar-se o trabalho de sua vida. Seu modelo e mentor foi o reverendo John Henslow (1796-1871), professor de botânica de Cambridge. No ministro-cientista Henslow, Darwin viu seu futuro: poderia tornar-se um respeitável clérigo anglicano, investir sua fortuna na aquisição de uma tranquila paróquia rural e dedicar a maior parte do seu tempo à ciência. O fervor com que o aluno assistia às aulas logo chamou a atenção do botânico. Em pouco tempo, Henslow começou a convidar Darwin para participar de reuniões semanais em sua casa, nas quais um pequeno grupo de entusiastas com ideias afins, entre os quais alguns dos principais cientistas de Cambridge, debatia as questões científicas que estavam na ordem do dia (inclusive a evolução). Entre 1828 e 1831, Darwin continuou sendo um aluno mediano em sua preparação formal para o ministério, mas tinha

---

2. O mesmo se pode dizer da outra famosa universidade inglesa, Oxford, nessa mesma época.

3. Em sua autobiografia, Darwin relata que, quando estava mais velho, uma sociedade frenológica alemã solicitou uma foto de sua cabeça. Ele atendeu ao pedido, a foto foi cuidadosamente examinada e, segundo um dos membros da sociedade, Charles apresentava "a saliência correspondente à reverência desenvolvida o suficiente para dez sacerdotes" (Darwin, 1892/1958, p. 18).

contato regular com algumas das principais mentes científicas da época e causava-lhes boa impressão (Ruse, 1979).

Uma dessas mentes pertencia a um famoso geólogo, o Reverendo Adam Sedgwick (1785-1873). Sedgwick tornou-se o segundo mentor de Darwin, tendo-lhe apresentado as ferramentas básicas do ofício do geólogo e aperfeiçoado a precisão nas observações ao levá-lo consigo em uma longa expedição geológica pelas montanhas do País de Gales no verão de 1831. Darwin por fim viria a rejeitar as opiniões de Sedgwick acerca da formação da Terra, mas aproveitou imensamente a experiência e começou a ver-se como geólogo.

Depois da volta da caminhada pelo norte do País de Gales, Darwin viu a oportunidade de bater-lhe à porta. Uma viagem à América do Sul estava sendo organizada, e o capitão, um jovem de 26 anos chamado Robert FitzRoy, anunciava que estavam procurando um companheiro para as refeições a bordo, um "cavalheiro" cuja conversa inteligente aliviasse a monotonia das longas horas ao mar. Seria desejável que essa pessoa tivesse também algum treinamento em ciência, pois haveria muitas oportunidades de coletar espécimes da fauna e da flora sul-americanas. Henslow recomendou Darwin, o pai deste por fim deu sua aprovação e Darwin fez a viagem de sua vida a bordo do *HMS Beagle*: uma volta ao mundo que durou cinco anos. Em sua autobiografia, Darwin diz o seguinte sobre essa viagem:

> A viagem do Beagle foi de longe o fato mais importante da minha vida, tendo determinado toda a minha carreira. [...] Sempre achei que devo a essa viagem o primeiro verdadeiro treinamento ou educação da minha mente; ela me obrigou a me ocupar atentamente de várias áreas da história natural e, assim, meus poderes de observação se aperfeiçoaram. [...] (Darwin, 1892/1958, p. 28)

A Viagem do *Beagle*

Durante cinco anos, o lar doce lar de Darwin foi um bergantim de três mastros e 90 pés de comprimento e 24 de largura (cerca de 27,5 e 7,5 m), que abrigava cerca de 70 pessoas, entre oficiais e outros membros da marinha, geógrafos, investigadores e tripulação. Darwin compartilhava uma pequena cabine na popa do navio com dois dos peritos da marinha, dormindo em uma rede com o rosto a 60 cm da parte inferior do convés principal e disputando espaço de trabalho com os peritos na pequena mesa

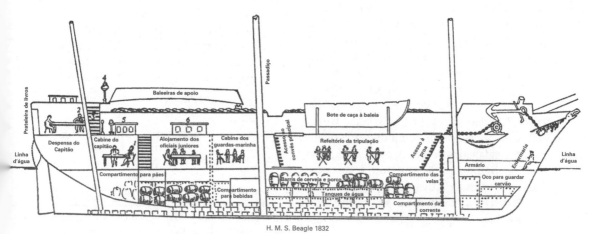

FIGURA 5.1 Corte transversal do HMS Beagle.

de navegação durante o dia (Thomson, 1975). A Figura 5.1, um corte transversal do navio, fornece uma ideia do reduzido espaço disponível.

O principal objetivo da viagem do *Beagle* era inspecionar a costa sul da América do Sul, principalmente as áreas com potencial portuário, permitindo assim que a poderosa marinha mercante britânica mantivesse sua vantagem competitiva no comércio com os países em desenvolvimento da região. O navio deveria também fazer uma circunavegação e usar seus 24 cronômetros para verificar a longitude exata de vários locais da Terra (Desmond e Moore, 1991). Depois que chegou à América do Sul, o *Beagle* passou boa parte do tempo subindo e descendo ao longo da costa.[4] Isso permitiu que Darwin passasse muitos meses em terra, explorando o continente, observando a natureza e fazendo coletas. Mas os longos períodos longe do navio lhe eram benéficos também por outra razão – Darwin era vítima de fortes enjoos sempre que estava a bordo, tendo ficado mareado todos os dias que durou a viagem.

Darwin, o Geólogo

Quando a viagem do *Beagle* começou, o principal interesse de Darwin era a geologia. A pesquisa de campo que fizera com Sedgwick ainda estava fresca em sua mente, e na bagagem Darwin levava o recém-lançado primeiro volume de um livro destinado a ter sobre a geologia o mesmo efeito que o seu teria sobre a biologia. Seu título simples, *Principles of Geology*, não deixava entrever sua natureza revolucionária. O autor, o escocês Charles Lyell (1797-1875), divergia da teoria prevalecente de mudança geológica, chamada **catastrofismo**. Mais ou menos como o argumento do desígnio, o catastrofismo era uma tentativa de manter a supremacia de Deus e da Bíblia e, ao mesmo tempo, explicar o que os cientistas estavam descobrindo sobre a natureza. Os catastrofistas, entre os quais estava Sedgwick – geólogo e mentor de Darwin –, argumentavam que a mudança geológica ocorria abrupta e drasticamente em decorrência de grandes catástrofes controladas por Deus, das quais o dilúvio citado no Livro de Gênesis era o exemplo clássico. Lyell, por sua vez, dizia que a mudança geológica ocorria mais lentamente e envolvia forças que estão em ação constantemente, entre as quais: ação vulcânica, terremotos, erosão e o desgaste cumulativo do tempo. Essa visão veio a chamar-se **uniformitarianismo**, por causa do pressuposto de que a mudança geológica era causada gradualmente pela ação de leis uniformes da natureza. Lyell não acreditava que os Alpes suíços tivessem surgido do dia para a noite por força de um transtorno cataclísmico; eles só poderiam ter-se formado gradualmente, ao longo de muito tempo.[5]

Darwin sempre se interessou pelas ideias revolucionárias de Lyell sobre as origens e o desenvolvimento das estruturas terrestres. Logo na primeira parada do navio, nas ilhas vulcânicas do Cabo Verde (na costa oeste africana), ele encontrou indícios que comprovavam as ideias uniformitárias de Lyell. Cerca de nove metros acima do nível do mar, as rochas continham uma camada de conchas e corais comprimidos. Como o Atlântico não poderia ter baixado tanto durante a existência da ilha, o fundo do mar deveria ter emergido, presumivelmente por ação vulcânica cumulativa. E o evento geológico parecia mais gradual que catastrófi-

---

4. A viagem do *Beagle* durou 57 meses. Desses, 42 foram em águas sul-americanas: 27 na costa leste e 15 na costa oeste (Browne, 1995).

5. Uma versão moderna de catastrofismo, sem o elemento teológico, vem ganhando adesões desde o acúmulo de indícios do choque de cometas ou grandes meteoros com a Terra. Estima-se que um desses meteoros tenha destruído cerca de 95% das espécies marinhas quando aqui caiu há cerca de 250 milhões de anos. Mais recentemente (há apenas 65 milhões de anos), o choque de um gigantesco meteoro produziu, entre outros efeitos, a rápida extinção de aproximadamente 70% das espécies da Terra, inclusive os dinossauros (Monastersky, 1997).

co, pois Darwin observou que a altura da camada de conchas e corais variava, o que sugeria os lentos efeitos do afundamento. Além disso, os fósseis presentes na camada estavam inteiros, e não quebrados. Darwin começou a pensar que a viagem do *Beagle* poderia torná-lo famoso como geólogo seguidor da tradição de Lyell. E, de fato, agora pensamos na viagem como o evento que deu a Darwin a oportunidade de coletar matéria-prima para sua teoria da evolução das espécies, mas ele fez também importantes contribuições para a geologia. Ele pôde observar diretamente, por exemplo, os efeitos de um terremoto sobre a paisagem quando estava no Chile e, durante a estada no Pacífico, conseguiu demonstrar que os recifes de coral cresciam nas bordas de vulcões em lento processo de afundamento. O estudo exaustivo de Darwin sobre a geologia de Lyell convenceu-o de que a Terra tinha de ser muito mais velha do que se pensava. Essa ideia teria importância para o seu pensamento evolucionista, pois as lentas mudanças sofridas pelas espécies exigem grandes intervalos de tempo. A nova geologia contribuía com um planeta antigo o suficiente para a obra da evolução.

Darwin, o Zoólogo

Enquanto o *Beagle* navegava por águas sul-americanas e realizava suas sondagens, Darwin deixou-se absorver pelo trabalho de coleta de espécimes e elaboração de notas enciclopédicas acerca de suas observações geológicas e zoológicas. Ao fim da viagem, ele havia escrito um diário de 770 páginas, além de 1.383 páginas de anotações sobre geologia e mais 368 sobre zoologia. Além disso, escreveu um catálogo de espécimes que continha 1.529 espécies animais (preservadas em álcool) e mais 3.907 itens etiquetados, entre ossos, fósseis, peles e espécimes dessecados (Desmond e Moore, 1991).

Pelo menos no primeiro ano da viagem, Darwin acreditou piamente que voltaria para a Inglaterra e se tornaria o sacerdote anglicano e cientista amador que tanto admirava em Henslow. Ele também achava que seu trabalho não teria nenhuma consequência importante para o relato bíblico da criação, já que a princípio acreditava no argumento do desígnio. Entretanto, suas observações zoológicas gradualmente o levaram a pensar sobre a questão das espécies. Por que certas espécies eram semelhantes a outras e, no entanto, diferentes em aspectos que lhes propiciavam sobreviver em seus respectivos ambientes? Por que algumas espécies se extinguiram, deixando apenas marcas de sua existência em fósseis? Por que esses fósseis quase sempre tinham uma espantosa semelhança com as espécies contemporâneas que viviam na mesma região geográfica? E então ocorreu-lhe que, assim como a Terra havia evoluído lenta e gradualmente, de acordo com leis uniformes, talvez o mesmo tivesse acontecido com os organismos que a habitavam.

As Ilhas Galápagos

No dia 7 de setembro de 1835, mais de três anos e meio depois de iniciada sua missão de sondagem, o *Beagle* deixou a América do Sul e rumou para o Pacífico. Uma semana mais tarde, aportou na primeira de uma série remota de vinte ilhas vulcânicas pertencentes ao Equador e situadas no equador, cerca de 600 milhas a oeste da América do Sul. Elas possuíam diversas espécies incomuns, inclusive lagartos maiores que o normal, semelhantes a dinossauros, e tartarugas com carapaças de até 1,5 m de diâmetro. As ilhas, cujo nome provém do termo espanhol para tartarugas gigantes, galápagos, não tinham muita utilidade prática, sendo usadas basicamente como colônia penal equatoriana e parada para abastecimento de água e provisões para baleeiros.[6] Os lagar-

---

6. Enquanto acumulava as experiências que um dia se transformariam em *Moby Dick*, Herman Melville viajava a bordo de um baleeiro que aportou nas ilhas Galápagos logo depois da visita do *Beagle*. Sobre as ilhas, Melville escreveu: "Pouca coisa além de répteis pode ser encontrada aqui; o principal som de vida é um silvo" (citado por Moorehead, 1969, p. 187).

tos, tartarugas e numerosas espécies de pássaros eram totalmente alheios à presença humana, o que os tornava presas fáceis das tripulações.

As ilhas Galápagos forneceriam a Darwin os indícios mais óbvios da evolução, embora na época em que as conheceu e durante algum tempo após a visita, ele não tivesse a menor ideia da importância daquilo que encontrou por lá. Nas cinco semanas em que permaneceu nas ilhas, Darwin fez algumas caminhadas e coletou espécimes, mas não com a mesma sistematicidade com que havia trabalhado na América do Sul. E também não deu muita atenção ao vice-governador da colônia penal, que afirmava ser possível dizer de qual das ilhas provinha uma determinada tartaruga só pela forma da carapaça. Contudo, notou que havia diferenças entre as várias populações de pássaros das ilhas, especialmente os que pensou serem pardais, e que muitas das espécies de aves e plantas pareciam-se às do continente, mas tinham suas características próprias. Posteriormente Darwin descobriu que as formas dos bicos de várias espécies de tentilhão forneciam uma importante pista para sua teoria, mas, enquanto estava nas Galápagos, não percebeu essas diferenças e classificou erroneamente alguns dos tentilhões como "bicos-grossos", entre outros pássaros. Além disso, estava mais interessado na coloração de suas plumagens que nos bicos (Sulloway, 1982). Darwin chegou a esquecer de identificar a maioria de seus espécimes de tentilhão pela ilha de origem. Esses pássaros, agora conhecidos como "os tentilhões de Darwin", tornaram-se uma importante fonte de dados para os naturalistas que foram às ilhas Galápagos[7] depois de Darwin e continuam contribuindo para a teoria evolucionista. Pesquisas atuais demonstraram, por exemplo, que a espécie dos tentilhões pode sofrer mudanças radicais em apenas poucos anos, caso as mudanças climáticas sejam drásticas o suficiente (Weiner, 1994).

Depois de deixar as Galápagos, o *Beagle* zarpou para oeste, parando no Taiti, Nova Zelândia, Austrália e África do Sul antes de finalmente retornar à Inglaterra em outubro de 1836. Ao voltar, Darwin já não era o mesmo homem: tinha sérias dúvidas quanto à possibilidade de a vida de sacerdote anglicano ser o melhor para ele, já pensando em dedicar-se à ciência em tempo integral. Durante a viagem, ele enviou regularmente para casa, em Henslow, gaiolas com espécimes que causaram comoção na comunidade científica em sua ausência. Ao voltar, ele já havia se tornado uma celebridade entre os zoologistas e geólogos, sendo visto como uma jovem estrela em ascensão. A fama de Darwin chegou a impressionar até seu pai, que o recompensou com uma generosa mesada e uma bolada em ações da bolsa, o que lhe permitiria prosseguir com sua pesquisa científica (Desmond e Moore, 1991).

A Evolução da Teoria de Darwin

Nos primeiros anos após o retorno à Inglaterra, Darwin dedicou-se a organizar e classificar sua enorme coleção de espécimes, com toda a ajuda que pôde obter de curadores de museus e outros cientistas. Em 1837, mudou-se para Londres e dois anos depois casou-se com uma prima, Emma Wedgwood. A união dos dois foi longa e feliz, apesar de as fortes convicções religiosas da mulher por fim entrarem em choque com a perda gradual da fé do marido. Emma estava destinada a tornar-se o esteio da família, cuidando dos dez filhos do casal e do próprio Darwin, que adoeceu logo após o regresso, tornando-se parcialmente inválido pelo resto da vida (sofria de sintomas crônicos diversos, entre os quais dores de cabeça e distúrbios digestivos e cardíacos). Até morrer, em 1882, passava meses seguidos acamado ou gravemente enfermo. O casal permaneceu em Londres por três anos,

---

7. Entre os anos de 1905 e 1906, por exemplo, um projeto patrocinado pela California Academy of Sciences coletou 8.691 espécimes de tentilhão (Weiner, 1994).

mas o ruído incessante das ruas, a poluição gerada pelo uso do carvão e o mau cheiro do Tâmisa poluído contribuíam para agravar o precário estado de saúde de Darwin. Assim, em 1842 a família comprou uma casa de campo em Down, cerca de 30 km ao sul de Londres, que passou a ser a residência permanente do casal e o laboratório do cientista. Hoje, essa casa abriga o Darwin Museum (Figura 5.2).

Apesar de enfermo, Darwin produzia. Nos dez anos seguintes ao regresso à Inglaterra, ele publicou um diário da viagem (Darwin, 1839), livros sobre a geologia dos recifes de corais, das ilhas vulcânicas e da América do Sul e vários relatórios técnicos lidos em várias sociedades científicas de Londres (por exemplo, a Geological Society). Nesse período, ele também formulou sua teoria sobre a evolução das espécies, tendo escrito um breve resumo dela em 1842. Dois anos depois, ele o ampliou, transformando-o em um documento de duzentas páginas, e instruiu a mulher a publicá-lo caso seus males se revelassem fatais (Desmond e Moore, 1991).

A teoria de Darwin desenvolveu-se a partir de suas reflexões sobre a viagem do *Beagle*. Ele estava perplexo com o problema das espécies e, embora rejeitasse a explicação bíblica de que Deus havia criado separadamente cada espécie, manteve (inicialmente,

FIGURA 5.2 (a) A casa de Darwin em Down; (b) seu estúdio nessa casa.

pelo menos) a fé em Deus acreditando na criação divina de um conjunto de leis que servisse de ordenamento à evolução. Mas quais eram essas leis? Duas fontes forneceram pistas a Darwin. Primeiro, em 1838, ele leu um ensaio sobre a população escrito pelo economista político Thomas Malthus (1766-1834), que defendia a ideia de que a política governamental do bem-estar para os pobres só iria contribuir para aumentar o número destes e, assim, diminuir o padrão de vida geral da Grã-Bretanha. Segundo Malthus, a sociedade deveria reconhecer que a vida é uma constante "luta pela sobrevivência" na qual só os mais aptos vencem. O economista argumentava que, enquanto a reserva de alimentos cresce a uma razão relativamente constante, o crescimento demográfico, se não for controlado, se processa a um ritmo muito mais rápido. Por fim, a população excede os recursos e seus integrantes começam a morrer até que se atinja um certo nível de estabilidade. Para Darwin, essa ideia forneceu um modelo a ser aplicado às mudanças verificadas entre as espécies. Qualquer que seja a espécie, chega um instante em que o crescimento populacional irrefreado provoca escassez de alimentos, especialmente quando esse crescimento se alia a graves mudanças ambientais, como secas prolongadas. Nessas circunstâncias, *apenas os mais aptos sobreviverão*. Se as características que permitem a sobrevivência puderem ser transmitidas à prole, a geração seguinte estará mais equipada para sobreviver e será diferente das gerações precedentes. Com o tempo, essas mudanças poderiam criar uma nova espécie? Darwin começou a pensar que sim.

A segunda pista proveio das reflexões acerca daquilo que ele havia aprendido sobre cruzamento com fazendeiros e criadores amadores. Por exemplo, os criadores haviam conseguido gerar raças de pombos que mal se pareciam umas às outras. E puderam fazer isso por meio da observação de pequenas variações ocorridas naturalmente em uma raça, que foram posteriormente cultivadas através de gerações de cruzamento seletivo. Os resultados eram tais que, se essas variedades de pombo fossem encontradas na natureza, os zoólogos as considerariam espécies diferentes! Se essas diferenças podiam ser promovidas artificialmente por criadores de pombos, não poderiam também ser promovidas naturalmente? Será que não poderia haver uma seleção *natural* análoga à artificial? Darwin começou a pensar que sim.

Enquanto refletia sobre as mudanças populacionais e o cruzamento seletivo, Darwin foi informado pelo famoso ornitólogo John Gould, que estava classificando alguns de seus espécimes do *Beagle*, que havia algo muito interessante acerca dos pássaros das ilhas Galápagos. Os pássaros que Darwin havia pensado serem tentilhões, bicos-grossos e exemplares de outras duas variedades eram, na verdade, todos tentilhões. Além disso, Gould foi "induzido a vê-los como membros de um grupo inteiramente novo, que continha quatorze espécies e estava aparentemente restrito às ilhas Galápagos" (Gould, citado por Weiner, 1994, p. 28). Essas espécies de tentilhão distinguiam-se pelo tamanho e por diferenças evidentes no formato dos bicos. Indagando-se sobre essas diferenças, Darwin reexaminou seus apontamentos esquemáticos sobre as ilhas de origem dos pássaros e suplementou as informações examinando espécimes de tentilhão coletados pelo capitão FitzRoy e outros. E logo descobriu um padrão distintivo – os tentilhões que tinham um determinado formato de bico tendiam a concentrar-se em ilhas que diferiam em termos de fontes de alimentação disponíveis. Por exemplo, os que viviam em ilhas que tinham abundância de sementes e frutos secos de casca dura tinham bicos duros e contundentes, ideais para quebrar esse tipo de alimento. Os demais tinham bicos mais finos, próprios para espetar os insetos que habitavam suas ilhas (a Figura 5.3 mostra algumas dessas variações).

Darwin concluiu que, em algum momento do passado distante, os tentilhões haviam chegado do continente como uma

FIGURA 5.3 Os tentilhões de Darwin – observe as diferenças de tamanho e formato dos bicos.

só espécie e se dispersado pelas ilhas. De uma geração para outra, as proles dos tentilhões de cada ilha foram-se distinguindo ligeiramente umas das outras, assim como acontecia com os pombos domesticados, e algumas dessas variações haviam sido benéficas, permitindo a determinados tentilhões sobreviver ao tipo de escassez periódica de alimentos prevista por Malthus. Por fim, essas variações produziram novas espécies. E assim nasceu a teoria.

O Adiamento de Darwin

Muito se especulou a respeito do fato de Darwin ter traçado um esquema das características essenciais de sua teoria da evolução até o início da década de 1840, mas só ter publicado seu *A Origem das Espécies* mais de vinte anos depois (Richards, 1983). A razão estava em parte na sua saúde: Darwin muitas vezes passava meses acamado. Outra parte estava em sua preocupação com a reação de seus pares. Quando surgiu em 1844, mesmo ano em que Darwin confiou à mulher seu manuscrito de duzentas páginas, o anônimo e altamente especulativo *Vestiges of Creation* foi ridicularizado pela comunidade de zoólogos, geólogos e botânicos britânicos (inclusive Lyell, que se tornara amigo íntimo de Darwin). Parte da reação negativa devia-se à imprecisão na descrição do mecanismo ao qual se atribuía a mudança evolucionária (e Darwin sabia que seu modelo era melhor), mas essa reação era dirigida também à própria ideia da evolução. Em carta ao botânico Joseph Hooker, um grande amigo a quem estava apresentando sua teoria, Darwin afirmou que propor uma teoria da evolução era como "confessar um assassinato" (Colp, 1986). Ele temia que a sua teoria fosse confundida com *Vestiges* e condenada por tabela, se a publicasse em 1844.

Uma terceira razão para esse adiamento era o conservadorismo de sua própria visão científica. Darwin sabia que tinha em mãos uma boa teoria e alguns dados para respaldá-la, mas sabia também que precisava de muito mais provas antes de apresentá-la ao público. Assim, passou boa parte dos anos que antecederam a publicação coletando dados que pudessem fortalecê-la. Por exemplo, em 1846 ele começou um estudo intensivo, que se prolongou por oito anos, da história evolutiva dos perceves, afinal publicado em quatro volumes. Além disso, entrou para um clube local de criadores de pombos e promoveu ele mesmo alguns cruzamentos. Na casa de Down, sempre havia mais de dez experimentos acontecendo ao mesmo tempo. Para determinar como se poderiam espalhar sementes em longas dis-

> **DATA-CHAVE 1859**
>
> Esse ano marcou a publicação do revolucionário *A Origem das Espécies*, de Darwin, talvez o livro mais importante publicado no século XIX.
>
> Os seguintes fatos também ocorreram:
>
> - Hermann Helmholtz (Capítulo 3) publicou uma importante pesquisa sobre a incapacidade de perceber claramente as diferentes cores do espectro
> - O primeiro poço de petróleo norte-americano foi escavado em Titusville, Pensilvânia
> - Foi inventado o rolo compressor
> - O abolicionista John Brown atacou uma fábrica federal de armamentos em Harper's Ferry em outubro; foi capturado, julgado e enforcado
> - O químico alemão Albert Niemann isolou a cocaína das folhas da coca
> - O acrobata francês Charles Blondin atravessou as cataratas do Niágara numa corda bamba
> - Samuel Smiles publicou *Self-Help*, um manual para o sucesso na vida
> - Daniel Emmett compôs a canção "Dixie"
> - Nasceram:
>   Arthur Conan Doyle, o britânico que criou o detetive Sherlock Holmes
>   Georges Seurat, pintor neoimpressionista francês (autor, entre outras obras de *Tarde de Domingo na Ilha de La Grande Jatte*)
> - Morreram:
>   Washington Irving, escritor norte-americano (por exemplo, *The Legend of Sleepy Hollow*)
>   Alexander von Humboldt, astrônomo, geólogo e explorador alemão

tâncias, por exemplo, ele testou a ideia de que as sementes não digeridas poderiam ser transportadas no estômago dos pássaros. Coletou então fezes desses animais, em busca de eventuais sementes inteiras, as quais plantou. Para sua surpresa, as sementes germinaram e cresceram.

O adiamento de vinte anos teria sido ainda maior se Darwin não tivesse recebido uma carta em 18 de junho de 1858. Essa carta lhe foi enviada por Alfred Russel Wallace (1823-1913), um colega naturalista interessado na evolução que, na época, se encontrava na Malásia. Wallace pedia a opinião de Darwin sobre um breve artigo que anexou à carta – e esse artigo delineava uma teoria da evolução que se parecia muito com a sua. Darwin ficou muito abalado e escreveu a Lyell: "Se Wallace tivesse lido o meu esquema de 1842, não teria feito um resumo melhor!" (citado por Desmond e Moore, 1991, p. 467).

Depois de aconselhar-se com Hooker e Lyell, Darwin concordou com uma apresentação conjunta na reunião de 1º de julho de 1858 da Linnean Society. E assim foi que a primeira divulgação pública da teoria da evolução de Darwin ocorreu numa reunião de botânicos. O secretário da sociedade leu o artigo de Wallace e um resumo do ensaio que Darwin escrevera em 1844. Darwin não esteve presente, e a comunicação não provocou muita atenção. Mas a carta de Wallace foi para ele um alerta muito claro. Para estabelecer sua legítima prioridade, ele deveria publicar a teoria na íntegra, com as provas que a respaldavam e que coletara ao longo dos anos. Apesar de um de seus filhos ter morrido de escarlatina e de sua própria saúde continuar precária, Darwin concluiu o trabalho ao longo dos quinze meses seguintes. *On the Origin of Species by Means of Natural Selection or the Preservation of Favoured Races in the Struggle for Life* [*Da Origem das Espécies por Meio da Seleção Natural, ou a Preservação das Raças Favorecidas na Luta pela Vida*] foi para as livrarias em 22 de novembro de 1859. A tiragem inicial de 1.250 exemplares esgotou-se no primeiro dia.

Elementos da Teoria da Evolução

Depois de uma breve introdução, na qual enfatiza a importância da viagem do *Beagle* e dá crédito a Wallace pela teoria semelhante, Darwin abre seu *A Origem das Espécies* com dois capítulos nos quais estabelece o fato de que os membros de uma dada espécie variam entre si. No primeiro capítulo, "Variation Under Domestication" [A Variação na Domesticação], ele demonstra como as diferenças individuais dentro de uma espécie podem ser acentuadas por meio do cruzamento deliberado – uma seleção artificial. Nesse capítulo ele prepara o terreno para argumentar mais tarde que, assim como os criadores promovem uma seleção deliberada, há também uma seleção "natural" promovida pelas condições da existência normal. No Capítulo 2, "Variation Under Nature" [A Variação na Natureza], Darwin observa a universalidade das diferenças individuais nas espécies encontradas na natureza. Ele traça uma relação com o Capítulo 1 ressaltando que essas diferenças "assim fornecem materiais para atuação e acumulação da seleção natural, do mesmo modo que o homem acumula diferenças individuais em seus produtos domesticados" (Darwin 1859/1958, p. 59).

Como a ciência da genética ainda não havia nascido, Darwin não dispunha do conceito do fenômeno da mutação genética, principal meio de criação de diferenças individuais numa espécie. Assim, precisou especular sobre as causas da variação. Ele acreditava que algumas variações eram espontâneas e aleatórias, em grande parte como as mutações, mas também admitia a ideia de Lamarck de que as características adquiridas ao longo da vida poderiam ser transmitidas à prole.

O terceiro e o quarto capítulos, "Struggle for Existence" [Luta pela Sobrevivência] e "Natural Selection" [Seleção Natural], contêm o núcleo da teoria. Citando Malthus, Darwin primeiro argumenta que, na natureza, as espécies enfrentam uma inevitável luta pela sobrevivência porque se reproduzem a um ritmo que supera o da oferta de alimentos. Se esse for o caso, os indivíduos que possuírem uma variação que os colocar em ligeira vantagem na luta serão "selecionados" pela natureza; os que não a possuírem morrerão. Ao longo de várias gerações, a variação "adaptativa" se tornará mais comum. Nas palavras de Darwin,

> Devido a essa luta [pela sobrevivência], as variações, por mais leves que sejam e independentemente de sua causa, se forem de algum modo vantajosas aos indivíduos de uma espécie, [...] tenderão a propiciar a preservação desses indivíduos e serão em geral herdadas pelos seus descendentes [...].
>
> A essa preservação de variações e diferenças individuais favoráveis e à destruição das que são prejudiciais, chamei de Seleção Natural [...].
>
> Pode-se dizer metaforicamente que, a cada dia e a cada hora, a seleção natural está perscrutando, no mundo inteiro, as mais ligeiras variações; rejeitando as más e acumulando todas as boas, ela trabalha silenciosa e imperceptivelmente, onde e quando há oportunidade, no sentido de melhorar cada ser vivo. (Darwin 1859/1958, pp. 74, 88 e 90)

Os tentilhões de Darwin ilustram como a **luta pela sobrevivência** e a **seleção natural** se aliam para alterar as espécies. Ele acreditava que os tentilhões primitivos faziam parte de uma só espécie quando chegaram do continente e instalaram-se nas várias ilhas de Galápagos. Como na natureza existe variação entre os membros de uma espécie, existiam ligeiras diferenças entre uns e outros, inclusive variações no formato dos bicos. Suponha-se que alguns desses pássaros por acaso chegaram a ilhas ricas em um determinado tipo de semente de casca dura. Os tentilhões que tivessem bicos ligeiramente mais duros e contundentes teriam vantagem na busca dessas sementes. Já os que tivessem bicos um pouco mais finos teriam mais dificuldade em alimentar-se e maior probabilidade de morrer. Por conseguinte, os tentilhões que tivessem maior "variação adaptativa" seriam "naturalmente selecionados" na "luta pela sobrevivência". Eles sobreviveriam e transmitiriam essa vantagem à sua prole. Com o tempo, os tentilhões dessas ilhas formariam uma nova espécie caracterizada pelo formato específico do bico. Do mesmo modo, em outra ilha que fosse rica em insetos, a espécie de tentilhão que evoluiria seria aquela que tivesse bico fino o suficiente para entrar em espaços pequenos.

Darwin acreditava que a evolução por seleção natural explicava também a extinção e por que as espécies modernas pareciam-se a fósseis ou espécies extintas encontradas na mesma região geográfica. Na América do Sul, por exemplo, ele havia encontrado ossos fossilizados de animais semelhantes às atuais lhamas, só que duas ou três vezes maiores. Com o tempo, argumentou ele, a espécie maior encontrara obstáculos ambientais (por exemplo, secas) que reduziram a oferta de alimento e favoreceram a sobrevivência de variações menores que não precisavam comer tanto.

Nos restantes onze capítulos d'*A Origem*, Darwin escreveu a respeito das evidências zoológicas e geológicas que respaldavam sua teoria e tentou rebater de antemão as objeções que sabia que seriam feitas, reconhecendo que a maioria acreditava na criação divina de cada espécie, mas pedindo aos leitores que refletissem sobre as provas que estavam ali colocadas.

Após *A Origem das Espécies*

A reação à teoria de Darwin não tardou a fazer-se notar. Embora ele não tivesse discutido os seres humanos n'*A Origem*, as implicações eram claras e diretamente uma ameaça, do ponto de vista da Igreja Anglicana. Embora seu poder tivesse entrado em declínio na segunda metade do século XIX, a Igreja Anglicana ainda era influente o bastante para marcar presença e denunciou Darwin nos púlpitos de toda a Inglaterra. Nos debates sobre a evolução, Darwin evitou se envolver, preferindo deixar a outros a defesa do seu argumento. Um dos seus mais ardorosos defensores foi Thomas Huxley (1825-1895), que se autointitulava "o buldogue de Darwin" (Browne, 2002). Num famoso debate em Oxford, durante uma reunião da British Association for the Advancement of Science, Huxley colocou-se contra Samuel Wilberforce, um bispo anglicano que se opunha radicalmente à evolução, para defender as ideias de Darwin. Ambos traçaram uma série de complexos argumentos, mas o que é lembrado hoje é que, ao fim de sua exposição, Wilberforce, de gozação, perguntou se Huxley era primo dos macacos por parte de pai ou de mãe. Antes de começar sua réplica, diz-se que Huxley teria dito entre dentes: "O Senhor o pôs em minhas mãos", para em seguida começar a refutar ponto por ponto os argumentos de Wilberforce, terminando com esta resposta à pergunta a respeito de sua linhagem:

> Se tivesse de escolher para avô entre um pobre macaco ou um homem muito bem dotado pela natureza e possuidor de meios e influência, mas que empregasse essas faculdades com o simples propósito de ridicularizar uma discussão científica séria – sem hesitar eu afirmaria minha preferência pelo macaco. (Citado por Browne, 2002, p. 122)

A teoria de Darwin causou muita consternação na comunidade religiosa, porém a reação na comunidade científica foi bem diferente. Em sua autobiografia, Darwin afirma que, embora inicialmente houvesse uma certa resistência entre alguns cientistas (por exemplo, Lyell), a aceitação geral da ideia da evolução veio rápido. Embora tenha rejeitado a ideia de que o sucesso do seu livro demonstrasse que a questão da evolução estava "no ar", ele reconheceu a importância do *Zeitgeist*: "O que penso que tenha sido a mais pura verdade é que inúmeros fatos, devidamente observados, estavam guardados na mente dos naturalistas e prontos a assumir seus devidos lugares assim que qualquer teoria que os acomodasse fosse suficientemente explicada" (Darwin 1892/1958, p. 45).

Conforme vimos no Capítulo 1, uma questão que permeia a análise histórica é o ponto até o qual as pessoas movem a história ou são movidas por forças históricas, ou seja, a questão da história personalística X a história naturalística. A teoria da evolução é um grande exemplo. Do ponto de vista personalístico, não há dúvida de que Darwin exerceu uma grande influência. Independentemente de a questão da evolução estar ou não "no ar", foi ele quem reuniu todo o arsenal de provas, desenvolveu a teoria (seleção natural) e escreveu o livro que apresentou razões convincentes em favor da evolução. Com efeito, a importância das ideias de Darwin levou alguns observadores a começar a usar a frase "evolução darwiniana" (que é um exemplo dos epônimos que vimos no Capítulo 1), identificando a ideia com o nome da pessoa. O título deste capítulo – calcado no título de um livro famoso de Eisley (1958) sobre Darwin e a evolução (*Darwin's Century: Evolution and the Men Who Discovered It*) – enfatiza o personalístico. Apesar disso, está claro que Darwin não era o único intelectual que estava pensando em termos evolucionistas. Observe que o título do livro de Eisley (numa tradução literal, "O século de Darwin: A Evolução e o Homem que a Descobriu") sugere o envolvimento de outras pessoas além de Darwin. Vimos que Lyell propôs um modelo evolucionista para a geologia, que vários modelos evolucionistas de mudança biológica já haviam surgido antes do de Darwin (Erasmus Darwin, Lamarck, *Vestiges*) e que a teoria de Wallace abordava a seleção natural. Havia outros. Por exemplo, William Wells, um médico norte-americano, fez um discurso na Royal Society of London em 1813 no qual fez explicitamente a mesma comparação feita posteriormente por Darwin entre as seleções natural e artificial, embora não tenha usado os mesmos termos. E, em 1831, o botânico escocês Patrick Matthews descreveu algo que equivalia à seleção natural num obscuro livro sobre árvores (*On Naval Timber and Arboriculture*). Para grande dissabor de Darwin, logo depois da publicação d'*A Origem das Espécies* em 1859, o agressivo Matthews questionou publicamente a prioridade de Darwin, chegando a ponto de mandar imprimir e distribuir cartões que o proclamavam criador da teoria (Eisley, 1958). Porém nem Wells nem Matthews fizeram pesquisas sistemáticas sobre a mudança evolucionária depois da publicação de seus escritos, de maneira que sua maior importância é fornecer provas adicionais de que a ideia da mudança evolucionária, como tentativa de solucionar o problema das espécies, não era incomum no século XIX.

Quanto a Darwin, apesar da constante precariedade de sua saúde, das críticas do público e da condenação da igreja, trabalhou diligentemente durante seus últimos anos de vida. Ele continuou coletando provas para sua teoria e publicando trabalhos importantes sobre temas que variavam de orquídeas a minhocas. Embora tenha evitado discutir a evolução humana n'*A Origem das Espécies*, ele abordou o tópico diretamente em *The Descent of Man* e *Selection in Relation to Sex* (1871) e *Expressions of the Emotions in Man and Animals* (1872). Em 1877, publicou um artigo pioneiro sobre a psicologia infantil na revista britânica *Mind*, intitulado "Biographical Sketch of an Infant" [Esboço Biográfico de uma Criança] e baseado em extensos apontamentos feitos anos antes, sobre o desenvolvimento físico

FIGURA 5.4 Charles Darwin e seu primogênito, William (tema de "Biographical Sketch of an Infant"), em 1842 (reprodução de Desmond e Moore, 1991).

e psicológico do seu primogênito, William (Figura 5.4).

Darwin faleceu em 19 de abril de 1882. Embora quisesse ser enterrado sem alarde em Down, seu primo Francis Galton organizou uma bem-sucedida campanha para que ele fosse enterrado entre outros heróis britânicos na Abadia de Westminster, em Londres, defronte das instalações do Parlamento. Hoje a grande lápide retangular que marca o local em que jazem os restos mortais de Darwin pode ser vista no chão da ala norte da abadia, logo abaixo do busto de *Sir Isaac Newton*.

Darwin e a História da Psicologia

A principal contribuição de Darwin à psicologia foi a teoria da evolução, a qual promoveu entre os psicólogos norte-americanos um modo de pensar que finalmente passou a se chamar **funcionalismo**. Essa escola de pensamento será analisada nos Capítulos 7 e 8; por enquanto, nos bastará saber que os funcionalistas se interessavam pelo estudo dos comportamentos e processos mentais humanos em termos de como se prestavam à adaptação do indivíduo a um ambiente em mudança constante. Dizia-se, por exemplo, que a consciência servia à função adaptativa de permitir ao indivíduo avaliar as situações-problema e resolvê-las rapidamente. Do mesmo modo, os hábitos prestavam-se a libertar a consciência limitada do indivíduo para concentrar-se nos problemas não resolvidos.

Dois aspectos da teoria tiveram impacto direto sobre a história da psicologia (Boring, 1963c). Primeiro, uma implicação óbvia da teoria, que Darwin explicitou em *The Descent of Man* (1871), era que havia uma continuidade entre os processos mentais humanos e os dos seres de outras espécies. Isso levou a um crescente interesse pela **psicologia comparada**, o estudo sistemático das semelhanças e diferenças entre todas as espécies animais. Segundo, a ênfase na variação individual desembocou no estudo sistemático das **diferenças individuais**, uma tradição de pesquisa que por fim levou à mensuração das diferenças por meio de testes de personalidade e inteligência. Essas duas repercussões exigem uma análise mais detalhada.

AS ORIGENS DA PSICOLOGIA COMPARADA

O estudo do comportamento animal não começa com Darwin, mas o interesse pela psicologia comparada aumentou na esteira do argumento darwiniano da continuidade entre as espécies. O próprio Darwin pode ser considerado um dos primeiros psicólogos comparatistas, em virtude do seu livro sobre as emoções. O tópico das origens da expressão emocional, que seria originalmente um dos capítulos de *The Descent of Man* (1871), ganhou vida própria e foi publicado separadamente em 1872 como *Expressions of the Emotions in Man and Animals*. Por ser a primeira tentativa científica de estudar a expressão emocional, o livro constitui a mais importante contribuição direta de Darwin à história da psicologia. Ele aborda as circunstâncias que produzem os vários tipos de reação emocional, apresenta descrições detalhadas da maneira precisa pela qual essas emoções são expressas pela musculatura facial e formula uma teoria de como as expressões podem ter evoluído.

Darwin Acerca da Evolução das Expressões Emocionais

Darwin começa o livro defendendo uma abordagem evolucionista do estudo das expressões emocionais, frisando que, para os seres humanos, reações como "o eriçamento dos pelos sob influência de um terror extremo [...] dificilmente podem ser entendidas senão partindo-se do princípio de que o homem em algum momento existiu numa condição muito inferior e semelhante à animal" (Darwin, 1872, p. 12). A partir daí ele descreve então os problemas encontrados quando se estudam as emoções em adultos normais. Primeiro, com exceção das ocasionais reações emocionalmente extremas, a maior parte das expressões é débil. O estudo das próprias emoções tampouco é fácil, pois a vivência de uma emoção forte é incompatível com sua análise racional. Não é possível sentir terror e, ao mesmo tempo, observar esse terror com distanciamento. A investigação das formas e causas das expressões emocionais requeria uma estratégia mais criativa, e Darwin enfrentou o desafio propondo vários métodos. Por exemplo, sugeriu o estudo das crianças e dos loucos como meio de classificar os padrões precisos da expressão emocional, pois neles a expressão de emoções como a raiva, a alegria e o medo, não estando cerceada pelas inibições normais nos adultos, seria mais intensa e, por isso, suas características seriam mais fáceis de classificar. Outro método seria usar uma técnica chamada galvanização. Como é mostrado na Figura 5.5, conectavam-se eletrodos na superfície da pele e a estimulação produzia contrações musculares identificáveis. A ideia era estabelecer exatamente quais os músculos envolvidos em cada expressão emocional. Assim, a Figura 5.5a mostra um homem idoso com sorriso normal e a Figura 5.5b, o sorriso produzido no mesmo homem em decorrência da estimulação dos músculos das laterais da boca. Darwin usou o exemplo para mostrar que o riso envolve diversos grupos de músculos.

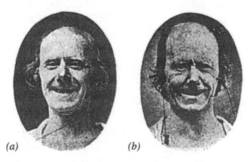

FIGURA 5.5 Expressão de emoções: (a) sorriso natural X (b) sorriso "galvanizado", de Darwin (1872).

Darwin argumentou ainda que, se as expressões emocionais eram resultado da evolução, então as mesmas expressões básicas seriam encontradas no mundo inteiro. Usando uma ampla rede de correspondentes, inclusive vários conhecidos na viagem do *Beagle*, Darwin conduziu o primeiro estudo transcultural das expressões emocionais. Ele pediu a seus correspondentes que analisassem as expressões faciais verificadas em culturas de todas as partes do mundo e respondessem a perguntas como:

> O espanto é expresso com uma grande abertura dos olhos e da boca e pelo levantar das sobrancelhas? [...]
> Quando alguém age com desdém ou intimidação, o canto do lábio superior, acima do canino, se ergue no lado voltado para a pessoa que constitui o alvo dessa demonstração? [...]
> O menosprezo é manifesto por uma ligeira protrusão dos lábios e por um levantar do nariz e uma leve expiração? [...]
> A cabeça é balançada verticalmente na afirmação e lateralmente na negação? (Darwin, 1872, pp. 15-6)

O método final de Darwin, o estudo das expressões emocionais de animais, forneceu-lhe pistas para uma teoria sobre a origem de várias dessas expressões emocionais, a qual possuía três princípios básicos. Ele dedicou um capítulo a cada expressão e preencheu o grosso do livro, de 366 páginas, com capítulos dedicados à descrição detalhada das várias categorias de emoção.

O primeiro princípio – o dos **hábitos úteis associados** – era o mais importante. Baseado na ideia lamarckiana da herança das características adquiridas, Darwin argumentava que algumas expressões emocionais inicialmente eram úteis. Ou seja, tinham origem em atos do corpo que serviam a alguma função adaptativa, ajudando o organismo a sobreviver na luta pela vida. Esses atos foram então associados a situações semelhantes àquelas em que ocorriam originalmente. As expressões adquiridas eram então herdadas. Consideremos a expressão do desprezo. Quando exagerada, ela inclui uma inspiração pronunciada pelo nariz, acompanhada de um levantar e um menear da cabeça. De acordo com Darwin, a expressão característica dessa emoção derivava de uma situação na qual nossos ancestrais na evolução reagiam a um odor desagradável. Por causa do hábito e da herança, a mesma reação agora ocorre sempre que uma pessoa é considerada repulsiva: "Assim, é como se disséssemos àquele que constitui o alvo de nosso desprezo que ele tem mau cheiro, praticamente da mesma maneira que, entrefechando os olhos ou virando o rosto, dizemos a alguém que ele não merece ser visto" (p. 255). Do mesmo modo, a origem da expressão emocional do desdém, dirigida a um objeto de desagrado e caracterizada por um ligeiro erguer do lábio para mostrar o canino, foi atribuída por Darwin à preparação para a luta contra um inimigo.

> Não nos é difícil acreditar, com base na nossa afinidade com os símios antropomorfos, que os nossos progenitores semi-humanos do sexo masculino possuíam grandes dentes caninos. [...] Podemos inclusive suspeitar [...] que os nossos progenitores semi-humanos mostravam os caninos quando estavam preparados para lutar, do mesmo modo que hoje ainda fazemos quando nos sentimos ferozes ou quando simplesmente desdenhamos ou desafiamos alguém, sem nenhuma intenção real de usar os dentes num ataque. (pp. 251-52)

O segundo princípio de Darwin para explicar a forma da expressão emocional baseava-se na ideia de que as emoções que são apenas o oposto de outras manifestam-se mediante reações do corpo que são igualmente opostas. Esse princípio foi por ele denominado de princípio da **antítese**. Como exemplo, Darwin forneceu diversas expressões animais. Quando se vê diante de uma possível ameaça, o cão assume uma postura destinada a fazê-lo parecer maior e mais perigoso aos olhos de potenciais inimigos (por exemplo, o pelo do dorso se eriça). O oposto desse gesto de ameaça, contudo, é um gesto de submissão. Enquanto um estranho pode provocar no cão o gesto da ameaça, o dono lhe induz o da submissão.

O terceiro princípio de Darwin dizia respeito ao que ele chamou de **ação direta do sistema nervoso**. Na verdade, essas expressões são efeitos colaterais da excitação fisiológica que acompanha as emoções fortes. Como exemplo da ação direta, Darwin mencionou a tendência ao tremor, que pode acompanhar qualquer emoção forte e, portanto, não estaria associada especificamente a nenhuma.

Um tema que percorre todo o livro de Darwin é o da universalidade da expressão emocional. Os resultados que obteve com seu questionário, que preconizam os dados dos modernos estudos transculturais, mostraram que, em todo o mundo, as emoções básicas são expressas da mesma maneira. Um sorriso significa o mesmo em qualquer lugar. Se as expressões emocionais são universais, a implicação é que elas são instintivas e, consequentemente, o comportamento emocional humano só pode ser compreendido por meio do conhecimento do seu passado evolutivo.

Junto com o *The Descent of Man*, de Darwin, o livro sobre as emoções deixou claro que os seres humanos compartilhavam alguns traços dos animais e que havia uma continuidade entre os processos mentais e emocionais. Quase imediatamente, outros naturalistas começaram a investigar as dimensões desse *continuum*. Muitas pessoas estavam envolvidas, mas os mais conhecidos eram os britânicos George Romanes e Lloyd Morgan. Porém, antes de lermos a respeito deles, você deve ler o *Close-Up*, que apresenta a contribuição de um terceiro britânico, Douglas Spalding, o qual, apesar de ser normalmente ignorado pelos livros de psicologia, é digno de uma menção especial.

CLOSE-UP
Douglas Spalding e o Estudo
Experimental dos Instintos

Um importante pioneiro no estudo do comportamento animal que costuma ser ignorado é Douglas Spalding. Se tivesse tido uma vida longa, ele provavelmente seria conhecido hoje como o fundador da moderna **etologia**, o estudo do comportamento animal instintivo. Nascido em Londres em 1840 de pais proletários, não contou com o luxo de uma herança nem de uma formação em Oxford ou Cambridge para respaldar seu trabalho científico. Em vez disso, reparava telhados de pedra para manter-se e educou-se com seus próprios esforços. Porém Spalding conseguiu diplomar-se em direito em Londres aos vinte e poucos anos e foi nessa época que contraiu a tuberculose que finalmente o mataria. Numa viagem ao sul da Europa, feita por recomendação médica no fim da década de 1860, ele conheceu o famoso filósofo britânico John Stuart Mill (Capítulo 2), por quem foi influenciado e do qual se tornou amigo. Nessa época, já aposentado, Mill estava vivendo em Avignon, no sul da França, e recomendou Spalding para tutor dos dois filhos de *Lord* e *Lady* Amberly, dois fervorosos seguidores da filosofia política liberal de Mill. O mais jovem dos filhos do casal viria a tornar-se um dos mais famosos filósofos do século XX, Bertrand Russell.

Spalding aparentemente iniciou sua pesquisa de animais na década de 1860, influenciado pelo fervor evolucionista que animava a *Intelligentsia* da época. Embora jamais tivesse escrito um livro e publicasse seus estudos esparsamente em várias das revistas populares da época, sua pesquisa se destacou o suficiente para chamar a atenção do famoso psicólogo e filósofo norte-americano William James (Capítulo 6). No segundo volume do famoso *Principles of Psychology*, James (1890/1950) descreve em detalhes "o maravilhoso artigo do Sr. Spalding sobre o instinto" (p. 396). Ele estava se referindo a um estudo que Spalding fizera para a *Macmillan's Magazine* em 1873.

No artigo, Spalding abordava o argumento dos empiristas britânicos de que capacidades como a percepção da profundidade e da distância e a localização do som eram aprendidas cedo na vida, em decorrência da experiência sensorial direta. Os resultados que ele obteve mostravam que a experiência era irrelevante – certas capacidades perceptuais, pelo menos nos animais, não a exigiam porque resultavam do **instinto**. Além disso, ele antecipou-se às conclusões a que chegaram no século XX os etologistas Konrad Lorenz e Niko Tinbergen, demonstrando claramente vários fenômenos que hoje seriam considerados "específicos das espécies".

INSTINTO

Para determinar se a experiência sensorial era necessária à percepção da profundidade em pintos recém-nascidos, Spalding divisou um engenhoso procedimento. Em suas palavras, "[t]omando os ovos assim que os pequenos prisioneiros haviam começado a libertar-se, eu removi um pedaço da casca e, antes que eles abrissem os olhos, coloquei pequenos capuzes em suas cabeças" (Spalding, 1873, reimpresso em Haldane, 1954, p. 3). Os capuzes foram mantidos nos pintos durante vários dias, impedindo-lhes qualquer experiência visual. Em outras ninhadas, foi usado "papel adesivo" para tapar os ouvidos dos pintos e impedir-lhes a experiência auditiva. Quando os capuzes foram removidos, os pintos não demonstraram nenhuma sequela. Depois de um ou dois minutos de adaptação à luz, eles não tiveram dificuldade em bicar os insetos trazidos por Spalding. Aqueles cujos ouvidos haviam sido tamponados reagiram da mesma maneira – quando o tampão foi removido, eles imediatamente reagiram ao chamado da mãe (que não estava à vista) e correram na direção certa. Spalding concluiu que o instinto tinha importante papel no comportamento animal e que os empiristas britânicos haviam superestimado a importância da experiência sensorial como determinante do comportamento.

ESTAMPAGEM

Uma famosa foto, que se encontra em praticamente todos os textos de psicologia geral, mostra um paternal Konrad Lorenz, o fundador da moderna etologia, caminhando por um campo e seguido por uma fila de gansinhos. Lorenz provou que as aves seguiriam o primeiro objeto cujo movimento conseguissem detectar e denominou o fenômeno **estampagem**. Embora não lhe tenha dado um nome, Spalding observou o mesmo comportamento:

> Assim que conseguem andar, os pintos seguem qualquer objeto que se mova. E, quando guiados apenas pela visão, aparentemente tendem a seguir tanto uma galinha quanto um pato ou um ser humano.
> Ao verem pintos de um dia de idade correrem atrás de mim ou outros, um pouco maiores, me seguirem por quilômetros a fio e atenderem ao meu assovio, os observadores incautos podem ter imaginado que eu devo ter algum poder oculto sobre as criaturas, quando na verdade apenas as deixei seguir-me desde o início. (Spalding, 1873, reimpresso em Haldane, 1954, p. 6)

PERÍODOS CRÍTICOS

Spalding também descreveu um comportamento que ilustra o moderno conceito etológico de **período crítico** – certos comportamentos precisam desenvolver-se dentro de um determinado período de tempo para poderem se manifestar. Por exemplo, Spalding descobriu que se os pintos fossem impedidos de ouvir o chamado da mãe pelo período de 8 a 10 dias, jamais reconheceriam a mãe. Além disso, enquanto os pintos que haviam sido encapuzados por até três dias se apegaram a ele, os que haviam sido encapuzados por quatro dias tinham medo dele.

Spalding continuou seus estudos com animais depois que começou a trabalhar como tutor dos filhos de *Lord* e *Lady* Amberly, em 1873. A imensa casa de campo no Wye Valley inglês logo se viu cheia de diversas espécies. A anticonvencional *Lady* Amberly, apaixonada defensora da igualdade para as mulheres, era a assistente de pesquisa de Spalding; de acordo com certos relatos (por exemplo, Boakes, 1984), ela também instruiu o ingênuo Spalding acerca do instinto humano do amor. Foi nessa época que Spalding estudou o instinto do voo, demonstrando que os pássaros não precisam aprender a voar. Ele colocou andorinhas e outros pássaros recém-saídos dos ovos em gaiolas de arame que os impedia de usar as asas.

> Quando colocados em liberdade, todos voaram imediatamente.
> A idílica vida de Spalding com os Amberly teve um abrupto fim em 1874, quando *Lady* Amberly e uma filha morreram de difteria. O abatido *Lord* Amberly faleceu menos de dois anos depois, nomeando Spalding guardião de seus dois filhos. Porém os pais de Amberly contestaram o testamento e ganharam a causa, e Spalding se viu só (Gray, 1962). Logo em seguida, ele deixou a Inglaterra e a tuberculose reapareceu. Quando faleceu, em 1877, na França, Spalding tinha 37 anos de idade.

George Romanes (1848-1894): O Método Anedótico

Como Darwin, George Romanes era rico, teve desempenho medíocre na adolescência, parecia destinado ao sacerdócio, mas não fez os votos e dedicou-se à ciência por causa das experiências que viveu em Cambridge (Lesch, 1972). Talentoso pesquisador da fisiologia, Romanes embarcou na onda de entusiasmo provocada pela teoria de Darwin e decidiu investigar os níveis de capacidade mental que podiam ser encontrados em outras espécies. Darwin aparentemente considerava o jovem um protegido seu, tendo muitas vezes recebido Romanes em sua casa de Down e, inclusive, dado seus apontamentos sobre o comportamento animal ao jovem estudioso (Desmond e Moore, 1991).

Romanes aliou os dados de Darwin a informações que ele próprio havia coletado e em 1882, logo após a morte do primeiro, publicou *Animal Intelligence* (Romanes, 1882/1886), um detalhado catálogo do comportamento animal, desde os insetos aos primatas. O livro rendeu a Romanes o título de fundador da psicologia comparada, mesmo tendo sido Pierre Flourens (Capítulo 3) quem introduziu o termo em 1864 (Jaynes, 1969a) e mesmo que vários livros semelhantes ao seu tivessem sido publicados antes ou mais ou menos na mesma época (Johnston, 2003). Romanes tem o crédito porque empreendeu o esforço de definir a nova área de forma sistemática. Ele traçou um paralelo entre a psicologia comparada e a anatomia comparada, argumentando que, assim como o especialista nesta disciplina fazia comparações entre as características físicas de várias espécies, para analisar a evolução da estrutura física, o psicólogo comparatista examinaria as diferenças entre as características psicológicas (ou seja, mentais) de diversas espécies, para analisar a evolução mental.

Os relatos tradicionais da obra de Romanes concentram-se em seu uso excessivo e indiscriminado de histórias acerca do comportamento animal recebidas de outros. Como vimos na discussão sobre a frenologia (Capítulo 3), **o método anedótico** tem um grande potencial para introduzir vieses e exagerar as habilidades dos animais. E durante o período do *Zeitgeist* evolucionista, a imprensa popular estava cheia de relatos de supostas façanhas notáveis de animais. Assim, o trabalho de Romanes é às vezes desacreditado. Isso é lamentável, porque Romanes estava ciente dos problemas das provas anedóticas e tomou um certo cuidado ao procurar incluir em seu livro relatos confiáveis. Por exemplo, ele procurou incluir relatos de observadores reconhecidamente competentes (Darwin, por exemplo) e tentou aceitar apenas os relatos de comportamento que fossem enviados independentemente por duas ou mais pessoas. Contudo, o próprio Romanes reconhecia que o livro, se considerado em si mesmo, poderia parecer simplesmente uma coletânea de histórias incomuns de animais. Ele esperava que seus livros seguintes, nos quais delinearia uma teoria da evolução mental, fossem mais importantes e que esse livro inicial de "fatos" fosse visto ao fim como uma etapa preliminar na confecção dos tratados mais sistemáticos (Boakes, 1984). Romanes de fato publicou seus livros de teoria, mas eles foram em grande medida ignorados; sua fama, um tanto maculada, repousa no livro de fatos.

Romanes pode ter tomado até mais precauções do que as que lhe são normalmente atribuídas, mas apesar disso *Animal Intelligence* se baseia mais em histórias contadas por terceiros que na observação direta. Além disso, tende ao **antropomorfismo**, a atribuição de faculdades humanas a entidades não humanas. Por exemplo, ele afirmou que as aranhas são "aficionadas" da música (p. 205), que os escorpiões se suicidam quando cercados pelo fogo (p. 222), que os pássaros são dotados de solidariedade e fidelidade conjugal (pp. 271-73) e que os castores demonstram "sagacidade e previsão" quando selecionam o local para suas moradas (p. 371), além de apreciação intelectual pelos princípios arquitetônicos da construção de represas (p. 376). Romanes era especialmente impressionado pela capacidade intelectual dos cães, argumentando que eles seriam capazes de planejar, fazer trocas, reconhecer informações em gravuras e, no exemplo a seguir, de traçar inferências lógicas:

> Detendo-nos agora em casos que indicam mais claramente a presença do raciocínio no sentido estrito da palavra, inúmeros atos comuns realizados por cães mostram indubitavelmente que eles possuem essa faculdade. Assim, por exemplo, Livingstone [o explorador da África] nos fornece a seguinte observação: seguindo o rastro do dono, um cão chega a um ponto da estrada onde há uma trifurcação. Farejando duas delas e não percebendo o rastro, ele corre para a terceira sem esperar para farejar. Aqui há, portanto, um ato de verdadeira inferência. Se o rastro não continua em A nem em B, deve prosseguir em C, já que não há outra alternativa. (p. 457)

Conwy Lloyd Morgan (1852-1936): O Princípio da Parcimônia

Os problemas do primeiro livro de Romanes sobre o comportamento animal, decorrentes do excesso de antropomorfismo e anedotas, foram notados por outro naturalista britânico, C. Lloyd Morgan (Figura 5.6). Filho de um advogado, Morgan cursou o Royal College of Science, em Londres, para formar-se em engenharia da mineração. Na School of Mines, conheceu o evolucionista Thomas Huxley (o "buldogue de Darwin"). Por influência de Huxley, Morgan interessou-se por zoologia e geologia e, daí, acabou tornando-se professor das duas disciplinas, profissão que começou a exercer em 1883 no University College, em Bristol, e seguiu exercendo pelo resto da vida. Apesar de ter publicado diversos livros sobre a geologia da região de Bristol, Morgan ficou mais conhecido por seu trabalho em psicologia comparada, tema que se reflete em títulos de livros como *Animal Life and Intelligence* (1890) e *An Introduction to Comparative Psychology* (1895). Assim como Romanes foi um protegido de Darwin, Mor-

FIGURA 5.6 C. Lloyd Morgan.

gan começou como seguidor e admirador de Romanes, mas acabou superando seu mentor.

Morgan é mais conhecido hoje em dia por argumentar que a linguagem das tentativas de explicação do comportamento animal deveria ser a mais simples possível. Esse apelo por "explicações parcimoniosas" ainda é chamado de **cânone de Lloyd Morgan**. Em suas próprias palavras: "em nenhuma circunstância devemos interpretar uma ação como resultado de uma faculdade psíquica superior se ela puder ser interpretada como resultado do exercício de outra que se situa abaixo na escala psicológica" (Morgan 1895/1903, p. 59). Em resposta ao relato que acabamos de ler do cão que aparentemente utilizava a inferência (uma "faculdade psíquica superior"), por exemplo, Morgan teria observado que o simples fato de o cão ter escolhido o terceiro caminho rapidamente não exclui a utilização do faro (que se "situa abaixo na escala psicológica") na determinação da escolha.

Ao contrário da estratégia de Romanes, que consistia em usar casos relatados, Morgan geralmente recorria à observação direta. Dois exemplos ilustram a questão. Primeiro, antes de iniciar sua longa carreira de professor titular em Bristol, Morgan lecionou durante cinco anos na África do Sul, onde teve a oportunidade de observar diretamente o comportamento dos escorpiões. Assim, ele pôde analisar a alegação antropomórfica de Romanes, segundo a qual os escorpiões cometeriam suicídio quando cercados pelo fogo. Poderia haver alguma explicação mais parcimoniosa do fato de que os escorpiões às vezes se picam e morrem? Com base em suas próprias observações diretas, Morgan achava que sim. O que ele descobriu foi que o escorpião costuma usar a cauda para remover substâncias estranhas e outros irritantes (como, por exemplo, a fumaça) do próprio corpo. Trata-se de um simples ato reflexo, e não de uma reação deliberada decorrente do "desespero". Morgan observou que, de vez em quando, esse ato reflexo era um pouco mais vigoroso do que o esperado e provocava a morte do escorpião. Não havia nenhuma necessidade de propor uma "faculdade psíquica superior" (a decisão de cometer suicídio) quando o comportamento podia ser visto como resultado de algum fator situado "abaixo na escala psicológica" (um ato reflexo).

O segundo exemplo, também do próprio Morgan, tornou-se famoso porque é considerado a abertura para o estudo objetivo do comportamento animal e uma referência importante na rota rumo ao behaviorismo. Você verá no Capítulo 7 que o exemplo de Morgan influiu na escolha do aparelho usado na famosa pesquisa da gaiola de Edward Thorndike. Romanes havia atribuído a cães e gatos a capacidade mental de planejar, com base na observação de que alguns sabiam abrir portões e, consequentemente, fugir dos jardins e quintais das casas. Porém Morgan acreditava que esse comportamento tinha uma explicação mais simples e usou Tony, seu *fox terrier*, como exemplo. Tony costumava enfiar a cabeça numa abertura do portão e conseguia abrir a trava puxando-a para cima. O portão se abria e Tony escapava e "ganhava a rua, onde sempre havia muita coisa que lhe interessava: gatos para perseguir, outros cães com os quais podia travar conhecimento olfativo e assim por diante" (Morgan 1895/1903, p. 292). A um observador ingênuo, poderia parecer que o cão "entendia" racionalmente a mecânica da operação do portão e o conceito do levantamento da trava como meio planejado de atingir um determinado fim. Para Morgan, contudo, o comportamento era simplesmente o resultado de uma série de três semanas de tentativas e erros, iniciada com a tentação que a rua exercia sobre o cão. Ele observou que, antes de dar com a solução, Tony tentou praticamente de tudo, correndo de um lado para o outro junto à grade e enfiando a cabeça entre as barras em vários diferentes locais até conseguir, por acaso, chegar à ação correta. Depois que escapuliu a primeira vez, ele logo abandonou os comportamentos malsucedidos e aprendeu a repetir o certo.

A *lei da parcimônia* de Morgan (seu "cânone") às vezes é usada para destacar uma mudança importante no modo como os psicólogos comparatistas pensavam sobre o comportamento animal e a noção darwiniana da continuidade entre as espécies. Muitas vezes se afirma que, antes de Morgan, os naturalistas eram demasiado antropomorfistas e andavam à cata de provas de processos mentais superiores em praticamente todas as espécies. Depois de Morgan, os pesquisadores passaram a buscar processos mais simples para explicar as ações dos animais, e isso gradualmente evoluiu para o dito behaviorista de que os comportamentos, até mesmo os dos seres humanos, podem ser mais bem entendidos em termos de processos simples de condicionamento. Ou seja, Morgan costuma ser visto como uma figura crucial no "progresso" que leva das historinhas interessantes de animais a uma pesquisa experimental sofisticada e uma concepção mecanicista do comportamento animal. Todavia, essa interpretação é exagerada. Morgan de fato merece o crédito de haver defendido um estudo do comportamento animal que fosse além da coletânea de casos e adotasse estratégias de observação mais sistemáticas. Mas daí a dizer que ele queria eliminar a existência da inteligência e consciência animal é errado. Conforme ele próprio disse logo depois de proclamar o cânone:

> Porém, a isso deve-se acrescentar, para evitar que o alcance do princípio seja mal interpretado, que o cânone de forma alguma exclui a interpretação de uma determinada atividade em termos dos processos superiores, caso tenhamos algum indício independente da ocorrência desses processos no animal em observação. (Morgan 1895/1903, p. 59)

Assim, Morgan não queria que o cânone da parcimônia excluísse a ideia da existência de processos mentais superiores nos animais – ele estava simplesmente pedindo cautela metodológica. Segundo Costall (1993), o verdadeiro objetivo de Morgan era ampliar a gama de critérios nos quais basear a continuidade entre as espécies. Em vez de recorrer exclusivamente à busca da reflexão racional sofisticada nas diversas espécies, outros tipos de processos mentais, de graus variáveis de complexidade, também podiam ser incluídos. Posta em termos evolucionistas, a proposta de Morgan era a de que os animais demonstravam muitos níveis de cognição, atingindo aquele cuja complexidade lhes permitisse sobreviver em sua luta particular pela existência. O que o cânone pretendia era argumentar que não havia razão para sugerir níveis de capacidade mental *além* dos necessários à sobrevivência.

A Psicologia Comparada nos Estados Unidos

Tendo em vista a nacionalidade de Darwin, não é de surpreender que a psicologia comparada se tenha firmado na Grã-Bretanha de meados ao fim do século XIX, conforme atesta a obra de Romanes, Spalding e Morgan. O interesse pelo tema logo cresceu nos Estados Unidos também (você conhecerá dois dos principais exemplos em capítulos posteriores). Primeiro, foi criado um laboratório animal na Clark University em meados da década de 1890, sob o comando de Linus Kline, Willard Small e Edmund Sanford, o diretor. Como você verá no *Close-Up* do Capítulo 6, a eles se deve o crédito de estabelecer uma das mais perduráveis metodologias da psicologia — a aprendizagem em labirinto. Além disso, em 1899, Kline escreveu um artigo intitulado "Suggestions Towards a Laboratory Course in Comparative Psychology", o qual influenciou por muitos anos o treinamento na área da psicologia comparativa. O segundo exemplo é apresentado no Capítulo 7 — o trabalho de Thorndike sobre a aprendizagem em labirinto de várias espécies, principalmente gatos. Vale a pena ressaltar também que vários pesquisadores norte-americanos se interessaram pelo comportamento animal e o estudaram seguindo a tradição naturalista britânica. Um deles, John Bascom, chegou a escrever um livro-texto cujo título continha o termo "psicologia comparada" já em 1878 (Johnston, 2003).

O ESTUDO DAS DIFERENÇAS INDIVIDUAIS

Um dos pilares da teoria de Darwin, a matéria-prima para a seleção natural, era a ideia de que cada membro de uma espécie diferia dos demais. Do ponto de vista da psicologia, isso abriu caminho para o estudo sistemático das **diferenças individuais**, uma tradição de pesquisa que inclui a criação de técnicas para medir essas diferenças. Os atuais testes de inteligência e de personalidade são apenas dois dos resultados dessa tradição. O maior responsável pelo início do estudo das diferenças individuais foi um primo distante de Darwin, Francis Galton, cuja obsessão pela medição levou um cientista a chamá-lo de "apóstolo da quantificação" do século XIX (Gould, 1981, p. 75).

Francis Galton (1822-1911): O "Homem das Sete Ciências"

Como seu parente mais famoso, Galton (Figura 5.7) teve berço de ouro. Pelo fato de nunca ter tido necessidade de ganhar a vida, pôde dar-se ao luxo de se dedicar a interesses excepcionalmente variados. A curiosidade insaciável, que nele se aliava a um brilhante intelecto, do qual deu provas muito cedo,[8] o levou a uma lista incrivelmente diversificada de realizações. Destas, apenas uma pequena parte é diretamente relacionada à psicologia. Por exemplo, ele foi um

FIGURA 5.7 O insaciavelmente curioso Francis Galton.

dos vários britânicos que ficaram famosos explorando a África na era vitoriana. Entre 1850 e 1852, Galton explorou e mapeou com exatidão um território pouco conhecido no sul da África, dando aí uma mostra de sua devoção aos deuses da precisão na medição. Suas explorações valeram-lhe uma medalha de ouro da Royal Geographic Society e, depois da publicação de um relato acerca de suas viagens e de um muito bem-sucedido (oito edições) guia de viagem para o explorador inexperiente, Galton tornou-se uma figura pública e famosa. Nesse guia, ele apresentava sugestões sobre todo tipo de coisa, de abrigo a navegação e de caça a alimentação, além de conselhos sobre como lidar com as populações nativas: "O melhor é ter uma atitude franca e brincalhona, porém determinada, com um ar de quem confia mais na boa fé dos nativos do que de fato é verdade" (Galton, 1855, citado por Forrest, 1974, p. 64).

Além da geografia e da exploração, Galton deu contribuições originais a diversas outras áreas. Reunindo informações sobre o clima de várias localidades nos mesmos momentos do dia, por exemplo, ele criou os primeiros mapas climáticos sistemáticos e foi o primeiro a observar as relações entre os

---

8. Nesse aspecto, Galton lembra outro garoto-prodígio, John Stuart Mill. Assim como Mill, ele já tinha capacidades dignas de um adulto quando ainda era muito criança. Galton já sabia ler e escrever (inglês) aos 3, traduzir do latim aos 5 e citar Shakespeare antes dos 6 anos de idade.

sistemas de alta e baixa pressão e sua influência sobre o clima. Pela medição dos padrões das curvas da pele das pontas dos dedos de centenas de diferentes pessoas, ele demonstrou que todas têm impressões digitais diferentes. A Scotland Yard, por fim, começou a usar sua técnica de análise das impressões digitais para fins de identificação. Esse procedimento, naturalmente, também é um exemplo da busca de diferenças individuais. Na verdade, o trabalho de Galton sobre as impressões digitais é apenas uma pequena parte de sua estratégia de quantificar as diferenças entre as pessoas usando toda uma gama de variáveis. E isso nos leva à importância de Galton para a psicologia.

A Natureza da Inteligência

Em sua condição de homem, branco, rico, britânico, vitoriano e pertencente à alta sociedade da Inglaterra quando esta era a mais poderosa nação do planeta, Galton e seus pares não tinham dificuldade para julgar-se superiores às mulheres e aos representantes de outras classes, países e raças. Além disso, sendo mais o produto do seu ambiente do que ele mesmo admitia, Galton compartilhava do pressuposto amplamente difundido entre seus companheiros de que essa preeminência não era nenhum acidente, mas sim a decorrência de uma capacidade superior intrínseca. O trabalho que o primo publicou sobre a evolução em 1859 não abordava os seres humanos, mas Galton imediatamente viu suas ramificações. Se a variação individual, que era herdada e estava sujeita à seleção natural, influenciava a evolução de espécies vegetais e animais, deveria haver influído também sobre os humanos. Se a inteligência humana era um traço essencial para que os seres humanos, fisicamente fracos, sobrevivessem na luta pela vida, então aqueles que fossem mais inteligentes naturalmente atingiriam o topo da sociedade. A partir daí, não era difícil para Galton concluir que ele e outros de sua classe haviam obtido suas altas posições na sociedade em virtude de sua capacidade intelectual altamente evoluída e superior, e não pelo acidente do nascimento na família certa. De sua decisão de coletar provas que apoiassem a crença de que a inteligência era inata nasceu *Hereditary Genius* em 1869.

Para analisar a questão da possibilidade de a inteligência ser herdada, Galton valeu-se de sua propensão à quantificação e à análise estatística. Primeiro, examinando o conteúdo de dicionários biográficos, que apresentam os perfis de pessoas que se destacam numa determinada área, ele fez uma estimativa de que a "taxa de eminência" na Grã-Bretanha era de cerca de uma pessoa em 4 mil. Depois, ele observou as árvores genealógicas dessas pessoas altamente capazes e descobriu que o talento tendia a ser coisa de família. Dos que eram citados nos dicionários, cerca de 10% tinha pelo menos um parente que também era famoso, uma porcentagem muito mais alta do que a que se poderia esperar com base na probabilidade de uma pessoa para 4 mil na população em geral. E o talento de família tendia a ser semelhante — os advogados eram parentes de outros advogados, os médicos, de outros médicos e assim por diante. Além disso, se dois parentes apareciam nos dicionários, havia uma probabilidade quatro vezes maior de eles serem parentes diretos (por exemplo, pai e filho) que parentes em segundo grau (por exemplo, tio-sobrinho). Hoje em dia, todos sabemos que esse tipo de coisa evidentemente é um reflexo de fatores tanto genéticos quanto ambientais, mas Galton estava inserido no contexto de um ambiente social predisposto a aceitar o pressuposto das diferenças herdadas em termos de capacidade e de um ambiente intelectual dominado pela discussão acerca da evolução. Para ele, todos os indícios apontavam para a mesma conclusão — a inteligência era inata, um produto das forças evolucionárias.

Depois de *Hereditary Genius*, Galton continuou sua análise do talento propondo duas técnicas metodológicas pioneiras, ainda hoje em uso: enquetes e estudos com gêmeos. Embora seu primo estivesse usando uma técnica semelhante para estudar as expressões emocionais mais ou menos na mesma época, Galton foi quem recebeu o crédito de ser o primeiro a usar o **método da enquete** e, desde o princípio, compreendeu muito bem as dificuldades inerentes à elaboração de um bom questionário, tendo dito que "dificilmente haverá tarefa mais difícil que a de criar questões que não deem margem a mal-entendidos, admitam uma resposta fácil e cubram o tema da pesquisa" (Galton, 1883, citado por Dennis, 1948, p. 279).

No início da década de 1870, ele elaborou um questionário e o distribuiu entre 180 de seus colegas da Royal Society, a elite científica da Inglaterra. O questionário pedia aos destinatários que descrevessem suas personalidades, atributos físicos, características familiares e detalhes de sua criação. Além disso, pedia-lhes que descrevessem as origens dos seus interesses científicos e indicassem "até que ponto suas inclinações científicas lhe parecem inatas" (citado por Forrest, 1974, p. 126). Galton recebeu cerca de cem respostas utilizáveis, as quais lhe propiciaram a base para o livro seguinte, cujo subtítulo tornou conhecidas duas palavras muito importantes no debate que até hoje prossegue em torno das origens da inteligência. O livro intitulou-se *English Men of Science: Their Nature and Nurture* (Galton, 1874).[9] Embora admitisse que algumas das respostas demonstravam que o ambiente (ou seja, o adquirido) contribuíra para formar os cientistas, Galton acreditava que os sujeitos de sua pesquisa forneciam uma prova incontestável de que o talento na ciência era herdado (inato). E chegou a essa conclusão por meio do questionável pressuposto de que a capacidade científica poderia ser considerada inata quando um dos sujeitos relatava ter sentido interesse pela ciência desde muito cedo na vida, mas não podia atribuí-lo a nenhum conjunto específico de circunstâncias. Era como se ela estivesse ali desde o início. Nas palavras de um dos participantes: "Tanto quanto consigo me lembrar, eu amava a natureza e queria aprender os segredos" (citado por Forrest, 1974, p. 126).

A segunda inovação metodológica de Galton, o **estudo com gêmeos**, tinha uma base científica mais sólida. Ele enviou questionários a gêmeos que conhecia, pedindo-lhes que indicassem outros gêmeos, e por fim pesquisou 94 pares em termos de atributos físicos e psicológicos. Como seria de esperar, encontrou apoio para suas crenças acerca da hereditariedade, pois os resultados indicavam muitas semelhanças entre os gêmeos de cada par, mesmo entre os mais velhos e os criados em ambientes diferentes. O relato dos dados tinha formato anedótico, e tanto a redação do questionário quanto a interpretação dos resultados foram influenciadas por suas ideias preconcebidas acerca da inteligência, mas o método em si constitui uma ferramenta valiosa e comprovada na avaliação das influências relativas da natureza e do ambiente.

A conclusão geral a que Galton chegou com base em todos esses estudos está clara na frase de abertura de *Hereditary Genius*: "Proponho-me mostrar neste livro que as habilidades naturais de um homem são decorrentes da herança" (Galton, 1869/1891, p. 1). Uma das implicações dessa afirmação, que resulta da leitura que Galton fez dos paralelos traçados por Darwin entre a seleção artificial dos criadores e a seleção natural do ambiente, pode ser depreendida da segunda frase do livro, na qual ele afirma que, assim como é possível "obter, por meio da seleção cuidadosa, uma variedade permanente de cães ou cavalos dotados de uma capacidade especial para a corrida, [...] seria possível também produzir uma raça de homens alta-

---

9. Às vezes se credita a Galton a autoria da expressão "questão inato-adquirido" por causa do subtítulo desse livro de 1874. Porém ele teve inúmeros predecessores, entre os quais Shakespeare (Conley, 1984), que assim descreve o notório Calibã no IV ato, cena 1, de *A Tempestade*:
A devil, a born devil, on whose nature
Nurture can never stick.
(Um demônio, um demônio nato, sobre cuja natureza
nada pode fazer a educação.)

mente dotados mediante a realização de casamentos criteriosos ao longo de várias gerações consecutivas" (Galton, 1869/1891, p. 1). Essa sugestão por fim o levou a cunhar o termo **eugenia** para promover a ideia de que a sociedade deveria tomar a iniciativa de adotar medidas para melhorar seu material genético. Entre elas, estava o incentivo para que determinadas pessoas se reproduzissem, às vezes chamado de eugenia "positiva". Essas pessoas presumivelmente seriam as dotadas de maiores talentos, como o próprio Galton (por ironia, ele e a mulher não tiveram filhos). Mas, por outro lado, ele também defendia uma eugenia "negativa", argumentando que se deveria evitar que os pobres (isto é, os intelectualmente inferiores porque, segundo seu raciocínio, se não fosse assim eles não seriam tão pobres) tivessem filhos e que a imigração deveria ser restringida. Galton fundou uma Eugenics Society em 1908 e, no ano seguinte, uma publicação, passou seus últimos anos promovendo uma sociedade baseada na eugenia. Com efeito, ele chegou a pensar na eugenia como uma nova religião, conforme atesta este comentário incluído em sua autobiografia: "Levo a Eugenia muito a sério, por achar que seus princípios devem tornar-se um dos motivos dominantes numa nação civilizada, como se fossem mesmo um de seus princípios religiosos" (Galton, 1908, p. 232). Como se verá no Capítulo 8, Galton encontrou uma plateia receptiva para suas ideias eugenísticas, tanto na Grã-Bretanha quanto nos Estados Unidos.

O Laboratório Antropométrico

A fim de promover o cruzamento seletivo para obter a inteligência que manteria a posição da Grã-Bretanha como potência mundial, Galton sabia que seria necessário encontrar algum meio de identificar os indivíduos mais indicados para a tarefa de melhorar a raça. Isso implicava criar formas de medir o talento, algo que ia ao encontro do seu pendor quantitativo. A medição da capacidade era um produto natural de sua obsessão em medir todas as possíveis diferenças entre as pessoas. Seus esforços chegaram ao auge na década de 1880, quando ele fundou um Laboratório Antropométrico, que inicialmente fazia parte de uma feira internacional de saúde realizada em South Kensington em 1884. Posteriormente, o laboratório foi transferido para um museu próximo, onde Galton coletou dados durante dez anos. Quase 10 mil dos visitantes da feira foram testados em 1884 e cerca de 17 mil pessoas foram testadas no total (Forrest, 1974).

Cada pessoa que visitava o laboratório era submetida a inúmeros testes, com vários

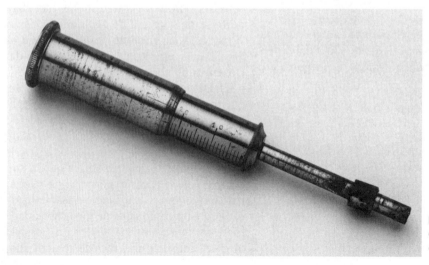

FIGURA 5.8
O apito de Galton.

dos instrumentos de medição criados por Galton. Um exemplo famoso é seu apito (Figura 5.8), usado para medir a capacidade de distinguir pequenas diferenças na frequência do tom (isto é, limiares auditivos mensuráveis). Uma de suas observações com o instrumento diz respeito à perda, associada ao envelhecimento, da capacidade de escutar tons de alta frequência ("notas agudas").

> Ao testar diferentes pessoas, verifiquei que existe uma queda marcante na capacidade de ouvir notas agudas conforme a idade avança. As pessoas não se davam conta dessa deficiência, na medida em que sua capacidade de distinguir notas graves permanece inalterada. É um experimento bastante divertido o de testar um grupo de pessoas de várias idades, inclusive algumas figuras mais idosas e satisfeitas consigo mesmas. Apesar de o experimento rapidamente demonstrar que são absolutamente surdas às notas agudas, as quais as pessoas mais jovens ouvem perfeitamente, elas reagem com indignação à ideia de serem classificadas como deficientes auditivas e geralmente deixam entrever uma grande aversão à descoberta. (Galton, 1883, citado por Dennis, 1948, p. 277)

Várias das medições de Galton eram simplesmente físicas: altura, peso, envergadura e capacidade respiratória. Outras destinavam-se a testar as capacidades sensório-motoras básicas: tempo de reação, acuidade auditiva e visual, reconhecimento de cores, julgamento da extensão de linhas e força do punho, por exemplo. Depois que o laboratório se transferiu da feira de saúde, a medição do crânio foi acrescentada. Embora hoje em dia essas medidas não nos pareçam indicadores válidos da inteligência, para Galton a capacidade mental superior relacionava-se à eficiência neural e à capacidade sensorial: "As únicas informações que recebemos dos eventos exteriores aparentemente são mediadas pelos sentidos. Quanto mais eles forem sensíveis às diferenças, maior será o campo no qual nosso julgamento e nossa inteligência poderão basear-se" (Galton, 1883/1965, p. 421). Galton argumentava também que as mulheres eram intelectualmente inferiores aos homens, preconceito muito difundido no século XIX, e atribuía essa deficiência à inadequação de seus sentidos, observando que as profissões que exigiam sentidos aguçados, como a de afinar pianos, provar vinhos e classificar a qualidade de tipos de lã, eram todos exercidas por homens. Inteiramente imerso em sua época, ele deixou de levar em consideração o fato de que as mulheres jamais tinham tido a chance de conseguir um emprego nessas áreas.

As medidas de Galton nunca comprovaram sua utilidade como indicadores de inteligência, tendo sido logo substituídas por testes como os desenvolvidos na virada do século na França por Alfred Binet (Capítulo 8). Porém o esforço de Galton é digno de nota por ter sido a primeira tentativa séria de medir as diferenças individuais nas capacidades humanas. Ele também é importante para a história da estatística porque, ao tentar determinar se os resultados de suas várias medidas tinham associação entre si, Galton inventou o conceito estatístico da **correlação**. Num artigo de 1888 intitulado "Co-relations and their Measurement, Chiefly from Anthropometric Data", Galton sustentava que a força da associação entre duas medidas quaisquer poderia ser matematicamente definida. Essa ideia logo foi depurada por um de seus seguidores, o matemático Karl Pearson, cujo nome está ligado à expressão mais comum de um coeficiente de correlação: r de Pearson.

A Investigação de Imagens e Associações

O principal interesse de Galton em termos dos fenômenos psicológicos pode ter sido a área da habilidade mental, mas ele também estudou dois outros temas da psicologia — a associação e as imagens mentais. Como havia feito em seu projeto de investigação da herança da inteligência, Galton recorreu ao método da enquete para analisar o uso das imagens visuais e a qualidade das imagens vistas. Ele pediu aos participantes do estudo que imaginassem sua mesa de café da manhã e respondessem às seguintes perguntas:

1. *Iluminação:* A imagem é obscura ou razoavelmente clara? Sua luminosidade é comparável à da cena real?
2. *Definição:* Todos os objetos são simultaneamente bem definidos ou o local de maior definição se apresenta mais contraído num dado momento que na cena real?
3. *Colorido:* As cores da louça, da torrada, das migalhas de pão, da mostarda, da carne, da salsa ou do que for que estiver na mesa são claras e naturais? (Galton, 1883, citado por Dennis, 1948, p. 279, itálico no original)

O velho interesse de Galton pelos cientistas levou-o a pesquisar vários de seus amigos cientistas, mas ele também distribuiu seu questionário para uma população mais ampla (por exemplo, crianças em idade escolar). E ficou surpreso com os resultados. Comparados ao público em geral, que relatou imagens com graus variáveis de vividez, seus amigos cientistas relataram uma ausência praticamente total de formação de imagens. Conforme sua descrição,

> Descobri, para meu espanto, que a grande maioria dos homens da ciência, a quem primeiro entrevistei, afirmou desconhecer as imagens mentais [...]. Eles desconheciam tanto o seu verdadeiro caráter quanto um daltônico que ainda não se apercebeu de sua deficiência desconhece a natureza das cores. (Galton, 1883, citado por Dennis, 1948, p. 279)

Para o observador do século XXI, a falta de imagens entre os cientistas parece um resultado estranho. Essa insólita descoberta levou William Brewer e seus colegas a tentar replicar o estudo de Galton (Brewer e Schommer-Aikens, 2006). Eles descobriram que, na verdade, os cientistas da atualidade tendem a demonstrar uma quantidade relativamente grande de imagens. Intrigado, Brewer voltou aos dados originais de Galton e descobriu que este não havia relatado seus próprios resultados com precisão. Talvez excessivamente influenciado pelas primeiras respostas recebidas de alguns cientistas eminentes que, de fato, relataram uma ausência de imagens (Romanes aparentemente foi um deles), Galton deixou de inventariar cuidadosamente os dados como um todo.

Com relação à associação, vimos anteriormente que foi um tema de suma importância para os filósofos e cientistas dos séculos XVIII e XIX, e Galton não foi exceção. Ele evidentemente conhecia a longa história da especulação filosófica acerca da natureza da associação, mas não teve conhecimento do trabalho que Hermann Ebbinghaus (Capítulo 4) estava fazendo mais ou menos na mesma época. A primeira preocupação de Galton foi a dificuldade de estudar as associações produzidas na mente do próprio investigador — o ato de atentar cuidadosamente à operação da mente em si influi sobre a sequência de ideias. Por conseguinte, a mente não está operando de forma natural quando é submetida à análise rigorosa exigida pelos padrões científicos. Porém ele achou que havia conseguido solucionar esse problema:

> Meu método consiste em deixar que a mente siga livremente o seu curso por um breve período, até que uma ou duas ideias surjam. Então, enquanto os vestígios ou ecos dessas ideias ainda permanecerem no cérebro, concentrar-me nelas num súbito e completo despertar, detendo-as, esquadrinhando-as e registrando sua aparência exata. (Galton, 1883, citado por Dennis, 1948, p. 285)

Armado de sua estratégia geral, Galton estudou as associações de duas formas: primeiro, enquanto fazia uma caminhada, cuidadosamente tomou nota de diversos objetos e deixou "a atenção repousar sobre [cada objeto] até que um ou dois pensamentos surgissem por meio de associação direta com aquele objeto" (Galton, 1883, citado por Dennis, 1948, p. 285). Embora não conseguisse registrar essas associações, ele ficou impressionado com sua variedade e poder de trazer-lhe à memória lembranças de sua própria vida. Ao buscar uma maneira mais sistemática de medir as associações, ele topou por acaso com uma segunda estratégia, criando o **teste de associação de palavras**. Galton fez uma lista de 75 palavras e, em seguida, leu cada uma por um determinado tempo, tomando nota de todas as associações que lhe vinham à mente. Além disso, tentou datar essas associações. Das 124 que registrou, 48 (39%) provinham de sua "meninice e juventude"; 57 (46%), da "subsequente vida adulta" e as restantes 19 (15%), de "eventos bem recentes" (dados e categorias de Forrest, 1974, p. 146). Os resultados de Galton demonstraram ainda a tendência que apresentam as associações a repetir-se na mente das pessoas. Por exemplo, depois de repassar quatro vezes sua lista de 75 palavras, ele concluiu que, em cerca de 25% dos casos, as palavras promoveram exatamente as mesmas associações em todas as ocasiões. Isso o levou a afirmar que havia "muito menos variedade na reserva mental de ideias do que eu supunha, o que [me] leva a pensar que a mente está entranhada por rotinas profundamente arraigadas" (Galton, 1883, citado por Dennis, 1948, p. 288). Além disso, observou que temos apenas uma ideia muito vaga do curso de nossa própria vida mental, com isso fazendo uma alusão muito forte ao inconsciente, que pouco depois viria a ser o foco de outra mente famosa do século XIX, Sigmund Freud (Capítulo 12):

> Talvez a impressão mais forte que esses experimentos tenham deixado diga respeito à diversidade do trabalho executado pela mente quando em estado de semiconsciência e à validade da razão que eles apresentam para que acreditemos na existência de estratos de operações mentais ainda mais profun-

dos, inteiramente submersos abaixo do nível da consciência. (p. 289)

Estima-se que apenas 25% do que Galton pesquisou e escreveu tenha interesse direto para a psicologia (Forrest, 1974). No entanto, sua contribuição para a disciplina é impressionante: ele foi um pioneiro no estudo das diferenças individuais de capacidade entre os seres humanos, introduziu métodos de pesquisa e ferramentas estatísticas ainda hoje usados e fez algumas observações muito argutas acerca da cognição humana. Sua eterna devoção à ciência britânica valeu-lhe o título de "sir" em 1909, dois anos antes de sua morte.

EM PERSPECTIVA: O SÉCULO DE DARWIN

Embora a influência de Darwin tenha sido mais sobre as ciências biológicas, a moderna psicologia não pode ser adequadamente compreendida sem o conhecimento da teoria da evolução e suas implicações. O estudo das diferenças individuais deriva de sua observação das variações individuais dentro de uma espécie, e a psicologia comparada tem sua origem na tentativa de avaliação da alegação da continuidade evolutiva entre as espécies. Como veremos no Capítulo 12, a teoria de Darwin também teve efeito direto sobre o pensamento de Freud no que diz respeito à importância da motivação sexual sobre o comportamento humano. Finalmente, o funcionalismo (distribuído entre os Capítulos 6, 7 e 8), que analisava os comportamentos e processos mentais em termos de sua capacidade de fazer o organismo adaptar-se ao ambiente, também teve suas raízes no pensamento evolucionista. Na verdade, Darwin naturalizou a mente, fazendo com que fosse vista como o meio pelo qual o animal humano sobrevive na luta pela existência.

Nos últimos anos, alguns psicólogos buscaram ainda mais claramente na evolução uma forma de explicar o comportamento humano, e daí surgiu uma nova subárea chamada **psicologia evolucionista**. Seus defensores (por exemplo, Wright, 1994) argumentam que, se as forças evolucionárias são fortes o suficiente para criar as características físicas que nos tornam humanos, então por que não para criar também características comportamentais e mentais? A psicologia evolucionista dá especial atenção aos comportamentos sociais e à sexualidade e às diferenças de gênero no comportamento. Sua estratégia geral consiste em descrever um comportamento que ocorre com certa regularidade e, em seguida, buscar para ele uma explicação evolutiva e fazer previsões comportamentais testáveis. Esses psicólogos acreditam, por exemplo, que muito do comportamento que envolve as relações homem-mulher reduz-se a uma tentativa de garantir que o material genético próprio seja transmitido à geração seguinte. Muitas de suas ideias são controversas, especialmente entre os psicólogos que tendem a enfatizar a importância do ambiente no comportamento humano. Seja como for, sua presença cada vez maior na discussão acerca das causas do comportamento humano é simplesmente mais uma indicação da perenidade da força das ideias de Darwin.

RESUMO

O PROBLEMA DAS ESPÉCIES

• Durante o Iluminismo, alguns cientistas começaram a questionar o relato bíblico da criação das espécies. O problema das espécies girava em torno da origem destas, da razão de haver tantas e de uma explicação para sua extinção. O argumento do desígnio permitiu aos cientistas continuar a investigar cientificamente a natureza e, ao mesmo tempo, manter suas convicções religiosas.
• Uma primeira teoria da evolução que omitia referências à divindade foi proposta pelo avô de Charles Darwin, Erasmus. Outra teoria mais importante foi proposta pelo naturalista francês Lamarck, a qual continha o conceito da herança de características adquiridas.

CHARLES DARWIN (1809-1882) E A TEORIA DA EVOLUÇÃO

• Depois de tentar estudar para várias carreiras, Charles Darwin finalmente encontrou sua vocação na ciência quando era aluno em Cambridge. Inicialmente, ele pensou em ser geólogo, mas também era muito interessado em zoologia. Dois importantes mentores seus foram o botânico John Henslow e o geólogo Adam Sedgwick.
• Durante uma viagem que durou cinco anos a bordo do *Beagle*, Darwin coletou provas que o levaram a importantes contribuições tanto na área da geologia quanto da zoologia. Ele fez descobertas que comprovaram o modelo uniformitário de mudança geológica de Charles Lyell (segundo o qual a Terra muda gradualmente de acordo com princípios conhecidos, e não em decorrência de catástrofes geológicas periódicas) e coletou os dados que afinal lhe dariam a base para a teoria da evolução. As provas obtidas nas ilhas Galápagos (por exemplo, os tentilhões) foram especialmente importantes.
• Ao desenvolver sua teoria, Darwin foi influenciado pelas ideias de Thomas Malthus, o qual observou que, como as populações tendiam a crescer mais depressa que a oferta de alimentos, ocorria uma luta pela existência entre seus membros. Além disso, Darwin observou que criadores e fazendeiros podiam promover mudanças drásticas nas espécies por meio de cuidadosos cruzamentos.
• Darwin articulou o grosso de sua teoria no fim da década de 1830, mas só a publicou vinte anos depois. Além da saúde precária, ele estava preocupado com o modo que a comunidade científica receberia sua teoria e queria acumular o máximo de provas que a sustentassem. Foi afinal levado a publicá-la em 1859 por causa do surgimento de uma teoria similar, proposta por Alfred Russell Wallace.
• A teoria de Darwin postula que cada membro de uma espécie difere em relação aos demais, que algumas das variações são mais favoráveis que outras na luta pela vida, permitindo aos organismos adaptar-se ao ambiente, e que a natureza "seleciona" (seleção natural) para sobreviver aqueles que dispõem das variações mais favoráveis.

AS ORIGENS DA PSICOLOGIA COMPARADA

• Uma das implicações da teoria de Darwin era a existência de continuidade entre as espécies. Ela le-

vou ao desenvolvimento da psicologia comparada, o estudo das diferenças e semelhanças entre as espécies com base em diversos traços (por exemplo, a inteligência). Darwin foi um grande pioneiro que estudou a história evolutiva das expressões emocionais e demonstrou que as expressões humanas tinham raízes evolutivas.
• George Romanes é considerado o fundador da psicologia comparada, tendo descrito detalhadamente o comportamento de muitas espécies. Ele baseava-se em observações anedóticas e era demasiado antropomorfista na interpretação dos comportamentos que descrevia. Douglas Spalding adotou uma abordagem mais experimental, demonstrando que certos comportamentos provinham do instinto, e não da experiência. C. Lloyd Morgan discordou do excesso de antropomorfismo demonstrado por outros praticantes da psicologia comparada e defendeu a adoção de explicações mais parcimoniosas. Por exemplo, certos comportamentos eram mais parcimoniosamente explicados como exemplos de aprendizagem por tentativa e erro que de pensamento racional.

O ESTUDO DAS DIFERENÇAS INDIVIDUAIS

• A variação individual é um dos pilares da teoria evolucionista, e Francis Galton foi o primeiro a examinar atentamente essas diferenças nos seres humanos. Galton estudou as diferenças individuais nas imagens visuais com o emprego sistemático, pela primeira vez, do método da enquete (questionário). Além disso, inventou o método da associação de palavras para estudar a natureza das associações.
• Galton acreditava que a inteligência era herdada e que o ambiente não tinha papel importante em sua existência. Como prova, ele apontou o fato de que certas capacidades tendiam a ser "coisa de família". Galton defendia a sociedade baseada na eugenia — só os aptos deveriam ser estimulados a reproduzir-se. Para identificar os mais aptos, propôs-se a medir as diferenças individuais em termos de capacidade, promovendo a primeira tentativa ampla de medição e classificação dessas diferenças. Suas medições concentravam-se nos processos sensório-motores básicos e não se revelaram muito úteis.

QUESTÕES PARA ESTUDO

1. Qual era o problema das espécies? Como o argumento do desígnio se propunha a resolvê-lo?
2. Descreva as ideias de Lamarck acerca da evolução.
3. Quais os fatos mais importantes que levaram Darwin a juntar-se à tripulação do *Beagle* e por que nessa época ele se considerava tanto geologista quanto naturalista?
4. Cite as diferenças entre as visões catastrofista e uniformitária em geologia e descreva as provas coletadas por Darwin com relação à questão.
5. Descreva o exemplo dos tentilhões de Darwin para resumir as características essenciais de sua teoria da evolução.
6. Qual a lição que Darwin aprendeu com Malthus ao desenvolver sua teoria da evolução?
7. Qual a lição que Darwin aprendeu com os criadores de pombos ao desenvolver sua teoria da evolução?
8. Darwin já havia articulado sua teoria no início da década de 1840. Por que adiou a publicação e por que afinal a publicou em 1859?
9. Qual era a posição de Darwin quanto à questão de sua teoria estar alinhada ao *Zeitgeist*?
10. Descreva a contribuição de Darwin para a psicologia comparada. Em especial, mostre como ele aplicou o pensamento evolucionista ao conceito de expressão emocional.
11. Descreva a pesquisa de Spalding sobre o instinto. Como seu trabalho pôde demonstrar os fenômenos que posteriormente foram chamados de estampagem e período crítico?
12. Descreva e critique a psicologia comparada de Romanes. De que modo as críticas a ele foram injustas?
13. Descreva o cânone de Lloyd Morgan e aplique-o ao exemplo do seu cão. Explique qual o erro importante em relação a esse cânone que se difundiu ao longo dos anos.
14. Segundo Galton, por que uma pessoa é mais inteligente que outra? Que tipos de provas ele usou para respaldar essa alegação?
15. Qual a relação entre as crenças de Galton quanto à inteligência e (a) a eugenia e (b) a testagem mental?
16. O que é o apito de Galton? Em sua pesquisa psicofísica, o que ele observou sobre o efeito da idade sobre a audição?
17. Descreva como Galton usou o método do questionário para estudar as imagens mentais dos

cientistas, entre outros. O que ele descobriu que o surpreendeu? O que as pesquisas recentes sugerem acerca das conclusões de Galton?

18. Descreva os dois diferentes métodos usados por Galton para estudar a natureza de suas próprias associações. O que ele descobriu e qual a sua conclusão?

19. Resuma o impacto geral exercido pelo pensamento darwinista sobre a psicologia.

LEITURA SUPLEMENTAR

BOAKES, R. (1984). *From Darwin to behaviorism: Psychology and the minds of animals*. Cambridge: Cambridge University Press.

Uma abordagem detalhada, mas de leitura bastante fácil, do surgimento da psicologia comparada desde sua origem evolucionista até a sua relação com o behaviorismo; notável pelo número de fotos exclusivas.

DESMOND, A., E MOORE, J. (1991). *Darwin: The life of a tormented evolutionist*. Nova York: W. W. Norton and Company.

Uma das várias biografias recentes de Darwin; como sugere o subtítulo, trata principalmente da luta do cientista para criar sua grande teoria e fornecer provas que a sustentassem; relato muito detalhado da viagem do Beagle.

RUSE, M. (1979). *The Darwinian revolution: Science red in tooth and claw*. Chicago: University of Chicago Press.

Enquadra o desenvolvimento da teoria de Darwin na estrutura da ciência e religião do século XIX e no contexto da Inglaterra vitoriana.

WEINER, J. (1994). *The beak of the finch*. Nova York: Vintage Books.

Leitura científica de um vencedor do prêmio Pulitzer; narra a história dos tentilhões de Darwin e concentra-se na pesquisa recente sobre esses pássaros, a qual fornece provas diretas de mudanças evolutivas ao longo de um período relativamente curto.

CAPÍTULO 6
PIONEIROS NORTE-AMERICANOS

Quando [...] falamos da "psicologia como uma ciência natural", não devemos presumir que isso signifique uma espécie de psicologia que finalmente se baseie em terreno firme. [...] Isto não é ciência; é apenas a esperança de uma ciência.
— William James, 1892

VISÃO GERAL E OBJETIVOS DO CAPÍTULO

Tendo considerado o contexto filosófico-científico que propiciou a evolução da moderna psicologia, suas origens e desenvolvimento na Alemanha e a suma importância das ideias de Darwin, estamos prontos para concentrar-nos no desenvolvimento da psicologia nos Estados Unidos ao longo do século XIX. Este capítulo se inicia com uma discussão da influência da psicologia das faculdades no período anterior à Guerra Civil norte-americana e uma descrição do desenvolvimento da educação superior nos Estados Unidos na segunda metade do século XIX. Serão abordadas também as limitadas oportunidades que as mulheres e os membros de minorias tinham à educação durante essa época. Em seguida, será analisada a vida e a obra do primeiro psicólogo norte-americano importante: William James. Embora no fim ele se considerasse mais um filósofo que um psicólogo, o seu *Principles of Psychology* é possivelmente o livro mais importante já escrito na curta história da psicologia, e suas ideias exercem influência na área até hoje. Este capítulo analisa ainda a carreira e a contribuição de vários outros membros da primeira geração de psicólogos norte-americanos, em especial G. Stanley Hall e Mary Whiton Calkins. Hall personificou o espírito pioneiro que se costuma atribuir aos norte-americanos: ele difundiu a Nova Psicologia fundando laboratórios, publicações especializadas e a American Psychological Association. Mary Calkins foi a mais conhecida dentre as poucas pioneiras na área da psicologia, as quais conseguiram marcar presença a despeito de todos os obstáculos. Depois de concluir este capítulo, você deve ser capaz de:

- Explicar como era o estudo da psicologia nos Estados Unidos antes do advento da nova psicologia e dos escritos de William James
- Descrever o surgimento da moderna universidade e como o modelo alemão influiu na educação nos Estados Unidos
- Enumerar os obstáculos enfrentados pelas mulheres e pelos representantes de minorias que queriam obter acesso à educação superior e à pós-graduação no final do século XIX e início do século XX
- Descrever as influências presentes na formação de William James, especialmente o desenvolvimento de sua abordagem pragmática da filosofia

- Descrever a definição que James deu da psicologia e sua atitude diante da nova abordagem laboratorial da disciplina
- Fornecer uma descrição jamesiana da consciência e seus atributos e descrever as funções da consciência e do hábito segundo James
- Descrever a teoria das emoções de James-Lange, as provas que James usou para sustentá-la e os problemas a ela inerentes
- Explicar por que o espiritismo estava em voga nos Estados Unidos no final do século XIX e qual foi a atitude de James diante da investigação desse fenômeno
- Definir qual a contribuição de G. Stanley Hall para a profissionalização da psicologia nos Estados Unidos
- Explicar por que Hall se considerava um psicólogo genético
- Descrever a importância da obra de Francis Sumner e os obstáculos por ele enfrentados
- Explicar por que Mary Calkins é considerada uma importante pioneira na pesquisa da memória e descrever as dificuldades que ela enfrentou para obter uma formação universitária
- Descrever a contribuição de Margaret Washburne e Christine Ladd-Franklin para a psicologia norte-americana em seus anos de formação
- Descrever a contribuição de George Trumbull Ladd e James Mark Baldwin para a psicologia norte-americana em seus anos de formação

A PSICOLOGIA NOS ESTADOS UNIDOS DO SÉCULO XIX

E. G. Boring disse certa vez (1950) que a psicologia norte-americana era filha da nova psicologia criada na Alemanha (por Wundt) e da biologia britânica (de Darwin) e que ela não teve início de fato senão depois que William James entrou em cena. Boring influenciou toda uma geração de psicólogos nos Estados Unidos, e uma das consequências disso foi o esquecimento da psicologia pré-jamesiana nesse país. Entretanto, apesar de ter sido claramente uma figura de grande destaque durante os anos de formação da moderna psicologia científica norte-americana, James não foi o primeiro a escrever sobre questões psicológicas nem a ensinar psicologia numa universidade norte-americana (Fuchs, 2000). Antes dele, a psicologia era ensinada em cursos chamados "filosofia moral" ou "filosofia mental" e dominada pela **psicologia das faculdades**, a qual derivava de um movimento filosófico surgido na Escócia e chamado de Realismo Escocês.

A Psicologia das Faculdades

Conforme vimos no Capítulo 2, o empirismo e o associacionismo, representados pelas filosofias de Locke, Berkeley, Hume, Hartley e Mill, foram as forças intelectuais predominantes na Grã-Bretanha durante os séculos XVIII e XIX. Os empiristas argumentavam que o conhecimento provinha da nossa experiência de mundo e que a estrutura da mente se organizava com base nas leis da associação. Os empiristas trataram também do conceito de realidade: Locke estabeleceu uma distinção entre as qualidades primárias e secundárias da matéria, Berkeley argumentou que apenas as qualidades secundárias eram reais e Hume levou o argumento às raias do ceticismo, afirmando que não podemos ter certeza absoluta da realidade de nada. Assim, ao olhar para uma árvore, Locke diria que sua forma e massa básicas ("extensão") são qualidades primárias que existem independentemente da observação, mas que a cor é uma qualidade secundária, que, para existir, depende da pessoa que a vê. Berkeley refutaria essa distinção e diria que todos os aspectos da árvore dependem da percepção subjetiva do observador e que só podemos ter certeza de sua existência por meio da crença em Deus, o Perceptor Permanente. Hume diria que não podemos nem mesmo estar 100% certos da realidade de nossa percepção da árvore.

Os filósofos realistas escoceses, em especial Thomas Reid (1710-1792) no século XVIII e Thomas Brown (1778-1820) no século XIX, divergiam do extremismo da visão que Hume tinha da realidade com base no fato de que essa ideia simplesmente infringe o bom senso. Eles acreditavam que o ser humano tem uma compreensão intuitiva de que de fato existe um mundo real; do contrário, a vida cotidiana não teria nenhum fundamento. Além disso, rejeitavam a implicação de que a mente em essência não passa de um agrupamento de ideias associadas baseadas na experiência e propuseram, em vez disso, que a mente tinha existência independente na realidade e se compunha de vários poderes inatos a que chamaram *faculdades*. Reid dividiu essas faculdades em duas grandes categorias: intelectuais e ativas (Evans, 1984). Entre as faculdades intelectuais encontravam-se a memória, a abstração, o raciocínio e o julgamento, ao passo que as faculdades ativas diziam respeito às emoções e à vontade. Se o conceito de faculdade lhe parecer familiar, será porque você já o encontrou no Capítulo 3: Franz Josef Gall tomou-o de empréstimo ao desenvolver a doutrina que depois ficaria conhecida como frenologia. Reid identificou mais de trinta faculdades; Gall e depois Spurzheim tentaram localizá-las no cérebro. Não é por coincidência que a psicologia das faculdades e a frenologia tiveram tanto sucesso ao mesmo tempo nos Estados Unidos.

A influência escocesa sobre a psicologia que começava a ser praticada nos Estados Unidos teve a forma de uma onda de imigrantes oriundos da Escócia para aquele país no século XVIII. Muitos deles eram pessoas cultas – médicos, professores, ministros – e tiveram seu papel na explosão da educação de terceiro grau no país ao longo dos anos que vão da Revolução Norte-americana à Guerra Civil. Nos 140 anos transcorridos desde a fundação de Harvard, em 1636, e essa revolução, em 1776, nove universidades se criaram e, no início da Guerra Civil, em 1861, 85 anos depois, os interessados podiam escolher entre 182 instituições de ensino superior. O realismo escocês e a psicologia das faculdades dominavam o currículo da maioria delas.

O Primeiro Livro-Texto da Psicologia Norte-Americana

Thomas Upham (1799-1872), do Bowdoin College, Maine, é quem costuma ser apontado como autor do primeiro livro-texto norte-americano de psicologia, pois ele organizou e publicou seus apontamentos de aulas em 1827, sob o título de *Elements of Intellectual Philosophy*. O texto acabou crescendo até atingir três volumes, recebendo posteriormente o título de *Elements of Mental Philosophy*, e em pouco tempo tornou-se o texto mais adotado nas universidades, sendo utilizado em cursos que hoje seriam classificados como introdução à psicologia (Evans, 1984). O livro baseava-se na abordagem escocesa das faculdades, embora também possuísse uma saudável dose de associacionismo. Além disso, tinha muitas referências à divindade, e a moral era um tema recorrente. Isso não é de estranhar, tendo em vista que, antes da Guerra Civil, a maioria dos professores das universidades norte-americanas era constituída por ministros protestantes (inclusive o próprio Upham). Conforme veremos em breve, o advento no pós-guerra de universidades como a Johns Hopkins, cuja pesquisa se baseava no modelo alemão, gerou uma demanda por um novo tipo de livro-texto.

No livro em que trata das faculdades "ativas" de Reid, Upham as submeteu a três grandes divisões: o intelecto (cognição), as sensibilidades (emoção) e a vontade (ação). Essa "trilogia da mente" (Hilgard, 1980) não era uma criação exclusiva de Upham, pois representa um tema que remonta aos gregos e ainda persiste nos dias de hoje. Para Upham, a mente que ele descrevia era ativa, e a tônica de seu livro era claramente funcional, pois enfatizava os propósitos e os usos das várias faculdades (Fuchs, 2000). A seguir, você poderá ver uma amostra dos tópicos encontrados em cada uma de suas principais divisões (conforme citado por Evans, 1984, pp. 40-1):

Divisão I: O Intelecto
Sensação, percepção, consciência, imaginação
Conceitos, abstração, raciocínio
Leis primária e secundária da associação, memória
Ação intelectual desordenada: insanidade (posteriormente expandida por Upham em 1849 e transformada no primeiro livro-texto sobre a psicologia da anormalidade: *Outlines of Disordered Mental Action*)

Divisão II: As Sensibilidades
Instintos, apetites, propensões
Os afetos malévolos (por exemplo, a raiva, o ciúme, a vingança)
Os afetos benévolos (por exemplo, o amor, o patriotismo, a pena)
As sensibilidades morais ou consciência

Divisão III: A Vontade
As leis da vontade
O livre-arbítrio implicado na natureza moral do homem
Sobre o poder da vontade

O livro de Upham tornou-se um *best-seller* nos *campi* até meados da década de 1870. Porém na virada do século, a psicologia norte-americana já havia mudado radicalmente, em decorrência das influências identificadas por Boring: a psicologia alemã e a biologia britânica. O sistema norte-americano de educação universitária também havia mudado.

A Universidade Moderna

O impressionante crescimento do número de universidades antes da Guerra Civil não foi nada em comparação com a revolução no ensino superior que se verificou entre a guerra e a virada do século. Nesse meio-tempo, criou-se o modelo de universidade hoje adotado nos Estados Unidos, o qual é decorrente de uma complexa interação de forças. Uma delas foi o surgimento da escola secundária pública e o aumento das expectativas em torno da educação como o segredo para uma carreira bem-sucedida. O aumento no número de alunos que concluíam a educação secundária, por sua vez, implicava um maior número de alunos que poderiam frequentar um curso universitário. E isso eles fizeram mesmo: estima-se que em 1870 houvesse 67 mil estudantes cursando universidades. Esse total subiu a 157 mil alunos em 1890 e a 335 mil em 1910 (Hofstader e Hardy, 1952). A expansão da população de estudantes universitários criou uma demanda de professores com titulação superior a um diploma de bacharelado, estabelecendo assim a necessidade de cursos de pós-graduação. A escassez inicial desse tipo de curso nos Estados Unidos foi uma das razões para a debandada de alunos para a Alemanha no fim do século XIX. Ali eles encontraram uma abordagem em que se destacava a formação em nível de pós-graduação, a pesquisa independente e a diversidade na oferta de cursos — a filosofia da *Wissenschaft* sobre a qual você leu no Capítulo 4. A década de 1880 foi o auge para os norte-americanos que foram estudar na Alemanha. Ao entrar a década de 1890, já havia várias boas universidades nos Estados Unidos, ao passo que muitas das universidades alemãs de segunda linha estavam começando a ser vistas como simples "fábricas" de diplomas (bastavam dois semestres para se obter um Ph.D. na Universidade de Halle, por exemplo) (Veysey, 1965).

As universidades norte-americanas começaram a desenvolver-se logo depois do fim da Guerra Civil. Um dos principais catalisadores disso foi o Morril Land Grant Act de 1862, um decreto que dava a cada estado um mínimo de 30 mil acres de terras da federação. Se dentro de cinco anos o estado construísse aí uma universidade, poderia manter o terreno recebido; caso contrário, este seria devolvido ao governo federal. Assim surgiram as grandes universidades estaduais, geridas por uma população leiga, e não por membros do clero, e voltadas para a ciência e suas aplicações práticas (para aperfeiçoamento da agricultura e da mineração, por exemplo). Na mesma época, várias das universidades que fazem parte da Ivy League criaram programas de pós-graduação: Yale em 1860 e Harvard em 1872, por exemplo. Um terceiro impulso foi decorrente do acúmulo de uma grande riqueza por alguns poucos empresários na segunda metade do século XIX. Vários deles doaram vultosas quantias para a fundação de universidades, motivados, em parte, por um desejo filantrópico de devolver algo do que haviam ganho à sociedade; em parte, por críticas diretas à exploração que lhes permitira enriquecer; e, em parte, para associar seus nomes a uma iniciativa que era universalmente valorizada. Quatro das mais famosas escolas norte-americanas assim criadas são a Johns Hopkins University (1876), a Clark University (1887), a Stanford University (1891) e a University of Chicago (1891). Com exceção desta última, financiada por Rockefeller, todas receberam o nome de seu principal benemérito.

A Johns Hopkins University, em Baltimore, tornou-se o protótipo da nova universidade nos Estados Unidos. Ela baseava-se explicitamente no modelo alemão, que frisava a importância da pesquisa e da criação de novos conhecimentos e, embora tivesse desde o início uma pequena divisão destinada aos cursos de graduação, seu foco principal estava na pós-graduação. Com a doação de 3,5 milhões de dólares do seu fundador, o rico comerciante Johns Hopkins, de Baltimore, ela logo se tornou a mais importante universidade norte-americana da década de 1880 e a única verdadeira concorrente das universidades alemãs (Hawkins, 1960). Seu diretor, o inovador Daniel Coit Gilman, atraiu bons alunos instituindo a bolsa de estudos competitiva, que incluía um estipêndio de US$ 500 e matrícula grátis, e promovendo a instituição de seminários e treinamento em laboratório para suplementar os cursos tradicionais, baseados nas palestras dos professores. Além disso, Gilman identificou a crescente necessidade de preparar educadores, e a Johns Hopkins tornou-se líder nessa área: 56 dos alunos de doutorado que a escola formou em seus primeiros dez anos obtiveram emprego como professores em 32 diferentes universidades (Ryan, 1939).

A Educação para as Mulheres e as Minorias

O crescimento das oportunidades de educação universitária que acabo de descrever não estava igualmente disponível para todos os cidadãos norte-americanos; na verdade as chances limitavam-se basicamente aos homens brancos provenientes das classes média e alta. As mulheres e os representantes de grupos minoritários enfrentavam grandes barreiras quando tentavam acesso à educação.

As mulheres que desejavam fazer um curso universitário deparavam-se com um arraigado sistema de crenças conhecido como "a esfera da mulher" — um grupo de conceitos integrados que giravam em torno da ideia da mulher como esposa e mãe. As mulheres do século XIX eram criadas para acreditar que haviam nascido para perpetuar a família: casar-se, ter filhos, criá-los e contentar-se com esses papéis. Aquelas que desejavam um curso universitário ou uma carreira eram francamente desestimuladas. Uma das razões era a crença de que a formatura que fosse além da escola secundária teria efeitos adversos do ponto de vista médico. Um dos professores de medicina de Harvard chegou a exortar as mulheres a deixar a escola quando atingissem a puberdade, pois, segundo ele, o excesso de atividade mental depois desse estágio poderia retardar o desenvolvimento de seus órgãos reprodutores (Scarborough e Furumoto, 1987). Se a educação poderia reduzir as chances de reprodução, o que aconteceria à espécie humana se muitas mulheres fossem à universidade? E se os estudos de graduação podiam ter efeitos tão perigosos, a pós-graduação presumivelmente seria ainda pior para a saúde da mulher. Quanto a seguir uma carreira, não havia opção, pois estava fora de questão para uma mulher casar-se e exercer uma profissão. Ou era uma coisa ou era outra. Além disso, tivesse ou não uma carreira, a mulher solteira tinha outra tarefa familiar a cumprir: ela, e não os irmãos, é quem deveria cuidar dos pais idosos.

Além da questão da "esfera da mulher", outro obstáculo estava na crença amplamente difundida de que a mulher era intelectualmente inferior ao homem. Essa crença possuía raízes muito profundas, as quais encontram reflexo até mesmo na história bíblica da criação, segundo a qual a mulher provém de uma parte (a costela) do homem. E mantinha-se em parte pelo argumento de que as mulheres sofriam de incapacidade intelectual a cada mês, durante o período da menstruação, desvantagem conhecida pelo nome de **função periódica**. A teoria evolucionária pôs mais lenha na fogueira com a **hipótese da variabilidade**. Conforme o que leu no Capítulo 5, você recorda que um dos pilares da teoria de Darwin era a ideia de que cada membro de uma espécie diferia dos demais e que essa variabilidade é que fornecia o material para que a seleção natural operasse. A natureza "selecionava" os indivíduos cujas variações tivessem maior valor para a sobrevivência. Daí decorre que, quanto maior o grau de variabilidade em relação a uma determinada característica, melhor para a espécie. Segundo essa hipótese, os homens possuíam um maior grau de variabilidade que as mulheres em diversas características, inclusive a inteligência. Embora implicasse uma maior proporção de retardados entre os homens, a hipótese implicava também que os homens mais brilhantes seriam ainda mais inteligentes que as mulheres mais brilhantes. E uma das implicações dessa diferença no extremo mais alto da escala da inteligência era a crença de que os homens seriam mais aptos para a educação universitária que as mulheres.

Apesar de todas essas barreiras, surgiram algumas oportunidades para as mulheres na segunda metade do século XIX. Nas universidades criadas com a doação de terras, por exemplo, as mulheres eram admitidas, embora geralmente se inscrevessem em programas de estudos que lhes "convinham" — como economia do lar, por exemplo. Mas elas também começaram a ser treinadas para atender à demanda crescente de professores, não só nas universidades acima mencionadas e nas que haviam sido criadas com o intuito de treinar professores, mas também nas assim chamadas "escolas normais". As universidades que faziam parte da Ivy League, como Harvard e Yale, resistiram à ideia de ter mulheres inscritas em seus cursos, mas tentaram uma espécie de meio-termo criando escolas para mulheres que eram afiliadas às dos homens. Harvard, por exemplo, criou um "anexo" em 1879 que, em 1894, foi renomeado como Radcliffe College. As melhores oportunidades de educação universitária de alta qualidade para as mulheres vieram com a criação de um novo fenômeno educacional — as escolas de elite criadas exclusivamente para mulheres. Uma das primeiras, o Vassar College, foi fundada em 1865 com uma doação de Mathew Vassar, um homem cujas ideias estavam bem à frente do seu tempo. Segundo suas próprias palavras, ele fizera a doação para a criação da escola porque "[lhe] havia ocorrido que as mulheres, que haviam recebido do Criador a mesma constituição intelectual que os homens, tinham o mesmo direito que estes à cultura e ao desenvolvimento intelectual" (citado por Brubacher e Rudy, 1976, p. 66). Logo surgiram outras faculdades para mulheres — Smith em 1871, Wellesley em 1875 e Bryn Mawr em 1885 — até que, em 1901, já havia 119 delas nos Estados Unidos (Brubacher e Rudy, 1976).

Como você verá em breve, essas faculdades foram responsáveis pela formação das três importantes psicólogas que destacamos neste capítulo.

Se as oportunidades educacionais para as mulheres eram limitadas, eram piores ainda para as minorias, especialmente para os norte-americanos descendentes de africanos, depois da Guerra Civil. A escravatura havia dado ensejo a uma crença amplamente difundida entre os brancos acerca da inferioridade essencial dos negros. A crença na superioridade intelectual branca era tão forte que chegou a influir na interpretação das pesquisas que poderiam sugerir o contrário. Por exemplo, um dos primeiros estudos comparativos (conduzido por Bache em 1895) dos tempos de reação de brancos, negros e indígenas norte-americanos apontou os resultados dos brancos como os mais lentos. Ignorando a ideia galtoniana de que o tempo de reação estaria presumivelmente ligado à agilidade mental e, portanto, à inteligência, o autor concluiu que os resultados forneciam provas da superioridade mental dos brancos porque mostravam que estes, que constituíam uma forma humana "superior", poderiam ser caracterizados como "reflexivos", enquanto as reações mais rápidas dos negros e índios, mais "primitivos", demonstravam uma impulsividade imatura e intelectualmente atrasada. Do mesmo modo, num estudo comparativo entre 500 crianças brancas e igual número de crianças negras, Stetson (1897) não encontrou diferenças na capacidade de memorização de poemas. Porém, em vez de traçar a razoável conclusão de que os grupos eram semelhantes quanto a esse tipo de habilidade cognitiva, Stetson preferiu concluir que seu estudo simplesmente mostrava que a memorização era inútil como meio de testar a inteligência. Em resumo, preconceitos profundamente arraigados deixaram alguns cientistas impermeáveis a dados que poderiam ter posto suas convicções em questão.

Algumas das consequências do preconceito contra os negros norte-americanos foram a educação inferior e menos oportunidades de acesso à educação de terceiro grau. Com base no pressuposto de que a educação colocaria ideias ridículas como a "liberdade" na cabeça dos escravos negros do sul dos Estados Unidos, impediu-se, conforme os "códigos negros" anteriores à Guerra Civil, que eles tivessem acesso à educação formal. Depois da guerra, as condições melhoraram apenas marginalmente. Os negros norte-americanos foram segregados em escolas que, supostamente, eram separadas, mas iguais, e a educação superior limitou-se basicamente aos alunos brancos. Contudo, começaram a surgir, principalmente no sul do país, universidades e estabelecimentos de ensino de terceiro grau destinados a negros na segunda metade do século XIX. Na década de 1940, já havia mais de cem desses estabelecimentos, que se concentravam no treinamento de professores que geralmente retornavam às suas comunidades para ensinar nas escolas segregadas (Guthrie, 1976).

A psicologia, principalmente pelo fato de aplicar-se à educação, quase sempre fazia parte do currículo das universidades negras, mas poucas delas ofereciam concentração na área. Uma pesquisa sobre a psicologia nessas universidades conduzida em 1936 por Herman Canady (1901-1970), psicólogo da universidade negra da Virgínia Ocidental (West Virginia State College, em Institute, WV), revelou que apenas quatorze das cinquenta escolas pesquisadas tinham departamentos de psicologia. Dessas quatorze, apenas quatro ofereciam diplomas na área (dados obtidos em Guthrie, 1976, p. 105). Muito poucos cursos de laboratório eram oferecidos e, com exceção da introdução à psicologia, os cursos mais comuns eram psicologia da educação, infantil, social e do adolescente. Assim, poucos estudantes negros tinham a bagagem necessária para uma pós-graduação em psicologia — e os que a possuíam enfrentavam novos obstáculos. Eles não eram admitidos nos programas de pós-graduação do sul do país e, embora alguns poucos desses programas, no norte, os aceitassem (o da Clark

University, por exemplo), poucos negros dispunham de recursos financeiros para transferir-se do seu lugar de origem.

O estudante negro norte-americano que perseverasse e conseguisse obter um diploma mais avançado não dispunha, porém, de boas perspectivas de encontrar um emprego ao sair da escola. Praticamente a única oportunidade para um psicólogo negro com um diploma de pós-graduação era voltar para ensinar numa universidade negra, onde as condições quase sempre envolviam uma alta carga horária, salário baixíssimo, ausência de benefícios trabalhistas e instalações precárias para pesquisa, quando havia (Guthrie, 1976). Apesar disso, muitos dos mais inteligentes jovens negros norte-americanos seguiram esse caminho, contribuindo assim para melhorar significativamente a educação de inúmeros estudantes universitários negros.

O mais conhecido desses pioneiros foi Francis Sumner (1895-1954), mostrado na Figura 6.1 quando era aluno da pós-graduação. Sumner nasceu em Pine Bluff, Arkansas, mas a família mudou-se para o leste pouco depois e, assim, ele frequentou as escolas primária e secundária em Nova Jersey, Washington, D.C. e Virgínia. Nos anos em que cursou a escola secundária, Sumner recebia do pai aulas em casa, pois este não confiava na qualidade das escolas segregadas da Virgínia. Em 1911, aos 16 anos, foi aceito "mediante exame" pela Lincoln University, da Pensilvânia, fundada em 1854 como a primeira universidade negra dos Estados Unidos. Diplomou-se em 1915 e, posteriormente, obteve outro diploma no Clark College de Massachusetts, a divisão de graduação da Clark University (ambas situadas no mesmo prédio do *campus* de Worcester). Sumner voltou para Lincoln, a fim de ensinar psicologia e alemão, enquanto cumpria os requisitos para um diploma de mestrado. Em 1917, retornou a Clark (desta vez, à Clark University) para estudar "psicologia das raças" com G. Stanley Hall (de quem voltaremos a falar posteriormente neste capítulo), financiado por uma bolsa de estudos e moralmente apoiado por Hall (Hicks e Ridley, 1979). Apesar da visão estereotipada acerca das diferenças raciais em termos de inteligência, Hall recebia bem alunos negros "excepcionalmente talentosos" em Clark. Enquanto Hall permaneceu lá, três alunos negros obtiveram diplomas de mestrado e dois, Sumner e Thomas Brown, de doutorado (Guthrie, 1976). Sumner obteve seu Ph.D. em 1920, tornando-se assim o primeiro norte-americano negro a doutorar-se em psicologia. Sua tese — uma interpretação crítica da psicanálise freudiana e adleriana — foi elogiada por Hall, que escreveu que Sumner havia "demonstrado uma rara facilidade não apenas em apreender o pensamento das grandes autoridades da área, mas até mesmo em detectar-lhe as limitações e os defeitos" (citado por Guthrie, 1976, p. 82).

Como os outros poucos estudiosos negros, Sumner descobriu que suas oportunidades limitavam-se ao ensino em universidades negras. Assim, passou algum tempo no Wilberforce College, em Ohio, e na West

FIGURA 6.1 Francis Sumner na época de sua pós-graduação na Clark University.

Virginia State University antes de conseguir um cargo na Howard University, em Washington, D.C., em 1928. Sumner permaneceu em Howard, como catedrático do departamento de psicologia, até sua prematura morte, de ataque cardíaco, quando limpava a neve do jardim de sua casa no inverno de 1954. Em Howard, ele estabeleceu o principal departamento de psicologia de uma universidade negra do país, o qual oferecia cursos de graduação e mestrado na área. Uma indicação da importância de Howard – e, por extensão, da influência de Sumner — é o fato de que, dos trezentos norte-americanos negros que tinham doutorado em 1975, sessenta haviam feito a graduação ou o mestrado ali (Bayton, 1975).

O crescimento explosivo da educação superior no fim do século XIX, seguido da disposição de testar novas ideias, métodos de ensino e até mesmo currículos, tornou as novas universidades um terreno fértil para a criação de novas abordagens para antigos problemas. Isso foi vantajoso para a psicologia, que estava na transição entre a tradicional psicologia das faculdades e a nova psicologia de laboratório. Um dos principais agentes dessa transição foi um jovem inquieto que vinha de uma família de talento e fortuna de Boston.

WILLIAM JAMES (1842-1910): O PRIMEIRO PSICÓLOGO NORTE-AMERICANO

William James não fundou uma "escola" de psicologia, não fez pesquisas experimentais importantes e não deixou atrás de si um grupo de alunos dedicados que "desse continuidade à sua obra". Inclusive, perto do fim da vida, insistia em ver-se mais como filósofo que como psicólogo. Quando convidado para proferir um discurso em Princeton em 1896, por exemplo, fez questão de não ser apresentado como psicólogo (O'Donnell, 1985). Na citação que abre este capítulo, extraída das páginas finais da versão resumida do seu monumental *Principles of Psychology*, ele deixa claro que, na sua opinião, pelo menos, a psicologia ainda tinha uma longa estrada pela frente antes de poder pretender o *status* de ciência — ela não era "ciência [... mas] apenas a esperança de uma ciência" (James, 1892/1961, p. 335). E quando estava terminando a versão resumida de *Principles*, manifestou seu desencanto diante da psicologia em carta à colega e ex-aluna em Wellesley Mary Whiton Calkins, ao escrever que estava "farto da associação de ideias e de tudo o que diga respeito à psicologia, por causa da dedicação excessiva e interminável ao [...] 'Curso Resumido', cujas tristes provas ainda nem ficaram prontas! [...] O trabalho braçal parece-me preferível" (James, 1891).

Por outro lado, é indiscutível que James foi uma figura decisiva para o desenvolvimento da moderna psicologia nos Estados Unidos e que seu papel foi reconhecido não só pelos historiadores, mas também por seus contemporâneos. Quando James McKeen Cattell (Capítulo 8) solicitou a psicólogos, em 1903, que classificassem seus pares em termos de importância, James ficou em primeiro lugar. Na verdade, ele foi considerado o mais importante por *todos* os que responderam à pesquisa (Hothersall, 1995). Os colegas também o elegeram duas vezes para a presidência da American Psychology Association, em 1894 e novamente 1904. Posteriormente, quando alguns psicólogos da segunda geração escreveram capítulos para a série *A History of Psychology in Autobiography*, pelo menos de dez a doze apontaram explicitamente James e/ou seu *Principles* como a principal razão do seu interesse inicial na psicologia (King, 1992). E a estrela de James continua brilhando forte ainda hoje: várias biografias (por exemplo, Croce, 1995; Lewis, 1991; Simon, 1998) e dois livros editados em comemoração ao centenário de *Principles* (Donnelly, 1992; Johnson e Henley, 1990) foram publicados. Numa enquete entre historiadores feita em 1991, ele ficou em segundo lugar (Wundt em primeiro) na lista dos que haviam feito as contribuições mais importantes para a psicologia (Korn, Davis e Davis, 1991).

Quem era esse que não queria ser chamado de psicólogo e, no entanto, está na lista dos "mais importantes psicólogos de todos os tempos?"

Os Anos de Formação

William James cresceu numa família nada comum. O pai, Henry James, Sr., tinha herdado renda suficiente para não trabalhar[1] e dedicava-se a controlar a educação e o desenvolvimento moral dos cinco filhos, nascidos num período de seis anos ao longo da década de 1840. Além de William, o mais velho, havia Henry, Jr., celebrado escritor, dois irmãos mais jovens e Alice que, apesar do nível intelectual igual ao dos irmãos, não pôde cultivar a própria criatividade numa profissão devido aos preconceitos novecentistas quanto ao papel adequado à mulher (a esfera da mulher). Henry James, Sr., que havia sido criado por um pai dominador que exigia obediência absoluta, estava disposto a criar os próprios filhos de modo mais liberal, embora fosse controlador a seu modo. Superficialmente, ele parecia mimar esses filhos, pois permitia-lhes estudar o que quisessem e quando quisessem, levava-os frequentemente à Europa para expandir-lhes os horizontes e importava-se pouco com a educação formal deles. Entretanto, Henry, Sr., insistia em ser visto como seu principal educador, e algumas das viagens da família entre a Europa e os Estados Unidos haviam sido causadas por sua vontade de manter controle sobre ela (Simon, 1998). Sua principal expectativa era que os filhos aprendessem outros idiomas. Com sua filosofia liberal de aprendizagem, ele achava que "aprender uma língua não era impor determinados pontos de vista, mas sim ganhar acesso a outro reino de pensamento e cultura; ser fluente era ver o mundo sob outra perspectiva" (Croce, 1995, pp. 43-4). Assim, William não frequentou a escola formal antes dos dez anos de idade e, na adolescência, frequentou-a apenas esporadicamente. Antes dos 21 anos, havia feito três viagens à Europa, passando de cada vez pelo menos um ano no exterior. Aos 18 anos, ele conhecia os fundamentos do latim, lia em alemão e era fluente em francês. Posteriormente, incluiu na lista grego e italiano.

Porém, ao aproximar-se do fim da adolescência, outro fato caracterizava William James: ele estava inteiramente perdido quanto ao que faria na vida. Era muito interessado por arte e tinha algum talento para desenhar (a Figura 6.2 é um autorretrato composto nessa época da vida dele), mas, depois de algumas aulas em Paris e um breve período sob a tutela do artista norte-americano William Morris Hunt, percebeu que não chegaria a ser um grande artista (Simon, 1998). Apesar de abandonar aí a possibilidade de seguir uma carreira nas artes, James jamais perdeu o interesse por ela, e pelo menos um biógrafo (Bjork, 1983) acha que ele continuou sendo um artista no temperamento pelo resto da vida. Além disso, o historiador

FIGURA 6.2 Esboço do autorretrato de William James, terminado no início de 1860.

---

1. O pai de Henry viveu o típico "sonho americano" do sucesso; imigrante irlandês que ascendeu de balconista de loja a magnata do comércio, ele tornou-se um dos homens mais ricos dos Estados Unidos no século XIX (Croce, 1995).

David Leary (1992) chamou a atenção para o uso recorrente de metáforas artísticas em *Principles*. James emprega, por exemplo, a metáfora do escultor que promove um só resultado a partir das infindáveis possibilidades existentes na pedra para ilustrar como a mente de cada um cria sua diferente realidade a partir das experiências diversas de vida: "Outros escultores, outras estátuas da mesma pedra! Outras mentes, outros mundos do mesmo caos monótono e inexpressivo" (James, 1890/1950, v1, p. 289).

A Vida em Harvard

No outono de 1861, depois de completar 19 anos, William James matriculou-se na Lawrence Scientific School of Harvard University, para grande alegria do pai. Embora sua filosofia na criação dos filhos o impedisse de forçá-los a seguir esta ou aquela carreira, Henry, Sr. sempre havia desejado que seu primogênito se tornasse um "cientista".[2] Em Lawrence, William primeiro estudou química com Charles W. Eliot (que logo depois viria a ser um dos mais inovadores reitores de Harvard), mas logo começou a odiar a matéria, principalmente aquilo que considerava o tédio e a obsessão com o detalhe que caracterizavam o trabalho de laboratório. A mesma atitude transparece no menosprezo que dedicou a boa parte do trabalho de laboratório da nova psicologia experimental.

Depois de abandonar a química, James experimentou diversas outras ciências em Lawrence. Um de seus professores de biologia era o famoso naturalista suíço Louis Agassiz, fervoroso defensor da estreita relação entre a religião e a ciência e do uso desta para confirmar verdades religiosas. Assim, Agassiz promovia veementemente o argumento do desígnio (Capítulo 5) e rechaçava as ideias darwinistas, acreditando que as espécies haviam sido criadas uma a uma por Deus. James estudou em Lawrence no período em que o debate acerca da teoria de Darwin, que havia sido publicada em 1859, estava no auge. Embora inicialmente se tivesse maravilhado com Agassiz, ele finalmente tornou-se darwinista convicto, percebendo que a história provaria que o seu professor estava do lado errado na questão da evolução. Agassiz também serviu para confirmar no jovem a aversão pelas minúcias da ciência. Ao acompanhar o professor numa expedição ao Amazonas que este organizara em 1865, James reagiu da mesma maneira que antes ao laboratório de química e pelas mesmas razões. Conforme disse em carta ao irmão: "Quando voltar para casa, vou estudar filosofia pelo resto da minha vida" (citado por Simon, 1998, p. 93). Além disso, durante a viagem James ficou doente, dando início a uma longa série de surtos de doenças reais e imaginárias que voltariam a atormentá-lo intermitentemente até o fim de seus dias (Lewis, 1991).

Em 1864, James matriculou-se na escola de medicina de Harvard, completando o curso em 1869, não sem antes fazer outra longa viagem à Europa para (a) tratar da saúde — ele sofria de dores nas costas, dores de cabeça lancinantes e gastrite crônica desde a viagem ao Amazonas — e (b) investigar a nova fisiologia experimental que vinha sendo desenvolvida na Alemanha. Além dos *spas* médicos, a viagem incluiu paradas em Heidelberg, onde conheceu Helmholtz e ouviu falar de Wundt, e Berlim, onde foi para frequentar as aulas do famoso fisiologista Emil du Bois Reymond. A experiência foi educativa, mas também contribuiu para aprofundar uma depressão que persistia no limiar da psique de James durante muitos anos. Ele estava prestes a formar-se em medicina, mas não tinha a menor vontade de praticá-la. Tinha uma formação em ciência, mas detestava detalhes. E, por

---

2. Ele ficou feliz também pelo fato de o filho poder assim evitar servir na Guerra Civil, que tivera início naquele mesmo ano. Henry, Jr., o escritor, também se esquivou da guerra, mas os dois irmãos mais novos lutaram pelo norte e um deles foi gravemente ferido no ataque a Fort Wagner, perto de Charleston, Carolina do Sul (a batalha é dramatizada no filme *Glória*, de 1990).

seu caráter reflexivo, se aborrecia com o determinismo e o materialismo insuportáveis da ciência que estava aprendendo. Se a vida se reduz ao movimento da matéria física através do espaço, então o que acontecia com o livre-arbítrio? Se a liberdade de opção é uma ilusão, qual é então a base da moral e da responsabilidade pessoais? James entrou em desespero e chegou a pensar em suicidar-se (Croce, 1995).

A salvação para James (ao menos temporária, pois ele continuou a sofrer surtos periódicos de depressão ao longo de toda a vida) veio sob a forma da descoberta do filósofo evolucionário francês Charles Renouvier. Num trecho muito citado de seu diário, em abril de 1870 James escreveu que sua vida havia entrado em crise quando descobriu um ensaio de Renouvier e não viu "por que sua definição [de Renouvier] de livre-arbítrio — a manutenção do pensamento *porque eu quero* quando poderia ter outros pensamentos — precisa ser a definição de uma ilusão. Seja como for, partirei do princípio, pelo menos por enquanto [...] de que não é uma ilusão. Meu primeiro ato de livre-arbítrio será crer no livre-arbítrio" (citado por Simon, 1998, p. 126, itálico na citação). Essa descoberta permitiu que James continuasse a estudar fisiologia e psicologia sem se esgotar com as implicações. O livre-arbítrio poderia ser uma ilusão, mas optando por acreditar nele, James tornou o conceito *útil* para si, pois lhe permitia continuar seu trabalho científico sem se desesperar. Essa abordagem "pragmática" do conceito de livre-arbítrio, na qual a verdade da ideia decorria de sua utilidade ou valor funcional, se tornaria um dos lastros do **pragmatismo** filosófico de James e a razão pela qual ele é considerado um precursor dos psicólogos norte-americanos que vieram a ser conhecidos como funcionalistas.

Em 1873, James aceitou o convite de Charles Eliot, seu antigo professor de química, que então era reitor de Harvard, para ensinar fisiologia. Dois anos depois, ele deu seu primeiro curso de psicologia, no qual tratava da relação entre a fisiologia e a psicologia. Por incorporar as mais recentes pesquisas feitas na Alemanha, esse curso diferia radicalmente dos cursos de filosofia mental típicos, baseados na psicologia das faculdades, e, assim, inaugurou uma nova abordagem no ensino da psicologia nos Estados Unidos. Tão nova era essa abordagem que James posteriormente diria que a primeira aula de psicologia a que ele jamais assistira fora também a primeira que ele dera! Para ajudar os alunos a entenderem algumas das pesquisas que descrevia, ele colocou alguns aparelhos numa salinha e, assim, criou em 1875 aquele que gradualmente se tornaria o laboratório de psicologia experimental de Harvard.[3] James permaneceu em Harvard até aposentar-se, em 1907. Em 1910, dois dias após a chegada de uma última viagem à Europa, morria de um problema cardíaco.

A Criação do Livro-Texto de Psicologia mais Famoso dos Estados Unidos

Em julho de 1878, aos 36 anos, William James casou-se com Alice Howe Gibbens, uma professora de 29 anos da escola para moças de Miss Sanger, em Boston. Alice seria uma força estabilizadora na vida de William e, com sua inteligência, se tornaria uma companheira intelectual. Com efeito, na lua de mel, na região das montanhas Adirondacks, em Nova York, ela o ajudou a começar a escrever *Principles of Psychology*, livro que estava destinado a ser o clássico dos clássicos na história da psicologia (Lewis, 1991). Um mês antes do casamento, James havia assinado um contrato com um jovem e arrojado editor chamado Henry Holt para criação de um "manual" de psicologia. Holt queria os originais prontos dentro de um ano, mas com relutância concordou com a proposta

---

3. Isso levou alguns a argumentarem que James criou o primeiro laboratório de psicologia, antecipando-se a Wundt em quatro anos. Porém esse laboratório era apenas um complemento que ele usava para demonstração em suas aulas, e o de Wundt produzia pesquisas originais.

> **DATA-CHAVE 1890**
>
> Este ano marcou a publicação do livro-texto mais famoso da psicologia, *The Principles of Psychology*, de William James.
>
> Os seguintes fatos também ocorreram:
>
> - James Mark Baldwin (que veremos neste mesmo capítulo) criou um laboratório na University of Toronto, o primeiro de psicologia experimental do Canadá
> - Pela primeira vez foram usadas luvas de borracha num procedimento cirúrgico, no Johns Hopkins Hospital, de Baltimore
> - O primeiro arranha-céu com estrutura inteiramente em aço foi construído em Chicago por Louis Sullivan, mentor de Frank Lloyd Wright
> - Foi fundada a associação Daughters of American Revolution, em Washington, D.C.
> - Oscar Wilde escreveu *O retrato de Dorian Gray*
> - O Japão assiste às suas primeiras eleições gerais
> - Idaho e Wyoming tornam-se estados
> - Nasceram:
>   Dwight David Eisenhower, general e presidente dos Estados Unidos
>   Julius "Groucho" Marx, comediante norte-americano
>   Agatha Christie, escritora inglesa de romances de mistério
> - Morreram:
>   Vincent Van Gogh, pintor holandês pós-impressionista (autor de, por exemplo, *A noite estrelada*)
>   Touro Sentado, chefe dos vencedores (a tribo sioux) na batalha de Little Big Horn

de dois anos de James. Só que o livro aparentemente ganhou vida própria e, por fim, exigiu doze anos até a publicação, em 1890: era enciclopédico e dividia-se em dois volumes, com um total de quase 1.400 páginas. Tornou-se imediatamente um *best-seller*, em parte porque o público acadêmico sabia o que iria encontrar, já que James havia publicado vários artigos baseados nele ao longo da década de 1880 e Holt havia começado a promovê-lo desde 1881 (King, 1992). Logo após a publicação, James concordou em escrever uma versão resumida (à qual ele se refere na carta a Calkins), publicada em 1892 com o título de *Psychology: The Briefer Course*. Com o passar dos anos, os alunos de Harvard começaram a referir-se aos monumentais dois volumes como "o James" e à versão resumida como "o Jimmy".

Na frase de abertura de *Principles*, James (1890/1950) define a psicologia como "a Ciência da Vida Mental, tanto de seus fenômenos quanto de suas condições" (v1. p. 1). Entre os fenômenos da vida mental estavam "as coisas que chamamos de sentimentos, desejos, cognições, raciocínios, decisões e congêneres" (v1. p. 1). Com "suas condições" ele se referia aos processos psicológicos que acompanham esses fenômenos, bem como às circunstâncias sociais, pessoais e ambientais em que eles ocorrem.

Sobre a Metodologia

James era eclético; queria incluir em seu livro os resultados de pesquisas que usassem qualquer abordagem metodológica que pudesse lançar luz sobre a vida mental. Porém sabia perfeitamente qual era, a seu ver, o principal meio de estudar a vida mental: "A Observação Introspectiva é aquilo em que temos de nos basear em primeiro lugar e sempre" (James, 1890/1950, v1, p. 185). Com **introspecção**, ele se referia à auto-observação cuidadosa, um exame e reflexão acerca dos estados de consciência que caracterizam a vida mental de cada um. James reconhecia as dificuldades do método: além de vulnerável a vieses, as introspecções de uma pessoa não podem ser verificadas por outra e, pela impossibilidade de se vivenciar um processo mental e introvertê-lo ao mesmo tempo, toda introspecção depende da memória. Não obstante, ele achava que a autorreflexão cuidadosa era essencial ao *insight* acerca do funcionamento da mente humana. Uma das consequências disso foram as críticas severas que o livro suscitou entre os psicólogos que abraçavam a nova abordagem laboratorial surgida em Leipzig. Assim, Wundt declarou que ele era mais literatura que ciência e G. Stanley Hall (de quem falaremos em seguida), depois de escrever que a reação geral do público ao livro teria de ser de "gratidão e admiração" (Hall, 1890-1891, p. 578), criticou o que lhe pareceram "incoerências e discrepâncias" (p. 589) e referiu-se a James como um "*impressionista* da psicologia" (p. 585, itálico no original).

James não ignorava os novos métodos experimentais. Ele forneceu uma descrição detalhada da metodologia do tempo de reação, por exemplo, e citou os resultados de pesquisas psicofísicas em diversos lugares. Contudo, sua aversão pessoal ao tédio do trabalho de laboratório o levou a declarar que a pesquisa do tempo de reação e a psicofísica alemã eram "um desafio supremo à paciência e dificilmente poderiam haver surgido num país cujos habitantes se *entediam*" (James, 1890/1950, v1, p. 192, itálico no original). Posteriormente, James cunhou um termo que viria a sintetizar a abordagem laboratorial, quando sarcasticamente se referiu a ela como **psicologia dos instrumentos de sopro**.

Além dos métodos introspectivo e experimental, James cita o "método comparativo" como uma terceira abordagem. Este envolve a investigação da vida mental por meio da comparação da consciência humana normal com a das "abelhas e formigas, [...] selvagens, bebês, loucos, idiotas, surdos e cegos, criminosos e excêntricos" (James, 1890/1950, v1, p. 194) e a utilização de dados coletados em questionários como os inicialmente usados por Darwin e Galton. Embora reconhecesse o valor desse tipo de informação, James também detestava o tédio do método da enquete, suspeitando que a geração seguinte de psicólogos provavelmente incluiria esses questionários "entre as pragas comuns da vida" (p. 194).

A Consciência

O capítulo sobre a **consciência** mostra James em toda a sua eloquência. É um capítulo fundamental, no qual ele deixa claro o quanto se opunha à abordagem analítica, que presumia compreender a consciência reduzindo-a a seus elementos básicos. Essa estratégia caracterizou o "estruturalismo", sobre o qual falaremos no próximo capítulo, mas também forneceu a base para as pesquisas sobre o tempo de reação e a psicofísica importadas da Alemanha e integrava boa parte do pensamento empirista/associacionista britânico. James acreditava que a tentativa de identificar cada elemento da consciência e ver como se agrupavam para formar a "mente" era um exercício irrelevante e artificial. Em um dos trechos mais citados da psicologia, ele argumenta que a consciência não é um conjunto de unidades interconectadas:

> A consciência, então, não parece a si mesma como cortada em pedaços. Palavras como "encadeamento" e "série" não descrevem com propriedade a maneira com que ela inicialmente se apresenta. Ela não é algo divisível; ela flui. O "rio" ou a "torrente" são as metáforas que mais naturalmente a descrevem. *Portanto, doravante, chamemo-la fluxo do pensamento, da consciência ou da vida subjetiva.* (James, 1890/1950, v1, p. 239, itálico no original)

O capítulo do qual essa citação foi extraída intitula-se "The Stream of Thought" e é o primeiro dos vários em que James trata da natureza da consciência. Usando uma metáfora artística, ele diz ao leitor que o capítulo é introdutório, que mais detalhes serão fornecidos posteriormente e que ele é "como o primeiro esboço a carvão do pintor sobre a tela" (James, 1890/1950, v1, p. 225). Seu esboço preliminar inclui os seguintes atributos adicionais da consciência:

- Ela é *pessoal*; toda consciência possui um elemento de autoconsciência; os pensamentos não existem independentemente daquele que os pensa (a "consciência do eu" é explicada num capítulo à parte).

- Ela está em *constante mudança*, como implica a metáfora do rio; não há dois estados de consciência que jamais sejam os mesmos; depois que um estado desaparece, jamais haverá outro que seja idêntico a ele.
- Ela é *sensivelmente contínua*; nossa percepção da consciência a vê como um fluxo contínuo de pensamentos; o fluxo pode ser temporariamente interrompido, como no sono, mas, ao despertar, a pessoa adormecida retoma imediatamente o mesmo fluxo.
- Ela é *seletiva*; da massa de informações sensoriais que está à sua disposição, ela seleciona algumas para deter-se com maior atenção (James trabalha a ideia num capítulo dedicado à "Atenção").
- Ela é *ativa*, e não um agrupamento passivo de elementos associados; volta-se para objetivos e finalidades.

Ao detalhar esse último atributo, James usou um exemplo que fornece uma persuasiva descrição de um fenômeno geralmente conhecido como "lembrança na ponta da língua", o qual posteriormente foi investigado por Brown e McNeill (1966):

> Suponha-se que estamos tentando relembrar um nome esquecido. Nosso estado de consciência é peculiar. Nele há uma lacuna, mas não apenas isso. É uma lacuna intensamente ativa. Ela tem em si uma espécie de espectro do nome, indicando-nos uma determinada direção; por vezes faz-nos vibrar diante da sensação de proximidade e, em seguida, deixa-nos voltar a mergulhar no esquecimento sem o termo desejado. Se nos são propostos os nomes errados, essa lacuna singularmente definida entra imediatamente em ação para invalidá-los. Eles não se enquadram à sua forma. (James, 1890/1950, v1, p. 251)

Um comentário final sobre a consciência revela o quanto James foi influenciado pelo pensamento darwinista. Além de descrever as características da consciência, ele estava interessado em compreender a sua *função*. Como nos teria a consciência permitido adaptar-nos ao meio ambiente? Qual o seu valor na sobrevivência? Para James, a resposta era que a consciência servia às pessoas permitindo-lhes adaptar-se rapidamente a novos ambientes, aprender coisas novas e resolver os novos problemas que se apresentam.

O Hábito

Segundo James, os hábitos também tinham uma função adaptativa. Como ocorriam de forma mais ou menos automática, permitiam à consciência concentrar-se em outros problemas mais importantes (isto é, aqueles relacionados à sobrevivência). Num sentido mais amplo, os hábitos funcionam como:

> o imenso volante da sociedade, seu mais precioso agente de conservação. [...] Só ele impede que os mais duros e repulsivos ofícios sejam abandonados por aqueles que foram criados para deles viver. Ele mantém o pescador [...] no mar durante o inverno; o mineiro, em sua escuridão; e o lenhador, em sua cabana solitária ao longo de todos os gélidos meses em que a neve cai. [...] Ele nos condena a lutar a luta da vida segundo nossa criação ou nossa mais antiga opção. (James, 1890/1950, v1, p. 121)

A seu modo tipicamente pragmático, James tinha alguns conselhos a dar no que se refere à formação de bons hábitos. O primeiro era motivacional, uma admoestação a que "nos lançássemos com a mais forte e decidida iniciativa possível" (James, 1890/1950, v1, p. 123). Ele recomendava, por exemplo, que o hábito a ser cultivado fosse transformado numa promessa pública. Segundo, que não nos permitíssemos nenhum deslize: "Nunca abra exceções até que o novo hábito esteja firmemente inserido em sua vida" (p. 123). Finalmente, exortava os leitores a organizar a própria vida de modo a aumentar as oportunidades para agir conforme o novo hábito, pois só as boas intenções não seriam suficientes.

As emoções

A teoria sobre as emoções provavelmente é a ideia de James mais familiar aos alunos de hoje. Essa teoria – que ele admitiu haver tomado de empréstimo ao fisiologista holandês Carl Lange – ficou conhecida como **teoria das emoções de James-Lange** e pode ser encontrada em qualquer texto atual de introdução à psicologia. James criticou o pensamento da época sobre as emoções — segundo o qual elas obedeceriam à sequência: percepção de um evento capaz de despertar a emoção (por exemplo, um urso) experiência subjetiva da emoção (por exemplo, o medo) reação instintiva (por exemplo, tremedeira, taquicardia) — e reverteu essa sequência ao descrevê-la num dos trechos mais famosos da psicologia:

> Nosso modo natural de pensar sobre [...] emoções é que a percepção mental de um determinado fato excita o afeto mental que chamamos de emoção, e esse último estado mental dá origem à expressão no corpo. Minha teoria, ao contrário, é que *as mudanças ocorridas no corpo acompanham diretamente a percepção do fato que promove a excitação e que nossa sensação das mesmas mudanças à medida que elas ocorrem. É a emoção.* O bom-senso diz que, se perdemos a fortuna, sentimos tristeza e choramos; se nos deparamos com um urso, sentimos medo e corremos; se somos insultados por um rival, sentimos raiva e o atacamos. A hipótese que visamos defender aqui diz que essa ordem na sequência é errada, que um estado mental não é imediatamente induzido pelo outro, que as manifestações no corpo devem interpor-se primeiro e que a afirmativa mais racional é que sentimos tristeza porque choramos, sentimos raiva porque atacamos, sentimos medo porque trememos — e não que choramos, atacamos ou trememos porque sentimos tristeza, raiva e medo, conforme seja o caso. Sem os estados físicos que acompanham a percepção, tristeza, raiva e medo teriam forma puramente cognitiva, pálida, destituída de vida ou calor emocional. Então poderíamos avistar o urso e julgar melhor correr ou receber o insulto e considerar certo atacar, mas na verdade não deveríamos sentir medo nem raiva. (James, 1892/1962, pp. 242-43, itálico no original)

O argumento de James era que as mudanças físicas que constituem as emoções são sentidas imediatamente com a percepção de um estímulo capaz de despertar a emoção, antes da consciência de uma emoção cognitivamente reconhecível: o coração dispara antes de sentirmos medo. Além disso, ele argumentava que reconhecemos diferentes emoções porque cada uma está associada a um padrão exclusivo de ação sobre o corpo. Assim, para que a teoria de James-Lange funcionasse, cada emoção precisaria ter seu próprio padrão de reação corporal e ser reconhecida como tal. Hoje sabemos que, embora haja algumas diferenças fisiológicas entre as emoções, a maioria das emoções fortes se faz acompanhar de padrões de excitação fisiológica semelhantes no sistema nervoso autônomo. Evidentemente, James não tinha condições de perceber essa falha, dado o grau de conhecimento acerca da fisiologia da emoção na década de 1890.

Como sempre, James foi pragmático. No caso das emoções, a aplicação prática era uma consequência natural de sua teoria. Se a emoção fosse, em essência, a excitação fisiológica, um corolário seria o de que, se pudéssemos voluntariamente provocar as "mudanças ocorridas no corpo" associadas a uma emoção, poderíamos sentir a própria emoção. Conforme suas palavras,

> Não há na educação moral nenhum preceito mais valioso que este [...]: se quisermos vencer tendências emocionais indesejáveis em nós mesmos, precisamos empenhar-nos com assiduidade e, inicialmente, sangue-frio, nos *movimentos exteriores* das disposições contrárias que preferimos cultivar. A recompensa pela persistência infalivelmente virá, no esfumar-se da melancolia ou depressão e sua substituição por uma real alegria e disposição. Relaxe o cenho, deixe o olho brilhar,

contraia os músculos dorsais, em vez dos ventrais, e faça um elogio em tom alegre – seu coração precisa ser mesmo gélido se gradualmente não se deixar aquecer. (James, 1892/1962, pp. 249-50, itálico no original)

A ideia de que é possível forçar as emoções a ocorrerem por meio da promoção deliberada de reações físicas – o que poderia parecer um tanto exagerado – na verdade vem sendo demonstrada por pesquisas mais recentes no campo das emoções. As pessoas cujos músculos faciais se dispõem para corresponder a determinadas emoções muitas vezes as sentem, ao menos em certo grau (por exemplo, Izard, 1977).

Os Últimos Anos de James

Depois da publicação de *Principles* em 1890 e de sua versão resumida dois anos depois, James (Figura 6.3) começou a se afastar da psicologia e a se aproximar da filosofia. Em 1892, ele convenceu o psicólogo e pesquisador Hugo Münsterberg (Capítulo 8) a deixar a Alemanha e ir para os Estados Unidos, a fim de administrar o laboratório de psicologia de Harvard. Com isso, James afinal conseguiu livrar-se para sempre do tédio do trabalho de laboratório. Embora continuasse envolvido na American Psychological Association, tendo sido eleito seu presidente em 1894 e 1902, James também apoiou a formação da American Philosophical Association logo depois da virada do século, e daí em diante o que ele publicou voltava-se basicamente para a filosofia (por exemplo, *Pragmatism* em 1907) e a religião (por exemplo, *Varieties of Religious Experiences* em 1902).

O Espiritismo

Além da passagem da psicologia para a filosofia em seus últimos vinte anos de vida, James também deixou-se fascinar pelo **espiritismo**, um movimento popular no final do século XIX. Os espíritas acreditavam que a consciência sobrevivia à morte e que os mortos podiam ser contactados por médiuns. Os médiuns eram também considerados capazes de prever o futuro e saber detalhes da vida das pessoas pelo uso de meios telepáticos. O movimento teve início em meados do século, mas ganhou impulso depois da Guerra Civil – as atrozes baixas promovidas pela guerra aumentaram drasticamente o número de pessoas que queriam entrar em contato com parentes e amigos falecidos. Além disso, o espiritismo foi alimentado por avanços tecnológicos da época, como o telégrafo. Se os vivos podiam comunicar-se através de imensas distâncias por meio de um misterioso processo invisível e se havia vida após a morte, por que não um canal de comunicação entre os mortos e os vivos? (Coon, 1992)

James interessou-se seriamente pelo espiritismo a partir da década de 1880, depois

FIGURA 6.3 William James, vendendo saúde, em foto tirada na década de 1890 nas montanhas Adirondacks, de Nova York, quando ele fazia a transição do enfoque da psicologia para filosofia, foto extraída de Lewis (1991).

de descobrir a Society for Psychical Research durante uma viagem a Londres (Benjamin, 1993), e ajudou a fundar uma sociedade semelhante nos Estados Unidos, tornando-se um promotor da pesquisa sobre o fenômeno. Ele acreditava que os psicólogos, com sua experiência nos poderes da mente, reuniriam os requisitos ideais para esse tipo de investigação. E, em mais um reflexo de sua filosofia pragmática, segundo a qual o valor de algo decorre de sua utilidade, insistiu em manter a cabeça aberta diante dos fenômenos mediúnicos, pois estes poderiam ser benéficos se demonstrassem sua validade.

Em 1885, James deu início a um longo estudo da Sra. Leonore Piper, uma médium muito conhecida de Boston. Apesar de a investigação mais cuidadosa facilmente demonstrar que a maioria dos médiuns, mesmo no século XIX, era fraude, James não encontrou nenhum tipo de trapaça nas sessões espíritas da Sra. Piper. Em artigo para os *Proceedings of the British Society for Psychical Research*, James escreveu que não podia deixar de concluir que, nas sessões dela, "transparece um conhecimento que ela jamais obteve pelo uso normal na vigília de seus olhos, ouvidos e cérebro. Qual pode ser a fonte desse conhecimento, eu não sei nem tenho a mais remota sugestão de explicação" (citado por Lewis, 1991, p. 494). Por outro lado, James tinha um certo ceticismo diante das mensagens que, em suas sessões, a Sra. Piper recebia dos mortos. Se realmente estivessem se comunicando, os mortos sem dúvida teriam coisas importantes a dizer — seria possível esperar que eles quisessem descrever como era a vida após a morte, por exemplo. Só que, em vez disso, eles tendiam a transmitir trechos de informações sem importância. Em carta a um colega, James questionou a capacidade da Sra. Piper de comunicar-se com os mortos, chamando a atenção para a "extrema trivialidade da maioria dos comunicados. Qual o espírito que, conseguindo afinal revisitar a mulher na Terra, não encontraria algo melhor para dizer-lhe do que 'você mudou a minha fotografia de lugar?'" (citado por Benjamin, 1993, p. 83). Além disso, o "controle espiritual" da Sra. Piper (o intermediário entre ela e os espíritos dos mortos), era supostamente um médico francês, porém ele não conseguiu responder quando James lhe fez perguntas em francês (Murphy e Ballou, 1960).

James não foi recompensado por seus pares pela abertura mental. Numa época em que não havia nenhum licenciamento formal para habilitar médicos, ele foi extremamente criticado por ser contrário à criação de regras legais para isso. Qual a sua razão? As diretrizes proibiriam que médiuns e "curandeiros mentais" praticassem sem licença (Murphy e Ballou, 1960). A censura por parte dos psicólogos foi igualmente rígida. Numa época em que eles tentavam estabelecer a legitimidade da psicologia como disciplina científica, era embaraçoso que um de seus maiores expoentes frequentasse regularmente sessões espíritas e manifestasse publicamente sua fé em uma médium (Coon, 1992). Em carta a James publicada na *Science*, James McKeen Cattell, por exemplo, afirmou que a "Society for Psychical Research está contribuindo muito para prejudicar a psicologia" (citado por Benjamin, 1993, p. 88). Com relação a James, Cattell disse que toda a comunidade psicológica "reconhece sua liderança, mas não pode segui-lo em atoleiros" (p. 88). Sempre independente, James não se deixou abalar pelas críticas e, por sua vez, acusou seus detratores de estreiteza e preconceito acientífico, tendo dado vazão a seu fascínio pelos fenômenos mediúnicos até o fim de seus dias.

Resumindo William James

Ao longo de sua vida, William James testemunhou as grandes mudanças que caracterizaram o final do século XIX nos Estados Unidos. Em sua juventude, o país era formado por uma sociedade agrária, a fronteira oeste ficava a leste das Montanhas Rochosas, a possibilidade de um norte-americano vir a matar outro numa guerra civil era impensável e a educação superior limitava-se quase que praticamente à graduação, a qual se destinava principalmente à formação de ministros religiosos. Nos últimos dez anos da vida de James, os Estados Unidos entraram no século XX como uma potência industrializada, a fronteira oeste foi declarada fechada, o trauma da guerra civil estava se tornando uma lembrança e a educação superior, que agora contava com universidades voltadas para o ensino de pós-graduação, produzia profissionais e doutores em várias disciplinas.

A psicologia norte-americana também mudou muito ao longo desse período, passando da filosofia mental a uma disciplina independente que aspirava a tornar-se ciência. Apesar de suas reservas diante da nova psicologia, William James foi uma das figuras que mais contribuíram para sua emergência. Formado em fisiologia, ele viu como os avanços na área poderiam tornar possível uma nova psicologia de laboratório. Artista e filósofo de coração, ele via os problemas inerentes a um ataque puramente científico à mente humana. Seu monumental *Principles of Psychology* situa-se no ponto de transição, mesclando com engenho a fisiologia, a filosofia e a nova psicologia de laboratório. James foi reconhecidamente o líder da primeira geração de psicólogos norte-americanos, mas não estava só.

G. STANLEY HALL (1844-1924): A PROFISSIONALIZAÇÃO DA NOVA PSICOLOGIA

G. Stanley Hall (Figura 6.4) não tinha diante da psicologia nem um pouco da relutância de James. Pelo contrário, foi um enérgico promotor da nova área e, mais que qualquer outro norte-americano, responsável pela evolução de sua identidade como disciplina acadêmica à parte. Como Wundt na Alemanha, Hall profissionalizou a psicologia nos Estados Unidos fundando laboratórios e publicações especializadas. Além disso, ele a institucionalizou como profissão ao criar a American Psychological Association. Como psicólogo, Hall foi um homem de muitos interesses, entusiasmando-se por várias coisas ao longo de sua carreira. Seu biógrafo não exagerou ao chamá-lo de "profeta" pelo afã com que promovia suas ideias (Ross, 1972). Hall poderia ser caracterizado tanto como criador e visionário quanto como assistemático e caprichoso. Por um lado, foi pioneiro no movimento em prol do estudo da criança, do adolescente e do idoso, demonstrou a importância da psicologia para a educação e introduziu Freud e a psicanálise (Capítulo 12) nos Estados Unidos. Por outro lado, deixou de contribuir com um volume substancial de pesquisa para qualquer dessas áreas exatamente pela vastidão de seus in-

FIGURA 6.4 G. Stanley Hall na Clark University, foto reproduzida de Popplestone e McPherson (1994).

teresses. Além disso, fez os colegas (entre eles James) se afastarem, e alguns chegaram a questionar o valor de sua obra. Em carta de 1906 ao bibliotecário da Clark University, L. N. Wilson, B. Titchener (Capítulo 7) afirmou o seguinte acerca da capacidade de Hall para o preparo de alunos de pós-graduação:

> [V]ocê provavelmente não faz ideia do tipo de desprezo que os métodos de Hall e os alunos treinados exclusivamente por ele em geral despertam dentro da psicologia, seja aqui ou na Europa. Quando sai alguma resenha de suas pesquisas com questionários, é sempre depreciativa. [...] Ele não causou nenhuma impressão entre os homens da ciência (Titchener, 1906).

Você descobrirá no próximo capítulo que Titchener possuía um conceito um tanto limitado do que deveria ser a formação científica. Sua crítica pode ter sido exagerada, mas não estava muito longe da verdade.

Se houve um fio condutor entre os diversos interesses de Hall, este foi a evolução. Em sua autobiografia, Hall (1923, p. 357) disse que "[a]ssim que a ouvi pela primeira vez, na juventude, acho que fiquei quase hipnotizado pela palavra 'evolução', que soava como música aos meus ouvidos". A maior parte de sua obra pode ser classificada como **psicologia genética**, a qual poderia definir-se na época como o estudo da evolução e do desenvolvimento da mente humana e abrangia as psicologias comparada, da anormalidade e, principalmente, do desenvolvimento.

A Juventude e a Formação de Hall

Hall nasceu na cidade de Ashefield, Massachusetts, em 1844. A mãe era uma professora muito exigente e severa e o pai, que também tinha experiência de ensino, era principalmente fazendeiro. No caso de Hall, a principal consequência da criação numa fazenda foi a vontade de deixá-la o quanto antes. Ele frequentou o vizinho Williams College e formou-se em 1867 com um grande interesse por filosofia e história e o anseio de imitar vários de seus colegas e obter um doutorado na Europa. Porém, o preço era um problema, e a opção mais razoável de pós-graduação para um jovem que gostava de filosofia e não tinha condições de cruzar o Atlântico era fazer teologia. Assim, Hall matriculou-se no Union Theological Seminary de Nova York (Ross, 1972).

Nova York era uma cidade um tanto avassaladora para alguém criado no estado rural de Massachusetts, mas Hall tirou proveito das oportunidades culturais, educacionais, artísticas e sociais que havia à sua disposição. Depois de um ano no seminário, ele havia conseguido dinheiro suficiente para finalmente ir para a Europa e ali permaneceu até 1871, estudando teologia e filosofia, mas conhecendo também a fisiologia científica. Então voltou a Nova York e concluiu sua formação no seminário. Porém só estava cumprindo uma formalidade e sentia-se sufocado pela ortodoxia da religião.[4] Dedicar-se ao ministério estava fora de questão — Hall queria ensinar filosofia. Depois de trabalhar como professor particular, ele ensinou filosofia durante quatro anos no Antioch College de Ohio, onde tomou conhecimento de *Principles of Physiological Psychology*, de Wundt, e resolveu voltar à Alemanha para estudar essa nova psicologia de laboratório. Porém, antes disso, mudou-se para Cambridge a fim de estudar em Harvard, mantendo-se com aulas de redação para os alunos do segundo ano da faculdade. Conheceu William James, fez com este vários cursos e concluiu uma tese de doutorado sobre a "percepção muscular do espaço" em 1878. Trata-se de uma obra basi-

---

4. Hall (1923) provavelmente floreou a história que contou acerca da reação do presidente do Union Theological Seminary a seu sermão de conclusão de curso, supostamente a culminância do treinamento teológico na instituição. Segundo ele (1923, p. 178), em vez de criticar o sermão, o presidente simplesmente caiu de joelhos no chão e orou pela alma do formando.

camente filosófica, mas tinha também algum trabalho experimental na área da percepção, conduzido no laboratório de fisiologia de H. P. Bowditch. Harvard havia começado a oferecer o doutorado em filosofia e Hall foi o primeiro aluno a obter o título. Como o tema de sua tese se inseria na área que depois seria classificada como psicologia experimental, ela é às vezes considerada a primeira em psicologia.

Com o doutorado na mão, Hall voltou à Alemanha e viu-se em Leipzig em 1879, o ano "oficial" da fundação do laboratório de Wundt. Posteriormente, alegou ter sido o primeiro aluno norte-americano de Wundt, mas na verdade teve muito pouco contato com ele, não publicou nenhuma pesquisa e foi precedido em pelo menos um ano por outro compatriota (Benjamin, Durkin, Link, Vestal e Accord, 1992). Hall decepcionou-se com a experiência em Leipzig e depois criticaria o mestre alemão, ao escrever a James e dizer que considerava os experimentos de Wundt "pouquíssimo confiáveis e falhos em termos de método" (citado por Ross, 1972, p. 85). Depois de Leipzig, Hall foi para Berlim a fim de estudar com Helmholtz. No breve período em que permaneceu ali, reencontrou uma jovem que conhecera em Antioch e que estava em Berlim para estudar arte. Casaram-se na Alemanha mesmo.

O casal voltou a Boston no outono de 1880. Hall estava com 36 anos de idade, tinha adquirido uma formação superior considerável e era extremamente dedicado à jovem esposa. Mas era também pobre e estava desempregado. Contudo, em menos de dez anos seria reitor de uma universidade e um dos mais notórios líderes da psicologia nos Estados Unidos. Sua grande oportunidade veio sob a forma de um convite de Eliot, reitor de Harvard, para proferir uma série de palestras sobre educação. Hall já havia refletido bastante sobre o modo como a psicologia poderia contribuir para a reforma educacional que se estava processando naqueles últimos anos do século XIX. Suas palestras, realizadas aos sábados pela manhã, a fim de permitir que os professores locais pudessem participar, foram um grande sucesso. A publicidade chamou a atenção de Gilman, reitor da Johns Hopkins, que por fim o convidou a proferir uma série de palestras semelhantes em Baltimore em janeiro de 1882. O êxito dessas palestras valeu-lhe um emprego de meio expediente como professor de filosofia. Em 1884, Hall foi contratado pela Johns Hopkins como professor em tempo integral, com o salário generoso (para a época) de US$ 4 mil anuais (Ross, 1972). A evidente perícia com que aplicava princípios da psicologia à educação refletia-se em seu cargo: professor de psicologia e pedagogia. Aos 40 anos, então, Hall conseguiu seu primeiro emprego de verdade.

Da Johns Hopkins à Clark

Hall não permaneceu por muito tempo na Johns Hopkins; mas, enquanto esteve lá, promoveu — e muito — a causa da psicologia nos Estados Unidos. Em 1883, quando ainda era professor de vinte horas, criou o primeiro verdadeiro laboratório de psicologia experimental do país e, com a ajuda de alunos talentosos como James McKeen Cattell (Capítulo 8), John Dewey (Capítulo 7) e Edmund Sanford, começou a produzir pesquisas experimentais. Em 1887, fundou o *American Journal of Psychology*, a primeira publicação dedicada à nova psicologia a circular em território nacional. Ela funcionava em parte como veículo de publicação de pesquisas originais do laboratório de Hall e outros, mas também tinha uma seção dedicada a resumos e resenhas da literatura na área e seções dedicadas a notas e informações sobre a psicologia e os psicólogos. O *Journal* contou com o auxílio de uma doação de quinhentos dólares de um defensor do espiritismo, que, ao que tudo indica, pensou que ele seria voltado para pesquisas "mediúnicas". A confusão tinha sua explicação, já que os termos usados para referência ao "mediúnico" e ao "psicológico" eram intercambiados indistintamente na época.* Hall não esclareceu ao doador a confusão e aceitou o dinheiro. Ao longo dos anos, ocasionalmente publicaram-se artigos sobre o espiritismo no *Journal*, mas só para ridicularizar-lhe a base científica. Hall, por exemplo, afirmava que o que se passava por telepatia, clarividência e coisas semelhantes eram apenas truques de magia e outras formas de ilusão. A propósito, Hall tornou-se um mágico hábil e usava seus números para demonstrar como era fácil enganar as pessoas (Ross, 1972).

A publicação era uma iniciativa arrojada e arriscada, e Hall a levou adiante quando ninguém teria sido capaz de prever o futuro da psicologia. No editorial de abertura, ele deixou claro que a finalidade do *American Journal of Psychology* era "registrar os trabalhos feitos em psicologia por cientistas, e não os de caráter especulativo, [e] registrar o progresso da psicologia científica" (Hall, 1887, pp. 3-4). O primeiro número contava, entre outros, com artigos de pesquisas sobre "As Variações do Reflexo Normal do Joelho", "A Sensibilidade Epidérmica a Mudanças Graduais de Pressão" e "A Lei Psicofísica e as Magnitudes Estelares".

No fim da década de 1880, percalços de ordem econômica criaram dificuldades financeiras para a Johns Hopkins (Hawkins, 1960). Vendo os recursos tornarem-se cada dia mais limitados, Hall começou a buscar perspectivas mais alvissareiras e as encontrou em Worcester, Massachusetts. Jonas Clark, comerciante que enriquecera vendendo suprimentos para a mineração a preços inflacionados durante a corrida do ouro na Califórnia, havia decidido comprar respeitabilidade em sua cidade natal abrindo uma faculdade para educar a juventude local. Hall parecia a opção ideal para a presidência — era ambicioso, perito em educação superior e, em sua rápida passagem pela Johns Hopkins, criara uma ficha de sucesso

invejável. Clark o contratou em abril de 1888. Inicialmente, o comerciante pensava em criar uma escola para os jovens de Worcester, mas Hall tinha planos mais grandiosos e conseguiu convencer Clark de que, além de oferecer cursos de pós-graduação (nos moldes da Johns Hopkins), essa escola deveria voltar o foco para a ciência. Uma divisão de cursos de graduação poderia ser acrescentada posteriormente. Assim, ao abrir as portas no outono de 1889, a Clark University oferecia pós-graduação em cinco áreas: psicologia, biologia, química, física e matemática. A equipe de professores compunha-se de dezoito pessoas e a primeira turma tinha 34 alunos de pós-graduação no total. O ensino consistia quase praticamente em pesquisa orientada — a carga horária de cada professor compunha-se de apenas duas aulas por semana (Ross, 1972).

Durante três anos, a Clark University encarnou a visão que Hall tinha de uma verdadeira universidade: os professores conduziam as pesquisas mais avançadas, os alunos vinham até do Japão para juntar-se à equipe de estudiosos de elite e Hall ficou famoso inclusive internacionalmente como líder visionário da educação. Porém nem tudo ia bem. Ao fim do primeiro ano, Hall sofreu uma tragédia pessoal quando a mulher e a filha de 8 anos morreram num acidente. No segundo ano, os professores começaram a ouvir falar de novas oportunidades e melhores salários em outra universidade que estava sendo criada em Chicago com dinheiro dos Rockefeller. E, ao longo desses três anos, Hall entrou regularmente em conflito com o corpo docente. As coisas atingiram um ponto crítico em 1892, quando a combinação entre os problemas financeiros (uma depressão econômica), a insatisfação da equipe de professores e o apelo da University of Chicago quase fechou a universidade. Cerca de dois terços dos professores e dos alunos deixaram Clark nesse ano, e o departamento de psicologia tornou-se a única opção viável em termos de pós-graduação (Ross, 1972).

---

* Os termos são "psychological" e "psychic". Este último, em inglês continua tendo as conotações de "psíquico" e "mediúnico". (N. da T.)

(a) *(b)*

FIGURA 6.5 O laboratório de Clark em 1892: (a) "instrumentos de sopro", entre os quais aparelhos de cronometria e de medição de tempo de reação; (b) estudo do tempo de reação aplicado à voz (fotos extraídas dos arquivos da Clark University).

A Psicologia na Clark

A psicologia sobreviveu ao fiasco de 1892 em parte porque Hall estava profundamente envolvido no trabalho que se fazia no departamento e, em parte, devido à lealdade de seus dois professores, Edmund Sanford e William Burnham. Ambos haviam sido de Hall na Johns Hopkins. No departamento de "psicologia e pedagogia" de Clark, Burnham era encarregado da psicologia da educação e Sanford, do laboratório de pesquisa. Porém, Hall era claramente o líder do departamento e dava as cartas em termos da sua administração. Além disso, orientava as teses doutorais da maioria dos alunos, e seus seminários de segunda-feira à noite tornaram-se lendários: aconteciam na sala de sua casa, começavam às 19h30 e muitas vezes duravam três horas. Os alunos faziam apresentações, os colegas davam sua contribuição e Hall era o último a se pronunciar:

> [P]or meia hora ou mais, dependendo da importância que desse ao tema, sentado na poltrona sob a arcada da sala, Hall fazia uma crítica magistral da pesquisa que acabava de ser relatada, acrescentando esclarecimentos provenientes de novos ângulos que às vezes deixavam [os alunos] boquiabertos. [...]
>
> Depois do fim da reunião intelectualmente provocante, muitos dos alunos da pós-graduação iam para seus alojamentos, mas suas emoções encontravam-se em tal comoção que só uma longa caminhada até a meia-noite e um banho morno antes de recolher-se poderia relaxá-los o bastante para dormir. (Averill, 1982, p. 342)

Com essa citação, implica-se que Hall tinha um conhecimento impressionante da literatura psicológica da época. Com efeito, o saber que ele possuía era enciclopédico, baseado num rigoroso sistema que desenvolveu: ler vorazmente (em diversas línguas) tudo que podia e, em seguida, resumir o material em cadernos. Já em 1900, muito antes de se aposentar, Hall já tinha trinta deles (Leary, 2006).

No início da década de 1890, o laboratório de Clark era o que havia de mais avançado, em parte porque Hall levara consigo a maioria dos equipamentos de pesquisa quando saiu da Johns Hopkins. Por isso, o laboratório da Johns Hopkins foi fechado e só reabriu em 1903, sob o comando de Mark Baldwin (veja neste mesmo capítulo), ao passo que o da Clark começou a todo vapor. Além disso, Hall fora generoso nos gastos durante os dois primeiros anos, dando a Sanford tudo o que este precisava para equipar um laboratório da forma mais completa. A abundância de caros "instrumentos de sopro" pode ser constatada na Figura 6.5a. A Figura 6.5b, que ilustra um projeto de pesquisa real (tempo de reação aplicado à voz), fornece uma ideia da psicologia experimental que se fazia na época. Sanford dava aos alunos considerável liberdade no laboratório; além disso, Hall constantemente dava-lhes sugestões. Assim, embora fosse assistemática e dispersa, a pesquisa em Clark versava sobre a grande variedade de tópicos que interessavam aos psicólogos norte-americanos da década de 1890.

Em meados dessa década, movido pelo profundo interesse que lhe despertava a evolução, Hall começou a incentivar pesquisas na área da psicologia comparada. Disso resulta o surgimento dos primeiros estudos que utilizaram algo que posteriormente seria peça padrão entre os equipamentos de laboratório — o labirinto. Para conhecer detalhes sobre as origens da venerável tradição de "ratos em labirintos", leia o *Close-Up* deste capítulo.

CLOSE-UP
A CRIAÇÃO DA APRENDIZAGEM EM LABIRINTO

Peça a qualquer psicólogo que cite os equipamentos mais famosos na psicologia experimental e verá que os labirintos ficarão sempre no início da lista, ou perto dele. O labirinto atingiu o auge da popularidade entre 1920 e 1950, especialmente na pesquisa dos neobehavioristas Edward Tolman e Clark Hull (Capítulo 11), e permanece em uso ainda hoje. Centenas de estudos de labirintos foram feitos ao longo dos anos, mas não se sabe ao certo como tudo começou. Às vezes atribui-se o crédito ao darwinista *Sir John Lubock*, que usou toscos labirintos em forma de Y na década de 1870 para estudar como as formigas orientavam-se por trilhas de odor, ou a E. L. Thorndike (Capítulo 7), que observou como os pintos escapavam de labirintos simples, criados com livros colocados de pé (veja a Figura 7.7). Porém a pesquisa que inaugurou o estudo sistemático de ratos em labirintos foi conduzida por Willard Small, da Clark University, na virada do século.

Small chegou a Worcester em 1897, aos 27 anos de idade, para estudar na pós-graduação e logo começou a fazer pesquisas com animais ao lado de outro aluno, Linus Kline. Kline é responsável pelo primeiro estudo geral das habilidades dos ratos (Dewsbury, 1984), e um de seus interesses consistia na capacidade apresentada por esses animais de "encontrar o lar". Ele discutiu a questão com o diretor do laboratório, Edmund Sanford, que lhe sugeriu um estudo com um padrão específico de labirinto. Conforme contou Kline posteriormente,

> Eu [...] descrevi a [Sanford] túneis que havia observado vários anos antes, feitos por grandes ratos selvagens para acesso a seus ninhos, sob a varanda de uma velha cabana da fazenda do meu pai, na Virgínia. Esses túneis ficavam entre 7,5 e 15 cm abaixo da superfície do solo e, quando expostos durante a escavação, constituíam um verdadeiro labirinto. Sanford imediatamente sugeriu a possibilidade de usarmos o padrão do labirinto de Hampton Court para construirmos um aparato que se prestasse ao estudo do "encontro do lar". (Miles, 1930, p. 331)

Não se pode senão especular por que o labirinto de Hampton ocorreu a Sanford. Que ele já estava em sua mente está claro a partir do comentário de Kline de que "a rapidez com que ele me chamou a atenção para o labirinto de Hampton é presumivelmente um indício de que ele já havia

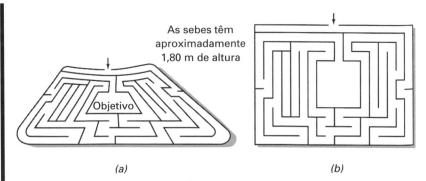

FIGURA 6.6 (a) Planta do labirinto de Hampton Court, na Inglaterra; (b) ajuste efetuado por Small para dar ao labirinto uma configuração retangular.

pensado em usá-lo antes" (Miles, 1930, p. 331). Uma possibilidade é que Sanford pudesse haver estado em Hampton Court pouco tempo antes da conversa com Kline. Ele havia gozado de licença-prêmio na primavera de 1898 e visitado vários laboratórios da Europa (Goodwin, 1987). Sua última parada foi em Londres, e é ao menos concebível que tenha visitado Hampton Court, que fica muito perto de Londres e é o jardim que possui o labirinto de cerca viva mais famoso da Inglaterra.

Não se sabe ao certo por que Small, e não Kline, fez o primeiro estudo de labirinto. Kline relatou haver outros trabalhos que exigiam sua atenção, e talvez fosse natural que seu amigo e colega de laboratório assumisse o projeto. De qualquer maneira, em janeiro de 1899, Small construiu três labirintos de mais ou menos 15 X 20 cm, com paredes de tela de arame, usando o padrão do labirinto de Hampton Court, mas dando-lhe formato retangular, conforme é mostrado na Figura 6.6. Em seguida, deu início a sua histórica pesquisa sobre o modo como os ratos aprendem os labirintos.

Sanford apresentou o estudo de Small no encontro de dezembro de 1899 da APA, e Small publicou um detalhado relatório de 33 páginas em 1901. Os relatos modernos, talvez influenciados pela crítica um tanto cáustica que Thorndike fez do trabalho anterior de Small (Thorndike, 1900), geralmente consideram a descrição que este fez dos estudos de labirinto uma série de comentários excessivamente antropomórficos sobre coisas como o suposto "aborrecimento" dos ratos ao optarem por um dos caminhos sem saída. A crítica tem seus fundamentos, mas o relatório de Small também contém uma descrição de tentativa e erro da aprendizagem em labirinto semelhante a outras explicações dadas por contemporâneos, como Lloyd Morgan (Capítulo 5) e o próprio Thorndike (Capítulo 7). Além disso, Small comentou exaustivamente o que julgou serem os processos mentais envolvidos e usou ratos cegos para investigar os efeitos da capacidade sensorial sobre a aprendizagem. Os ratos cegos aparentemente aprendiam a sair dos labirintos tão bem quanto os que enxergavam normalmente. Small concluiu que as "sensações motoras táteis fornecem os dados essenciais ao reconhecimento e discriminação exigidos pela formação das associações especiais em pontos críticos" (Small, 1901, p. 237).

> O trabalho de Small não é tão importante pelas suas conclusões quanto pelo fato de haver dado início a um imenso volume de pesquisas semelhantes. Nos anos que se seguiram, os psicólogos comparatistas usaram versões do labirinto de Hampton Court para estudar espécies que variavam desde macacos (Kinnaman, 1902) a andorinhas (Porter, 1904). No caso dos ratos brancos, a pesquisa partiu das ideias de Small acerca da influência dos diferentes sentidos sobre a aprendizagem. Os mais famosos dentre os estudos desse tipo são os de Watson e Carr, da University of Chicago (Capítulo 10), que concluíram, como Small, que a cinestesia era o mais importante dos sentidos. As pesquisas subsequentes, e antes de 1920 foram realizadas dezenas, mostraram que o processo era muito mais complexo, mas vale a pena ressaltar que a literatura sobre a aprendizagem animal em labirintos começou com a investigação dos processos sensoriais e mentais envolvidos nesse tipo de aprendizagem e da forma como os organismos se adaptavam ao meio ambiente. Naturalmente, esses eram temas que se harmonizavam perfeitamente com a psicologia praticada no início do século XX, a psicologia da vida mental, o que refletia a onipresença da teoria da evolução.

Nos últimos anos em que permaneceu em Clark, Hall deixou sua marca na psicologia de diversas maneiras. Primeiro, continuou a profissionalizar a psicologia criando a primeira organização formal, a American Psychological Association (APA). Ao lado de cerca de uma dezena de outros psicólogos, ele promoveu uma reunião internacional em seu escritório em julho de 1892, na qual identificaram-se 31 membros fundadores (Sokal, 1992). Como era de esperar, Hall foi eleito o primeiro presidente da associação. Dezoito desses fundadores participaram da primeira reunião anual da APA em dezembro do mesmo ano, na University of Pennsylvania. A organização cresceu rapidamente: ao fim de quatro anos, possuía 74 membros e, na virada do século, 127 (Ross, 1972). Em 1894 foi adotada uma constituição que deixava claro seu papel na criação de uma identidade disciplinar para a psicologia científica. O objetivo da organização era promover "o avanço da Psicologia como ciência. Pode tornar-se membro todo aquele que se engajar nessa tarefa" (Cattell, 1895, p. 150). A APA contribuiu também para melhorar o *status* profissional e científico da psicologia afiliando-se a associações mais antigas e reconhecidas, como a American Association for the Advancement of Science (Camfield, 1973).

Hall e a Psicologia do Desenvolvimento

Além das atividades relacionadas com o *Journal* e à APA, Hall contribuiu para a psicologia norte-americana desenvolvendo sua psicologia genética. Ele foi um pioneiro da psicologia do desenvolvimento, promovendo o movimento em prol do estudo da criança, criando o primeiro livro-texto sobre a psicologia do adolescente e, perto do fim de sua carreira, escrevendo um livro sobre o envelhecimento. Além disso, continuou a defender a importância da psicologia para a educação, em parte mediante a promoção de cursos de verão para o treinamento de educadores, mas também por meio da fundação de uma segunda publicação, *Pedagogical Seminary* (que se tornou o *Journal of Genetic Psychology*), em 1891.

Hall começou a interessar-se pelo estudo da criança quando ainda estava na Johns Hopkins, onde publicou o primeiro de uma série de ensaios sobre as crianças usando os resultados de questionários preenchidos por elas próprias, pelos professores e pelos pais (esses eram os estudos de "questionários" tão criticados por Titchener na carta a Wilson). Seu objetivo geral podia ser detectado já no título do primeiro ensaio: "The Contents of Children's Minds" (Hall, 1883/1948). Na primeira enquete, ele acumulou dados de mais de duzentas crianças de Boston que acabavam de entrar na escola. Elas foram interrogadas por mais de sessenta professores, que lhes perguntaram o que sabiam acerca de diversos temas. O nível de conhecimento não era muito alto. Por exemplo, 75,5% não sabiam identificar qual a estação do ano no momento, 87,5% não sabiam o que era uma ilha e 90,5% não sabiam localizar as costelas. Hall descobriu também que as crianças criadas no campo se saíam muito melhor que as da cidade. Tendo sido ele próprio criado numa fazenda, Hall não se surpreendeu com isso:

> À medida que nossos métodos de ensino se tornam mais naturais, percebemos que a vida da cidade é antinatural e que aqueles que crescem sem conhecer o interior são privados de algo sem o qual a infância jamais pode ser completa ou normal. No geral, o material da cidade é sem dúvida inferior em valor pedagógico à experiência rural. Alguns poucos dias no campo nessa idade já serviram para elevar o nível de inteligência de muitas crianças da cidade mais do que um ou dois semestres de treinamento escolar. (Hall, 1883/1948, pp. 261-62)

Essa citação deixa entrever a essência da filosofia da educação de Hall. Ele caçoava da memorização e da rígida disciplina da sala de aula, preferindo uma abordagem mais permissiva, que partisse do princípio da "natural" curiosidade infantil diante do mundo, e estimulando aquilo que hoje seria chamado de "aprendizagem ativa" — dar às crianças problemas para elas resolverem ou atividades que tivessem algum valor pedagógico específico.

Hall não estava interessado apenas na psicologia infantil. Alguns de seus estudos de questionários coletaram dados de adolescentes, e ele relatou os resultados, juntamente com tudo que então se sabia sobre essa faixa etária, em seu enciclopédico *Adolescence* (1904), dividido em dois volumes. Esse foi o primeiro livro dedicado ao estudo dos adolescentes, e Hall é o maior responsável pela identificação da adolescência como um estágio diferente do desenvolvimento. A descrição desse estágio como um período de "turbulência e *stress*" tem suas origens no livro de Hall, que contém ainda a mais completa descrição do uso que ele deu à teoria da **recapitulação**. Essa teoria foi criada pelo biólogo evolucionista alemão Ernst Haeckel, que propôs que os estágios do desenvolvimento de um organismo, da célula ao indivíduo plenamente formado, podem ser vistos como uma recapitulação da evolução da espécie.[5] Assim, num dado estágio do desenvolvimento, o feto humano se parece com um peixe, refletindo o ponto, na história da evolução, em que a espécie humana teve ancestrais aquáticos. Hall e outros estenderam a ideia do desenvolvimento biológico para a área da psicologia do desenvolvimento, argumentando que o desenvolvimento psicológico do indivíduo era um reflexo da história da evolução (Arnett e Cravens, 2006). Por exemplo, Hall acreditava que o alto grau de imprudência e impulsividade presente na adolescência era um reflexo de um momento na história da evolução em que os seres humanos eram menos "civilizados" do que na modernidade. Como teoria, a recapitulação morreu logo depois da virada do século, mas teve sobre Hall o benéfico efeito de despertar o interesse por todos os estágios do desenvolvimento — para testar a recapitulação, é necessária a atenção ao desenvolvimento desde o princípio até o fim da vida. Youniss (2006) argumentou que a recapitulação continuou sendo o arcabouço do pensamento de Hall sobre o desenvolvimento, mesmo depois que a comunidade científica rejeitou a ideia no século XX.

---

5. A teoria de Haeckel tinha muita visibilidade e era objeto de muito debate na época da primeira visita de Hall à Alemanha, entre 1868 e 1871 (Ross, 1972).

Perto do fim da vida, Hall interessou-se pelos estágios intermediário e final da vida, tendo por fim escrito sobre o envelhecimento em *Senescence: The Last Half of Life* (1922). Mais uma vez, recorreu a dados coletados por meio de questionários, perguntando aos idosos sua opinião em relação a coisas como o medo da morte e a capacidade de reconhecer os sinais do envelhecimento. No livro, Hall criticou a falta de programas de aposentadoria e recomendou aos idosos que se organizassem politicamente, muito antes do surgimento da previdência e dos planos de pensão.

Hall e a Psicanálise

Boa parte de *Adolescence* diz respeito ao comportamento sexual, inclusive as cinquenta páginas do capítulo que se intitula "Adolescent Love". Além disso, Hall ofereceu em Clark um curso intitulado "A Psicologia do Sexo" (Rosenzweig, 1992). Coerente com suas ideias em termos de educação, ele acreditava que a expressão natural do comportamento sexual não deveria ser inibida. Essa atitude provocou uma certa perplexidade entre seus pares, levando um deles a indagar: "Será que não há nada que faça Hall parar com essa história de sexo? Realmente acho que é ruim, moral e intelectualmente, martelar tanto na tecla sexual, a menos que seja neurologista" (carta de F. Angell a E. B. Titchener, datada de 19 de março de 1890, citada por Ross, 1972, p. 385).

A preocupação de Hall com o sexo, aliada ao seu interesse pelo comportamento anormal, levaram-no a um fascínio pelas teorias de Freud. Em 1909, para celebrar o vigésimo aniversário da universidade, Hall organizou um congresso em Clark (Clark Conference), que consistia numa série de palestras públicas proferidas por eminentes psicólogos. O carro-chefe era nada mais, nada menos que um ciclo de conferências dado pelo próprio Freud.[6] Acompanhado de seu colega mais jovem Carl Jung, que falou a respeito de sua nova técnica de associação de palavras, Freud fez sua primeira e única visita aos Estados Unidos e proferiu cinco palestras, publicadas no *American Journal of Psychology* em 1910 e, posteriormente, em forma de livro. Grato, Freud diria algum tempo depois que o congresso de Clark foi um momento importante para a história da psicanálise, tendo constituído o primeiro reconhecimento internacional de suas teorias.

Hall aposentou-se da presidência da Clark em 1920, mas permaneceu ativo em seus restantes quatro anos de vida. Em 1922, publicou seu livro sobre o envelhecimento e, um ano depois, uma autobiografia, *Life and Confessions of a Psychologist* (Hall, 1923). Em 1924, foi eleito para um segundo mandato na presidência da APA, fato que ocorreu apenas duas vezes na história da associação (o outro presidente duas vezes eleito foi William James). Porém Hall faleceu antes de tomar posse.

MARY WHITON CALKINS (1863-1930): DESAFIANDO O MONOPÓLIO MASCULINO

As mulheres que optam por uma profissão no início do século XXI muitas vezes enfrentam discriminação no trabalho e não conseguem romper a barreira para passar do famoso "teto invisível" que se cria sobre elas. Por mais frustrante que seja para as mulheres de hoje, cem anos atrás o problema era muitas vezes pior. De acordo com o que dissemos anteriormente neste capítulo, na última década do século XIX, as mulheres ainda eram consideradas intelectualmente inferiores aos homens e tinham pouca voz na sociedade (por exemplo, até 1920 não tinham direito ao voto). Casar e ter uma carreira era praticamente impossível — o

---

6. Hall inicialmente havia pensado em levar a Clark um elenco de astros de primeira grandeza da psicologia internacional, entre os quais não apenas Freud, mas também Wundt e Ebbinghaus. Porém Wundt recusou o convite e Ebbinghaus, apesar de o ter aceito, morreu um pouco antes do início do congresso.

casamento já era considerado a carreira das mulheres. Mesmo que não casassem, a sociedade esperava que as mulheres cuidassem de outros membros da família, principalmente dos pais idosos. Embora começassem a frequentar cada vez mais cursos universitários no fim do século XIX, para as mulheres a educação superior era vista com ceticismo numa sociedade dominada pelos homens. Pensava-se inclusive que a educação fosse nociva às mulheres, pois as exigências cerebrais da universidade poderiam prejudicar irreversivelmente sua frágil constituição. Assim, na década de 1890 era quase impossível para uma mulher obter um doutorado em psicologia, e Mary Whiton Calkins enfrentou esse problema.

FIGURA 6.7 Mary Whiton Calkins quando era uma jovem instrutora do Wellesley College, foto extraída de Scarborough e Furumoto (1987).

A Vida e a Obra de Calkins

Mary Calkins, a mais velha dos cinco filhos de um ministro congregacionalista, criou-se em Buffalo, Nova York, numa família muito unida. Seu pai tinha em comum com o de James a crença no valor educativo das viagens à Europa e na importância do poliglotismo. Na verdade, os pais de Mary só falavam alemão em casa quando os filhos eram pequenos. Ao atingir a idade adulta, Mary era fluente em inglês, alemão e francês (Furumoto, 1979). A família mudou-se para a região de Boston quando Mary tinha 17 anos e, logo em seguida, ela entrou para o Smith College, em Massachusetts, uma das novas faculdades para mulheres. Diplomou-se em 1885 e foi para a Europa, onde passou dezesseis meses com a família e, entre outras coisas, acrescentou o grego à lista dos idiomas que dominava. Ao voltar, assumiu o cargo de professora de grego no Wellesley College. Calkins (Figura 6.7) trabalhou em Wellesley pelo resto da vida.

No fim da década de 1880, os dirigentes de Wellesley decidiram que, para manter-se em dia com as tendências da moderna ciência, a escola teria de oferecer a nova abordagem da psicologia de laboratório. Como havia demonstrado interesse em lecionar filosofia e causado boa impressão aos superiores em seus primeiros anos como professora, Calkins ganhou a oportunidade de criar um curso de psicologia nesses moldes. Porém a direção determinou que ela precisaria tirar um ano para pesquisar e aprender sobre essa nova área. E assim começou sua frustrante busca de um curso de pós-graduação em psicologia.

A Pós-Graduação para Mulheres

Calkins logo constatou que as oportunidades de formação avançada eram bastante limitadas para as mulheres. Depois de considerar uma viagem à Europa e algumas escolas norte-americanas (por exemplo, Yale, Michigan), tentou fazer um curso em Harvard — já que essa universidade tinha William James entre seus quadros e estava perto de onde ela vivia. Além disso, sondou a Clark University, cerca de 50 quilômetros a oeste de Boston. Em Harvard, com má vontade, deixaram-na assistir os seminários de James e do filósofo Josiah Royce. Ambos deram apoio irrestrito à inscrição de Calkins, mas os burocratas de Harvard deixaram claro que ela seria apenas uma "convidada" não oficial da universidade. Em Clark ocorreu o mesmo. As mulheres não eram admitidas oficialmente, mas Edmund Sanford a recebeu em seu novo laboratório. Calkins posteriormente atribuiu a Sanford, que deu tempo, consultoria e aparelhos, a fundação do laboratório de Wellesley (Calkins, 1930).

Calkins foi para Harvard no outono de 1890 e imediatamente viu-se diante da grande oportunidade educacional de sua vida. Com outros quatro alunos, formava a turma do curso de Filosofia 20a, de psicologia fisiológica, com William James. Porém os colegas, todos homens, em poucos dias abandonaram a matéria, talvez incomodados pela presença de uma mulher. Conforme ela própria diria depois, "James e eu fomos deixados, [...] literalmente, um de cada lado de uma lareira da biblioteca. *The Principles of Psychology* havia acabado de chegar às livrarias e meu estudo concentrado daqueles volumes brilhantes, eruditos e provocadores, conforme seu autor os ia interpretando, foi minha introdução à psicologia" (p. 31).

Depois de seu ano de estudos em Harvard e Clark, Calkins voltou a Wellesley, mas havia tomado gosto pela nova psicologia e logo procurou fazer um treinamento mais aprofundado. Em 1892, quando William James recrutou Hugo Münsterberg (Capítulo 8) da Alemanha para administrar o laboratório de Harvard, Calkins voltou a Cambridge, outra vez como convidada não oficial. Mais uma vez, as circunstâncias foram oportunas — o inglês de Münsterberg era fraco, mas o alemão de Calkins era fluente, e eles logo fizeram amizade. Nos dois anos seguintes, Calkins trabalhou meio expediente no laboratório de Münsterberg e continuou lecionando em Wellesley, a cerca de 15 quilômetros de distância. No ano acadêmico de 1894-1895, ela tirou uma licença para concluir seus estudos.

A Pesquisa de Calkins sobre a Associação

Münsterberg tratava Calkins como a qualquer outro aluno do doutorado. Para a tese, ela conduziu uma brilhante série de estudos experimentais sobre a associação, publicando a pesquisa em duas partes (Calkins, 1894; Calkins 1896) e escrevendo em 1896 um texto ampliado que recebeu o título de *Psychological Review Monograph*. Os relatos filosóficos e introspectivos tradicionais frisavam muitas vezes o quanto a força das associações estava sujeita a fatores como a frequência, a recentidade, a vividez e a primazia. No espírito de Ebbinghaus, Calkins decidiu ir além da "auto-observação comum" e analisar esses fatores experimentalmente. O procedimento que desenvolveu é historicamente importante porque — embora não tenha usado o termo, ela inventou a **aprendizagem por associação em pares**, que viria a ser um método padrão na pesquisa cognitiva. Seus sujeitos primeiro viram pares de estímulo-resposta compostos de fichas de papel colorido e de números (apresentados em sequência por quatro segundos cada um) e, em seguida, tentaram relembrar o número associado quando o estímulo da cor era apresentado. Calkins manipulou a frequência apresentando a mesma cor várias vezes, uma com um número e depois duas ou três com um segundo número. A série 89 foi por ela assim descrita:

> I. Cinza-médio, 29; azul, 82; violeta, 61 (n); vermelho, 23; violeta, 12 (f); azulão, 79, violeta, 12 (f); vermelho vivo, 47; violeta, 12 (f); marrom-claro, 53; cinza-escuro, 34; verde-claro, 72.
>
> II. Azulão, vermelho, verde, violeta, cinza-médio, marrom, vermelho vivo, cinza-escuro, azul. (Calkins, 1894, p. 478)

Assim, durante a apresentação (I), o violeta foi emparelhado primeiro ao número 61 (e por ela referido como o emparelhamento "normal" ou "n") e depois três vezes ("f" = frequência) ao número 12. Na recordação (II), o violeta era a quarta cor apresentada e a pergunta era se os sujeitos lembrariam o número 61 ou o número 12. De maneira semelhante, Calkins estudou a questão do pouco tempo de existência ("recentidade") comparando a incidência da recordação de dois números emparelhados à mesma cor, um deles no meio da sequência e outro, no final. A vividez foi examinada apresentando um par crítico de algum modo que o destacasse dos demais pares, alterando o tamanho dos números, por exemplo. A primazia foi estudada observando o desempenho em relação ao primeiro par da série. Em geral, os resultados de Calkins demonstraram que os quatro fatores: frequência, vividez, recentidade e primazia – reforçavam a recordação. Em tentativas subsequentes, nas quais comparou diretamente esses fatores combinando-os na mesma lista, Calkins descobriu que a frequência era o fator mais importante. Ela conduziu também alguns testes nos quais as cores e os números eram apresentados simultaneamente, na mesma ficha. Isso lhe permitiu comparar as associações "simultâneas" com as anteriores, "sucessivas", e assim analisar a antiga distinção feita pelos empiristas britânicos entre essas duas formas de contiguidade. Os resultados não apresentaram diferenças significativas.

Calkins não menciona a pesquisa de memória de Ebbinghaus, publicada em 1885 (e discutida no Capítulo 4), mas sem dúvida estava ciente desta. Além de ser fluente em alemão, ela conhecia o livro *Principles* de James, que traz uma descrição detalhada da pesquisa de Ebbinghaus no capítulo sobre "Memória". A influência de Ebbinghaus é evidente também na escolha de materiais, quando Calkins altera seu procedimento para usar a apresentação auditiva. Os estímulos nesse caso foram "sílabas sem sentido" (e ela usa o termo), em vez de cores. Calkins obteve praticamente os mesmos resultados para as apresentações visuais e auditivas, com a exceção de que, no caso das últimas, os dados relativos à recentidade se destacaram.

Calkins (1896) resumiu seus resultados enfatizando a importância da variável da frequência, ressaltando porém que os resultados de laboratório poderiam não ser inteiramente "representativos das linhas ordinárias da associação" (p. 49). Ela inclusive acrescentou uma afirmação acerca das implicações práticas de seus resultados, referindo-se à frequência como uma "influência corretora. [...] A importância da frequência é, evidentemente, crucial, já que implica a possibilidade de exercer algum controle sobre a vida da imaginação e combater definitivamente as associações nocivas ou problemáticas" (p. 49). Calkins estava pensando da mesma maneira pragmática que seu professor William James, e sua pesquisa fornece uma prova empírica da sugestão de James sobre como estabelecer firmemente um hábito (ver discussão anterior).

Madigan e O'Hara (1992) examinaram cuidadosamente a pesquisa de Calkins sobre a memória, inclusive alguns estudos que ela fez depois da conclusão da tese, e encontraram indícios claros de que ela descobriu diversos efeitos que seriam redescobertos cinquenta anos mais tarde, quando os psicólogos voltaram a interessar-se pelo estudo da psicologia cognitiva (Capítulo 14). Entre esses efeitos encontram-se fenômenos mnemônicos como a primazia, a recentidade, os efeitos negativos desta, o efeito da modalidade e a interferência.

Embora nada fosse oficial, Calkins defendeu sua tese como se estivesse se submetendo a um exame para obter um Ph.D. em maio de 1895. Münsterberg, James e outros examinadores apelaram às autoridades de Harvard no sentido de outorgar-lhe esse Ph.D. — Münsterberg chegou mesmo a descrevê-la como "superior [...] a todos os candidatos que haviam concorrido ao doutorado em filosofia nos últimos anos" e "sem dúvida, um dos melhores professores de psicologia do país" (citado por Scarborough e Furumoto, 1987, pp. 44-5). Porém Harvard não atendeu a seu pedido — afinal, Calkins era uma mulher. Depois, quando o Radcliffe College surgiu como uma Harvard para mulheres, Calkins recebeu dessa instituição o título. Só que desta vez foi ela quem o recusou — ou recebia o doutorado da escola na qual havia defendido sua tese ou não receberia diploma nenhum. Embora Calkins viesse a receber vários diplomas honorários, Harvard não mudou de posição e nunca lhe concedeu seu Ph.D.

Da Psicologia à Filosofia

Depois da conclusão do seu não Ph.D. em Harvard, Calkins voltou para Wellesley, continuou montando seu laboratório com a ajuda de Sanford e publicou uma série de pesquisas por volta da virada do século. Em 1898, ela passou o laboratório a Eleanor Gamble, que acabara de obter um diploma de Ph.D. trabalhando no laboratório de E. B. Titchener em Cornell (uma das poucas instituições que admitiam mulheres para o doutorado). A partir de 1900, as publicações de Calkins tornaram-se menos voltadas para a pesquisa, na medida em que ela passou a desenvolver sua maior contribuição teórica para a psicologia: a **psicologia do eu**, um sistema claramente influenciado por seu primeiro mentor, William James. Calkins argumentava que a psicologia podia ser o estudo da vida mental, como James havia dito, mas que o essencial na psicologia era forçosamente o fato de toda consciência conter um elemento do eu (Strunk, 1972).

Num momento em que surgiam fortes discordâncias quanto ao rumo que a nova psicologia deveria seguir, Calkins viu sua psicologia do eu como um meio de resolver os conflitos. Por exemplo, como ficará claro no próximo capítulo, um dos conflitos dizia respeito ao estruturalismo, que enfatizava a divisão da consciência em seus elementos básicos, e o funcionalismo, que se voltava para o modo como a consciência servia para adaptar o indivíduo ao ambiente. Quando seus pares a elegeram para a presidência da APA em 1905, Calkins — a primeira mulher a merecer essa honra — fez um discurso de posse intitulado "Reconciliação entre as psicologias estrutural e funcional" (1906). Nesse discurso, argumentava que ambas as visões poderiam ser acomodadas em um sistema que reconhecesse o eu como ponto de partida fundamental.

Como James, com o passar dos anos Mary Calkins gradualmente interessou-se mais pela filosofia que pela psicologia. Logo após seu mandato na presidência da APA, por exemplo, ela escreveu *The Persistent Problems of Phylosophy* (1907), talvez seu trabalho mais importante. Em 1918, foi eleita presidente da American Philosophical Association, tornando-se assim a primeira mulher a exercer a presidência de ambas as APAs. Calkins aposentou-se de Wellesley em 1929 e morreu de câncer um ano depois.

Outras Pioneiras: Vidas não Contadas

Calkins não foi a única mulher a lutar na virada do século contra uma disciplina feita por homens e para homens. Em *Untold Lives: The First Generation of American Women Psychologists*, Elizabeth Scarborough e Laurel Furumoto (1987) documentam muito bem as experiências de Calkins e de várias outras pioneiras da psicologia nos Estados Unidos. Duas das mais famosas delas são Christine Ladd-Franklin e Margaret Washburn.

Christine Ladd-Franklin (1847-1930)

Como Calkins, Ladd-Franklin formou-se em uma das novas faculdades para mulheres, tendo entrado no Vassar College, de Poughkeepsie, Nova York, em 1866, um ano depois da sua fundação. Ali revelou-se aluna brilhante em ciências e matemática, inspirando-se no exemplo da astrônoma Maria Mitchell, considerada a mais importante mulher de ciências dos Estados Unidos na época (Furumoto, 1992). Diplomando-se em 1869, Ladd-Franklin lecionou em escolas secundárias por cerca de dez anos antes da decisão de fazer um curso de pós-graduação em matemática na Johns Hopkins. Ali encontrou a mesma barreira que Calkins posteriormente encontraria em Harvard: a universidade oficialmente não admitia mulheres como alunas. Mesmo assim, ela obteve permissão para frequentar as aulas e, em 1882, havia cumprido todos os requisitos para um doutorado em matemática. Contudo, só em 1926 a Johns Hopkins concedeu-lhe oficialmente o grau de doutora, que ela recebeu pessoalmente, aos 79 anos de idade (Scarborough e Furumoto, 1987).

Enquanto estava na Johns Hopkins, Christine Ladd conheceu, apaixonou-se e se casou com Fabian Franklin, professor do departamento de matemática, e se tornou a senhora Christine Ladd-Franklin. Com o apoio do marido, ela continuou a dedicar-se à matemática e publicou diversos artigos acadêmicos. Em meados da década de 1880, ela começou a se interessar pela percepção visual, interesse que a levou à nova psicologia. Seu primeiro trabalho, sobre a visão binocular ("A Method for the Experimental Determination of the Horopter"), foi publicado em 1887, no primeiro número do *American Journal of Psychology*, de Hall. Nas férias sabáticas do marido, de 1891 a 1892, passadas na Europa, ela pôde conduzir uma pesquisa sobre a visão no laboratório de G. E. Müller, em Göttingen. Conforme vimos no Capítulo 4, o laboratório de Müller era um dos melhores da Alemanha. Ladd-Franklin passou algum tempo também no laboratório de Helmholtz, em Berlim. Foi nessa época que ela criou uma teoria da visão de cores que se baseava na teoria da evolução e permaneceu influente por várias décadas.

Das três pioneiras aqui consideradas, Ladd-Franklin foi a que mais criticou abertamente a falta de oportunidades profissionais para as mulheres, questionando diretamente, por exemplo, a regra do "clube do Bolinha" de um grupo de psicólogos conhecidos como "os experimentalistas". Organizado em 1904 por Titchener (Capítulo 7), de Cornell, esse seleto grupo reunia-se uma vez por ano em algum laboratório a fim de discutir as pesquisas que estavam sendo feitas. Depois de ter seu pedido de participação no encontro de 1912 recusado, ela escreveu a Titchener para dizer-lhe que estava "chocada por saber que o senhor ainda — no ano em que estamos — exclui as mulheres da sua reunião de psicólogos experimentais. Que ponto de vista mais antiquado" (citada por Furumoto, 1988, p. 107). Dois anos depois, Ladd-Franklin venceu Titchener pela persistência e apresentou seu trabalho sobre a visão de cores numa das reuniões do grupo. Essa foi a única vez em que uma mulher participou de um encontro dos experimentalistas enquanto Titchener viveu.

Além disso, Ladd-Franklin batalhou muito para tornar-se professora efetiva, mas só conseguiu cargos de meio período e quase nunca foi remunerada pelo trabalho, primeiro na Johns Hopkins e depois em Columbia, quando se mudou para Nova York com o marido. Apesar de tudo, ela continuou seu trabalho como matemática e especialista em visão, jamais cedendo à crença de que a ciência fosse só para homens.

Margaret Floy Washburn (1871-1939)

Além de Ladd-Franklin, o Vassar College formou também Margaret Washburn. Diplomada em 1890 e interessada tanto pela ciência quanto pela filosofia, ela resolveu dedicar-se à "nova e maravilhosa ciência da psicologia experimental" (Washburn, 1932, p. 338) porque esta aparentemente promovia a união de seus dois grandes interesses. Assim, tentou inscrever-se num curso de pós-graduação na Columbia University, onde encontrou os mesmos problemas que Calkins e Ladd-Franklin. Embora aceita como aluna regular por James McKeen Cattell, apenas obteve permissão para assistir às aulas deste em caráter extraoficial, como sempre. Cattell percebeu seu potencial e a incentivou a ir para Cornell, que aceitava mulheres em seus cursos de pós-graduação. Lá ela conheceu ninguém menos que E. B. Titchener, recém-chegado do doutorado que fizera com Wundt em Leipzig. As mulheres podem ter sido excluídas por Titchener das reuniões dos experimentalistas, mas eram aceitas por ele no laboratório e, assim, Washburn foi a primeira aluna de doutorado que ele teve. Ela foi também a primeira norte-americana a obter um Ph.D. em psicologia ao apresentar um estudo dos efeitos das imagens visuais sobre a sensibilidade tátil em 1894. Esse foi um dos poucos estudos publicados nos *Philosophische Studien*, de Wundt, que não provinha do laboratório de Leipzig.

Depois de deixar Cornell, Washburn teve vários empregos como professora até ser convidada para lecionar em Vassar, onde se graduara. Ela aceitou o convite em 1903 e ali permaneceu pelo resto de sua vida profissional ativa. Apesar da pesada carga horária e da falta de instalações adequadas à pesquisa que invariavelmente acompanham os cargos de ensino nas faculdades de pequeno porte, Washburn conseguiu destacar-se de maneira notável na carreira, tendo sido presidente da APA em 1921, coeditora do *American Journal of Psychology* por mais de dez anos e eleita para a prestigiosa National Academy of Sciences em 1931. Quando os experimentalistas voltaram a organizar-se depois da morte de Titchener em 1927, ela foi uma das duas mulheres eleitas como fundadoras do novo grupo e promoveu uma reunião da recém-reformada "Society of Experimental Psychologists" em Vassar em 1931 (Goodwin, 2005).

Como psicóloga, embora tenha publicado estudos nas áreas da percepção, imagem e "consciência social" (empatia e solidariedade) e criado uma teoria motora da consciência, Washburn é mais conhecida pelo trabalho em psicologia comparada. Ela produziu algumas pesquisas originais (por exemplo, sobre a percepção das cores nos peixes) e elaborou um resumo do campo no conhecido texto *The Animal Mind*. Inicialmente publicado em 1908, teve três reedições (1917, 1926 e 1936) e tornou-se o livro-texto de sua época (Dewsbury, 1992). O trabalho é notável pela exclusão de provas baseadas unicamente em dados anedóticos; Washburn usou apenas os resultados de pesquisas experimentais. Como sugere o título, o foco estava nos processos cognitivos da percepção, atenção e consciência conforme evidenciados no comportamento de diversas espécies.

OUTROS PIONEIROS: LADD E BALDWIN

As figuras de James, Hall e Calkins se destacam entre os primeiros psicólogos norte-americanos, mas evidentemente existiram outros. Dois dos mais notáveis foram George Trumbull Ladd, de Yale, e James Mark Baldwin, que passou a maior parte de seus anos produtivos em Princeton.

George Trumbull Ladd (1842-1921)

Ladd foi uma figura de transição, uma espécie de ponte sobre o abismo existente entre a velha filosofia da moral e a velha psicologia das faculdades de início e meados do século XIX e a moderna psicologia de laboratório que se difundiu no final desse século. Como estudara teologia, trabalhou dez anos como ministro antes de assumir, em 1879, o cargo de professor de psicologia do Bowdoin College (onde Thomas Upham estava ao escrever o conhecidíssimo livro-texto pré-jamesiano de psicologia descrito anteriormente neste capítulo). Dois anos depois, Ladd foi contratado por Yale, onde permaneceu até o fim da carreira. Ele foi o segundo presidente eleito da APA.

A fama e a importância de Ladd para a incipiente psicologia devem-se a seu trabalho como autor de livros-textos. O mais conhecido, *Elements of Physiological Psychology*, foi publicado em 1887 e imediatamente tornou-se um *best-seller*. Pelo fato de ter sido a primeira descrição detalhada da psicologia de laboratório wundtiana feita em inglês, constituiu a introdução a essa nova psicologia para a maioria dos novos psicólogos de língua inglesa (Mills, 1974). E. B. Titchener de Cornell, que era aluno de Oxford quando o livro foi lançado, relembrou sua "emoção ao encontrar esse livro na biblioteca da universidade" (Titchener, 1921b) e afirmou que o livro

> contribuiu para o estabelecimento dos laboratórios e o reconhecimento da psicologia experimental como área acadêmica. Tendo

sido escrito, como foi, por um professor de filosofia de Yale e ex-ministro da congregação, ele deu à jovem ciência um ar de respeitabilidade [...] extremamente vantajoso em sua luta pela vida (p. 600).

Por ironia, apesar de fornecer um retrato fiel da psicologia de laboratório wundtiana, cheio de descrições indispensáveis de temas como psicofísica e tempo de reação, Ladd nunca foi um "homem de laboratório", preferindo uma psicologia de base mais filosófica, apoiada na introspecção reflexiva para o estudo da mente. Na verdade, ele nunca abandonou sua formação inicial na psicologia das faculdades. Em seu discurso de posse da APA, Ladd manifestou sua preocupação com o rumo que a psicologia estava tomando, tendo em vista o fato de a estratégia introspectiva estar sendo substituída por experimentos e medições quantitativas no que tocava à tentativa de compreensão da mente. Seus receios, evidentemente, se concretizaram.

Elements of Physiological Psychology teve dez impressões antes de ser revisto em 1911 por Ladd e Robert Woodworth (Capítulo 7). Na década de 1890, Ladd escreveu nada menos que outros quatro livros-textos de psicologia, porém àquela altura *Principles*, de James, estava dominando a área. Apesar do desinteresse pessoal pelo trabalho de laboratório, em 1892 Ladd fundou um laboratório de psicologia em Yale com o que havia de mais avançado e convidou Edward Scripture (que acabara de obter um Ph.D. no laboratório de Wundt em Leipzig) para administrá-lo. Durante o resto da década, Scripture manteve um volume estável de pesquisas de laboratório. Infelizmente, Ladd e Scripture eram ambos teimosos e muitas vezes se desentendiam por causa do rumo que achavam que a psicologia deveria seguir em Yale. O conflito acabou por custar-lhes os cargos logo após a virada do século (Sokal, 1980).

James Mark Baldwin (1861-1934)

Como Ladd, Baldwin fez importantes contribuições para a nova psicologia experimental sem ter sido propriamente um pesquisador de laboratório. Apesar de ter fundado dois laboratórios e reativado um terceiro, os textos que publicou eram geralmente teóricos e quase nunca empíricos. Nas palavras de E. G. Boring (1950), "apesar de ter sido um dos 'novos' psicólogos, sua vocação maior era a do filósofo na teorização especulativa" (p. 529). Baldwin esteve entre os líderes da psicologia nos Estados Unidos no período que vai de 1890 a 1909, quando um escândalo o obrigou a deixar a academia e, inclusive, a exilar-se.

Mark (que era como preferia ser chamado) Baldwin obteve um Ph.D. em filosofia em Princeton em 1899 e nesse mesmo ano assumiu o cargo de professor da University of Toronto. Logo em seguida, aí fundou o primeiro laboratório de psicologia experimental do Canadá. Quatro anos depois, voltou para Princeton, fundou um segundo laboratório e deu início a sua fase mais produtiva como psicólogo. Durante esses anos, contribuiu para divulgar a psicologia do desenvolvimento com dois livros: *Mental Development in the Child and the Race* (1895) e *Social and Ethical Interpretations in Mental Development* (1897). Como viria a ser o caso do livro sobre a adolescência que Hall publicou em 1904, esses dois livros de Baldwin foram bastante influenciados pelo pensamento evolucionista. Nenhum dos dois fazia muito uso de provas empíricas, baseando-se praticamente numa aplicação da teoria evolucionista e nas observações que fez de suas duas filhas. Os críticos contemporâneos dividiram-se em sua apreciação dos livros e, no obituário que escreveu para Baldwin, Washburn (1935) observou que a falta de provas empíricas em respaldo a suas afirmações sobre o desenvolvimento fora "responsável pela ausência quase total de menção ao nome desse brilhante pensador nos livros de psicologia infantil hoje publicados" (p. 169). No entanto, as ideias de Baldwin sobre as origens da cognição exerceram posteriormente efeito direto sobre a teoria do desenvolvimento proposta por Jean Piaget (Capítulo 14) (Cairns, 1994). Por exemplo, Baldwin usou os termos "assimilação" (relacionar novos conceitos a conceitos já conhecidos) e "acomodação" (desenvolver novos conceitos) para referir-se aos processos necessários ao desenvolvimento de novas ideias; Piaget usou os mesmos termos e da mesma maneira. Ao lado de Hall, Baldwin pode merecidamente ser considerado um dos fundadores da psicologia do desenvolvimento.

Embora os resultados de suas pesquisas fossem escassos, Baldwin fez uma importante pesquisa sobre o tempo de reação que gerou um breve, porém rancoroso debate com E. B. Titchener. O que estava em questão eram alguns dados relativos ao tempo de reação, e o principal problema reduzia-se a saber quem era mais capaz de fornecer esses dados. Como você verá no próximo capítulo, Titchener acreditava que os sujeitos (então geralmente chamados de "observadores") dos experimentos tinham de ser altamente treinados para evitar erros e vieses. Com seus observadores altamente treinados, Titchener conseguiu demonstrar uma distinção entre aquilo que se chamava tempo de reação sensorial (quando a atenção estava concentrada no estímulo) e tempo de reação motora (quando a atenção estava concentrada na reação). Baldwin não foi capaz de replicar esse dado utilizando observadores apenas relativamente treinados, mas identificou o que julgou serem diferenças individuais no desempenho do tempo de reação (Krantz, 1969). Algumas pessoas eram mais do tipo "imagem", reagindo mais rápido a instruções de tempo de reação sensorial que às de tempo de reação motora. Já outras, do tipo "motor", faziam o oposto. Pelo fato de os observadores de Baldwin não serem altamente treinados, Titchener considerou os resultados irrelevantes. Como acontece em muitas controvérsias científicas, nenhum dos dois lados "venceu", embora um estudo feito por Angell e Moore tenha apresentado uma solução razoável — logo no início do treinamento no tempo de reação, ocorriam resultados como os de Baldwin; posteriormente, depois de mais treinamento, ocorriam resultados como os de Titchener. Quanto a Baldwin e Titchener, à medida que a controvérsia prosseguia na imprensa, suas réplicas foram se tornando cada vez mais acrimoniosas, evidenciando por que os dois jamais se tornaram amigos e por que Baldwin muitas vezes teve dificuldade em criar amizade no círculo profissional. Em uma das réplicas publicadas, por exemplo, ele afirma que não podia "deixar de pensar que o professor Titchener às vezes deixa que a poeira dos seus equipamentos obscureça sua visão" (citado por Krantz, 1969, p. 11). Titchener respondeu dizendo não ter "nenhuma vontade de seguir o exemplo do professor Baldwin no que se refere a insultos", reprovando sua atitude por não ser "nem científica nem eticamente defensável" (p. 11).

Nos anos que passou em Princeton, além do trabalho teórico e do ocasional trabalho empírico, Baldwin também contribuiu para a profissionalização da psicologia, tendo sido membro fundador da APA e eleito seu sexto presidente em 1897. Com Cattell, fundou a *Psychological Review* em 1894, publicação que logo começou a rivalizar com o *American Journal of Psychology* de Hall e é até hoje importante na área da psicologia teórica. O *Psychological Index*, importante fonte de referências na identificação de publicações do setor, veio em seguida. Seu primeiro número, que relacionava todo o material publicado na área em 1894, tinha 1.312 entradas. O *Index* foi publicado até a década de 1930, quando listava cerca de 6 mil referências a cada ano (Benjamin e Vandenbos, 2006), tendo sido substituído e aperfeiçoado com o advento de *Psychological Abstracts*, predecessor do atual PsycINFO, que apresentava breves resumos, em vez de apenas uma listagem das referências. Em 1904, Baldwin ajudou a lançar outra publicação que continua tendo importância até hoje, o *Psychological Bulletin*. E, logo após a virada do século, com auxílio de até sessenta diferentes colaboradores, deu início a um imenso projeto para a criação do dicionário definitivo da psicologia e da filosofia. O produto final, lançado em 1901-1902, tinha dois volumes e mais de 1.500 entradas (Hilgard, 1987). Para se ter uma ideia da projeção de Baldwin, basta lembrarmos que ele ficou em quinto lugar na pesquisa feita por Cattell em 1903 para identificar os nomes mais importantes da psicologia.[7]

Em 1903, Baldwin aceitou um novo desafio: deixar Princeton para trabalhar na Johns Hopkins University, cujo laboratório — moribundo desde a saída de Hall, em 1888 — reabriu. Ali permaneceu até 1909, quando, sob pressão, renunciou abruptamente ao cargo depois de ter sido preso numa *blitz* feita a um prostíbulo de Baltimore. Baldwin alegou que tudo não passava de um mal-entendido, embora tivesse ficado constrangido o suficiente para inicialmente dar à polícia um nome falso. Com a carreira definitivamente encerrada, passou seus últimos anos no México e na Europa. Baseada numa série de palestras proferidas na Universidade Nacional do México, sua última publicação importante foi uma breve história da psicologia publicada em 1913 (Horley, 2001).

EM PERSPECTIVA:
A NOVA PSICOLOGIA NO MILÊNIO

A psicologia nos Estados Unidos mudou radicalmente ao longo dos últimos vinte anos do século XIX. Antes ela era dominada pela tradicional psicologia das faculdades e ensinada como filosofia "moral" ou "mental". No fim do século, ainda era ensinada basicamente nos departamentos de filosofia, mas já refletia a influência da nova psicologia alemã e das ideias revolucionárias de Charles Darwin. No início da década de 1880, não havia laboratórios de pesquisa da psicologia nos Estados Unidos, e a maioria dos psicólogos americanos que desejassem estudar a nova psicologia de laboratório tinha de sair do país e ir para a Alemanha. No início da década de 1890, nove universidades norte-americanas já possuíam laboratórios e, no fim, pelo menos 41 (Hilgard, 1987). Embora no início dessa mesma década o Ph.D. em psicologia obtido numa universidade alemã tivesse mais prestígio do que um conseguido numa universidade norte-americana, na virada do século as coisas já não eram assim. Essa mudança reflete-se em números concretos: entre 1884 e 1892, o número de norte-americanos que obtiveram um Ph.D. nos Estados Unidos (9) e o número de norte-americanos que obtiveram um Ph.D. na Alemanha (8) foram mais ou menos os mesmos, mas de 1893 a 1899, 63 psicólogos norte-americanos obtiveram diplomas de doutorado nos Estados Unidos, ao passo que apenas dez o fizeram na Alemanha (O'Donnell, 1985).

A Clark University, sob o comando de Hall, foi líder na concessão de doutorados em psicologia na década de 1890, mas diversos jovens psicólogos estavam se formando em várias outras novas universidades. A principal dentre elas era Cornell, onde os alunos encontravam Titchener e uma escola de pensamento conhecida como estruturalismo, além de Columbia e Chicago, dois dos principais centros de um movimento exclusivamente norte-americano que ficou conhecido como funcionalismo. A história desses dois "ismos" está no próximo capítulo.

---

7. Conforme dissemos anteriormente, James ficou em primeiro lugar por unanimidade. Os "dez mais" foram, em ordem decrescente, Cattell, Münsterberg, Hall, Baldwin, Titchener, Royce, Ladd, Dewey e Jastrow.

RESUMO

A PSICOLOGIA NOS ESTADOS UNIDOS DO SÉCULO XIX

- Antes da Guerra Civil, a psicologia nos Estados Unidos era ensinada como filosofia moral ou mental segundo os preceitos da psicologia das faculdades, a qual se baseava na filosofia do realismo escocês. As faculdades consistiam em distintas subcategorias da mente e geralmente agrupavam-se em três categorias: cognitiva, afetiva e comportamental.
- *Elements of Intellectual (Mental) Philosophy*, de Thomas Upham, considerado o primeiro livro-texto de psicologia, baseava-se nos conceitos da psicologia das faculdades.
- No período que se seguiu à Guerra Civil houve uma grande expansão na educação de terceiro grau nos Estados Unidos. A moderna universidade (por exemplo, a Johns Hopkins), que se baseava no modelo alemão e dava ênfase à pós-graduação e à pesquisa independente, começou nessa época.
- Embora as oportunidades acadêmicas se multiplicassem para os representantes brancos do sexo masculino na segunda metade do século XIX, para as mulheres e minorias elas eram extremamente restritas. Acreditava-se que a educação superior era nociva às mulheres e as afastava dos papéis a que se destinavam, mas surgiram algumas oportunidades com as recém-criadas faculdades exclusivas para mulheres. As oportunidades para os representantes de minorias eram limitadas devido a crenças arraigadas acerca de sua capacidade. Apesar disso, alguns perseveraram, entre os quais Francis Sumner, o primeiro negro norte-americano a obter um Ph.D. (1920).

WILLIAM JAMES (1842-1910): O PRIMEIRO PSICÓLOGO NORTE-AMERICANO

- Embora fosse formado em medicina e se considerasse acima de tudo um filósofo, William James é considerado o primeiro representante da moderna psicologia norte-americana. Ele foi o responsável por levá-la para Harvard e também o autor do livro que poderia ser considerado o mais importante da história de toda a psicologia: *The Principles of Psychology* (1890).
- Incomodado com o materialismo e o determinismo vigentes no século XIX, James decidiu acreditar no livre-arbítrio por julgá-lo uma crença útil. Dessa crença decorre sua postura filosófica, conhecida como pragmatismo.
- Em *Principles*, James divergiu dos que defendiam a análise da consciência com base nos elementos que a compunham, reivindicando que esta fosse concebida como um fluxo. A consciência era pessoal e estava em constante mudança, além de ser contínua, seletiva e ativa. Além disso, servia aos indivíduos por permitir-lhes adaptar-se rapidamente a novos ambientes. O hábito também adquiria valor para a sobrevivência, pois permitia que os indivíduos evitassem pensar acerca de certas atividades e, assim, poupassem a consciência, guardando-a para problemas inéditos ou mais difíceis.
- De acordo com a teoria das emoções de James-Lange, as reações emocionais podiam ser identificadas por meio das reações físicas que acompanhavam a percepção de um determinado evento. Segundo James, quando se pensa nas emoções sem a correspondente excitação fisiológica, não resta nada. O problema da teoria é a necessidade de associar um padrão reconhecidamente diferente de excitação a cada emoção.
- Em seus últimos anos, James interessou-se pela possibilidade de validade do espiritismo. Apesar das críticas que recebeu pelo fato de estar comprometendo o frágil *status* científico da nova psicologia, ele acreditava que os médiuns e espíritas deveriam ser investigados com abertura mental.

G. STANLEY HALL (1844-1924): A PROFISSIONALIZAÇÃO DA NOVA PSICOLOGIA

- Hall tornou-se mais conhecido pelo empenho em profissionalizar a psicologia, tendo sido o fundador do primeiro laboratório de psicologia dos Estados Unidos (na Johns Hopkins), da primeira publicação acadêmica norte-americana (*American Journal of Psychology*) e da American Psychological Association.
- Como primeiro reitor da Clark University, ele copiou o ideal alemão da pós-graduação que havia conhecido inicialmente na Johns Hopkins. Por vários anos, a Clark foi uma das líderes entre as instituições dedicadas ao ensino de pós-graduação em diversos campos científicos. Contudo, depois de 1892, só a psicologia continuou sendo uma das áreas de estudo fortes da universidade.
- Embora se interessasse por diversos assuntos, Hall concentrava-se na psicologia genética, o estudo das origens e do desenvolvimento da consciência e do comportamento. A importância da

evolução foi um tema constante na obra de Hall. Na Clark, ele promoveu a pesquisa em psicologia do desenvolvimento, do anormal e comparada. Sob a direção de Edmund Sanford, o laboratório da Clark produziu importantes pesquisas ao longo da década de 1890, inclusive os primeiros estudos sobre a aprendizagem dos ratos em labirintos.
- Como psicólogo do desenvolvimento, Hall foi um pioneiro do movimento em prol do estudo das crianças e o responsável pela identificação da adolescência como um estágio distinto do desenvolvimento. É dele a descrição da adolescência como uma fase de "turbulência e *stress*". Posteriormente, Hall escreveu sobre as mudanças de desenvolvimento associadas à vida adulta e ao envelhecimento. Ele acreditava na teoria da recapitulação — o desenvolvimento de cada organismo como um espelho da evolução da espécie.
- O interesse de Hall pelo desenvolvimento, pela sexualidade e pela anormalidade o levou a convidar Freud, em 1909, para a comemoração dos vinte anos da Clark. Essa foi a única vez em que Freud, que interpretou o convite como o primeiro sinal de que suas ideias estavam criando fama internacional, esteve nos Estados Unidos.

MARY WHITON CALKINS (1863-1930): DESAFIANDO O MONOPÓLIO MASCULINO

- Apesar de impedida de ser aluna regular da Harvard University, Mary Calkins escreveu uma importante tese experimental sobre a associação, para a qual concebeu um procedimento que ainda hoje é utilizado: aprendizagem por associação em pares. Nessa tese, ela investigou a frequência, a recentidade, a vividez e a primazia como condições que poderiam fortalecer as associações, descobrindo que a frequência era a mais importante dentre elas.

- Em 1905, Calkins tornou-se a primeira mulher a exercer a presidência da American Psychological Association. Como posteriormente seus interesses se voltaram para a filosofia, ela tornou-se (em 1918) a primeira mulher a exercer a presidência da outra APA, a American Philosophical Association.
- A principal contribuição teórica de Calkins foi a psicologia do eu, que se baseia na ideia de que toda consciência é pessoal. Calkins a utilizou como meio de conciliar o estruturalismo e o funcionalismo, duas escolas teóricas rivais.
- Duas outras importantes psicólogas desse período foram Christine Ladd-Franklin e Margaret Washburn. Ambas enfrentaram as barreiras que dificultavam às mulheres tornar-se psicólogas profissionais. Ladd-Franklin era perita em matemática e desenvolveu uma teoria evolucionária da visão de cores. Washburn ficou mais conhecida pelo trabalho em psicologia comparada.

OUTROS PIONEIROS: LADD E BALDWIN

- George Trumball Ladd, o segundo presidente da APA, foi uma figura de transição, uma espécie de ponte sobre o abismo existente entre a velha psicologia das faculdades e a moderna psicologia de laboratório. Ele ficou mais conhecido como autor de livros-textos, e seu *Elements of Physiological Psychology*, o primeiro resumo da psicologia de laboratório wundtiana feito em inglês, apresentou as ideias de Wundt ao mundo anglófono.
- James Mark Baldwin fundou dois laboratórios de psicologia e reativou um terceiro, tendo, além disso, criado e desenvolvido importantes publicações na área da psicologia. Foi também um pioneiro da psicologia do desenvolvimento, tendo publicado na década de 1890 dois conhecidos livros sobre o desenvolvimento infantil. Suas ideias influenciaram Jean Piaget.

QUESTÕES PARA ESTUDO

1. Aponte a objeção dos realistas escoceses ao empirismo britânico e diga o que eles propunham em seu lugar.
2. Descreva as barreiras que dificultavam às mulheres o acesso à universidade e as oportunidades que tinham à sua disposição.
3. Quais as barreiras que dificultavam o acesso à universidade para os norte-americanos descendentes de africanos?
4. Descreva a carreira e as realizações de Francis Sumner.
5. Descreva como William James superou os problemas causados pelo materialismo e criou uma filosofia "pragmática".
6. O que James pensava da "nova psicologia"? Quais as metodologias que ele julgava apropriadas ao estudo da psicologia?
7. De acordo com James, qual a melhor metáfora

da consciência? O que ele julgava serem as principais funções (a) da consciência e (b) do hábito?
8. Descreva sucintamente a teoria das emoções de James-Lange. Use o exemplo do encontro com um animal feroz para ilustrá-la. Qual a falha irrecuperável da teoria? Como James usou sua teoria para dar sugestões práticas de como melhorar a vida das pessoas?
9. Por que o espiritismo ficou tão popular no fim do século XIX? O que James pensava acerca do fenômeno?
10. O que significa dizer que G. Stanley Hall era um psicólogo genético?
11. Descreva a contribuição de Hall para a profissionalização da psicologia nos Estados Unidos.
12. Descreva a importância da pesquisa da aprendizagem em labirinto para a história da psicologia e explique suas origens.
13. Descreva a contribuição de Hall ao estudo do desenvolvimento humano ao longo de toda a vida, mas especialmente na adolescência.
14. Descreva as dificuldades encontradas por Calkins ao tentar fazer um curso de pós-graduação. Qual a formação que ela conseguiu obter?
15. Como foi que Calkins estudou a memória e a associação e qual a sua conclusão acerca da natureza do processo associativo?
16. Descreva as realizações de (a) Christine Ladd-Franklin e (b) Margaret Washburn.
17. Qual a maior contribuição de Ladd para a nova psicologia? Por que ele é às vezes considerado uma figura de transição?
18. Descreva de que modo Baldwin contribuiu para (a) a profissionalização da psicologia e (b) a psicologia do desenvolvimento.

LEITURA SUPLEMENTAR

CROCE, P. J. (1995). *Science and religion in the era of William James: Eclipse of certainty, 1820-1880*. Chapel Hill: University of North Carolina Press.

Documenta o desenvolvimento intelectual de William James desde seus princípios; mostra como James colocou-se no centro do debate que envolvia a ciência e a religião e como esse debate foi afetado pelo pensamento evolucionista; primeira parte de uma biografia dividida em duas.

ROSS, D. (1972). *G. Stanley Hall: The psychologist as prophet*. Chicago: University of Chicago Press.

A biografia intelectual definitiva do principal empreendedor da história da psicologia norte-americana; documenta também o desenvolvimento da disciplina na época de Hall, colocando-a em seu contexto social e institucional.

SCARBOROUGH, E., e FURUMOTO, L. (1987). *Untold lives: The first generation of American women psychologists*. Nova York: Columbia University Press.

Analisa a vida, a luta e a contribuição de diversas pioneiras da psicologia nos Estados Unidos, entre as quais Mary Calkins, Milicent Shinn, Ethel Puffer, Margaret Washburn e Christine Ladd-Franklin.

Special issue: The history of American Psychology (1992). *American Psychologist*, 47 (2), 109-368.

Inclui artigos sobre os primeiros anos da APA (Sokal), a fundação dos primeiros laboratórios (Capshew), espiritismo (Coon), William James (Leary), a pesquisa de Mary Calkins sobre a memória (Madigan e O'Hara), Christine Ladd-Franklin (Furumoto) e G. Stanley Hall (Bringmann, Bringmann e Early; Vande Kemp).

CAPÍTULO 7
ESTRUTURALISMO E FUNCIONALISMO

> O primeiro objetivo do psicólogo [...] é determinar a natureza e o número dos elementos mentais. Ele toma a experiência mental, parte por parte, dividindo-a e subdividindo-a, até que a divisão não possa prosseguir. Quando atinge esse ponto, ele encontrou um elemento da consciência.
>
> — E. B. Titchener, 1896

VISÃO GERAL E OBJETIVOS DO CAPÍTULO

Este capítulo se inicia com a história de um cidadão britânico notável que foi para uma nova e longínqua universidade norte-americana em 1892 e criou um sistema de psicologia que, embora único e muito coeso, ao final revelou-se estéril. E. B. Titchener formou-se, com Wundt, em Leipzig antes de ir para Cornell, mas tinha suas próprias ideias acerca da definição correta da psicologia científica. Seu principal objetivo era analisar a mente adulta em seus elementos estruturais fundamentais por meio de uma maneira precisa de introspecção que exigia extenso treinamento. Para Titchener, a psicologia era uma ciência puramente positivista centrada no laboratório; ele não estava interessado em suas possíveis aplicações. Titchener foi uma presença influente e dominante nos primeiros anos da psicologia acadêmica nos Estados Unidos, mas a maioria dos psicólogos norte-americanos rejeitou o estruturalismo. Em decorrência da influência de Darwin e do tradicional pragmatismo ianque, eles se interessaram mais pelo funcionamento da mente que em sua estrutura, sabendo que, para vingar no país, a psicologia teria de ser aplicável ao cotidiano. Enquanto Titchener achava que a estrutura da mente deveria ser elucidada antes do estudo de suas funções, a maioria dos psicólogos norte-americanos discordou e adotou a corrente que seria conhecida como funcionalismo. Os psicólogos funcionais estavam espalhados por toda a paisagem acadêmica, mas duas escolas associaram-se mais estreitamente ao movimento — Chicago e Columbia. A segunda metade deste capítulo analisa como o funcionalismo "evoluiu" nessas universidades, por meio do empenho de James Angell, John Dewey e Harvey Carr (Chicago) e James McKeen Cattell, E. L. Thorndike e Robert Woodworth (Columbia). Depois da conclusão deste capítulo, você deve ser capaz de:

- Distinguir entre a abordagem estruturalista e a abordagem funcionalista da psicologia
- Descrever o conteúdo e a importância geral dos manuais de Titchener, assim como o conteúdo de um "curso de repetição" típico

- Descrever o impacto dos experimentalistas e o efeito exercido pelo grupo sobre as oportunidades disponíveis para as mulheres na área da psicologia experimental
- Articular os três principais objetivos da psicologia segundo a visão de Titchener
- Explicar a versão de introspecção adotada por Titchener e a razão pela qual ele acreditava que era possível superar as limitações do procedimento (três estratégias)
- Descrever os elementos da experiência consciente humana e seus atributos segundo Titchener
- Mostrar como as controvérsias acerca do pensamento sem imagens e com Baldwin evidenciaram as limitações da introspecção como metodologia, conforme propunha Titchener
- Avaliar a contribuição geral de Titchener para a psicologia experimental
- Descrever o elo entre a teoria evolucionista, o darwinismo social e o funcionalismo
- Descrever a contribuição de Dewey, Angell e Carr para o funcionalismo
- Descrever a pesquisa de Thorndike, suas conclusões acerca da aprendizagem animal e sua importância no contexto da psicologia
- Descrever a psicologia dinâmica de Woodworth e suas razões ao propor para esta um modelo E-O-R
- Explicar a importância da "bíblia de Columbia" para a formação dos psicólogos

A PSICOLOGIA DE TITCHENER: O ESTRUTURALISMO

Em 1898, a recém-criada *Psychological Review* publicou um artigo intitulado "The Postulates of a Structural Psychology". Seu autor, E. B. Titchener, era um jovem professor da Cornell University que se mudara havia apenas seis anos para os Estados Unidos, mas já possuía fama de psicólogo experimental talentoso e tinha ideias próprias e muito definidas acerca da natureza da nova psicologia. No artigo, ele chamou sua abordagem de psicologia "estrutural", comparando-a ao que via a sua volta em outras universidades norte-americanas, que chamou de psicologia "funcional". Traçando um paralelo explícito com a biologia, ele afirmou que o **estruturalismo** era exatamente como a anatomia — seu objetivo era a análise. Assim como o anatomista organiza o conhecimento do corpo com base nas estruturas que o compõem, o psicólogo estrutural deveria analisar a mente humana com base em suas unidades elementares. O **funcionalismo**, por sua vez, era como a fisiologia. O fisiólogo analisa como as várias partes do corpo funcionam e as funções a que servem para manter o indivíduo vivo; do mesmo modo, o psicólogo funcional estuda de que modo a mente serve para adaptar o indivíduo ao ambiente. Embora não rejeitasse diretamente o funcionalismo, Titchener usou a metáfora da biologia para argumentar que era inútil estudar a função antes de compreender plenamente a estrutura. Para ele, a anatomia fornecia a base para a fisiologia. Da mesma maneira, a plena compreensão da estrutura da mente humana seria um pré-requisito necessário ao estudo de sua função. Como já havia dito dois anos antes em seu primeiro texto, *An Outline of Psychology*, a meta do psicólogo "é determinar a natureza e o número dos elementos mentais. Ele toma a experiência mental, parte por parte, dividindo-a e subdividindo-a, até que a divisão não possa prosseguir. Quando atinge esse ponto, ele encontrou um elemento da consciência" (Titchener, 1896/1899, p. 16). O sistema de Titchener nunca teve muita popularidade nos Estados Unidos, mas, como veremos em breve, seu impacto pessoal sobre a psicologia que se fazia nos Estados Unidos foi inegável.

De Oxford a Cornell, Passando por Leipzig

Toda essa importância que teve para a psicologia norte-americana representa uma longa escalada desde o começo, relativamente humilde, no sul da Inglaterra. Edward Bradford Titchener (1867-1927) nasceu em Chicester, a poucos quilômetros do Canal da Mancha. Seus primeiros anos foram um tanto turbulentos — o pai, parcialmente inválido para o trabalho, morreu quando ele tinha 13 anos, e o adolescente foi praticamente criado pelo avô paterno. Advogado e representante típico do "cavalheiro" do interior da Inglaterra, esse avô representou para o neto um modelo de valores e atitudes. Mesmo tendo residido nos Estados Unidos por tantos anos, Titchener jamais deixou de viver conforme o rígido código de comportamento de um cavalheiro inglês da classe média-alta (Leys e Evans, 1990).

O jovem Titchener foi um aluno talentoso e aplicado, bom o bastante para ganhar uma bolsa de estudos em Malvern, uma das melhores e mais seletas escolas da Inglaterra, e outra no Brasenose College, da Oxford University.[1] Titchener permaneceu em Oxford de 1885 a 1890, sobressaindo-se em filosofia e letras clássicas. Além disso, ficou fascinado pela biologia evolucionária, pelo darwinismo e, por intermédio de George Romanes, pela psicologia comparada. Reconhecendo que sua formação em ciências era fraca, passou a maior parte do seu último ano em Oxford no laboratório de fisiologia de John Scott Burdon-Sanderson. Nesse cenário, Titchener revelou-se o oposto de William James em pelo menos um aspecto — ele descobriu que adorava o trabalho minucioso e preciso de laboratório. Pelo resto da vida, ele julgaria a qualidade de seus pares pelo seu desempenho como "homens de laboratório", o que explica os péssimos comentários sobre Hall (Capítulo 6) e a paradoxalmente grande amizade com John Watson (Capítulo 10). Watson zombava do estruturalismo de Titchener e este detestava o behaviorismo de Watson, mas a seu ver Watson era um verdadeiro cientista de laboratório, e isso era o bastante para que houvesse entre eles respeito e amizade. Quando conheceu Watson, Titchener escreveu a um colega: "Acho que ele tem uma grande carreira pela frente e, pessoalmente, gosto muito dele" (citado por Larson e Sullivan, 1965, p. 340).

Durante a estada em Oxford, Titchener tomou conhecimento da nova abordagem laboratorial da psicologia "fisiológica" que estava surgindo em Leipzig. Fluente em alemão e apaixonado pela cultura germânica, Titchener inscreveu-se para estudar no laboratório de Wundt, que então tinha apenas onze anos de funcionamento, e foi aceito. Lá encontrou colegas igualmente fanáticos pelo dia a dia no laboratório, entre os quais Oswald Külpe (Capítulo 4), na época assistente de Wundt (ou seja, responsável pelo funcionamento diário do laboratório), e de diversos norte-americanos. Titchener concluiu seu doutorado com Wundt em apenas dois anos e voltou a Oxford para dar um curso de verão (biologia). Ele pretendia

---

1. Na Inglaterra, a expressão "public school" na verdade se refere a uma escola particular de segundo grau extremamente seletiva e muito cara. Apesar de não ser uma escola de primeiríssima linha, como Eton, Harrow ou Rugby, Malvern tinha uma sólida reputação acadêmica. Apenas uma pequena minoria dos ingleses podia frequentar escolas assim, mas a maior parte dos alunos das universidades mais prestigiosas da Inglaterra, Oxford e Cambridge, provinha delas. Assim, os que tinham um diploma de uma dessas universidades representavam a elite — na sua quase totalidade, masculina e de classe média-alta — do país. Brasenose é uma das diversas faculdades independentes que fazem parte da Oxford University.

permanecer em Oxford ou ir para Cambridge, mas nenhuma das universidades demonstrou interesse pela nova psicologia — a tradição britânica filosófica empirista/associacionista era forte demais, e quando se tentou criar um laboratório de psicofísica em 1877, o conselho de Cambridge rejeitou a proposta afirmando que esse laboratório "seria um insulto à religião por colocar a alma humana numa balança" (citado por Farr, 1983, p. 291). Porém o destino veio em socorro de Titchener sob a forma de um convite para cruzar o Atlântico e lecionar na Cornell University. Titchener havia sido recomendado ao reitor de Cornell por Frank Angell, um dos americanos que conhecera em Leipzig. Angell havia criado um pequeno laboratório em Cornell ao voltar de Leipzig em 1891, mas estava de partida para a recém-criada Stanford University, na Califórnia. Angell recomendara o amigo para substituí-lo, o convite fora feito e Titchener o aceitou.

Fundada em 1868, em Ithaca, a Cornell University fica no alto de uma colina, de onde se pode avistar o sul do lago Cayuga, na bela região dos Finger Lakes do estado de Nova York. Em 1892, a região era um ermo; mal havia um trem. Mesmo hoje em dia, os habitantes referem-se à sua cidade como "centralmente isolada". Imagine que você acaba de obter seu Ph.D. e resolve aceitar uma oferta de trabalho numa área perdida no meio da Austrália para ter uma ideia do que a decisão deve ter representado para o jovem britânico. No entanto, ele resolveu correr o risco, chegou em 1892 e ficou para sempre.[2] Com o passar dos anos, os termos "psicologia de Titchener", "estruturalismo" e "escola de psicologia de Cornell" vieram a significar a mesma coisa.

---

2. Titchener inicialmente pensou que ficaria em Cornell por alguns anos e depois voltaria a Oxford, quando esta percebesse a importância da psicologia de laboratório. Porém isso não aconteceu, e Titchener jamais voltou à Inglaterra, nem para uma visita. Posteriormente, recebeu convites para ir para a Clark University e Harvard, mas os recusou.

Promovendo a Psicologia Experimental em Cornell

Titchener (Figura 7.1) agiu rápido depois da chegada a Cornell, expandindo o laboratório, atraindo alunos e dando início a seu programa de pesquisa — na virada do século, ele e seus alunos já haviam publicado mais de sessenta artigos de pesquisa (Boring, 1961a). No intuito de garantir um fórum para a pesquisa proveniente do laboratório de Cornell, ele tornou-se coeditor do *American Journal of Psychology*, o que lhe permitia controlar um terço das páginas da publicação (Hall e Sanford, os outros editores, controlavam os outros dois terços). Além disso, difundiu a psicologia alemã, traduzindo livros de Wundt e Külpe, e começou a escrever seus próprios textos. Seu *Outline of Psychology*, publicado pela primeira vez em 1896, sofreu diversas revisões e foi reescrito e ampliado para republicação em 1909, sob o título de *A Textbook of Psychology*. Se fosse um manifesto do seu siste-

FIGURA 7.1 E. B. Titchener, da Cornell University, com seu indefectível charuto (foto extraída de Popplestone e McPherson, 1994).

ma estruturalista, não poderia ter sido mais claro. Além disso, escreveu uma versão simplificada (*Primer of Psychology*) em 1896, posteriormente revisada e publicada como *A Beginner's Psychology*. Ao virar o século, Titchener estava firmemente estabelecido como um dos maiores expoentes do cenário da psicologia norte-americana. Seu *status* simplesmente reafirmou-se quando ele publicou o texto que ficou conhecido como "os manuais".

"Os Manuais"

Nos laboratórios alemães, os alunos aprendiam os procedimentos por conta própria, participando dos seus próprios estudos, gerindo-os e observando e interrogando os colegas mais experientes. Porém as universidades norte-americanas criaram os assim chamados **cursos de repetição**. Os alunos desses cursos não produziam pesquisas originais; simplesmente repetiam os estudos clássicos, aprendiam a montar e operar os "instrumentos de sopro" e, basicamente, aclimatavam-se ao ambiente do laboratório. À medida que a psicologia de laboratório crescia, esses cursos de repetição proliferaram, chegando a abarcar até o nível da graduação. Embora alguns dos instrutores de laboratório fossem devidamente treinados, na Alemanha ou em algum dos novos laboratórios norte-americanos, muitos não conheciam suficientemente a nova psicologia. Assim, surgiu a necessidade de textos que explicassem como ensinar aos alunos os procedimentos básicos de laboratório. Edmund Sanford, da Clark University, escreveu o primeiro desses textos, já no início da década de 1890, o qual deu início ao processo de padronizar o treinamento de laboratório para o curso de repetição (Goodwin, 1987). Titchener reconhecia o valor do manual de seu grande amigo, mas sabia também que ele era apenas um começo e que tinha algumas falhas. O livro de Sanford, por exemplo, não explicava claramente como o instrutor deveria proceder no laboratório, partindo do pressuposto de que os leitores tinham mais experiência do que na verdade era o caso. Para sanar o problema, Titchener decidiu escrever seus próprios manuais, publicando-os sob o título de *Experimental Psychology: A Manual of Laboratory Practice*. Esses manuais tornaram-se seu trabalho mais famoso e foram por vários anos um guia que explicava as complexidades da investigação feita em laboratório.

Os Manuais, como ficaram conhecidos, foram publicados em dois volumes, em 1901 e 1905, cada qual com textos à parte para alunos e instrutores. Devido à preocupação de Titchener de que os professores poderiam precisar ter os procedimentos detalhados passo por passo, os manuais dos instrutores, de ambos os volumes, tinham quase o dobro do número de páginas dos manuais dos alunos. O volume publicado em 1901 tinha o subtítulo "Qualitative Experiments" e abrangia experimentos qualitativos de processos sensoriais, perceptuais e afetivos básicos. O volume publicado em 1905 — "Quantitative Experiments" — continha experimentos quantitativos; ligados principalmente a procedimentos de psicofísica e tempo de reação.

Os alunos dos cursos de repetição trabalhavam em duplas, alternando-se nos papéis de experimentador e **observador**, este sendo a pessoa que hoje chamaríamos de sujeito da pesquisa. Os observadores eram chamados assim porque, enquanto participavam do experimento, observavam seus próprios processos mentais e os descreviam ao fim da operação. Esse procedimento introspectivo será descrito em maiores detalhes adiante, neste mesmo capítulo.

Nos experimentos qualitativos, os observadores submetiam-se a um evento sensorial, perceptual ou afetivo, faziam dele um relato introspectivo e, em seguida, respondiam a algumas questões específicas sobre ele em seus cadernos. Por exemplo, as sensações olfativas eram estudadas usando-se o olfatômetro duplo que se vê na Figura 7.2. Numa das extremidades, os dois finos tubos de vidro tinham curvatura de 40° para inserção nas narinas. Na outra, prendiam-se cilindros de vidro fechados e um pouco mais largos, que continham substâncias odoríferas diversas. Esses cilindros podiam ser empurrados para a frente ou para trás, ao longo dos tubos mais estreitos, a fim de provocar uma variação na intensidade do odor. Titchener advertia que a placa intermediária deveria ser de madeira inodora, sugerindo "cerejeira, previamente ventilada e exposta ao sol" (Titchener, 1901, pt. 1, pp. 79-80). Num experimento típico, os observadores sentiam o odor de pares de substâncias (por exemplo, iodo, cera de abelhas, ervas diversas) em intensidades de graus diferentes, descreviam a experiência introspectivamente e respondiam em seus cadernos a questões sobre a "compensação" (um odor sobrepujava o outro?) e a "mistura de odores" (os odores mesclavam-se para a produção de um novo odor?).

Como a classificação dos experimentos deixa claro, os quantitativos envolviam dados numéricos, como as intensidades dos estímulos, identificadas como minimamente diferentes nos experimentos psicofísicos, e o número de reações, nos experimentos de tempo de reação. A Figura 7.3 mostra esboços detalhados de dois diferentes modos de reagir em um experimento de tempo de reação. O dispositivo mais comum era uma tecla de telégrafo comum (7.3*a*): ela era pressionada e devia ser liberada quando o observador detectasse a presença de um estímulo. A mão direita do observador na Figura 4.5 (consulte o Capítulo 4) está pressionando uma tecla desse tipo. O segundo

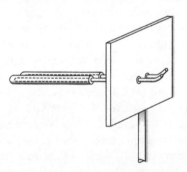

FIGURA 7.2 Esboço de um olfatômetro, extraído do manual de experimentos qualitativos de Titchener.

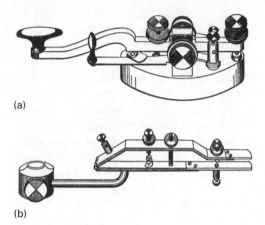

FIGURA 7.3 Aparelhos para medir o tempo de reação: (a) uma tecla de telégrafo; (b) uma tecla labial. Extraídos do manual de experimentos quantitativos de Titchener.

dispositivo (7.3*b*) é uma tecla labial, usada em experimentos de tempo de reação de voz, provavelmente igual à que aparece na foto do laboratório de Clark, no Capítulo 6 (Figura 6.5*b*). O lado direito da tecla era inserido na boca fechada e, quando os observadores abrissem a boca para reagir a um estímulo, os contatos se separavam, rompendo um circuito e parando um relógio.

Depois da morte de Titchener, seu sistema de psicologia perdeu força rapidamente, mas seus enciclopédicos manuais representaram uma contribuição duradoura para a psicologia de laboratório, tendo permanecido em uso até o fim da década de 1930 e treinado várias gerações de psicólogos experimentalistas. Mesmo hoje em dia, eles constituem excelentes demonstrações de fenômenos sensoriais e perceptuais. Um último aspecto de sua atemporalidade pode ser visto na Tabela 7.1. As recomendações que Titchener faz ao aluno que deseja "perder" o curso de repetição talvez façam você lembrar de alguns de seus próprios colegas.

Os Experimentalistas

Titchener foi um dos membros fundadores da American Psychological Association e, embora não estivesse presente na reunião do comitê de organização que Hall promoveu em Clark, compareceu à primeira reu-

Tabela 7.1 Como ser Reprovado num Curso de Psicologia de Laboratório

No manual do instrutor dos experimentos qualitativos (1901, pp. xxvii-xxviii), Titchener apresenta um programa para reprovação que infalivelmente dava aos alunos no início do curso de repetição. Evidentemente, esperava que estes não o seguissem e dizia aos instrutores que eles não ficariam ofendidos com a lista, se esta fosse apresentada "com tato e bom humor". Nas palavras de Titchener, eis aqui alguns métodos para ser reprovado no laboratório:

- Não aceite nenhuma explicação geral, em nenhuma circunstância. Cultive a convicção de que o funcionamento de sua mente difere do de todas as outras mentes [...].
- Veja a si mesmo em tudo. Se o instrutor começar a explicar uma coisa, interrompa-o para contar uma história de sua infância que exemplifica o que ele está tentando dizer.
- Chame o instrutor várias vezes, por qualquer coisa. Se ele estiver ocupado, dê uma volta pelo laboratório até que possa atendê-lo. Não pense duas vezes antes de dar conselhos e sugestões aos colegas que já estão trabalhando.
- Diga ao instrutor que a ciência é muito jovem e que o que vale para uma mente não se aplica necessariamente a outra. Apoie sua afirmação contando casos que a exemplifiquem.
- Quando estiver trabalhando, faça o máximo de barulho possível. Nas pausas do experimento, converse com o parceiro sobre política e esportes.
- Ao entrar no laboratório, explique que há muito tempo você se interessa pela psicologia experimental. [...] Descreva as experiências telepáticas que lhe despertaram o interesse.
- Faça questão de chegar sempre quinze minutos atrasado para os exercícios de laboratório. Desse modo, você jogará nas costas **do parceiro** toda a monotonia do trabalho preliminar e ainda poderá dizer que frequenta assiduamente as aulas.

nião anual, no fim do ano de 1892. Porém logo se decepcionou com a associação e retirou-se (ele voltaria a associar-se – e retirar-se – duas outras vezes). Parte do problema era pessoal. Titchener sentia-se deslocado numa associação "norte-americana" de psicologia. Além disso, a associação violou seu rígido código de comportamento quando se recusou a censurar um de seus membros (E. W. Scripture, de Yale), acusado — com razão — por Titchener de plagiar trechos de sua tradução de um dos livros de Wundt. Mas o mais importante é que a APA não correspondia à visão que Titchener tinha de uma psicologia verdadeiramente experimental e, além disso, o formato das reuniões não lhe parecia contribuir para o progresso da psicologia. Em 1895, em nota ao *American Journal of Psychology*, ele se queixou de que as apresentações das pesquisas "dificilmente poderiam ser acompanhadas de forma inteligível [...] quando métodos e resultados eram apresentados na forma de palestra e em apenas vinte minutos" (Titchener 1895, p. 448). Sua sugestão era de que "as reuniões tivessem a forma de uma conversa, que o funcionamento do aparelho usado fosse demonstrado e que os resultados falassem por si sós em tabelas e diagramas colocados perto do aparelho" (p. 448).

Em 1904, Titchener pôde corrigir ele mesmo o problema, propondo a criação de um "clube" informal de psicólogos experimentais. Seu intuito não era rivalizar com a APA, mas oferecer aos pesquisadores um meio de apresentar melhor seu trabalho aos colegas. Assim nasceu o grupo que viria a ser chamado de "os experimentalistas" (Boring, 1967; Goodwin, 1985). Esse grupo se reunia por dois ou três dias a cada primavera, em um laboratório diferente a cada ano. Os participantes discutiam as pesquisas em andamento, faziam ajustes nos aparelhos e tentavam manter vivo o espírito da psicologia de laboratório em seu estado puro. Não se permitia a apresentação de trabalhos escritos nem se recomendava a publicação de descrições das reuniões. Titchener geralmente era quem dominava o grupo. Por

FIGURA 7.4 Os experimentalistas na University of Pennsylvania em 1926. Observe as semelhanças (postura, charuto) entre Titchener (primeira fila, no centro) e Boring (primeira fila, na extrema direita), seu aluno mais famoso.

exemplo, os anfitriões de cada encontro muitas vezes o consultavam para saber a quem convidar. A Figura 7.4 mostra uma foto do grupo reunido em 1926 na University of Pennsylvania.

Entre os convidados para as reuniões, estavam diretores de laboratórios e outros pesquisadores considerados aceitáveis por Titchener. Ou seja, eles deviam trabalhar em laboratório, mas não precisavam ser adeptos do estruturalismo titcheneriano. Além disso, a fim de garantir a continuidade do ideal de uma ciência psicológica "pura", os doutorandos mais talentosos muitas vezes acompanhavam seus orientadores às reuniões. O grupo era pequeno, mas sua influência era grande. Por exemplo, da correspondência entre seus membros muitas vezes vinha a colocação de colegas experimentalistas ou de seus alunos em bons cargos acadêmicos.

Outra importante característica do grupo era o sexo — todos os experimentalistas eram homens. A razão disso devia-se em parte ao sexismo vigente na época (consulte o Capítulo 6). Porém, na cabeça de Titchener, a interdição estava em conformidade com o código de conduta de um cavalheiro. Ele queria ter algo como um clube inglês, onde os homens pudessem conversar livremente sobre qualquer tema, sem ter de se preocupar com o comportamento "apropriado" na presença de mulheres. Isso incluía, por exemplo, vociferar numa discussão sem que nenhum dos envolvidos se ofendesse; Titchener e outros homens de sua época estavam convencidos de que as mulheres levariam esse tipo de coisa para o terreno pessoal (ou seja, seriam demasiado emocionais). O fumo fazia parte da atmosfera do clube, e os costumes sociais da época impediam a presença de mulheres em lugares onde os homens fumassem. Essas opiniões estão resumidas numa carta de Sanford a Titchener pouco antes da formação do grupo. Pensando provavelmente em Calkins, Washburn e Ladd-Franklin (Capítulo 6), ele disse que muitas mulheres, "em termos científicos, têm pleno direito de participar e poderiam sentir-se magoadas (de maneira genérica e impessoal) se nunca fossem convidadas. Por outro lado, elas sem dúvida interfeririam no que concerne ao fumo e, até certo ponto, com a liberdade geral de uma reunião exclusivamente masculina" (citado por Furumoto, 1988, p. 104). Lightner Witmer, da University of Pennsylvania (Capítulo 12), também escreveu a Titchener, dizendo-lhe que seria impossível "ter um encontro informal com homens e mulheres. [...] Queremos um grupo pequeno e vigoroso no qual possamos dizer o que pensamos com toda a liberdade. [...] Acho que a presença de mulheres [...] aumenta muito esse risco [de confundir a discussão com o ataque], graças à atitude pessoal que elas geralmente assumem, mesmo em discussões científicas" (citado por Furumoto, 1988, p. 105).

Em defesa contra a acusação de que Titchener seria antifeminista, já se afirmou que quase metade de seus alunos de pós-graduação era composta por mulheres (26 de sessenta), que o primeiro aluno de doutorado que orientou foi Margaret Washburn e que, pelo menos uma vez, ele teria insistido na contratação de uma determinada psicóloga pela Cornell University, contrariando o que determinava a administração (Leys e Evans, 1990). Por outro lado, parte da razão de haver mulheres no laboratório de Titchener era institucional — durante vários anos, Cornell foi a única universidade em que uma mulher poderia ser aluna "oficial". Seja como for, a exclusão das mulheres do clube de Titchener criou uma barreira ao progresso delas e contribuiu para a dificuldade de as mulheres obterem cargos acadêmicos importantes. Mesmo depois da reorganização do grupo, após a morte de Titchener, e da permissão técnica para incluir as mulheres, poucas foram indicadas para tornar-se membros antes da segunda metade do século XX (Furumoto, 1988).[3]

---

3. O famoso psicólogo e fisiologista Donald Hebb retirou-se da sociedade em 1953, argumentando que ela era mais um clube social exclusivista que uma sociedade verdadeiramente baseada no mérito. Sua carta de renúncia tem uma nota escrita a mão em que ele pergunta: "Por que não as mulheres? Conforme os estatutos, elas são admitidas" (citado por Glickman, 1996, p. 243).

O Sistema Estruturalista de Titchener

No início do capítulo, vimos que Titchener considerava a análise da consciência em seus elementos estruturais fundamentais a meta primordial da psicologia. Por conseguinte, para ele, a psicologia era a ciência da estrutura da mente humana, e um dos seus principais objetivos era determinar essa estrutura por meio da pesquisa experimental. Porém a análise não era o único objetivo. A psicologia deveria compreender também o processo da *síntese*, ou seja, como os elementos mentais se combinam e conectam, gerando fenômenos mais complexos. Nas palavras de Titchener, o experimentalista "aprende a formular as leis de conexão dos processos mentais elementares. Se as sensações de tom ocorrerem ao mesmo tempo, elas se mesclam ou fundem; se as sensações de cor ocorrerem lado a lado, elas se enriquecem mutuamente. E tudo isso sucede de maneira perfeitamente regular, de modo que podemos estabelecer leis de fusão tonal e de contraste de cores" (Titchener, 1909, pp. 37-8). Além das metas de análise e síntese, as quais propiciavam descrições detalhadas dos fenômenos mentais, Titchener argumentava que uma terceira meta da psicologia seria a explicação. Com o termo, ele referia-se à compreensão do modo como o sistema nervoso produzia os vários fenômenos sensoriais, perceptuais e cognitivos em que ele estava interessado. Uma parte muito pequena de sua pesquisa voltou-se para essa terceira meta.

Para obter uma descrição detalhada da análise e da síntese dos fenômenos mentais, Titchener criou um programa que envolvia pesquisa qualitativa e quantitativa do tipo que apresentava em seus manuais. Para ter uma ideia melhor dos tópicos que Titchener considerava essenciais para um curso introdutório, verifique a Tabela 7.2, um resumo da organização dos capítulos do *Textbook of Psychology*, um livro que você provavelmente leria se fizesse o curso de introdução à psicologia que Titchener dava em 1909. Como você pode ver, os tópicos da sensação

TABELA 7.2 Conteúdo do *Text-book of Psychology*, de Titchener

Título da entrada no capítulo	N° de páginas	% Percentual
Tema, método e problema da psicologia	43	8
Sensação, subdividida em:	179	33
visão		
audição		
olfato		
paladar		
sentidos cutâneos		
sentidos cinestésicos		
outras sensações orgânicas		
sinestesia		
a intensidade da sensação (psicofísica)		
Afeto	39	7
Atenção	38	7
Percepção, subdividida em:	71	13
percepções espaciais		
percepções temporais		
percepções qualitativas		
percepções compostas		
a psicologia da percepção		
Associação	22	4
Memória e imaginação	31	6
Ação	42	8
Emoção	33	6
Pensamento	43	8
Conclusão — o *status* da psicologia	3	<1

e percepção predominavam. O livro se detém muito pouco no sistema nervoso, mas aborda detidamente as metas descritivas da análise e da síntese. Observe que um terço do livro trata da descrição de processos sensoriais básicos.

Titchener abordou esses tópicos de pesquisa com uma metodologia que muitas vezes é associada a seu nome — a introspecção. Conforme vimos no Capítulo 4, a introspecção era um procedimento importante no laboratório de Leipzig, mas Wundt a chamava *percepção interna* e a limitava a relatos verbais simples dos resultados da psicofísica ("este objeto é mais pesado que aquele") e outros estudos sensoriais. Porém o aluno de Wundt (e amigo de Titchener) Oswald Külpe aprimorou o procedimento e denominou-o **introspecção experimental sistemática**. Conforme a definição de Külpe, os observadores faziam relatos detalhados dos eventos conscientes ocorridos durante a realização de uma determinada tarefa (por exemplo, associação de ideias). E foi essa abordagem que Titchener retomou e trabalhou até levá-la a um alto nível de sofisticação.

Titchener estava plenamente ciente do problema fundamental da introspecção, isto é, a impossibilidade de termos uma experiência consciente e, ao mesmo tempo, refletirmos sobre ela. Para tentar contorná-lo, ele propôs três soluções. A primeira era recorrer à memória, retardando a "observação introspectiva até o processo a ser descrito ter seguido seu curso e, então, recordá-lo e descrevê-lo de memória. Assim, a introspecção torna-se retrospecção; o exame introspectivo torna-se um exame *post mortem*" (Titchener, 1909, p. 22). A segunda sugestão para reduzir a carga sobre a memória era dividir a experiência em fases, usando o método de fracionamento utilizado no laboratório de Külpe (Capítulo 4). A terceira e mais importante das técnicas de Titchener consistia em adquirir o que ele chamou de **hábito da introspecção**:

[O] observador experiente adquire um hábito introspectivo; a atitude introspectiva está arraigada em seu sistema. Assim, é possível para ele não apenas tomar notas mentais enquanto a observação está em andamento, sem interferir com a consciência, mas até mesmo tomar algumas notas por escrito, como faz o histologista enquanto ainda tem o olho preso ao visor do microscópio. (p. 23)

Esse é um trecho importante porque constitui a principal razão para Titchener haver insistido em que seus observadores fossem altamente treinados (lembre-se que, como vimos no Capítulo 6, a questão do treinamento estava no cerne da controvérsia Baldwin-Titchener). Com efeito, eles deveriam tornar-se máquinas de introspecção, comportando-se de modo tão automático que os problemas decorrentes da memória ou de outras influências tendenciosas deveriam presumivelmente desaparecer. O treinamento era importante também para evitar aquilo a que Titchener se referiu como **erro de estímulo**, uma tendência a relatar eventos que descreviam os estímulos apresentados, em vez das experiências conscientes resultantes desses estímulos. Por exemplo, a descrição adequada da observação de uma árvore deveria incluir afirmações acerca dos elementos sensoriais presentes: formas, cores, texturas e movimento, juntamente com as dimensões afetivas de prazer/desprazer e quaisquer imagens que viessem à mente. O observador que cometesse o erro de estímulo relataria simplesmente estar observando uma "árvore" grande. Para nós, hoje, a "atitude introspectiva" é difícil de entender porque esse tipo de treinamento de laboratório já não existe. Porém o *Close-Up* deste capítulo lhe dará uma ideia melhor do que era o hábito introspectivo.

CLOSE-UP
A ATITUDE INTROSPECTIVA

A ausência do tipo de introspecção que Titchener advogava na psicologia contemporânea nos dificulta entender como era, de fato, uma descrição introspectiva. Uma maneira de descobrir como seria é pela leitura de artigos que expliquem esse tipo de pesquisa, pois eles geralmente incluem relatos introspectivos textuais. Veja, por exemplo, o estudo a seguir, sobre a atenção. Ele compõe a tese de doutorado de Karl Dallenbach, ex-aluno de Titchener que, posteriormente, se tornou seu colega em Cornell. Utilizando procedimentos semelhantes aos usados hoje na moderna pesquisa sobre a atenção, Dallenbach (1913) estava interessado no que acontece à consciência quando a atenção se divide e se sobrecarrega. Um de seus métodos consistia em fazer os observadores escutarem dois metrônomos funcionando a diferentes velocidades e tentarem contar o número de batidas que ocorriam entre duas batidas coincidentes. Ao mesmo tempo, eles deveriam realizar alguma outra tarefa mental, como efetuar somas ininterruptamente, cantar ou recitar o alfabeto de trás para a frente. Cada "experimento" durava noventa segundos. Veja a seguir como um dos observadores relatou a experiência:

> Os sons dos metrônomos, uma série de "cliques" descontínuos, estavam claros na consciência apenas quatro ou cinco vezes durante o experimento e eram, a princípio, extremamente irritantes. Faziam-se acompanhar de sensações de tensão e desagrado. No resto do experimento, minha atenção concentrou-se na soma, que se compunha de imagens auditivas dos números, por vezes numa escala em cinza-escuro situada à minha frente, no alto, a cerca de um metro de distância de mim. A isso seguia-se cinestesia nos olhos e tensão no peito e nos braços. Quando esses processos estavam claros na consciência, os sons dos metrônomos ficavam muito vagos ou obscuros. (Dallenbach, 1913, p. 467)

A leitura de artigos que contenham esse tipo de relato introspectivo às vezes é reveladora, mas eles tendem a ser longos, repetitivos e monótonos o suficiente para mostrar por que os psicólogos por fim abandonaram o método. Uma maneira mais interessante de compreender melhor a atitude introspectiva é ler as cartas que os psicólogos experimentais escreviam uns aos outros nessa época (Goodwin, 1991b). Neles, o raciocínio introspectivo estava tão arraigado que boa parte da correspondência possui introspecções informais sobre suas experiências. Edmund Sanford, por exemplo, na volta de uma viagem ao estado de New Hampshire, escreveu a Titchener sobre seu medo de tempestades, dizendo que havia observado

> o suficiente, nessas férias, para ver que não consigo encontrar nelas nada que não sejam sensações orgânicas e outras sensações desagradáveis e, no lado cognitivo, uma pontada de apercepção em relação a um pequeno grupo de ideias ligadas à coisa detestada, com certos resultados no pensamento e na ação instintivos. [...] Quando a tempestade se tornava iminente, havia sintomas cardíacos e viscerais a descrever etc., etc., embora quando ela de fato caísse, eles não fossem em geral tão marcantes quanto na antecipação, ou seja, quando a tempestade se aproximava. (Sanford, 1910)

Um exemplo mais drástico da presença da introspecção no modo de pensar dos psicólogos da virada do século está numa carta que Lightner Witmer, da University of Pennsylvania, escreveu a Hugo Münsterberg, de Harvard, em 1893. Witmer estava estudando a psicologia da dor diretamente, e de uma forma um tanto fora do comum:

> deixei que o cavalo que montava me derrubasse, e caí por cima do ombro e da cabeça. Tive um belo caso de perda da consciência anterior ao ato: [...] não me lembro de haver montado nem do cavalo correndo; esqueci quase tudo que aconteceu. [...] [D]o instante em que acordei de manhã até reaver totalmente a consciência, [...] não consigo estabelecer nenhuma série contínua de eventos. A cabeça esteve mal por um tempo, mas agora está bem. Porém meu braço vem servindo a diversos experimentos, já que continua doendo bastante de vez em quando. [...] O lado psicológico desse sofrimento será a base de pelo menos três palestras no próximo outono. (Witmer, 1893)

Os Elementos Estruturais da Experiência Consciente Humana

Com base em suas análises introspectivas, Titchener identificou três tipos de processos mentais elementares: sensações, imagens e afetos. As sensações eram os elementos básicos do processo mais complexo da percepção, as imagens eram os componentes elementares das ideias e os afetos (sentimentos) eram os elementos das emoções. Como você deve estar lembrado, esses três elementos estão presentes no relato introspectivo que Dallenbach faz da atenção. Embora não pudessem ser ainda mais subdivididos ou reduzidos, os elementos básicos possuíam diversas características ou **atributos**. Todas as sensações, por exemplo, tinham os atributos da qualidade, intensidade, duração e clareza. A qualidade é o que distingue uma sensação da outra: o vermelho do verde, o frio do quente, o tom agudo do grave. A intensidade refere-se à força do estímulo (o nível de decibéis, por exemplo). A duração é óbvia: todas as sensações duram por tempo mensurável. E a clareza "é o atributo que dá à sensação seu lugar na consciência: a sensação mais clara é predominante, independente, destacada; a sensação menos clara é subordinada, indistinguível no pano de fundo da consciência" (Titchener, 1909, p. 53). Segundo Titchener, a atenção se reduzia essencialmente a esse atributo da clareza sensorial.

As imagens possuem os mesmos quatro atributos, ainda segundo Titchener. Porém, em relação às sensações, suas qualidades são "relativamente pálidas, esmaecidas, indistintas" (1909, p. 198).[4] Além disso, ele argumentava que a intensidade e a duração das imagens eram "notadamente inferiores" (p. 198) às das sensações. Os estados afetivos, que são os elementos de nossa vida emocional, diferem das sensações e das imagens de duas maneiras importantes. Primeiro, embora existam milhares de diferentes qualidades sensoriais e imaginais, para Titchener os afetos possuíam apenas duas qualidades fundamentais: o serem agradáveis ou desagradáveis. Segundo, os afetos possuem os atributos da qualidade, intensidade e duração, mas carecem de clareza. Se quisermos ter prazer ao ouvir um concerto, por exemplo, precisamos atentar para os elementos sensoriais (isto é, a música), e não para a sensação do prazer em si. Se nos concentrarmos nesta, o prazer desaparece. Titchener rejeitava a teoria das emoções de James-Lange, por acreditar que, identificando as emoções à reação corporal, James estava reduzindo o afeto à sensação (Heidbre-

der, 1933). Para Titchener, por sua vez, o agrado e o desagrado não poderiam ser reduzidos a qualidades sensoriais.

O estruturalismo de Titchener continuou a evoluir ao longo dos anos. Na década de 1920, ele abandonou a ênfase nos elementos e criou um modelo mais fenomenológico, que descrevia os processos sensoriais em termos de dimensões. Assim, a sensação passou "de entidade observável a termo classificatório" (Evans, 1972, p. 172). Titchener abandonou também a ideia de que o afeto era um elemento à parte depois que um de seus alunos apresentou uma tese na qual aparentemente reduzia as qualidades afetivas da agradabilidade e desagradabilidade às sensações de "pressão forte" e "pressão amortecida", respectivamente (Henle, 1974). Titchener estava empenhado em fazer uma grande revisão do seu sistema nessas bases, mas sua produtividade caiu na década de 1920, possivelmente já por efeito do tumor cerebral de que viria a falecer em 1927, e assim o sistema definitivo nunca foi concluído. Alguns capítulos introdutórios foram publicados postumamente (1929) sob o título *Systematic Psychology: Prolegomena*.

Uma Avaliação da Contribuição de Titchener para a Psicologia

Para Titchener, a psicologia era uma ciência puramente de laboratório, cujo objetivo era descobrir a estrutura básica da consciência humana. A introspecção experimental sistemática era seu principal método e, como exigia treinamento exaustivo, estava limitada a observadores adultos altamente motivados. Assim, para Titchener, a psicologia era a ciência da "mente adulta generalizada". Duas das consequências imediatas dessa definição um tanto limitada do campo foram: (a) Titchener não tinha interesse pelas diferenças individuais entre uma mente e outra e (b) excluiu de sua definição da psicologia toda a pesquisa voltada para as crianças, os animais e os insanos, pois estes jamais poderiam realizar uma introspecção

---

4. Conforme vimos no Capítulo 4, Wundt identificou dois elementos: sensações e afetos. Como Hume, ele acreditava que as imagens fossem apenas cópias esmaecidas das sensações e, em última análise, a estas pudessem ser reduzidas. Titchener evidentemente estava seguindo o mesmo raciocínio, chegando mesmo a manifestar uma certa incerteza ao considerá-las elementos distintos. Apesar disso, ele achava que as sensações e as imagens eram suficientemente distintas para justificar sua classificação como dois elementos, pelo menos nesse estágio do desenvolvimento do seu sistema (Hindeland, 1971).

nos moldes que ele definia. Além disso, como a disciplina deveria manter a pureza do laboratório, Titchener omitiu de sua definição aplicações como a psicologia industrial ou a psicologia da educação. Embora fosse, portanto, extremamente estreita, sua visão da psicologia o levou a sua maior e mais duradoura contribuição: a promoção de uma psicologia experimental que obedecesse aos rígidos controles usados no laboratório. Embora sua metodologia introspectiva tenha desaparecido de cena, sua insistência no valor da pesquisa básica de laboratório como meio de criar as bases para o conhecimento psicológico abriu um lugar para o laboratório em todas as faculdades em que a psicologia era ensinada. Segundo as palavras de um historiador, Titchener foi "responsável por tornar a psicologia científica, por situar o psicólogo no laboratório e fazê-lo chegar às suas conclusões por meio de experimentos sob condições controladas" (Hindeland, 1971, p. 28).

Por outro lado, a psicologia de Titchener tornou-se tão isolada da psicologia norte-americana quanto Ithaca, a sede de Cornell, de outros centros de aprendizagem. O estruturalismo por fim revelou-se falho como sistema, devido principalmente às deficiências da introspecção como método, mas também por causa da intransigência de Titchener em considerar seu próprio ponto de vista como o único certo. Apesar de sua convicção de que o observador altamente treinado adquiriria o "hábito introspectivo", assim, evitando as distorções e dando ensejo à replicabilidade dos experimentos, logo ficou claro que o método tinha sérios problemas. A dificuldade é ilustrada pelas diversas controvérsias que cercaram Titchener. Uma delas foi o conflito com Baldwin por causa do tempo de reação (Capítulo 6), que mostrou a rejeição de Titchener ao emprego de observadores não treinados e sua convicção de que o estudo das diferenças individuais não tinha muito valor. A segunda diz respeito ao problema do pensamento sem imagens, descrito sucintamente no Capítulo 4. Como você deve se lembrar, os observadores introspectivos do laboratório de Külpe, em Würzburg, encontraram situações nas quais ocorriam pensamentos conscientes na ausência de imagens. Num estudo psicofísico de avaliação de peso, por exemplo, surgiram imagens em diversos pontos do processo, mas não no exato momento do julgamento. Esse julgamento, em si, aparentemente era um pensamento "sem imagens". Essa conclusão constituía uma ameaça direta ao sistema de Titchener, para o qual o fato de as imagens serem os elementos subjacentes a *todas* as ideias era um dogma. Para rebater o ataque, Titchener rejeitou a conclusão do estudo de Würzburg alegando que ela decorria de uma falha de controle experimental, pois em *seu* laboratório os observadores sempre detectavam imagens em todas as fases do experimento de avaliação de peso. Contudo, devido à natureza intrinsecamente subjetiva da introspecção, não havia um meio imparcial de determinar quem estava certo. Começou a ganhar vulto, então, a ideia de que a introspecção não poderia produzir dados objetivos.

Assim, os psicólogos começaram a suspeitar que o treinamento extensivo em que Titchener tanto insistia, ao invés de eliminar distorções, as produzia. O treinamento começou a parecer mais uma doutrinação. No documento de 1913 que lançou o behaviorismo, John Watson resume assim o problema de objetividade da introspecção:

> Considere-se o caso da sensação. Uma sensação define-se em termos de seus atributos. Um psicólogo dirá prontamente que os atributos de uma sensação visual são a *qualidade*, a *extensão*, a *duração* e a *intensidade*. Outro acrescentará a *clareza*. Um terceiro, a *ordem*. Duvido que algum psicólogo possa chegar a uma definição do que para ele é sensação com a qual três outros psicólogos de formação diferente possam concordar. [...] Estou convencido de que daqui a duzentos anos, a menos que o método introspectivo seja descartado, a psicologia ainda estará dividida no que diz respeito à questão de as sensações auditivas terem a qualidade da

"extensão", de a intensidade ser um atributo aplicável à cor, de haver uma diferença de "textura" entre imagem e sensação e a muitas outras de caráter semelhante. (Watson, 1913, p. 164, itálico no original)

A falência da introspecção sinalizou os últimos estertores do estruturalismo, mas a força da personalidade de Titchener deu ainda uma contribuição final à psicologia. Como sugere o necrológio de Boring (adiante, p. 253), a morte de Titchener privou a psicologia norte-americana de um ponto no qual pudesse concentrar a oposição. Titchener, que dava aula de beca e dizia que a vestimenta lhe conferia o direito de ser dogmático, insistiu na validade da psicologia introspectiva e foi um crítico persistente e articulado dos que dela divergiam. Com isso, obrigou seus oponentes a esclarecerem da melhor forma seus próprios sistemas. Se as escolas de pensamento na psicologia ganharem impulso em virtude de sua oposição a uma força estabelecida, então o estruturalismo de Titchener teve a louvável função de dar a movimentos como o funcionalismo e o behaviorismo um alvo muito claro.

A PSICOLOGIA NORTE-AMERICANA: O FUNCIONALISMO

Titchener pode não ter tido interesse na psicologia aplicada nem em diferenças individuais, como tampouco no estudo de animais, crianças e insanos, mas praticamente todos os demais psicólogos dos Estados Unidos tiveram. Isso se deve em parte ao contexto histórico do país no fim do século XIX. Ao longo das três últimas décadas do século, depois da Guerra Civil, os Estados Unidos entraram num período de grande crescimento. Foi a época da reconstrução do sul, da expansão para o oeste, da construção de ferrovias, das inovações tecnológicas (como o telefone e a máquina de datilografia), da industrialização em larga escala e do acúmulo de fortunas por empresários como Rockefeller, Vanderbilt, Morgan, Carnegie e Mellon. Ao mesmo tempo, essa foi também a época em que as populações indígenas foram dizimadas ou expulsas de suas terras, os operários foram submetidos a longas jornadas de trabalho, sob condições precárias de segurança, por salários de miséria, as mulheres e os representantes de minorias foram considerados mentalmente inferiores aos machos brancos e a distância entre os pouquíssimos ricos e os muitíssimos pobres cresceu muito. Contudo, a maioria dos norte-americanos (machos, brancos) adotou um conceito de caráter nacional que valorizava muito a responsabilidade individual pelo sucesso ou fracasso, por tornar-se alguém, independente das próprias origens, e por competir e vencer no mercado, sempre pensando na utilidade ou no valor prático de ideias e objetos.

Esse protótipo emergente da individualidade pragmática norte-americana estava em consonância com o pensamento evolucionista, embora provavelmente a maioria dos norte-americanos negasse ser darwinista. Apesar disso, eles se interessaram pelo pensamento do britânico que popularizou a evolução, Herbert Spencer (1820-1903), o qual promoveu uma ideia de evolução simpática aos norte-americanos: a do lado "vencedor" das coisas. Foi Spencer, e não Darwin, quem cunhou a frase "sobrevivência dos mais aptos", embora sua noção de aptidão não fosse igual à de Darwin.[5] Enquanto, para Darwin, qualquer atributo da espécie que promovesse a causa da sobrevivência (por exemplo, a camuflagem) constituísse aptidão, para Spencer o termo implicava que os sobreviventes eram os vencedores de batalhas ferozes por recursos

---

5. Outra importante diferença entre os dois é que Darwin era cientificamente conservador, não se dispondo a especulações sem o respaldo de muitos dados. Conforme discutido no Capítulo 5, essa foi uma das razões para sua demora em publicar A Origem das Espécies. Spencer, por sua vez, não hesitava em especular muito além das evidências de que dispunha. Certa vez, afirmou-se que sua "ideia de tragédia era o assassinato de uma dedução por um fato" (citado por Boakes, 1984, p. 10).

limitados. Na acepção que Spencer dava à frase, a sobrevivência dos mais aptos mesclou-se ao caráter norte-americano que se desenvolvia no século XIX, tendo contribuído para sua criação. O sistema de Spencer tornou-se conhecido como **darwinismo social**.

Os darwinistas sociais acreditavam que as forças evolucionárias eram naturais e inevitáveis e que qualquer tentativa dos seres humanos para alterá-las era mal empregada e perniciosa. Spencer argumentava que a evolução devia seguir seu curso, atitude que teve repercussões diretas sobre os contextos social, político e econômico da época. Ela implicava, por exemplo, que o governo não deveria interferir nas práticas comerciais — os que fracassavam na vida profissional o faziam simplesmente porque não eram "aptos". Os que acumulavam enormes fortunas, por sua vez, não deveriam ser de modo algum regulados nem penalizados (isto é, pagar impostos) — sua riqueza era simplesmente um sinal de sua aptidão. O governo tampouco deveria fornecer serviços à população pobre — a pobreza era obviamente o resultado da falta de aptidão. Se amparada pelo governo, essa falta de aptidão dos pobres se disseminaria, na medida em que eles teriam filhos igualmente inaptos. Os darwinistas sociais pegaram o lema "se é apto, então é bem-sucedido" e inverteram os termos, criando assim uma afirmativa logicamente falha: "se é bem-sucedido, então é apto". Assim, a aptidão evolucionária tornou-se um meio de racionalizar a imensa distância entre os ricos e os pobres e de perpetuar a crença na superioridade do macho branco sobre todos os demais seres humanos (por exemplo, as mulheres, os negros, os índios). A maioria dos psicólogos norte-americanos, especialmente os interessados pela testagem mental (consulte o Capítulo 8), era em geral simpática ao darwinismo social.

Conforme veremos em breve, o pensamento evolucionário com que os psicólogos simpatizavam os levou a interessar-se naturalmente pelo estudo das diferenças individuais, do desenvolvimento, do comportamento animal e do comportamento anormal e pela busca de aplicações práticas dos princípios psicológicos. Essa tendência a uma psicologia mais diversificada que o estruturalismo de Titchener estava clara na obra de James e Hall (Capítulo 6), os quais foram influenciados por Darwin e fizeram importantes contribuições antes de Titchener chegar de Leipzig. O movimento veio a chamar-se **funcionalismo** e, apesar de difundir-se o bastante para ser conhecido como "psicologia dos Estados Unidos", normalmente é associado a duas escolas: Chicago e Columbia. O restante deste capítulo será dedicado ao exame da obra de vários psicólogos dessas duas escolas. O Capítulo 8 abordará mais detalhadamente o tema da aplicação, um componente central do pensamento funcionalista.

Os Funcionalistas de Chicago

Em maio de 1889, John D. Rockefeller, com os bolsos estourando com os lucros da Standard Oil, fez uma doação inicial de US$ 600 mil para a criação de uma universidade batista, sujeita à doação adicional de US$ 400 mil pelos membros dessa igreja (Ryan, 1939). Ela seria erguida em Chicago, cidade que já começava a criar a fama que levaria o poeta Carl Sandburg a chamá-la de "cidade das costas largas". Quase destruída pelo famoso incêndio de 1871 — que queimou quase 1.700 acres, destruiu edifícios estimados em US$ 192 milhões e levou à bancarrota 64 diferentes companhias de seguros (Cashman, 1993) —, Chicago estava entre as cidades norte-americanas de maior índice de crescimento no final do século XIX. Suas centenas de acres de currais de suínos e bovinos, de matadouros e de frigoríficos tornaram-na o centro da indústria da carne, e sua localização a transformava em uma encruzilhada natural para as ferrovias e uma área privilegiada para as indústrias dependentes de transporte ferroviário e lacustre (como as da madeira, do aço e da agricultura). A nova universidade era uma empresa arrojada, pois estava muito longe da comunidade acadêmica da costa leste e seu sucesso dependia do seu reitor, William Rainey Harper, um estudioso da Bíblia que obtivera seu doutorado em Yale aos 18 anos. O maior desafio de Harper era contratar professores de qualidade, tarefa que se tornou mais fácil para ele depois dos problemas enfrentados pela Clark University. Como vimos no capítulo anterior, Harper fez diversas contratações entre doutorados e professores egressos da Clark, descontentes com problemas financeiros e com a imprevisibilidade de Hall, seu reitor.

Inaugurada em 1892, a University of Chicago tornou-se rapidamente líder na educação superior, apesar de sua distância do leste. Ela possuía faculdades distintas para humanidades, contabilidade, literatura e ciências, além de uma escola de teologia e uma escola de pós-graduação. Na inauguração, o corpo docente já contava com 120 professores e, três anos depois, a pós-graduação já atingia a marca de 534 alunos, mais do que os alunos da Johns Hopkins e da Clark juntos (Ryan, 1939).

Dois anos depois da abertura da universidade, Harper contratou um jovem professor da University of Michigan para catedrático do departamento de filosofia. Embora viesse a ser mais famoso por seus escritos filosóficos sobre a democracia e por sua abordagem inovadora da educação, John Dewey escreveu um artigo que é muitas vezes considerado o ponto de partida oficial do funcionalismo nos Estados Unidos.

John Dewey (1859-1952): O Arco Reflexo

John Dewey nasceu em Burlington, pequena cidade do oeste de Vermont, às margens do lago Champlain. Lá, foi criado de acordo com os tradicionais valores ianques: trabalho árduo, respeito pelos demais, frugalidade, simplicidade e amor à democracia. Quando terminou a escola secundária, aos 15 anos, Dewey inscreveu-se na University of Vermont, cujos oito professores tinham apenas algumas dezenas de alunos. Em 1879, com mais 16 colegas, formou-se (Ba-

---

DATA-CHAVE 1906

Este ano marcou a publicação do discurso de posse na presidência da APA de James Angell ("The Province of Functional Psychology"), que tornou mais nítido o foco sobre a psicologia funcional.

Os seguintes fatos também ocorreram:

- Teve início uma famosa troca de cartas entre Sigmund Freud (Capítulo 12) e Carl Jung, iniciada com um agradecimento de Freud por Jung ter-lhe enviado alguns artigos sobre associação de ideias

- O primeiro Pure Food and Drugs Act (Decreto sobre a pureza de alimentos e drogas) dos Estados Unidos foi sancionado, depois da descrição feita por Upton Sinclair dos matadouros e frigoríficos de Chicago no romance *The Jungle*

- A China e a Grã-Bretanha entraram em acordo pela redução da produção de ópio

- O terremoto de San Francisco matou setecentas pessoas e causou perdas de US$ 400 milhões

- Teddy Roosevelt visitou o Canal do Panamá, na primeira viagem ao exterior feita por um presidente norte-americano em exercício

- As tropas dos Estados Unidos ocuparam Cuba, lá permanecendo durante três anos

- Foi disputada a primeira corrida automobilística do Grand Prix da França

- Nasceram:

    Greta Garbo, atriz sueca (em *Grande Hotel*, Oscar de Melhor Filme em 1932, ela diz a famosa frase "Quero ficar só")

    Dmitri Shostakovich, compositor russo

    Gracie Allen, atriz humorística e mulher de George Burns

- Morreram:

    Henrik Ibsen, dramaturgo norueguês (por exemplo, *Casa de bonecas*)

    Paul Cezanne, pintor francês (por exemplo, *Natureza morta com maçãs*)

rone, 1996). Enquanto cursou a universidade, estudou o currículo tradicional de clássicas e humanas, mas também conheceu o pensamento evolucionário estudando as novas ciências da geologia e da zoologia.

Depois de se formar, Dewey lecionou durante vários anos em escolas secundárias até decidir prosseguir com sua educação. A Johns Hopkins era a estrela que despontava nos céus acadêmicos, e Dewey matriculou-se lá em 1882 para estudar filosofia. A nova psicologia fazia parte do currículo de filosofia da Johns Hopkins, e o programa de Dewey incluía o trabalho no recém-aberto laboratório de G. Stanley Hall. Depois de obter seu Ph.D. em 1884, Dewey foi para Michigan. Lá ensinou filosofia e psicologia, publicando seus apontamentos em 1886 sob o título de *Psychology*. O livro foi usado durante muitos anos em vários *campi*, tendo sido o texto padrão da University of Michigan por dez anos (Raphelson, 1973), até a publicação do clássico instantâneo de William James. O próprio Dewey foi o primeiro a admitir que *The Principles of Psychology* era superior ao seu livro.

Dewey foi para Chicago em 1894. Seu novo departamento incluía a filosofia tradicional, a psicologia de laboratório e outra área em que Dewey tinha grande interesse: a pedagogia. Nos dez anos que passou em Chicago, Dewey tornou a universidade um dos centros do funcionalismo, em parte pelo recrutamento de colegas que simpatizavam com o movimento, mas principalmente pela publicação, em 1896, de um artigo intitulado "The Reflex Arc Concept in Psychology". Nesse artigo, ele assumiu uma postura divergente do pensamento tradicional sobre os reflexos. Desde a separação, proposta por Bell e Magendie, do reflexo em caminhos sensoriais e motores à parte (Capítulo 3), os fisiologistas viam o **arco reflexo** em termos de três componentes elementares: o estímulo, que produzia a sensação; o processamento central, que produzia uma ideia; e o ato ou reação motora. Porém, Dewey achava que a divisão nesses "elementos" era artificial e resultava num conceito de reflexo que não era "um todo orgânico, mas um conjunto de partes desconexas" (Dewey, 1896/1948, p. 356). Em vez disso, ele propunha um modelo que substituía a análise estrutural por uma análise funcional do reflexo.

Para Dewey, a melhor maneira de pensar no reflexo era vê-lo como um todo integrado, coordenado, que serve à função de adaptar o organismo ao meio em que vive. Além disso, o reflexo era mais um circuito contínuo que um "arco", já que este implicava pontos distintos de início e fim. Pensemos numa criança que toca a chama de uma vela, para ficarmos com o exemplo de Dewey. Os que adotavam o modelo tradicional do arco reflexo analisariam o evento como uma série de elementos de estímulo e reação — ver a chama, tocá-la, sentir o calor e afastar-se. Segundo Dewey, no entanto, essa análise era a supersimplificação de um ato complexo. Tentar tocar algo depois de vê-lo, por exemplo, só faz sentido no contexto mais amplo da história de aprendizagem da criança: "os atos de ver e agarrar já foram tantas vezes associados para reforçar um ao outro que cada um pode ser considerado praticamente o membro subordinado de uma coordenação mais ampla" (p. 356). A segunda parte do evento — queimar-se com a chama e retirar a mão — também é parte da coordenação mais ampla que produz um evento de aprendizagem: depois dela, a chama adquire um novo sentido para a criança. A partir daí, ver uma vela que arde "já não é apenas ver; é 'ver uma luz que implica dor quando há contato'" (p. 357). Portanto, a criança adaptou-se ao ambiente em decorrência de uma experiência. Além disso, a visão de uma vela que arde adquire então um sentido específico, que difere do de uma visão idêntica para outra criança com diferentes experiências. Como você verá no Capítulo 9, a ideia de que os atos decorrem, não de um determinado estímulo, mas de um estímulo conforme é percebido era fundamental para a psicologia da *Gestalt*. Dewey argumentava de modo contundente que os psicólogos que estudavam os atos humanos não deveriam interessar-se pela análise microscópica de seus elementos, mas pela maneira como esses atos funcionavam na promoção do bem-estar do organismo em sua luta para adaptar-se a um mundo em constante mudança. Ou seja, Dewey propunha uma mudança de foco no estudo do comportamento: em vez de "o quê?", a pergunta deveria ser "para quê?"

Na virada do século XIX, os Estados Unidos estavam acabando de entrar na era do progresso, uma era que viu reformas drásticas e o início de uma reação contra o darwinismo social. Foi nessa época que os monopólios empresariais começaram a sofrer um ataque e seus líderes, a ser chamados tanto de heróis da luta pela sobrevivência quanto de ladrões de terno e gravata. Os sindicatos conseguiram muitas vitórias em nome dos operários, o governo federal promulgou leis que protegiam os cidadãos contra uma série de abusos (por exemplo, trabalho infantil e condições insalubres nas indústrias de processamento de alimentos) e os partidários da reforma social entraram em ação para melhorar o bem-estar daqueles que eram considerados "inaptos". John Dewey encaixou-se à perfeição nesse contexto, aportando grandes contribuições para a reforma educacional e dando início a um movimento que ficou conhecido como **educação progressiva**.

Dewey, que havia sido professor secundário por um breve período depois de se formar, criara uma forte aversão à abordagem convencional na educação, voltada para a memorização, a repetição e a disciplina rígida. Essa atmosfera tornava a sala de aula um lugar do qual os alunos queriam fugir, em vez de um lugar para aprender. Porém, Dewey achava que a educação era a chave para a democracia, pois dava a todos igual oportunidade de progredir. Numa época em que a educação pública crescia a passos largos,[6] a reforma educacional era essencial. Dewey reagiu criando em Chicago uma "escola-laboratório" em 1896, a fim de estudar como as crianças mais aprendiam em sala de aula, e escrevendo *The School and Society* (1899), que estabeleceu sua liderança como filósofo da educação. Além disso, em 1899, em seu discurso de posse na presidência da American Psychological Association, suplicou aos psicólogos que empregassem seu conhecimento da mente para a melhoria da educação (Dewey, 1900). Para ele, as crianças aprendiam por meio da interação com o ambiente — ou seja, elas aprendem fazendo. Por conseguinte, a escola precisava criar uma atmosfera que incentivasse as crianças à exploração, ao raciocínio crítico e criativo e ao envolvimento na aprendizagem.

Dewey deixou Chicago e foi para Columbia em 1904, entregando a diretoria do departamento a James Angell. Em Columbia, não fez novas contribuições à psicologia, mas continuou a militar pela reforma social e educacional dentro do contexto de sua filosofia democrática. Dewey apoiou como pôde os sindicatos de professores, ajudou a fundar a American Association of University Professors, filiou-se ao American Civil Liberties Union e fez campanha a favor do voto feminino (Hilgard, 1987), tendo permanecido um ativista da causa liberal até depois de sua oitava década de vida.

James R. Angell (1869-1949): *O Campo da Psicologia Funcional*

Como Dewey, James Rowland Angell nasceu em Burlington, Vermont. Em 1871, quando seu pai, reitor da University of Vermont, assumiu o mesmo posto na University of Michigan, a família mudou-se para o meio-oeste. Assim, James cresceu no ambiente acadêmico de Ann Arbor, frequentando a universidade do pai. Ali estudou filosofia, letras clássicas e ciências naturais. Sua introdução à psicologia deu-se por meio de um curso com Dewey, no qual o professor usava seu recém-publicado livro-texto. Angell diplomou-se em Michigan em 1890, mas permaneceu mais um ano para

---

6. Em 1871, a frequência escolar era obrigatória em apenas seis estados norte-americanos, mas em 1900 já o era em praticamente todos. Entre 1890 e 1910, o número de alunos nas escolas públicas quadruplicou (Cashman, 1993).

obter um mestrado em filosofia. Nesse último ano, ele participou de um seminário com Dewey sobre o novo *Principles of Psychology*, de James. Conforme diria posteriormente, esse texto "sem dúvida foi o que mais afetou meu modo de pensar nos vinte anos que se seguiram" (citado por Raphelson, 1973, p. 120). Para conhecer William James de perto, Angell foi para Cambridge e lá permaneceu um ano sob a tutela do professor, até decidir fazer um doutorado na Alemanha. Nessa época, os cursos de doutorado nos Estados Unidos eram tão bons quanto os oferecidos na Alemanha (se não superiores), mas o título obtido no velho continente ainda tinha muito prestígio. Angell sabia muito bem das vantagens desse *status*, pois seu primo Frank, com um Ph.D. de Leipzig abrindo o caminho, acabara de deixar Cornell por Stanford, seduzido por uma oferta de salário incrivelmente boa: US$ 3 mil anuais (O'Donnell, 1985).

Angell pretendia seguir os passos do primo e ir para Leipzig, mas, como o laboratório de Wundt estava lotado, estudou por um breve período com Ebbinghaus em Berlim, antes de optar pela Universidade de Halle. Ali concluiu sua pesquisa para o doutorado, mas nunca entregou a versão final (exigiram-lhe que melhorasse a redação em alemão) depois que recebeu uma oferta para lecionar na University of Minnesota. O salário e a estabilidade de um emprego de verdade permitiram-lhe casar-se com a mulher que conhecia desde que vivia em Michigan — e, para o jovem de 24 anos, o amor e o novo cargo bastavam para compensar a perda do que lhe parecia um simples papel. Assim, apesar de vir a orientar as teses de doutorado de vários importantes psicólogos norte-americanos, Angell nunca terminou oficialmente a sua.

Ao fim do primeiro ano de Angell em Minnesota, Dewey o convidou para assumir a parte que era de psicologia no programa de filosofia de Chicago, e o casal para lá se mudou em 1894. Quando Dewey foi para Columbia, dez anos mais tarde, a psicologia tornou-se um departamento independente do de filosofia, e Angell tornou-se seu catedráti-

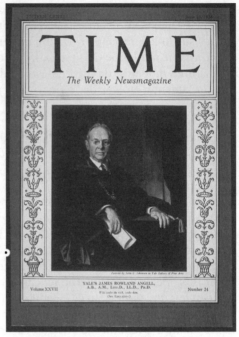

FIGURA 7.5 James R. Angell, funcionalista de Chicago.

co. Depois de ser nomeado decano, em 1911, voltou-se cada vez mais para a administração e menos para a psicologia até finalmente seguir os passos do pai, tornando-se reitor da Yale University, cargo que exerceu durante a maior parte das décadas de 1920 e 1930. Seu fantástico trabalho como reitor (por exemplo, ele quadruplicou a dotação) rendeu-lhe a capa da revista *Time* em 1936, pouco antes de aposentar-se (Figura 7.5).

A importância de Angell para a psicologia decorre de seu trabalho no período de 1894 a 1911, quando conduziu pesquisas importantes nas áreas de tempo de reação, imagens e localização do som[7] e construiu um dos dois ou três principais departamentos da disciplina no país. Além disso, tornou-se o porta-voz mais visível do funcionalismo

---

7. A localização do som depende em parte de as ondas sonoras atingirem nossos ouvidos em tempos ligeiramente diferentes. Angell, que era surdo de um ouvido, foi seu próprio observador num estudo sobre como a localização se verificava monoauditivamente (Hunter, 1949).

ao escrever um popular livro-texto introdutório (Angell, 1904) e proferir um memorável discurso de posse na presidência da American Psychological Association em 1906 (Angell, 1907/1948). O artigo de Dewey sobre o arco reflexo pode ter sido o documento fundador do pensamento funcionalista, mas não era um estudo de tipo explanatório. O de Angell — intitulado "The Province of Functional Psychology" — o foi. Em parte, constituía uma resposta a "The Postulates of a Structural Psychology", artigo que Titchener publicara em 1898.

Angell começa seu artigo dizendo modestamente que a psicologia funcional não era uma "escola" dogmática de psicologia, mas sim "pouco mais que um ponto de vista, um programa, uma ambição" (Angell, 1907/1948, p. 439). Em seguida, estabelece um pronunciado contraste entre as psicologias funcional e estrutural, afirmando que, enquanto o estruturalista está interessado nos conteúdos mentais, no "o quê?" da experiência consciente, o psicólogo funcional quer estudar as operações mentais, o "como?" e o "por quê?" da experiência consciente. Se o estruturalista perguntava *o que é a consciência?*, o funcionalista perguntava *para que é a consciência?*. Além disso, numa alusão indireta ao que considerava ser a natureza artificial dos resultados da pesquisa ao estilo de Titchener, Angell argumentava que a análise minuciosa de um hipotético "momento da consciência" deixa de capturar a consciência em sua importância para a vida cotidiana:

> Se você adota como material de sua análise psicológica o "momento da consciência" isolado, é muito fácil deixar-se absorver pela determinação de sua constituição a ponto de esquecer seu caráter artificial. A discussão mais importante que o funcionalista trava com o estruturalismo [...] provém desse fato e passa pela viabilidade e pelo valor do esforço de atingir o processo mental em si, sob as condições da experiência real, e não o que ele aparenta ser a uma análise [introspectiva] meramente *post mortem*. (p. 441)

Em seguida, Angell rejeita explicitamente a analogia entre a psicologia e a biologia, traçada por Titchener para defender a primazia da abordagem estruturalista. Como você deve estar lembrado, Titchener havia comparado o estruturalismo à anatomia, afirmando que, assim como a anatomia constitui a base da fisiologia, o estruturalismo deveria preceder o funcionalismo. Só que Angell discordava disso tudo. A anatomia estuda objetos materiais que podem ser manipulados, observados e medidos com alguma precisão, mas os conteúdos mentais são "evanescentes" e "fugazes". Podemos tentar isolá-los, mas são fundamentalmente distintos dos materiais estudados pelos anatomistas. Assim, demonstrada a falha na analogia entre a anatomia e o estruturalismo, Angell acreditava haver derrubado a suposta primazia do estruturalismo sobre o funcionalismo.

A abordagem funcionalista da consciência defendida por Angell tinha o mesmo sabor evolucionista encontrado em James. Como este, Angell situava a função da consciência no permitir ao indivíduo resolver problemas e, assim, adaptar-se a novas situações. Perto do fim do artigo, ele aborda as relações entre o pensamento funcionalista e os interesses dos psicólogos norte-americanos. Se a psicologia estava interessada nas funções da consciência, então era importante compreender como essas funções se desenvolviam, tanto ontogenética quanto filogeneticamente. Portanto, o psicólogo teria interesse legítimo na psicologia do desenvolvimento e na psicologia comparada. Do mesmo modo, o interesse pelo fracasso na adaptação levaria naturalmente ao estudo da psicologia do anormal; o interesse pelo fato de alguns indivíduos adaptarem-se melhor que outros ao estudo das diferenças individuais e ao desenvolvimento de testes mentais para medir essas diferenças; e o interesse em como o indivíduo aprende a adaptar-se e como pode ser mais bem treinado para tal ao estudo da psicologia do desenvolvimento e da aprendizagem em geral. Em resumo, praticamente todos os tópicos valorizados pelos psicólogos norte-americanos poderiam ser reunidos sob a rubrica do funcionalismo. Além disso, o estudo de todas essas áreas exigia uma atitude liberal quanto aos métodos adequados. Angell não tinha nada contra a introspecção, mas achava que ela poderia ser definida de uma forma mais ampla que a permitida por Titchener e deveria ser complementada com métodos de observação mais diretos.

Nos seus anos de produção em Chicago, Angell foi orientador de vários dos que seriam figuras-chave na história da psicologia norte-americana. Um deles foi John Watson, geralmente considerado o fundador do behaviorismo como escola de psicologia (Capítulo 10); outro foi Harvey Carr, seu sucessor na cátedra do departamento.

Harvey Carr (1873-1954):
O Amadurecimento do Funcionalismo

Carr tinha quase 30 anos ao chegar a Chicago, em 1902. Criado numa fazenda do estado de Indiana, sua formação acadêmica foi interrompida por problemas financeiros e de saúde, mas ele conseguiu diplomar-se e obter um mestrado em psicologia na University of Colorado logo antes de chegar ao departamento de Angell. Na University of Colorado, ele conheceu a nova psicologia e os procedimentos de laboratório por meio de Arthur Allin, que havia estudado com Hall e Sanford na Clark. Durante sua estada em Chicago, criou um interesse que duraria a vida inteira por dois diferentes tópicos: a percepção espacial e a aprendizagem em labirinto. Sua tese de doutorado, apresentada em 1905, versava sobre o primeiro e foi posteriormente publicada como livro (Carr, 1935). Porém a maior parte de suas publicações foi sobre a aprendizagem em labirinto. Seguindo o exemplo de Small (confira o *Close-Up* do Capítulo 6), Carr investigou a base sensorial desse tipo de aprendizagem. No Capítulo 10, são apresentados dois dos estudos que realizou com John Watson. Ele também interessou-se pelo problema geral da padronização dos labirintos. Nos primeiros anos dessa pesquisa, muitas vezes não se podiam replicar os resultados porque os labirintos variavam muito de um estudo para outro. Carr melhorou bastante essa situação, inventando um tipo de labirinto que afinal foi batizado com seu nome (Warner e Warden, 1927). Dois exemplos são apresentados na Figura 7.6. Como você pode ver, embora eles possuam diferentes soluções, o número de opções por labirinto é constante, assim como a extensão de cada saída e caminho cego. Além disso, sua concepção permite mudar fácil e rapidamente de padrões.

Depois de obter seu doutorado em 1905, Carr lecionou durante alguns anos em outros lugares antes de voltar a Chicago, em 1908. Com a saída de John Watson para a Johns Hopkins nesse ano, Angell contratou Carr para administrar o laboratório de psicologia. Carr permaneceu em Chicago até aposentar-se, em 1938, tendo sido catedrático do departamento na segunda metade dos anos que ali passou. Ele contribuiu para a evolução do funcionalismo de Chicago não só com seu impacto direto sobre os alunos, mas também com a publicação de um livro-texto que foi muito utilizado em mea-

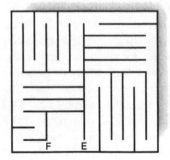 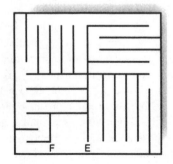

FIGURA 7.6 Padrões de dois labirintos típicos de Carr.

dos da década de 1920 — *Psychology: A Study of Mental Activity* (Carr, 1925). Nos anos que passou em Chicago, Carr participou do doutorado de nada menos que 131 alunos e foi orientador de 53 teses (dezoito de psicologia comparada, seis de percepção espacial e 29 de aprendizagem) (Pillsbury, 1955). O texto de 1925 pode ser considerado uma declaração de "maturidade" do funcionalismo, com a compreensão de que o movimento sempre seria mais uma atitude que uma posição teórica sistemática.

Os Funcionalistas de Columbia

Como era mais um estado de espírito que um sistema rigoroso, o funcionalismo ultrapassou, e muito, os muros de Chicago. Com efeito, podiam-se encontrar elementos do pensamento funcionalista em todo o cenário acadêmico norte-americano, com a possível exceção de Cornell. Porém, mesmo lá, a ortodoxia de Titchener de vez em quando cedia um pouco. Por exemplo, E. G. Boring certa vez conduziu um estudo sobre a aprendizagem em labirintos com seres humanos. Os sujeitos eram vendados e colocados num labirinto ao ar livre, e seus caminhos eram marcados por trilhas de farinha, deixadas por sacos furados amarrados às suas costas. Boring relatou que o único resultado significativo desse estudo foi que ele se apaixonou por um dos sujeitos da pesquisa, casando-se posteriormente com ela (Jaynes, 1969b). Contudo, na virada do século o funcionalismo era associado, além de Chicago, à Columbia University, de Nova York. Em seus anos de formação, o programa de psicologia estava a cargo de James McKeen Cattell. No Capítulo 4, ele foi apresentado na discussão sobre o tempo de reação e, no próximo capítulo, falaremos mais de sua obra. Enquanto esteve em Columbia, de 1891 a 1917, Cattell criou um departamento de pós-graduação vibrante, talvez o melhor do país. Sob sua tutela, dezenas de psicólogos historicamente importantes conquistaram seus doutorados, sendo mais de cinquenta teses diretamente orientadas por ele (Jonçich, 1968). Dois de seus mais famosos alunos foram Edward Thorndike e Robert Woodworth.

Edward L. Thorndike (1874-1949): O Conexionismo

Ao longo de quase toda a sua vida profissional, Thorndike deu significativas contribuições à psicologia da educação e à testagem psicológica. Contudo, ele geralmente é mais lembrado entre os psicólogos por haver estudado como os gatos aprendiam a fugir de gaiolas toscamente construídas. Por isso, é considerado um pioneiro da psicologia comparada e um exemplo do que Lloyd Morgan consideraria a forma certa de fazer pesquisa com animais. Além disso, é ocasionalmente incluído no behaviorismo como precursor do trabalho sobre condicionamento desenvolvido por Pavlov e Watson. Assim, de certo modo, Thorndike foi uma figura de transição entre os primeiros psicólogos comparatistas e os subsequentes behavioristas. O mais importante é que ele foi um dos líderes do funcionalismo, pois seu interesse era estudar como os indivíduos se adaptavam ao ambiente e como esse conhecimento poderia ser aplicado à melhoria da condição humana.

Thorndike foi um tanto nômade no início da vida; o pai era um ministro da Igreja Metodista que a cada dois ou três anos precisava se mudar para uma cidadezinha diferente da Nova Inglaterra. Como sempre era "o garoto novo na cidade", Thorndike tornou-se extremamente tímido, porém independente e, sob o comando rígido da mãe, uma mulher puritana e exigente, tornou-se um excelente aluno. Aceito de imediato na metodista Wesleyan University, de Connecticut, diplomou-se com louvor em 1895. Enquanto fazia o curso, encontrou sua vocação ao ler *Principles of Psychology*, de James, que o deixou eletrizado, como a James Angell e a tantos outros de sua geração. Thorndike (1936) depois o descreveria como mais estimulante "que todos os livros que eu já havia lido e talvez ainda mais que qualquer outro que tenha lido desde então"

FIGURA 7.7 Configurações de três labirintos criados por Thorndike com livros colocados de pé sobre uma mesa.

(p. 263). Como Angell havia feito quatro anos antes, Thorndike inscreveu-se na pós-graduação de Harvard para poder ter contato direto com James.

Não se sabe ao certo como foi que Thorndike se interessou pelo comportamento animal, mas um dos seminários que fez com James baseava-se em *Lectures on Human and Animal Psychology*, de Wundt (que acabava de ser traduzido por Titchener). Além disso, pode ser que ele tenha assistido às palestras abertas que fez o visitante C. Lloyd Morgan, o principal psicólogo comparatista da Grã-Bretanha (Capítulo 5). Como todas as pessoas de formação acadêmica da época, Thorndike estava inteiramente familiarizado com o pensamento evolucionário; seu conhecimento da psicologia comparada contemporânea e seus problemas evidencia-se na explicação pouco entusiasta que deu para a escolha de seu tema de pesquisa: "Minha primeira pesquisa foi sobre a psicologia animal, não porque conhecesse os animais ou me importasse especialmente com eles, mas porque achava que poderia sair-me melhor do que meus predecessores" (citado por Jonçich, p. 89).

Thorndike inicialmente estudou o instinto e a inteligência em pintos, que eram colocados em labirintos simples, formados por livros colocados de pé. A Figura 7.7 mostra três dos padrões que utilizou. Os pintos

FIGURA 7.8 Edward L. Thorndike na época dos estudos feitos com gaiolas. Ao lado, sua mulher, Elizabeth Moulton (fotos extraídas de Jonçich, 1968).

eram colocados no labirinto na posição A e observados para determinar se conseguiam encontrar a saída. Thorndike relatou que a princípio eles pulavam nas paredes, faziam muito barulho e podiam tanto sair quanto enredar-se ainda mais no labirinto. Porém, depois de várias tentativas, eles eliminavam os comportamentos inúteis e aprendiam a encontrar a saída. A propósito, parte dessa pesquisa foi realizada no porão da casa de James. O proprietário da casa de Thorndike havia proibido a presença dos animais, talvez por causa do barulho que faziam ao tentar sair dos labirintos, e James os levara para casa por não conseguir encontrar um lugar no *campus* para mantê-los. Thorndike achava que "o incômodo para a Sra. James foi [...] um pouco amenizado pela distração para os dois filhos mais novos" (Thorndike, 1936, p. 264).

Por razões em parte financeiras e em parte decorrentes de uma relação amorosa que parecia não ter futuro algum (com a mulher que por fim se tornaria sua esposa; veja a Figura 7.8), Thorndike candidatou-se e ganhou uma bolsa de pesquisa em Columbia. Cattell havia ficado impressionado com o jovem psicólogo comparatista, e Thorndike recebeu um auxílio de US$ 700 por ano, o que representava mais que a renda anual média da maioria das famílias na época (Jonçich, 1968). Em Columbia, ele estendeu a pesquisa a várias outras espécies, mas seu trabalho mais notável foi realizado com gatos em gaiolas e publicado em 1898 como: "Animal Intelligence: An Experimental Study of the Associative Processes in Animals". Mais tarde, em 1911, Thorndike escreveu *Animal Intelligence: Experimental Studies* (1911/2000), que incluía a monografia de 1898 e outros capítulos escritos desde então.

Thorndike Acerca da Aprendizagem dos Animais em Gaiolas

Thorndike foi um grande crítico da maioria dos psicólogos comparatistas contemporâneos, principalmente quando estes recorriam a dados anedóticos não representativos para respaldar alegações de supostos poderes mentais superiores dos animais. Conforme afirmou, de modo bem sarcástico,

> Os cães se perdem centenas de vezes, e ninguém jamais percebe isso ou envia um relato desse fato às revistas científicas. Mas basta que um encontre o caminho de volta do Brooklyn a Yonkers, e o fato imediatamente se transforma num fato de grande circulação. Milhares de gatos, em milhares de ocasiões, já miaram inutilmente, e ninguém sequer pensa duas vezes nisso ou escreve a respeito para seu amigo professor. Mas basta que um arranhe a maçaneta da porta, supostamente como sinal de que quer que o deixem sair, e imediatamente esse gato se transforma na representação da mente felina em todos os livros. (Thorndike, 1911/2000, p. 24)

Thorndike acreditava que poderia fazer uma pesquisa melhor, e o aspecto mais importante dos estudos que realizou com animais em gaiolas foi o seu rigor metodológico (Galef, 1998). Desdenhando a estratégia não científica, Thorndike desenvolveu procedimentos mais sistemáticos para testar alegações de inteligência animal, visando deliberadamente estudar mais de um caso, repetir os experimentos e controlar o histórico de aprendizagem e o ambiente dos animais estudados. O método que escolheu foi "colocar os animais, quando famintos, em gaiolas fechadas das quais eles pudessem escapar por meio de um ato simples: puxar um pedaço de corda, pressionar uma alavanca ou pisar numa plataforma" (Thorndike, 1911/2000, p. 26). Seu comportamento e o tempo que levavam para fugir da gaiola foram registrados.

Embora sua estratégia de pesquisa fosse clara e lógica, Thorndike foi uma exceção à regra segundo a qual os primeiros experimentalistas eram construtores criativos e talentosos de aparatos. Os labirintos que fizera para os pintos, com livros colocados de pé, já indicavam uma certa falta de aptidão mecânica, e as gaiolas que construiu só con-

(a)

(b)

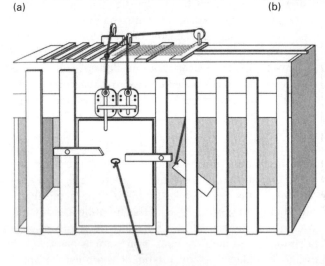

FIGURA 7.9 Três das gaiolas de Thorndike: (a) A (exigia que fosse puxado um arame), (b) D (com câmara extra para estudos sobre a imitação) e (c) K (complexa, exigia três reações, desenhada por Thorndike) (ilustrações extraídas de Burnham, 1972).

firmaram essa deficiência.[8] Thorndike incluiu uma ilustração de uma das quinze gaiolas que construiu que dá a ideia de um projeto limpo e bem-acabado. Porém o historiador John Burnham (1972) descobriu fotos das gaiolas que ele de fato utilizou, e dizer que são toscas é um eufemismo. A Figura 7.9 mostra duas dessas fotos — gaiolas A (7.9a) e D (7.9b) — e o esboço de Thorndike (7.9c), correspondente à gaiola K.

Apesar das aparências, havia um método sistemático por trás do aparente caos na construção desses aparatos. A gaiola K ("tripla"), por exemplo, foi projetada para aliar as únicas reações necessárias a cada uma de três das outras gaiolas. Ela foi usada com os gatos que já haviam aprendido todas as três reações exigidas, a fim de verificar se eles conseguiriam juntar as informações e sair rapidamente. Thorndike usou treze gatos nos experimentos com as gaiolas. Sua descrição não deixa claro quantos exatamente foram testados em cada uma dessas gaiolas, mas aparentemente cada animal foi testado em várias.

E como os gatos se comportaram quando foram colocados nas gaiolas? A princípio, seu comportamento parecia aleatório — era uma série de tentativas de fugir de qualquer maneira (por exemplo, arranhando e mordendo as barras de madeira). Por fim, a reação correta se verificava, na primeira vez, por acaso. De tentativa em tentativa, as reações ineficazes iam sendo abandonadas e a

---

8. Além disso, Thorndike nunca aprendeu a usar uma máquina de escrever ou a dirigir um carro. Seu filho afirmou não se lembrar de jamais haver visto o pai "consertar" alguma coisa alguma vez (Thorndike, 1991).

reação bem-sucedida ocorria mais cedo. Nas palavras de Thorndike (1911/2000), "os demais impulsos malsucedidos serão esquecidos, e aquele que leva ao ato bem-sucedido será gravado pelo prazer resultante, até que, depois de muitas tentativas, ao ser colocado de novo na gaiola, o gato imediatamente agarrará a corda ou o botão de forma decisiva" (p. 36). A explicação de Thorndike para esse comportamento, aplicável também aos experimentos que fez com os pintos em labirintos, foi a mesma dada por Morgan para explicar o comportamento dos *terriers* que abrem portões para fugir do jardim — **aprendizagem por tentativa e erro** (Thorndike preferia a frase "tentativa e êxito acidental"). Como Thorndike acreditava que o gato aprendia a estabelecer *conexões* entre os estímulos presentes nas gaiolas e as reações bem-sucedidas durante essa aprendizagem por tentativa e erro, seu modelo de aprendizagem é às vezes chamado de **conexionismo**. Logo que é colocado na gaiola, o gato apresenta um comportamento que constitui uma sequência de atos aleatórios: arranhar, morder, empurrar, miar etc. Por fim, o animal descobre a reação correta (por exemplo, agarra e puxa uma corda), inicialmente por acaso. Contudo, o comportamento é bem-sucedido, e esses comportamentos tendem a ser repetidos — ou "gravados", no dizer de Thorndike, pelas consequências agradáveis (a fuga) que produz. Nas tentativas subsequentes, os comportamentos malsucedidos são gradualmente eliminados, e o que é bem-sucedido ocorre cada vez mais cedo na sequência. Logo o animal sai da gaiola em poucos segundos. A Figura 7.10 demonstra de forma gráfica o progresso gradualmente melhor, apesar de um tanto irregular, dos gatos de Thorndike. Além disso, para explicar o fato de que cada situação encontrada na vida é, de certa forma, única, Thorndike aplicou os resultados de uma pesquisa sobre transferência, que realizou com Woodworth (discutida a seguir), propondo que se uma situação nova tivesse alguns elementos em comum com uma situação antiga, então haveria transferência. Por exemplo, ele descobriu que, depois que aprendiam a sair de uma determinada gaiola, alguns de seus gatos também aprendiam mais depressa a sair de outra gaiola, cujo mecanismo de abertura fosse parecido, que os gatos que não tinham essa experiência.

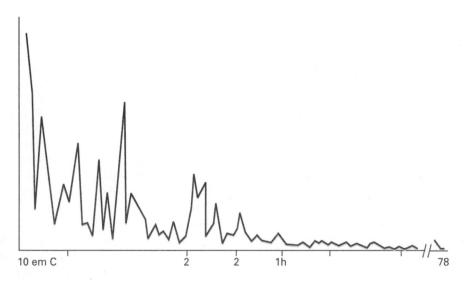

FIGURA 7.10 Desempenho do gato no 10 na gaiola C. No eixo X, a barra vertical não legendada significa um dia; "2" significa dois dias; "1h" significa uma hora e "78" significa 78 horas (gráfico extraído de Thorndike, 1911).

Embora aceitasse a transferência, Thorndike rejeitava a ideia de que os gatos seriam capazes de raciocínio complexo ou de valer-se da imitação ao escapar das gaiolas. Por exemplo, na gaiola K (Figura 7.9c), que aliava três reações anteriormente aprendidas, eles não demonstraram poder combinar o que haviam aprendido numa sequência mais complexa de comportamentos. Além disso, Thorndike testou a imitação diretamente — a gaiola D (Figura 7.9b) possuía duas câmaras, separadas por tela de arame, uma das quais com mecanismo de abertura. Thorndike colocou lá dois gatos, um em cada câmara, e registrou os casos em que o gato "observador" estava vendo o que o outro fazia para sair da gaiola. Não se coletou nenhum indício de aprendizagem por observação — quando testados, os gatos observadores comportaram-se exatamente como os gatos não treinados —, o que levou Thorndike a concluir que "Tenho certeza de que ninguém que os tivesse observado diria que sua conduta tenha sido de algum modo influenciada pelo que esses gatos viram" (1911/2000, p. 89). Finalmente, Thorndike tentou até mesmo segurar as patas de seus gatos para guiá-los às ações corretas. Mas nem essa "instrução direta" teve algum efeito sobre a aprendizagem.

Thorndike postulou dois princípios gerais a partir dos estudos com gaiolas: a **Lei do Efeito** e a **Lei do Exercício**. Segundo a primeira,

> *Das várias reações apresentadas na mesma situação, as que são acompanhadas ou seguidas de perto pela satisfação do animal serão, sendo os demais fatores iguais, mais estreitamente conectadas à situação, de modo que, quando essa situação voltar a se apresentar, elas terão mais probabilidade de voltar a ocorrer; as que são acompanhadas ou seguidas de perto pelo desconforto do animal terão, sendo os demais fatores iguais, suas conexões àquela situação enfraquecidas, de modo que, quando essa situação voltar a apresentar-se, elas terão menos probabilidade de voltar a ocorrer.* (Thorndike, 1911/2000, p. 244, itálico no original)

A Lei do Exercício de Thorndike dizia simplesmente que a conexão entre o estímulo e a reação era fortalecida pela prática. Conforme veremos no Capítulo 11, a Lei do Efeito de Thorndike é muito semelhante ao conceito de B. F. Skinner de condicionamento operante. Skinner reconheceu sua dívida para com Thorndike, referindo-se à obra do psicólogo de Columbia como "[u]ma das primeiras tentativas sérias de estudar as mudanças causadas pelas consequências do comportamento" (Skinner, 1953, p. 59).

Em 1911, Thorndike tinha certeza de que suas duas leis poderiam explicar a maior parte da aprendizagem. Porém no início da década de 1930, após anos de estudo da aprendizagem humana, ele modificou ambas as leis. No caso da Lei do Efeito, ele concluiu que a primeira parte estava mais respaldada que a segunda, ou seja, que as recompensas eram mais eficazes que as punições na promoção da aprendizagem. Quanto à Lei do Exercício, chegou à conclusão de que esta tinha valor limitado, ou seja, que a prática pode fazer a perfeição no caso de alguns tipos de aprendizagem (por exemplo, habilidades motoras), mas a repetição era muitas vezes desnecessária nas formas mais complexas de aprendizagem (por exemplo, a compreensão do material de um livro-texto).

A Controvérsia Thorndike-Mills

Entusiasmado com a pesquisa que fizera para a sua tese, Thorndike estava disposto a enfrentar os críticos, dizendo em carta a sua futura esposa que sua "tese [de 1898] é uma beleza. [...] Proponho umas teorias que deixam as velhas autoridades em apuros" (citado por Jonçich, 1968, p. 146). Uma das autoridades que não acharam graça nessa exuberância juvenil foi Wesley Mills, psicólogo comparatista que criticou a pesquisa de Thorndike no encontro de 1898 da American Psychological Association e, em seguida, publicou um artigo na *Psychological Review*. Mills começou por reprovar a falta de respeito de Thorndike pelos "mais velhos", observando que "o dr. Thorndike não teve em suas pesquisas nenhum pejo em renunciar ao respeito para com seus predecessores, [...] o qual geralmente faz os homens pararem antes de divergir radicalmente deles, para não dizer regozijar-se em lançá-los às chamas da psicologia" (Mills, 1899, p. 263). Porém, o mais importante foi que Mills rejeitou inteiramente as conclusões do estudo com base na *artificialidade* do ambiente criado por Thorndike. Segundo Mills, não se poderia esperar que os gatos colocados em pequenas gaiolas agissem naturalmente. Portanto, não se poderia determinar nada sobre seu comportamento normal a partir do comportamento demonstrado em ambientes anormais, altamente artificiais. Mills concluiu afirmando que, dessa forma, se poderia muito bem "colocar um ser humano vivo num caixão, enterrá-lo contra sua vontade e depois tentar deduzir psicologia normal de sua conduta" (p. 266).

Longe de sentir-se castigado, Thorndike (1899) preferiu refutar ponto por ponto. Admitiu não se deixar impressionar pela pesquisa animal baseada em casos particulares e na observação acrítica e não pediu desculpas por isso. Negou a alegação de Mills de que seus gatos deviam ter entrado em pânico, afirmando sarcasticamente que, se Mills tivesse agido como um verdadeiro cientista e se dado ao trabalho de replicar os estudos com as gaiolas, teria descoberto que quase não houve pânico algum. Além disso, os gatos que demonstraram uma "atividade mais furiosa" (p. 412) não diferiam, em termos de rapidez de aprendizagem, dos companheiros mais bonachões. Quanto à acusação de artificialidade, Thorndike simplesmente perguntou o que Mills poderia estar querendo dizer com ambiente natural. Os animais enfrentam constantemente novas situações; quem é que pode dizer que uma é mais "natural" que a outra? Para não deixar dúvida sobre a questão, Thorndike usou um exemplo dado pelo próprio Mills, sobre os efeitos "de certas funções mentais sobre a conduta de um filhote de gato ao conseguir um lugar para descansar (numa estante, se me lembro corretamente), apesar dos obstáculos mecânicos interpostos. A situação aqui apresentada é tão 'artificial' quanto aquela verificada nos [...] meus experimentos" (p. 414).

A polêmica Mills-Thorndike é um bom exemplo de uma diferença de opinião quanto à propriedade dos métodos de laboratório que perdura até hoje. De um lado, estão aqueles que acham que a compreensão do comportamento animal requer a precisão permitida pelo ambiente controlado de um laboratório. Nesse cenário, os efeitos das várias influências sobre o comportamento podem ser estudados sistematicamente. Conforme veremos adiante, essa era a postura adotada pela maioria dos norte-americanos que pesquisavam animais e ficaram conhecidos como behavioristas (como Skinner, por exemplo). De outro, estão psicólogos como os que concordaram com Mills, argumentando que o comportamento animal só pode ser compreendido se for estudado fora dos limites artificiais do laboratório. A maior parte dos pesquisadores europeus do século XX adotou essa opção, criando uma área conhecida como **etologia** — o estudo do comportamento animal em seu ambiente "natural". Os mais conhecidos dentre esses cientistas são Konrad Lorenz, Karl von Frisch e Niko Tinbergen, que dividiram em 1973 o prêmio Nobel de biologia por seu trabalho sobre o comportamento instintivo no animal. Lorenz é muito lembrado pelos alunos por causa de uma foto em que é seguido por seus patinhos. Como vimos no *Close-Up* do Capítulo 5, embora Spalding também tenha estudado este fenômeno, normalmente se atribui a Lorenz a descoberta da *estampagem*.

Depois de obter o doutorado, Thorndike lecionou um ano na Case Western Reserve, de Cleveland, voltando em seguida ao Teachers College, de Columbia, onde permaneceu até se aposentar. Ali estendeu sua pesquisa sobre a aprendizagem aos seres humanos e tornou-se um dos principais estudiosos da psicologia da educação. Além disso, criou uma série de testes de aptidão para crianças em idade escolar, contribuindo assim também para o movimento da testagem psicológica. Em 1912, foi homenageado por sua obra com a eleição para presidente da APA e, em 1917, para membro da National Academy of Sciences. Foi um autor prolífico, escrevendo em média dezenas de artigos por ano. Além disso, escreveu numerosos livros-textos, inclusive um em três volumes, *Educational Psychology* (1913), que tornou o seu nome "praticamente um sinônimo da psicologia da educação durante muitos anos" (Goodenough, 1950, p. 295). A maioria de seus textos consiste em compilações de apontamentos de aulas e palestras e, como observou Titchener na cáustica resenha de um dos livros de Thorndike, publicar "apontamentos de cursos assim que as aulas acabam [...] inevitavelmente mostra indícios de preparação apressada e imaturidade de julgamento" (Titchener, 1905b). No entanto, a crítica não fez Thorndike titubear nem por um instante e, antes do início da década de 1920, os direitos autorais que arrecadava superavam em muito o salário que ganhava em Columbia. Em 1924, por exemplo, sua renda por esses direitos — de US$ 68 mil — foi cinco vezes maior que o salário de professor (Jonçich, 1968). Thorndike aposentou-se de Columbia em 1940 e morreu nove anos depois.

Robert S. Woodworth (1869-1962): Uma Psicologia Dinâmica

Robert Sessions Woodworth (Figura 7.11), assim batizado em homenagem a um ancestral que participou do episódio da revolução norte-americana conhecido como "Boston Tea Party" [Festa do Chá de Boston], nasceu na pequena cidade de Belchertown, Massachusetts. Como Thorndike, era filho de um ministro. Sua mãe era professora, formada pelo Mt. Holyoke College e fundadora do Lake Erie Female Seminary, em Ohio (Poffenberger, 1962). Pensando em seguir também a carreira de ministro, Woodworth frequentou o Amherst College, mas ao se formar estava mais interessado pela educação. Depois de alguns anos como

FIGURA 7.11 Robert Woodworth, autor da "bíblia de Columbia". Woodworth também está na figura 7.4, a foto dos Experimentalistas, na extremidade esquerda da primeira fila.

professor secundário de ciências e matemática, descobriu (quem mais?) William James e *The Principles* e decidiu fazer carreira em filosofia ou psicologia. Como Angell e Thorndike, Woodworth queria conhecer o mestre pessoalmente e, assim, seguiu para Harvard no início do ano letivo de 1895. Woodworth permaneceu em Cambridge por três anos letivos, obtendo um segundo diploma de graduação e um de mestrado e trabalhando como assistente de fisiologia na Harvard Medical School. Nesse tempo, fez duas amizades que durariam a vida inteira, uma com o eminente fisiologista Walter B. Cannon, cujo trabalho com Bard produziria uma teoria da emoção que viria a rivalizar com a teoria de James-Lange (a teoria de Cannon-Bard), e outra com Thorndike. Essa segunda amizade contribuiria para a sua saída de Harvard, pois Cattell lhe ofereceu uma bolsa de pesquisa em Columbia, em parte por insistência de Thorndike (Jonçich, 1968).

Depois de concluir seu doutorado em Columbia em 1899, Woodworth começou a trabalhar ali como instrutor de fisiologia. Após um produtivo ano no laboratório do renomado fisiologista Charles Sherrington (Capítulo 3), aceitou o convite de Cattell para ensinar no departamento de psicologia, ali permanecendo de 1903 até 1939, quando se aposentou, aos 70 anos. Porém a aposentadoria não o fez parar de trabalhar, já que continuou lecionando durante meio período até os 89 e a escrever até os 91 anos de idade.

Woodworth era um homem modesto, que certa vez escreveu o seguinte a um amigo: "Considero minhas realizações escassas, pois acho que sou um daqueles cujo nome logo será esquecido, embora seu trabalho seja útil enquanto viva" (citado por Poffenberger, 1962, p. 687). Ele pode de fato não ter realizado muito em termos de pesquisas originais nem criado uma escola de "woodworthianos", mas estava errado quanto à própria influência. Woodworth é lembrado por (a) sua pesquisa com Thorndike sobre a transferência de aprendizagem, (b) sua psicologia "dinâmica", voltada para os impulsos e as variáveis características dos organismos e (c) seu impacto direto e indireto sobre os alunos, por meio da criação de livros-textos, em especial a assim chamada "Bíblia de Columbia". Só esse livro já seria suficiente para garantir sua importância para a psicologia experimental do século XX.

A pesquisa sobre **transferência** decorreu de um problema fundamental da educação superior: a validade das alegações em favor da doutrina da "disciplina formal". Baseada na psicologia das faculdades, essa doutrina consistia na crença de meados do século XIX de que o currículo da educação superior deveria ser projetado com vistas a "exercitar" e fortalecer as faculdades intelectuais. Isso seria atingido por meio do estudo de disciplinas como latim, grego e literatura clássica. Depois que as faculdades estivessem "afiadas", as habilidades desenvolvidas seriam transferidas para as disciplinas que fossem cursadas posteriormente. A doutrina caiu em descrédito perto do final do século, quando várias escolas copiaram o conceito radical de Harvard de currículo "eletivo", que permitia aos alunos não fazer latim e grego, se não quisessem. O debate gerou muita discussão retórica, mas poucas provas contra ou a favor da ideia de que a aprendizagem do tópico A (por exemplo, grego) facilitaria a aprendizagem do tópico B (por exemplo, zoologia). Thorndike e Woodworth, por meio de uma série de artigos feitos a quatro mãos (por exemplo, 1901), dispuseram-se a investigar a transferência da aprendizagem. Seus sujeitos executavam uma tarefa simples e, em seguida, outras tarefas de grau variável de semelhança em relação à primeira. Por exemplo, depois de estimarem as áreas de retângulos, eles faziam uma estimativa da de triângulos (alta semelhança) ou do peso de objetos (baixa semelhança). Para resumir, o que descobriram foi que o volume de transferência ocorrido era diretamente proporcional ao número de elementos comuns às tarefas. Embora as tarefas que utilizavam fossem um tanto diferentes das disciplinas curriculares, Thorndike e Woodworth generalizaram seus resultados levando em conta a questão da disciplina formal, concluindo que a doutrina tinha pouco mérito. Como o grego tinha pouquíssima relação com matérias como a zoologia, Thorndike e Woodworth previram que os zoólogos se beneficiariam muito pouco do estudo do grego (excetuando-se algumas informações sobre a origem das palavras). Como dissemos anteriormente, Thorndike também usou o conceito de transferência para explicar como os gatos que conseguiam sair de uma gaiola teriam mais facilidade para sair de outra, se as duas tivessem elementos em comum.

Woodworth é muitas vezes chamado de "eclético" quando se trata de teoria, pois não se incomodava em incorporar características de sistemas diversos. No seu conhecido livro de introdução à psicologia, por exemplo, ele definiu a psicologia como o estudo *tanto* dos processos mentais *quanto* do comportamento, fundindo assim o novo behaviorismo (Capítulo 10) e a tradicional psicologia do consciente. Essa definição ainda é encontrada em praticamente todos os textos de psicologia geral. Woodworth acreditava também que os psicólogos deveriam usar diversos métodos, indo da introspecção à testagem mental e à observação objetiva do comportamento. Ele se colocava contra aqueles que definiam a psicologia de modo estreito, citando Titchener (estruturalismo) e Watson (behaviorismo) como exemplos, e revelou sua filosofia essencial ao concluir sua conhecida história da psicologia, *Contemporary Schools of Psychology*, com um capítulo intitulado "The Middle of the Road" (Woodworth, 1931, pp. 205-19), isto é: "o meio da estrada". Aí criticou especialmente a psicologia puramente mecanicista de estímulo e reação, defendendo o que denominou de **modelo E-O-R**. Ou seja, instou os psicólogos a entender não apenas o estímulo e a reação, mas também o organismo (O) que está entre eles, o que implicava o estudo daquilo que motiva ou impele o organismo. Em *Dynamic Psychology* (1918) e *Dynamics of Behavior* (1958), Woodworth discorreu sobre a importância do estudo dos fatores motivacionais que afetam o comportamento. Conforme disse posteriormente em sua autobiografia, "[a] motivação sempre me pareceu um campo de estudo digno de figurar ao lado do campo do desempenho. Isto é, precisamos saber não apenas o que o indivíduo pode fazer e como o faz, mas também o que o induz a fazer uma coisa, e não outra" (Woodworth, 1930, p. 371).

Como seu melhor amigo, Thorndike, Woodworth enriqueceu escrevendo livros-textos. Seu *Psychology*, com edições em 1921, 1929, 1934 e 1940, apresentou a área a milhares de alunos durante mais de vinte anos. *Experimental Psychology*, mais importante para os psicólogos dedicados à pesquisa, moldou a própria definição do termo "experimento". Quando foi publicado, em 1938, esse livro já era tão conhecido que ninguém se surpreendeu quando a editora anunciou: "A 'Bíblia' já está nas prateleiras" (Estes, 1981). Já em 1909, Woodworth começara a distribuir apostilas mimeografadas em seu curso de métodos experimentais e, em 1920, elas atingiam o total de 285 páginas, reunidas sob o título de "A Textbook in Experimental Psychology" (Winston, 1990). Os alunos de Columbia que se tornaram professores usavam esse material em suas próprias aulas. Em 1938, quando o esperado volume foi finalmente publicado, tornou-se sucesso imediato, tendo vendido mais de 44 mil cópias até 1954, quando foi revisado com um coautor (Woodworth e Schlosberg, 1954). O psicólogo e historiador Andrew Winston (1990) estima que entre 1938 e 1959, mais de cem mil alunos aprenderam sobre a pesquisa em psicologia por intermédio de Woodworth.

O texto de 1938 era enciclopédico, com mais de 823 páginas de texto e outras 36 de notas. Dividia-se em um capítulo introdutório e mais 29 de tópicos de pesquisa, entre os quais memória, transferência de aprendizagem, aprendizagem em labirintos, tempo de reação, audição, percepção de cores e raciocínio. Os alunos que usavam o texto aprendiam, além dos procedimentos específicos de cada tópico, praticamente tudo o que se poderia saber na época – 1938 – sobre cada área, para não mencionar certas distinções que haveriam de ter importantes repercussões para os futuros psicólogos.

Antes de Woodworth, o termo "experimento" fora amplamente usado como referência a procedimentos que iam desde a introspecção de um evento mental a uma observação sob circunstâncias controladas, passando por testes mentais. Contudo, Woodworth restringiu a definição e contrastou a pesquisa experimental com aquilo que chamou de pesquisa correlacional. A característica que definia o método experimental era a manipulação do fator que constituía o principal foco do estudo, por ele chamado de **variável independente**, e essa variável tinha efeito sobre uma certa qualidade mensurável do comportamento ou, conforme suas palavras, a **variável dependente**. Woodworth não inventou esses termos, mas foi o primeiro a utilizá-los dessa maneira, afirmando que, enquanto o método experimental manipula variáveis independentes, o método correlacional "mede duas ou mais características dos mesmos indivíduos [e] computa a correlação dessas características. Este método [...] não possui 'variável independente', tratando da mesma forma todas as variáveis mensuráveis" (Woodworth, 1938, p. 3). Além disso, ele deu origem ao argumento — hoje encontrado no capítulo inicial de todo texto introdutório, mas não muito aceito na época — de que o método experimental era a única técnica que permitia conclusões causais, pois não se poderia inferir causa de uma correlação. Embora afirmasse que a pesquisa correlacional deveria ter o mesmo *status* que a experimental, Woodworth não incluiu dados nem conclusões correlacionais no restante do texto. E, assim, o leitor estaria desculpado se pensasse que o método experimental era superior. Com efeito, as consequências dessa distinção de Woodworth foram suficientes para uma advertência de Lee Cronbach em seu discurso de posse na presidência da APA em 1957. Em "The Two Disciplines of Scientific Psychology", ele defendeu a reequiparação do *status* da pesquisa correlacional ao da experimentação controlada.

EM PERSPECTIVA: ESTRUTURALISMO E FUNCIONALISMO

Tradicionalmente, as histórias internas da psicologia organizaram-se em torno do conceito de "escolas de psicologia", termo que se refere a um arcabouço conceptual fundamental que abarca declarações acerca da definição da psicologia, de seus métodos preferenciais e de seus conceitos mais importantes. Assim, o estruturalismo, o funcionalismo, a psicologia da *Gestalt* (Capítulo 9), o behaviorismo (Capítulos 10 e 11) e a psicanálise (Capítulo 12) normalmente são considerados as escolas predominantes na história da psicologia. Este capítulo analisou o estruturalismo e o funcionalismo, o primeiro associado a um homem — E. B. Titchener, de Cornell — e o segundo, a quase todos os demais psicólogos dos Estados Unidos, pelo menos no período que vai de 1890 a 1930, quando o behaviorismo se tornou a força predominante na psicologia norte-americana.

Essencialmente, o estruturalismo morreu com Titchener, porém o fato é que continua sendo uma escola que domina parte substancial dos atuais textos de história — o que representa um indício da influência de Titchener e da importância de sua obra. Quando de sua morte, em 1927, E. G. Boring escreveu, no obituário de seu mentor, que

> A morte de nenhum outro psicólogo alterou tanto o quadro da psicologia nos Estados Unidos. Ele era não apenas único entre os psicólogos norte-americanos pela personalidade e pela atitude científica, mas também um ponto cardeal na orientação sistemática nacional. A oposição nítida entre o behaviorismo e seus aliados, de um lado, e uma outra coisa, do outro, só permanece nítida quando a oposição é entre o behaviorismo e Titchener, os testes mentais e Titchener ou a psicologia aplicada e Titchener. (Boring, 1961a, p. 246)

Embora seja um tanto exagerada — o tipo de coisa que se espera encontrar num obituário —, a afirmativa de Boring tem uma certa verdade. Como você verá no Capítulo 10, por exemplo, John B. Watson descreveu as vantagens do behaviorismo comparando-o diretamente ao estruturalismo.

Entretanto, ao longo de toda a história da psicologia, os psicólogos geralmente se referiram a si mesmos menos como estruturalistas, funcionalistas ou behavioristas que simplesmente como psicólogos. Os "funcionalistas" ilustravam isso perfeitamente. Angell, Woodworth, Thorndike e outros mostram por que o funcionalismo foi menos uma *escola* dogmática que um certo conjunto de atitudes diante da psicologia, atitudes essas cujas raízes estavam fincadas na lógica evolucionista e no pensamento pragmático norte-americano. Esses pioneiros ficariam surpresos ao ver-se incluídos num capítulo sobre o "funcionalismo" porque, como a maioria de seus colegas, se consideravam simplesmente "psicólogos" ou "psicólogos experimentalistas". O mesmo se pode dizer dos funcionalistas que estenderam suas pesquisas de laboratório à área da psicologia aplicada. Sua obra é o objeto do próximo capítulo.

RESUMO

A PSICOLOGIA DE TITCHENER: O ESTRUTURALISMO

- E. B. Titchener obteve seu Ph.D. com Wundt, em Leipzig, e foi para a Cornell University, onde criou uma abordagem da psicologia chamada de estruturalismo. Suas principais metas eram a análise da experiência consciente humana em suas unidades elementares e a síntese dessas unidades em processos mentais.
- Titchener promoveu uma abordagem experimental/laboratorial da psicologia escrevendo uma série de manuais extremamente detalhados que apresentavam a alunos e professores os procedimentos específicos do trabalho de laboratório e criando um grupo fechado de pesquisadores (todos do sexo masculino) chamados de experimentalistas, que se reuniam anualmente para debater as pesquisas em andamento.
- Segundo Titchener, os principais objetivos da psicologia estruturalista eram atingir a análise completa da "mente adulta generalizada", mostrar como os elementos poderiam combinar-se em fenômenos mais complexos (síntese) e fornecer uma explicação dos processos mentais por meio da compreensão do funcionamento do cérebro e do sistema nervoso.
- Titchener via na introspecção o método fundamental da psicologia. Ele achava que a introspecção só poderia fornecer dados válidos se seus sujeitos fossem altamente treinados e demonstrassem possuir o hábito introspectivo. O treinamento era necessário também para evitar o erro do estímulo, que é a tendência a descrever o estímulo em vez da experiência consciente e direta deste.
- Os principais elementos da experiência consciente, segundo Titchener, são as sensações, as imagens e os afetos. As sensações e imagens possuem os atributos da qualidade, intensidade, duração e clareza, mas as imagens não são tão claras quanto as sensações. Os afetos possuem apenas duas qualidades — agradabilidade e desagradabilidade — e não são dotados de clareza.

- A principal contribuição de Titchener foi a promoção da psicologia de laboratório. Mas seu sistema deixava de lado temas de interesse para a maioria dos psicólogos norte-americanos, e seu método de introspecção acabou por revelar-se fundamentalmente falho, devido à sua falta de objetividade.

A PSICOLOGIA NORTE-AMERICANA: O FUNCIONALISMO

- A maioria dos psicólogos norte-americanos, influenciada pela teoria evolucionista e por uma atitude geralmente pragmática, interessava-se mais pelas funções da consciência que pela sua estrutura. O funcionalismo difundiu-se muito, mas associou-se principalmente às universidades de Chicago e Columbia.
- As origens do funcionalismo são geralmente atribuídas a um artigo sobre o arco reflexo escrito por John Dewey, da University of Chicago. Dewey posicionava-se contra a estratégia analítica de reduzir o reflexo a seus elementos e propunha que ele fosse visto em seu contexto mais amplo, como um sistema coordenado que servia à adaptação do organismo a seu ambiente. Dewey ficou mais conhecido por sua visão progressista da educação, que pressupunha a aprendizagem ativa, e por seus escritos filosóficos sobre a democracia.
- A primeira declaração claramente identificável como proveniente da filosofia funcionalista encontra-se no discurso de posse de James Angell na presidência da APA, em 1906. Angell, que sucedeu a Dewey em Chicago, comparou explicitamente o funcionalismo ao estruturalismo, afirmando que os estruturalistas costumavam perguntar-se: "O que é a consciência?", ao passo que os funcionalistas estavam mais interessados em perguntar-se: "Para que é a consciência?". Isso os levou a estudar tópicos como a psicologia do desenvolvimento e a psicologia do anormal, além de interessar-se pelas diferenças individuais e pela determinação de como a psicologia poderia ser usada para resolver os problemas do cotidiano.

- Harvey Carr, sucessor de Angell em Chicago, foi o responsável pelo amadurecimento do funcionalismo. Carr ficou conhecido por sua pesquisa sobre a aprendizagem em labirintos e por tornar o programa de pós-graduação de Chicago um dos melhores do país.
- O funcionalismo em Columbia era liderado por James McKeen Cattell e por dois de seus alunos, Edward Thorndike e Robert Woodworth. Embora fosse conhecido inicialmente por seus estudos sobre gatos em gaiolas, Thorndike tornou-se um dos principais psicólogos da educação. Foi também um grande crítico da psicologia comparada contemporânea, que era antropomórfica e se baseava em relatos empíricos. Thorndike estudou sistematicamente a aprendizagem por tentativa e erro e sugeriu que a aprendizagem se processava por meio da criação de conexões entre situações e reações bem-sucedidas nessas situações (Lei do Efeito) e que as conexões se fortaleciam pela repetição (Lei do Exercício). Sua polêmica com Mills é reflexo de uma discordância fundamental entre os que defendiam os métodos de laboratório e os que preferiam estudar os animais em seus ambientes cotidianos.
- Woodworth é lembrado por sua pesquisa com Thorndike sobre a transferência, que colocou em questão as práticas educacionais tradicionais, por sua psicologia dinâmica, que substituiu o modelo E-R pelo modelo E-O-R e se voltava para as influências da motivação sobre o comportamento, e por seus livros-textos, principalmente os que abordam a questão da metodologia. Sua "Bíblia de Columbia" institucionalizou as distinções entre as pesquisas experimental e correlacional e entre as variáveis dependentes e independentes na pesquisa experimental.

QUESTÕES PARA ESTUDO

1. Qual o argumento fornecido por Titchener, em seu artigo de 1898 sobre a psicologia estrutural, para a primazia do estudo da estrutura sobre o da função?
2. Trace uma distinção entre os métodos alemão e norte-americano (curso de repetição) para o treinamento dos alunos em psicologia experimental.
3. Descreva o conteúdo dos manuais de Titchener, diga quais as diferenças entre o manual qualitativo e o quantitativo e explique a importância da obra.
4. Quem eram os "experimentalistas?" Por que o grupo se formou, o que fazia e por que excluía as mulheres?
5. Segundo Titchener, quais as três principais metas da psicologia?
6. Descreva a versão de Titchener da introspecção e explique por que o treinamento dos observadores era tão importante. Inclua em sua resposta o conceito de erro de estímulo.
7. Qual a conclusão de Titchener no que se refere aos elementos da experiência consciente humana? Quais os atributos desses elementos?
8. Por que Titchener excluiu o estudo das crianças, dos animais e dos insanos de sua definição de psicologia?
9. Descreva a controvérsia acerca do pensamento sem imagens e mostre por que era um bom exemplo dos problemas da introspecção.
10. Mostre como o funcionalismo está relacionado ao pensamento evolucionista.
11. Cite os pontos principais do artigo de Dewey sobre o arco reflexo e diga qual a importância desse artigo.
12. Use o discurso de posse de Angell na presidência da APA em 1906 para traçar uma comparação entre as visões estruturalista e funcionalista da psicologia.
13. O que é o "labirinto de Carr" e qual a importância desse aparato?
14. Como Thorndike descreveu o processo usado pelos gatos para fugir de suas gaiolas? De que modo isso ilustra as leis do efeito e do exercício?
15. Explique como Thorndike descartou a ideia de que os gatos poderiam aprender a fugir por meio do raciocínio e da imitação.
16. Em que consistiu a controvérsia entre Thorndike e Mills e qual a sua importância?
17. De que modo Thorndike e Woodworth estudaram a transferência, qual a sua conclusão e quais as implicações dessa pesquisa para a filosofia da educação da época?
18. Qual a importância do "O" inserido por Woodworth entre "E" e "R" ao descrever o comportamento?
19. Qual a importância da "Bíblia de Columbia", escrita por Woodworth, e quais as distinções feitas por ele nesse livro que continuam em uso hoje?

LEITURA SUPLEMENTAR

Dewsbury, D. A. (org.) (1998). History of psychology: Commemorating E. L. Thorndike. *American Psychologist, 53*, 1121-1152.

Número editado pelo historiador e psicólogo comparatista Don Dewsbury, inclui a reimpressão de parte do artigo de 1898 de Thorndike, além de ensaios sobre sua vida e influência sobre a psicologia comparada e a psicologia da educação.

Furumoto, L. (1988). Shared knowledge: The Experimentalists, 1904-1929. In J. G. Morawski (org.), *The rise of experimentation in American Psychology* (pp. 94-113). New Haven, CT: Yale University Press.

Analisa as origens e o desenvolvimento dos experimentalistas de Titchener, com foco nas consequências para as psicólogas, excluídas do grupo enquanto Titchener foi vivo e aceitas com ressalvas após sua morte.

Heidbreder, E. (1933). *Seven psychologies.* Nova York: Appleton-Century-Crofts.

Conhecida história da psicologia que fornece uma descrição muito vívida do funcionalismo de Columbia, escrita por uma mulher que o conheceu diretamente, pois foi aluna de Woodworth.

Winston, A. S. (1990). Robert Sessions Woodworth and the "Columbia Bible": How the psychological experiment was redefined. *American Journal of Psychology, 103*, 391-401.

Documenta o desenvolvimento e o impacto do texto de Woodworth sobre a psicologia experimental, enfatizando como o impacto de sua distinção entre as pesquisas experimental e correlacional relegaram esta última a uma posição de segunda classe na psicologia.

CAPÍTULO 8
APLICANDO A NOVA PSICOLOGIA

Se quisermos ter resultados de laboratório que não sejam artificiais, meras curiosidades científicas, devemos submetê-los a interpretação por meio de uma gradual aproximação às condições da vida.
– John Dewey, 1900

VISÃO GERAL E OBJETIVOS DO CAPÍTULO

Na discussão sobre a historiografia, no Capítulo 1, eu disse que o famoso livro de E. G. Boring, *A History of Experimental Psychology*, escrito em 1929, era em parte uma maneira de devolver à pesquisa de laboratório o lugar de prestígio na psicologia norte-americana que seu autor julgava correto. A preocupação de Boring com a ameaça à "ciência pura" tinha fundamento: nos anos de 1920, os psicólogos norte-americanos estavam obcecados por encontrar novas formas de aplicar princípios psicológicos à vida cotidiana. Na verdade, esse interesse pela aplicação existia desde os primórdios da psicologia no país, e este capítulo apresentará uma análise das origens da psicologia aplicada — que remontam ao caráter norte-americano e ao contexto econômico-institucional do fim do século XIX e início do século XX — e do seu desenvolvimento.

Este capítulo analisará diversos exemplos de psicologia aplicada, começando pelo movimento da testagem mental. Veremos como a abordagem de Galton (Capítulo 5) foi substituída pela estratégia do francês Alfred Binet, como seus métodos foram levados para os Estados Unidos e como a visão da hereditariedade influenciou as interpretações da inteligência. Os principais representantes norte-americanos desse movimento que abordaremos são James McKeen Cattell, que introduziu no país a tradição galtoniana (onde ela logo fracassou), Henry Goddard, responsável pela bem-sucedida introdução do teste de Binet, Lewis Terman, criador do teste de QI conhecido como teste de Stanford-Binet e principal arquiteto do mais longo experimento de psicologia do país, e Robert Yerkes, o qual, apesar de no fundo ser um psicólogo comparatista, criou o programa de testagem das Forças Armadas dos Estados Unidos, que foi a principal razão para o temor de Boring: que a disseminação da psicologia aplicada representasse uma ameaça direta à psicologia experimental "pura".

A segunda mais importante aplicação da psicologia deu-se na área comercial ou psicologia industrial. Essa parte do capítulo apresentará a obra de Hugo Münsterberg, que obteve seu doutorado com Wundt, mas ficou conhecido pelo trabalho em psicologia aplicada. Münsterberg contribuiu para outras áreas aplicadas, especialmente a psicologia forense. O capítulo inclui ainda descrições mais sucintas da obra de vários outros famosos psicólogos industriais: Walter Dill Scott, Walter Van Dyke Bingham, Lillian Gilbreth e Harry Hollingworth. A psicologia clínica, outra importante área de aplicação, é analisada nos Capítulos 12 e 13. Ao concluir este capítulo, você deve ser capaz de:

- Compreender por que era importante para os primeiros psicólogos norte-americanos mostrar que sua "nova psicologia" tinha aplicações práticas
- Descrever a abordagem da testagem mental proposta por Cattell e dizer por que, depois do estudo de Wissler, ela entrou em declínio
- Comparar a psicologia individual de Binet à psicologia mais "geral"
- Descrever as origens, o conteúdo e o propósito original das escalas de Binet-Simon
- Apontar as diferenças entre as ideias de Binet em relação à inteligência e à testagem mental e as da maioria dos psicólogos norte-americanos interessados nesse tipo de testagem
- Descrever o esquema de classificação de Goddard dos diferentes níveis de debilidade mental
- Descrever e analisar criticamente o estudo da família Kallikak
- Descrever e analisar criticamente o trabalho de Goddard na ilha de Ellis
- Explicar as diferenças entre a escala original de Binet-Simon e a revisão de Terman, a escala de Stanford-Binet
- Explicar como o modelo de democracia de Terman o levou a investigar crianças superdotadas e descrever as conclusões de sua pesquisa
- Descrever as contribuições de Leta Hollingworth para (a) a educação de crianças superdotadas e (b) a compreensão das diferenças de gênero na habilidade
- Descrever as origens do programa de testagem das Forças Armadas dos Estados Unidos, distinguir entre Alfa e Beta e explicar por que o programa era tão controverso
- Descrever a ampla gama de contribuições feitas por Hugo Münsterberg à psicologia aplicada
- Distinguir entre as duas estratégias gerais utilizadas por Münsterberg para aperfeiçoar o processo de seleção de funcionários
- Descrever as contribuições feitas por Walter Dill Scott, Walter Van Dyke Bingham, Lillian Gilbreth e Harry Hollingworth à psicologia aplicada

PRESSÕES PARA A APLICABILIDADE

Em 1895, o psicólogo de Yale E. W. Scripture publicou *Thinking, Feeling, Doing*, um livro que pretendia explicar a nova psicologia experimental ao público em geral. No prefácio, ele afirmou esperar que seu esforço fosse "considerado uma prova da atitude da ciência, em seu desejo de servir à humanidade" (Scripture, 1895, p. iii). Talvez para prender o interesse do leitor, ele incluiu 209 fotos e ilustrações nas 295 páginas do texto. Em sua maior parte, o livro descreve os procedimentos de laboratório que estavam em voga na época — psicofísica, tempo de reação, processos sensoriais básicos etc. Porém o que não era comum era a tentativa de Scripture de convencer o leitor de que as técnicas de laboratório poderiam melhorar a vida cotidiana. Por exemplo, de-

FIGURA 8.1 Foto extraída de *Thinking, Feeling, Doing*, de Scripture (1895), destinada a mostrar como a metodologia do tempo de reação poderia melhorar o desempenho de esgrimistas.

pois de descrever a pesquisa de laboratório sobre o tempo de reação, ele afirmou que o método poderia ser usado para estudar os "elementos psicológicos envolvidos no esporte, na ginástica e em todo tipo de atividade atlética" (p. 57). Em seguida, ilustra a questão adaptando os procedimentos de reação para medir os tempos de reação em atividades como a esgrima, como se pode ver na Figura 8.1. E usou uma abordagem semelhante com outros procedimentos padrão de laboratório, como se evidencia nas legendas a seguir, de algumas das fotos encontradas no livro:

Registro da instabilidade de um esportista
Todos somos mais ou menos surdos.
Descobrindo o limiar de intensidade
Gravando o registro [da ação rítmica] de um maestro com a batuta elétrica

Que Scripture achasse necessário convencer o público da utilidade da psicologia é apenas um exemplo das pressões pela aplicabilidade que sofreram todos os pioneiros da psicologia nos Estados Unidos. Essas pressões foram explicitamente reconhecidas por John Dewey em seu discurso de posse na presidência da APA (1900), quando ele advertiu a respeito dos riscos inerentes à ênfase na pesquisa de laboratório pura: ela poderia trazer-nos "resultados artificiais, meras curiosidades científicas [se não] os submetêssemos a interpretação por meio de uma gradual aproximação às condições da vida" (p. 119). Quatro anos mais tarde, em seu próprio discurso de posse na presidência da APA, intitulado "Theory and Practice", William Lowe Bryan (1904) fez um apelo para que se aplicassem os resultados da pesquisa teórica em psicologia em prol da melhoria da vida cotidiana.

O interesse na aplicação decorria em parte do tradicional pragmatismo norte-americano, aliado ao crescente impulso reformista que caracterizou o início do século XX. Numa época de mudanças tecnológicas drásticas, os norte-americanos estavam se acostumando à ideia de que a ciência deveria ser usada para melhorar suas vidas. As últimas décadas do século XIX haviam visto o advento de invenções como o telefone, o telégrafo, a máquina de datilografia, a luz (e a cadeira) elétrica, o arranha-céu, o arame farpado e o cinematógrafo (para exibição de filmes). A rede ferroviária havia expandido tanto que, por volta de 1900, quase todo cidadão norte-americano vivia em algum lugar onde se podia ouvir um trem. Os cerca de 50 mil quilômetros de trilhos que havia quando acabou a Guerra Civil já eram mais de 300 mil em 1903 (Cashman, 1993). Para o público daquela época, a tecnologia significava progresso e o progresso, por sua vez, uma vida melhor. Para ganhar o apoio desse público, a psicologia tinha de produzir resultados úteis.

Além da expectativa generalizada de que a ciência fosse prática, os psicólogos da virada do século enfrentavam pressões institucionais pela aplicabilidade. A maioria dos professores de psicologia ainda ensinava em departamentos de filosofia e, enquanto os filósofos precisavam apenas de um bom orçamento para as bibliotecas e de salas com poltronas confortáveis, os psicólogos precisavam de verba bem maior para equipamentos e espaço para seus laboratórios. Para justificar esses custos diante de administradores céticos, eles eram pressionados a mostrar que a nova ciência daria crédito à universidade por ser útil à sociedade.

A pressão pela aplicabilidade gerou grandes conflitos internos para muitos psicólogos de laboratório. A maioria, especializada em pesquisa básica, era condicionada a valorizar a busca do conhecimento pelo conhecimento. Além disso, conhecia os riscos de prometer mais do que poderia dar. No entanto, a realidade obrigou os psicólogos a direcionar suas atividades para a aplicação. Em primeiro lugar, enquanto os laboratórios proliferaram nas décadas imediatamente anteriores e posteriores a 1900, o número de detentores de doutorados em psicologia de laboratório cresceu a uma velocidade muito maior. Segundo o historiador John O'Donnell (1985), em 1894 o número de doutores em psicologia era mais ou menos igual ao de laboratórios existentes nos Estados Unidos, o que representava oportunidades de trabalho adequadas para esses cientistas. Porém em 1900 a proporção entre os detentores de doutorados em psicologia e os laboratórios era de três para um (noventa e 33, respectivamente, segundo estimativa de O'Donnell). Assim, nem todos iriam encontrar o emprego ideal, que era dirigir o laboratório de psicologia de uma universidade. Portanto, além de enriquecer o currículo, especializar-se em psicologia aplicada punha comida na mesa.

Alguns psicólogos abraçaram a ideia de direcionar seu treinamento de laboratório para fins aplicados, mas outros viveram um conflito por achar que, dedicando-se a esse tipo de fim, estariam de algum modo "traindo" os princípios "puros" do laboratório. Para muitos, tratava-se de uma questão de sobrevivência, pois os baixos salários acadêmicos forçavam-nos a suplementar sua renda. Porém, além de estafante, assumir turmas extras e dar cursos de verão aliviava muito pouco a carga financeira. Por conseguinte, muitos psicólogos fizeram uma revisão de suas prioridades e passaram a dedicar-se às atividades financeiramente mais vantajosas da psicologia aplicada. A experiência de Harry Hollingworth ilustra bem o dilema. Embora tenha se destacado como um dos expoentes da psicologia aplicada, perto do fim da vida ele declarou que só se tornara um psicólogo aplicado para poder manter-se. Seu "verdadeiro interesse, agora e sempre, consistiu nos problemas puramente teóricos e descritivos da minha ciência e, dos vinte livros que escrevi, os de que mais me orgulho são [...] aqueles que ninguém lê" (citado por Poffenberger, 1957, p. 138).

Os psicólogos aplicados contribuíram para as áreas da educação, do comércio, da medicina e do direito. Uma das atividades comuns a todas essas áreas era a testagem mental. Como a testagem psicológica, especialmente a da inteligência, é ainda hoje um tema controverso, vale a pena examinarmos mais detidamente a história dos primórdios desse movimento.

O MOVIMENTO DA TESTAGEM MENTAL

A testagem mental tem sua origem nas tentativas de medir as diferenças individuais empreendidas por Galton. De acordo com o que vimos no Capítulo 5, uma de suas metas era criar medições que identificassem aqueles que melhor podiam fortalecer sua visão da eugenia. Galton achava que a inteligência era herdada e, por isso, devia-se incentivar a procriação entre os aptos e contraindicá-la entre os menos capazes de fortalecer a "linhagem racial" britânica. Os psicólogos norte-americanos em geral compartilharam dessa atitude de Galton, dando origem a uma controvérsia que persiste até os dias de hoje. No século XIX, o maior defensor de Galton entre os norte-americanos foi Cattell.

James McKeen Cattell (1860-1944): Um Galton Norte-Americano

Vimos James McKeen Cattell rapidamente no Capítulo 4. Sua pesquisa sobre o tempo de reação no laboratório de Wundt foi re-

FIGURA 8.2 James McKeen Cattell em seus primeiros anos como professor de Columbia (foto extraída de Popplestone e McPherson, 1994).

presentativa da técnica de estimar a duração de eventos mentais por meio do acréscimo de "complicações" ao procedimento simples. Cattell obteve seu doutorado em Leipzig, embora não tivesse em boa conta os procedimentos de pesquisa de Wundt, como vimos no *Close-Up* do Capítulo 4. Mas o trabalho de Galton sobre a testagem mental e as diferenças individuais, por sua vez, o entusiasmou a ponto de importar as ideias deste para os Estados Unidos.

Cattell (Figura 8.2) foi criado num ambiente acadêmico semelhante ao de James Angell, pois ambos eram filhos de reitores. O pai de Cattell trabalhava no Lafayette College, de Easton, Pensilvânia. O jovem Cattell estudou em casa até os 16 anos, quando entrou para Lafayette. Lá, o tipo de educação que encontrou foi aquele que mencionamos no início do Capítulo 6: valorização da formação dos alunos segundo os valores protestantes (neste caso, presbiterianos) e currículo baseado na filosofia realista escocesa, voltada para o fortalecimento das faculdades produtivas e morais. Cattell fez o curso sem a mínima dificuldade, diplomando-se com louvor em 1880. Porém os cursos que fez com o famoso filólogo (ou seja, um estudioso da natureza e da história da língua) Francis Marsh exerceriam sobre ele um impacto duradouro. Marsh era um indutivista baconiano convicto, que acreditava na importância da coleta exaustiva de dados com base no pressuposto de que, uma vez obtidos dados suficientes, padrões e conclusões importantes se evidenciariam (Sokal, 1987). Cattell adotou essa estratégia, que o preparou para maravilhar-se depois com outro baconiano, Francis Galton.

Depois de se formar em Lafayette, Cattell viajou algum tempo pela Europa antes de passar um ano (1882-1883) com Hall na Johns Hopkins, onde começou a pesquisa de tempo de reação que concluiria em Leipzig. Num de seus estudos, mediu os tempos necessários à identificação de diferentes letras, o que o levou a fazer a prática sugestão de alterar a forma daquelas que exigiam mais tempo para reconhecimento, a fim de aumentar a sua legibilidade. Tomando a si mesmo como único sujeito, Cattell estudou também os efeitos de várias drogas sobre o comportamento e a consciência, escrevendo posteriormente que as quantidades de cafeína, morfina, haxixe e ópio que ingeriu eram "talvez as doses mais altas já tomadas sem intento suicida" (citado por Sokal, 1971, p. 623).

Cattell pensava em permanecer em Baltimore e talvez fazer um doutorado com Hall, mas, depois do primeiro ano, sua bolsa não foi renovada, tendo sido concedida a outro aluno promissor: John Dewey (Capítulo 7). Cattell então voltou para a Europa e iniciou seu doutorado com Wundt, concluindo-o em 1886. Em Leipzig, deu prosseguimento a sua pesquisa do tempo de reação, aperfeiçoando aspectos técnicos do método. Além disso, fez importantes estudos sobre a cronometria mental e, em conformidade com seus princípios baconianos, compilou dados extensivos sobre os efeitos de fatores como a atenção, a prática e a fadiga sobre o tempo de reação (Sokal, 1987).

Depois da conclusão do doutorado, Cattell foi para a Inglaterra e estudou medicina em Cambridge por um breve período, mas o mais importante da sua estada nesse país foi o contato com a testagem antropométrica que Galton estava conduzindo na época. Cattell nunca estudou formalmente com Galton, porém o conheceu pessoalmente e com ele se correspondeu por algum tempo. Depois, Cattell diria que Galton fora o homem mais importante que ele jamais conhecera; os dois tinham em comum a convicção indutiva fundamental de que, quanto mais se medisse, mais se poderia saber.

Cattell retornou aos Estados Unidos em 1889, quando foi nomeado professor de psicologia da University of Pennsylvania. O título do cargo era pouco comum, pois na época os psicólogos quase sempre eram considerados professores de filosofia, e indicativo das mudanças que começavam a se processar nos departamentos de filosofia. Ele rapidamente criou um laboratório e preparou-se para dar continuidade a seus estudos sobre o tempo de reação e levar a testagem de Galton para o país. Num artigo de 1890, constante da publicação britânica *Mind*, ele resume os resultados da testagem de alunos da universidade com dez diferentes testes (Cattell, 1890/1948). Alguns eram iguais aos de Galton, mas Cattell eliminou as medições estritamente físicas (como a altura, o peso e a envergadura), o que lhe possibilitou intitular o artigo "Mental Tests and Measurements". Com ele, Cattell cunhou o termo **teste mental**.

Já na frase de abertura do artigo, Cattell revela seu indutivismo: "A psicologia não pode atingir a certeza e a exatidão das ciências físicas se não repousar sobre a base do experimento e da medição" (Cattell, 1890/1948, p. 347). Ele não propõe nenhum propósito específico para os testes, indicando apenas, em termos vagos, que as pessoas poderiam "achar seus testes interessantes" (p. 347) e que os resultados poderiam ser de algum modo "úteis com relação à formação, estilo de vida ou determinação de doenças" (p. 347). Os dez testes, que Cattell calcula-

Tabela 8.1 Os testes mentais de Cattell

Em seu artigo sobre testes mentais, Cattell (1890/1948) descreve os seguintes procedimentos:

1. *Pressão no dinamômetro.* Tratava-se de uma medida de força muscular que Cattell julgava ser mais que uma medida física, pois envolvia concentração e esforço mental.
2. *Velocidade de movimento.* Media-se a velocidade com que a mão percorria um intervalo de 50 cm; Cattell achava que a concentração e o esforço mental também contribuíam para essa medida.
3. *Áreas de sensação.* Mediam-se limiares de dois pontos no dorso da mão direita fechada.
4. *Dor causada por pressão.* A ponta fina (5 mm de raio) de uma borracha dura era empurrada na testa até que se relatasse a dor.
5. *Diferença minimamente perceptível em peso.* Tratava-se de um procedimento tradicional da psicofísica, que envolvia o levantamento de duas pequenas caixas de peso ligeiramente diferente.
6. *Tempo de reação ao som.* Para Cattell, este era o tipo de teste de tempo de reação mais confiável.
7. *Tempo para nomeação de cores.* Dez papéis coloridos eram colocados um ao lado do outro, para que o sujeito dissesse as cores correspondentes o mais rápido possível.
8. *Bissecção de uma linha de 50 cm.* Tinha-se de ajustar uma linha móvel até que fosse percebida como dividida em duas partes iguais.
9. *Julgamento do tempo de dez segundos.* Depois de o experimentador bater com um lápis duas vezes na mesa, para marcar um intervalo de dez segundos, o sujeito tinha de repetir a tarefa.
10. *Número de letras repetidas depois da audição.* Esta era a versão inicial de um teste de memória de curto prazo, para determinar quantas letras podiam ser repetidas com acerto.

va durarem uma hora, são resumidos na tabela 8.1.

Cattell passou apenas dois anos na University of Pennsylvania, pois logo foi convidado a coordenar o curso de psicologia de Columbia (ainda bem jovem, aos 31 anos), onde permaneceu até ser demitido, em

1917. Em Columbia, seus planos de testagem tornaram-se ainda mais ambiciosos, pois ele aumentou o número de testes e reintroduziu algumas das medições físicas de Galton. Em poucos anos, Cattell estava fazendo *lobby* para obter permissão da administração da universidade para testar todos os calouros, com base na alegação de que os resultados poderiam ser úteis à "determinação das condições e do progresso dos alunos, do valor relativo de diferentes cursos de estudo etc." (citado por Sokal, 1987, p. 32).

No restante da década de 1890, Cattell e seus alunos acumularam grandes quantidades de dados, mas o projeto fracassou logo depois da virada do século. Cattell, que era péssimo em matemática, tomou conhecimento dos procedimentos correlacionais de Galton e pediu a um de seus alunos de pós-graduação, Clark Wissler, que aplicasse a nova técnica aos resultados da testagem. Sua esperança era revelar fortes relações matemáticas entre as medidas e relacioná-las ao desempenho acadêmico. Wissler fez as correlações, e o resultado foi devastador para Cattell: os testes não tinham relação um com o outro nem — para piorar ainda mais a situação — com o desempenho acadêmico geral. O desempenho de um aluno numa disciplina (até mesmo ginástica!) apresentava maior correlação com o desempenho acadêmico que qualquer um dos testes de Cattell. Se os testes mentais não se relacionavam de algum modo com o desempenho nos estudos, que presumivelmente refletia a capacidade mental, como se poderia alegar que eles mediam essa capacidade? A tabela 8.2 mostra algumas dessas correlações. Wissler (1901/1965) concluiu o seguinte:

Em geral, tudo indica que o grau de correlação, no caso dos testes precedentes, não é suficiente para fins práticos. Não obtemos muitas informações acerca de um determinado indivíduo por meio de um teste isola-

Tabela 8.2 Amostra de resultados do estudo de Wissler sobre a testagem mental

Correlações entre vários testes mentais (os da Tabela 8.1 e mais alguns):

	Nº de casos	Correlação
Tempo de reação e nomeação de cores	118	+0,15
Tempo de reação e associação	153	+0,08
Notas máximas e nomeação de cores	159	+0,21
Velocidade de movimento e nomeação de cores	97	+0,19

Correlações entre testes mentais e "desempenho acadêmico":

	Nº de casos	Correlação
Tempo de reação	227	-0,02
Notas máximas	242	-0,09
Associação	160	+0,08
Nomeação de cores	112	+0,02
Memória lógica	86	+0,19

Correlações entre os resultados de desempenho em diferentes disciplinas:

	Nº de casos	Correlação
Latim e matemática	228	+0,58
Matemática e retórica	222	+0,51
Alemão e matemática	115	+0,52
Latim e grego	121	+0,75
Ginástica e média das notas	119	+0,53

Fonte: Wissler (1901/1965, pp. 443-445).

do nem de qualquer grupo de vários deles. Aparentemente, estamos lidando aqui com habilidades especiais e bastante independentes, e a importância que muitos investigadores atribuem à medição de tais processos elementares não se justifica neste caso. (p. 444)

Como veremos em breve, a pesquisa de Wissler foi feita no momento em que Alfred Binet estava lançando na França uma abordagem diferente da testagem mental. Essa abordagem teve sucesso quase imediato, e a estratégia de Galton/Cattell sumiu discretamente do mapa.

Depois do fiasco de sua testagem mental, Cattell deixou a pesquisa de lado e voltou-se para outro de seus interesses, a profissionalização da psicologia. Membro-fundador da American Psychological Association, ele era um participante ativo e, em 1895, tornou-se seu quarto presidente. Em 1894, contribuiu para o lançamento de uma publicação que viria a ser muito importante na área, a *Psychological Review*, e no ano seguinte assumiu a editoria da *Science*, que atravessava uma fase de problemas financeiros, e a revitalizou: em cinco anos, a *Science* tornou-se a publicação científica mais importante do país (Sokal, 1981b).

Depois da virada do século, Cattell passou a dedicar a maior parte do seu tempo aos trabalhos de editoria e administração do departamento. Sempre desabusado, irritava continuamente a administração de Columbia reivindicando maior participação dos professores nas decisões acadêmicas e maior liberdade acadêmica (para investigar e ensinar temas controversos, por exemplo). Em 1917, ele finalmente foi além dos limites da administração ao protestar publicamente contra a política do governo, que rapidamente enviava aqueles que se opunham com conscientização à Primeira Guerra Mundial para as frentes de combate. O reitor de Columbia o acusou de traição e o demitiu. Cattell o processou por difamação e ganhou uma boa soma por decisão judicial, mas sua carreira acadêmica de fato chegou ao fim. Porém, ele continuou com o trabalho editorial e voltou à psicologia aplicada fundando em 1921 a Psychological Corporation. Destinada a ser uma organização de consultores de psicologia, começou a funcionar num momento em que os psicólogos norte-americanos nutriam altas expectativas em relação à aplicabilidade do seu conhecimento. Entretanto, Cattell revelou-se um mau administrador e, embora seja hoje em dia a lucrativa subsidiária de uma grande casa editorial, a Psychological Corporation mal conseguiu sobreviver à década de 1920 sob a liderança de Cattell (Sokal, 1981a).

Alfred Binet (1857-1911): O Nascimento dos Testes de Inteligência

A estratégia de Galton/Cattell para avaliação das diferenças individuais baseava-se numa série de medidas físicas e nos resultados de tarefas sensoriais e perceptuais simples. Uma abordagem completamente diferente, que se voltava para fenômenos mentais mais complexos e utilizava como sujeitos crianças, em vez de adultos e estudantes universitários, se desenvolveu na Europa. Um de seus defensores era Hermann Ebbinghaus, o famoso pesquisador da memória (Capítulo 4), que desenvolveu um **teste de avaliação** dos efeitos da fadiga mental em escolares em meados da década de 1890. Com esse teste, ele estava reagindo a um problema prático, pois parecia às autoridades da cidade alemã de Breslau que o turno escolar matutino ininterrupto de cinco horas estava gerando "fadiga e irritabilidade nervosa" entre as crianças (Ebbinghaus, 1897/1965, p. 433). Os governantes municipais nomearam uma comissão para estudar o problema, e sua primeira tarefa foi determinar exatamente como esse turno de cinco horas afetava as crianças. Algumas pesquisas, conformes à tradição galtoniana, usaram como medida o limiar de dois pontos e descobriram que ocorriam mudanças no limiar ao longo do dia escolar. Ebbinghaus, contudo, não se deixou impressionar pelo método, questionando a relação entre a sensibilidade epidérmica e o desempenho escolar: "As crianças que demonstram degradação [da sensibilidade] também devem ser consideradas mentalmente exaustas em outros aspectos ou simplesmente se tornaram incapazes de realizar essa tarefa fixa e relativamente insignificante, à qual não estão acostumadas?" (p. 435). Para ele, se o objetivo era avaliar a fadiga mental, as medições teriam de se voltar para atividades cognitivas, e não sensoriais. Partindo do pressuposto de que um importante aspecto da capacidade intelectual diz respeito à absorção de informações incompletas e sua integração num todo compreensível, Ebbinghaus concebeu aos alunos um teste que consistia em trechos incompletos de prosa. Ou seja, as crianças recebiam sentenças nas quais faltavam sílabas em algumas palavras e, em alguns casos, palavras inteiras. Sua tarefa era preencher as lacunas, tornando as sentenças completas e dotadas de sentido. Ebbinghaus conseguiu mostrar que seu teste distinguia os alunos fortes dos fracos, mas não encontrou nenhuma diferença significativa de desempenho, que permaneceu o mesmo ao longo do turno letivo de cinco horas.

Ebbinghaus não aprofundou seu programa de testagem, mas sua estratégia básica foi adotada por outro europeu, o francês Alfred Binet. Como Ebbinghaus, Binet estava tentando solucionar um dilema educacional. Vimos anteriormente que a educação pública nos Estados Unidos se havia expandido drasticamente perto do final do século XIX. Porém, o fenômeno não se limitava a esse país: o mesmo estava ocorrendo nos países da Europa. Entretanto, a compulsoriedade da educação implicava que algumas crianças teriam de frequentar a escola mesmo que sua capacidade mental não lhes permitisse acompanhar normalmente as aulas. Na virada do século, os dirigentes das escolas de Paris viram-se diante da necessidade de detectar essas crianças para colocá-las em grupos como os que hoje chamamos de turmas de "educação especial". Em 1904, criou-se uma comissão para investigar o problema, entre cujos membros estava Binet, um dos principais psicólogos da França.

O *status* de Binet entre seus pares nem sempre foi tão alto. Em meados da década de 1880, ele publicou uma dúbia pesquisa sobre a hipnose, alegando que os sintomas histéricos exibidos em um lado do corpo por um sujeito sob esse estado poderiam ser transferidos para o outro, por meio da inversão da polaridade de um ímã colocado ao lado do paciente. Entretanto, pesquisadores mais sérios demonstraram que esse efeito se devia inteiramente à sugestão, e Binet teve de submeter-se ao constrangimento de retratar por escrito suas alegações. Todavia, ele conseguiu restabelecer gradualmente sua reputação depois de se tornar assistente de pesquisa, não remunerado, do laboratório de psicologia fisiológica da Sorbonne em 1891. Seu sucesso foi tanto que apenas três anos depois foi nomeado diretor do laboratório, cargo que exerceu até a morte prematura, em 1911, aos 54 anos de idade.

Mesmo antes de trabalhar na Sorbonne, Binet havia começado a observar atentamente suas duas filhas pequenas (Figura 8.3). O trabalho moldou sua convicção acerca do valor da condução de estudos detalhados de casos e contribuiu para o seu duradouro interesse no estudo e medição das diferenças individuais. Binet conhecia a obra de Galton e chegou a aplicar alguns dos testes sensoriais deste em suas filhas, tendo ficado surpreso ao descobrir que aparentemente não havia muita diferença entre os resultados obtidos pelas meninas e os resultados obtidos por adultos. Estes pareciam ser superiores apenas nas tarefas que envolviam processamento mental que extrapolasse a capacidade sensorial. Por exemplo, em relação aos adultos, suas filhas se saíram mal na nomeação de cores, tarefa que exigia memória e linguagem, mas muito bem na correspondência entre as cores, tarefa puramente perceptual. Com base nesses e em outros resultados semelhantes, Binet concluiu que as medidas sensoriais de

FIGURA 8.3 Alfred Binet, ao lado da mulher e das duas filhas, cujo desenvolvimento estudou (foto extraída de Popplestone e McPherson, 1994).

Galton não se prestavam à avaliação das diferenças de idade na capacidade mental.[1] E teve a grande ideia de perceber que as diferenças intelectuais entre crianças e adultos só poderiam ser determinadas por meio da análise dos processos mentais superiores mais complexos (Fancher, 1985).

Durante seus anos na Sorbonne, Binet desenvolveu um programa de pesquisa voltado para o estudo das diferenças individuais. Em um importante artigo, assinado por ele e por seu assistente, Victor Henri, comparou a **psicologia individual** a uma psicologia mais geral. Esta se interessaria pela descoberta de leis gerais que se aplicassem, até certo ponto a todos (por exemplo, a repetição fortalece a memória), ao passo que a psicologia individual "estuda as propriedades dos processos psíquicos que variam de indivíduo para indivíduo. Ela tem de determinar as várias propriedades e, em seguida, estudar quanto e em que aspectos elas variam conforme o indivíduo" (Binet e Henri, 1895/1965, p. 428). O estudo dessas diferenças, evidentemente, exigia sua medição, e isso levou Binet a tentar criar testes que aferissem os processos mentais. Assim, em 1904, quando os representantes das escolas de Paris precisaram de um meio de identificar os alunos de pouca capacidade para colocá-los em turmas de educação especial, Binet já tinha algumas ideias definidas em relação a que tipos de teste usar.

O termo "retardado" não existia como referência a uma categoria de incapacidade mental na época de Binet. As crianças de capacidade limitada classificavam-se em três categorias que, além de mal definidas, se sobrepunham. Os *idiots* eram os deficientes graves, que não tinham condições de cuidar de si mesmos; os *imbéciles* eram um pouco mais capazes, mas ainda não independentes; e os do terceiro nível eram crianças capazes de aprendizagem, mas não em turmas normais. Essas eram as crianças que precisavam ser identificadas para transferência para turmas de educação especial, e Binet as rotulou como *débiles* (fracas). Chocado com os critérios de diagnóstico existentes, decidiu criar uma forma mais confiável de

---

1. Na década de 1890, período em que se dedicou inteiramente a seu programa galtoniano de testagem em Columbia, Cattell tomou conhecimento do trabalho de Binet, mas rejeitou os novos testes de processos mentais "superiores" por considerá-los mal definidos e incapazes de propiciar quantificação suficiente (Sokal, 1987).

distinguir essas crianças "fracas" da população escolar normal. Para isso, valeu-se de doze anos de pesquisa da psicologia individual e assim criou o primeiro verdadeiro teste de inteligência.

As Escalas de Binet-Simon

Junto com Theodore Simon, seu assistente de pesquisa, Binet publicou em 1905 a primeira versão do seu teste. Três anos depois, os dois a revisaram, voltando a fazê-lo em 1911, pouco antes da morte de Binet. Em vez de começar com uma definição prévia da inteligência na qual basear os testes a serem usados, eles criaram seu teste empiricamente, identificando dois grupos de alunos, um normal e outro claramente prejudicado, e aplicando-lhes uma longa série de testes aparentemente relacionados conceitualmente à inteligência, com o intuito de identificar os testes que permitiam distinguir entre esses grupos. Por fim, criaram uma série de trinta testes de dificuldade crescente em seu teste original, de 1905. Na revisão de 1908, o número de testes passou a 58, e Binet e Simon incorporaram uma faixa etária que ia dos 3 aos 13. A Tabela 8.3 relaciona alguns dos testes para as diferentes idades (observe a diferença em relação aos testes de Cattell, Tabela 8.1).

O acréscimo de níveis etários foi a solução que Binet encontrou para o problema do diagnóstico. Ele acreditava que as crianças subnormais poderiam ser definidas em termos do quanto estavam atrás em anos. Assim, a criança normal de 5 anos poderia executar as tarefas do nível de 5 anos, mas a criança subnormal dessa idade talvez só pudesse executar as do nível de 4 anos. Binet chamou o nível em que a criança se classificava de **nível mental**. A seu ver, as crianças que obtivessem resultados situados num nível mental dois anos inferior a sua idade real, grupo em que estimou estarem 7% da população, deveriam ser consideradas fracas e colocadas em turmas especiais (Fancher, 1985). Em geral, Binet definia a inteligência em termos funcionais como "a faculdade de adaptar-se. De julgar, entender e raciocinar bem — essas são as fontes essenciais da inteligência" (Binet e Simon, 1905, citados por Fancher, 1985, p. 74).

Tendo em vista a evolução do conceito de QI ao longo dos anos, adquire valor instrutivo observar as atitudes de Binet quanto à inteligência e sua medição. Primeiro, ele acreditava que a inteligência era multifacetada, composta de diversas habilidades. As-

Tabela 8.3 Amostra dos testes de níveis mentais de Binet e Simon

A revisão de 1908 da escala de Binet-Simon continha 58 testes diferentes, organizados para 11 diferentes níveis de idade (de 3 a 13 anos). A seguir, alguns desses testes.

Três anos

Mostrar os olhos, o nariz, a boca
Repetir uma frase de seis sílabas
Nomear os objetos constantes numa ilustração

Cinco anos

Copiar um quadrado
Comparar duas caixas de pesos diferentes
Repetir uma frase de dez sílabas

Sete anos

Copiar uma frase escrita
Repetir cinco números de um dígito
Indicar omissões num desenho

Nove anos

Nomear os dias da semana
Conservar na memória seis coisas depois de uma leitura
Arrumar cinco pesos na ordem correta

Onze anos

Criticar frases absurdas*
Colocar três determinadas palavras numa frase
Dar definições abstratas

Treze anos

Diferenciar os sentidos das palavras
Resolver o problema do triângulo inverso
Resolver o problema do corte do papel

* Por exemplo: Foi encontrado o corpo de uma pobre garota, cortado em 18 pedaços. Acredita-se que ela se matou.
Fonte: Dennis (1948).

sim, embora tenha reduzido o resultado dos testes a uma única unidade, o nível mental, ele não o fez sem relutância. Se não tivesse morrido tão prematuramente, ficaria preocupado com o modo como o conceito de QI veio a representar um conceito unitário de inteligência. Segundo, ele acreditava que, dentro de limites amplos, os níveis mentais poderiam aumentar com treinamento, e criou um conjunto de exercícios de "ortopedia mental" para ajudar as crianças a melhorar seus níveis de inteligência. Binet reprovava a opinião que prevalecia em sua época, decorrente do pensamento evolucionista, de que a inteligência era um traço fixo e imutável. Terceiro, ele achava que sua escala só tinha utilidade dentro do estreito contexto educacional da identificação de alunos fracos e ficaria surpreso ao saber da rapidez com que essa ferramenta passou a ser muito mais amplamente utilizada, como veremos a seguir.

FIGURA 8.4 Henry Goddard, no alto de uma das pirâmides do Egito (foto extraída de Popplestone e McPherson, 1994).

Henry G. Goddard (1866-1957): O Teste de Binet Chega aos Estados Unidos

Henry Goddard (Figura 8.4) foi produto da psicologia genética da Clark University, tendo lá obtido seu doutorado em 1899. Depois de lecionar durante alguns anos, aceitou um convite da Vineland Training School for the Feeble-Minded, do sul de Nova Jersey, para desenvolver ali um programa de pesquisa. Suas primeiras iniciativas foram um reflexo de sua formação — criou um laboratório à imagem do que conhecera na Clark e começou a testar as crianças por meio de tarefas de laboratório semelhantes às usadas por Cattell. Mas Goddard logo percebeu que estava num ambiente novo e que utilizar tarefas sensoriais básicas não era tão fácil. Entre suas anotações, encontram-se observações como esta: "Garoto ficou com medo de uma bobagem. Foram precisos seis homens para segurá-lo. Não conseguiu apertar meio quilo no Dinamômetro, mesmo entendendo claramente o que se pedia" (citado por Popplestone e McPherson, 1984, p. 242).

Ao buscar melhores métodos, Goddard descobriu o trabalho de Binet em 1908, durante uma visita a instituições européias para débeis mentais. A princípio, não se deixou impressionar pelos testes de Binet e Simon, mas mesmo assim levou consigo a escala na volta, traduziu-a para o inglês e começou a administrá-la às crianças de Vineland. Quando os resultados desses testes corresponderam às expectativas com base em outros tipos de avaliação das crianças, Goddard tornou-se um convertido. Num encontro promovido em 1910 pela American Association of the Feeble-Minded, ele relatou os resultados da testagem de quatrocentas crianças de Vineland e propôs um aprimoramento do sistema de classificação existente com base no conceito de Binet de nível mental, que àquela altura estava sendo chamado de **idade mental**. Os idiotas seriam a partir daí definidos como os que se classificassem como possuidores de idade mental de 1 ou 2 anos, e os imbecis seriam os de idade mental entre 3 e 7. Quanto à terceira categoria — os "fracos" de Binet —, Goddard propôs um novo nome. Essas crianças eram às vezes chamadas de débeis mentais, mas o termo era usado também para referência ao portador de qualquer grau de retardo mental. Goddard argumentou que era importante situar essas crianças numa categoria claramente identificada, "a fim de fazer o público entender que existe um grupo especial de crianças que necessita de ajuda especial" (Goddard, 1910, p. 395). E propôs que se usasse o termo *moron*, derivado da palavra grega *moronia*, que significa "tolo". Esses seriam os de idade mental entre 8 e 12.[2] O fato de Goddard ter criado o termo e promovido sua utilização contribuiu para legitimar a psicologia como disciplina e profissão ao argumentar que, embora fossem responsáveis por muitos dos males da sociedade, os tolos podiam parecer normais aos olhos das pessoas comuns. Portanto, para identificá-los, a sociedade precisava da ajuda de especialistas altamente treinados. Psicólogos como Goddard deixaram claro que eles é que estavam mais bem preparados para desempenhar esse papel.

Ao longo dos anos seguintes, Goddard tornou-se um dos principais defensores dos testes de Binet e Simon. Em pouco tempo, muitos outros os adotaram para identificar e classificar aqueles que apresentavam capacidade mental limitada. Entre 1910 e 1914, Vineland distribuiu cerca de 20 mil cópias da tradução que Goddard fez desses testes (Watson e Evans, 1991). Porém, as intenções de Goddard eram muito diferentes das de Binet. Ao contrário deste, Goddard era partidário da ideia amplamente difundida de que a inteligência era herdada e representada por uma quantidade fixa. A par da recente redescoberta do trabalho de Mendel na área da genética, Goddard acreditava que a maior parte dos casos de debilidade mental se devia a um gene recessivo. E, em respaldo à sua causa em favor da hereditariedade, publicou os resultados do que parecia ser um estudo conclusivo sobre a genealogia de uma das crianças de Vineland.

A Família Kallikak

Goddard expôs seus argumentos em defesa da base genética da debilidade mental num livro de 117 páginas publicado em 1912: *The Kallikak Family: A Study in the Heredity of Feeblemindedness*. Nesse livro, apresentou um extenso estudo genealógico sobre um de seus pupilos. "Deborah Kallikak", na época com 22 anos de idade, vivia em Vineland havia quatorze (Figura 8.5). Havia sido encaminhada para lá aos 8 anos, supostamente por "não se dar bem na escola e poder ser débil mental" (Goddard, 1912, p. 1). Na verdade, a recusa do terceiro marido da mãe da garota em sustentar vários dos filhos mais novos da mulher, entre os quais estava Deborah, contribuiu para a ida desta para Vineland. Lá, Deborah era submetida a testagens periódicas com as escalas de Binet-Simon, mas jamais obteve um resultado superior a 9 anos em termos de idade mental. Goddard a considerava um exemplo da pessoa que deveria ser mantida na instituição. Embora tenha aprendido a costurar, cozinhar e fazer trabalhos bastante competentes em madeira, mal sabia ler ou realizar operações matemáticas. Se tivesse de abandonar o ambiente seguro e controlado de Vineland, Goddard achava que

> ela se tornaria imediatamente presa dos desígnios de homens ou mulheres malévolos e levaria uma vida depravada, imoral e criminosa, embora, pela sua mentalidade, não pudesse ser responsabilizada. Ela poderia ser levada a qualquer coisa, pois não tem nenhum controle ou força de vontade, e todos os seus instintos e apetites tendem à direção que conduz ao vício. (p. 12)

---

2. Nenhum desses termos — idiota, imbecil e tolo — tinha a conotação pejorativa que tem hoje. Eles eram termos clínicos, usados com fins diagnósticos, e não insultos destinados a agredir os colegas nos pátios das escolas.

FIGURA 8.5 Deborah Kallikak em Vineland.

Como se poderia explicar um indivíduo assim? Para Goddard, a resposta era simples: "'Hereditariedade' — maus genes. É preciso reconhecer que a raça humana tem linhagens ou cepas variáveis, que são tão marcadas e se reproduzem da mesma maneira que qualquer coisa na vida vegetal ou animal" (Goddard, 1912, p. 12).

Goddard rotineiramente enviava informantes a campo para recolher informações sobre as origens dos que eram encaminhados a Vineland. No caso de Deborah, logo se descobriu que muitos parentes viviam nas redondezas e que a família era "notória pelo número de deficientes e delinquentes que havia produzido" (Goddard, 1912, p. 16). Os diligentes assistentes de Goddard conseguiram remontar a seis gerações e "via-se em toda parte uma quantidade espantosa de deficiências" (p. 16). Por outro lado, os informantes ocasionalmente encontraram parentes com formação acadêmica de alto nível que viviam em bons ambientes. Uma investigação mais profunda revelou a saga de uma família que se dividiu em ramificações radicalmente opostas.

Ao que tudo indica, um parente distante, soldado na guerra da Revolução Americana, se havia comportado como os soldados às vezes fazem e tivera um breve caso com uma jovem "débil mental" que conhecera numa taverna. O resultado foi um filho débil mental, tataravô de Deborah, e o início de uma longa linhagem de deficiência mental, representada pelos "maus" Kallikaks. Enquanto isso, o soldado, desconhecendo o resultado de sua aventura, casou-se "com uma jovem respeitável e de boa família" (p. 29) e começou a gerar os "bons" Kallikaks. Como a infeliz jovem da taverna dera ao filho o nome do pai, ambos os lados da família tinham o mesmo sobrenome.

Na análise da família, Goddard descobriu uma grande diferença nas sinas dos representantes dos dois lados da família. Os informantes identificaram 480 descendentes do lado de Deborah e, com base em registros históricos, históricos familiares e alguns testes feitos diretamente com parentes vivos, classificaram 189 deles, dos quais apenas 46 eram normais; o restante era constituído por débeis mentais. Por sua vez, os descendentes do soldado e de sua respeitável esposa tendiam a ser pilares da comunidade: médicos, advogados, educadores e assim por diante. De 496 descendentes, descobriu-se que apenas três eram "um tanto degenerados, mas [...] não [mentalmente] deficientes. Dois deles eram alcoólicos e o terceiro, libertino" (p. 29).

Apesar do aparente rigor, o estudo da família Kallikak tinha falhas graves. O maior problema foi o fato de Goddard não atribuir ao ambiente nenhum efeito significativo sobre o destino dos dois lados da família. Só as diferenças na qualidade da nutrição e do atendimento de saúde recebido poderiam haver justificado as grandes diferenças entre os dois grupos em termos de mortalidade infantil: 82 no lado "mau" e apenas 15 no lado "bom". Então, em vez de ser um estudo de caso da genética da debilidade mental, o estudo da família Kallikak poderia da mesma forma ser um estudo de caso dos diferentes efeitos da pobreza e do privilégio. O próprio Goddard era, evidentemente, muito inteligente; sua incapacidade de reconhecer que o ambiente era importante nos históricos da família Kallikak diz mais sobre a influência do contexto histórico que sobre seus próprios defeitos. Com efeito, a forte convicção de que o nível de inteligência era consequência da hereditariedade, pressuposta pela maioria dos psicólogos da virada do século, levou Goddard inclusive a argumentar que o ambiente dos dois grupos era mais ou menos o mesmo.

A parcialidade de Goddard afetou também a maneira como ele interpretou os dados. Muitas das informações obtidas sobre os membros da família eram superficiais e de segunda mão, e os eventos ambíguos foram interpretados com base no fato de a pessoa pertencer a um lado ou outro da família Kallikak. Além disso, Goddard esqueceu algumas regras básicas da lógica. Por exemplo, uma pessoa que é débil mental pode ser induzida a uma vida de crimes ou vícios, mas o oposto não é necessariamente verdadeiro, pois há muitas outras razões que levam alguém a ser um criminoso (por exemplo, a pobreza). No entanto, todos os representantes do lado "mau" da família que tivessem moral questionável ou ficha criminal eram automaticamente classificados como tolos por Goddard e seus assistentes. Logo no início do estudo, Goddard simplesmente presumiu que a garota da taverna era débil mental, aparentemente com base no fato questionável de ela estar numa taverna e se deixar seduzir por um soldado. Em resumo, em vez de representar um exemplo científico, o estudo da família Kallikak constitui um exemplo clássico de como os preconceitos podem influenciar tanto a coleta quanto a interpretação de dados.

O sobrenome "Kallikak" era, naturalmente, um pseudônimo, criado por Goddard para resguardar a identidade de Deborah. A palavra era constituída de duas palavras gregas: *kalos*, que significa "bom", e *kakos*, que significa "mau", e Goddard achava que ela retratava bem os dois lados da família da pobre Deborah.

A convicção de Goddard quanto à causa da deficiência mental o levou a sugerir uma solução óbvia para o problema — eliminar o gene. E, assim, ele se tornou um eugenista convicto, argumentando que os deficientes mentais deveriam ser impedidos de procriar. Se essa engenharia social pudesse ser implementada, a debilidade mental seria erradicada em apenas algumas gerações. A principal recomendação de Goddard era a construção de mais instituições como Vineland, a fim de que os idiotas, imbecis e tolos pudessem ser devidamente diagnosticados, removidos da sociedade e impedidos de procriar mediante uma cuidadosa monitoração. Além disso, ele apoiou outros eminentes psicólogos, inclusive Thorndike, Yerkes e Terman, na recomendação da esterilização dos mentalmente inaptos, ressaltando que "[a] operação em si é quase tão simples quanto a extração de um dente, no caso dos homens. No das mulheres, não é muito mais difícil" (Goddard, 1912, p. 108). Porém, como a esterilização era um procedimento relativamente novo, recomendava cautela até que seus efeitos a longo prazo fossem mais bem conhecidos.

Assim, Goddard tinha um plano para lidar com a debilidade mental nos Estados Unidos. Mas que dizer da importação de deficientes mentais? Nos primeiros anos do novo século, verificou-se uma preocupação crescente diante de uma suposta ameaça à reserva genética nacional: a imigração galopante. Goddard acreditava ter a solução também para esse problema.

Goddard e os Imigrantes

Os Estados Unidos sempre foram uma nação de imigrantes, mas uma característica constante da vida política norte-americana é o fato de os imigrantes instalados no país há algumas gerações geralmente tentarem restringir a imigração posterior. A situação se aplica à virada do século, quando os números da imigração aumentaram drasticamente, e os "novos" imigrantes pareciam decididamente inferiores aos "antigos". Durante a maior parte do século XIX, a maioria dos imigrantes vinha do norte e do oeste da Europa. Por exemplo, em 1882, 788.992 homens, mulheres e crianças esperançosos entraram nos Estados Unidos, 87% dos quais provinham da Alemanha, Grã-Bretanha e Escandinávia, ao passo que apenas 13% vinham de países do sul e do leste da Europa, como Itália, Polônia e Rússia. Porém, já antes de 1907, quando o total de chegadas atingiu 1.285.349, as proporções se haviam invertido: mais de 80% provinham do sul e do leste da Europa (dados de Cashman, 1993). Com essa mudança, recrudesceu o temor entre aqueles cujos ancestrais eram do norte europeu quanto à "qualidade" dos novos imigrantes. Os antigos, geralmente anglo-saxões, protestantes e com escolaridade pelo menos média, diferiam muito dos novos, que em geral eram pobres e culturalmente mais diversos e tinham pouca escolaridade e famílias maiores, além de maior probabilidade de serem judeus ou católicos. A maioria dos norte-americanos simplesmente discordava da ideia que movia a poetisa Emma Lazarus ao escrever que a Estátua da Liberdade, inaugurada em 1886, simbolizava as boas-vindas a "suas massas cansadas, pobres, compactas, que desejam se libertar".

Nova York era o principal porto de entrada dos imigrantes europeus e, a fim de poder controlar as massas compactas cada vez maiores que chegavam, o governo federal construiu em 1892 uma grande central de imigração na ilha de Ellis, situada a cerca de 1,5 km a sudoeste de Manhattan, de onde se pode avistar a Estátua da Liberdade. Os imigrantes que lá chegavam — às vezes 10 mil por dia nas primeiras décadas do século XX — tinham de submeter-se a uma série de avaliações para obter permissão para entrar no país.[3] A maioria deles saía das inspeções feitas na ilha algumas horas depois, mas cerca de 20% ficavam retidos para avaliações mais detalhadas. Desses, entre 1% e 2% não eram autorizados a permanecer (Schlereth, 1991). Para serem admitidos, os imigrantes tinham de demonstrar que não eram portadores de doenças contagiosas nem distúrbios mentais, que eram fisicamente capazes de trabalhar, que não eram inteiramente indigentes e que não eram deficientes mentais. Porém este último critério era difícil de medir, e os examinadores da ilha estavam preocupados com a possibilidade de portadores de "alto grau" de deficiência estarem conseguindo escapar ao bloqueio do sistema.

Foi nesse contexto que Goddard, ansioso por demonstrar a utilidade diagnóstica dos testes de Binet, entrou em cena. Inicialmente, ele visitou a ilha em 1911, voltando em 1912 com dois assistentes. Colocando um deles para triar os imigrantes que "pareciam" deficientes e o outro para administrar alguns dos testes de Binet, Goddard afirmava ser capaz de identificar rapidamente os deficientes mentais com cerca de 90% de precisão. Certa feita, seus assistentes selecionaram um garoto suspeito de ser deficiente e aplicaram-lhe o teste com a ajuda de um intérprete. O garoto obteve 8 na

---

3. Quando os navios que traziam imigrantes chegavam ao porto de Nova York, apenas os passageiros que viajavam na "terceira classe" (isto é, os pobres) eram transportados à ilha de Ellis para exame. Os que viajavam em primeira ou segunda classe eram examinados rapidamente em suas cabines e, em seguida, autorizados a entrar na cidade (Richardson, 2003).

escala de Binet-Simon. Goddard relatou que "o intérprete disse: 'Eu não teria conseguido fazer isso quando cheguei aqui' e considerou o teste injusto. Nós o convencemos de que o garoto era deficiente" (Goddard, 1913, p. 105). Evidentemente, graças a sua fé ingênua na tecnologia da testagem, Goddard deixou de levar em conta que os imigrantes sem dúvida se sentiam intimidados e confusos com toda a experiência que estavam vivendo na ilha de Ellis e provavelmente não entendiam por que tinham de fazer aqueles testes estranhos.

Alguns dos médicos que trabalhavam na ilha objetaram que os testes de Binet, por se basearem muito no aspecto verbal, não se prestavam à detecção da debilidade mental (Richardson, 2003). Não obstante, os encarregados da central ficaram impressionados o bastante para convidar Goddard a ampliar sua operação. Em 1913, duas assistentes suas passaram dois meses e meio na ilha. Com o auxílio de intérpretes, testaram 165 imigrantes russos, húngaros, judeus e italianos usando o material de Binet-Simon e vários outros. Goddard descobriu que um percentual alarmante, cerca de 80%, situava-se no nível mental de 12 ou menos (ou seja, eram tolos). Mesmo depois de reajustar os resultados para levar em conta os fatores culturais, ele estimou que cerca de 40% da amostra eram constituídos de débeis mentais e concluiu que "dificilmente se pode fugir à convicção de que a inteligência da média dos imigrantes de 'terceira classe' é baixa, estando talvez no nível da tolice" (Goddard, 1917, p. 243).

Em decorrência do trabalho de Goddard, a testagem mental foi incluída no processo de triagem da ilha de Ellis, talvez contribuindo para um aumento no percentual de deportações ao longo dos anos seguintes. Em 1913, por exemplo, 555 pessoas foram deportadas sob a alegação de serem "débeis mentais", o que representava três vezes o número de deportados nos cinco anos anteriores (Richardson, 2003). Embora não haja estimativas precisas, pode-se dizer com segurança que durante a segunda década do século XX, alguns milhares de imigrantes que acalentavam a esperança de respirar o ar da liberdade foram reenviados à Europa por haver obtido maus resultados nas escalas de Binet-Simon.

Quanto a Goddard, permaneceu por apenas mais alguns anos em Vineland. Em 1918, o estado de Ohio o contratou como diretor do Bureau of Juvenile Research, uma agência recém-criada para pesquisar e propor soluções para o problema da delinquência juvenil. Quatro anos depois, Goddard tornou-se professor de psicologia clínica e psicologia do anormal da Ohio State University, onde permaneceu até aposentar-se em 1938. Durante a permanência nessa universidade, ele estudou também as crianças que se situavam no extremo oposto do espectro em relação às de Vineland: as assim chamadas superdotadas. Suas experiências subsequentes o levaram a escrever em 1928 um artigo notável, no qual adotou a postura oposta em muitas de suas antigas opiniões. Entre outras coisas, afirmou que a idade mental de 12 anos não implicava necessariamente a debilidade mental, que muitos dos diagnosticados como tolos poderiam viver satisfatoriamente na sociedade, não precisando ser internados, e que se havia superestimado o risco de eles virem a ter filhos débeis mentais. Considerando o problema da tolice um problema basicamente da educação, argumentou que "quando tivermos uma educação que seja 100% certa, não haverá tolos que não possam cuidar de si mesmos e de sua vida ou competir na luta pela existência" (Goddard, 1928, p. 224). Portanto, perto do fim da carreira, Goddard se aproximou da visão original de Binet quanto à educação dos que possuíam capacidade limítrofe.

Lewis M. Terman (1877-1956): A Institucionalização do QI

Como Goddard, Lewis Terman foi um produto do programa de psicologia de Hall na Clark University. Ele chegou lá em 1903, logo após obter um mestrado na Indiana University, não muito longe do lar em que passou a infância, uma grande fazenda. Indiana lembrava um pouco uma filial da Clark University no meio-oeste — seu departamento de filosofia tinha três psicólogos, William Lowe Bryan, Ernest Lindley e John Bergström, todos egressos de Clark. Por causa de suas aulas, o jovem Terman começou a "acalentar a ambição de tornar-me professor de psicologia e dar uma contribuição própria para a ciência" (Terman, 1932, p. 310). Lindley exerceu sobre o aluno especial influência e, para um seminário que fez com ele, Terman escreveu extensos ensaios sobre "degeneração" e "grandes homens". Por causa desses trabalhos, conheceu os escritos de Binet e Galton e começou a prefigurar sua própria obra (Minton, 1988). Em Clark, seu interesse pela inteligência e sua testagem só se aprofundou. Sua tese de doutorado comparava as capacidades físicas e mentais de quatorze garotos pré-adolescentes, "sete espertos e sete lentos" (Terman, 1906, p. 314). O primeiro grupo apresentou melhor desempenho em todos os testes mentais, entre os quais havia procedimentos como os de Binet (solução de problemas e memória), ao passo que o segundo saiu-se melhor em algumas tarefas de coordenação motora. Talvez influenciado por sua grande atração pelas ideias de Galton, Terman acreditava que seu estudo respaldava "a importância relativamente maior do dote sobre o treinamento como determinante da categoria intelectual de um indivíduo" (p. 372). Terman jamais vacilou publicamente em sua convicção de que a hereditariedade era o fator determinante na inteligência.

Terman, que sofria crises periódicas de tuberculose, decidiu procurar emprego em uma região de clima mais ameno após a conclusão do doutorado em 1905. Depois de passar um ano como superintendente escolar em San Bernardino, Califórnia, obteve o cargo de professor de pedagogia e psicologia infantil na Los Angeles State Normal School (que mais tarde se tornaria a UCLA). Mas o grande salto viria em 1910, quando ele foi convidado para lecionar na Stanford University, em Palo Alto. A vaga surgira repentinamente: Terman substituiu seu antigo professor de Indiana, John Bergström, que fora para Stanford em 1908 e morrera dois anos depois, aos 42 anos de idade (Capshew e Hearst, 1980). Doze anos depois, Terman tornou-se chefe do departamento de psicologia, que, com ele, transformou-se num dos principais do país. Terman, três dos professores que contratara e quatro dos doutorandos que por lá passaram enquanto ele ensinava tornaram-se presidentes da APA (Hilgard, 1957). Ele foi muito admirado como professor, especialmente pelos estimulantes seminários que promovia nas segundas-feiras à noite em sua casa (onde havia até um *putting green** para treinar golfe — veja a Figura 8.6), que recriavam a atmosfera dos famosos seminários de Hall, os quais havia conhecido em seus tempos de estudante. Terman aposentou-se de Stanford em 1941, mas permaneceu profissionalmente ativo até sua morte,

FIGURA 8.6 Lewis Terman em sua sala, em Stanford.

* Espaço preparado para uma jogada certa contendo o buraco em que a bola de golfe deve ser lançada.

em 1956, algumas semanas antes do seu octogésimo aniversário. O legado que deixou à psicologia inclui (a) o desenvolvimento de um dos testes de QI mais conhecidos no mundo e (b) a condução do projeto de pesquisa mais longo da psicologia.

O Teste de QI de Stanford-Binet

Vimos que Goddard foi quem traduziu as escalas de Binet-Simon para o inglês e as levou para os Estados Unidos. Porém Terman foi muito além da tradução, realizando uma revisão e a primeira verdadeira padronização do teste. Com base em algumas pesquisas com crianças das escolas locais, ele concluiu que alguns dos testes de Binet eram fáceis demais para as crianças pequenas e difíceis demais para as maiores. Por exemplo, as crianças normais de 5 anos muitas vezes obtinham resultados equivalentes a uma idade mental superior a 5, ao passo que as de 10 anos situavam-se numa idade mental inferior a 10. Terman acrescentou novos testes, inclusive alguns dos que criara para sua tese, revisou outros e eliminou alguns. Entre 1910 e 1914, ele padronizou seu teste usando cerca de 2.300 participantes, a maioria crianças e adolescentes de classe média, mas também quase 400 adultos. Por fim, chegou a uma série de noventa testes, portanto, 36 a mais que a versão final de Binet, de 1911. Juntamente com conjunto de normas resultantes do seu esforço de padronização, Terman publicou em 1916 o que chamou de Revisão de Stanford do teste de Binet-Simon. Essa revisão, que ficou conhecida como Stanford-Binet, rapidamente dominou o mercado e valeu a Terman uma boa renda em direitos autorais. Terman voltou a revisar e repadronizar totalmente os testes em 1937. Em sua versão mais recente, continua sendo talvez o mais famoso teste de inteligência.

O Stanford-Binet de 1916 incluía um conceito que preocuparia a Binet — o QI. Terman o tomou de empréstimo a um líder do movimento de testagem na Alemanha, William Stern. Stern havia afirmado que uma criança normal de 5 anos deveria obter um resultado que a colocasse no nível mental de 5, ao passo que aquela que fosse muito inteligente poderia atingir um nível mental de 6 ou mais e aquela que fosse mais lenta poderia atingir um nível inferior a 5 — 4 talvez. E havia também sugerido que a capacidade mental fosse resumida num "quociente mental" que representasse a relação entre a idade mental e a idade cronológica, encontrada pela divisão da primeira pela segunda. Para Terman, a ideia se encaixava bem em seus procedimentos de normatização e em sua crença cada vez mais forte de que a inteligência era um traço unitário. Ele trocou o "quociente mental" de Stern por **quociente de inteligência** ou QI, multiplicou a razão por 100 para eliminar o decimal e o incorporou à revisão. O QI nasceu, portanto, com o Stanford-Binet de 1916. Três crianças de 5 anos com idades mentais de 4, 5 e 6 teriam QIs de 80, 100 e 120, respectivamente. A mensagem era clara: a capacidade mental poderia ser representada por um número.

Terman Estuda os Superdotados

O propósito original de Binet ao criar seu teste era identificar as crianças que precisavam de educação especial. Porém Terman foi além disso, acreditando que seu teste de QI pudesse identificar crianças especiais em ambos os extremos do *continuum*. Seu antigo interesse pelos alunos que se situavam na extremidade mais alta da escala o levou a projetar sua pesquisa mais famosa, um estudo sobre a superdotação. Seu objetivo original era identificar um grupo de crianças talentosas e fazer uma verificação de suas vidas, em etapa posterior, para determinar se a promessa se cumpriria. Só que o projeto ganhou vida própria, tendo prosseguido até muito depois da morte do próprio Terman e se tornado o estudo longitudinal mais longo jamais feito em psicologia.

Ao planejar seu estudo, Terman estava motivado por suas ideias acerca da hereditariedade da inteligência e sua forte convicção de que os Estados Unidos deveriam ser uma **meritocracia**, ou seja, que seus líderes deveriam provar ser capazes de liderança. Assim, sugeriu que a testagem de QI seria um bom meio de identificar essas pessoas. Certa vez, Terman escreveu que, com a possível exceção da moral, "nada [era] tão importante num indivíduo quanto seu QI" (citado por Minton, 1988, p. 99). A visão que Terman tinha de uma verdadeira democracia significava oportunidades iguais, mas apenas para aqueles que tivessem a capacidade de aproveitar essas oportunidades. Os portadores de QIs baixos — aos quais se referia como "o contrapeso da democracia" (p. 99) — também poderiam realizar-se na vida se devidamente identificados, treinados e colocados em empregos adequados. Assim, a testagem de QI em larga escala poderia gerar um sistema de classificação que promovesse diferentes tipos de educação para diferentes níveis de capacidade. Terman achava que esse sistema poderia ir "longe no sentido de garantir que todo aluno — seja ele mentalmente superior, normal ou inferior — tenha a chance de extrair o máximo de quaisquer aptidões com que a natureza o tenha dotado" (citado por Minton, 1987, p. 102).

Com essa meritocracia ideal em mente, Terman propôs-se a identificar crianças superdotadas em 1921. Seu objetivo era selecionar o contingente de 1% das crianças mais inteligentes das escolas californianas, porém, devido a problemas logísticos e financeiros, sua equipe de pesquisadores de campo acabou concentrando-se em apenas algumas áreas urbanas de médio e grande portes. Pediu-se aos professores que identificassem os três alunos mais inteligentes e o aluno mais jovem de suas turmas. Essas crianças foram então submetidas a uma versão resumida do teste de Stanford-Binet. Os que obtiveram melhores resultados foram testados com a versão integral do Stanford-Binet.

O resultado destacou um grupo de 1.470 crianças, 824 meninos e 646 meninas. A maioria cursava o equivalente ao primeiro grau, mas 444 já estavam no segundo (dados sobre o tamanho da amostra extraídos de Minton, 1988, pp. 114-15). A média de QI foi de 151 para as crianças mais novas e 143 para as mais velhas. Curiosamente, os alunos que tinham maior probabilidade de ser selecionados para o estudo não estavam entre os três mais inteligentes apontados pelos professores, mas sim entre os mais jovens de cada turma. Os procedimentos de amostragem eram lógicos, mas a amostra obtida não era representativa. Os alunos tendiam a ser de classe média ou alta, protestantes e brancos, e seus pais tendiam mais a ser profissionais liberais que operários. Além disso, havia uma representação excessiva de crianças judias, ao passo que os grupos não brancos e pobres estavam sub-representados (Cravens, 1992). O viés verificava-se de diversas maneiras sutis, desde a seleção feita pelos professores até a relutância dos pesquisadores de campo em ir a determinadas escolas. Por exemplo, um dos pesquisadores de Terman omitiu quatorze escolas de Los Angeles destinadas pelas autoridades para abrigar "crianças julgadas culpadas de delitos menores" (Minton, 1988, p. 114).

Depois da seleção da amostra, a equipe de Terman compilou um volume considerável de informações sobre cada criança, que resultou nas seiscentas páginas de *Genetic Studies of Genius: Mental and Physical Traits of a Thousand Gifted Children* (Terman, 1925). Terman voltou a testar o grupo no fim da década de 1920 e realizou novas verificações decorridos 25 e 35 anos da testagem inicial (Terman e Oden, 1947 e 1959, respectivamente). Depois da morte de Terman, Robert Sears, um dos membros do grupo de superdotados que, àquela altura, se havia tornado um distinguido psicólogo e pesquisador, assumiu o projeto. Ele promoveu mais cinco verificações de acompanhamento entre 1960 e 1986 e estava preparando *The Later Maturity of the Gifted*, quando faleceu, em 1989 (Cronbach, Hastorf, Hilgard e Maccoby, 1990).

A visão tradicional das crianças superdotadas as representa como, apesar de intelectualmente superiores, fisicamente fracas, socialmente inferiores e consumindo cedo o seu gênio, nunca cumprindo a promessa da infância. Porém, a pesquisa de Terman colocou em questão todos os aspectos desse estereótipo. Verificação após verificação, seu grupo aparentava ser não apenas mais inteligente que os demais, mas também mais bem-sucedido, produtivo, bem-ajustado e fisicamente saudável. A maioria dedicou-se a uma profissão, embora isso tenha ocorrido menos entre as mulheres do grupo. Apesar de terem tido maior probabilidade de profissionalizar-se que suas colegas não superdotadas, as mulheres do grupo de Terman tendiam a frustrar-se com a falta de oportunidades para mulheres nos Estados Unidos de meados do século (Minton, 1988).

Um aspecto final do estudo que merece menção é a dedicação de Terman ao grupo e a correspondente lealdade de seus participantes a ele. Um problema típico da pesquisa longitudinal é a **atrição**: à medida que o tempo passa, os sujeitos acabam saindo do estudo por diversas razões. Porém a atrição não foi um problema para Terman. Dos sujeitos que estavam vivos para as verificações complementares após 10, 25 e 35 anos, participaram 92%, 98% e 93% respectivamente (Minton, 1988). Terman mantinha correspondência regular com centenas de seus "termites"* e importava-se muito com seu progresso na vida. Naturalmente, isso não é de estranhar, já que para ele essas eram as pessoas meritórias que detinham a chave para o futuro dos Estados Unidos.

Muitas vezes se atribui a Terman, e com razão, o crédito de ter sido pioneiro no estudo das crianças superdotadas. Mas havia outros interessados no tema, Goddard, por exemplo, e uma mulher cujo trabalho com crianças superdotadas precedeu o de Terman. Ela pode não as ter estudado tão sistematicamente quanto Terman, mas pode-se afirmar que Leta Hollingworth foi a primeira a defender uma educação especializada para elas. O *Close-Up* deste capítulo analisa o seu trabalho com essas crianças e mostra por que sua pesquisa desbancou a ideia de que as mulheres fossem intelectualmente inferiores aos homens.

---

* Palavra inglesa que significa "térmite", ou "cupim", aqui usada com o sentido de "seguidor ou admirador de Terman, 'termanete'". (N. da T.)

CLOSE-UP
LETA HOLLINGWORTH: EM DEFESA DAS CRIANÇAS SUPERDOTADAS E PELA DERRUBADA DOS MITOS ACERCA DA MULHER

No fim deste capítulo, você conhecerá o trabalho de Harry Hollingworth em psicologia aplicada. Entretanto, ele era apenas um dos membros de uma das duplas dinâmicas da psicologia, pois a contribuição de sua mulher, Leta (Figura 8.7), foi no mínimo tão importante quanto a sua. Numa época em que as mulheres enfrentavam os obstáculos que vimos no Capítulo 6, Leta Hollingworth (1886-1939) conseguiu obter um doutorado em Columbia, tornar-se a "mãe da educação para os superdotados", nas palavras de seu biógrafo, e atacar de frente a crença de que os homens fossem intelectualmente superiores às mulheres.

Como o marido, Leta Stetter Hollingworth nasceu e criou-se em Nebraska, no duro ambiente da fronteira, e ensinou na proverbial — e, neste caso, também literal — escola de uma só sala de aula. Formou-se pela University of Nebraska em 1906 e lecionou por dois anos antes de casar-se com Harry e mudar-se para Nova York, onde ele fazia o segundo ano de pós-graduação em Columbia. Não demorou para que ela se deparasse com um dos preconceitos de gênero do tipo que vimos no Capítulo 6: a opção casamento X carreira. Seu plano era ensinar na rede escolar de Nova York para ajudar no orçamento enquanto Harry terminava seus estudos, mas o que encontrou foi uma política do Conselho de Educação que proibia as mulheres casadas de trabalhar como professoras (Hollingworth, 1990). Então, começou a fazer um curso de pós-graduação ao qual passou a dedicar-se em tempo integral quando Harry terminou o doutorado. Em 1916, obteve um Ph.D. no Teachers College de Columbia, sob a orientação de Thorndike, e imediatamente foi contratada para trabalhar lá como instrutora.

FIGURA 8.7 Leta Hollingworth, que desbancou a hipótese da variabilidade e foi uma pioneira da promoção de oportunidades educacionais especiais para as crianças superdotadas.

No segundo semestre letivo do ano acadêmico de 1918-1919, Hollingworth começou a oferecer um novo curso, Educação 254, destinado a analisar "variantes felizes, os superdotados em geral e especificamente" (citado por Klein, 2002, p. 120). Acredita-se que esse curso, que marca oficialmente o início da dedicação de Hollingworth a esse grupo, tenha sido o primeiro a abordar crianças superdotadas. Seu trabalho culminou com *Gifted Children: Their Nature and Nurture* (1926), o primeiro livro-texto sobre a educação de crianças superdotadas. Embora o tratamento preferencialmente dado na época aos superdotados fosse transferi-los para turmas mais avançadas, Hollingworth achava que isso poderia prejudicar as crianças, pois não conviveriam com colegas de sua idade e igualmente dotados. Em vez disso, ela defendia a abordagem enriquecedora da imersão total. Seu argumento era que os superdotados deveriam frequentar turmas formadas por colegas que tivessem o mesmo grau de inteligência e a mesma idade e seguir o programa com os tópicos normais do currículo, mas com acesso a um nível de estudos que fosse muito além do que era ensinado às crianças não superdotadas.

Embora a educação para os superdotados fosse a grande paixão de sua vida, Hollingworth era também uma feminista que atuava em diversos grupos, defendendo, entre outras coisas, o direito das mulheres ao voto (que afinal foi reconhecido em 1920). Em 1912, por exemplo, ela foi uma das fundadoras do "Heterodoxy Club", ou Clube da Heterodoxia, um grupo de mulheres que se reuniam semanalmente para discutir suas questões. O feminismo de Hollingworth era informado por dados. Dois de seus primeiros estudos, especificamente, questionavam duas crenças amplamente difundidas. A primeira era a **hipótese da variabilidade**, a ideia evolucionista segundo a qual as mulheres apresentariam menos variação de traços que os homens e, portanto, seriam menos aptas para tarefas altamente intelectuais. A segunda era de que as diferenças entre os sexos se deviam à **função periódica** — a noção de que as mulheres estariam intelectualmente incapacitadas durante a menstruação (Poffenberger, 1940).

Hollingworth publicou diversos estudos que refutavam ambas as crenças e resumiu seu trabalho no capítulo ("The Vocational Aptitudes of Women") que escreveu para *Vocational Psychology: Its Problems and Methods*, publicado por seu marido em 1916. No que concerne à hipótese da variabilidade, Hollingworth descobriu que a crença não se apoiava em nenhum tipo de dado empírico. Um estudo que demonstrava não haver diferença entre homens e mulheres adultos em termos de variabilidade de traços físicos havia sido criticado com base na alegação de que se deveria ter investigado crianças a fim de obter "diferenças inerentes ou originais de variabilidade" (Hollingworth, 1916, p. 230). Isso levou Leta e uma amiga pediatra, Helen Montague, a estudar 2 mil recém-nascidos, sendo mil de cada sexo. Depois da coleta de diversas medidas físicas, elas descobriram que os meninos eram ligeiramente maiores que as meninas, mas a *variabilidade* total em tamanho físico era a mesma entre os bebês do sexo masculino e os do feminino (Montague e Hollingworth, 1914).

Quanto à função periódica, foi o tema da tese de doutorado de Hollingworth. A opinião que prevalecia era a de que os homens e as mulheres seriam intrinsecamente desiguais porque, enquanto os homens eram capazes "de trabalhar com afinco de forma contínua e regular, [a mulher], durante um quarto de cada mês, ao longo dos melhores anos da vida, está mais ou menos indisposta e não se presta ao trabalho árduo" (Maudsley, citado por Klein, 2002, p. 91). Isso aparentemente irritou a consciência social de Hollingworth, levando-a a responder:

> Afirma-se categoricamente que, por causa disso [isto é, da função periódica], as mulheres não podem ter uma vida profissional ou comercial. No entanto, ninguém propõe que as cozinheiras, faxineiras, mães, enfermeiras, empregadas domésticas ou dançarinas obtenham licença periódica de suas tarefas e responsabilidades. (Hollingworth, 1916, p. 235)

Na tese, Hollingworth estudou cuidadosamente 23 mulheres e comparou seu desempenho ao de um grupo de homens. Em testes de "velocidade e precisão de percepção, associação controlada, estabilidade, velocidade de movimento voluntário, fatigabilidade e taxa de aprendizagem" (Hollingworth, 1916, p. 236), ela não encontrou nenhuma diferença entre os sexos e, no caso das mulheres, nenhuma diferença atribuível à função periódica.

Hollingworth reconhecia que, na época em que escreveu seu capítulo sobre as mulheres para o livro do marido, pouca pesquisa havia sido feita sobre essas diferenças. Conforme afirmou,

> Tudo que podemos dizer é que, até o presente, a psicologia experimental não divulgou nenhuma diferença de sexo em traços mentais que implique uma divisão de base psicológica do trabalho. [...] Tanto quanto se [...] saiba, as mulheres são tão competentes intelectualmente quanto os homens para dedicar-se a qualquer vocação humana. (Hollingworth, 1916, p. 244)

A pesquisa de Leta Hollingworth sobre a educação dos superdotados e sobre a questão da diferença entre os sexos teria sido ainda mais substancial se ela não tivesse contraído um câncer abdominal que a consumiu ao longo dos dez últimos de seus breves 53 anos de vida.

Robert M. Yerkes (1876-1956): O Programa de Testagem do Exército

No Capítulo 1, vimos Robert Yerkes rapidamente quando falamos sobre como o contexto institucional influenciou a carreira dos primeiros psicólogos. Como você deve estar lembrado, Yerkes (Figura 8.8) começou sua promissora carreira acadêmica em Harvard como psicólogo comparatista, seu amor pelos animais remontando à infância passada numa fazenda (Carmichael, 1957). Mas o interesse de Harvard pela psicologia comparada nunca foi muito grande — a pesquisa era cara, o laboratório fedia e o tema não parecia especialmente relevante ou útil (Reed, 1987). Assim, Yerkes foi pressionado a produzir mais sobre o "lado humano" se quisesse ascender profissionalmente. Embora a psicologia comparada continuasse sendo seu primeiro amor, ele cedeu e escreveu um livro-texto introdutório na linha dominante, o estudo da consciência, e até incluiu exercícios introspectivos no fim de cada capítulo (Yerkes, 1911).

FIGURA 8.8 Robert Yerkes na época do programa de testagem do exército.

DATA-CHAVE 1917

Este ano marcou o nascimento do programa de testagem mental do exército durante a Primeira Guerra Mundial, o qual deu grande impulso à psicologia aplicada nos Estados Unidos.

Os seguintes fatos também ocorreram:

- A Iowa Children Welfare Research Station, afiliada à University of Iowa, foi criada, tornando-se um grande centro de pesquisa do desenvolvimento infantil; Kurt Lewin (Capítulo 9) trabalhou lá durante nove anos, a partir de 1935
- Um telescópio refletor de cem polegadas foi instalado em Mount Wilson, Califórnia
- Quatro mulheres foram presas por fazer piquete na Casa Branca em defesa do voto feminino e condenadas a seis meses de prisão
- O salário anual do ator Charlie Chaplin atingiu US$ 1 milhão
- Os aliados executaram a dançarina alemã Mata Hari, acusada de espionagem
- A Revolução Russa levou os bolcheviques ao poder e à formação da União das Repúblicas Socialistas Soviéticas (URSS)
- A exigência de alfabetização para obtenção da cidadania norte-americana foi aprovada, apesar do veto do presidente Wilson
- Na Primeira Guerra Mundial, as forças alemãs recuaram na frente ocidental, ocorreu uma revolução em fevereiro na Rússia e Pershing chegou a Paris para liderar as tropas norte-americanas
- Nasceram:

    John Fitzgerald Kennedy, presidente dos Estados Unidos

    M. Pei, arquiteto sino-americano (autor de projetos como o da biblioteca John F. Kennedy, em Boston, e o da pirâmide do Louvre)

    Andrew Wyeth, artista norte-americano (por exemplo, *Christina's World*)

- Morreram:

    William F. ("Buffalo Bill") Cody, *cowboy* e empresário norte-americano

    Auguste Rodin, escultor francês (por exemplo, *O Pensador*)

Além disso, ampliou suas credenciais trabalhando meio período no departamento de psicopatologia do Boston State Hospital de 1913 a 1917, onde familiarizou-se com a testagem da inteligência administrando os testes de Binet aos pacientes e aperfeiçoando o sistema de cálculo dos resultados. Contudo, ainda assim, Harvard não o promoveu, apesar de a reputação entre seus pares haver-lhe valido a presidência da American Psychological Association em 1917. Nesse mesmo ano, talvez cansado de esperar a promoção em Harvard, ele aceitou o convite para chefiar o departamento de psicologia da University of Minnesota. Porém, o destino interveio, e Yerkes nunca chegou a se mudar para o meio-oeste.

Em abril de 1917, quando co-organizava uma reunião dos experimentalistas de Titchener em Harvard, os Estados Unidos declararam guerra à Alemanha e entraram na Primeira Guerra Mundial. O grupo então convocou uma reunião em caráter extraordinário para discutir como a psicologia poderia ajudar nos esforços de guerra e, como presidente da APA, Yerkes naturalmente assumiu a liderança. Posteriormente, ele diria que não tinha nenhum interesse especial em assumir o projeto do exército, mas o fizera pelo senso de dever (Dewsbury, 1996). Não obstante, logo revelou ser um organizador excelente e muito persuasivo, convencendo os militares de que a testagem psicológica poderia ajudar nos esforços de guerra.

Em agosto de 1917, o exército o nomeou major e chefe de um grupo de psicólogos de elite (entre os quais Terman) encarregado de preparar testes mentais. A tarefa era de enormes proporções. Para começar, o simples número de pessoas por testar exigia que a testagem tradicional de Binet, feita individualmente, fosse substituída pela testagem de grupo. Em segundo lugar, embora parte da meta fosse a identificação dos inaptos, como na tradição de Binet — só que, nesse caso, para o exército, em vez da escola —, Yerkes tinha planos mais ambiciosos: criar testes que permitissem ao exército identificar aqueles com aptidões especiais, a fim de colocá-los onde melhor pudessem servir à causa. Yerkes esperava conseguir selecionar, por exemplo, os melhores candidatos para treinamento como oficiais do exército. Em outubro houve um ensaio dos testes em quatro acampamentos militares e, no fim de dezembro de 1917, a direção geral de saúde pública decretou que a testagem psicológica fosse feita com todos os novos recrutas. O programa foi implementado e já ia de vento em popa no início de 1918. Quando a guerra acabou, em novembro desse ano, Yerkes e sua equipe haviam testado 1.726.966 soldados (Yoakum e Yerkes, 1920).

Alfa e Beta

Como cerca de 30% dos recrutas não sabiam "ler e entender o que estava escrito nos jornais nem escrever cartas para casa" (Yoakum e Yerkes, 1920, p. 12), Yerkes criou para o exército um teste em duas versões. Os recrutas que soubessem ler o suficiente e obedecer instruções escritas recebiam o teste **Alfa**; o teste **Beta** foi criado para aqueles de grau de escolaridade inferior. Ambos exigiam cerca de uma hora. Todos os soldados que não passassem no Alfa receberiam o Beta, e os que não passassem no Beta deveriam ser testados individualmente. Porém, por problemas de logística e de tempo, ambas as retestagens tiveram de ser eliminadas. O teste Alfa era formado por um grupo de oito testes e o Beta, de sete (veja a Tabela 8.4). Quando recebiam a versão Alfa, os soldados eram instruídos acerca do objetivo do teste: "ver o quanto você é capaz de lembrar, pensar e executar o que lhe mandaram fazer. Não estamos procurando loucos. O objetivo é ajudar a descobrir aquilo que você pode fazer melhor no exército" (Yoakum e Yerkes, 1920, p. 53). Os que eram testados com a versão Beta, por sua vez, recebiam apenas ordens de seguir as instruções e "não fazer perguntas" (p. 82); não lhes explicavam por que estavam fazendo o teste.

Tabela 8.4 Subtestes dos testes Alfa e Beta do exército

Subtestes dos testes Alfa	Subtestes dos testes Beta
Teste de ordens	Teste de labirinto
Problemas de aritmética	Análise de cubo
Juízo prático	Série X-O
Sinônimos e antônimos	Dígito-símbolo
Sentenças fora de ordem	Verificação de números
Completar séries de números	Completar séries de figuras
Analogias	Construção geométrica
Informação	

Para se ter uma ideia melhor do que esperava os soldados, vejamos o primeiro teste Alfa: o de ordens ou instruções. Os soldados tinham diante de si a folha de respostas apresentada na Figura 8.9 e ouviam que, no exército, era importante saber cumprir ordens. O teste verificava se eles conseguiriam sair-se bem nesse quesito. Em cada uma das doze questões, eles deveriam fazer determinadas marcas na página, dentro de apenas alguns segundos. A seguir, três das ordens que eles recebiam:

> 4. Atenção! Observe o número 4. Quando eu disser "já", desenhe a figura 1 no espaço que está no círculo, mas não no triângulo nem no quadrado. Desenhe também a figura 2 no espaço que está no triângulo e no círculo, mas não no quadrado. Já! (Não permitir mais de 10 segundos)
> 7. Atenção! Observe o número 7. Quando eu disser "já", risque a letra que vem antes de C. Faça também uma linha sob a segunda letra antes de H. Já! (Não permitir mais de 10 segundos)
> 11. Atenção! Observe o número 11. Quando eu disser "já", trace uma linha que corte todos os números pares que não estão dentro de um quadrado e todos os números ímpares que estão num quadrado com uma letra. Já! (Não dar mais de 25 segundos) (Yoakum e Yerkes, 1920, pp. 55-6)

Três dos testes Beta são apresentados na Figura 8.10. No teste de labirinto, os recrutas tinham de desenhar uma linha para indicar a saída do labirinto — as linhas pontilhadas são as respostas corretas. No teste 4, o de dígito-símbolo, os símbolos emparelhados a cada número tinham de ser reproduzidos nos espaços em branco. No teste 6, os recrutas deveriam desenhar os elementos que faltavam em cada figura. Eles tinham dois minutos para completar tantos labirintos e dígitos-símbolos quantos pudessem, e três minutos para fazer o teste de completar as séries de figuras.

Apesar de quase dois milhões de soldados terem feito os testes, a guerra terminou antes de eles poderem ser utilizados efetivamente pelo exército. Na verdade, a maioria dos historiadores concluiu que o exército tirou pouco ou nenhum proveito do empreendimento (por exemplo, Kevles, 1968). Durante a guerra, muitos dos militares julgaram os testes mais eficazes que os métodos tradicionais para colocação dos soldados. Porém outros recusaram-se a usar os resultados dos testes, alguns dos comandantes locais não cooperaram com os examinadores que aplicavam os testes e as condições da testagem muitas vezes eram tão precárias que tornavam os resultados inúteis. Num determinado instante, o ministro da guerra indagou aos chefes dos acampamentos acerca do valor do programa de testagem, e a maioria das cem respostas obtidas foi negativa (Gould, 1981). O fato de o exército haver cessado a testagem logo após o fim da guerra sugere que o primeiro escalão não ficou muito impressionado com a utilidade do programa. Por outro lado, o programa de testagem lançou a base para uma abordagem científica do trabalho da equipe do exército e muitos dos oficiais mais jovens perceberam seus potenciais benefícios. E o programa certamente deu um impulso à psicologia. Nas palavras de um historiador, "[e]mbora a testagem possa não ter dado uma contribuição significativa à guerra, a guerra deu uma contribuição significativa à testagem e, por tabela, à psicologia em geral" (Minton, 1988, p. 74).

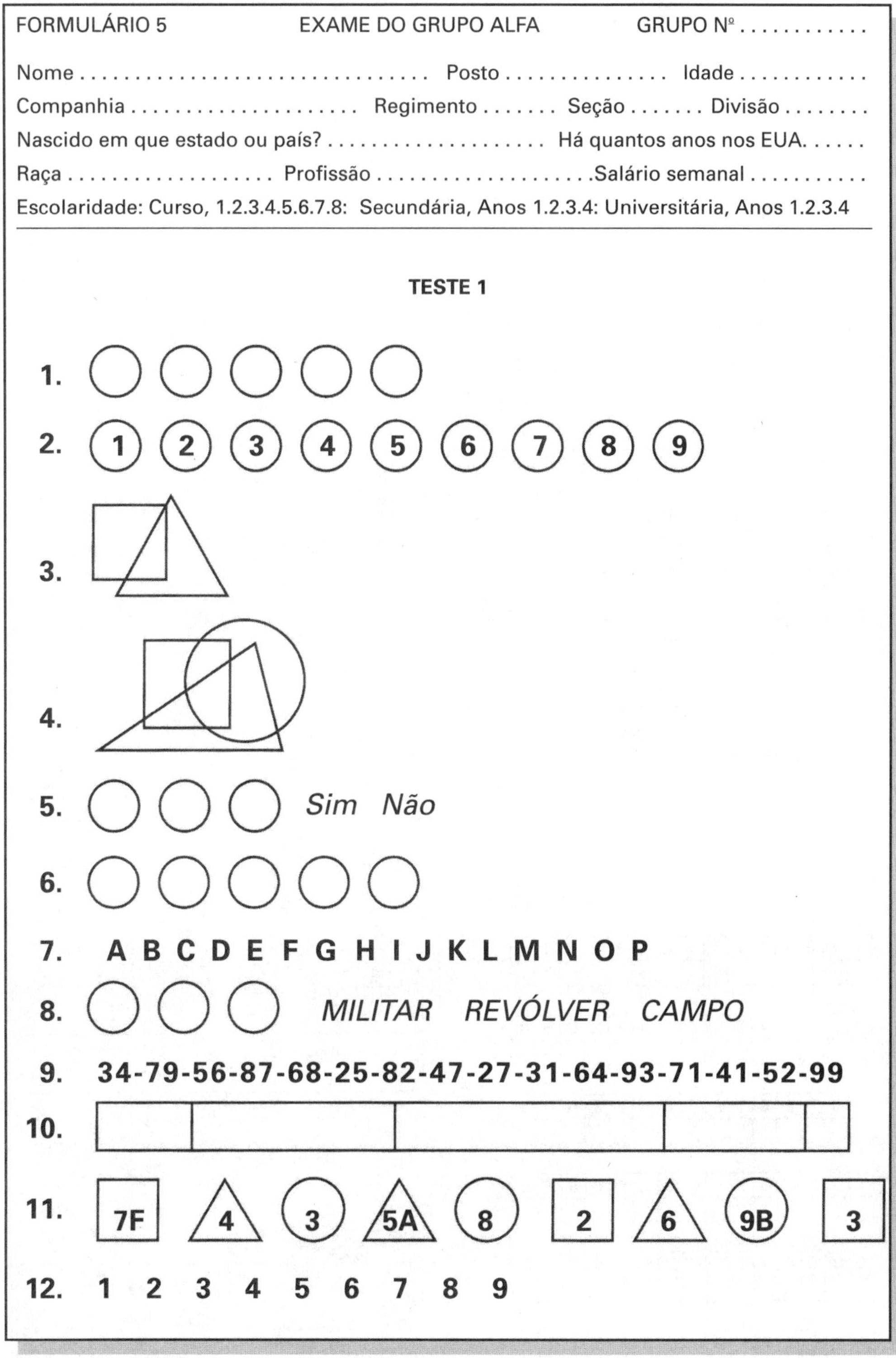

| FORMULÁRIO 5 | EXAME DO GRUPO ALFA | GRUPO Nº............ |

Nome............................... Posto............... Idade............
Companhia.................... Regimento....... Seção....... Divisão........
Nascido em que estado ou país?................... Há quantos anos nos EUA......
Raça.................. Profissão....................Salário semanal...........
Escolaridade: Curso, 1.2.3.4.5.6.7.8: Secundária, Anos 1.2.3.4: Universitária, Anos 1.2.3.4

TESTE 1

1. ◯ ◯ ◯ ◯ ◯

2. ① ② ③ ④ ⑤ ⑥ ⑦ ⑧ ⑨

3. [quadrado e triângulo sobrepostos]

4. [quadrado, círculo e triângulo sobrepostos]

5. ◯ ◯ ◯   Sim   Não

6. ◯ ◯ ◯ ◯ ◯

7. A B C D E F G H I J K L M N O P

8. ◯ ◯ ◯   MILITAR   REVÓLVER   CAMPO

9. 34-79-56-87-68-25-82-47-27-31-64-93-71-41-52-99

10. [caixas retangulares]

11. ▢7F △4 ◯3 △5A ◯8 ▢2 △6 ◯9B ▢3

12. 1 2 3 4 5 6 7 8 9

FIGURA 8.9 Teste para verificar o cumprimento de ordens, parte do teste Alfa do exército (extraído de Yoakum e Yerkes,1920).

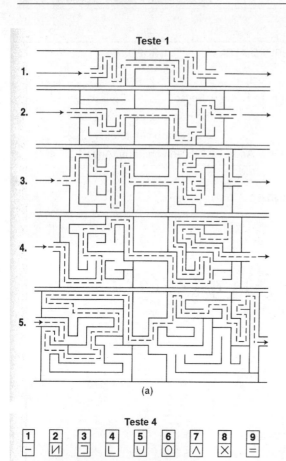

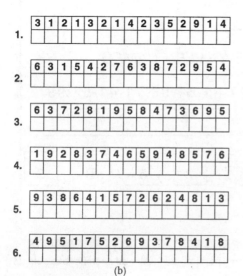

FIGURA 8.10 Os subtestes do teste Beta incluíam (a) labirintos, (b) correspondência entre dígitos-símbolos e (c) séries de figuras para completar (extraídos de Yoakum e Yerkes, 1920).

Certo de que o projeto mostrava que a testagem mental poderia ser aplicada em larga escala, após a guerra, Yerkes não mediu esforços para alardear seus benefícios. Outros psicólogos logo fizeram o mesmo. Terman, por exemplo, alegou que a testagem havia "tirado a psicologia das nuvens e [...] transformado a 'ciência das trivialidades' na 'ciência da engenharia humana'" (Terman, 1924, p. 106). Yerkes e Terman juntaram-se a outros psicólogos de destaque (entre os quais Thorndike) para criar os "Testes Nacionais de Inteligência" em 1920. O anúncio reproduzido na Figura 8.11 mostra como o suposto sucesso do programa de testagem do exército foi usado abertamente para promover a testagem grupal nas escolas.

A década de 1920 logo ficou conhecida como "o apogeu do movimento de testagem" (Goodenough, 1949, citado por Dennis, 1984, p. 23), à medida que a testagem mental se disseminou nas escolas, no comércio e na indústria. As universidades começaram a usar os testes para seleção de candidatos, e as revistas de maior circulação começaram a publicar testes informais de caráter, personalidade e habilidade. Um dos colaboradores da revista *Harper's*, referindo-se ao teste mental como "esse brilhante estratagema", observou ironicamente que "[e]m praticamente todas as camadas sociais [...], [ele estava] sendo usado como meio de descobrir o que ninguém sabe e para que atividade específica as pessoas têm menos aptidão" (citado por Dennis, 1984, pp. 23-4). Entretanto, a onda perdeu impulso quando defensores e detratores da testagem iniciaram um cáustico debate acerca da natureza da inteligência e do QI que prossegue até os dias de hoje. Porém, antes de passarmos ao exame das controvérsias que cercam a testagem, voltemos a Robert Yerkes.

Depois da guerra, Yerkes declinou da oferta que recebera da University of Minnesota e permaneceu em Washington como administrador do National Research Council, recém-organizado para a promoção da ciência nos Estados Unidos. Em 1924, voltou à academia quando James Angell, seu grande amigo e colega de Harvard, agora reitor de universidade, o convidou a participar do recém-criado Institute of Psychology de Yale. Ali, pôde retomar seu primeiro amor, o estudo do comportamento animal, e dar início a uma campanha para a criação de um centro de pesquisa do comportamento dos primatas. O resultado foi a abertura da Anthropoid Experiment Station

---

Preparados sob os auspícios do Conselho Nacional de Pesquisa

TESTES NACIONAIS DE INTELIGÊNCIA

M. E. Haggerty, L. M. Terman, E. L. Thorndike, G. M. Whipple e R. M. Yerkes

ESSES testes são resultado direto da aplicação dos métodos de testagem do exército às necessidades das escolas. Eles se destinam a fornecer testes grupais para o exame das crianças matriculadas nas escolas e promovem os maiores benefícios dos testes de Binet e outros similares.

A eficácia dos testes de inteligência do exército em problemas de classificação e diagnóstico é uma medida do sucesso que pode ser esperado com os Testes Nacionais de Inteligência, ainda mais aperfeiçoados depois da experiência da testagem do exército.

Esses testes foram selecionados a partir de um extenso grupo de testes após ensaio e cuidadosa análise por uma equipe de estatísticos. As duas escalas preparadas consistem em cinco testes cada (com exercícios práticos) e podem ser administradas em trinta minutos. De aplicação simples, elas são confiáveis e de utilidade imediata na classificação de crianças da terceira à oitava série com relação à capacidade intelectual. A contagem dos resultados é da maior simplicidade.

As escalas podem ser usadas separadamente, porém a confiabilidade dos resultados aumenta com a reavaliação feita com a segunda escala depois de um intervalo de pelo menos um dia.

A escala A abrange testes de raciocínio aritmético, de completar sentenças, de seleção lógica, de sinônimos e antônimos e de símbolo-dígito. A escala B possui testes de completar, informação, vocabulário, analogias e comparações.

Escala A: *Formulário* 1. 12 páginas. Preço por pacote de 25 folhetos de exames, 2 chaves de respostas e 1 registro de turma: US$1,45 (líquido)
Escala A: *Formulário* 2. Mesma descrição, mesmo preço.
Escala B: *Formulário* 1. 12 páginas. Preço por pacote de 25 folhetos de exames, chave de respostas e registro de turma: US$1,45 (líquido)
Escala B: *Formulário* 2. Mesma descrição, mesmo preço.
Manual de Instruções: Papel. 32 páginas. Preço: US$0,25 (líquido)
Conjunto de Amostras: Uma cópia de cada Escala e respectiva chave de respostas e Manual de Instruções: US$0,50 (a pagar na entrega)

Trabalho experimental financiado pelo Conselho Geral de Educação por dotação de US$25.000

WORLD BOOK COMPANY
Yonkers-on-Hudson, New York
2126 Prairie Avenue, Chicago

FIGURA 8.11 Anúncio dos Testes Nacionais de Inteligência para escolares, baseados nos testes do exército (extraído de Gould, 1981).

da Yale University em 1930 no Orange Park, Flórida, perto de Jacksonville. Quando Yerkes se aposentou em 1941, o centro foi rebatizado com o nome de Yerkes Laboratories of Primate Biology. Transferido para Atlanta em 1965, o Yerkes Primate Center é hoje talvez o principal centro de pesquisas sobre primatas do mundo (Dewsbury, 1996).

A Controvérsia em Torno da Inteligência

Os líderes do movimento da testagem mental, Goddard, Terman e Yerkes, partilhavam a crença de que (a) a capacidade mental era basicamente o resultado da herança genética, (b) o ambiente tinha pouco ou nenhum efeito sobre essa capacidade no geral, (c) a inteligência poderia compor-se de diversas habilidades, mas subjacente a todas elas estaria uma única capacidade unitária[4] e (d) essa capacidade era o que os testes de inteligência mediam. Na década de 1920, os testes encabeçavam o anteriormente mencionado "apogeu" da testagem mental. Contudo, na metade da década, essa testagem foi alvo de ataques vindos de várias direções. Anne Anastasi, autora do mais conhecido livro-texto sobre testagem, diria posteriormente que "[a] explosão da testagem nos anos de 1920 provavelmente contribuiu mais para retardar que para avançar o progresso da testagem" (Anastasi, 1993, p. 17). Afinal, o que aconteceu?

Um dos primeiros sinais de problemas já poderia ser detectado no relatório em que Yerkes resumiu, em 1921, o programa de testagem do exército. Perdida no calhamaço de 890 páginas estava a seguinte afirmação: "Aparentemente a inteligência da principal amostra de indivíduos brancos do corpo conscrito, quando transmutada dos exames Alfa e Beta em termos de idade mental, é de aproximadamente 13 anos" (Yerkes, 1921, p. 785). A julgar verdadeiras a crença amplamente difundida de que a idade mental de um adulto normal deveria ser 16 e a escala de deficiência de Goddard, que considerava tolos aqueles cujos resultados se situassem entre 8 e 12 anos, isso era de fato alarmante. Se o programa de testagem do exército fosse válido e a amostra, representativa (com 1,7 milhão de participantes, certamente era grande o suficiente), então os Estados Unidos estavam se tornando uma nação de tolos. Embora alguns críticos posteriormente dissessem que, com problemas como as péssimas condições da testagem e a impossibilidade de implementar o esquema de retestagem, fosse praticamente impossível interpretar os resultados, o relatório reforçou os preconceitos existentes e gerou alarme. Seria possível que os temores dos eugenistas tivessem fundamento? E que todos os anos de imigração irrestrita e ausência de controle sobre a reprodução dos débeis mentais estivessem reduzindo a inteligência geral do país? Para pôr mais lenha na fogueira, Yerkes observou no *Atlantic Monthly* que, com base nos resultados dos testes do exército, não mais que 10% dos norte-americanos "são intelectualmente capazes de atender aos requisitos de uma formatura de graduação" (citado por Degler, 1991, p. 168).

Além disso, Yerkes pesquisou a inteligência como função da nacionalidade e apresentou dados de acordo com os quais os norte-americanos nativos obtinham melhores resultados. E, apoiando os temores prevalecentes em relação aos novos imigrantes, relatou que os soldados de origem norte-europeia apresentavam idade mental superior à dos que tinham raízes no sul ou no leste da Europa. A idade mental média deste segundo grupo seria de 11. Carl Brigham, que participou do projeto do exército, destacou os dados relativos aos imigrantes em *A Study of American Intelligence*

---

4. Nesse aspecto, a maioria dos norte-americanos concordava com o psicólogo e estatístico britânico Charles Spearman, segundo o qual, embora pudessem existir habilidades intelectuais distintas, por trás de todas elas estaria uma capacidade intelectual unitária, a qual ele denominava "g", de inteligência "geral".

(1923), advertindo que a imigração em massa e contínua do sul e do leste da Europa, juntamente com a tendência desses grupos a ter famílias grandes, acabaria por colocar em risco o QI nacional. E fez uma sugestão de mau augúrio que encontraria eco na Alemanha dos anos de 1930: a de que as raças nórdicas louras seriam intrinsecamente superiores às demais.

Tudo isso ocorreu numa época em que o clima político geral caracterizava-se por um crescente **nativismo**, um nacionalismo defensivo que via todos os "de fora" com suspeita e inquietação. Esse nativismo se exacerbou nos anos de 1920 devido a uma série de fatores. A imigração, que havia entrado em declínio durante a guerra, estava crescendo novamente. Os novos imigrantes, já antipatizados, pareciam cada vez menos dispostos a integrar-se ao mítico caldeirão de culturas dos Estados Unidos. Eles mantinham suas próprias línguas e suas comunidades e grande parte não pretendia permanecer no país: sua meta era ganhar dinheiro suficiente para voltar para casa. Além disso, com a revolução bolchevique de 1917 nas manchetes, os anos de 1920 testemunharam a primeira onda causada pela "Ameaça Vermelha", e os norte-americanos muitas vezes viam os imigrantes russos como subversivos, e não como refugiados do novo e severo regime soviético. Assim, não foi surpresa quando o congresso aprovou em 1924 o National Origins Act, uma lei que estabelecia cotas de imigração com base em dados de 1890 (ou seja, antes da mudança nos padrões da imigração). Os psicólogos norte-americanos que lideraram o movimento de testagem mental foram algumas vezes taxados de líderes da causa da restrição à imigração, mas eles tanto promoveram quanto refletiram o contexto de sua época.

Embora os temores diante da imigração fossem amplamente difundidos, nem todos se dispunham a aceitar as crenças quanto ao QI compartilhadas por Goddard, Terman, Yerkes e outros (por exemplo, Thorndike). Embora a imprensa popular não parasse de publicar artigos sobre os riscos da imigração, dando a entender que por trás havia consenso entre os cientistas sociais, na verdade o que havia nessa comunidade era muita discórdia (Satariano, 1979). O eminente antropólogo Franz Boas, por exemplo, era um crítico acirrado da visão hereditária, defendendo em seu lugar uma visão que levava em conta o efeito da cultura sobre as capacidades mentais (Degler, 1991). Dentro da psicologia, o behaviorismo (Capítulos 10 e 11), com sua ênfase nos poderosos efeitos do condicionamento, estava começando a criar um impacto moderador, fazendo a opinião pública mudar da natureza (o inato) para o ambiente (o adquirido). Além disso, numerosos psicólogos (por exemplo, Freeman, 1922) pediram cautela na interpretação dos dados do exército, lembrando que a testagem mental ainda estava no início e que os efeitos da criação sobre os resultados de QI não podiam ser ignorados quando os dados fossem interpretados. Em geral, antes de o behaviorismo começar a levar os psicólogos para o lado do ambiente nessa questão, tanto os psicólogos quanto os biólogos tendiam a explicações hereditárias da capacidade mental, ao passo que antropólogos e sociólogos tendiam a um foco ambiental (Hilgard, 1987).

O debate sobre a inteligência e a testagem de QI que ganhou maior visibilidade nos anos de 1920 decorre de uma série de seis artigos, publicados no *The New Republic* por seu fundador, o famoso colunista Walter Lippmann, e réplicas de Terman, também publicadas na mesma revista. Nem um nem outro usaram meias palavras. Admitindo que os testes poderiam ter alguma utilidade no nivelamento de alunos ou na seleção de empregados, Lippmann ridicularizou a noção de que os testes mediam a "inteligência" geral inata, argumentando que "[n]ão podemos medir a inteligência se nunca a definimos. Tampouco podemos falar de sua base hereditária se ela se funde de maneira indistinguível a milhares de influências educacionais e ambientais, do momento da concepção até a idade escolar" (Lippmann,

1922a, p. 10). Além disso, Lippmann estava indignado com a possibilidade de a testagem condenar para sempre uma criança que por acaso não se saísse muito bem em um segmento de cinquenta minutos de sua vida. Com as implicações da meritocracia de Terman em mente, ele afirmou que o resultado poderia ser "um sistema de castas intelectuais no qual a tarefa da educação cede lugar à doutrina da predestinação e da danação dos bebês" (1922b, p. 298). Terman, a quem Lippmann havia aludido textualmente ao comparar a testagem a outras "manias", como a frenologia e a quiromancia, reagiu com um artigo que na verdade não respondia a Lippmann, mas apenas o acusava de ser um amador absoluto que deveria cuidar da própria vida e deixar os profissionais lidarem com as complexidades. Não foi um dos melhores momentos de Terman e decorria de uma dificuldade que ele tinha em admitir as críticas (especialmente se provenientes de alguém que não fosse cientista). Depois ele viria a lamentar ter escrito esse artigo (Minton, 1988). Com efeito, embora tenha sido um dos que mais defenderam a visão hereditária da inteligência, perto do fim da vida Terman mudou de ideia. Em um capítulo autobiográfico para *A History of Psychology in Autobiography*, ele disse que as diferenças de QI nunca poderiam ser inteiramente explicadas por fatores ambientais — a hereditariedade era a chave. Contudo, em seu próprio exemplar desse volume, esse trecho do seu artigo está marcado e à margem se lê: "Tenho menos certeza disso agora (1951)! E ainda menos em 1955! — L.M.T." (citado por Hilgard, 1957, p. 478). As questões que dizem respeito à influência relativa da natureza e do ambiente, à utilidade do QI como medida da inteligência e à própria natureza da inteligência continuam a ser debatidas hoje em dia.

APLICAÇÃO DA PSICOLOGIA AO TRABALHO

Calvin Coolidge, presidente de 1923 a 1929, disse certa vez que o negócio dos Estados Unidos eram os negócios. Esse sendo o caso, e com o desejo dos psicólogos de contribuir de maneira relevante para a vida dos norte-americanos, não é surpresa que os psicólogos tenham se interessado em aplicar seu conhecimento ao mundo dos negócios. Já em 1895, em *Thinking, Feeling, Doing*, Scripture dizia que os anunciantes poderiam beneficiar-se com o que os psicólogos sabiam sobre a atenção e a memória. Logo depois da virada do século, Walter Dill Scott (1869-1955), jovem professor da Northwestern University, em Chicago, que havia sido treinado por Wundt em Leipzig, recebeu um convite para escrever uma série de artigos sobre a psicologia da publicidade pelo diretor de uma agência local de propaganda. Embora possa ter parecido ao jovem experimentalista apenas uma diversão interessante, isso foi o início de uma bem-sucedida carreira naquilo que por fim se chamaria psicologia industrial. Em 1903, Scott reuniu os artigos, que haviam sido publicados numa revista, num livro intitulado *The Theory of Advertising* (1903) e, cinco anos depois, lançou *The Psychology of Advertising* (1908). Um dos principais temas da teoria da publicidade de Scott era o fato de os consumidores não serem racionais em suas decisões e poderem ser influenciados pela sugestão e pelo apelo à emoção. Scott escreveu também *Increasing Human Efficiency in Business* (1911), no qual empregou princípios psicológicos para sugestão de meios de aumentar a produtividade dos operários.

Nessa mesma época, Hugo Münsterberg, jovem psicólogo alemão também egresso do laboratório de Wundt, estava trabalhando em Harvard e começando a se envolver com o que chamava "psicologia econômica". Embora ao morrer tenha se tornado uma das figuras mais vilipendiadas nos Estados Unidos, ele foi o mais visível expoente da psicologia aplicada do país nos primeiros quinze anos do século XX.

Hugo Münsterberg (1863-1916): A Diversidade da Psicologia Aplicada

Como uma das estrelas que despontavam na nova psicologia experimental na Alemanha, Hugo Münsterberg (Figura 8.12) atraiu a atenção de William James no momento em que o maior psicólogo norte-americano, perdendo o interesse pela psicologia, estava se voltando para a filosofia e queria afastar-se do laboratório. O jovem Münsterberg não apenas havia obtido um Ph.D. com Wundt, em Leipzig, mas também se formara em medicina em Heidelberg. Além disso, havia criado um produtivo laboratório de psicologia experimental em Freiburg, no final da década de 1880. James ficara muito impressionado com a pesquisa de Münsterberg, citando-a frequentemente em seus *Principles of Psychology*. Com a promessa de encontrar um laboratório bem equipado e não ter de dar muitas aulas, James conseguiu levar Münsterberg para Harvard no mesmo ano em que Titchener chegou a Cornell, 1892. Münsterberg permaneceu em Harvard os três anos que durou sua licença de Freiburg e, em seguida, voltou para a Alemanha pretendendo dedicar-se ao ensino. Porém não encontrou nenhum cargo disponível e voltou para Harvard em 1897, dessa vez para sempre. Embora até recentemente sua obra tenha sido amplamente ignorada (Moskowitz, 1977), sua carreira foi simplesmente notável: chefia do departamento de filosofia de Harvard de 1899 até sua súbita morte em 1916 e presidência de ambas as APAs (a de psicologia e a de filosofia), além de amizades entre os ricos e famosos.

Embora mal entendesse inglês ao chegar a Cambridge e levasse dois anos até poder dar aulas falando o idioma, Münsterberg conseguiu escrever mais de vinte livros entre sua chegada aos Estados Unidos e sua morte. Além disso, tornou-se uma figura conhecida do grande público porque escrevia muito em revistas de grande circulação, como a *Harper's* e a *Atlantic Monthly*, sobre temas como hipnose, jogos de azar, detecção de mentiras, democracia, coeducação e comunicação com os mortos (Benjamin, 2000). E era também uma figura controversa: uma de suas metas era explicar a personalidade e o temperamento norte-americanos ao público alemão e, ao público norte-americano, todas as boas qualidades dos alemães. Suas intenções podem ter sido as melhores, ele podia estar sendo movido pelo simples desejo de promover a compreensão intercultural e, por algum tempo, sua fama de embaixador da boa vontade chegou até a valer-lhe um convite do presidente Roosevelt para jantar na Casa Branca (Moskowitz, 1977). Porém, com a aproximação da Primeira Guerra Mundial, sua defesa da cultura alemã e seus ataques ao que julgava ser propaganda anti-alemã fizeram a opinião pública se voltar contra ele. E, assim, Münsterberg passou a ser odiado pelo público e foi condenado pelos editores e acusado de espionagem (Landy, 1992). Depois que um editorial do

FIGURA 8.12 Hugo Münsterberg.

London Times taxou Harvard de ser um centro de agitação pró-Alemanha, ele tornou-se um pária mesmo entre os colegas, e Eliot, ex-reitor de Harvard, chegou ao ponto de colocar em dúvida a sua sanidade (Spillman e Spillman, 1993). Podemos apenas imaginar os efeitos dessa execração, mas a tensão a que Münsterberg foi submetido provavelmente contribuiu para sua morte, aos 53 anos, de hemorragia cerebral, quando ministrava uma palestra em Radcliffe, em 16 de dezembro de 1916.[5]

Nos produtivos anos em que esteve em Harvard, Münsterberg contribuiu muito para o crescimento da psicologia experimental nos Estados Unidos. Eclético, ele não só se interessava pessoalmente por temas os mais diversos, mas também se dispunha a orientar os alunos na pesquisa de qualquer assunto, aceitando todos os que quisessem pesquisar alguma coisa — até mesmo aqueles que, por uma questão de sexo, eram impedidos de frequentar oficialmente a universidade, como Mary Calkins (Capítulo 6). Logo depois de sua chegada, ele conseguiu convencer a administração a investir na construção de um novo prédio, com 24 salas, para abrigar um laboratório de ponta. Esse laboratório tinha instalações para pesquisa tanto humana quanto animal, e era Robert Yerkes o encarregado desta. Entretanto, a partir da virada do século, Münsterberg passou a dedicar menos de seu tempo ao laboratório e mais à psicologia aplicada. Um de seus vários interesses era a psicologia legal, voltada para a aplicação da psicologia a questões legais. Em seu famoso *On the Witness Stand* (1908), livro que foi um grande sucesso de vendas, ele apresenta razões que explicam por que os testemunhos oculares muitas vezes são falhos, muitas das quais foram ratificadas pela pesquisa moderna. Além disso, adverte contra o uso da hipnose no tribunal como meio de determinar culpa ou a inocência e, no capítulo final, "The Prevention of Crime", assume uma postura contrária à visão vigente, que atribuía o comportamento humano à hereditariedade, promovendo a ideia de que "a prevenção do crime é mais importante que o tratamento do crime" (p. 233). Para Münsterberg, ninguém nascia criminoso, mas se tornava um criminoso.

Além de escrever sobre a lei, Münsterberg contribuiu para a psicologia do anormal, adotando uma abordagem baseada na sugestão para o tratamento da insanidade. Em resumo, sua estratégia presumia que, caso sugerisse aos pacientes como deveriam comportar-se e pensar, o poder de sua autoridade os levaria a obedecer e curar-se. Em *Psychotherapy* (1909), ele criticou a recente popularidade da teoria de Freud e sua crença na importância do inconsciente. Muitas vezes adiante de sua época, mas atrás dela nesse caso, Münsterberg afirmou que o subconsciente tinha pouco impacto sobre o comportamento, se é que tinha algum. Contudo, ele reconheceu a importância da ênfase que Freud dava aos determinantes da tenra infância sobre as patologias posteriores.

Münsterberg e a Seleção de Funcionários

Foi na área da psicologia industrial, ou "econômica", como ele a chamava, que Münsterberg teve maior impacto como psicólogo aplicado. Essa influência resulta principalmente de anotações feitas para uma série de palestras que compilou num livro, publicado originalmente em alemão em 1912 e um ano depois em inglês, intitulado *Psychology and Industrial Efficiency* (Münsterberg, 1913). A grande variedade de tópicos que abordava pode ser depreendida da leitura do seu Sumário, apresentado na Tabela 8.5. Depois de alguns capítulos introdutórios, Münsterberg dividiu o

---

5. Depois da morte de Münsterberg, a psicologia entrou em declínio em Harvard. Seu cargo foi oferecido a Titchener, que o recusou, e Cattell ofereceu-se para ocupá-lo, mas foi vetado. Harvard convidou então o psicólogo britânico William McDougall, que logo se sentiu isolado e voltou para a Europa. O departamento só começou a se recuperar depois de induzir E. G. Boring a deixar Clark e ir para Cambridge, em 1922 (Hilgard, 1987).

Tabela 8.5 Sumário de *Psychology and Industrial Efficiency*, de Münsterberg

I. Psicologia aplicada
II. As exigências da vida cotidiana
III. Meios e fins

O Melhor Candidato

IV. Vocação e aptidão
V. Orientação vocacional científica
VI. Administração científica
VII. Os métodos da psicologia experimental
VIII. Experimentos feitos para o Serviço de Transportes Ferroviários Elétricos
IX. Experimentos feitos para o Serviço de Transportes Marítimos
X. Experimentos feitos para o Serviço de Comunicações Telefônicas
XI. Contribuições de Homens de Negócios
XII. Indivíduos e grupos

O Melhor Emprego

XIII. Aprendizagem e treinamento
XIV. O ajuste entre condições técnicas e psicológicas
XV. A economia do movimento
XVI. Experimentos sobre a questão da monotonia
XVII. Atenção e fadiga
XVIII. Influências físicas e sociais sobre a força de trabalho

O Melhor Efeito

XIX. A satisfação de exigências econômicas
XX. Experimentos sobre os efeitos da publicidade
XXI. O efeito da divulgação
XXII. Experimentos relativos à imitação ilegal
XXIII. Compra e venda
XXIV. O futuro desenvolvimento da psicologia econômica

---

livro em três amplos tópicos: "O Melhor Candidato", "O Melhor Emprego" e "O Melhor Efeito". No primeiro, ele queria demonstrar como os métodos da psicologia poderiam ser usados para selecionar funcionários. Defendendo a importância da boa seleção de recursos humanos, ele traça um interessante paralelo que envolve os riscos que então ameaçavam os recursos naturais (os quais levaram à criação, pouco tempo depois, de parques nacionais como Yellowstone e Yosemite). Assim como o país estava começando a reconhecer "como a riqueza das florestas, das minas e dos rios havia sido imprudentemente desperdiçada, sem nenhuma preocupação com o futuro" (p. 38), os economistas estavam começando a acreditar que "não há desperdício de recursos valiosos mais imprudente que aquele que decorre da distribuição aleatória da força viva, em vez de analisar cuidadosamente como o trabalho e os trabalhadores podem adequar-se entre si" (p. 38). As duas partes finais do livro voltavam-se para (a) meios de aumentar a produtividade dos trabalhadores e (b) como divulgar e vender produtos.

Para mostrar como a psicologia poderia contribuir para o processo de ajuste mútuo entre trabalho e trabalhadores, Münsterberg forneceu vários exemplos. O primeiro dizia respeito à contratação de condutores para os bondes elétricos, que constituíam o principal meio de transporte público das cidades de então. Para se ter uma ideia comparável ao que era esse tipo de transporte, hoje é preciso uma viagem a San Francisco. O serviço não era nada fácil, pois o condutor tinha de cumprir os horários e, ao mesmo tempo, ficar atento às carruagens, carros e pedestres que enchiam as ruas e muitas vezes atravessavam a rua diante do bonde. Os acidentes não eram poucos: segundo Münsterberg, as empresas ferroviárias relataram "haver até 50 mil casos anuais de indenização por acidente" (p. 64)! Os históricos de alguns condutores eram melhores que os outros, e Münsterberg foi consultado para a identificação dos atributos que caracterizavam os mais competentes. Caso isso fosse possível, o processo de seleção inicial poderia ser aperfeiçoado.

Para Münsterberg, havia duas maneiras de fazer isso: simulando os processos essenciais envolvidos no trabalho bem-feito ou dividindo o trabalho em subprocessos e criando testes para cada um. Com relação aos "condutores", Münsterberg preferiu usar a segunda abordagem, mais analítica. Podia-se esperar que os que eram competentes tivessem tempos de reação mais rápidos, por exemplo. Mas ele logo descobriu uma espécie de "teto", pois não havia diferenças de tempo de reação entre os condutores cujas fichas tinham registro de acidentes e os de "ficha limpa"— todos eram rápidos. De acordo com a afirmação de Münsterberg (1913), "os indivíduos lentos não permanecem no emprego" (p. 65). Assim, tendo rejeitado a abordagem gradual, voltou-se para o outro método, o da simulação. Depois de observar vários condutores em ação, identificou o processo que julgou crítico: a capacidade de atentar simultaneamente para uma ampla gama de estímulos (por exemplo, pedestres, cavalos, carruagens, carros etc.) e, ao mesmo tempo, tomar uma série contínua de decisões quanto à possibilidade de esses estímulos afetarem a marcha do bonde. A seu ver, a situação poderia produzir dois tipos de condutores ineficientes:

> [...] Há homens cujos impulsos são quase inibidos, os quais desejam instintivamente aguardar a movimentação dos objetos mais próximos. Esses evidentemente não se prestariam ao serviço, já que conduziriam o bonde demasiado lentamente. Há outros que, mesmo que o bonde esteja em alta velocidade, podem ajustar-se por algum tempo à situação móvel complexa, mas cuja atenção logo cessa. Apesar de poderem divisar uma carruagem a distância, esses podem deixar de perceber um pedestre que desatentamente atravessa os trilhos diante do bonde. (p. 66)

Para simular o processo, Münsterberg elaborou um procedimento inteligente: criou cartões de 12 X 33 cm, divididos em quadrados de pouco mais de 1 cm. Duas linhas paralelas passavam pelo meio, representando os trilhos, e os 26 quadrados entre os trilhos eram rotulados com as letras do alfabeto. Nos quadrados de ambos os lados dos "trilhos" havia números aleatórios que representavam pessoas, cavalos e automóveis, movendo-se em diferentes velocidades, tanto paralela quanto perpendicularmente aos bondes. Münsterberg preparou um aparelho a fim de apresentar cada cartaz da seguinte forma: o cartaz ficava totalmente coberto e era mostrada apenas uma área de uns 6 cm de extensão e a largura do cartaz. Puxando uma manivela, os condutores expunham sucessivamente várias partes do cartaz e identificavam os objetos que poderiam acabar nos trilhos e, por conseguinte, representar perigo.

Münsterberg testou cada indivíduo com doze diferentes cartazes e, em seguida, combinou tempo e erros numa medida à base de pesos para descrever os resultados. Infelizmente, sua descrição do experimento não é clara. Por exemplo, o leitor nunca é informado sobre o número de pessoas testadas, mas apenas de que a empresa enviou "alguns de seus melhores condutores", outros "que por pouco não haviam sido demitidos" e um terceiro grupo "nem especialmente bom nem especialmente mau" (p. 74). Apesar de ter identificado esses grupos principais, Münsterberg não relata exatamente como seu desempenho se diferenciou na simulação. Porém esta teve uma certa validade, e isso fica evidente a partir (a) dos relatórios dos condutores, que afirmaram que o procedimento de fato abarcava os tipos de decisões tomadas durante a condução do bonde e (b) de certos dados que indicam que todos os condutores — inclusive os piores — se saíram melhor que um grupo de alunos de Harvard. Münsterberg (1913) considerou a simulação um sucesso e fez uma série de recomendações (arbitrárias) acerca da pontuação necessária para que um candidato a condutor de bonde pudesse ser considerado competente. Embora reconhecesse que os experimentos poderiam ser melhorados, concluiu alegando que "uma investigação experimental deste tipo, que mal exige de cada indivíduo dez minutos, seria suficiente para excluir talvez um quarto dos que hoje em dia são aceitos para a função de condutor de bonde" (p. 81).

Um segundo exemplo, dessa vez com operadoras do setor telefônico, ilustrou a segunda estratégia de pesquisa de Münsterberg: decompor a função em subtarefas específicas e criar testes para cada uma. Essas mulheres — que, além de trabalhar demais, eram extremamente mal pagas — atendiam até trezentas chamadas por hora, o que provocava fadiga, erros e, por fim, o que hoje chamamos de estafa. A Bell Telephone Company investia muito tempo e dinheiro no treinamento delas e, portanto, queria detectar aquelas que tinham maior probabilidade de ter dificuldades. Aí entra Münsterberg.

Depois de observar as telefonistas durante algum tempo, Münsterberg (1913) ficou impressionado com a complexidade de sua tarefa, identificando quatorze diferentes "processos psicofísicos" (p. 97). Selecionou vários deles e criou testes. No de memória, por exemplo, as telefonistas tinham de memorizar listas de números; no de atenção, liam uma página de jornal e marcavam todas as vezes que uma determinada letra aparecia. As jovens receberam ainda testes de associação de palavras, classificação de cartões e precisão ao tocar com um lápis cruzes desenhadas numa página (ou seja, uma tarefa semelhante à exigida para inserir o plugue no furo certo da central comutadora). Como ocorreu com os condutores de bonde, Münsterberg deixou de descrever os resultados em detalhes, mas uma manobra astuciosa da Bell Telephone Company — inserir algumas veteranas no grupo que ele acreditava ser composto exclusivamente de aprendizes — acabou fornecendo uma validação inesperada:

> [...] A cética empresa telefônica havia colocado no grupo algumas mulheres que estavam em serviço havia muito tempo e eram até professoras da escola de treinamento. Eu não sabia, ao avaliar os resultados, quais dentre as participantes [...] eram essas funcionárias especialmente talentosas. [...] Os resultados mostraram [...] que as mulheres que demonstraram maior capacidade na prática do serviço estavam no alto de nossa lista. (pp. 108-09)

Os exemplos da seleção de "condutores de bonde" e telefonistas são os mais famosos dentre os estudos relatados no livro pioneiro de Münsterberg, porém há dezenas de outros, que analisam tópicos como os efeitos da monotonia e da fadiga sobre a produtividade, o melhor modo de colocar anúncios numa revista (se juntos numa seção ou espalhados por toda a publicação) e os efeitos do tamanho dos anúncios sobre a memória dos produtos.

Outros Psicólogos Industriais Importantes

Münsterberg estava longe de ser o único a se envolver com o comércio e a indústria. O mundo comercial ofereceu oportunidades frutíferas a muitos psicólogos que precisavam suplementar seus exíguos salários acadêmicos. Essa parte do capítulo começou mencionando um deles, Walter Dill Scott. Outros psicólogos industriais que merecem destaque são Walter Van Dyke Bingham, Lillian Gilbreth e Harry Hollingworth.

Walter Van Dyke Bingham (1880-1952)

A carreira de Bingham colocou-o em contato direto com muitos dos psicólogos que você já conhece ou conhecerá em breve. Sua pós-graduação foi entre 1905 e 1908, na funcionalista University of Chicago, onde apresentou uma tese sobre a percepção de tons sob a orientação de James Angell e trabalhou como monitor de John Watson. Em 1907, fez uma rápida viagem à Europa, onde conheceu os gestaltistas Köhler e Koffka, e passou algum tempo em Harvard, tendo conhecido James e Münsterberg enquanto fazia uma especialização em filosofia. Sua mudança para a psicologia aplicada começou a ocorrer depois da ida para Columbia, em 1908, para dar início à sua carreira acadêmica. Lá conheceu Cattell e Thorndike, que lhe despertaram o interesse pela testagem mental e pela psicologia da educação, respectivamente. Dois anos depois, foi trabalhar no Dartmouth College, onde permaneceu até 1915. Nos nove anos seguintes, chefiou uma iniciativa acadêmica única, a Divisão de Psicologia Aplicada do Carnegie Institute of Technology, uma escola fundada dez anos antes que hoje se chama Carnegie-Mellon Institute.

Foi em Pittsburgh que Bingham ficou conhecido por aplicar os princípios da psicologia ao comércio. Com a ajuda de verbas generosas doadas por empresários locais (por exemplo, Westinghouse, Heinz), ele criou em sua divisão unidades especificamente voltadas para a psicologia do comércio. Um exemplo está no Bureau of Salesmanship Research, uma unidade dedicada à pesquisa na área de vendas dirigida por seu convidado Walter Dill Scott. Acredita-se que Scott, que estava de licença temporária da Northwestern University, tenha sido a primeira pessoa a ter o título de professor de psicologia aplicada (Landy, 1993). O *bureau* gerou um guia útil para os gerentes de pessoal: intitulado *Aids in the Selection of Salesmen*, possuía um formulário padronizado, perguntas para entrevistas e recomendações sobre a utilização de testes com candidatos à seleção de vendedores (Bingham, 1952). Além disso, logo deu origem a uma iniciativa afim, voltada para a pesquisa em treinamento na área do comércio varejista, o Research Bureau for Retail Training, que também contou com um generoso financiamento, desta vez por parte do magnata do ramo de lojas de departamento Edgar Kaufmann.[6] Esse segundo *bureau* "preparava testes de admissão, manuais de treinamento e mercadorias e procedimentos específicos para a correção de defeitos de personalidade em vendas e supervisão" (Bingham, 1952, pp. 15-6). Uma terceira inovação de Bingham foi a School of Life Insurance Salesmanship, que treinou uma legião de representantes de vendas para convencer as pessoas de que não tinham todos os seguros que deveriam ter.

Além do trabalho em Carnegie de 1915 a 1924, Bingham também teve participação decisiva no restabelecimento da credibilidade da Psychological Corporation, pois foi quem substituiu Cattell em 1926, quando o temperamental fundador foi demitido de sua presidência pelo conselho da entidade (Sokal, 1981a). Além disso, trabalhou com Yerkes no programa de testagem do exército durante a Primeira Guerra Mundial e teve papel semelhante, porém ainda mais importante, na Segunda Guerra Mundial: com o título de psicólogo-chefe, dado pelo Departamento de Guerra, ele liderou a comissão que produziu o Teste de Classificação Geral do Exército (TCGE), o qual foi usado com 10 milhões de soldados (Hilgard, 1987). De meados da década de 1920 ao fim da Segunda Guerra Mundial, Bingham promoveu sistematicamente a psicologia industrial, tornando-se seu mais destacado defensor.

Lillian Moller Gilbreth (1878-1972)

A carreira de Lillian Gilbreth (Figura 8.13) pode ser dividida em duas partes: antes e depois da morte prematura do marido, Frank. Antes desse lamentável aconteci-

---

6. Kaufmann é conhecido também por contratar Frank Lloyd Wright para projetar uma casa, fora de Pittsburgh, que pudesse usar como refúgio contra a confusão (e a poluição das usinas siderúrgicas) da cidade. Dessa encomenda nasceu uma das mais famosas criações de Wright, Fallingwater.

mento, ela desempenhava os papéis de mãe e profissional de uma maneira raramente vista, seja anterior ou posteriormente. Frank Gilbreth era um ex-pedreiro que, sem haver frequentado uma universidade, foi um pioneiro da nova área do estudo de tempo e movimento. Observando atentamente o trabalho de outros pedreiros ele identificou, por exemplo, movimentos supérfluos e recomendou sua substituição por outros, mais eficazes, aumentando assim a produtividade. Lillian colaborou nesse trabalho, tendo contribuído igualmente para o sucesso da empresa de consultoria do casal, a Gilbreth, Inc. No processo, ela cumpriu os requisitos para obter um doutorado em Berkeley escrevendo uma tese sobre psicologia da administração intitulada "The Psychology of Management", porém não obteve o título por não cumprir os requisitos de residência. Depois da mudança do casal para Rhode Island, ela concluiu um segundo doutorado na Brown University, apresentando uma tese sobre a aplicação dos princípios da eficiência ao magistério. Seu Ph.D., concedido em 1915, foi o primeiro na área da psicologia industrial (Perloff e Naman, 1996). Nessa época ela também publicou sua primeira tese em livro, depois de relutar em ceder à pressão do editor para "disfarçar" o fato de ser mulher e colocar como nome apenas L. M. Gilbreth. Juntos, Lillian e Frank publicaram livros sobre como eliminar a fadiga (1916) e sobre as aplicações do estudo de tempo e movimento (1917).

Essas realizações, notáveis com base em qualquer que seja o critério, tornam-se quase inacreditáveis quando se observa que, durante seus vinte anos de vida em comum, o casal criou doze filhos, seis meninos e seis meninas. Talvez você conheça essa parte da história por meio do livro (que também virou filme*) *Cheaper by the Dozen*, escrito por dois dos filhos do casal (Gilbreth e Carey, 1949). Trata-se de uma maravilhosa história sobre como era viver numa família numerosa e administrada pelos princípios da eficiência no trabalho (por exemplo, fazer a barba usando dois aparelhos, um em cada mão, e assim "raspar" alguns segundos dessa operação matinal). A família foi também o tema de um estudo, feito em 1923 por um dos alunos de Terman sobre o cultivo do QI, chamado "IQ Farming". Com ambos os pais e todos os filhos situando-se na faixa dos "superdotados", a família Gilbreth era o protótipo da família destinada a liderar a meritocracia de Terman (Minton, 1988).

Depois da súbita morte do marido por infarto do miocárdio em 1924, as realizações de Lillian Gilbreth aumentaram, ainda que, na época, estivesse criando sozinha os doze filhos, continuasse administrando sua empresa de consultoria e ensinasse meio período em Purdue e no MIT. Ela tornou-se uma pioneira da **ergonomia**, área que estuda como tornar sistemas e produtos mais eficientes para o uso humano. Entre suas ideias destaca-se o replanejamento das tarefas domésticas, com base em sua própria, e vasta, experiência. Também de sua responsabilida-

FIGURA 8.13 Lillian Gilbreth, mãe de doze filhos e pioneira da ergonomia e da psicologia industrial.

* O *remake* do filme foi lançado no Brasil em 2003 sob o título *Doze é Demais*. (N. da T.)

de é, em grande parte, o *design* da cozinha moderna: a lata de lixo embutida e as prateleiras das portas da geladeira, por exemplo, são inovações suas (Perloff e Naman, 1996). Além disso, ela contribuiu muito para ajudar os portadores de deficiências físicas a tornar-se cidadãos produtivos, considerando esse o seu trabalho mais importante. Ao morrer em 1972, aos 94 anos, Gilbreth possuía dezesseis doutorados honorários, além dos dois que cursara.

Harry Hollingworth (1880-1956)

Já falamos de Hollingworth anteriormente, neste mesmo capítulo, ao mencionar que ele foi o psicólogo que confessou haver-se envolvido na psicologia aplicada apenas para poder pôr comida na mesa. Porém, independentemente das razões que tinha, ele é com justiça reconhecido como um líder na área da psicologia industrial. Quando cursava a graduação na University of Nebraska, Hollingworth conheceu a nova psicologia por meio de um curso de laboratório dado por T. L. Bolton, que havia concluído recentemente um doutorado com Hall na Clark University. Hollingworth deixou Nebraska em 1907 para fazer uma pós-graduação em Columbia, onde estudou com Cattell, Thorndike e Woodworth. Um ano depois, casou-se com Leta Stetter, nascida no mesmo estado, a quem vimos no *Close-Up* deste capítulo.

Hollingworth concluiu seu doutorado em 1908 e, em seguida, começou a trabalhar como instrutor no vizinho Barnard College. Cada vez mais frustrado, o jovem casal mal conseguia sobreviver com o salário de US$ 1.000 anuais de Harry. A salvação veio na forma de uma oferta da Coca-Cola Company, que contratou os dois em 1911 como pesquisadores para investigar os efeitos da cafeína. A empresa havia sido acusada pelo governo de acrescentar um elemento à sua fórmula — a cafeína — cujas propriedades estimulantes eram consideradas prejudiciais. Os dois conduziram uma detalhada série de estudos, usando sofisticados procedimentos "duplo cego", e Harry pôde testemunhar em tribunal que a quantidade de cafeína utilizada na fórmula não possuía efeitos adversos perceptíveis, a não ser a possibilidade de interferência com o sono quando fossem ingeridos volumes relativamente grandes à noite (Benjamin, Rogers e Rosenbaum, 1991).

O projeto da Coca-Cola rendeu ao casal dinheiro suficiente para Leta concluir seu doutorado em Columbia, permitiu ao casal passar o verão de 1912 viajando pela Europa e possibilitou a Harry entrar no caminho da psicologia aplicada (Benjamin, 2003). Ele passou a ser consultado por numerosas empresas acerca de questões as mais diversas: empresas ferroviárias que queriam saber qual a cor indicada para pintar os trens, empresas de planejamento urbano que queriam melhorar a legibilidade dos sinais de trânsito e fabricantes de goma de mascar que queriam comprovar se o produto propiciava um relaxamento útil, por exemplo (Benjamin, 1996). Embora tivesse aproveitado muitas dessas solicitações, ele o fez com relutância, vendo-se sempre como antes de tudo um "psicólogo" e apenas secundariamente um "psicólogo aplicado": "[i]nfelizmente foi minha sina criar cedo na carreira a fama de cultivar interesses que, para mim, eram apenas superficiais" (citado por Benjamin, 1996, p. 134).

EM PERSPECTIVA: A PSICOLOGIA APLICADA

Os livros-textos sobre métodos de pesquisa geralmente fazem uma distinção entre a pesquisa básica e a pesquisa aplicada. A pesquisa básica geralmente é feita em laboratório e investiga os processos psicológicos básicos (exemplo: memória, percepção, condicionamento). A pesquisa aplicada, por sua vez, normalmente (porém não necessariamente) se processa fora do laboratório e volta-se para a solução de um problema do mundo real (por exemplo: como aumentar a produtividade dos trabalhadores). Os textos mostrarão que ambas as formas de pesquisa são necessárias e se complementam. Entretanto, na verdade, a pesquisa básica, em sua forma mais pura, o tipo de pesquisa que faria Titchener sorrir, tem difícil aceitação. Os psicólogos atuais, por exemplo, muitas vezes têm dificuldade em obter bolsas para pesquisa básica se não conseguirem mostrar que os resultados podem ser aplicados de algum modo. Numa entrevista depois da eleição para presidente da APS (Association for Psychological Science), o eminente psicólogo Richard F. Thompson observou que "[m]uitos de nós, que nos dedicamos à pesquisa fundamental, passamos a achar que, para justificar nossa existência, também devemos realmente tentar desenvolver aplicações para os problemas da sociedade" (Kent, 1994, p. 10).

Depois de ler este capítulo, você sabe que a preocupação de Thompson não é nova. Desde o início, muitos psicólogos, apesar de terem sido treinados para trabalhar no laboratório, sofreram pressões para fazer seu trabalho parecer relevante. Com efeito, pelo menos nos Estados Unidos, a pressão pela aplicação se fez sentir mesmo antes do advento da Nova Psicologia — basta lembrarmos da popularidade da frenologia (Capítulo 3) — por exemplo, que pode ser considerada uma forma de psicologia aplicada.

Harry Hollingworth foi o protótipo do psicólogo formado para ser um pesquisador "puro" que, apesar disso, foi forçado pelas circunstâncias a dedicar-se ao trabalho aplicado. Para Benjamin (2003), ele pode ter reclamado demais quando alegou que tudo que queria era ser um psicólogo de laboratório, pois nunca pareceu interessado em abandonar o trabalho aplicado que tornou sua vida tão confortável. E, em sua maior parte, a pesquisa não aplicada de Hollingworth foi esquecida. Porém sua tese de doutorado, sobre precisão motora, que enfatizava a importância do contexto geral no qual o comportamento de tentar pegar as coisas ocorria, chamou a atenção de pelo menos uma figura de destaque. O psicólogo gestaltista Kurt Koffka certa vez lhe disse que esse estudo fora uma "pedra angular" para o movimento da *Gestalt*, nosso próximo tópico. Como veremos, os gestaltistas tiveram impacto importante sobre a psicologia norte-americana, principalmente nas áreas da percepção e do pensamento. No entanto, sua influência jamais foi tão forte quanto eles desejariam, em parte porque eles jamais conseguiram apreciar devidamente a lição deste capítulo: a importância da aplicação.

RESUMO

PRESSÕES PELA APLICABILIDADE

- Desde o instante em que a nova psicologia surgiu nos Estados Unidos, no final do século XIX, os psicólogos se preocuparam em encontrar uma boa maneira de utilizar o conhecimento psicológico. A preocupação com a aplicabilidade era, em parte, uma consequência natural do tradicional pragmatismo norte-americano e da convicção de que o progresso científico deveria resultar numa tecnologia benéfica.
- Os psicólogos sofreram também pressões institucionais para justificar sua lotação nos departamentos de filosofia e sua necessidade de laboratórios bem equipados.

O MOVIMENTO DA TESTAGEM MENTAL

- A abordagem galtoniana da testagem mental, baseada em medidas físicas e sensoriais básicas, foi importada para os Estados Unidos por James McKeen Cattell, criador do termo "teste mental" e de um detalhado programa de testagem em Columbia. Porém o programa fracassou quando não se conseguiu estabelecer nenhuma correlação entre as medições e o desempenho acadêmico. Cattell teve papel importante na profissionalização da psicologia no país, principalmente com seu trabalho editorial.
- A moderna testagem de inteligência, que valoriza mais a medição dos processos cognitivos que os sensoriais, teve origem nos testes de comple-

tar criados por Ebbinghaus e no teste de Binet-Simon. O objetivo de Binet era identificar os alunos academicamente fracos (*débiles*), a fim de que se pudessem desenvolver programas especiais para eles. Os resultados do teste eram definidos em termos do nível mental (posteriormente chamado de idade mental), e as crianças consideradas fracas eram aquelas que se classificavam dois níveis mentais abaixo de sua idade real. Segundo a abordagem de Binet — por ele denominada psicologia individual —, a ênfase recaía no estudo das diferenças individuais, e não na busca de leis gerais.

- Os testes de Binet chegaram aos Estados Unidos quando foram traduzidos por Goddard, da Vineland Training School. Goddard os usou para classificar os graus de debilidade mental em termos da idade mental e criou o termo "tolo" para identificar aqueles cuja idade mental se situasse entre 8 e 12 anos. Ele achava que a deficiência mental era hereditária e respaldou seu ponto de vista com o estudo metodologicamente falho da família Kallikak, que traçou a árvore genealógica de uma das internas de Vineland. Goddard também usou esses testes para ajudar os funcionários do centro de imigração da ilha de Ellis a identificar os imigrantes mentalmente inaptos. Os resultados que obteve contribuíram para fortalecer a ideia de que os imigrantes provenientes do sul e do leste da Europa eram mentalmente inferiores aos que vinham do norte e do oeste desse continente.
- Lewis Terman institucionalizou a testagem da inteligência por meio da revisão e padronização dos testes de Binet, criando assim o Stanford-Binet, um dos mais conhecidos testes de inteligência. Os resultados eram calculados segundo o conceito de QI de William Stern, o qual consiste numa razão entre a idade mental e a cronológica. A fim de respaldar sua crença na meritocracia, Terman conduziu um extenso estudo de crianças superdotadas, descobrindo que elas rompiam com o estereótipo segundo o qual essas crianças são intelectualmente superiores, mas social e fisicamente inferiores às demais.
- Apesar de ser de coração um psicólogo comparatista, Robert Yerkes envolveu-se com a testagem mental durante a Primeira Guerra Mundial, ao organizar o programa de testagem do exército. Com sua equipe, ele desenvolveu dois testes grupais de inteligência, um para os soldados alfabetizados (Alfa) e outro para os analfabetos (Beta). O programa teve muito pouca utilidade para o exército, mas tornou a testagem da inteligência um grande negócio e contribuiu para popularizá-la na década de 1920. Depois da guerra, o relatório que Yerkes fez do programa — que sugeria que o soldado norte-americano típico mal conseguia se situar acima do nível do tolo — gerou muita controvérsia em torno da testagem mental, do QI e do quanto a inteligência provém da herança ou do ambiente.

A APLICAÇÃO DA PSICOLOGIA AO TRABALHO

- Os primeiros psicólogos a aplicar os princípios da psicologia ao trabalho foram Walter Dill Scott, que escreveu livros sobre a publicidade e a melhoria das práticas empresariais, e Hugo Münsterberg, psicólogo alemão que, apesar de ter ido para os Estados Unidos para administrar o laboratório de Harvard, se interessou por diversas áreas aplicadas, entre as quais a da psicologia legal, a da psicologia da educação, a da psicoterapia e a da psicologia industrial ("econômica").
- O livro *Psychology and Industrial Efficiency*, de Münsterberg, apresentava vários exemplos do uso de princípios psicológicos na seleção de funcionários. Ele recomendava que a medição fosse abordada de duas formas: pela simulação das características essenciais da tarefa do empregado (como no caso dos condutores de bondes) e pela análise das habilidades de que se compunha essa tarefa (como no caso das telefonistas). O livro apresentava também diversas sugestões, baseadas em pesquisas, para melhorar o ambiente de trabalho e comercializar produtos.
- Entre os pioneiros da psicologia industrial incluem-se também Walter Van Dyke Bingham, cuja Division of Applied Psychology no Carnegie Institute desenvolvia programas de treinamento de pessoal em vendas e varejo, Lillian Moller Gilbreth, especialista em eficiência e uma das primeiras estudiosas da ergonomia, e Harry Hollingworth, que, apesar de relutar em fazer psicologia aplicada, foi um psicólogo muito competente nessa área, aplicando projetos experimentais sofisticados a problemas como os efeitos da cafeína sobre o desempenho.

QUESTÕES PARA ESTUDO

QUESTÕES PARA ESTUDO

1. Qual a importância do livro *Thinking, Feeling, Doing*, de Scripture, que apresentava vários exemplos do uso mais amplo dos métodos de laboratório?
2. Por que era importante para os defensores da "nova psicologia" mostrar que seu trabalho poderia ter outras aplicações?
3. Explique como Galton influenciou a abordagem de Cattell em relação à testagem mental e descreva cinco dos testes mentais originalmente feitos por este.
4. Descreva o estudo de Wissler e diga qual a sua importância para a abordagem de Galton/Cattell em relação à testagem mental.
5. Qual a abordagem de Ebbinghaus ao propor sua testagem para verificar a fadiga escolar? Explique.
6. A postura de Binet diante da psicologia tem sido chamada de "psicologia individual". Explique-a e compare-a a uma estratégia alternativa.
7. O que Binet pensava a respeito do motivo da criação dos testes mentais e o que ele concluiu em relação à colocação das crianças nas escolas?
8. Se tivesse tomado conhecimento do que ocorreu com a testagem do QI depois de sua morte, Binet teria se revirado na tumba. Explique.
9. Defina o termo "tolo" segundo a acepção de Goddard e explique por que ele achava essencial estudar e identificar esse tipo de pessoa.
10. Descreva e critique o estudo da família Kallikak. Explique por que ele constitui um exemplo de como o viés do preconceito influi sobre a pesquisa empírica.
11. Descreva e critique o trabalho de Goddard na ilha de Ellis.
12. Descreva as origens do termo "quociente de inteligência".
13. Qual a contribuição de Terman para a medição da inteligência?
14. Explique como o conceito de meritocracia levou Terman a empreender o mais longo estudo longitudinal já feito em psicologia.
15. Qual a melhor estratégia para a educação de crianças superdotadas segundo Leta Hollingworth?
16. Descreva a pesquisa feita por Leta Hollingworth, que levantou questionamentos sobre as diferenças de sexo no que diz respeito ao intelecto.
17. Descreva o programa de testagem do exército norte-americano, distinguindo os dois formatos do teste. Por que os resultados foram tão controversos?
18. Exemplifique os dois principais métodos de Münsterberg para a seleção de funcionários.
19. No estudo que Münsterberg fez das telefonistas, houve um imprevisto que validou o experimento. Explique?
20. Além do trabalho na área da psicologia industrial, quais as outras contribuições de Hugo Münsterberg à psicologia aplicada?
21. Descreva as contribuições de Walter Bingham e Lillian Gilbreth à psicologia aplicada.
22. Tomando como exemplo o estudo da Coca-Cola, mostre como os psicólogos que faziam pesquisas contribuíram com um conhecimento e uma perícia especiais para a área da psicologia aplicada.

LEITURA SUPLEMENTAR

BENJAMIN, L. T., Jr., ROGERS, A. M, e ROSENBAUM, A. (1991). Coca-Cola, caffeine and mental defficiency: Harry Hollingworth and the Chatanooga trial. *Journal of the History of the Behavioral Sciences, 27*, 42-55.

Descrição da pesquisa de Hollingworth sobre os efeitos da cafeína que a insere bem em seu contexto histórico; mostra como Hollingworth relutou em aderir ao projeto, como tentou proteger sua integridade científica enquanto fazia a pesquisa e como seus experimentos, ainda hoje citados, são um modelo de design experimental.

FANCHER, R. E. (1985). *The intelligence men: Makers of the IQ controversy*. Nova York: W. W. Norton.

Excelente história do movimento de testagem, com descrições detalhadas da obra de Galton, Cattell, Binet, Goddard, Terman e Yerkes; atualiza a controvérsia analisando os defensores modernos do lado hereditário da questão — Burt, Eysenck e Jensen — e o debate acerca da suposta fabricação dos dados dos estudos com gêmeos feitos por Burt.

GOULD, S. J. (1978). *The mismeasure of man.* Nova York: W. W. Norton.

Uma história de leitura bastante fácil, porém presentista, da conceitualização e medição da inteligência ao longo dos anos e de sua utilização como meio de perpetuar crenças estereotipadas em relação a vários grupos; possui uma excelente visão leiga da análise fatorial, a ferramenta estatística usada na investigação da natureza — unitária ou polifacética — da inteligência.

SOKAL, M. M. (org.) (1987). *Psychological testing and American society.* New Brunswick, NJ: Rutgers University Press.

Coletânea de ensaios escritos por alguns dos maiores especialistas na história da testagem; possui capítulos sobre Cattell, Goddard, Yerkes e Terman e sobre as origens dos testes de múltipla escolha.

CAPÍTULO 9
A PSICOLOGIA DA GESTALT

> Existe um todo cujo comportamento não é determinado pelos elementos que o compõem, mas no qual os processos parciais são determinados em si mesmos pela natureza intrínseca do todo.
> — Max Wertheimer, 1924

VISÃO GERAL E OBJETIVOS DO CAPÍTULO

Os que defendem um novo modo de pensar muitas vezes acham que precisam falar alto para ser ouvidos. Foi esse o caso dos psicólogos que se tornaram conhecidos como "gestaltistas". Com zelo missionário, esses psicólogos alemães promoveram uma abordagem da psicologia que divergia radicalmente da estratégia analítica prevalecente, característica de certos aspectos de outras psicologias alemãs, do estruturalismo de Titchener, do behaviorismo norte-americano e de qualquer teoria derivada dos princípios associacionistas britânicos. Os gestaltistas argumentavam que não se poderia atingir a compreensão da mente nem do comportamento por meio da dissecação dos elementos sensoriais básicos da experiência consciente nem da redução de comportamentos complexos a unidades elementares de estímulo e reação. Em vez disso, sua ênfase recaía na totalidade de experiências fenomenologicamente completas e, por isso, o movimento foi logo associado a esta frase de efeito: o todo de uma experiência é diferente da soma de suas partes. A primeira parte deste capítulo destaca a obra dos três alemães que instituíram o movimento gestaltista: Max Wertheimer, normalmente considerado seu fundador, graças a suas demonstrações simples e elegantes do movimento aparente, Kurt Koffka, que foi o primeiro a apresentar os conceitos da psicologia da Gestalt ao público norte-americano e também quem os estendeu à psicologia do desenvolvimento, e Wolfgang Köhler, cuja pesquisa sobre a aprendizagem e a resolução de problemas nos primatas constituiu um desafio ao behaviorismo.

Todos os três pioneiros da Gestalt emigraram para os Estados Unidos, dois deles (Wertheimer e Köhler) por causa do desmantelamento da ciência alemã que Adolph Hitler promoveu na década de 1930. A psicologia da Gestalt levada para os Estados Unidos foi às vezes associada exclusivamente à percepção, mas os gestaltistas também deram importantes contribuições à psicologia do pensamento e da resolução de problemas, e suas ideias influenciaram o posterior desenvolvimento da psicologia cognitiva.

A parte final deste capítulo relata a vida e a obra de Kurt Lewin. Tendo estado por algum tempo ligado ao grupo gestaltista na Alemanha, ele foi para os Estados Unidos, assim como Wertheimer e Köhler, para fugir à ameaça nazista. Porém, Lewin foi além da psicologia da Gestalt, desenvolvendo uma complexa teoria do comportamento humano que o levou a importantes contribuições para a psicologia social, do desenvolvimento e a industrial/organizacional. Impaciente com a abstração dos estudos de laboratório, criou a "pesquisa-ação", que busca exercer impacto direto sobre a vida das pessoas e resolver problemas sociais. Depois da conclusão deste capítulo, você deve ser capaz de:

- Discernir a relação entre a psicologia da Gestalt e a questão atomismo X holismo, levantada no Capítulo 2
- Descrever os antecedentes imediatos da psicologia da Gestalt nas ideias de Brentano, Mach e von Ehrenfels
- Descrever o estudo de Wertheimer sobre o movimento aparente, mostrar como ele descartou as explicações tradicionais e explicar a importância do estudo
- Resumir as contribuições de Koffka à psicologia da Gestalt
- Descrever e aplicar os princípios conceituais organizacionais da Gestalt
- Distinguir entre os ambientes geográficos e comportamentais e apontar as implicações dessa distinção para a compreensão do comportamento
- Descrever a pesquisa de Köhler sobre a resolução de problemas pelos primatas e compará-la à abordagem adotada por Thorndike
- Descrever as ideias de Wertheimer em relação ao pensamento produtivo e a abordagem geral da Gestalt diante do pensamento e da resolução de problemas
- Descrever os fundamentos da teoria de campo de Lewin
- Explicar o efeito Zeigarnik e mostrar como ele se encaixa na visão do equilíbrio proposta por Lewin
- Descrever as contribuições de Lewin à psicologia do desenvolvimento e à psicologia social
- Descrever o impacto geral da psicologia da Gestalt sobre a psicologia norte-americana e explicar por que ela não se tornou um sistema dominante

ORIGENS E DESENVOLVIMENTO DA PSICOLOGIA DA GESTALT

Em geral, costuma-se situar a data de início da psicologia da Gestalt entre 1910 e 1912, época em que o psicólogo alemão Max Wertheimer começou a analisar um fenômeno perceptual comum a partir de uma nova perspectiva. Contudo, como todos os movimentos intelectuais, este também teve suas raízes. Os gestaltistas foram indiretamente influenciados pela tradição filosófica de Kant, que enfatiza como as categorias perceptuais e cognitivas aprioristicas moldam as nossas experiências (consulte o Capítulo 2), e pela fenomenologia de Edmund Husserl, que frisou, no fim do século XIX, a maior importância das descrições diretas das experiências em relação aos relatos introspectivos que buscavam a dissecação quando se tentava compreender a natureza dessas experiências. Os gestaltistas foram influenciados ainda pela física contemporânea, especialmente a de Max Planck, importante pioneiro da teoria de campo na física, cuja ênfase recaía no modo como os campos de forças determinam a natureza das relações entre seus componentes. Um campo magnético, por exemplo, representa uma força que produz um padrão geral de inter-relações entre elementos que não podem ser compreendidos por meio da análise de cada um deles dentro do campo total.

Quatro influências diretas na criação da psicologia da Gestalt foram o físico Ernst Mach e os filósofos/psicólogos Christian von Ehrenfels, Franz Brentano e Carl Stumpf. No livro que escreveu em 1886 sobre a sensação, Mach (1886/1914) argumenta que certas "formas espaciais" resistem à decomposição em elementos mais básicos. Por exemplo, um quadrado possui a característica espacial essencial da "quadradice", a qual não admite redução. As quatro linhas que o compõem podem mudar de tamanho, mas a relação que existe entre elas deve permanecer a mesma para que a forma que caracteriza o quadrado se verifique. O que importa quando se identifica um quadrado é essa relação geral, e não cada um dos seus componentes. O filósofo austríaco Christian von Ehrenfels chegou a uma conclusão semelhante. Segundo ele, há certas qualidades da experiência que vão além dos elementos sensoriais individuais e que persistem mesmo que estes se alterem. Músico talentoso, Ehrenfels utilizou a melodia como exemplo: quando se toca uma canção num tom ou num instrumento diferente, as propriedades físicas de cada nota (elemento) podem mudar, mas a melodia em si, não, pois ela tem uma **qualidade formal** (*Gestaltqualität*) que difere da soma de cada uma das notas.

Mais ou menos na mesma época em que Wundt lançou seu *Physiological Psychology*, proclamando a fundação de uma nova ciência, o filósofo vienense Franz Brentano (1838-1917) publicou *Psychology from an Empirical Standpoint* (Brentano, 1874/1995). O título é um tanto equívoco para o leitor moderno porque o adjetivo "empírico" pressupõe a coleta de dados, e o livro é mais um tratado filosófico que tem, porém, importantes implicações para a psicologia.

Ao usar o termo "empírico", Brentano simplesmente se referia à aquisição de conhecimentos por meio da experiência fenomenológica direta e da reflexão sobre essa experiência. No livro, ele argumenta que o mais importante no estudo da mente não era o exame do seu conteúdo nem mesmo da fisiologia subjacente, mas a compreensão da maneira como a mente funciona para criar nossas experiências. Quando se estuda a percepção, por exemplo, o importante não é descrever detalhadamente as sensações, imagens e afetos, como ocorreria no laboratório de Titchener (Capítulo 7). Em vez disso, do ponto de vista empírico, o importante seria o ato da percepção, como o indivíduo percebe o evento e o que esse evento significa para o indivíduo. O sistema de Brentano já foi chamado de **psicologia do ato**, graças à ênfase na mente como entidade ativa. O filósofo teve influência direta sobre von Ehrenfels e Husserl, ambos alunos seus.

Carl Stumpf (1848-1936), que, como von Ehrenfels, também era um excelente músico, destacou-se como experimentalista, tendo feito importantes contribuições no terreno da percepção auditiva dos tons. Além disso, travou um debate acalorado com Wundt quanto a quem seria o melhor "observador" nos experimentos voltados para o julgamento de tons musicais. O que estava em questão era um fenômeno auditivo muito relacionado à temática gestaltista. Quando se escutam dois tons puros ao mesmo tempo, a experiência é a de um terceiro tom distinto, que não parece equivaler à combinação dos tons que o compõem. Wundt acreditava que, se devidamente treinados, os pesquisadores de laboratório seriam capazes de analisar o fenômeno e decompô-lo em seus elementos, mas Stumpf sustentava que, além de os bons músicos serem mais qualificados como observadores, o fenômeno resistia à análise. Para ele, se a análise de laboratório contradissesse a experiência que um músico treinado tinha do fenômeno, então essa análise estava errada. Embora não negassem a importância do trabalho em laboratório, Stumpf e seus seguidores insistiam na primazia da experiência direta sobre a redução abstrata das coisas em seus elementos (Ash, 1985). Como veremos adiante, dois dos três primeiros gestaltistas fizeram seus doutorados com Stumpf, e o terceiro estudou com ele por algum tempo.

Max Wertheimer (1880-1943): O Fundador da Psicologia da Gestalt

Max Wertheimer (Figura 9.1) nasceu em Praga e estudou direito na universidade local antes de ser levado por seus vastos interesses a dedicar-se à filosofia. Depois de fazer alguns cursos com von Ehrenfels, por quem sem dúvida foi apresentado ao conceito de *Gestaltqualität*, estudou durante três semestres em Berlim, onde conheceu Stumpf, e em Würzburg, onde obteve um doutorado com Oswald Külpe (Capítulo 4) em 1904. Sua tese, derivada de um interesse anterior pelo direito criminal, utiliza a técnica da associação de palavras para detecção de padrões característicos de raciocí-

FIGURA 9.1 Max Wertheimer, fundador da psicologia da Gestalt.

nio (Newman, 1944). Os anos imediatamente seguintes a 1904 não são muito bem documentados, mas a fortuna da família aparentemente possibilitou a Wertheimer dedicar-se aos diversos interesses que nutria nas áreas da filosofia e da psicologia.

Por volta de 1910, Wertheimer ficou fascinado pelo problema perceptual do **movimento aparente**. O fenômeno, que já era bem conhecido na época, pois estava na base da recém-criada indústria do cinema, pode ser ilustrado por meio de um exemplo simples. Numa sala escura, dois pequenos círculos adjacentes são acesos, piscando um após o outro. Se o intervalo for certo (cerca de 60 milissegundos), a percepção não acusa a presença de duas luzes piscando, mas sim de uma só, movendo-se de um lado para o outro. Assim, ocorrem dois eventos sensoriais à parte, mas a percepção é de apenas um evento contínuo.[1] No espaço entre as luzes, percebe-se o círculo mesmo que não haja nenhuma base sensorial para essa percepção. Como é que isso ocorre?

As explicações tradicionais do movimento aparente baseavam-se em eventos sensório-motores ou inferências cognitivas superiores. A primeira ideia era a de que, enquanto os círculos piscassem alternadamente, a pessoa estaria olhando da esquerda para a direita, sem parar. Pensava-se que a estimulação sensorial resultante dos movimentos oculares produzisse a "fusão" perceptual experimentada como movimento. A segunda explicação, mais no espírito de Helmholtz, era a de que o indivíduo faria a inferência lógica inconsciente de que, se a luz estava na posição A e, em seguida, na posição B, era porque se havia dirigido até lá. A percepção, classificada como ilu-

---

1. Se o intervalo para que as luzes pisquem for demasiado curto (30 milissegundos ou menos), a percepção é de que ambas as luzes se acendem ao mesmo tempo e nenhuma se move. Se esse intervalo for superior a 200 milissegundos, são vistas duas luzes piscando separadamente. O tempo exato depende também da intensidade das luzes e da distância entre elas (Goldstein, 1996).

sória, seria o resultado dessa inferência "plausível".

Com a colaboração de Friedrich Schumann, diretor do laboratório da Universidade de Frankfurt (e coinventor, junto com G. E. Müller, do tambor da memória), Wertheimer conseguiu obter espaço e equipamentos de laboratório para transformar suas ideias sobre o movimento aparente num programa de pesquisa. Nisso, foi ajudado por dois jovens psicólogos que então trabalhavam no laboratório de Schumann, Wolfgang Köhler e Kurt Koffka (Figura 9.2), os quais atuaram como participantes do experimento (assim como também a mulher de Koffka). O resultado, apresentado em 1912 num artigo intitulado "Experimental Studies on the Perception of Movement" (Wertheimer, 1912/1965), costuma ser apontado como o evento fundador da psicologia da Gestalt. Na pesquisa, Wertheimer e seus colegas demonstraram o fenômeno sob diversas condições e levantaram sérias objeções às explicações prevalecentes. Num dos estudos, por exemplo, foram usadas três luzes — A, B e C — em linha reta. Se A e C piscassem simultaneamente e B piscasse após 60 milissegundos, a percepção era de que as duas luzes (A e C) se haviam movido ao mesmo tempo em direção ao ponto central. Essa demonstração desqualificou a explicação do movimento ocular, pois os olhos não podem mover-se em duas direções ao mesmo tempo. A explicação da inferência foi rejeitada com base no fato de que a percepção do movimento ocorria demasiado rápido para envolver uma sequência de eventos mentais tão complexa e que se tratava de uma percepção real, e não ilusória. Wertheimer argumentou então que o fenômeno deveria ser visto em si mesmo como exemplo válido de uma experiência fenomenológica imediatamente dada que não requeria nenhuma análise das partes que a constituíam. Com efeito, como a percepção se processava em áreas destituídas de informação sensorial (ou seja, no espaço entre as luzes que piscavam), a análise dos elementos sensoriais não poderia explicar o fenômeno. Wertheimer referiu-se ao movimento percebido como **fenômeno fi**; ele não gostava do termo movimento "aparente" porque este implicava que na verdade o movimento não era percebido (Henle, 1980). Conforme concluiu posteriormente, percebemos figuras inteiras, providas de sentido, e não os elementos que de algum modo se combinam para formar os todos. Não só o todo é diferente da soma de suas partes, como também "os processos das partes são em si determinados pela natureza intrínseca do todo" (Wertheimer, 1924/1967, p. 2). Começava assim o ataque ao elementismo.

Wertheimer continuou lecionando e fazendo pesquisas em Frankfurt até 1916, quando se mudou para Berlim. No Instituto de Psicologia dessa cidade, tornou-se uma figura de destaque, tendo ali trabalhado até 1929.[2] Nesse ano, Schumann aposentou-se e Wertheimer então voltou a Frankfurt para assumir a chefia do depar-

FIGURA 9.2 Kurt Koffka (esquerda) e Wolfgang Köhler no 9º Congresso Internacional de Psicologia, na Yale University, em 1929 (foto extraída de Popplestone e McPherson, 1994).

---

2. Para ter uma ideia melhor da geografia, consulte novamente o mapa da Alemanha (Capítulo 4, Figura 4.1).

tamento. É provável que tivesse ficado lá até sua própria aposentadoria, mas motivos de força maior intervieram com a ascensão do nazismo na Alemanha. Com a subida de Hitler ao poder em 1933, a liberdade acadêmica nas universidades do país desapareceu rapidamente, e todos os professores judeus, inclusive luminares do porte de Albert Einstein, amigo íntimo de Wertheimer, começaram a ser demitidos. Em resposta à alegação de que assim a Alemanha perderia recursos de valor incalculável, afirma-se que Hitler teria dito: "Se a demissão de cientistas judeus significa a aniquilação da ciência alemã contemporânea, ficaremos sem ciência por alguns anos!" (citado por Henle, 1986, p. 226). Ao menos no que se refere à psicologia, Hitler estava certo: os efeitos de sua liderança conseguiram destruir a psicologia na Alemanha por toda uma geração.

Logo depois da subida de Hitler ao poder, Wertheimer, que era judeu e percebeu que a situação ficaria ainda pior, pegou a mulher e os três filhos e emigrou para os Estados Unidos, fixando residência em Nova York.[3] Ali reuniu-se a diversos outros cientistas alemães refugiados na recém-criada New School for Social Research. Em seus remanescentes dez anos de vida, continuou trabalhando com o tema da percepção e investigou mais a fundo um de seus interesses anteriores, a resolução de problemas. O resultado ganhou o título de *Productive Thinking* (1945/1982) e foi publicado postumamente. Falaremos a respeito desse livro na seção dedicada à abordagem gestaltista da cognição e da aprendizagem.

Koffka (1886-1941) e Köhler (1887-1967): Os Cofundadores

Kurt Koffka nasceu em Berlim e, excetuando o ano que passou na University of Edinburgh, na Escócia, ali completou sua formação acadêmica, tendo obtido seu doutorado com Carl Stumpf na Universidade de Berlim em 1908. Com Stumpf, Koffka desenvolveu pesquisas sobre tópicos da área da percepção, como o contraste de cores e o ritmo auditivo, que abririam caminho para que posteriormente viesse a abraçar a psicologia da Gestalt (Harrower-Erickson, 1942).

Depois de concluir seu doutorado, Koffka estudou fisiologia e, em seguida, foi para Würzburg, onde trabalhou por muitos anos no laboratório de Külpe. Em 1910, passou três semestres no laboratório de Schumann, em Frankfurt, e foi então que conheceu Wertheimer, participou com Köhler dos famosos estudos sobre o movimento aparente e converteu-se ao pensamento gestaltista. Conforme escreveria posteriormente, os três jovens pesquisadores "estabeleceram uma relação muito estreita, que resultou numa colaboração duradoura" (citado por Harrower-Erickson, 1942, p. 279). Em 1911, Koffka deixou Frankfurt para assumir seu primeiro cargo como professor na Universidade de Giessen, tendo ali permanecido até 1924. Embora não muito volumosa, nessa época sua produção de ensaios experimentais sobre temas como a memória e a localização do som foi estável. Durante a Primeira Guerra Mundial, estudou as consequências cognitivas de lesões cerebrais graves em soldados. Em 1921, estendeu as ideias da Gestalt ao domínio da psicologia do desenvolvimento escrevendo *The Growth of the Mind*.

Dos três primeiros gestaltistas, Koffka foi o maior responsável pela introdução do movimento nos Estados Unidos. Isso se deve principalmente a um artigo que escreveu em 1922 para o *Psychological Bulletin* intitulado "Perception: An Introduction to Gestalt-Theorie" (Koffka, 1922). Porém a escolha do título foi infeliz. Embora os ges-

---

3. Um desses filhos, Michael Wertheimer, é atualmente professor de psicologia da University of Colorado. Além de importante historiador da psicologia, ele é reconhecido pela APA como professor emérito e pela Psi Chi, prestigiosa sociedade norte-americana de estudantes, como líder.

taltistas vissem o movimento como uma nova teoria aplicável a toda a psicologia, o artigo dava a entender que a psicologia da Gestalt era apenas uma nova abordagem do estudo da percepção. Essa "percepção errônea" persiste até hoje, pois nos textos de introdução à psicologia atuais a discussão da psicologia da Gestalt ainda é incluída geralmente no capítulo dedicado à percepção.

Além disso, Koffka difundiu o movimento nos Estados Unidos pessoalmente a partir de 1924, numa série de palestras em trinta *campi*, num pronunciamento feito em 1925 na reunião anual da APA como convidado e em duas ocasiões como professor visitante, em Cornell e Wisconsin (Sokal, 1984). Em 1927, ele aceitou o cargo de professor no Smith College, de Massachusetts, uma faculdade particular de letras só para mulheres, onde trabalhou até 1941, ano de sua morte. Lá, a falta de um programa de pós-graduação cerceou a produtividade de Koffka no que se refere à pesquisa, mas ele influenciou a carreira de várias psicólogas talentosas, entre as quais Eleanor Gibson, que posteriormente inventaria o abismo visual para o estudo do desenvolvimento da percepção da profundidade nos bebês. Em 1935, Koffka escreveu seu livro mais importante, *Principles of Gestalt Psychology*. Apesar de haver firmado sua reputação como o maior teórico do movimento, o livro contribuiu também para aumentar a impressão, entre os norte-americanos, de que os gestaltistas estavam mais interessados em teoria que em dados. Numa época em que a maioria dos psicólogos do país estava fortemente engajada em programas de pesquisa experimental, essa tendência era considerada um ponto fraco. Além disso, os argumentos de Koffka nesse livro tão abstrato eram um tanto difíceis de seguir. As obras do seu colega gestaltista mais erudito, Wolfgang Köhler, foram mais lidas pelo público.

Wolfgang Köhler era apenas um ano mais novo que Koffka e sete que Wertheimer, mas sobreviveu a ambos 25 e 23 anos, respectivamente. Essa longevidade, aliada à sua deliberação na promoção das ideias do movimento da Gestalt, o tornou o mais conhecido dos três fundadores, especialmente nos Estados Unidos. Em 1958, ele foi eleito para a presidência da APA, tornando-se assim o único dos três a ocupar esse cargo. O início de sua carreira não foi muito diferente do de Koffka: obteve um doutorado com Stumpf em 1909 e depois foi assistente de Schumann em Frankfurt, justamente na época em que chegaram Wertheimer e Koffka (Asch, 1968).

Em 1913, uma intrigante oportunidade bateu à porta de Köhler, na forma de um convite para dirigir a pesquisa numa colônia de primatas criada em Tenerife pela Academia de Ciências da Prússia. Tenerife é a maior das Ilhas Canárias, situadas a pouca distância da costa noroeste da África. Ele o aceitou e foi para lá um pouco antes de estourar a Primeira Guerra Mundial, o que acabou por deixá-lo preso na ilha com a família e sua pequena colônia de macacos. Porém, conforme veremos no *Close-Up* deste capítulo, a pesquisa talvez não tenha sido sua única atividade durante esses anos: pensa-se que ele teria sido um espião da Alemanha. Independentemente das acusações de espionagem, os anos passados em Tenerife valeram a Köhler a reputação de cientista. Ali ele conduziu sua mais famosa pesquisa, voltada para a resolução de problemas entre os macacos. Essa pesquisa, relatada em *The Mentality of Apes* (1917/1926), será analisada mais detalhadamente adiante neste capítulo.

CLOSE-UP
UM CASO DE ESPIONAGEM?

A pesquisa que Wolfgang Köhler realizou em Tenerife durante a Primeira Guerra Mundial estabeleceu sua reputação na comunidade científica. Esses reveladores estudos são ainda hoje amplamente citados, e não apenas em livros de história da psicologia. Mas será que a pesquisa das capacidades mentais dos macacos foi o único interesse de Köhler ao longo daqueles anos? Segundo o psicólogo Ronald Ley, a resposta é "não". Numa visita que fez à ilha em 1975, ao tentar localizar a Estação de Pesquisa original de Köhler, Ley conheceu por acaso Manuel González y García, que não era outro senão o tratador dos animais durante os anos que o psicólogo passou em Tenerife! Apesar do tempo, González y García, então com 87 anos de idade, aparentemente lembrava-se bem do trabalho na estação de pesquisa e do comportamento dos macacos. Por exemplo, nem todas as recordações que guardava dos animais eram boas: ele se lembrava que o mais famoso dos macacos de Köhler, Sultan, uma vez lhe deu uma mordida que quase lhe arrancou o dedo e ele mostrou a Ley as cicatrizes dos ataques de outros macacos da colônia. Quanto a Köhler, disse que o cientista parecia gostar de trabalhar com os animais, mas jamais entrava sozinho nas jaulas, tendo feito a maior parte das observações do lado de fora. E outra coisa: Köhler era um espião alemão.

Naturalmente, a acusação de espionagem surpreendeu o inicialmente cético Ley, que afinal escreveu *A Whisper of Espionage: Wolfgang Köhler and the Apes of Tenerife* (Ley, 1990), uma história de detetive científica que descreve sua busca de informações para verificar a veracidade da acusação de González y García. Ela o levou de Tenerife a arquivos espalhados por toda a Europa e à casa da mulher e do filho de Köhler. Apesar de não ter conseguido encontrar provas inequívocas de que Köhler fosse um espião, Ley achou alguns indícios circunstanciais que sugerem que o cientista pode haver contribuído para o esforço de guerra alemão. Situadas perto das rotas marítimas dos aliados, as montanhosas Ilhas Canárias tinham importância estratégica. Os observadores poderiam detectar facilmente os navios aliados e transmitir informações aos submarinos alemães. Enquanto durou a guerra, os ingleses — que tiveram vários navios afundados na área — fizeram várias denúncias à Espanha de que havia espiões alemães na ilha fazendo justamente isso. As ilhas pertenciam à Espanha, supostamente um país neutro. Apesar disso, os ingleses alegaram que os cientistas alemães que estavam nas ilhas dispunham do meio (telégrafo sem fio) necessário à condução de atividades de espionagem. Segundo Ley, Köhler, que mantinha um rádio sem fio na estação de pesquisa, era um desses cientistas.

A suspeita de espionagem levantada por Ley é intrigante, mas foi criticada. Segundo Pastore (1990), o rádio poderia ter sido usado simplesmente para comunicação com o continente, a pesquisa e a produção escrita de Köhler não deixavam muito tempo livre para espionagem e a história toda poderia ser apenas um boato que acabou se transformando em "fato" na cabeça de um velho. O próprio Köhler referiu-se a esse boato numa de suas cartas: "alguns ingleses [...] tomam-nos por espiões alemães e ainda nos fazem o obséquio de espalhar que os animais são apenas um pretexto" (citado por Pastore, 1990, p. 369). Por outro lado, não seria tão fora do comum um cientista jovem e patriota transmitir informações úteis a seu país, caso tivesse a oportunidade.

A acusação de Ley pode ser discutível, mas a pesquisa que ele fez revelou detalhes interessantes sobre os anos que Köhler passou em Tenerife, inclusive sobre o papel desempenhado por sua primeira mulher, Thekla. Apesar de cuidar de dois filhos pequenos, ela contribuiu substancialmente para a pesquisa. Aparentemente, ela ficava mais à vontade com os macacos do que o marido e, segundo a filha, "era ela quem insistia em continuar com o trabalho quando as coisas não iam bem" (citada por Ley, 1990, p. 226). Artista talentosa, Thekla desenhou o perfil de um dos macacos que aparece no frontispício de *The Mentality of Apes* (Figura 9.3) e filmou a pesquisa. Suas fotos, inclusive a mais famosa, que mostra Sultan solucionando um problema (Figura 9.7), foram incluídas no livro. Köhler reconhecia seu valor, tendo escrito às autoridades alemãs para dizer que Thekla era capaz de administrar sozinha a estação de pesquisa e que queria que ela fosse reconhecida como coautora do livro em que relatava a pesquisa. Porém, ao que tudo indica, ele mudou de ideia quanto ao segundo ponto. As iniciais de Thekla sob o esboço publicado no frontispício são o único sinal tangível de sua contribuição para o livro.

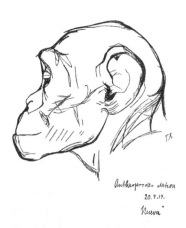

FIGURA 9.3 Desenho de um dos macacos de Köhler, feito por sua primeira mulher, Thekla, e publicado no frontispício de *The Mentality of Apes* (Köhler, 1917/1926).

Köhler voltou em 1920 para uma Alemanha devastada pela guerra e inicialmente não conseguiu encontrar emprego em tempo integral. Porém, em 1922 seu *status* como estrela em ascensão no mundo acadêmico confirmou-se quando foi nomeado como sucessor de Stumpf, seu antigo mentor, na direção do Instituto de Psicologia da Universidade de Berlim. Wertheimer também estava lá, assim como o jovem Kurt Lewin (de quem falaremos adiante neste mesmo capítulo). Ao lado de um grupo de alunos talentosos, os gestaltistas criaram uma "era de ouro" para seu movimento que durou mais ou menos uma década (Henle, 1986). Além de conduzir importantes pesquisas, eles fundaram a publicação *Psycho-logische Forschung* para apresentar e promover os resultados do seu trabalho e enviaram seus alunos para todas as partes da Alemanha a fim de expandir sua base de operações. Todavia, com a ascensão do nazismo tudo acabou.

Dos três gestaltistas fundadores, Köhler foi o último a deixar a Alemanha, ao emigrar em 1935. Como não era judeu, não enfrentava as ameaças encontradas por Wertheimer (e Lewin), mas apesar disso ficou abismado com a destruição da academia promovida pelo nazismo e falou publicamente a respeito. Em abril de 1933, por exemplo, ele escreveu o último artigo antinazista publicado durante os anos de Hitler, denunciando a demissão de professores judeus. Nesse artigo, argumentava que "só a qualidade de um ser humano deveria determinar seu valor, que as realizações intelectuais, o caráter e as óbvias contribuições à cultura alemã mantêm sua significação, seja a pessoa judia ou não" (citado por Henle, 1986, p. 228). Embora não tenha sido preso (um tanto para sua surpresa) por escrever o artigo, a situação de Köhler entrou em declínio irremediável: ele foi obrigado a começar suas aulas com uma saudação nazista (algo que fazia com notável sarcasmo) e a aceitar a presença de simpatizantes nazistas para "monitorá-las". Certa feita, tropas postaram-se do lado de fora da sala de aula e os alunos tiveram de apresentar seus documentos de identidade. No início de 1935, depois de se recusar a assinar um juramento de lealdade a Hitler, Köhler decidiu dar um basta à situação. Demitiu-se de sua adorada diretoria e aceitou um convite para lecionar no Swarthmore College, Pennsylvania, onde permaneceu até aposentar-se, em 1958, nove anos antes de sua morte. Além do livro sobre os macacos, Köhler escreveu *Gestalt Psychology* em 1929. Mais curto, mais fácil de ler e mais popular que o livro de Koffka, caracterizou-se pelo ataque ao behaviorismo norte-americano. Segundo Köhler, se os estruturalistas e associacionistas haviam falhado ao tentar analisar a consciência reduzindo-a a seus elementos, o mesmo ocorreria com o behaviorismo devido à sua estratégia atomística semelhante de reduzir o comportamento a unidades artificiais de estímulo e reação.

A PSICOLOGIA DA GESTALT E A PERCEPÇÃO

Wertheimer lançou a psicologia da Gestalt com sua pesquisa sobre um fenômeno perceptual, o movimento aparente, e o estudo da percepção tornou-se parte importante do programa da Gestalt. Boa parte do esforço voltava-se para a descrição das regras básicas que determinam como os fenômenos se organizam em todos ou figuras com sentido.

Esses **princípios de organização da Gestalt**, articulados pela primeira vez por Wertheimer (1923/1967), são hoje presença indispensável nos capítulos sobre a percepção de todo livro de psicologia geral. A seguir, veremos alguns dos mais importantes.

Princípios da Organização Perceptual

Uma de nossas tendências perceptuais mais básicas é separar as figuras inteiras de seus planos de fundo. Ela constitui a base de toda a percepção dos objetos (Goldstein, 1996). Essa segregação de **figura e fundo** foi descrita em detalhes pela primeira vez em 1915 por Edgar Rubin, psicólogo dinamarquês que estudou em Göttingen com G. E. Müller e estabeleceu o fenômeno conhecido como "calor paradoxal" (Prentice, 1951). Rubin não era psicólogo gestaltista, mas os gestaltistas usaram o fenômeno de figura e fundo para respaldar sua causa. De acordo com a descrição fenomenológica de Rubin, as figuras têm várias características distintivas que lhes permitem ser isoladas do plano de fundo. O contorno parece "pertencer" à figura, por exemplo, enquanto o fundo parece estender-se por trás dela, e essa impressão perceptual é muito forte, mesmo que "saibamos" que não é assim. Além disso, a figura é mais relembrável que o fundo e parece provida de uma substância que falta ao fundo (Rubin, 1915/1958). Na Figura 9.4a, por exemplo, os observadores geralmente percebem os segmentos de linhas retas radiantes como uma figura colocada contra um fundo de círculos concêntricos. O resultado é a percepção geral de um tipo de cruz. Com algum esforço, é possível reverter as relações de figura e fundo da Figura 9.4a e criar uma cruz cujos quatro braços são formados por arcos. A reversão é mais fácil na Figura 9.4b, que constitui a parte mais famosa do ensaio de Rubin de 1915. Alterando o foco da atenção, a figura pode ser tanto uma taça quanto dois rostos de perfil. Observe que apenas uma dessas percepções pode ocorrer de cada vez. Quando a figura é a taça, a área negra não é percebi-

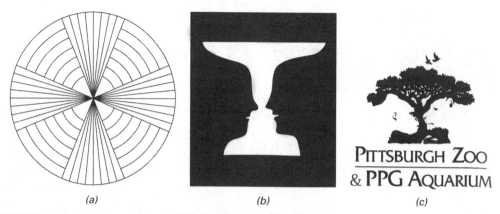

FIGURA 9.4 Exemplos de reversão de figura e fundo (a e b) de Rubin (1915/1958) e uma aplicação moderna do fenômeno (c).

da como nada, a não ser um fundo informe. Quando a figura são os rostos, ocorre o oposto, e a área informe passa a ser a branca. Se fixar a Figura 9.4b, você verá que sua percepção muda rapidamente de um "todo" para outro. Uma aplicação atual criativa da reversão de figura e fundo está no logotipo do Pittsburgh Zoo & PPG Aquarium (Figura 9.4c).

Três outros princípios de organização da Gestalt são ilustrados na Figura 9.5, extraída de um ensaio de Wertheimer "Laws of Organization in Perceptual Forms", 1923 /1967. Na Figura 9.5a, os dois primeiros pontos parecem formar um conjunto, assim como os dois seguintes e os demais pares. Eles se organizam conforme o princípio da **proximidade**. Wertheimer (1923/1967, p. 72) demonstrou a força desse princípio simples desafiando os leitores a perceberem os dois primeiros pontos como uma unidade, o segundo e o terceiro como outra unidade, e assim por diante, tarefa por ele considerada impossível. Se a proximidade se mantiver constante, então os estímulos podem ser organizados segundo a **similaridade**, conforme mostrado na Figura 9.5b, e nós somos impelidos a perceber colunas verticais alternadas de pontos vazados e cheios. O terceiro princípio, o da **boa continuação**, é uma tendência a organizar nossas percepções em direções que fluam com facilidade. Assim, percebemos a Figura 9.5c como duas linhas onduladas a-d e b-c. É difícil perceber a figura como duas linhas que mudam de direção abruptamente (a-b e c-d).

Todos os princípios de organização têm em comum algo que às vezes é chamado de lei da simplicidade ou, nas palavras dos ges-

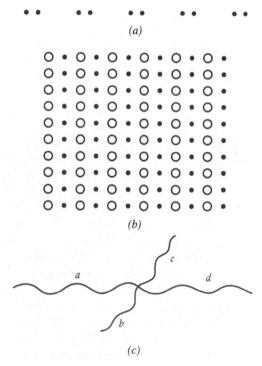

FIGURA 9.5 Princípios de organização da Gestalt: (a) proximidade, (b) similaridade e (c) boa continuação (extraídos de Wertheimer, 1923/1967).

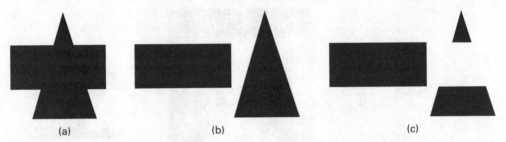

FIGURA 9.6 O princípio gestaltista da *Prägnanz*. A figura da esquerda pode ter sido criada de várias formas. Tendemos a percebê-la como composta de um triângulo e um retângulo, a possibilidade mais simples dentre as duas mostradas à direita.

taltistas, *Prägnanz* (concisão ou, numa tradução mais livre, "boa figura"). Trata-se da tendência básica que têm nossas percepções de refletir a realidade da forma mais aproximada possível. Quando a situação é ambígua, os princípios de organização atuam no sentido de adivinhar da maneira mais razoável a natureza do que está sendo percebido. Assim, embora a Figura 9.6 possa ter sido criada de várias maneiras, tendemos a percebê-la como a junção de um triângulo e um retângulo, a hipótese mais simples e mais provável. Desse modo, quando encontramos figuras incompletas, geralmente construímos uma "boa figura" preenchendo as lacunas, fenômeno chamado de **fechamento**. Pode-se dizer que a lei da *Prägnanz* é o equivalente perceptual do cânone da parcimônia de Lloyd Morgan.

Uma última observação acerca desses princípios de organização é que os psicólogos muitas vezes os utilizam quando acusam os gestaltistas de nativistas no que se refere à percepção. Porém estes argumentam, pelo contrário, que os princípios de organização não têm nada que ver com a questão inato x adquirido. Em vez disso, eles devem ser considerados inerentes à natureza dos objetos do mundo; nossos sistemas perceptuais destinam-se a adivinhar da melhor maneira o que existe nele. Como afirmou Wertheimer (1923/1967), "pode-se reconhecer a 'boa Gestalt' resultante simplesmente pela sua própria 'necessidade interior'" (p. 83).

Ambientes Comportamentais X Geográficos

Os princípios de organização podem destinar-se a ajudar-nos a perceber o mundo como ele é, mas isso não quer dizer que as nossas percepções reflitam a realidade física. Os gestaltistas, principalmente Koffka, em seus *Principles of Gestalt Psychology* (1935), traçaram uma importante distinção entre o mundo como ele é (que chamaram de **ambiente geográfico**) e o mundo como o percebemos (o **ambiente comportamental**). É essa segunda percepção que determina o modo como agimos. Koffka usou uma antiga lenda folclórica alemã para explicar a questão. Nessa lenda, um viajante cansado, em pleno inverno, chega a uma estalagem depois de percorrer durante horas e horas, montado em seu cavalo, o que parecia ser uma grande planície coberta de neve. Ao chegar, o estalajadeiro perguntou-lhe de que direção vinha. O viajante apontou para a planície, e o estalajadeiro, "em tom de assombro, perguntou: 'O senhor sabe que cavalgou sobre o lago Constança?', ao que o viajante caiu para trás, fulminado" (p. 28). Aparentemente, a percepção de uma incongruência entre o ambiente comportamental ("isto parece ser uma vasta planície") e o ambiente geográfico ("um lago congelado que poderia rachar facilmente sob o peso de um cavalo — eu poderia ter morrido afogado!") gera muita ansiedade.

Essa distinção entre a realidade física e a realidade percebida levou Koffka a um ponto que logo seria explicado por Kurt Lewin, com seu conceito de "espaço vital" (discutido adiante neste capítulo). Se os ambientes geográfico e comportamental diferem, então duas pessoas presentes no mesmo ambiente geográfico podem percebê-lo de forma distinta. Assim, as descrições de uma caminhada na mata feitas por um geólogo e por um botânico variarão consideravelmente.

O Isomorfismo Psicofísico

Os gestaltistas não se limitaram à descrição fenomenológica de eventos perceptuais; eles também teorizaram sobre a relação entre a percepção e os processos cerebrais subjacentes. Sua posição no que concerne a esse antigo problema mente-corpo era uma versão do paralelismo psicofísico que Köhler (1929/1947) chamou de **isomorfismo**: "num dado caso, a organização da experiência e os fatos fisiológicos subjacentes têm a mesma estrutura" (p. 300). Ou seja, numa determinada experiência, os processos cerebrais subjacentes refletem essa experiência da mesma forma. Isso não quer dizer que os processos cerebrais repliquem a experiência — Köhler não estava sugerindo que, quando percebemos um círculo, se aciona um conjunto circular de neurônios em nosso cérebro, mas sim que entre as duas coisas se verifica um isomorfismo funcional. Uma metáfora geográfica pode ilustrar a questão: o terreno real de uma área de 50 km^2 não se parece em nada com o mapa dessa área e representa uma experiência completamente diferente, mas o mapa é estruturalmente isomórfico em relação ao terreno. Do mesmo modo, os gestaltistas pensavam que a atividade cerebral era isomórfica em relação à experiência fenomenológica.

O modelo de função cerebral dos gestaltistas era especulativo (e foi atacado por alguns psicólogos americanos, entre os quais Lashley), mas era coerente com sua orientação. Esse modelo sugeria que o cérebro funcionava como um campo de força e que as atividades corticais mantinham inter-relações complexas e paralelas à experiência.

A ABORDAGEM GESTALTISTA DA COGNIÇÃO E DA APRENDIZAGEM

Embora o título do artigo seminal que Koffka publicou em 1922 no *Psychological Bulletin* desse a impressão de que a psicologia da Gestalt estivesse voltada unicamente para a percepção, esse não era o caso. Pelo contrário, os gestaltistas concebiam seu sistema como uma psicologia geral e deram contribuições ao estudo do raciocínio, da resolução de problemas e da aprendizagem. Os dois exemplos mais conhecidos são a pesquisa de Köhler sobre a capacidade de resolução de problemas entre os macacos e o livro póstumo de Wertheimer sobre o pensamento produtivo, *Productive Thinking* (1945/1982). *The Mentality of Apes* (1917/1926), de Köhler, foi publicado primeiramente na Alemanha, em 1917, e depois traduzido para o inglês e ligeiramente ampliado em 1924.

Köhler Acerca da Percepção nos Primatas

Köhler viveu com a família em Tenerife de 1913 a 1920, porém a maior parte da pesquisa relatada em *The Mentality of Apes* foi concluída em seu primeiro ano na ilha. Logo no início do livro, Köhler toma como alvo os experimentos de Thorndike com gatos em gaiolas. Como você deve lembrar, vimos no Capítulo 7 que Thorndike concluiu que a aprendizagem e a resolução de problemas era um processo de tentativa e "sucesso acidental", com substituição gradual dos comportamentos que não tinham êxito pelos que funcionavam. Porém, Köhler discordava inteiramente de que a resolução de problemas fosse um processo tão mecânico e tão dividido em etapas. Mantendo-se coerente com sua orientação gestaltista, argumentou que as soluções ocorrem quando os indivíduos podem ver o problema em todo o seu campo e rearrumar os elementos que o compõem em uma nova configuração. Assim, as soluções têm algo de perceptual e ocorrem rapidamente, depois de os componentes terem sido reconfigurados. Köhler usou o termo *insight*, ou percepção, para referência a esse processo. O principal problema de procedimento da pesquisa de Thorndike era, segundo Köhler, que os animais jamais poderiam perceber todo o campo do problema. Portanto, não podiam ver como os componentes de um aparato se relacionavam uns com os outros em sua configuração geral.[4] Para Köhler (1917/1926), nos estudos de Thorndike "os gatos [...] eram muitas vezes colocados em gaiolas que continham apenas a *extremidade final* de um mecanismo ou outro e, quando permitiam a visão das cordas ou de outras partes que compunham esse mecanismo, não permitiam uma inspeção da *totalidade* do arranjo" (p. 23, itálico no original). Köhler não queria repetir o mesmo "erro" em sua pesquisa. Seus animais teriam o campo inteiro diante de si, e todos os elementos necessários à resolução dos problemas ficariam bem visíveis.

The Mentality of Apes apresenta as descrições de dezenas de experimentos de resolução de problemas. Uma das mais famosas é a do capítulo intitulado "The Making of Implements", no qual o problema consistia em "resgatar" bananas colocadas do lado de fora da jaula. No interior da jaula havia dois bastões ocos, feitos de bambu, de diâmetros distintos, ambos curtos demais para atingir as bananas. Köhler queria verificar se Sultan, um de seus chimpanzés mais inteligentes, conseguiria solucionar o problema juntando os dois bastões. Os relatos tradicionais desse famoso experimento descrevem um animal atento que examina cuidadosamente os elementos da situação e, de repente, tem o *insight* que resolve o problema. Quando Sultan "resolveu" o problema,

FIGURA 9.7 Sultan resolvendo o problema dos dois bastões (foto extraída de Köhler, 1917/1926).

não era Köhler quem estava presente, mas sim o tratador (presumivelmente o mesmo Manuel González y García mencionado no *Close-Up*). O experimento foi posteriormente repetido e fotografado (Figura 9.7). O relato cheio de dramaticidade do tratador é um dos trechos mais citados em psicologia:

Relatório do tratador: "Primeiro Sultan fica de cócoras, indiferente, na caixa, que havia ficado um pouco afastada das grades; em seguida se levanta, pega os dois bastões, senta-se de novo na caixa e brinca despreocupadamente com eles. Enquanto está nisso, de repente segura um bastão em cada mão, de tal maneira que ambos formam uma linha reta; então ele introduz uma pequena parte do mais fino no orifício do mais grosso, salta e já vai correndo para as grades (para as quais até então havia meio que dado as costas) e começa e puxar uma banana com o bastão duplo". (Köhler 1917/1926, p. 132)

Essa descrição tem todos os componentes inseridos por Köhler em sua definição de *insight*: a solução ocorre rapidamente, justo quando Sultan percebe os elementos do problema numa nova configuração. Porém uma leitura mais atenta do livro, nas páginas que antecedem a famosa citação, revela que Sultan na verdade demorou a chegar à solução, tendo antes tentado várias

---

4. Köhler criticou os estudos de aprendizagem de labirintos pela mesma razão, queixando-se de que "a psicologia animal, nos Estados Unidos, faz os animais (ou as pessoas) procurarem sair de labirintos de cuja totalidade não podem ter uma ideia de nenhum ponto interior" (p. 18).

outras estratégias, todas malsucedidas. Por exemplo, ele experimentou arrastar uma caixa para perto das grades da jaula, talvez por causa da experiência que tivera num experimento que consistia em empilhar caixas, realizado antes do experimento dos dois bastões. Outra estratégia infrutífera foi jogar um dos bastões para fora da jaula e, em seguida, puxá-lo para dentro com o outro. Sultan até deixou de perceber a "dica" quando o observador (provavelmente Köhler) pegou o bastão maior e enfiou o dedo dentro do orifício, mostrando-lhe a solução. Em resumo, embora possa ter demonstrado um certo grau de percepção quando finalmente resolveu o problema, Sultan também se comportou de uma maneira que faria sentido para Thorndike: agiu por tentativa e erro.

A explicação dada por Köhler — a do *insight* — não foi recebida sem contestação pelos psicólogos norte-americanos, que questionaram a sofisticação metodológica de suas demonstrações, argumentando que havia indícios inequívocos de aprendizagem baseada em tentativa e erro, como acabamos de dizer. Algumas tentativas de replicar a pesquisa produziram resultados ambíguos e sugeriram que, quanto maior a experiência anterior do animal na resolução de problemas semelhantes, maior a probabilidade de surgir uma solução "rápida" — ou seja, perceptiva (Windholz e Lamal, 1985). Porém, por outro lado, a pesquisa de Köhler introduziu uma nova maneira de pensar no debate sobre a aprendizagem e a resolução de problemas, ampliando a metodologia da pesquisa animal para além da busca da saída de labirintos e gaiolas.

Wertheimer Acerca do Pensamento Produtivo

Köhler não foi o único gestaltista a estudar a cognição. Max Wertheimer tinha um interesse de muitos anos no raciocínio e na resolução de problemas cujo cultivo culminou no livro *Productive Thinking* (1945/ 1982), que enviou ao editor pouco antes de sua morte em 1943. Seus tópicos iam desde o modo como as crianças aprendem aritmética ao processo seguido por Einstein para desenvolver sua teoria da relatividade. Um bom exemplo do seu uso dos princípios da Gestalt está na descrição que ele faz de como ensinar geometria às crianças. Wertheimer lamentava a abordagem tradicional no ensino da matemática, baseada principalmente na memorização de regras e fórmulas, sem propiciar aos alunos a percepção dos conceitos que estavam por trás dos símbolos.

Logo no início do livro, Wertheimer descreve sua visita a uma turma em que o professor explicava aos alunos como obter a área de um paralelogramo. Usando a Figura 9.8a, o professor apresentou as regras:

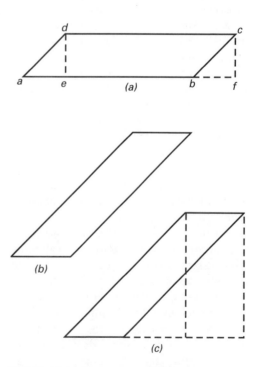

FIGURA 9.8 A área de um paralelogramo: (a) diagrama usado para ensinar com fórmula; (b) problema apresentado por Wertheimer que causou dificuldade entre os alunos que haviam aprendido com a fórmula; (c) uma tentativa de solução apresentada pelos alunos que haviam aprendido com a fórmula (extraída de Wertheimer, 1945/1982).

"Eu traço uma linha perpendicular do canto superior esquerdo e outra do canto superior direito."

"Em seguida, estendo a linha de base para a direita."

"Por fim, chamo os dois novos pontos de e e f." (Wertheimer, 1945/1982, p. 14)

Como já haviam memorizado a regra para calcular a área dos retângulos, os alunos agora poderiam determinar a área do paralelogramo multiplicando a base (*e-f*) pela altura (*d-e*). O professor então deu aos alunos vários outros problemas, que estes resolveram seguindo as mesmas etapas. Como dever de casa, mais problemas.

No dia seguinte, Wertheimer voltou a visitar a turma e, com a permissão do professor, deu aos alunos um paralelogramo ligeiramente diferente (confira a Figura 9.8*b*). A maioria dos alunos não conseguiu calcular sua área. Alguns desistiram imediatamente, dizendo: "Professor, ainda não vimos isso" (Wertheimer, 1945/1982, p. 15). Outros tentaram aplicar as regras que haviam aprendido, criando desenhos como a Figura 9.8*c*, mas hesitavam quanto ao que fazer em seguida. Uns poucos giraram o paralelogramo 90° e então aplicaram as regras, conseguindo solucionar o problema. O professor não achou graça e afirmou que Wertheimer havia dado a seus alunos "uma figura estranha; naturalmente eles não saberiam lidar com ela" (p. 16).

Wertheimer achava que os alunos seriam pensadores mais produtivos se realmente entendessem o conceito de área e sugeriu que os professores começassem com exemplos simples e concretos. Por exemplo, os alunos poderiam captar facilmente a ideia de que dois campos quadrados equivalentes produzem o mesmo volume de um determinado produto agrícola. Em seguida, as superfícies retangulares poderiam ser entendidas como combinações de campos quadrados. Com esse conhecimento, os alunos poderiam ver que qualquer paralelogramo pode ser transformado num retângulo cortando uma extremidade e anexando-a à ou-

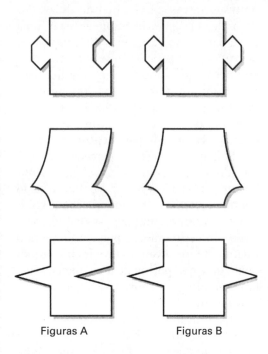

Figuras A   Figuras B

FIGURA 9.9 Esboços usados por Wertheimer para ilustrar o pensamento produtivo. Os alunos com conhecimento produtivo de área resolvem as Figuras A e reconhecem o problema no caso das Figuras B. Os alunos que memorizam a fórmula para cálculo da área não conseguem resolver problemas com nenhum dos tipos de figuras (exemplos extraídos de Wertheimer, 1945/1982).

tra. Wertheimer demonstrou que, com um entendimento perceptivo desse tipo, as crianças não tinham dificuldade em resolver problemas de área como os da Figura 9.9*a*, que chamou de "Figuras A", nem em reconhecer instantaneamente que o procedimento falharia no caso dos problemas da Figura 9.9*b*, as "Figuras B". Porém os alunos que memorizavam a rotina tradicional de cálculo de base X altura não conseguiam resolver nenhum dos problemas da Figura 9.9.

Assim, para Wertheimer, o pensamento produtivo na sala de aula ia muito além da memorização de conjuntos de regras e fórmulas para soluções "corretas". A verdadeira compreensão envolvia uma total reestruturação do problema, a fim de chegar à percepção de sua solução. Transferindo uma parte do paralelogramo de uma extremidade à outra, as crianças efetuavam essa "reestruturação", criando assim uma "boa Gestalt", uma figura mais simples (o retângulo) à qual poderiam aplicar seu conhecimento de quadrados e retângulos para o cálculo da área.

Outras Pesquisas Gestaltistas sobre a Cognição

Conforme mencionamos anteriormente, enquanto estavam em Berlim nos anos de 1920, os gestaltistas atraíram um grupo de estudantes talentosos, entre os quais Hedwig Von Restorff e George Katona, que deram importantes contribuições ao estudo da memória, e Karl Duncker, cujos estudos sobre a resolução de problemas e o *insight* são ainda hoje citados nos textos de psicologia geral. Todos os três foram perseguidos pelo nazismo e, embora Von Restorff tenha permanecido na Alemanha depois de ser demitida do cargo que ocupava em Berlim e morrido pouco antes do fim da Segunda Guerra Mundial (Henle, 1980), Katona e Duncker juntaram-se ao contingente de intelectuais que emigraram para os Estados Unidos.

Hedwig Von Restorff (1901-?) descobriu que quando as pessoas viam grupos de três dígitos em listas de sílabas sem sentido, quase sempre lembravam melhor esses números que as sílabas. Como mandava o figurino gestaltista, ela interpretou os resultados como uma ilustração da relação entre figura e fundo: o número representava uma figura nítida diante do fundo de sílabas sem sentido (Baddeley, 1990). Hoje esse resultado é chamado de **efeito Von Restorff**. Toda vez que um estímulo presente em meio a uma série de informações se destaca de algum modo, ele será lembrado mais facilmente que o resto das informações. George Katona (1901-1981) teve uma carreira longa e prolífica. Sua contribuição à pesquisa sobre a memória deu-se por meio do livro *Organizing and Memorizing*, publicado em 1940, no qual ele aplicou os princípios de organização da Gestalt ao processo da memória. Como Wertheimer, também considerava inútil a aprendizagem pela memorização, defendendo a ideia de que a memória poderia ser melhorada se as informações fossem organizadas em padrões coerentes. A importância da organização para a memória seria redescoberta na década de 1960 pelos psicólogos cognitivos, a maioria dos quais desconhecia inteiramente a pesquisa pioneira de Katona.

Karl Duncker (1903-1940) foi um aluno de Köhler que seguiu o mestre na ida para o Swarthmore College durante os anos do nazismo. Embora tenha morrido muito jovem — cometeu suicídio —, foi capaz de produzir uma obra importante sobre o pensamento, levando as ideias que seu professor tinha a respeito do *insight* à área do comportamento voltado para a solução de problemas entre os seres humanos. Seu livro inovador *Psychology of Productive Thought* foi publicado na Alemanha em 1935 e, dez anos mais tarde, traduzido para o inglês e reimpresso em *Psychological Monographs* (Duncker, 1935/1945). Hilgard (1987) o considera "a descrição mais analítica e cuidadosa do *insight* jamais publicada" (p. 233). Duncker estudou os processos cognitivos de estudantes universitários pedindo-lhes que pensassem em voz alta enquanto tentavam resolver os problemas. Em seguida, analisou as transcrições escritas de seus protocolos, em busca de padrões de raciocínio e estratégias típicas de resolução de problemas. E descobriu, por exemplo, que os alunos costumavam resolver os problemas mais criativamente quando conseguiam imaginar usos diferentes dos comuns para os objetos. Seu famoso problema da vela ilustra a questão: os sujeitos devem montar uma vela verticalmente na parede de um modo que não a chamusque. E recebem diversos objetos, entre os quais uma caixa de tachas. Para chegar à solução correta, é preciso ver a caixa não em sua função normal de recipiente, mas sim como uma plataforma na qual montar a vela. Aos sujeitos que não conseguiram resolver o problema, Duncker atribuiu a **fixidez funcional**, que é

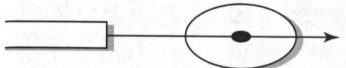

FIGURA 9.10 Diagrama usado por Duncker para induzir a fixidez funcional no problema do tumor (extraído de Duncker, 1945).

a incapacidade de pensar além da função típica de um objeto. Do mesmo modo, no problema do "tumor", ele pediu aos sujeitos que imaginassem como destruir um tumor inócuo de estômago usando radiação. A dificuldade era que, para poder destruir o tumor, a radiação teria de ter intensidade suficiente para destruir também o tecido adjacente. A solução seria expor o tumor a vários raios provenientes de diferentes direções, todos com foco sobre ele. Cada um dos raios seria relativamente fraco, deixando intacto o tecido sadio, mas quando todos se concentrassem no ponto onde estava o tumor, haveria força suficiente para destruí-lo. Duncker descobriu que, quando mostrava aos estudantes o diagrama da Figura 9.10, apenas 9% resolviam o problema. Por outro lado, 37% o solucionavam quando o diagrama não era apresentado (Mayer, 1992). Duncker então concluiu que o diagrama induzia a fixidez funcional por levar os sujeitos a pensarem em usar a radiação em apenas uma direção.

KURT LEWIN (1890-1947): EXPANDINDO A VISÃO DA GESTALT

Kurt Lewin foi contemporâneo dos "três grandes" da psicologia da Gestalt — Wertheimer, Koffka e Köhler — e, embora não se considerasse um gestaltista propriamente dito, reconheceu sua dívida para com "essas excepcionais personalidades. [...] As ideias fundamentais da teoria da Gestalt são a base de nossas investigações no campo da vontade, do afeto e da personalidade" (citado por Marrow, 1969, p. 76). Como os gestaltistas, Lewin construiu sua teoria em torno de conceitos provenientes da teoria de campo, além de tomar emprestadas várias ideias gestaltistas no que se refere à percepção e à cognição. Porém, enquanto os gestaltistas tendiam a concentrar-se na percepção, na aprendizagem, na cognição e em seus correlatos neurológicos, Lewin estava mais interessado na motivação, na emoção, na personalidade e em seu desenvolvimento, além da influência das forças sociais sobre a ação humana. Os pesquisadores que atualmente investigam essas áreas são unânimes em afirmar que Lewin foi um pioneiro em todas elas.

Juventude e Início de Carreira

Lewin nasceu no dia 9 de setembro de 1890 na pequena vila prussiana de Mogilno, hoje parte da Polônia. Filho de comerciante, foi criado num ambiente que aliava o relativo conforto da classe média ao antissemitismo aprovado pelo estado. O fato de estar no lado receptor de discriminações autorizadas instilou em Lewin o forte senso de justiça social que caracterizou sua carreira. Em 1905, a família mudou-se para Berlim, onde o potencial intelectual de Lewin atingiu sua plenitude. Inseguro de sua vocação, passou um semestre em Freiburg e outro em Munique estudando medicina e biologia até decidir emular seus professores e tornar-se ele mesmo professor. Assim, voltou a Berlim e obteve um doutorado, defendendo uma tese sobre associação sob a orientação do mentor mais significativo deste capítulo, Carl Stumpf. Que Lewin tinha seu orientador na mais alta conta é algo que fica claro com a leitura do obituário que escreveu para ele, no qual situava Stumpf e G. E. Müller (Capítulo 4) no "nível mais alto [...] da pirâmide dos psicólogos que conduzem pesquisas" na Alemanha (Lewin, 1937, p. 189). Stumpf angariou a admiração de Lewin apesar de ter mantido com ele pouco contato pessoal. Lewin não recordava, por exemplo, haver discutido sua tese com Stumpf durante os anos em que se dedicou à sua pesquisa de doutorado, a não ser no momento da defesa! E generosamente atribuía essa atitude distante à disposição de Stumpf de dar a seus alunos ampla liberdade para trabalhar. Embora o admirasse muito, Lewin adotava a postura oposta no que se refere a isso, tendo sempre assumido papel ativo na supervisão das pesquisas de seus próprios alunos (Marrow, 1969).

Lewin concluiu sua tese num momento de importância capital: o início da Primeira Guerra Mundial. Como cidadão leal à pátria, alistou-se no exército em 1914 e passou vários dos anos seguintes tentando sobreviver à brutal guerra de trincheiras que dizimou uma geração de jovens europeus. Ele entrou como soldado raso, saiu como oficial, foi ferido uma vez e foi condecorado com a Cruz de Ferro alemã. Em 1917, enquanto estava de licença para recuperar-se dos ferimentos, refletiu sobre suas experiências e escreveu "The War Landscape", um artigo sobre a paisagem da guerra que continha as sementes de muitos de seus posteriores conceitos. Numa distinção semelhante à que seria feita depois por Koffka entre os ambientes geográfico e comportamental, Lewin assinalou que os mesmos objetos do ambiente podem ser fenomenologicamente diferentes, dependendo de sua inserção na paisagem da guerra ou na da paz. Uma picada na floresta, por exemplo, que em tempos de paz poderia gerar bem-estar e relaxamento, é potencialmente fatal em tempos de guerra, pois pode servir de esconderijo para os inimigos. Ou seja, o mesmo ambiente físico pode ser percebido de duas maneiras completamente distintas.

Em 1918, quando a guerra terminou, Lewin retornou ao Instituto de Psicologia de Berlim. Em 1921, tornou-se instrutor e ali permaneceu até 1933. Ao longo desses anos, desenvolveu suas ideias e seu programa de pesquisa, atraindo muitos alunos talentosos para a pós-graduação e criando fama internacional. Além disso, nesses anos tornou-se amigo de Wertheimer e Köhler e também conheceu Koffka. Como disse seu biógrafo, embora "nunca tenha sido um gestaltista inteiramente ortodoxo, tornou-se uma força vital para o novo movimento, contribuindo para este com seus *insights* especiais" (Marrow, 1969, p. 13).

Lewin permaneceu em Berlim até 1933, quando seu *status* de herói de guerra deixou de valer mais que o ônus de sua herança judaica.[5] Ele já era famoso nos Estados Unidos, pois fizera um instigante pronunciamento como convidado no Congresso Internacional de Yale em 1929, além de haver passado seis meses como professor visitante no departamento de Terman em Stanford. Robert Ogden, um dos primeiros convertidos ao gestaltismo e um dos principais responsáveis pela ida dos gestaltistas para os Estados Unidos (Freeman, 1977), arranjou para que Lewin passasse dois anos em Cornell. Em 1935, ele se mudou com a família de Nova York para Iowa e ali juntou-se à equipe da Child Welfare Research Station, um centro de pesquisa voltado para o bem-estar da criança ligado à University of Iowa, porém independente do departamento de psicologia. O centro, que fora criado em 1917, destinava-se a estudar o desenvolvimento de crianças normais e treinar pesquisadores do desenvolvimento infantil (Ash, 1992). Lewin permaneceu ali por nove anos, mudando-se para Boston em 1944, depois de conseguir levantar financiamento para criar o Research Center for Group Dynamics com sede no Massachusetts Institute of Technology. Logo depois de começar seu trabalho ali, Lewin morreu subitamente de um ataque do coração em fevereiro de 1947.

---

5. Depois que chegou aos Estados Unidos e com a ameaça nazista se tornando cada vez mais evidente, Lewin tentou desesperadamente providenciar a emigração da mãe, primeiro para os Estados Unidos e depois para Cuba, mas não teve sorte. Em 1943, ela faleceu num dos campos de concentração nazistas (Marrow, 1969).

Teoria de Campo

Lewin produziu mais pesquisa empírica que os três fundadores da psicologia da Gestalt juntos. Porém, como eles, era antes de tudo um teórico. Em resposta à crítica de que as teorias às vezes estão muito longe de ter utilidade, ele respondeu que "[n]ão há nada tão prático quanto uma boa teoria" (citado por Marrow, 1969, p. 128). Lewin considerava a sua uma **teoria de campo** porque achava que, para compreender o comportamento de uma pessoa, era preciso conhecer todas as forças que agiam sobre ela num dado instante. Assim, chamou o campo específico em que a pessoa atua de **espaço vital**. Esse é o conceito fundamental de sua teoria, por ele definido como um campo psicológico que inclui a "totalidade dos fatos que determinam o comportamento (C) de um indivíduo num dado momento. [...] [Ele] inclui a pessoa (P) e o ambiente (A)" (Lewin, 1936, p. 216). Entre os fatores pessoais incluem-se crenças, objetivos, necessidades e variáveis da personalidade, ao passo que entre os fatores ambientais incluem-se coisas alheias à pessoa que, no entanto, a afetam diretamente. Além disso, não é apenas o ambiente físico, mas sim o ambiente conforme o percebe o indivíduo que influencia o comportamento. Assim, todo comportamento é uma função conjunta das características da pessoa que age e das características do ambiente psicológico no qual ela age. Ou, conforme resumiu Lewin na fórmula agora famosa:

$$C = f(P, A)$$

Lewin simbolizou o conceito do espaço vital por meio de um empréstimo da **topologia**, uma geometria espacial não quantitativa. Ele representou o espaço vital com várias figuras ovais, que contêm os símbolos dos fatores que influenciam o indivíduo. Dois exemplos dessas elipses (que os alunos passaram a chamar de "ovos de Lewin") são mostrados na Figura 9.11. A Figura 9.11a é uma representação simples da fór-

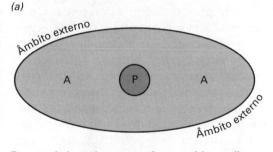

Espaço vital = tudo o que estiver contido na elipse

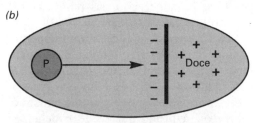

FIGURA 9.11 Dois exemplos dos "ovos de Lewin": (a) espaço vital básico; (b) uma criança querendo um biscoito que está fora do seu alcance.

mula básica. O espaço vital inclui tudo aquilo que está dentro da elipse (ou seja, a pessoa — P — e o ambiente conforme é percebido — A). Fora da elipse — espaço chamado por Lewin de **âmbito externo** — encontravam-se todos os eventos, circunstâncias e estímulos que não exerciam efeito algum sobre a pessoa num determinado momento.

Uma das principais diferenças entre os gestaltistas de primeira hora e Lewin está na ênfase que este dava aos construtos motivacionais e ao comportamento voltado para um objetivo. Ele acreditava que a pessoa é um sistema complexo de energia no qual cada ação pode ser prevista com base no volume de tensão do sistema, o que, por sua vez, é resultado das necessidades predominantes, da força dessas necessidades e dos vários obstáculos presentes no espaço vital. Quando todas as necessidades são satisfeitas, diz-se que o indivíduo atinge o estado de **equilíbrio**. A criação de uma necessidade gera desequilíbrio e, portanto, a pessoa se motiva a satisfazer essa necessidade para voltar a promover a estabilidade. Tomemos como exemplo a Figura 9.11b. Ela representa uma situação na qual uma criança faminta deseja um biscoito que está num pote fora do seu alcance. O desejo cria uma tensão no espaço vital. O biscoito é o objeto desejado — que, nas palavras de Lewin, tem **valência** positiva (simbolizada pelos sinais de adição). A seta que parte da criança (P) é um **vetor** que simboliza um impulso dirigido para um objetivo desejado específico — tendência de aproximação — ou um impulso que se volta para a fuga de um objetivo a evitar — tendência de evitação. A extensão da seta é proporcional à força da necessidade. A barra vertical é uma barreira (o pote de biscoitos), que tem uma valência negativa.

Lewin usou esse sistema topológico para analisar conflitos, uma de suas mais conhecidas contribuições. Ele descreveu três situações em que comumente se verifica um conflito entre necessidades. Conforme seu esquema, existe um conflito toda vez que pelo menos dois vetores exercem pressão em direções diferentes. No conflito de **aproximação-aproximação**, existem dois objetivos desejáveis de igual força a escolher. É o caso, por exemplo, da escolha entre filé ou lagosta para o jantar. Dois objetivos igualmente indesejáveis caracterizam o conflito de **evitação-evitação**, como no caso do aluno que tem de optar pelo estudo de um dentre dois temas de que não gosta. Finalmente, no conflito de **aproximação-evitação**, a pessoa vivencia simultaneamente tendências de aproximação-evitação com relação ao mesmo objetivo. Seria o caso de nossa decisão de pedir um *sundae* com calda de chocolate quente, que pode ser influenciada ao mesmo tempo pelas tendências de aproximação (é gostoso) e de evitação (engorda).

O Efeito Zeigarnik

O sistema de Lewin era altamente teórico e foi acusado de ser meramente descritivo. Isto é, para os críticos, os diagramas poderiam descrever praticamente qualquer evento, mas tinham pouca utilidade na previsão do comportamento (Frank, 1978). Porém, Lewin e seus alunos realizaram um volume considerável de pesquisa, e os resultados de seus estudos são compatíveis com a teoria (naturalmente, muitos desses resultados poderiam ter outras explicações). Um exemplo está na série de estudos realizada por uma das primeiras alunas de Lewin, a psicóloga russa Bluma Zeigarnik (1927/1967).

As ideias das pesquisas muitas vezes surgem da observação do dia a dia, e esse aparentemente foi o caso da pesquisa de Zeigarnik. Em Berlim, Lewin conseguiu reunir em torno de si um grupo atuante de alunos de pós-graduação. Mais ou menos de 1924 em diante, esse grupo tinha sempre entre doze e quinze doutorandos (Marrow, 1969). Como o sistema universitário alemão não prescrevia requisitos rígidos para cada curso, um dos principais elementos dos doutorados era o seminário, caracterizado pela continuidade, pela presença de um pequeno grupo de alunos e pela discussão, entre outros temas, de trabalhos em andamento e futuras pesquisas. O grupo de Lewin reunia-se informalmente durante horas num café que ficava defronte ao Instituto. Para manter a mesa, de vez em quando os participantes pediam um segundo café ou um pedaço de bolo. Lewin ficou impressionado com um dos garçons do estabelecimento, que sabia de cor o que cada aluno havia pedido sem precisar fazer comandas, mas, assim que a conta era paga, não se lembrava de mais nada. Para Lewin, a explicação era simples: enquanto a conta estivesse pendente e os alunos permanecessem no café, verificava-se uma tensão no espaço vital do garçom. Quando eles pagavam a conta, a tensão se resolvia e se atingia um fechamento da situação.

O estudo de Zeigarnik testou diretamente a interpretação de Lewin. Em seu principal experimento, ela testou individualmente 164 professores, alunos e crianças dando-lhes entre dezoito e 22 tarefas simples cuja realização exigia apenas alguns minutos. Entre elas, estava a confecção de uma caixa de papelão, a criação de uma figura de argila, a solução de charadas e a solução de problemas de aritmética e outros problemas mentais. Cada sujeito podia realizar metade das tarefas, mas, ao atingir esse ponto, era interrompido e não podia fazer o resto. Para garantir que essa interrupção fosse considerada uma perturbação, Zeigarnik sempre escolhia "o momento no qual o sujeito estivesse mais absorto em seu trabalho" (1927/1967, p. 303). O que ela descobriu foi que as tarefas interrompidas tinham 1,9 vez mais probabilidade de serem lembradas que as não interrompidas. Em termos lewinianos, a memória mais precisa era resultado da tensão não descarregada da tarefa incompleta. Esse fenômeno — o fato de a memória ser melhor quando a tarefa não se conclui que ao contrário — hoje é chamado de **efeito Zeigarnik**.

Lewin como Psicólogo do Desenvolvimento

Lewin chegou a Nova York no fim do ano de 1933, momento em que o país estava imerso em sua pior crise econômica, a Grande Depressão. Seu cargo em Cornell, possível graças a um limitado fundo de bolsas concedido por um comitê de ajuda a acadêmicos emigrados da Europa, não era no departamento de psicologia, mas na School of Home Economics, e tampouco era de professor. Diante da crescente fama internacional de Lewin, o fato pode causar surpresa, mas deve ser analisado à luz do mercado de trabalho acadêmico na década de 1930. Um dos efeitos da Depressão foi que poucas famílias podiam enviar os filhos à universidade e, com a redução do número de matrículas, poucas instituições podiam contratar novos professores. Portanto, conseguir um emprego acadêmico era praticamente impossível. A dimensão do problema foi revelada por uma pesquisa da APA, segundo a qual em 1932 havia apenas 32 cargos acadêmicos para cem egressos de cursos de doutorado em psicologia. E em 1933 as

DATA-CHAVE 1929

Este ano marcou a realização do Nono Congresso Internacional de Psicologia na Yale University, que contou com importantes palestras de Köhler e Lewin, as quais contribuíram para difundir a causa da Gestalt.

Os seguintes fatos também ocorreram:

- A Psi Chi, a sociedade honorária de alunos de psicologia, foi fundada
- O termo *apartheid* foi usado pela primeira vez
- O Graf Zeppelin alemão dá a volta ao mundo em vinte dias
- A bolsa de valores dos Estados Unidos quebrou no dia 28 de outubro (a "Sexta-Feira Negra"), marcando o início da Grande Depressão
- A Kodak lançou o filme cinematográfico colorido de 16 mm
- Herbert Hoover tomou posse como trigésimo primeiro presidente dos Estados Unidos
- Seis famosos gângsteres de Chicago foram metralhados por uma gangue rival no "Massacre de São Valentim"
- Nasceram:

  Martin Luther King, Jr., líder norte-americano da luta pelos direitos civis

  Arnold Palmer, jogador de golfe norte-americano

  Jacqueline Bouvier Kennedy Onassis, mulher do presidente John Kennedy

- Morreram:

  Thorstein Verblen, cientista social norte-americano

  Katherine Lee Bates, escritora e compositora norte-americana (por exemplo, *America the Beautiful*)

  Wyatt Earp, figura lendária do oeste norte-americano

perspectivas eram ainda piores: 46 empregos para 146 recém-doutorados (Napoli, 1981). Nesse contexto, a nomeação de Lewin talvez seja uma indicação de sua estatura, em vez de uma desconcertante queda de prestígio.

Quando chegou aos Estados Unidos, Lewin foi visto pelos psicólogos norte-americanos como um psicólogo do desenvolvimento cuja abordagem diferia radicalmente (a) da do movimento behaviorista, que nesse momento estava se firmando, e (b) da tendência crescente de estudar grupos de crianças e obter médias estatísticas do seu comportamento (Ash, 1992). Lewin, por sua vez, achava que os behavioristas davam demasiada ênfase ao ambiente, em detrimento dos fatores da personalidade. Ou seja, diante de sua equilibrada fórmula — C = f (P, A) —, os behavioristas tinham A (ambiente) demais e P (pessoa) de menos. Lewin criticou, do ponto de vista metodológico, a estratégia de identificação de uma criança "típica" mítica; ele preferia os estudos de caso em que cada criança era analisada individualmente e em profundidade, sem intuitos estatísticos.

A impressão de que Lewin era psicólogo do desenvolvimento baseava-se na apresentação, muito comentada, que ele fez no Congresso Internacional de 1929 em Yale e num capítulo sobre a psicologia do desenvolvimento que escreveu para a primeira edição do *Handbook of Child Psychology* (Lewin, 1931). Nesse capítulo, ele apresentou sua fórmula (C = f (P, A)) ao público norte-americano. E a palestra que fez em Yale destacou-se pela apresentação de um filme em que mostrava um bebê de dezoito meses tentando sentar-se numa pedra. A garotinha aparentemente pensou que erraria o alvo se desviasse os olhos da pedra, então rodeou-a várias vezes, tentando imaginar como poderia sentar-se nela sem tirar-lhe os olhos de cima. Finalmente, ela encontrou a criativa solução de colocar a cabeça entre os joelhos e aproximar-se lentamente da pedra antes de sentar-se. Desse modo, conseguiu ver a pedra enquanto se sentava sobre ela. Nessa apresentação, Lewin descreveu esse evento simples em termos de forças de campo, vetores e valências, "amarrando-o" a outra pesquisa sobre a obtenção de objetivos mediante rodeios. Segundo sua explicação, as crianças mais velhas resolvem problemas com rodeios porque os percebem como um todo e reconhecem que o primeiro passo — um movimento de afastamento em relação ao objetivo (desviar-se dele) — faz parte da estrutura geral da solução. Assim, elas conseguem atingir uma solução mesmo que o vetor inicial aponte em direção oposta ao objetivo. Uma criança mais velha resolveria o problema de sentar-se na pedra como se ele fosse um problema de rodeio, reconhecendo que deixar de olhar para o objetivo enquanto aparentemente se afastava dele se classificaria como parte da solução. Porém, a de dezoito meses não podia dar esse passo e viu-se obrigada a manter um vetor simples, dirigido para o objetivo, não perdendo a pedra de vista. Então a diferença entre a criança mais nova e a mais velha, segundo Lewin, era que a segunda tinha um maior grau de **diferenciação**. Para ela, isso significa que o espaço se torna mais complexo com o tempo. Assim, o desenvolvimento se processa no sentido da menor para a maior diferenciação.

Os dois anos que passou em Cornell, foram para Lewin muito atribulados. Além de estar aclimatando-se a um ambiente muito diferente do de Berlim e aperfeiçoando seu inglês de principiante, ele mergulhou num programa de pesquisa sobre os efeitos da pressão social sobre os hábitos alimentares das crianças e, com a ajuda de tradutores, também publicou uma coletânea de ensaios sobre a teoria da personalidade (Lewin, 1935) e um livro sobre sua teoria topológica (Lewin, 1936). Além disso, organizou uma congregação informal de antigos e atuais alunos e colegas, a que deu o nome de "Grupo topológico". Sua primeira reunião — se é que assim se pode chamar ao encontro sediado no Smith College, do qual Koffka foi o anfitrião — ocorreu em 1933. Seu sucesso deu origem a um segundo e, excetuando alguns anos durante a Segunda Guerra Mundial, o grupo reuniu-se todos os anos até 1965. Assim como as sessões organizadas pelos psicólogos experimentalistas de Titchener, as desse grupo eram marcadas pela informalidade, pela camaradagem e pela discussão dos trabalhos em andamento. Porém, ao contrário do grupo de Titchener, nesse as mulheres eram bem-vindas.

Porém, só quando se mudou para Iowa e criou um grupo de pesquisa na Iowa Child Welfare Station foi que Lewin conseguiu recriar um ambiente parecido com o que tinha em Berlim. Como o dos velhos tempos, seu novo grupo de pesquisa promovia seminários e reuniões informais. Lewin chegou inclusive a encontrar um substituto para o café de Berlim onde sua observação a respeito da memória do garçom inspirou a pesquisa de Zeigarnik. Em Iowa, ele se reunia com os alunos no Round Window Restaurant, onde o grupo era conhecido como "Hot-Air Club" (Marrow, 1969).

Em Iowa, Lewin deu prosseguimento à sua pesquisa sobre as crianças e produziu um de seus mais famosos estudos — "Frustration and Regression: An Experiment with Young Children" (Barker, Dembo e Lewin, 1941). Roger Barker era egresso de Stanford, onde fora aluno de Lewin no breve período em que este trabalhara lá como professor visitante. Tamara Dembo era uma das alunas mais fiéis de Lewin, tendo estudado com ele em Berlim, Cornell e Iowa. O experimento evoluiu a partir de uma pesquisa anterior de Dembo, na qual as crianças que se viam diante de problemas com rodeios e se frustravam por não poderem atingir o objetivo finalmente abandonavam as tentativas de resolvê-los. Barker, Dembo e Lewin decidiram estudar o problema mais sistematicamente no intuito de determinar os efeitos da frustração sobre a qualidade dos jogos e brincadeiras de crianças pouco abaixo dos 4 anos de idade.

Cada uma das trinta crianças do estudo foi submetida primeiro a um período de "brincadeiras livres" numa sala em que havia brinquedos simples, enquanto o observador tomava notas sobre seu comportamento. Depois de meia hora, era retirada uma divisória que ocultava um recinto onde havia brinquedos muito melhores e mais interessantes, entre os quais uma grande casa de bonecas e um "lago de brinquedo" com água e barquinhos de verdade. Cada criança passava até quinze minutos nesse ambiente enriquecido e depois era levada até a entrada da sala. Então era colocada outra divisória para separar os brinquedos melhores dos mais simples, só que dessa vez ela era de tela de arame e fechada com um cadeado. A criança então passava mais trinta minutos com os brinquedos que havia na primeira sessão de brincadeiras. Só que, ao contrário da primeira vez, agora ela podia ver o que estava perdendo. Em termos lewinianos, os brinquedos que estavam do outro lado da divisória adquiriam uma valência muito maior que a dos que estavam disponíveis, e a barreira tinha uma valência negativa que produzia tensão. E o comportamento das crianças refletia sua frustração: elas passavam parte do tempo tentando contornar a barreira ou sair da sala. Como não podiam fazer isso, seu comportamento passou a ser muito diferente do inicial, pois elas se tornaram mais destrutivas nas brincadeiras, se distraíram mais facilmente com o que viam na sala e mostraram-se mais perturbadas emocionalmente. Portanto, quando submetidas a uma grande carga de frustração, seu comportamento regrediu, apresentando padrões menos construtivos dos que os demonstrados apenas alguns minutos antes.[6] Lewin assinalou que, embora o aumento da idade produza diferenciação, quando há *stress* pode ocorrer uma mudança temporária na direção oposta, por ele denominada **dediferenciação**. O estudo de Barker, Dembo e Lewin tornou-se um clás-

---

6. Embora o experimento tenha acontecido muito antes de a APA adotar um código de ética, Lewin estava atento aos estados emocionais de seus pequenos sujeitos. Depois da conclusão dos trinta minutos finais da observação, a barreira era retirada mais uma vez, e as crianças podiam brincar com os brinquedos de alta valência pelo tempo que quisessem.

sico na literatura da psicologia do desenvolvimento, sendo até hoje incluído na maioria dos livros-textos de psicologia do desenvolvimento.

Lewin como Psicólogo Social

Os colegas norte-americanos de Lewin podem ter pensado que ele era um psicólogo do desenvolvimento, mas sua autoidentidade era muito mais ampla, como se pode perceber em sua teoria geral e em sua pesquisa de tópicos como preconceito, influência do grupo e liderança. Os estudos que fez sobre esse último tema são a razão de ele ser considerado um dos pioneiros da moderna psicologia social. A pesquisa sobre liderança, ainda hoje citada com frequência, provinha de suas reflexões sobre o mundo de meados da década de 1930. Atento ao contraste entre a democracia do seu novo país e o ambiente cada vez mais ditatorial do antigo, Lewin interessou-se pelas consequências de diferentes estilos de liderança. Junto a Ronald Lippitt e Ralph White, ele realizou diversos experimentos sobre a questão (Lewin, Lippitt e White, 1939; Lippitt e White, 1943).

O procedimento básico nessa pesquisa era criar diferentes ambientes para grupos de cinco garotos de 10 anos de idade, que recebiam como tarefa diversos projetos de artesanato (por exemplo, confeccionar

Tabela 9.1 Estilos de liderança comparados pelo grupo de pesquisa de Lewin

A. Autoritário	B. Democrático	C. Neutro
1. Toda a determinação de políticas estava a cargo do líder.	1. Todas as políticas eram discutidas e decididas em grupo, com o incentivo e a ajuda do líder.	1. Liberdade total para as decisões grupais ou individuais, com o mínimo de participação do líder.
2. As técnicas e etapas das atividades eram ditadas pela autoridade, uma a uma, de modo que havia um alto grau de incerteza quanto a futuras etapas.	2. Durante o período de discussão, teve-se uma perspectiva das atividades a desenvolver. As etapas gerais do objetivo do grupo foram delineadas e quando [...] havia necessidade de orientação, o líder sugeria [...] procedimentos alternativos para que o grupo optasse pelo que preferia.	2. O líder forneceu diversos materiais e deixou claro que daria informações quando estas fossem pedidas, mas não participou de nenhum modo da discussão do trabalho.
3. O líder [...] especificou a tarefa e o companheiro de cada membro do grupo.	3. Os membros tinham liberdade para trabalhar com quem quisessem, e a divisão das tarefas ficava a cargo do grupo.	3. Completa falta de participação do líder.
4. O dominador tendia a ser demasiado "pessoal" em suas críticas e elogios a cada membro e permanecia alheio, não participando ativamente do grupo a não ser durante as demonstrações.	4. O líder era "objetivo" ou "factual" em suas críticas e elogios, e tentava agir conforme o espírito do grupo, como se dele fosse membro, mas sem fazer muito do trabalho.	4. Exceto se perguntado diretamente, o líder fez poucos comentários espontâneos sobre as atividades dos membros e não tentou, de modo algum, avaliar nem interferir no curso dos eventos.

Fonte: Lippitt e White (1943, p. 487)

máscaras). O experimento principal comparava três diferentes estilos de liderança: o autoritário, o democrático e o neutro. A Tabela 9.1, extraída de Lippitt e White (1943), descreve as três atitudes. Cada grupo de garotos foi submetido aos três estilos, e seu comportamento foi drasticamente afetado pela forma como foi guiado. Quando orientados por um líder autocrático, eles logo se tornaram submissos, deixaram de tomar iniciativas, não produziram objetos de boa qualidade e não demonstraram nenhum verdadeiro interesse pelas tarefas. Além disso, tendiam a mostrar-se agressivos quando o líder não estava na sala e a zombar dos membros menos queridos do grupo, transformando-os em bodes expiatórios. Os que estavam no grupo de liderança neutra tampouco se saíram muito melhor. Como se encontravam num "campo não estruturado", passavam boa parte do tempo tentando em vão decidir o que fazer. A falta de direção por parte de um adulto muitas vezes gerou confusão, frustração e hostilidade. Sob essa forma de liderança, não se realizou nada. Por outro lado, sob a orientação de um líder mais democrático, o grupo tornou-se coeso, motivado e concentrado nas tarefas, além de produzir objetos de melhor qualidade. Uma descoberta alarmante foi que, quando passavam de um ambiente democrático a outro autoritário, os garotos sucumbiam rapidamente e com o mínimo de protesto à tirania. Conforme a posterior descrição de Lewin, "[p]ara mim houve poucas experiências tão impressionantes quanto a visão da expressão das crianças em seu primeiro dia com um líder autocrático. A equipe que antes era aberta e amigável, cooperativa e cheia de vida, em meia hora transformou-se num grupo apático e sem iniciativa" (citado por Marrow, 1969, p. 127). Por outro lado, igualmente alarmantes foram os dados que apontavam a dificuldade dos que haviam passado do ambiente autoritário ao democrático em superar os efeitos do costume de receber ordens.

As implicações mais amplas dos estudos sobre a liderança eram óbvias para Lewin. Embora reconhecesse o problema existente em generalizar para além do âmbito do experimento, ele viu os resultados como um endosso ao governo democrático e uma condenação de qualquer coisa diferente. Além disso, eles reforçaram sua convicção de que os cientistas precisavam "entrar na arena", em vez de limitar-se à atmosfera rarefeita de seus laboratórios. E, fiel a ela, transformou-se no protótipo do cientista-ativista: tornou-se sionista, defendendo acirradamente a criação de um estado independente na Palestina para que os judeus pudessem estabelecer seu próprio sistema democrático.[7] Além disso, fez uma campanha (em vão) pela criação de um instituto de pesquisa psicológica na Universidade Hebraica de Jerusalém. Por fim, tornou-se líder da Society for the Psychological Study of Social Issues (SPSSI), uma sociedade filiada à APA, fundada em 1936 para aplicar o conhecimento psicológico à resolução de problemas sociais. O ativismo permeava seu trabalho, e boa parte de sua pesquisa foi projetada especificamente para solucionar alguns problemas do mundo real (Heims, 1978). Ele chamava esse trabalho de "pesquisa-ação".

A Pesquisa-Ação

A pesquisa sobre liderança é apenas um dos exemplos de um tema constante no trabalho de Lewin: o uso da ciência como meio de promoção da mudança social positiva. Para ele, a psicologia devia fazer mais que simplesmente explicar o comportamento; ela devia "igualmente preocupar-se em descobrir como as pessoas podem mudar seus hábitos para aprender a comportar-se melhor" (citado por Marrow, 1969, p. 158). Nos anos que passou em Iowa — os quais entraram pela Segunda Guerra Mundial —, ele participou de vários estudos destinados a solucionar problemas imediatos do mundo real, muitos dos quais ligados a proces-

---

7. O estado de Israel foi criado em 1948, um ano após a morte de Lewin.

sos grupais. Durante a Segunda Guerra, por exemplo, num projeto com a antropóloga Margaret Mead, Lewin analisou os efeitos dos processos grupais sobre a seguinte situação: convencer as pessoas a incluir mais vísceras (como fígado e rins) na dieta. Essa mudança ajudaria o esforço de guerra porque, ampliando a faixa de alimentos ingeridos, seria possível evitar a escassez dos alimentos preferidos. Lewin e Mead descobriram que as pessoas tendiam mais a mudar depois das discussões em grupo que depois das palestras sobre nutrição.

Boa parte da pesquisa de Lewin sobre os grupos foi conduzida em ambientes de trabalho e, por isso, ele é uma figura historicamente importante para os psicólogos industriais. Por exemplo, numa série de estudos voltados para o aumento da produtividade dos operários da indústria, Lewin mostrou que a permissão para que definissem metas de produção por meio de reuniões de grupo tinha o duplo efeito de levantar o moral e aumentar a produtividade dos trabalhadores. Os processos grupais, além disso, podiam ser empregados para treinar administradores e superar os preconceitos dos homens contra suas colegas de trabalho.

Em consonância com sua missão de usar a ciência para a promoção de mudanças sociais, no fim da década de 1930 Lewin começou a planejar a criação de um instituto de pesquisa voltado para a pesquisa-ação. Embora filiado a uma universidade, esse instituto deveria ser autônomo. Reconhecendo os riscos envolvidos (os doadores poderiam querer resultados tangíveis antes do período que a ciência geralmente necessita para fornecê-los), ele começou a buscar financiamento com determinação, afirmando que estava "disposto a qualquer coisa para encontrar uma solução produtiva. A ação social faz parte do mundo social, que muda. Sei que a segurança terá de ser renovada a cada dia. Mas estou pronto a correr o risco" (citado por Marrow, 1969, pp. 163-64).

A agressiva busca de financiamento privado valeu a pena. No fim de 1944, Lewin fundou o Research Center for Group Dynamics, um centro de pesquisa da dinâmica de grupo filiado ao Massachusetts Institute of Technology (MIT), em Cambridge. Ali ele rapidamente reuniu um entusiasmado grupo de pesquisadores, a maioria proveniente do Hot-Air Club de Iowa, e começou a estudar os processos grupais e a ação social. Ao mesmo tempo, aceitou o convite do American Jewish Congress, uma entidade judaico-americana, para organizar outra iniciativa de pesquisa-ação, a Commission on Community Interrelations (CCI), com sede em Nova York. Sob a liderança de Lewin, a CCI patrocinou pesquisas sobre a discriminação e o preconceito, na busca de respostas a perguntas como estas (citadas por Marrow, 1969, pp. 175-76):

- ✓ Que procedimentos, na concessão de empregos a membros de minorias, servem para aumentar a tensão nos grupos e quais os que servem para reduzi-la?
- ✓ Em que circunstâncias e até que ponto a construção do amor-próprio entre membros de minorias é um pré-requisito para o crescimento?
- ✓ Quais os problemas que surgem numa comunidade com a chegada de membros de minorias?
- ✓ Quais dos métodos usados para lidar com esses problemas os solucionam mais prontamente?

Nos dois últimos anos de vida, Lewin mergulhou no trabalho de seus dois projetos paralelos, o centro de pesquisa da dinâmica de grupo e a CCI. Os estudos resultantes, que investigavam tópicos como moradias inter-raciais e lealdade intragrupal, juntamente com seus outros trabalhos sobre liderança e dinâmica de grupo, constituem a base da moderna psicologia social experimental. Os colegas e alunos de pós-graduação que conduziram os estudos, entre os quais Leon Festinger, Harold Kelley, Morton Deutsch e Fritz Heider, situam-se entre os líderes da área. Ainda hoje, seus nomes têm destaque nos índices de autores dos livros-textos de psicologia social.

Avaliando Lewin

Quando lhe pediram que descrevesse o apelo exercido por Lewin entre os alunos, Jerome Frank, que estudou com ele em Berlim, resumiu numa palavra a personalidade do seu mentor: "paixão". Segundo ele, Lewin era "um homem baixinho, dotado de uma reserva aparentemente inesgotável de energia e de uma tez rosada que dava a impressão de vigor e excelente saúde. Embora seja provável que na minha presença ele tenha estado quase sempre sentado, na minha lembrança ele está quase sempre em movimento" (Frank, 1978, p. 223). Outros alunos relataram ter lembranças semelhantes da paixão de Lewin por seu trabalho, nas quais ele está muitas vezes desenhando no quadro-negro suas representações gráficas do espaço vital, "com o ar [...] cheio de pó de giz" (Marrow, 1969, p. 137).

A teoria topológica de Lewin e as ilustrações ovais com que a representava desapareceram da psicologia moderna, porém a pesquisa que geraram torna-o um dos mais importantes psicólogos do século XX. Durante seus anos nos Estados Unidos, apesar de não ter exercido um cargo acadêmico de tempo integral em nenhum departamento de psicologia das principais universidades, Lewin esteve sempre cercado de alunos entusiasmados que transformaram suas ideias em realidade experimental e deram continuidade a sua mistura especial de pesquisa básica e pesquisa aplicada até muito depois de sua morte prematura, em 1947. Ralph White, ex-aluno e coautor do famoso estudo sobre estilos de liderança, admitiu num simpósio de 1976 que a teoria de campo, em seu sentido mais estrito, era uma coisa do passado — poucos psicólogos hoje se referem a "valências" ou "vetores" e "é raro ver diagramas com objetivos, caminhos, barreiras e setinhas dentro de um contorno elíptico" (White, 1978, p. 245). Por outro lado, segundo White, a influência de Lewin ainda se fazia sentir claramente:

> Ela está viva na atenção constante aos padrões de motivação e cognição que determinam diretamente o comportamento. [...] Ela está viva no uso seletivo, mas relativamente difundido, das teorias e conceitos mais específicos de Lewin, como o conflito de aproximação-evitação e a diferenciação do campo cognitivo. Ela está viva na citação muito frequente da famosa fórmula de Lewin: $C = f (P, A)$. Dito de outra maneira, boa parte da substância de sua teoria de campo — embora geralmente não com as palavras que ele usou — está ainda muito viva. (pp. 245-46)

EM PERSPECTIVA: A PSICOLOGIA DA GESTALT NOS ESTADOS UNIDOS

Durante a década de 1920, a psicologia da Gestalt floresceu na Alemanha, especialmente em Berlim, mas, como vimos nos esboços biográficos de seus líderes, também fez suas primeiras incursões à psicologia norte-americana ainda nessa década. Na Alemanha, os gestaltistas se estabeleceram por meio da oposição ao que julgavam ser a forma errada de estudar a experiência humana. Segundo eles, era inútil tentar analisar a experiência dividindo-a em suas unidades elementares porque o todo de uma experiência tinha propriedades que não se evidenciavam com a descrição de seus componentes. Quando foram para os Estados Unidos, os gestaltistas viram no behaviorismo outra forma da mesma tendência elementista e escreveram muitas críticas a essa psicologia norte-americana que se interessava em decompor o comportamento em unidades de estímulo e reação. A psicologia da Gestalt não chegou a tornar-se uma força predominante na psicologia norte-americana, mas sua influência se fez sentir e ainda hoje repercute de muitas maneiras. A atual psicologia cognitiva, por exemplo, que investiga tópicos como a "organização" da informação na memória, deve muito ao pensamento gestaltista.

O fato de a psicologia da Gestalt não se haver tornado a linha dominante na psicologia norte-americana decorre em parte das circunstâncias históricas de seus primeiros líderes. Os três fundadores da psicologia da Gestalt se viram em escolas pequenas que não tinham programas de pós-graduação e, assim, não podiam criar "herdeiros". Além disso, três dos quatro gestaltistas abordados neste capítulo morreram com pouco mais de 50 anos. Porém, o mais importante é que eles simplesmente não conseguiram converter a maioria dos psicólogos norte-americanos à sua mensagem. Embora muitos achassem que a abordagem gestaltista era um *acréscimo* interessante à mistura de pontos de vista diversos que havia na psicologia, poucos se convenceram de que a Gestalt poderia colocar *toda* a psicologia sob sua bandeira. Fora isso, muitos psicólogos norte-americanos já tinham se deixado levar pela nova onda do behaviorismo, tema dos dois próximos capítulos. Pragmáticos, mais à vontade com o concreto do que com o abstrato, esses psicólogos achavam que o movimento gestaltista tinha muita teoria e filosofia e pouca ciência. Além disso, o zelo missionário dos gestaltistas gerou resistência entre os psicólogos norte-americanos. Köhler, por exemplo, recordou o seguinte numa conversa que teve com Karl Lashley (Capítulo 3), que em geral apoiava a posição da Gestalt: "Depois que discutimos os princípios fundamentais da psicologia da Gestalt, ele de repente sorriu e disse: 'Excelente trabalho — mas será que o próximo passo de vocês não é a religião?'" (Köhler, 1967/1969, p. 79).

A maioria dos psicólogos norte-americanos, devido a uma atitude funcional receptiva a qualquer abordagem que ajudasse a explicar os atos humanos, tendia a ser mais eclética do que os gestaltistas gostariam (Ash, 1985). Portanto, ao descrever o novo movimento alemão em *Schools of Contemporary Psychology*, originalmente publicado em 1931, Robert Woodworth (Capítulo 7) aplaudiu sua "grande vitalidade", mas, ao mesmo tempo, discretamente repreendeu os gestaltistas por fazerem uma leitura rasteira das ideias de seus oponentes. Referindo-se especificamente à investigação de Thorndike da aprendizagem por tentativa e erro e sua lei do efeito, à pesquisa de Pavlov sobre o reflexo condicionado e aos estudos de Köhler sobre o *insight*, Woodworth argumentou que havia alguma verdade em todos os três e que "os defensores de cada interpretação seriam capazes de encontrar razões para explicar todos os fatos à sua própria maneira" (Woodworth, 1931, p. 124). Ele encerrou o capítulo afirmando que a psicologia da Gestalt era "um forte e valioso acréscimo às diversas psicologias" (p. 125) e contribuiu para perpetuar a ideia de que o movimento se voltava principalmente para os fenômenos perceptuais ao aplaudi-lo por frisar "a importância do tema que tem sido usualmente chamado de percepção, tema negligenciado pelos behavioristas e pouquíssimo abordado pelos [estruturalistas]" (p. 125).

No cômputo geral, Wertheimer, Koffka, Köhler e Lewin aportaram considerável "*insight*" ao nosso conhecimento da experiência humana, além de trazerem uma importante advertência para os que se dedicavam a construir teorias psicológicas baseadas em princípios associacionistas. Porém, a tradição que buscava compreender a complexidade por meio da análise era forte, como veremos nos dois próximos capítulos.

RESUMO

ORIGENS E DESENVOLVIMENTO DA PSICOLOGIA DA GESTALT

- O movimento da Gestalt teve suas origens nas tradições filosóficas de Kant e Husserl e nos avanços verificados na física ao longo do século XIX, especialmente no trabalho de Max Planck, pioneiro da física de campo. Os campos de força só podem ser entendidos em termos dos padrões gerais das relações entre os objetos neles presentes.
- O físico Ernst Mach argumentava que algumas de nossas experiências sensoriais são experiências de formas (por exemplo, a "quadradice") que não podem ser reduzidas mais. Numa linha semelhante, Christian von Ehrenfels usou o exemplo da mudança de tom de uma melodia para ilustrar o conceito de qualidade da forma: quando ela é tocada num tom diferente, mantém a qualidade da sua forma, mesmo que todos os elementos que a compõem sejam outros. Além de orientar as teses de três dos quatro gestaltistas abordados neste capítulo, o eminente filósofo e psicólogo Carl Stumpf foi professor por algum tempo do quarto deles.
- A psicologia da Gestalt foi criada entre 1910 e 1912, quando, com a ajuda de Kurt Koffka e Wolfgang Köhler, Max Wertheimer conduziu uma pesquisa sobre o movimento aparente, por ele chamado de fenômeno fi. Quando certas luzes piscam a determinados intervalos, o observador percebe uma luz em movimento, e a experiência não pode ser analisada com base nas partes que a compõem. Wertheimer concluiu que o todo é diferente das partes e determina sua natureza.
- Quando o partido nazista assumiu o poder no início da década de 1930, ameaçando diretamente os cientistas judeus, Wertheimer emigrou para os Estados Unidos e passou o resto de seus anos trabalhando na New School for Social Research, em Nova York.
- Kurt Koffka, um dos observadores de Wertheimer no estudo sobre o movimento aparente, foi orientado em seu doutorado por Stumpf. Ele ficou conhecido por introduzir o movimento da Gestalt nos Estados Unidos, por meio tanto de suas publicações quanto de visitas. Koffka foi o primeiro gestaltista a mudar-se definitivamente para o país, tendo aceitado um convite para ensinar no Smith College em 1927. Tendo sido o maior teórico do movimento, ele estendeu as ideias gestaltistas à área da psicologia do desenvolvimento.
- Wolfgang Köhler também fez seu doutorado com Stumpf e ajudou Wertheimer em seu estudo sobre o movimento aparente. De 1913 a 1920, estudou o comportamento dos primatas numa estação de pesquisa nas Ilhas Canárias, onde observou a resolução perceptiva de problemas. Em 1935, Köhler mudou-se definitivamente para os Estados Unidos, onde se tornou o mais influente porta-voz da Gestalt.

A PSICOLOGIA DA GESTALT E A PERCEPÇÃO

- Wertheimer descreveu diversos dos princípios básicos que norteiam a organização de nossas percepções. Entre esses princípios de organização da Gestalt incluem-se o de figura e fundo e os de agrupamento por proximidade, similaridade e boa continuação. Nossas percepções regem-se pela *Prägnanz*, a tendência a organizar as percepções com base no todo mais simples e significativo. Geralmente construímos essas "boas figuras" mediante o preenchimento de lacunas, fenômeno chamado de fechamento.
- Koffka traçou uma importante distinção entre o mundo conforme existe na realidade — o ambiente geográfico — e o mundo conforme o indivíduo o percebe — o ambiente comportamental, que tem influência mais clara sobre o nosso comportamento.
- Segundo o princípio do isomorfismo de Köhler, a realidade fenomenológica e a realidade física a ela subjacente eram funcionalmente equivalentes.

A ABORDAGEM GESTALTISTA DA COGNIÇÃO E DA APRENDIZAGEM

- Köhler forneceu um resumo de sua pesquisa sobre a resolução de problemas entre os animais em *The Mentality of Apes*. Criticando a explicação mecânica de tentativa e erro na aprendizagem animal dada por Thorndike, ele propunha que os animais eram sujeitos a *insights* e capazes de resolver problemas rapidamente se pudessem perceber todos os elementos da situação. Os macacos de Köhler conseguiram resolver problemas empilhando caixas para alcançar frutas presas ao teto e construindo instrumentos rudimentares para alcançar frutas colocadas do lado de fora de suas jaulas. Sultan, por exemplo, juntou duas varas de bambu para fazer isso.
- Em *Productive Thinking*, Wertheimer mostrou o quanto o pensamento pode ser inibido pelos sis-

temas educacionais que se baseiam na memorização. Para pensar produtivamente, o indivíduo deve realmente compreender as relações existentes num problema para ser capaz de resolver novos problemas. Wertheimer usou o exemplo do cálculo da área do paralelogramo para ilustrar as deficiências da memorização de regras e as vantagens da abordagem mais perceptiva do pensamento produtivo.
- Entre os gestaltistas que trabalharam com a cognição incluem-se também Hedwig Von Restorff, que mostrou que a memória retém melhor as informações que se destacam do fundo (efeito Von Restorff), George Katona, que estudou os efeitos da organização sobre a memória, e Karl Duncker, que investigou os fatores que inibem a resolução perceptiva de problemas, como a fixidez funcional, a tendência a pensar apenas nos usos normais dos objetos.

KURT LEWIN (1890-1947): EXPANDINDO A VISÃO DA GESTALT

- Como Koffka e Köhler, Lewin obteve seu doutorado no laboratório de Stumpf e depois juntou-se a Köhler e Wertheimer em Berlim na década de 1920. Emigrou da Alemanha nazista em 1933 e trabalhou em Cornell, na Child Welfare Research Station de Iowa e no Research Center for Group Dynamics do MIT, por ele fundado pouco antes de sua morte.
- A teoria de campo de Lewin baseia-se no conceito de espaço vital, que abrange todos os fatores que influenciam o comportamento (C) de um indivíduo num dado momento. Entre esses fatores encontram-se os que estão no interior da pessoa (P) e os do ambiente (A). Assim, $C = f(P, A)$. Lewin recorreu à topologia para representar simbolicamente os vários espaços vitais e enfatizou a importância do comportamento motivado e voltado para um objetivo.
- Lewin usou seu sistema para descrever vários sistemas de conflito (por exemplo, conflito de aproximação-evitação). Uma de suas alunas, Bluma Zeigarnik, demonstrou que a tensão não resolvida dentro do sistema pode ter consequências comportamentais. Segundo o efeito Zeigarnik, a memória das tarefas não concluídas é maior que a das concluídas.
- Como psicólogo do desenvolvimento, Lewin preferia o estudo de casos individuais ao da "criança típica" e considerava o desenvolvimento um processo de diferenciação crescente. Ele estudou os efeitos da frustração dando a várias crianças a oportunidade de brincar com brinquedos atraentes e depois retirando-os delas. A frustração provocou a deterioração (regressão) do comportamento dessas crianças.
- Lewin é muitas vezes considerado um fundador da moderna psicologia social. Seu mais famoso trabalho na área consiste no estudo das consequências de diferentes estilos de liderança, com o qual demonstrou que os garotos adolescentes são mais competentes quando dirigidos por um líder democrático que por um líder autocrático ou neutro.
- Por sua relevância social, boa parte da pesquisa de Lewin foi chamada de "pesquisa-ação". Ativista convicto, ele sempre achou que sua pesquisa deveria contribuir para melhorar a sociedade. Entre os exemplos de sua pesquisa-ação estão os estudos que fez sobre o preconceito e sua redução, a lealdade intragrupal e a eficácia dos processos grupais.

QUESTÕES PARA ESTUDO

1. O que von Ehrenfels queria dizer com "qualidade da forma?" Cite um exemplo.
2. Descreva o estudo de Wertheimer sobre o movimento aparente e explique seus argumentos contra (a) a explicação baseada no movimento do olho e (b) a explicação de Helmholtz, baseada na inferência inconsciente.
3. Às vezes os psicólogos norte-americanos associam a psicologia da Gestalt apenas ao estudo da percepção. Qual a origem dessa percepção errônea?
4. Quais os argumentos contra e a favor da ideia de que Köhler foi espião da Alemanha na Primeira Guerra Mundial?
5. O que é a percepção de figura e fundo? Cite algumas características de cada um desses conceitos.
6. Descreva três dos princípios de organização da Gestalt e mostre por que eles podem ser considerados variações da *Prägnanz*.
7. Use a história do lago Constança ou a história da "paisagem da guerra" de Lewin para ilustrar

a distinção entre os ambientes geográfico e comportamental.
8. Use o conceito do mapa para ilustrar o modo como os gestaltistas usaram o princípio do isomorfismo.
9. Explique a crítica de Köhler à pesquisa de labirintos de Thorndike.
10. Em termos gestaltistas, qual a explicação de Köhler para o sucesso de Sultan no problema dos dois bastões?
11. Use o exemplo do cálculo da área do paralelogramo para ilustrar as ideias de Wertheimer sobre o pensamento e a resolução de problemas.
12. O que é o efeito Von Restorff e qual a sua relação com o conceito de figura e fundo?
13. O que é a fixidez funcional e qual a sua relação com o *insight*?
14. Use o exemplo da criança que deseja um biscoito que está fora do seu alcance para ilustrar os conceitos de espaço vital, âmbito externo, valência, vetor e equilíbrio da teoria de campo de Lewin.
15. Descreva os três tipos de conflito analisados por Lewin.
16. Como Zeigarnik investigou o efeito que recebeu seu nome e qual a relação entre esse fenômeno e o conceito lewiniano de equilíbrio?
17. Descreva o famoso estudo de Lewin sobre a frustração e a regressão e cite as conclusões a que ele chegou.
18. Descreva o famoso estudo de Lewin sobre a liderança e cite as conclusões a que ele chegou.
19. Cite três exemplos da pesquisa-ação de Lewin.
20. Analise o impacto da psicologia da Gestalt sobre a psicologia norte-americana. Por que esse impacto não foi tão grande quanto os gestaltistas esperavam?

LEITURA SUPLEMENTAR

HENLE, M. (1986). One man against the Nazis — Wolfgang Köhler. *In* M. Henle (org.), *1879 and all that: Essays in the theory and history of psychology* (pp. 225-37). Nova York: Columbia University Press.

Descrição que destaca o efeito das políticas nazistas sobre a ciência alemã sob o prisma da experiência do corajoso Wolfgang Köhler; inclui um excerto da carta de protesto por ele escrita, além de outras correspondências relativas ao tema.

LEY, R. (1990). *A whisper of espionage*. Garden Park, NY: Avery Publishing Group.

Relato intrigante e de fácil leitura da busca empreendida por Ley de informações sobre as supostas atividades de espionagem de Köhler durante sua permanência na ilha de Tenerife; encontraram-se indícios circunstanciais, mas Ley não encontrou nenhuma prova irrefutável; inclui um interessante relato da vida de Köhler na ilha.

MARROW, A. J. (1969). *The practical theorist: The life and work of Kurt Lewin*. Nova York: Basic Books.

Biografia elogiosa e acrítica de Lewin; fornece informações confiáveis sobre os fatos da vida do biografado e boas descrições de suas pesquisas e teorias, porém é fraca como relato histórico (excessivamente interna e personalista).

SOKAL, M. M. (1984). The Gestalt psychologists in behaviorist America. *American Historical Review, 89*, 1240-1263.

Relato minucioso da recepção do pensamento gestaltista e dos psicólogos gestaltistas nos Estados Unidos nas décadas de 1920 e 1930; excelente tratamento do contexto histórico contemporâneo e das oscilantes opiniões dos psicólogos norte-americanos acerca da qualidade do movimento gestaltista.

CAPÍTULO 10
AS ORIGENS DO BEHAVIORISMO

> Num sistema de psicologia inteiramente resolvido, dada a reação, os estímulos podem ser previstos; dados os estímulos, a reação pode ser prevista.
> — John B. Watson, 1913

VISÃO GERAL E OBJETIVOS DO CAPÍTULO

Nas duas primeiras décadas do século XX, os psicólogos norte-americanos voltaram-se cada vez mais para o tipo de aplicações descrito no Capítulo 8. Além disso, uma nova força entrou em cena: o behaviorismo. Os behavioristas estavam dispostos a mudar o rumo da psicologia nos Estados Unidos e, em grande medida, o conseguiram. O fundador do behaviorismo como escola de pensamento na psicologia norte-americana foi John Broadus Watson (1878-1958). Como Wundt, Watson ganhou dos historiadores o título de "fundador" não por ter iniciado um movimento, mas por ser seu mais deliberado promotor. Para Watson, o que devia ser promovido era um programa que visava à meta aparentemente impossível que é delineada na epígrafe deste capítulo, extraída de seu "manifesto behaviorista" de 1913.

Este capítulo documenta a tendência a uma crescente objetividade que levou à aceitação final do behaviorismo pela maioria dos psicólogos norte-americanos. Em seguida, ele aborda a vida e a obra do renomado fisiólogo russo Ivan Pavlov e apresenta o trabalho do seu rival Vladimir Bekhterev. As pesquisas que ambos fizeram sobre o condicionamento propiciou uma metodologia adotada por alguns behavioristas norte-americanos. Em terceiro lugar, o capítulo analisa mais detalhadamente a vida e a obra de Watson. Formado pelos funcionalistas de Chicago, ele rapidamente atingiu o ápice profissional como chefe do departamento de psicologia da Johns Hopkins University, para em seguida ser obrigado a abandonar a academia no auge de sua carreira. O capítulo analisará o manifesto behaviorista e a reação que este provocou, as ideias de Watson acerca da aprendizagem e sua pesquisa, inclusive o famigerado experimento com o bebê Albert. Watson passou a maior parte da meia-idade no mundo da publicidade, onde se tornou um exemplo vivo da psicologia aplicada. Depois da conclusão deste capítulo, você deve ser capaz de:

- Descrever as semelhanças entre o empirismo britânico e o behaviorismo do século XX
- Descrever a tendência cada vez maior à objetividade que precedeu o movimento behaviorista

- Explicar por que Pavlov ganhou o prêmio Nobel de fisiologia em 1904
- Descrever a organização e o funcionamento da pesquisa no laboratório de Pavlov
- Descrever os fenômenos básicos de condicionamento estudados por Pavlov
- Explicar como Pavlov produziu o que chamou de neurose experimental
- Descrever a relação de Pavlov com os soviéticos e explicar por que estes valorizavam seu trabalho
- Descrever a influência de Pavlov sobre os psicólogos norte-americanos
- Descrever a pesquisa de Watson sobre o comportamento animal, dos labirintos aos ambientes naturais, e explicar a importância desse trabalho
- Explicar a análise feita por Watson da psicologia estrutural e funcional contemporânea e dizer o que ele propunha em vez desta em seu "manifesto behaviorista"
- Descrever a pesquisa sobre o condicionamento relatada por Watson em seu discurso de posse na presidência da APA e mostrar sua relação com o trabalho de Pavlov e de outro russo, Bekhterev
- Descrever a pesquisa de Watson acerca das emoções básicas
- Descrever e analisar criticamente a demonstração feita por Watson e Rayner do medo condicionado
- Mostrar como Watson levou seu treinamento científico e suas ideias behavioristas ao mundo da publicidade
- Descrever a tentativa de Watson de popularizar a ciência do comportamento

OS ANTECEDENTES DO BEHAVIORISMO

Os behavioristas norte-americanos geralmente atribuem a fundação do movimento a John. B. Watson e, particularmente, ao seu assim chamado **manifesto behaviorista**, um ensaio que ele testou numa palestra feita na Columbia University em fevereiro de 1913 e publicou em seguida (Watson, 1913). Entretanto, a história raramente muda tão drasticamente com esse tipo de evento, pois ele geralmente constitui um capítulo numa narrativa mais complexa. Muito antes de Watson pôr os pés no laboratório de psicologia da University of Chicago, já havia forças abrindo caminho para o pensamento behaviorista ser aceito como a norma entre os psicólogos norte-americanos. Além disso, o mundo da psicologia não se converteu ao behaviorismo só por causa dos pronunciamentos "revolucionários" de Watson. Seria mais acertado dizer que ele deu voz à crescente insatisfação suscitada pela psicologia introspectiva. Entretanto, poucos psicólogos converteram-se imediatamente ao behaviorismo watsoniano (Samelson, 1981). Na verdade, só depois que Watson se retirou da cena acadêmica o movimento se tornou a força central na psicologia experimental norte-americana.

O behaviorismo tem uma nítida afinidade com vários dos movimentos filosóficos descritos nos Capítulos 2 e 3. Por exemplo, a importância que o behaviorista dá ao ambiente na moldagem do comportamento é um reflexo do ditame empirista/associacionista britânico segundo o qual a experiência é a grande determinante da mente e do caráter de uma pessoa. Além disso, existem paralelos entre as relações estímulo-reação do behaviorista e o conceito de associação. No Capítulo 3, você viu qual a influência do pensamento mecanicista e materialista sobre os fisiologistas; essas filosofias também são simpáticas ao pensamento behaviorista. Durante o século XIX, também surgiu o **positivismo**, cujas origens são geralmente atribuídas ao filósofo francês Auguste Comte (1798-1857). Pois essa corrente filosófica foi tomada como artigo de fé pelos behavioristas. Comte afirmava que nós só poderíamos ter certeza do conhecimento que provém de eventos publicamente observáveis. O conhecimento *positivo* era o resultado da observação *objetiva* feita por observadores imparciais (ou seja, semelhantes a máquinas) com métodos científicos sistemáticos. A verdade, então, consistiria no consenso entre esses observadores científicos. A especulação metafísica acerca da natureza fundamental dos eventos (inclusive os comportamentais) era considerada um exercício inútil, pois tais especulações jamais poderiam ser verificadas objetivamente. Além disso, os positivistas valorizavam o saber "prático", acreditando haver uma estreita relação entre a compreensão da natureza e o controle desta. Com efeito, Comte afirmava que a capacidade de controlar a natureza era uma prova de que ela fora compreendida. Assim, a criação de um motor a vapor, por exemplo, pressupunha a compreensão de diversos princípios da física. A fé de Comte na ciência o levou inclusive a recomendar que a sociedade fosse deliberadamente reprojetada. O tema do controle da natureza, praticamente idêntico ao que defendera duzentos anos antes *Sir* Francis Bacon (Capítulo 2), viria a tornar-se um eixo do pensamento behaviorista, evidenciado em obras como *Walden Two*, de Skinner (1948), a descrição de uma comunidade ideal, baseada nos princípios do controle comportamental (consulte o *Close-Up* do Capítulo 11). As recomendações de Watson quanto ao modo correto de criar os filhos, que você verá no fim deste capítulo, também se inserem na rubrica do uso da ciência para controlar a natureza.

No início do século XX, os psicólogos estavam começando a recorrer a uma objetividade cada vez maior em suas medidas dos fenômenos psicológicos. Uma importante influência foi a rápida aceitação do pensamento evolucionista entre os cientistas e, daí, o crescimento da psicologia animal, conforme documenta o Capítulo 5. Os animais, evidentemente, não são capazes de introspecção e, assim, o estudo da relação entre as consciências humana e animal exigia a criação de medidas objetivas e comportamentais. A maioria das descrições do comportamento animal feitas no século XIX era indevidamente antropomórfica, porém, como foi visto, Morgan estabeleceu o princípio de que a explicação desnecessariamente complexa dos comportamentos animais deveria ser preterida em favor da explicação parcimoniosa. A explicação da capacidade que tem um cão de abrir um portão em termos de aprendizagem por tentativa e erro, em vez de inteligência e planejamento, levou a psicologia comparada a passar das anedotas às descrições objetivas de estímulos e reações. A pesquisa de Thorndike com as gaiolas no fim da década de 1890 (Capítulo 7) talvez seja a manifestação mais clara nos Estados Unidos desse movimento rumo a uma crescente objetividade na psicologia animal. Porém, na Rússia czarista, nessa mesma época, podia ser encontrado um nível de precisão ainda mais alto nos laboratórios de Ivan Pavlov e Vladimir Bekhterev. Os psicólogos norte-americanos não perceberam de imediato o quanto a pesquisa dos russos valia para seu desejo cada vez maior de objetividade, mas sua abordagem de pesquisa acabou por tornar-se um modelo a imitar para muitos dos behavioristas norte-americanos.

Com a chegada do novo século, a tendência a uma maior objetividade levou diversos psicólogos norte-americanos a desiludir-se com o estado da psicologia experimental e, principalmente, com sua recorrência aos procedimentos introspectivos. A controvérsia do pensamento sem imagens, descrita nos Capítulos 4 e 7, é um bom exemplo desse crescente desconforto. Para alguns psicólogos norte-americanos, não havia nada de surpreendente no fato de um observador em Würzburg relatar ter pensamentos sem imagens enquanto outro, em Cornell, não conseguir viver a mesma experiência. Como os dados introspectivos eram, em última análise, subjetivos, não havia nenhuma maneira independente de avaliar as alegações. Num pronunciamento feito na Feira Mundial de 1904 em St. Louis e posteriormente publicado na *Popular Science Monthly*, James McKeen Cattell declarou que a psicologia não deveria limitar-se ao estudo da experiência consciente e que a introspecção não precisava ser o principal método dos psicólogos. Em suas palavras,

[A] noção bastante difundida de que não existe psicologia sem introspecção é refutada pela força do argumento do fato consumado.
Parece-me que a maior parte do trabalho de pesquisa feito por mim ou no meu laboratório é quase tão independente da introspecção quanto o trabalho em física ou em zoologia. Investiguei tópicos como, entre outros, o tempo dos processos mentais [...], diferenças individuais, o comportamento dos animais e das crianças sem que fosse necessária a mínima introspecção da parte do sujeito nem da minha durante o curso dos experimentos [...].
Certamente é difícil penetrar por analogia na consciência dos animais inferiores [...] e das crianças, mas o estudo do seu comportamento já rendeu muitos frutos e promete muito mais. (Cattell, 1904, citado por Woodworth, 1931, pp. 48-9).

E, em consonância com o pensamento positivista que acabamos de descrever, Cattell acrescentou que não via "nenhuma razão para que a aplicação do conhecimento sistematizado ao *controle da natureza humana* não pudesse, ao longo do presente século, atingir resultados compatíveis com as aplicações da ciência física ao mundo material verificadas no século XIX" (p. 49, itálico nosso).

No mesmo ano em que Cattell fez esse pronunciamento na Feira Mundial de St. Louis, outro fato representou um marco na carreira de um cientista que estava abandonando o fascínio pelo sistema digestivo para começar a apaixonar-se pela investigação do modo como o cérebro funcionava. Esse fato foi a concessão do prêmio Nobel de fisiologia ao russo Ivan Petrovich Pavlov.

A VIDA E A OBRA DE PAVLOV

Pavlov recebeu o prêmio Nobel por seus longos anos de investigação rigorosa e inventiva da fisiologia da digestão. Ele se destacou particularmente por ter inventado ou aperfeiçoado diversas técnicas cirúrgicas que facilitavam sua pesquisa. No entanto, quando fez seu discurso na cerimônia de entrega do prêmio Nobel em dezembro de 1904, na cidade de Estocolmo, na Suécia, o cientista de 54 anos tinha pouco a dizer sobre o trabalho que lhe valera aquele prêmio. Em vez de falar sobre ele, Pavlov descreveu, num discurso intitulado "The First Sure Steps Along the Path of a New Investigation" (Babkin, 1949), a pesquisa a que se dedicava já havia vários anos e que ocuparia o resto de sua vida. Você naturalmente conhece essa pesquisa, que deve trazer-lhe à mente a imagem de cães salivando. A pesquisa de Pavlov sobre o condicionamento veio a fornecer aos behavioristas norte-americanos um importante modelo, apesar do fato de o próprio Pavlov sempre haver insistido em afirmar que era um fisiologista, não um psicólogo, e que não tinha a psicologia em alta conta. Certa vez ele assinalou que, enquanto o estudo dos reflexos havia sido historicamente dominado pelos que adotavam a abordagem psicológica (que, para ele, queria dizer introspectiva), sua estratégia mais objetiva trazia a esperança de que essas investigações em torno do reflexo "fossem liberadas dessas influências perniciosas" (Pavlov, 1906, p. 618).

A Criação de Um Fisiologista

Ivan Petrovich Pavlov (1849-1936) nasceu relativamente pobre, na pequena vila agrícola de Ryazan, no centro-oeste da Rússia. O pai era sacerdote e a mãe, filha de um sacerdote, porém, a despeito do *status* social que isso conferia, ambos tinham de trabalhar como camponeses para alimentar a família numerosa. Ivan foi o primogênito de onze filhos, seis dos quais morreram na infância. Embora sua educação estivesse orientada desde o princípio para permitir-lhe seguir os passos do pai, enquanto era aluno do seminário eclesiástico de Ryazan, seu interesse pela ciência desabrochou com a descoberta de (a) *A origem das espécies*, de Darwin, e (b) *Reflexes of the Brain*, publicado em 1863 pelo mais importante fisiologista russo do século XIX, Ivan Sechenov (1829-1905). Sechenov argumentava que todos os processos corticais envolviam relações complexas entre processos excitatórios e inibitórios do sistema nervoso e que os eventos "psíquicos" (psicológicos) reduziam-se a atos reflexos do córtex e seriam por eles explicados. Em grande sintonia com o clima mecanicista e materialista da ciência do século XIX, esse modelo sofrera influência do contato direto de Sechenov com alguns dos principais fisiologistas da Europa. E foram essas as ideias que, posteriormente, constituíram a pedra angular do modelo pavloviano do funcionamento do sistema nervoso.

Pavlov deixou o seminário e matriculou-se em 1870 como aluno de fisiologia da Universidade de São Petersburgo, trocando assim a simplicidade da vida rural pelo *glamour* da cidade mais importante da Rússia.[1] Situada no noroeste do país, perto do golfo da Finlândia, São Petersburgo era o centro cultural, político e intelectual da Rússia no fim do século XIX. E foi também sua capital até 1918, quando a Revolução Soviética a substituiu por Moscou. Nesse ambiente de alta tensão, Pavlov diplomou-se em medicina em 1883 e se tornou um pesquisador da fisiologia. Depois de mais alguns anos de estudos, vários cargos de pesquisa pouco importantes e dificuldades financeiras, ele foi nomeado o primeiro diretor da divisão de fisiologia do Institute of Experimental Medicine [Instituto de Medicina Experimental] de São Petersburgo em 1891. Foi na década de 1890 que ele investigou sistematicamente a fisiologia do sistema digestivo, pesquisa que lhe valeu o prêmio Nobel em 1904.

Pavlov estudou a digestão isolando várias partes do sistema digestivo para extrair seus fluidos. As quantidades de cada um dos diversos fluidos secretados eram medidas em função do tipo de substância administrada ao animal. A pesquisa destacou-se pela precisão e pelo desenvolvimento de várias técnicas cirúrgicas de isolamento e coleta das secreções digestivas de cães que, excetuando a situação do experimento, eram normais e saudáveis. A mais conhecida dessas técnicas é a assim chamada bolsa de Pavlov, criada com a segregação de uma pequena parte (cerca de um décimo) do estômago e sua reestruturação para funcionar como um estômago em miniatura. Sua posição é tal que impede a entrada dos alimentos quando estes deixam o esôfago. Um pequeno tubo ou fístula entre a bolsa e o exterior permite a coleta dos fluidos secretados pelo miniestômago. Sem a contaminação dos alimentos, esses fluidos podem ser medidos com precisão (Gray, 1979).

Além de investigar as secreções gástricas, Pavlov também estudou as reações salivares, relacionando-as ao tipo de substância colocada na boca do cão. Ele mediu a salivação com outra fístula, desta vez um pequeno tubo diretamente ligado a um duto salivar. Inevitavelmente, como sabem todos os donos de cães, eles começam a salivar antes que a comida lhes chegue à boca. Um dos alunos de Pavlov, S. G. Vul'fson, investigou o fenômeno sistematicamente num estudo que compara a salivação diante de alimentos úmidos à provocada por alimentos secos. A principal conclusão foi que os

---

[1]. Depois da morte de Lênin em 1924, os soviéticos deram à cidade o nome de Leningrado; em 1991, depois do colapso da União Soviética, ela foi rebatizada como São Petersburgo.

cães salivam mais diante dos alimentos secos (uma menor quantidade de saliva é necessária para os alimentos úmidos), mas uma conclusão secundária foi que, depois de várias repetições, os cães começam a salivar antes que a comida chegue (Windholz, 1997). O resultado colocou Pavlov diante de um dilema: por um lado, essas secreções "psíquicas" eram um estorvo, pois reduziam a precisão das suas tentativas de medir o volume exato de saliva produzido em reação a uma determinada quantidade de um certo tipo de comida; por outro, o comportamento do animal era previsível, e essas e outras secreções "psíquicas" (por exemplo, o fluxo de sucos gástricos antes da chegada dos alimentos ao estômago) intrigavam Pavlov, sugerindo-lhe um meio objetivo de estudar os "reflexos do cérebro" sobre os quais havia lido no livro de Sechenov. Enquanto um cientista menos criativo talvez tivesse tentado controlar as secreções para concentrar-se no problema em questão — a fisiologia básica da digestão —, Pavlov preferiu investigar diretamente esse novo fenômeno. Depois da virada do século, esse se tornaria o trabalho de sua vida.

O Trabalho no Laboratório de Pavlov

Em sua biografia de Pavlov, Babkin (1949) fornece um fascinante relato da vida no laboratório de Pavlov. Como foi aluno de Pavlov na virada do século, Babkin presenciou os primeiros anos da pesquisa sobre o condicionamento. O Institute of Experimental Medicine já tinha mais de dez anos e, apesar de ser prestigioso na Rússia, não impressionava muito o visitante que chegasse de fora naquela época: Babkin descreve o laboratório de Pavlov como "pequeno e sujo", "não mais que um tugúrio" (p. 68). Embora o orçamento fosse relativamente alto para os padrões russos, Pavlov julgou necessário levantar verbas adicionais com a venda dos sucos gástricos que retirava dos cães durante os experimentos de "alimentação simulada". Os cães comiam normalmente, mas uma fístula ligada ao esôfago redirecionava a comida para um tubo de coleta. O cão comia e engolia a comida, mas esta jamais chegava ao estômago, que, não obstante, secretava fluidos gástricos em antecipação à chegada da comida. Outro tubo no estômago coletava os sucos. Pavlov vendeu o fluido de sabor asqueroso como elixir para os que sofriam de males digestivos diversos, em especial aqueles resultantes da "insuficiência de sucos gástricos [próprios]" (p. 69).

Apesar das condições difíceis, Pavlov conseguiu pôr em vigor rigorosos controles no laboratório, criando gradualmente um ambiente de pesquisa de categoria internacional. Ele era especialmente rigoroso quando se tratava da assepsia do ambiente de seus procedimentos cirúrgicos. Esse rigor, aliado à sua perícia como cirurgião, permitiram a Pavlov reduzir drasticamente o número de infecções e garantir a sobrevivência de praticamente todos os animais que tinha a seu cargo. Além disso, ele criou um método sistemático para treinar as dezenas de assistentes de pesquisa que passaram por seu laboratório. A maioria deles, já médicos diplomados, queria acrescentar um doutorado em fisiologia ao diploma de medicina (Todes, 1997). Sempre que um novo assistente chegava ao laboratório, Pavlov o encarregava de um problema que já havia sido investigado. Assim, o estudante aprendia os procedimentos experimentais sem a pressão de produzir novos dados e, ao mesmo tempo, permitia dar continuidade a um programa de **replicação**. Quando conseguia replicar a pesquisa anterior, o assistente recebia um novo problema para investigar. A impossibilidade de replicação propiciava pesquisa adicional (conduzida por outro assistente) para esclarecer as contradições. Evidentemente, a replicação é uma das pedras angulares da pesquisa científica sólida; os resultados que não podem ser repetidos não têm valor.

No início de 1910, o Instituto começou a construir um laboratório à parte (que, no entanto, só ficaria inteiramente equipado em 1925) para a pesquisa de Pavlov acerca do condicionamento. Posteriormente co-

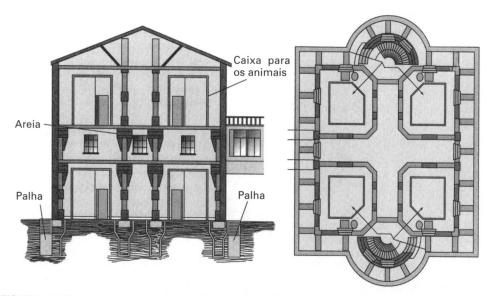

FIGURA 10.1 Corte transversal e planta baixa do laboratório de Pavlov em São Petersburgo (ilustrações extraídas de Pavlov, 1928).

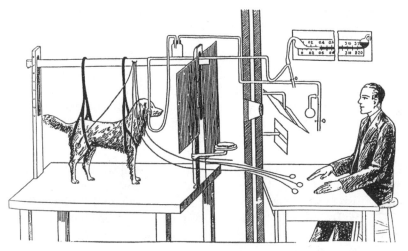

FIGURA 10.2 Esquema de posicionamento dos aparelhos no laboratório de Pavlov por volta de 1915 (ilustração extraída de Pavlov, 1928).

nhecido como Torre do Silêncio, esse laboratório contava com recursos como paredes à prova de som para garantir que os cães só reagissem ao estímulo estudado no momento, e não a outros estímulos. Como mostra a Figura 10.1, havia oito câmaras experimentais, quatro em cada um dos dois andares, separados por um andar intermediário. Além de ter isolamento total, cada câmara era separada das demais por um corredor. Para reduzir ainda mais o ruído e a vibração, o próprio prédio se apoiava em estruturas imersas em areia e cercadas por um fosso cheio de areia e palha! Os experimentadores eram separados dos cães pela parede dupla mostrada na Figura 10.2. Porém, é claro, eles às vezes se reuniam aos cães para tirar fotos (Figura 10.3).

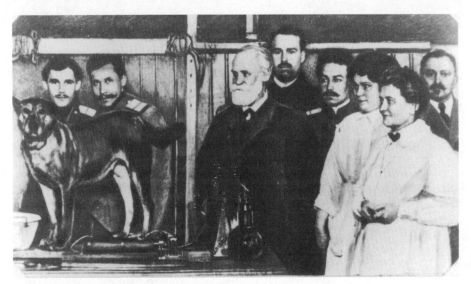

FIGURA 10.3 Pavlov (ao centro) e alunos no laboratório de condicionamento.

A Pesquisa Clássica de Pavlov sobre o Condicionamento

Em março de 1924, Pavlov proferiu uma série de palestras na Academia Militar de Medicina de São Petersburgo em que resumiu seus cerca de 25 anos de trabalho sobre o condicionamento. Depois que ele as reescreveu para publicação, elas foram traduzidas para o inglês por G. V. Anrep, um pesquisador britânico que fora seu aluno, e publicadas sob o título de *Conditioned Reflexes: An Investigation of the Psychological Activity of the Cerebral Cortex* pela British Royal Society em 1927 (Pavlov, 1927/1960).

Na palestra de abertura, Pavlov reconhece sua dívida para com Sechenov e Darwin, credita a Thorndike a primeira pesquisa sistemática da relação entre "os estímulos visuais e táteis, de um lado, e o aparelho locomotor, do outro" (p. 6) e descreve o início de suas próprias indagações e sua percepção de que o problema teria de ser atacado de um ponto de vista puramente fisiológico, e não psicológico. Pavlov achava que a única estratégia cientificamente defensável era limitar a investigação a estímulos externos específicos e reações fisiológicas mensuráveis. A "abordagem psicológica", por outro lado, implicava um dualismo entre processos mentais e físicos que Pavlov não estava disposto a aceitar. Ele faz várias referências a um episódio ocorrido nos primeiros anos de seu laboratório, quando um de seus alunos, Anton Snarskii, pesquisou os efeitos da amputação dos nervos faciais sobre o desenvolvimento de uma reação condicionada. A despeito da oposição de Pavlov (com base no que foi por ele mesmo relatado posteriormente), Snarskii interpretou seus resultados em termos mentalísticos, referindo-se a esses processos como "associação visual" e "reconhecimento" (Windholz, 1986). Pavlov achava que esse tipo de abordagem era desnecessariamente especulativo.[2]

---

2. Pavlov costumava contar a história de Snarskii para exemplificar o fracasso das "abordagens puramente psicológicas". Porém Todes (1997) analisou cuidadosamente o episódio original e descobriu que a memória de Pavlov se alterou com os anos. Em 1901, época da pesquisa de Snarskii, na verdade era Pavlov quem estava pensando em termos mais subjetivos, ao passo que Snarskii propunha um modelo mais mecanicista e associacionista. Com o passar dos anos, Pavlov aparentemente sentiu necessidade de afastar-se de sua anterior teorização psicológica. Reorganizando a memória para torná-la compatível com suas convicções posterio-

Depois de uma detalhada descrição dos atos reflexos básicos, Pavlov conclui sua palestra inicial com uma referência à descoberta acidental do condicionamento salivar, que o levou aos seus 25 anos de pesquisa:

> Voltemos ao ato reflexo mais simples, do qual partiram nossas investigações. Se a comida [...] chega à boca, ocorre a secreção da saliva. A finalidade da secreção é [...] alterar [a comida] quimicamente. [...] Porém, além disso, uma secreção reflexa similar é provocada quando essas substâncias são colocadas a alguma distância do cão, e os órgãos receptores afetados são apenas os do olfato e da visão. Até mesmo a vasilha na qual o alimento é colocado é suficiente para provocar [um reflexo] em todos os seus detalhes e, além disso, a secreção pode ser provocada até pela visão da pessoa que leva a vasilha ou pelo som de seus passos. (Pavlov, 1927/1960, p. 13)

Na segunda palestra, Pavlov começa descrevendo alguns dos detalhes técnicos de seus procedimentos e as medidas tomadas para controlar as condições dos experimentos. Ele explica que o cão ao qual se mostra a comida apresenta reflexos não apenas secretórios (isto é, salivares), mas também motores. Ele baba, mas também vira a cabeça, movimenta a mandíbula etc. O fato de Pavlov haver optado por estudar o reflexo secretório e deixar de lado os reflexos motores é mais uma indicação de sua preocupação com a precisão das medições e do seu desejo de evitar as especulações antropomórficas sobre o que o animal poderia estar "tentando" fazer.

Condicionamento e Extinção

Depois de preparar o terreno, Pavlov descreve o procedimento básico para a aquisição de uma reação condicionada. A técnica, em essência, consiste em emparelhar um estímulo que sabidamente produz uma determinada reação (no caso, a salivação) a um estímulo neutro, como um tom ou um metrônomo.[3] Durante a aquisição, portanto, o ponto de partida é um reflexo já existente. Para Pavlov, esse seria o **reflexo incondicionado** (RI) da salivação quando a comida (o **estímulo incondicionado** ou EI) era apresentada ao animal. O condicionamento envolve a apresentação de um estímulo neutro seguida da apresentação do EI. Esse estímulo neutro foi chamado por Pavlov de **estímulo condicional** (posteriormente traduzido como "estímulo condicionado") ou EC porque o reflexo resultante dependia (estava sob a "condição") do emparelhamento do EC e do EI. Esse reflexo resultante foi chamado de **reflexo condicionado** ou RC.

Depois de descrever a aquisição, Pavlov mostra como um RC pode sofrer **extinção** se o metrônomo (o EC) soar sem ser acompanhado do alimento (o EI). Ele fez o metrônomo soar por trinta segundos a cada dois minutos, registrando o volume de saliva secretada e o que chamou de "período latente" — o tempo entre o disparo do metrônomo e o início da salivação. Conforme sua descrição, o "enfraquecimento do reflexo a um estímulo condicional repetido um determinado número de vezes sem reforço pode ser apropriadamente chamado de extinção experimental do reflexo condicionado" (Pavlov, 1927/1960, pp. 48-9). Pode-se ter uma ideia da preocupação de Pavlov com a precisão por meio dos resultados por ele apresentados (p. 49):

---

res, Pavlov convenceu-se de que ele é que havia sido objetivo e Snarskii, subjetivo, quando o oposto estaria mais próximo da verdade. O ponto historiograficamente interessante a ressaltar aqui é que nem sempre se pode confiar na precisão dos relatos autobiográficos.

3. Ironicamente, embora a maioria dos alunos ache que o estímulo condicional típico de Pavlov tenha sido uma campainha, ele relatou que "o som violento de uma campainha" raramente constituía um bom estímulo para o condicionamento, pois os cães tendiam a assustar-se com ele (Pavlov, 1906, p. 616).

Período latente em segundos	Secreção de saliva em gotas durante trinta segundos
3	10
7	7
5	8
4	5
5	7
9	4
13	3

Com sessões sucessivas de extinção, então, o animal demorava mais (ou seja, havia maior latência) para começar a salivar e havia um declínio estável no volume de salivação (que passava de dez a três gotas).

Generalização e Diferenciação

Nas palestras subsequentes, Pavlov descreve os procedimentos que adotou para demonstrar uma ampla gama de fenômenos ligados ao condicionamento, vários dos quais você já terá visto em seu curso de introdução à psicologia. Dois dos mais conhecidos desses fenômenos são a generalização e a discriminação (chamada por Pavlov de diferenciação). A **generalização** se verifica quando ocorre também uma reação condicionada, ao menos em certo grau, ao estímulo A em decorrência de estímulos semelhantes a A. Assim, se o EC de um tom de 60 ciclos por segundo produz oito gotas de saliva, o animal também reagirá a um tom de 70 ciclos por segundo, talvez com seis gotas. Existe ainda um gradiente de generalização: o volume de saliva secretado é proporcional à semelhança entre o EC e o estímulo testado. A **diferenciação** resulta do emparelhamento entre o tom de 60 ciclos por segundo com a comida e a apresentação do tom de 70 ciclos por segundo sem ela. Por fim, o cão acabará salivando apenas ao ouvir o tom de 60 ciclos por segundo.

Além disso, Pavlov fez o possível para incorporar os construtos da excitação e inibição cortical de Sechenov a suas descrições. Por exemplo, os processos excitatórios estariam ligados à aquisição e à generalização, ao passo que os inibitórios contribuiriam para a extinção e a diferenciação. Em geral, Pavlov não estava interessado nos fenômenos do condicionamento *per se*, mas na luz que eles lançavam sobre o funcionamento do cérebro.

Neurose Experimental

Um interessante produto da pesquisa de Pavlov sobre a generalização e a diferenciação foi a descoberta de que a interrupção da diferenciação poderia produzir a **neurose experimental** ou "distúrbios patológicos", conforme colocou no título de sua 17ª palestra. Primeiro ele projetou um círculo numa tela diante do cão, emparelhando a projeção à apresentação do alimento. Em pouco tempo, o círculo tornou-se um EC para o RC da salivação. Depois de criar esse reflexo condicionado, Pavlov treinou o cão para distinguir facilmente entre o círculo e uma elipse com proporção de 4 X 3 entre os dois eixos. A forma da elipse foi então alterada até atingir a proporção de 9 X 8, ou seja, ficou mais parecida com o círculo. O cão, a princípio, demonstrou a capacidade de discriminá-la, mas em seguida começou a confundir-se até chegar ao ponto de ter dificuldade em distinguir entre uma elipse fácil de 2 X 1 e o círculo. Para Pavlov, portanto, o comportamento neurótico representaria um colapso da capacidade de fazer diferenciações normais. Mas a neurose também poderia manifestar-se de outras maneiras. Conforme a descreveu,

> Ao mesmo tempo, todo o comportamento do animal sofreu uma mudança abrupta. O cão, que até então estivera quieto, começou a ganir e a contorcer-se, arrancando com os dentes o aparelho de estimulação mecânica da pele e mordendo os tubos que ligavam a câmara ao observador, comportamento jamais exibido antes. Quando era levado de volta à câmara experimental, o cão latia com toda a força, o que também contrariava seu costume. Em resumo, apresentava todos os sintomas de uma neurose aguda. (Pavlov, 1927/1960, p. 291)

Ao longo de sua pesquisa da neurose experimental, Pavlov percebeu que, embora todos fossem adversamente afetados, os cães diferiam na manifestação de sua patologia. Além disso, as variações aparentemente refletiam diferenças individuais de temperamento entre os animais. Assim, alguns dos cães eram mais excitáveis que os demais, tendendo a reagir ao experimento de neurose experimental como o cão acima descrito. Porém, os que possuíam temperamento em geral mais plácido reagiam retraindo-se ainda mais. Como fez com todos os seus resultados, Pavlov interpretou esses em termos de processos corticais excitatórios e inibitórios. Ele achava que as diferenças individuais de temperamento estavam relacionadas ao predomínio de um ou outro tipo de processo. Por conseguinte, concluiu que os cães do primeiro tipo tinham maior proporção de processos excitatórios em relação aos inibitórios, e vice-versa no caso dos cães do segundo tipo.

Um Programa de Pesquisa

A pesquisa empreendida por Pavlov ao longo dos anos é um exemplo clássico de como os experimentos nunca ocorrem isoladamente, mas se inserem num programa de pesquisa contínuo e sistemático. O resultado de um estudo tem interesse em si, mas também levanta novas questões e invariavelmente conduz ao estudo seguinte. A pesquisa da aquisição, por exemplo, levou naturalmente à questão da exatidão na determinação do tempo do EC e do EI, e Pavlov e seus alunos realizaram dezenas de estudos que variavam cuidadosamente o tempo e o sequenciamento do intervalo entre EC e EI. Desse modo, eles realizaram ao longo dos anos pesquisas sobre tópicos como: (a) o condicionamento de ordem superior, que envolvia o emparelhamento de um novo EC a um EC já existente, (b) a durabilidade da extinção, na qual se verificou que, se o cão fosse levado de volta ao laboratório vários dias depois da extinção, haveria algum grau de ocorrência do RC (ou seja, havia recuperação espontânea) e (c) a eficácia de vários tipos de estímulos condicionais, em termos da rapidez no estabelecimento do condicionamento.

O próprio tamanho e a incrível produtividade do laboratório de Pavlov dificultavam a visibilidade de outras demonstrações experimentais do mesmo tipo de condicionamento ocorridas anterior ou concomitantemente aos estudos iniciais do cientista. Tanto o psicólogo norte-americano E. B. Twitmyer quanto o fisiologista austríaco Alois Kreidl produziram condicionamento clássico em seus laboratórios (Logan, 2002). Contudo, nem Twitmyer, que estudou o reflexo do joelho, nem Kreidl, que estava estudando a capacidade sensorial dos peixes, desenvolveu nada parecido com o programa de pesquisa de Pavlov.

Pavlov e os Soviéticos

Pavlov foi o protótipo do cientista cuja vida é o trabalho, filosofia que transparece num artigo que escreveu perto do fim da vida para uma organização juvenil soviética. Ele disse a esses jovens que os cientistas precisavam ser sistemáticos, modestos e apaixonados pelo seu trabalho e que "a ciência exige de um homem toda a sua vida. E, mesmo que você pudesse ter duas vidas, não seria suficiente. A ciência requer um esforço tremendo e muita paixão" (citado por Babkin, 1949, p. 110). Enquanto estava no laboratório, e de setembro a maio, ele o frequentava sete dias por semana, Pavlov deixava-se absorver inteiramente pela pesquisa em andamento e esperava que todos compartilhassem seu entusiasmo. Assim, de vez em quando era muito exigente e severo, tendo ficado famoso pelas frequentes, porém rápidas, explosões de irritação quando se cometiam erros. Não obstante, seus assistentes tinham-lhe devoção absoluta e sabiam que sua raiva passava depressa e não era nada pessoal.

Uma história muito conhecida a seu respeito mostra o quanto era obstinado em sua dedicação ao trabalho. Embora possa ser mais mítica que real, ela demonstra claramente quais eram as suas prioridades. Diz-se que Pavlov repreendeu um funcionário por chegar dez minutos atrasado quando a Revolução Russa estava no auge. Quando este mencionou as refregas sangrentas nas ruas de São Petersburgo que o haviam obrigado a fazer um caminho mais longo até o laboratório, Pavlov não se impressionou. Afinal, havia feito sua costumeira caminhada de quase cinco quilômetros ao laboratório e chegara pontualmente às nove da manhã. Disse então ao funcionário que uma simples revolução não deveria interferir com o importante trabalho do laboratório e que saísse de casa mais cedo na próxima revolução (Babkin, 1949).

Evidentemente, a revolução de 1917 teve um profundo efeito sobre tudo na Rússia, inclusive sobre o trabalho de Pavlov. Inicialmente hostil aos vencedores da revolução, os bolchevistas de Lênin, ele uma vez afirmou publicamente que se "isso que os bolchevistas estão fazendo com a Rússia é um experimento, para ele eu lamentaria dar até mesmo um sapo" (citado por Babkin, 1949, p. 161). Além disso, protestou no fim da década de 1920 contra a política de admitir apenas professores comunistas na Academia de Ciências da Rússia, dizendo diretamente a Stálin: "Diante do que o senhor está fazendo, eu tenho vergonha de dizer que sou russo" (citado por Gantt, 1973). A atitude ambivalente de Pavlov não era difícil de entender: os soviéticos confiscaram o dinheiro que recebera com o prêmio Nobel e quando lhes solicitou permissão para emigrar em 1923, eles a negaram. No entanto, perto do fim da vida Pavlov se havia ajustado à realidade da União Soviética e numa ocasião pública, na década de 1930, chegou a propor um brinde aos "grandes experimentadores sociais". Segundo Babkin (1949), a mudança de opinião de Pavlov devia-se principalmente à crescente ameaça dos nazistas, que subiram ao poder na Alemanha em 1933. Patriota até a medula, Pavlov lembrava-se das perdas infligidas aos russos pelos alemães na Primeira Guerra Mundial e temia (com razão) que os nazistas levassem mais sofrimento à sua terra querida. Nesse contexto, os soviéticos eram aparentemente um mal menor.

A acomodação de Pavlov à realidade do estado soviético também foi auxiliada pelo forte respaldo que o governo deu a seu trabalho. Já em 1921, quando a Rússia estava imersa numa guerra civil e a situação geral era caótica, os soviéticos providenciaram para que a pesquisa de Pavlov continuasse recebendo apoio integral. Por exemplo, decretou-se oficialmente a formação de uma comissão "para criar o mais rápido possível as condições mais favoráveis ao resguardo do trabalho científico do Acadêmico Pavlov e seus colaboradores" (citado por Babkin, 1949, p. 165). Entre essas condições estavam a entrega de rações extras e a garantia de equipar totalmente o laboratório.

É fácil ver por que os soviéticos tinham tanta paixão por Pavlov. Um dos principais temas de sua pesquisa era a possibilidade de alterar o comportamento por meio do controle do ambiente — os atos podiam ser "condicionados". Isso, claro, era exatamente o que os soviéticos esperavam fazer em larga escala. A essência do seu "grande experimento social" era promover mudanças de comportamento que lhes possibilitassem atingir o ideal marxista-leninista segundo o qual cada cidadão deveria produzir conforme sua capacidade e receber conforme suas necessidades. Assim, embora Pavlov não tivesse nenhum interesse além da compreensão da fisiologia do cérebro, sua pesquisa tinha alto valor propagandístico para os soviéticos. A tolerância destes se evidencia numa breve matéria da revista *Time*, que o psicólogo norte-americano Walter Miles recortou e colou em seu diário no fim de 1929. Segundo a matéria, Pavlov havia

> recusado uma comemoração oficial em seu octogésimo aniversário. [...] Disse ele: "Lamento a destruição dos valores culturais por comunistas analfabetos". Ciente de que em sua pesquisa repousa a behaviorística "Ciência do Marxismo", [...] o Soviete tolera suas patadas com gentileza e sem repreendas,

mima-o. Entre os presentes de aniversário que lhe deu, estão a doação de US$ 50 mil para seu laboratório e a garantia de desvio do tráfego da rua adjacente, para evitar perturbações aos reflexos condicionados de cerca de 120 cães, ali mantidos para fins experimentais. (Miles, 1929)

Depois da morte de Pavlov por pneumonia em 1936, os soviéticos o trataram como herói. Erigiram um monumento em sua homenagem em São Petersburgo (nessa época renomeada Leningrado), o Instituto Médico passou a chamar-se Instituto Pavlov, sua viúva recebeu uma generosa pensão e seu cérebro foi preservado.

Pavlov e os Norte-Americanos

Os cientistas ocidentais conheciam Pavlov por causa do prêmio Nobel, mas o impacto de sua pesquisa sobre o condicionamento demorou a fazer-se sentir. A maioria dos psicólogos norte-americanos o conheceu inicialmente por meio de um artigo publicado no *Psychological Bulletin* em 1909 por Robert Yerkes, cujos interesses na época giravam principalmente em torno da psicologia comparada (veja os Capítulos 1 e 8) e Sergius Morgulis, um aluno russo. Esse artigo caracterizava-se por uma série de esboços que acabou por provocar uma representação errônea dos aparelhos de Pavlov, a qual persiste até os dias de hoje. Leia o *Close-Up* para conhecer essa história.

CLOSE-UP
A DISTORÇÃO NA REPRESENTAÇÃO DO EQUIPAMENTO DE PAVLOV

Você provavelmente já conhece a ilustração da Figura 10.4a. De uma forma ou de outra, ela aparece na maioria dos textos de psicologia geral e, provavelmente, também no que você usou, sendo em geral identificada como o equipamento de condicionamento de Pavlov. Só que não é: o equipamento aí mostrado foi projetado pelo fisiologista alemão G. F. Nicolai, que trabalhou por um breve período no laboratório de Pavlov (Goodwin, 1991a). Ele queria aperfeiçoar o método de registro da saliva utilizado nos primeiros anos do laboratório, quando as gotas eram simplesmente contadas à medida que caíam no cilindro graduado mostrado na Figura 10.4b. Pavlov, que admitia que o equipamento inicial era inconveniente, por fim criou um mais sofisticado, mostrado na Figura 10.2. Como se processou o erro na atribuição do equipamento projetado por Nicolai?

O artigo de Yerkes e Morgulis (1909), que apresentou a pesquisa de Pavlov aos psicólogos norte-americanos, incluía ambas as ilustrações da Figura 10.4. Nenhuma era identificada, mas o texto afirmava que a Figura 10.4b mostrava um cão preparado para a pesquisa de condicionamento no laboratório de Pavlov e que a Figura 10.4a mostrava "a modificação da técnica experimental *concebida por Nicolai em Berlim*" (p. 259, itálico nosso).

A distinção entre os procedimentos de Nicolai e os de Pavlov foi reconhecida por John Watson, que reproduziu e identificou corretamente ambas as ilustrações em seu conhecido texto de psicologia comparada de 1914. Ao que tudo indica, a primeira atribuição errônea deu-se no popular livro-texto de introdução à psicologia de Walter Hunter (1919), que mostrava apenas a Figura 10.4a, identificada como o equipamento de Pavlov, e citava o artigo de Yerkes e Morgulis. (Hunter aparece na foto da

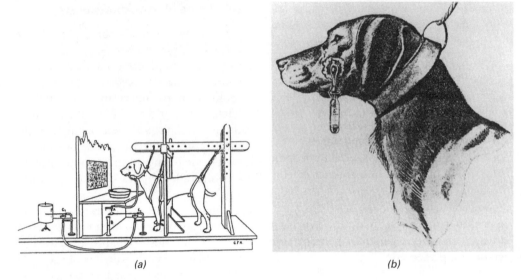

(a) *(b)*

FIGURA 10.4 (a) Estrutura de condicionamento desenvolvida pelo fisiologista alemão Nicolai, mas em geral atribuída a Pavlov; (b) Um dos primeiros dispositivos usados por Pavlov para registrar as reações salivares (ambas as ilustrações extraídas de Nicolai, 1907).

> Figura 14.1 conversando com o pesquisador da memória Frederick Bartlett.) A partir daí, o esboço da estrutura experimental de Nicolai tornou-se a representação padrão do equipamento de Pavlov, em parte porque corresponde à posterior separação promovida por este entre o cão e o experimentador em duas salas à parte, mas também porque simplesmente é um desenho mais interessante que o da Figura 10.4b.
>
> A perpetuação desse erro ao longo dos anos constitui uma importante lição para qualquer autor de livro-texto: é preciso cuidado ao recorrer demais a fontes secundárias. Muitos autores subsequentes provavelmente usaram a ilustração errada simplesmente porque esta havia sido muito usada em outros textos. Depois de ver a mesma ilustração tantas vezes, é fácil pressupor que ela é correta.

Apesar das detalhadas descrições do artigo de 1909 de Yerkes e Morgulis, a pesquisa de Pavlov teve pouco impacto imediato sobre os psicólogos norte-americanos. O trabalho teve interesse para os que estudavam o comportamento animal. Mas, numa época em que a psicologia norte-americana ainda era o estudo da experiência consciente humana, a pesquisa da salivação dos cães não parecia ter muita pertinência. A maioria dos livros-textos de introdução à psicologia anteriores a 1920 ou mencionavam rapidamente o trabalho de Pavlov (Goodwin, 1991a) ou simplesmente não o mencionavam em absoluto (como, por exemplo, o livro de 1911 de Yerkes). Mesmo John Watson, cuja proclamação do behaviorismo você lerá a seguir, não viu a importância imediata do trabalho de Pavlov para o seu modelo de aprendizagem. Em vez disso, ele foi inicialmente mais influenciado pelo trabalho sobre o condicionamento de outro fisiologista russo, Vladimir Bekhterev, rival de Pavlov (Skinner, 1981). Bekhterev investigou o condicionamento motor, e não o salivar. Esse tipo de condicionamento, no qual os movimentos musculares eram condicionados segundo vários estímulos, se prestava mais prontamente aos interesses de Watson no comportamento explícito.

O grande impacto de Pavlov sobre a psicologia norte-americana começou na década de 1920, quando boa parte do seu trabalho foi traduzida pela primeira vez para o inglês. Além disso, ele visitou os Estados Unidos duas vezes, em 1923 para um congresso e uma série de palestras no Rockefeller Institute, em Nova York, e em 1929 para o Nono Congresso Internacional de Psicologia, na Yale University. Ali ele fez um dos mais importantes pronunciamentos (Duncan, 1980), uma descrição apaixonada (em russo) de sua pesquisa sobre o condicionamento para uma grande plateia de psicólogos norte-americanos e estrangeiros. Conforme observou um dos participantes, "o público ficou enfeitiçado e a vibrante ovação que sucedeu ao discurso, com os assistentes de pé, provocou leves sorrisos e reverências de agradecimento no convidado de honra do congresso" (Withington, citado por Duncan, 1980).

Os psicólogos norte-americanos, especialmente os behavioristas, por fim compreenderam a relevância da pesquisa de Pavlov para suas teorias da aprendizagem. A leitura de um trecho do conhecido *Theories of Learning*, de Ernest Hilgard (1948), mostra que a importância de Pavlov tornou-se fato consumado por volta do fim da década de 1940. A pesquisa das "reações salivares condicionadas dos cães foi conduzida sistematicamente por Pavlov por muitos anos, levando-o a descobrir a maioria das relações que estudos posteriores vieram a investigar mais profundamente. As traduções dos seus termos tornaram-se comuns na literatura sobre a aprendizagem" (Hilgard, 1948, p. 55).

Finalmente, Pavlov teve impacto direto sobre a opção de carreira de B. F. Skinner (Capítulo 11), cuja decisão de dedicar-se à pesquisa do comportamento foi fortemente influenciada pela leitura da tradução de *Conditioned Reflexes*, de Pavlov (1927 /1960). Skinner escreveu certa vez que um dos princípios que norteavam sua vida científica era a máxima bastante simples de Pavlov, segundo a qual quando "controla suas condições, [...] o que você obtém é ordem" (Skinner, 1956, p. 223). Skinner também se entusiasmou com os escritos de um psicólogo norte-americano que compartilhava com Pavlov a paixão pela pesquisa sistemática baseada no comportamento mensurável. Esse psicólogo era John B. Watson, geralmente considerado o fundador da escola de pensamento norte-americana que ficou conhecida como behaviorismo.

JOHN B. WATSON E A FUNDAÇÃO DO BEHAVIORISMO

No início deste capítulo, vimos que, no início do século XX, muitos psicólogos norte-americanos defendiam a adoção, na psicologia, de uma metodologia mais "objetiva" que a introspecção. Um exemplo estava no pronunciamento feito por Cattell na Feira Mundial de St. Louis, em 1904. Em St. Louis, e provavelmente na plateia desse pronunciamento, estava John B. Watson, jovem psicólogo que acabara de obter um Ph.D. na University of Chicago. As tendências no sentido de maior objetividade na psicologia estavam então se cristalizando nas ideias e nos escritos desse jovem, que em breve se tornaria o porta-voz do movimento que veio a se chamar behaviorismo.

O Jovem Funcionalista em Chicago

Watson nasceu em 1878 numa zona rural perto de Greenville, Carolina do Sul, no seio de uma família que hoje seria rotulada como "disfuncional". O pai era um fazendeiro relativamente bem-sucedido que gostava de bebida, brigas e mulheres e costumava passar longos períodos fora de casa. A mãe era extremamente religiosa, tanto que deu ao filho o nome de John Broadus, um famoso pregador batista fundamentalista, e fez de tudo para que ele se tornasse ministro. Não é difícil compreender que, tendo crescido num ambiente como esse, Watson tivesse seus próprios problemas de comportamento: ainda adolescente, ficou conhecido por criar problemas e foi preso pelo menos duas vezes. Não obstante, já era conhecido também por ser um jovem inteligente quando entrou na Furman University, em Greenville, aos 16 anos de idade. Em 1900, obteve o grau de mestre.

A mãe de Watson morreu quando ele cursava o último ano na Furman, liberando-o de qualquer obrigação de seguir a carreira de ministro. Assim, influenciado por um dos professores que tivera na faculdade, candidatou-se e foi aceito pela University of Chicago. Fundada oito anos antes com dinheiro dos Rockefeller, em 1900 a universidade tinha como reitor William Rainey Harper. Conforme você deve lembrar da discussão apresentada no Capítulo 7 sobre o funcionalismo, Harper queria uma universidade "prática" que produzisse líderes para uma classe emergente nos Estados Unidos: a elite profissional, especialistas que gerenciariam a melhoria da sociedade e a produtividade da indústria. Watson inicialmente pretendia estudar filosofia e psicologia, disciplinas que coexistiam no departamento de filosofia da universidade, mas logo descobriu que nem a filosofia nem a psicologia introspectiva lhe despertavam o interesse (ele não tinha nenhum dom para a introspecção). Entretanto, sentia-se à vontade com os preceitos gerais da psicologia funcionalista e tinha especial predileção pela psicologia comparada — o que não é de estranhar, considerando que nascera e se criara numa zona rural e tinha familiaridade com os animais. Muitos anos mais tarde, seu filho lembraria, não sem uma certa tristeza, que o pai "na maioria das vezes preferia a companhia dos animais à das pessoas" (Hannush, 1987, p. 150).

O interesse de Watson pelo comportamento animal passou a moldar suas convicções acerca da psicologia em geral. Anos depois, ao refletir sobre os anos que passou em Chicago, ele afirmou que sempre se sentiu pouco à vontade com os métodos introspectivos e com sujeitos humanos, mas que, com os animais, sentia-se "em casa. [...] Cada vez mais eu me perguntava: Será que, observando seu comportamento, não posso descobrir tudo aquilo que os meus colegas estão descobrindo quando usam [sujeitos humanos]?" (Watson, 1936, p. 279). Essa ideia reforçou-se com o contato que Watson estabeleceu com Jacques Loeb e Henry Donaldson. Loeb era um psicólogo alemão que estudava os **tropismos**, movimentos automáticos de plantas ou animais por força de algum aspecto do ambiente. Por exemplo, a planta que sempre se volta para o sol apresenta heliotropismo (hélios = sol) positivo. Materialista e mecanicista convicto, Loeb achava que se poderia entender toda a vida orgânica como uma série de reações automáticas a estímulos. Donaldson, por sua vez, era um neurologista especializado no sistema nervoso dos ratos brancos.

A tese de doutorado de Watson, co-orientada por Donaldson e James Angell, era um estudo da relação entre o desenvolvimento cortical e a aprendizagem em ratos brancos. Ela foi um estudo importante porque, na época, muitos dentre os mais famosos fisiologistas acreditavam que os ratos não eram capazes de uma verdadeira "aprendizagem associativa" porque seus cérebros não tinham ou continham muito poucas fibras "meduladas".[4] Com uma rigorosa série de estudos que deixou transparecer seu talento para a ciência, Watson demonstrou que os ratos apresentavam mínima capacidade de aprendizagem ao longo das três primeiras semanas de vida, mas que, a partir da quarta, sua capacidade de formar associações melhorava drasticamente. Além disso, nesse mesmo período o número de fibras meduladas aumentava significativamente. Assim, Watson concluiu que a formação de associações era

---

4. Atualmente, essas fibras são chamadas "axônios mielinizados".

possível em ratos brancos jovens e que essas associações tinham uma correlação com o desenvolvimento cortical. Watson tomou US$ 350 emprestados a Donaldson e publicou seus resultados sob o título de *Animal Education: An Experimental Study of the Psychical Development of the White Rat, Correlated with the Growth of its Nervous System* (Watson, 1903). A tese valeu-lhe o doutorado e uma oferta para trabalhar em Chicago como instrutor. Watson a aceitou.

Os Estudos de Watson e Carr com Labirintos

Watson permaneceu no corpo docente da University of Chicago de 1903 a 1908. Nesse período, criou fama de bom professor e cientista cuidadoso. Sua pesquisa mais importante nessa época, ligada ao estudo de ratos em labirintos, foi conduzida com Harvey Carr, então estudante da pós-graduação que se tornaria um importante líder do movimento funcionalista e, por fim, catedrático do departamento de psicologia da universidade (Capítulo 7).

O objetivo dos estudos de Carr e Watson (Carr e Watson, 1908; Watson, 1907) era determinar quais os sentidos necessários para que o rato aprendesse a sair de um labirinto. Watson havia ficado intrigado com os estudos de labirinto feitos em Clark por Willard Small (consulte o *Close-Up* do Capítulo 6), mas achava que ele não havia sido muito sistemático ao tentar identificar os fatores que contribuíam para que os ratos conseguissem sair dos labirintos. Por exemplo, Small deixava os ratos passarem a noite dentro do labirinto, e isso impossibilitava avaliar como a aprendizagem se havia processado. Watson e Carr resolveram esse e outros problemas produzindo uma série metodologicamente brilhante de estudos que estabeleceram (ao menos por algum tempo) a importância da cinestesia nessa aprendizagem.

Em seu primeiro estudo (Watson, 1907), Watson e Carr sistematicamente eliminaram a possibilidade de os animais usarem os sentidos para sair de uma versão do labirinto de Hampton Court. Utilizando técnicas cirúrgicas com muita habilidade, Watson extraiu os olhos de alguns ratos, os ouvidos médios de outros e os bulbos olfatórios dos ratos de um terceiro grupo. Apesar de privados de algum de seus sentidos, os ratos aprendiam a sair do labirinto com facilidade. Além disso, Watson e Carr descobriram que a capacidade de aprendizagem não era muito prejudicada com a remoção dos bigodes dos ratos nem com a aplicação de anestesia em suas patas. Com um verdadeiro processo de eliminação (literalmente!), eles concluíram que os únicos fatores importantes na formação das associações aprendidas eram "as impressões cinestésicas, aliadas a certas outras impressões intraorgânicas" (Watson, 1907, p. 84). Ou seja, os animais estavam aprendendo a associar sequências de movimentos musculares às várias curvas do labirinto. Resumindo: eles aprendiam a dar dez passos, depois virar à direita e caminhar mais cinco passos, depois virar à esquerda etc.

Depois de excluírem sucessivamente todos os sentidos, Watson e Carr decidiram coletar provas diretas de sua hipótese remanescente acerca do sentido cinestésico. No segundo estudo (Carr e Watson, 1908), eles tiveram a ótima ideia de diminuir ou aumentar os labirintos de que os ratos já haviam aprendido a sair. A Figura 10.5 mostra o labirinto que usaram em sua versão completa. A parte que poderia ser removida é a que aparece sombreada. Os efeitos foram espetaculares: os ratos inicialmente treinados na versão completa do labirinto chocaram-se contra as paredes do labirinto reduzido. Por exemplo, segundo uma das anotações de Watson, um desses ratos "bateu [contra a parede] com toda a força. Ficou inteiramente desnorteado e não recuperou a conduta normal antes de caminhar quase três metros" (Carr e Watson, 1908, p. 39). Os ratos treinados na versão reduzida do labirinto foram igualmente afetados: ao serem testados na versão completa, eles geralmente começavam a virar no ponto em que antes tinham de fazer uma curva. Os estudos de Watson e Carr são modelos de pes-

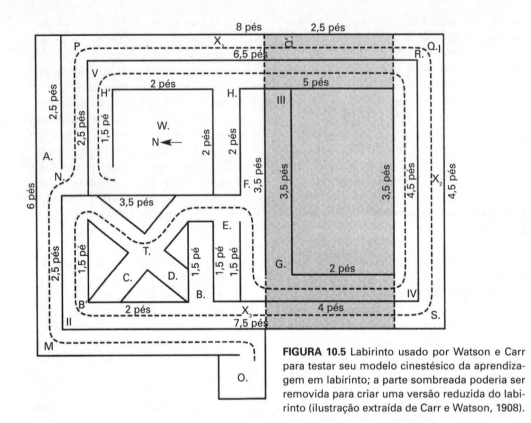

FIGURA 10.5 Labirinto usado por Watson e Carr para testar seu modelo cinestésico da aprendizagem em labirinto; a parte sombreada poderia ser removida para criar uma versão reduzida do labirinto (ilustração extraída de Carr e Watson, 1908).

quisa científica: eles chegam a uma conclusão empírica por meio, primeiramente, da eliminação sucessiva de hipóteses alternativas e, por fim, de uma demonstração direta da viabilidade da hipótese remanescente (a cinestésica). Além disso, ilustram muito bem o quanto os cientistas podem ser ingênuos no que se refere à aceitação de sua pesquisa pelo público. Watson pode ter pensado que estava simplesmente investigando uma questão importante sobre a aprendizagem, mas o público não pensou assim: transformado em alvo de campanhas antivisseccionistas,[5] ele foi retratado no *New York Times* de 30 de dezembro de 1906 como um açougueiro de ratos indefesos, cortando-os em pedaços para satisfazer alguma vã curiosidade científica.

A Oportunidade Bate à Porta na Johns Hopkins

Em 1908, Watson já era conhecido entre seus colegas de profissão como um promissor expoente no mundo da psicologia experimental (veja a Figura 10.6). Mas ele se sentia pouco reconhecido em Chicago, onde, cinco anos depois de começar a trabalhar na universidade, ainda tinha o cargo academicamente pouco prestigioso de instrutor. Assim, ao receber o convite da Johns Hopkins University para ser professor, com dedicação exclusiva, controle de um laboratório e mais o dobro do que estava ganhando em Chicago, foi difícil recusar. Um

---

5. Como os atuais ativistas pelos direitos dos animais, os antivisseccionistas protestavam contra o uso de animais em pesquisas. Sua influência sobre os primeiros psicólogos comparatistas foi documentada por Dewsbury (1990b).

FIGURA 10.6 John B. Watson em 1908, aos 30 anos.

ano depois de Watson chegar a Baltimore, o chefe do departamento de psicologia, James Mark Baldwin (Capítulo 6), foi demitido por razões morais (preso numa *blitz* policial em uma casa de prostituição, ele alegou estar fazendo pesquisa). Assim, mal entrado nos 30, Watson viu-se à frente do departamento de psicologia da Johns Hopkins. Ao longo dos doze anos seguintes, antes de também ser demitido por razões morais, ele (a) consolidaria sua reputação como um dos principais pesquisadores na área da psicologia animal, (b) proclamaria o behaviorismo e (c) desenvolveria um programa de pesquisa de psicologia do desenvolvimento, com ênfase no desenvolvimento emocional.

Watson e o Comportamento Animal

Depois de assumir o novo cargo na Johns Hopkins, Watson lançou um amplo programa de pesquisa do comportamento animal. Assim como a tese de doutorado e os estudos com labirintos que fizera em Chicago com Carr, parte desse programa consistia em pesquisa básica de laboratório e envolvia a psicofísica animal. Por exemplo, ele

---

DATA-CHAVE 1913

Este ano marcou a publicação do manifesto behaviorista de Watson, "Psychology as the Behaviorist Views It".

Os seguintes fatos também ocorreram:

- Depois de vários anos de controvérsia acerca do rumo da psicanálise e depois que Carl Jung e Alfred Adler o abandonaram, Sigmund Freud (Capítulo 12) reuniu seus seguidores (por exemplo, Ernest Jones, que viria a ser seu biógrafo) formando um comitê especial. Cada membro recebeu um anel que simbolizava sua lealdade

- Niels Bohr formulou sua teoria da estrutura atômica

- Albert Schweitzer abriu seu hospital no Congo Francês

- Henry Ford adotou novos procedimentos na linha de montagem de sua fábrica de automóveis

- Foi inaugurada a Grand Central Station em Nova York

- Foi introduzido o imposto de renda federal por meio da 16ª emenda à Constituição

- Mahatma Ghandi, líder do movimento indiano da resistência pacífica, foi preso

- Nasceram:

    Richard Nixon e Gerald Ford, presidentes dos Estados Unidos

    Albert Camus, filósofo existencialista e escritor francês (por exemplo, *A peste*)

    Rosa Parks, pioneira do movimento norte-americano pelos direitos civis

- Morreram:

    Harriet Tubman, abolicionista e reformadora norte-americana

    J. Pierpont Morgan, rico industrial norte-americano

estudou a capacidade visual de várias espécies treinando-as a fazer opções entre pares de estímulos ligeiramente diferentes (por exemplo, Watson, 1909) e usando os procedimentos de condicionamento motor do compatriota de Pavlov, Bekhterev (Watson, 1916). A lógica da pesquisa psicofísica de Watson era simples: se um animal podia ser corretamente treinado ou condicionado a reagir a um determinado estímulo (por exemplo, uma luz vermelha) e a outro, não (por exemplo, um tom mais escuro de vermelho), então esse animal seria capaz de perceber a diferença entre os dois.

Fora do laboratório, Watson deu prosseguimento a uma série de estudos naturalísticos iniciada quando ele ainda estava na University of Chicago. Durante vários verões, ele foi para uma pequena ilha ao sul da Flórida (Bird Key, uma das Dry Tortugas) para observar o comportamento de várias espécies de andorinhas-do-mar. Ao contrário de seus escritos posteriores, que minimizavam a importância do controle instintivo do comportamento, essa pesquisa de Watson parece uma versão anterior das pesquisas etológicas associadas a nomes como Konrad Lorenz e Niko Tinbergen, com sua ênfase na importância do comportamento instintivo para a sobrevivência das espécies (Dewsbury, 1994). Ele documentou cuidadosamente os comportamentos de acasalamento das andorinhas-do-mar de Bird Key, sua construção de ninhos e territorialidade e seu comportamento no que se refere ao cuidado da prole, antes e depois do nascimento dos filhotes (Todd e Morris, 1986). Além disso, ele observou que os pássaros recém-nascidos muitas vezes o seguiam persistentemente pela ilha. Naturalmente, esse é o mesmo comportamento estudado por Spalding (veja o *Close-Up* do Capítulo 5), depois chamado de estampagem por Lorenz.

O Manifesto Behaviorista de Watson

Em 1913, Watson aceitou um convite de Cattell para fazer uma palestra na Columbia University. A essa altura, ele achava que já possuía estatura suficiente para proclamar aquilo em que havia acreditado por pelo menos dez anos: que já estava na hora de a psicologia deixar de ser introspectiva e estudar unicamente a consciência para voltar-se para o comportamento. A palestra de Columbia, publicada sob o título provocador de "Psychology as the Behaviorist Views It" (Watson, 1913), passou a ser chamada de "manifesto behaviorista". O que Watson proclamava? O primeiro parágrafo já dá o tom:

> A psicologia como o behaviorista a vê é um ramo puramente experimental e objetivo das ciências naturais. Seu objetivo teórico é a previsão e o controle do comportamento. A introspecção não é parte essencial de seus métodos, e o valor científico de seus dados não depende da presteza com que se prestam à interpretação em termos da consciência. O behaviorista, em seu empenho de obter um esquema unitário da reação animal, não reconhece nenhuma linha divisória entre o homem e o animal [...]. (p. 158)

Esse é um dos trechos mais citados da psicologia. Em quatro orações, Watson: (a) inseriu a psicologia entre as ciências naturais, (b) delineou um conjunto de objetivos muito claros para a psicologia científica, (c) rejeitou completamente a pesquisa baseada na introspecção que a maioria de seus colegas realizava e (d) aceitou plenamente o modelo evolucionista de comportamento.

Watson explicou rapidamente a necessidade de descartar a introspecção e a consciência mostrando o absurdo de um método que produzia resultados que jamais poderiam ser verificados de maneira independente (isto é, jamais poderiam ser objetivos), além de permitir que se culpasse a falta de treinamento adequado dos observadores quando não se conseguia replicar algum resultado introspectivo. Quanto à análise introspectiva da sensação, por exemplo, ele duvidava que "algum psicólogo [conseguisse] esboçar um conjunto de afirmações que descrevessem o que ele queria dizer com sensação que fosse aceito por outros três psicólogos de formação diferente" (p. 164). Por conseguinte, Watson acreditava que havia chegado a hora de "a psicologia descartar toda e qualquer referência à consciência" (p. 163) e buscar no comportamento os dados a observar. Seu ataque dirigia-se mais claramente aos estruturalistas titcherianos, mas ele criticava também seus próprios mentores, os funcionalistas. Embora tivesse aumentado a diversidade e o escopo da pesquisa psicológica, a abordagem funcionalista não rejeitara a introspecção nem o estudo da consciência. Os funcionalistas poderiam estar estudando a consciência de uma maneira diferente dos estruturalistas, observou ele, mas ainda a estudavam.

Em lugar da psicologia como o estudo da consciência, Watson propôs que ela se tornasse a ciência do comportamento. A seu ver, assim como haviam aumentado nosso grau de compreensão dos animais, os métodos behavioristas poderiam enriquecer nosso conhecimento acerca dos seres humanos. E estabeleceu como meta da psicologia a previsão e o controle do comportamento, proclamando audaciosamente que num sistema maduro de estímulo-reação "dada a reação, os estímulos podem ser previstos; dados os estímulos, a reação pode ser prevista" (Watson, 1913, p. 167). Até mesmo atividades como o pensamento poderiam ser reduzidas a estímulos e reações. Para Watson, em essência, o pensamento não passava de **fala subvocal**, e o sujeito desse pensamento seria determinado por hábitos que chamava de "hábitos laringianos". Ele chegou inclusive a argumentar que, quando crianças, falamos para nós mesmos "em voz alta", passando a pensar em silêncio à medida que envelhecemos. Portanto, o pensamento poderia envolver processos centrais (isto é, cerebrais), mas também se manifestava em ações periféricas que podiam ser medidas. Portanto, mesmo algo aparentemente tão distante do comportamento quanto o pensamento na verdade poderia ser medido como este.

Watson (1919) admitia que "a prova experimental disso era remota" (p. 362), mas alegou que vários estudos haviam tentado medir as manifestações comportamentais do pensamento por meio de um dispositivo que, preso ao pescoço do sujeito na região da laringe, se destinava a registrar suas vibrações. O sujeito era então convidado a ler em silêncio, resolver mentalmente um problema matemático ou recordar um poema. Ele relatou alguma correlação entre os movimentos da laringe e o pensamento, "mas ocasionalmente isso não ocorria nem mesmo quando um problema subvocal em aritmética era resolvido e a resposta certa, obtida" (p. 326). Em sua opinião, seriam obtidas provas melhores quando a tecnologia de registro se aperfeiçoasse. Num artigo escrito para a imprensa popular, ele sugeriu posteriormente (Watson, 1926), talvez meio de brincadeira, que uma prova em favor do seu argumento era a observação de que nosso pensamento tende a sofrer quando a garganta está inflamada!

Uma coisa que acabou por tornar o behaviorismo popular entre os psicólogos norte-americanos foi sua insistência em que seus princípios tivessem necessariamente aplicações na vida real. Em seu manifesto, Watson frisou isso para distinguir sua abordagem da psicologia introspectiva, que lhe parecia desprovida de aplicação prática, acrescentando que a estratégia behaviorista já estava dando sua contribuição para várias áreas aplicadas, como a publicidade, a pesquisa sobre os efeitos das drogas, o direito e a educação.

Além de ter a força de uma proclamação, sendo às vezes considerado o ponto de partida da "revolução" behaviorista na psicologia, o manifesto de Watson foi também o veículo que o catapultou à presidência da APA em 1915. Entretanto, Samelson (1981) mostrou que a maioria dos psicólogos ignorou o manifesto ou o viu apenas como mais um dos ataques cada vez mais frequentes à introspecção. Apenas dois psicólogos — Calkins (1913) e Titchener (1914) — reagiram a ele por escrito, e ambos foram extremamente críticos.[6] Quanto à eleição de Watson para a presidência da APA, ela decorreu mais provavelmente do *status* de que ele já desfrutava entre seus pares, alcançado em virtude de uma década de pesquisa, de suas amizades com membros influentes da APA, de seu cargo de catedrático na Johns Hopkins e do trabalho como editor da *Psychological Review*. Além disso, sua indicação para a presidência da APA antecedeu o pronunciamento em que ele tornou público o seu manifesto (Samelson, 1981). Por outro lado, embora possa não ter sido um fato revolucionário, o manifesto certamente deu energia a Watson. No resto da década, ele defendeu ardorosamente o behaviorismo e por fim transformou o manifesto em livro: *Psychology From the Standpoint of a Behaviorist* (1919). Segundo o historiador James Todd (1994), mais que o manifesto original, foram esse livro e os esforços promocionais de Watson os responsáveis pela crescente influência do behaviorismo entre os psicólogos norte-americanos à medida que a década de 1920 se aproximava do fim.

O Discurso de Posse de Watson na Presidência da APA

Entre o manifesto de 1913 e sua posse na presidência na APA, em 1915, Watson trabalhou com afinco para obter provas que respaldassem suas convicções. Conforme disse na abertura do seu discurso de posse ("The Place of the Conditioned Reflex in Psychology"),

> Desde a publicação, há dois anos, de meus artigos um tanto rudes contra os presentes métodos da psicologia, sinto-me na incumbência — antes de fazer mais comentários desagradáveis — de sugerir algum método que possamos *começar* a usar no lugar da introspecção. Descobri, como os senhores poderiam prever com facilidade, que uma coisa é condenar uma prática há tanto estabelecida e outra, bem diferente, é sugerir alguma coisa em seu lugar. (Watson, 1916, p. 89)

O método que Watson estava ansioso por descrever a seus pares era o condicionamento de dois tipos de reflexo. O primeiro era o salivar, que ele atribuiu com justiça ao trabalho de Pavlov. Entretanto, devido à necessidade de cirurgia e à limitação (naquela época) da pesquisa que utilizasse cães, Watson achava que o método "não tinha uma esfera muito ampla em termos de utilidade ou aplicabilidade" (Watson, 1916, p. 93). Para solucionar o problema, ele descreveu um dispositivo para condicionamento salivar em seres humanos que estava sendo desenvolvido por Karl Lashley (Capítulo 3), que na época era aluno de pós-graduação em zoologia da Johns Hopkins, mas trabalhava como voluntário no laboratório de Watson (Bruce, 1986). O dispositivo destinava-se a extrair saliva do interior da boca do sujeito por meio de um processo de sucção. Todavia, jamais chegou a funcionar muito bem.

O segundo tipo de condicionamento tinha maior interesse para Watson por convergir com seu intuito de medir o comportamento diretamente observável. Tratava-se do condicionamento do reflexo motor, cujo pioneiro era o neurologista russo Vladimir Bekhterev (1857-1927), rival de Pavlov. Um de seus experimentos típicos consistia em empregar um choque elétrico de baixa intensidade no calcanhar do sujeito para provocar a retirada e, em seguida, emparelhar esse choque a um estímulo neutro (por exemplo, um tom sonoro). Dentro de pouco tempo, o tom produzia a retirada do pé. Em seu discurso de posse, Watson (1916) afirmou que "nosso próprio trabalho gira em torno do reflexo motor condicionado [de Bekhterev], já que vislumbramos em

---

[6]. Apesar do óbvio contraste entre as psicologias de Titchener e Watson, eles se respeitavam — ambos eram "homens de laboratório". Correspondiam-se com regularidade e, quando Watson foi o anfitrião de uma reunião dos experimentalistas em 1910, Titchener ficou hospedado na casa dele. Quando a Johns Hopkins exonerou Watson em 1920, Titchener foi um dos poucos psicólogos que manifestaram de público seu apoio ao colega (Larson e Sullivan, 1965).

seu método uma utilidade imediata e ampla" (p. 94). Em seguida, ele descreveu vários dos experimentos sobre o reflexo motor condicionado que estavam sendo feitos no laboratório da Johns Hopkins, tanto com animais quanto com seres humanos. Watson falou muito dessa pesquisa nesse discurso de 1915, mas aparentemente os resultados nem sempre foram claros e o procedimento de condicionamento foi abandonado depois de pouco mais de um ano (Rilling, 2000).

O Estudo do Desenvolvimento Emocional

No manifesto e em seu discurso de posse na presidência da APA, Watson afirmou que o behaviorismo permitia aplicações que melhorariam a qualidade de vida com base no condicionamento, principalmente do reflexo motor. Entretanto, até 1915, a sua própria pesquisa limitara-se — com algumas exceções — a animais. Assim, quando surgiu a oportunidade de estudar bebês, Watson a viu como a grande chance de aplicar o behaviorismo de um modo que convencesse os céticos e, o mais importante, garantir sua posição de líder na aplicação de princípios psicológicos para melhoria da sociedade. Além disso, Watson estava sentindo a mesma pressão sofrida pelos outros psicólogos comparatistas, que tinham cada vez mais dificuldade em obter apoio institucional para a pesquisa básica sobre o condicionamento animal. A administração das universidades relutava em financiar pesquisas que pareciam esotéricas, tinham pouco valor prático e exigiam instalações que, além de caras, cheiravam mal (Buckley, 1989).

A oportunidade para Watson veio sob a forma de um convite de Adolf Mayer, que era um psiquiatra famoso, para criar um laboratório humano em sua clínica na escola de medicina da Johns Hopkins. O novo laboratório era adjacente à ala de obstetrícia da escola, fornecendo assim a Watson um estoque de bebês para a pesquisa. O resultado foi uma série de estudos que investigavam os reflexos, reações emocionais básicas e reações emocionais condicionadas desses bebês.

Trabalhando em conjunto com J. J. B. Morgan, Watson tentou identificar as reações emocionais humanas fundamentais e os estímulos que as produziam. Três foram identificadas: medo, raiva e amor. Segundo Watson e Morgan (1917), a reação do medo, definida em termos behavioristas como "um súbito prender da respiração, seguido da tentativa de agarrar aleatoriamente, [...] piscar dos olhos, franzimento dos lábios e, por fim, choro" (p. 166), ocorria diante de uma de duas classes de estímulos: ruídos altos e repentinos (produzidos batendo-se com um martelo numa barra de aço ao lado da cabeça do bebê) ou perda de proteção (produzida deixando o bebê cair ou puxando sua coberta bem na hora em que ele começava a dormir). A segunda emoção, a raiva, decorria do impedimento dos movimentos do bebê: "Se o rosto ou a cabeça forem segurados, o bebê chora e, logo em seguida, grita. Seu corpo se retesa e ele reage com golpes relativamente bem coordenados das mãos e dos braços" (pp. 166-67). A terceira emoção, o amor, definida como o sorriso, o gorgolejo ou o arrulho, ocorria quando se acariciava a pele do bebê ou quando ele era delicadamente balançado. Watson filmou parte da pesquisa, e a Figura 10.7 mostra fotogramas de um dos filmes, os quais ilustram os estímulos que produzem o medo e a raiva.

O Zênite e o Nadir de uma Carreira: O Bebê Albert

Com base na pesquisa dos bebês, Watson concluiu que apenas alguns estímulos provocavam as três emoções instintivas do medo, da raiva e do amor. Então por que as crianças maiores apresentam essas reações emocionais a uma faixa muito mais ampla de estímulos? Para Watson, a resposta era simples: condicionamento. Sua tentativa de demonstrar isso culminou na pesquisa que ficou conhecida como o estudo do bebê Albert. Publicada em 1920 sob o título de "Conditioned Emotional Reactions" no

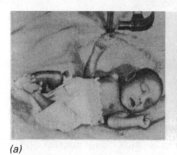 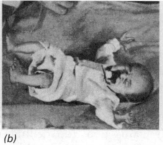 

FIGURA 10.7 Segundo Watson, o reflexo do medo poderia ser provocado tanto por (a) um ruído alto quanto por (b) a perda de proteção. A raiva (c) resultava quando os movimentos eram dificultados. Fotos extraídas do livro de Watson sobre a criação dos filhos (1928).

Journal of Experimental Psychology, foi realizada em coautoria com Rosalie Rayner, aluna de pós-graduação da Johns Hopkins. Como veremos a seguir, Rayner desempenhou papel fundamental em outro evento importante para Watson em 1920: sua demissão forçada da universidade.

Watson e Rayner (1920) abrem o artigo declarando sua convicção de que as reações emocionais se desenvolvem por condicionamento, mas que "não se verificam provas experimentais diretas que respaldem essa visão" (p. 1). Assim, o objetivo do seu estudo era justamente fornecer essas provas, utilizando um bebê de onze meses a quem deram o pseudônimo de Albert B. Albert foi escolhido para o estudo porque "[e]ra no geral impassível e indiferente. Sua estabilidade foi uma das principais razões para o usarmos como sujeito neste teste. Nós achamos que lhe faríamos relativamente pouco mal" (pp. 1-2). Watson e Rayner evidentemente tiveram alguma preocupação ética com o efeito do experimento sobre o bebê, mas "[f]inalmente decidimos fazer a tentativa, consolando-nos com a ideia de que esses [medos] surgiriam, de qualquer modo, assim que a criança saísse do ambiente protegido do berçário para entrar na lufa-lufa do lar" (p. 3).

Antes do início do experimento, Albert (então com nove meses) foi submetido a uma série de testes — os mesmos usados na pesquisa anterior que Watson havia feito com Morgan. Albert não demonstrou nenhum medo quando apresentado "a um rato branco, um coelho, um cão, um macaco, máscaras com e sem cabelos, algodão, jornais em chamas etc." (p. 2). Ao contrário de outros bebês, ele não reagiu com medo ao estímulo da perda de proteção. Porém, como os outros, ele tinha medo de ruídos altos e repentinos, e assim Watson decidiu usar esse estímulo (produzido com o toque de um martelo numa barra de metal) para provocá-lo. A primeira sessão de Watson e Rayner constou de apenas dois ensaios:

1. Rato branco tirado repentinamente da cesta e mostrado a Albert. Ele tenta tocá-lo com a mão esquerda. Assim que sua mão toca o animal, o martelo é batido na barra, bem atrás de sua cabeça. O bebê dá um salto e cai para a frente, enfiando o rosto no colchão, mas não chora.

2. Assim que a mão direita toca o rato, o martelo é novamente batido na barra. O bebê volta a dar um grande salto, cai para a frente e começa a choramingar.

Para não perturbar demais a criança, não foram aplicados mais testes por uma semana. (Watson e Rayner, 1920, p. 4)

Uma semana depois, Albert foi submetido sucessivamente ao rato, a três ensaios conjugando o rato e o ruído alto, ao rato apenas, a mais dois "estímulos conjugados" e novamente ao rato apenas. Nesse último ensaio, ocorreu o seguinte:

Rato apenas. *No instante em que o rato foi mostrado, o bebê começou a chorar. Quase instantaneamente, virou abruptamente para a esquerda, caiu de lado, pôs-se de quatro e começou a afastar-se, engatinhando tão rápido que houve dificuldade em agarrá-lo antes que atingisse a beira da mesa.* (p. 5, itálico no original)

Os atuais livros-textos geralmente descrevem o estudo de Albert como um exemplo humano de condicionamento clássico, rotulando o ruído alto como estímulo incondicionado (EI) e o medo do ruído, como uma reação incondicionada (RI). O rato é o estímulo condicionado (EC), que passa a produzir a reação condicionada (RC) do medo por meio do emparelhamento entre EC e EI, do mesmo modo que o emparelhamento entre um tom (EC) e a comida (EI) gera a salivação em reação a esse tom no procedimento pavloviano padrão. Contudo, a leitura atenta das anotações de laboratório de Watson e Rayner sugere que, em vez disso, pode ter entrado em operação um procedimento de punição, ao menos nos dois primeiros ensaios. O comportamento do bebê de tentar alcançar o rato resultou na consequência imediata do ruído alto. Não está claro se a mesma sequência de eventos ocorreu nos outros ensaios, que são chamados simplesmente de "estímulos conjugados". O que está claro é que Albert foi afetado pelos procedimentos e passou a ter medo do rato, mas a ambiguidade em torno do que ocorreu exatamente é uma das razões pelas quais o estudo foi criticado (Harris, 1979).

Depois de condicionar (por qualquer que tenha sido o procedimento) Albert a ter medo do rato, o segundo objetivo de Watson e Rayner era verificar se a reação poderia "transferir-se" a outros estímulos (ou "generalizar-se", como diria Pavlov). Cinco dias depois dos famosos ensaios acima descritos, Albert foi novamente levado ao laboratório e testado primeiro com blocos de brinquedo e o rato. Ele brincou com os blocos, mas continuou com medo do rato. Depois de constatarem que a reação condicionada ainda se verificava, Watson e Rayner apresentaram outros estímulos, alternando-os com ocasiões em que a criança podia brincar com os blocos. Albert demonstrou um certo grau de medo de um coelho, um cão e um casaco de pele. Além disso, num ensaio que sugere que o principal medo de Albert pode ter sido o medo do experimentador, Watson "baixou a cabeça para ver se Albert brincaria com seu cabelo, mas o bebê reagiu de forma inteiramente negativa. Dois outros observadores fizeram o mesmo; ele começou a brincar com seu cabelo imediatamente" (Watson e Rayner, 1920, p. 7).

Acreditando haver demonstrado a transferência, Watson e Rayner passaram a uma terceira pergunta da pesquisa: a reação seria mantida por um período significativo? O intervalo de retenção limitou-se a um mês por razões de ordem prática: Albert estava prestes a ser removido do hospital (Watson e Rayner não fornecem mais detalhes). Durante o intervalo, Albert foi testado de outras formas (por exemplo, numa pesquisa sobre o uso predominante da mão direita ou esquerda) e, no fim do mês, voltou a ser apresentado ao rato e a alguns dos estímulos usados para a generalização. Mais uma vez, demonstrou reações de medo, embora não tão fortes quanto as de um mês antes. Watson e Rayner concluíram:

> Esses experimentos aparentemente mostram conclusivamente que as reações emocionais diretamente condicionadas, assim como aquelas condicionadas por transferência, persistem — apesar de uma certa perda de intensidade — por um período superior a um mês. Nossa opinião é que elas persistem e modificam a personalidade ao longo da vida. (pp. 10-2)

Na última parte do artigo, Watson e Rayner detiveram-se sobre a questão de como o medo de Albert poderia ter sido mitigado, se houvesse mais tempo disponível. Embora dessem a impressão de desejar dispor de mais tempo com Albert, fica evidente que eles já sabiam que o bebê partiria em um mês e preferiram testar a persistência do medo a tentar a sua reversão. Contudo, eles deram várias sugestões quanto ao modo como o medo poderia ser "desaprendido".

(1) Apresentar constantemente à criança os estímulos que provocaram as reações no intuito de facilitar a habituação e a correspondente "fadiga" do reflexo quando se devam estabelecer reações diferenciais. (2) Tentar "recondicionar" mostrando objetos que provoquem reações de medo (visual) e, simultaneamente, estimulando as zonas erógenas (tátil). Devemos experimentar primeiro os lábios, em seguida os mamilos e, finalmente, os órgãos sexuais. (3) Tentar "recondicionar" dando caramelos ou outros alimentos ao sujeito assim que o animal for mostrado. Este método exige o controle alimentar do sujeito. (4) Criando atividades "construtivas" associadas ao objeto por imitação e colocando a mão por intermédio de manipulação. (pp. 12-3)

Embora os pesquisadores não tenham tentado de nenhuma maneira mitigar o medo de Albert, Watson posteriormente rediu-se até certo ponto supervisionando a tese de Mary Cover Jones (Figura 10.8). Nessa época ele já se havia afastado da academia e estava trabalhando em publicidade, mas sua pesquisa com crianças inspirou Jones, jovem aluna da pós-graduação em Columbia e amiga de Rosalie Rayner. Trabalhando com várias crianças que tinham medo de diversos objetos, Jones experimentou diversos métodos (1924a), a maioria dos quais não funcionou: os medos não se reduziam (a) simplesmente com a passagem do tempo, (b) com o apelo verbal (por exemplo, tentando convencer a criança de que o medo não tinha fundamento) nem (c) com a ridicularização da criança pelos coleguinhas. O que funcionou, porém, foi um dos métodos sugeridos por Watson e Rayner no texto sobre Albert. Num estudo sobre a técnica terapêutica da **dessensibilização sistemática** que muitas vezes é citado como pioneiro, Jones (1924b) reduziu o medo que um garotinho tinha de coelhos: colocando um deles, a princípio, a certa distância do garoto enquanto este comia e, em seguida, colocando-o gradualmente mais perto, Jones demonstrou que aparentemente as reações prazerosas associadas ao ato de comer substituíram a reação de medo associada ao coelho.

O estudo do bebê Albert figura nos capítulos sobre a aprendizagem de praticamente todos os atuais textos de introdução à psicologia. Muitas vezes considerado um "clássico", ele demonstra o poder dos princípios behavioristas no condicionamento das emoções. Se a aprendizagem é uma mudança de comportamento provocada pela experiência, então o estudo mostra claramente algum tipo de aprendizagem. Albert certamente foi afetado pelo encontro com Watson e Rayner. Entretanto, o estudo tem graves falhas. Primeiro, há a questão de o procedimento inicial realmente haver produzido em Albert um forte medo de animais (Harris, 1979). Os filmes produzidos mostram-no um pouco hesitante diante dos animais mesmo antes de o experimento começar e, depois de sua conclusão, embora

FIGURA 10.8 Mary Cover Jones, de Columbia, na época de seus estudos sobre a reversão da aprendizagem do medo.

pareça preocupado, o bebê não demonstra estar em pânico. Em segundo lugar, no início da testagem da generalização ("transferência"), suas reações eram quase sempre tão fracas que exigiam "atualização" com emparelhamentos adicionais entre os animais e os ruídos. Esses emparelhamentos adicionais constituíram novos ensaios de aprendizagem, tornando assim o teste da generalização difícil de interpretar. Em terceiro lugar, mesmo que se admita que o bebê criou um medo, o que o provocou não está claro. Como mencionamos anteriormente, é concebível que Albert tenha ficado com medo não dos animais, mas do próprio Watson. A impressão que se tem ao ver os filmes é que ele tratava os bebês com uma certa aspereza. Em quarto lugar, traçar uma conclusão genérica sobre o condicionamento do medo com base num estudo com apenas um bebê é inadequado. A pesquisa que se limita a apenas um sujeito é aceitável e representa uma importante tradição na psicologia, mas a confiança na generalidade dos resultados só é possível com a replicação contínua da principal conclusão. Porém, diversas tentativas de produzir reações emocionais condicionadas nas décadas de 1920 e 1930 propiciaram resultados ambíguos. English (1929), por exemplo, não conseguiu condicionar um bebê de quatorze meses a ter medo de um pato de madeira, basicamente porque a criança não reagia adversamente ao ruído alto. Além disso, Valentine (1930) não conseguiu condicionar outra criança a ter medo de binóculos de teatro, embora o tenha conseguido com uma lagarta. Bregman (1934), do mesmo modo, não conseguiu condicionar o medo a estímulos biologicamente neutros, como cortinas e blocos de madeira. Porém, tanto o estudo de Valentine quanto o de Bregman tinham graves falhas metodológicas, o que dificultou a determinação da existência ou não de replicação (Todd, 1994).

Portanto, em resumo, o estudo do bebê Albert não pode ser considerado uma demonstração conclusiva da aplicabilidade irrestrita dos princípios do condicionamento.

Por que então ele ficou tão famoso? Uma das razões é política. Para ser reconhecido como uma força importante na psicologia científica norte-americana, o behaviorismo precisava de exemplos da força do condicionamento. Watson proclamar o behaviorismo era uma coisa; provar sua viabilidade era outra. O estudo do bebê Albert parecia vir a calhar e, em descrições subsequentes, Watson e outros simpatizantes do behaviorismo ignoraram suas falhas metodológicas, conferindo-lhe o *status* de um caso inequívoco de "condicionamento em ação" (Prytula, Oster e Davis, 1977). Uma segunda razão, relacionada à primeira, para a popularidade do estudo é o fato de ele ter, além de um certo apelo dramático, aplicabilidade em relação a uma das tarefas mais importantes da vida: a criação de nossos filhos. Se suas vidas podem ser tão espantosamente afetadas pelas experiências que eles vivem, então a administração do ambiente em que se encontram torna-se um importante meio de moldar seu futuro.

Assim, o estudo de Albert teve a importante função de legitimar a nova abordagem behaviorista que, dentro de uma década, se tornaria a força predominante na psicologia norte-americana. Porém, Watson não seria um de seus expoentes nessa década: 1920, ano em que o estudo foi publicado, foi também o ano em que Watson foi demitido da Johns Hopkins.

Uma Nova Vida na Publicidade

Quando ainda era um instrutor jovem e solteiro na University of Chicago, Watson apaixonou-se por Mary Ickes, aluna de seu curso de introdução à psicologia, e casou-se com ela. Quando já era um psicólogo experimental reconhecido e ensinava na Johns Hopkins, ele teve uma experiência semelhante, com duas grandes diferenças: desta vez a aluna era uma pós-graduanda (Rosalie Rayner) e, o mais importante, Watson já era casado — com a mesma mulher que havia sido sua aluna na graduação dezessete anos antes. Os detalhes dessa infeliz situa-

FIGURA 10.9 John B. Watson como executivo de publicidade.

ção podem ser encontrados em outras fontes (por exemplo, Buckley, 1989). Bastará dizer que o amor de Watson por Rayner o levou a (a) um divórcio que ganhou alta divulgação na imprensa e contou com a publicação de suas cartas de amor a Rayner, descobertas por Mary Ickes Watson, (b) uma demissão forçada da Johns Hopkins e (c) seu casamento com Rayner.

A saída da Johns Hopkins foi um golpe devastador para Watson. Além disso, a publicidade de que ela se revestiu arruinou qualquer chance que ele podia ter de voltar a ocupar um cargo acadêmico. Por intervenção de um amigo, ele entrou então no mundo dos negócios, indo trabalhar na agência de publicidade J. W. Thompson, em Nova York. Depois de um estágio em que trabalhou em todos os departamentos da agência, Watson (Figura 10.9) ascendeu à vice-presidência em menos de quatro anos (Buckley, 1989).

Como executivo de publicidade, Watson teve a oportunidade de pôr em prática algumas de suas alegações quanto à aplicabilidade do behaviorismo, tendo desenvolvido, por exemplo, diversas campanhas publicitárias baseadas em temas derivados de sua pesquisa das três emoções básicas: o medo, a raiva e o amor. Segundo ele, para vender um produto ao consumidor, era preciso "dizer-lhe algo que [o] paralisasse de medo, algo que lhe provocasse um pouco de raiva, que produzisse [nele] uma reação afetiva ou amorosa ou que atingisse uma profunda necessidade psicológica ou habitual" (citado por Buckley, 1989, p. 137). Assim, numa campanha de anúncios de talco infantil da Johnson & Johnson havia uma mensagem clara, destinada a amedrontar os pais jovens e fazê-los comprar o produto: se não usassem o talco, arriscavam-se a expor seus bebês a graves infecções. Além disso, Watson recorria muito a testemunhos de especialistas e personalidades conhecidas para vender produtos. A campanha do talco para bebês, por exemplo, tinha o testemunho de médicos.

Watson levou para sua nova carreira a mesma paixão pelo método científico que caracterizava sua vida na academia. Numa declaração autobiográfica, por exemplo, ele afirmou que "é tão emocionante observar a curva de vendas de um novo produto quanto observar a curva de aprendizagem dos animais ou seres humanos" (Watson, 1936, p. 280). Com efeito, sua maior contribuição à psicologia do consumidor não foi a introdução de novas técnicas de publicidade — a historiadora Deborah Coon mostrou que ele simplesmente adotou as estratégias em uso na época, introduzidas por Walter Dill Scott (Capítulo 8). Seu impacto mais duradouro consistiu na aplicação do pensamento científico à área do *marketing* (por exemplo, usando dados demográficos para atingir determinados consumidores) e no desenvolvimento de programas de treinamento e avaliação de produtividade do pessoal de vendas (Coon, 1994).

Porém, a publicidade não ocupou todo o tempo de Watson na década de 1920. Ele deu cursos de behaviorismo em Nova York na New School for Social Research, foi membro do conselho de diretores da Psychological Corporation de Cattell e supervisionou uma pesquisa com bebês financiada pelo Laura Spelman Rockefeller Memorial Fund (Buckley, 1989). Essa instituição doou US$ 15 mil à Columbia University para continuação da pesquisa iniciada na Johns Hopkins, e entre os experimentos financiados encontrava-se o famoso estudo de Mary Cover Jones, no qual se conseguiu eliminar um medo aprendido por uma criança. Além disso, Watson continuou escrevendo sobre o behaviorismo ao longo da década, mantendo a reputação de porta-voz do movimento.

A Popularização do Behaviorismo

Watson começou a se comunicar-se com o público em geral logo no início de sua carreira acadêmica, publicando em revistas populares (como a *Harper's Monthly*) artigos com títulos como "The New Science of Animal Behavior" (1910), mas essa atividade aumentou muito na década de 1920, com mais artigos em revistas, participações e programas de rádio e dois livros: *Behaviorism* (1924/1930) e *Psychological Care of Infant and Child* (1928). O primeiro desses livros tornou-se a declaração mais difundida das ideias de Watson. Apesar da boa descrição de Robert Woodworth (1931), de Columbia — "certamente não se trata de um dos livros mais científicos [de Watson] do ponto de vista do psicólogo" (p. 91), o *New York Times* afirmou que ele daria início a "uma nova era na história intelectual do homem". Esse foi o livro que, juntamente com as conferências traduzidas de Pavlov, despertou o interesse do jovem B. F. Skinner pelo pensamento behaviorista e nele se inclui um dos trechos mais citados de Watson, uma reflexão sobre sua convicção da importância do ambiente para formar nossa vida:

> Nossa conclusão, portanto, é que não existe nenhuma prova real da herança de traços. Eu teria plena certeza do desfecho favorável da criação cuidadosa de um bebê saudável e bem formado que fosse herdeiro de uma longa linhagem de salafrários, ladrões, assassinos e prostitutas. [...]
> Agora eu devo ir além e dizer: "Deem-me uma dúzia de bebês saudáveis e bem formados e ponham-nos num mundo criado segundo as minhas especificações e eu lhes garantirei que posso selecionar qualquer um, aleatoriamente, e treiná-lo para tornar-se o especialista que eu quiser: médico, advogado, artista, comerciante e, sim, até mesmo mendigo e ladrão, independentemente de seus talentos, propensões, tendências, aptidões e vocações e da raça de seus ancestrais". (Watson, 1924/1930, pp. 103-04)

Watson admitiu que estava indo além dos dados ao fazer a alegação a respeito da "dúzia de bebês". E provavelmente estava exagerando o caso para ressaltar o contraste entre suas opiniões e as dos psicólogos que estavam promovendo o papel dos traços herdados no comportamento individual, entre os quais a maioria dos que faziam testagem mental (veja o Capítulo 8). Embora Watson sempre tenha reconhecido a interação entre o herdado e o adquirido na produção do comportamento, essa sua "dúzia de bebês" tornou-se citação indispensável em todos os livros de introdução à psicologia. E, assim, em geral, mas erroneamente, ele é retratado como alguém que negava completamente a importância do lado da natureza na dicotomia herdado/adquirido (Todd, 1994).

A fama de Watson como ambientalista radical foi enriquecida ainda mais por muitas das recomendações que fez em *Psychological Care of Infant and Child* (1928), escrito "com a ajuda de Rosalie Rayner Watson" (frontispício). O livro contém as afirmações mais categóricas de Watson sobre como a tecnologia do comportamento poderia influir na mais importante das tarefas: a criação dos filhos. Ele o dedicou "à primeira mãe que criar um filho feliz" e começou por declarar a urgência da tarefa: os bebês saudáveis podem superar os efeitos de curto prazo da privação fisiológica, mas "depois que o caráter de uma criança for estragado pelo tratamento — o que pode ocorrer em poucos dias —, quem pode dizer que esse dano jamais poderá ser reparado?" (p. 3).

Num capítulo intitulado "The Dangers of Too Much Mother Love", Watson adverte contra o excesso de afeto maternal. O resultado seria o "invalidismo", a incapacidade da criança de tornar-se responsável, independente e, por fim, bem-sucedida na vida.

Ele adverte que, adiante, haverá "muitas pedras no caminho do filho que é beijado demais" (p. 71). O que fazer, então?

> Existe uma maneira sensata de tratar os filhos. Trate-os como se fossem jovens adultos. Vista-os, banhe-os com cuidado e circunspecção. Adote sempre um comportamento objetivo e delicadamente firme. Nunca os beije ou abrace; nunca os deixe sentar-se no seu colo. Se absolutamente necessário, dê-lhes um beijo na testa quando eles forem dormir. Dê-lhes um aperto de mão de manhã. Dê-lhes um tapinha no ombro quando conseguirem sair-se extremamente bem de uma tarefa difícil. Experimente. Em uma semana, você verá como é fácil ser inteiramente objetivo e, ao mesmo tempo, gentil com seu filho. E sentirá vergonha da maneira melosa e sentimental com que vinha tratando o tema. (Watson, 1928, pp. 81-2)

Posteriormente, Watson (1936) lamentou haver escrito esse livro, dizendo que ele não tinha respaldo suficiente dos dados. No entanto, o livro constitui um exemplo perfeito da fé que ele tinha na influência do behaviorismo na vida diária. Num sentido mais amplo, *Psychological Care of Infant and Child* ilustra a crença positivista de que compreensão e controle andam lado a lado.

Avaliando o Behaviorismo de Watson

Em certo sentido, o behaviorismo watsoniano foi um tremendo fracasso. O grande sonho de prever todas as reações, dado o estímulo, nunca se realizou. A maioria das proclamações de Watson ia muito além das provas empíricas disponíveis — os dados nunca se equipararam às excessivas alegações. Então qual foi o impacto do sistema de Watson?

A importância duradoura que Watson teve para a psicologia deriva da publicidade que ele deu às suas fortes convicções. Conforme mencionamos anteriormente, o behaviorismo não se firmou de imediato. Com efeito, a reação inicial da academia foi claramente dividida. Mas os argumentos enérgicos e repetidos de Watson iniciaram um processo que levou o behaviorismo, em meados dos anos de 1930, ao centro da psicologia experimental norte-americana. Assim, ele merece o título de "fundador" do movimento.

Em segundo lugar, atacando diretamente a psicologia introspectiva e expondo seu calcanhar de aquiles — a falta de objetividade —, Watson contribuiu para a transição gradual da psicologia do estudo da experiência consciente imediata ao estudo do comportamento. Tornando a variável dependente do comportamento observável e mensurável, em lugar do relato introspectivo, Watson ajudou a colocar a psicologia em terreno científico mais firme.

Em terceiro lugar, a popularidade de Watson junto ao grande público sugere que suas ideias calaram fundo nos norte-americanos. Sua convicção de que o ambiente poderia ser manipulado para moldar o futuro desenvolvimento de uma pessoa era compatível com o ideal americano de que, com a criação e a educação adequadas, se poderia aspirar a qualquer objetivo. Conforme vimos anteriormente (Capítulo 3), essa atitude otimista contribuiu para manter a popularidade da frenologia até muito depois de os cientistas terem desistido dela. Tratava-se de uma mensagem especialmente atraente nos anos de 1920, uma época de prosperidade para os Estados Unidos, quando os norte-americanos "típicos" estavam otimistas diante do futuro e nem sonhavam com a iminência da Grande Depressão da década de 1930. O próprio Watson representava um exemplo dessa atitude: era um garoto pobre do interior que chegara ao topo da profissão duas vezes, uma na psicologia e outra nos negócios. Essa mensagem era muito mais interessante para os norte-americanos do que a que eles recebiam dos psicólogos que faziam testagem mental. Conforme você deve lembrar, no Capítulo 8 vimos que os defensores dessa testagem se estavam articulando em favor de uma meritocracia baseada num QI que supostamente era, em grande medida, inato.

Finalmente, o behaviorismo de Watson de fato criou uma ponte entre a psicologia básica e a psicologia aplicada. O trabalho de laboratório em áreas como o condicionamento e a aprendizagem de labirinto gradualmente tornou-se cientificamente rigoroso, cumprindo assim a promessa de uma psicologia científica. Ao mesmo tempo, as possibilidades de aplicação, repetidamente frisadas por Watson, também renderam frutos quando as ideias behavioristas por fim influíram na criação dos filhos, na educação, na indústria e até na psicoterapia.

E que dizer de Watson? Sua produtividade como executivo da publicidade e popularizador da psicologia caiu vertiginosamente em 1935, com a súbita morte de Rosalie, o grande amor da sua vida. No mesmo ano, ele deixou a J. W. Thompson e assumiu um cargo semelhante na William Esty Company, aposentando-se dez anos depois. Em seus últimos anos, tornou-se cada vez mais recluso. Em 1957, um ano antes de sua morte, a American Psychological Association homenageou Watson em sua reunião anual e, embora ele tenha viajado de Connecticut a Nova York para receber a homenagem, na última hora desistiu e não foi à cerimônia, mandando o filho em seu lugar. Segundo seu biógrafo, "Watson tinha medo de que naquele momento suas emoções o assaltassem, de que o apóstolo do controle do comportamento perdesse o controle e chorasse" (Buckley, 1989, p. 182).

EM PERSPECTIVA: AS ORIGENS DO BEHAVIORISMO

Na discussão sobre história velha e história nova do Capítulo 1, apresentei o conceito de *epônimo*. Boring descreveu os epônimos como movimentos ou períodos históricos rotulados com nomes de pessoas que se acredita terem influído de maneira determinante sobre a história — a biologia darwiniana seria um exemplo. Num artigo intitulado "Eponym as Placebo", Boring (1963a) adverte que o uso excessivo de epônimos pode levar-nos a uma supersimplificação da história se ignorarmos a importância do *Zeitgeist*. A seu ver, a frequência dos epônimos se deve em parte a nossas limitadas habilidades cognitivas. A história tem uma complexidade enorme; portanto, atribuindo fatos cruciais do século XIX ao darwinismo, por exemplo, simplificamos as coisas do ponto de vista cognitivo, trazendo "a matéria histórica para o âmbito da compreensão e da memória" (p. 21). O risco, claro, é que o epônimo "magnifica as pessoas que se encontram acima e diminui as que se encontram abaixo do limiar" (p. 24).

Para aquele que escreve um texto sobre história da psicologia (ou seja, para mim), há um desafio especial, principalmente em capítulos como este (e o Capítulo 5, por exemplo, cujo título é eponímico). Pavlov e Watson têm importância inquestionável para a história da psicologia, e os estudantes de psicologia não podem fazer um curso de história sem informar-se sobre seu trabalho. No entanto, há o risco de o aluno terminar o curso com uma ideia geral sobre o "condicionamento pavloviano" e o "behaviorismo watsoniano" e mais nada sobre as origens e o desenvolvimento do pensamento behaviorista. Espero que, ao terminar de ler este capítulo (e outros) e, talvez, depois de ouvir o professor falar mais sobre a questão, você tenha uma noção da complexidade da história e compreenda que o contexto histórico inevitavelmente se mistura à biografia. Sim, Pavlov foi uma figura crucial, mas o apoio que os soviéticos deram a seu trabalho — na esperança de reestruturar o comportamento humano conforme o ideal comunista — é o responsável por boa parte dele. Sim, Pavlov inicialmente via os soviéticos com ceticismo, porém sua acomodação final a eles (possibilitando assim a continuidade do seu trabalho) exige que saibamos como os russos historicamente desconfiam dos alemães e os temem. Sim, Watson foi uma figura carismática, mas também viveu numa época em que os problemas com a introspecção ficavam evidentes para um número cada vez maior de psicólogos, e suas ideias encontraram uma plateia receptiva num país em que o pragmatismo ("de que serve isto?") era um valor enaltecido e onde a ideia de que o ambiente era uma força importante (qualquer um poderia chegar a ser presidente) fazia parte da psique nacional. A biografia é importante para a história, mas a história é consideravelmente mais importante que a biografia.

RESUMO

A TENDÊNCIA A UMA MAIOR OBJETIVIDADE

- Antes de Watson, muitos psicólogos começaram a preocupar-se com a objetividade de suas medidas. Uma influência foi a teoria evolucionária, que levou ao estudo do comportamento animal. O estudo dos animais implicava o desenvolvimento de medidas de comportamento, e isso foi o que os psicólogos norte-americanos fizeram (por exemplo, os estudos de Thorndike com os gatos nas gaiolas).
- As filosofias do empirismo e do associacionismo, que enfatizam a importância da experiência, constituíram a base do pensamento behaviorista. O positivismo, segundo o qual o único conhecimento válido é obtido por meio de observações indutivas e sistemáticas, também foi uma contribuição.
- Muitos psicólogos se interessaram por medidas mais objetivas dos fenômenos psicológicos porque estavam se tornando cada vez mais críticos diante da introspecção.

A VIDA E A OBRA DE PAVLOV

- Pavlov se considerava mais um fisiologista que um psicólogo, e o prêmio Nobel que ganhou em 1904 foi pela sua pesquisa da fisiologia da digestão. Ele tornou-se especialmente conhecido por desenvolver procedimentos cirúrgicos (por exemplo, a bolsa de Pavlov) que permitiam o estudo dos processos digestivos de animais vivos.
- O trabalho de Pavlov sobre o condicionamento provinha de sua pesquisa da digestão, quando decidiu investigar por que seus cães começavam a salivar antes que a comida lhes chegasse à boca. Ele examinou sistematicamente um grande número de fenômenos do condicionamento, inclusive a aquisição, a extinção, a generalização, a diferenciação e a neurose experimental (a suspensão da capacidade de diferenciar os estímulos). Ele interpretou esses fenômenos em termos dos processos cerebrais recíprocos da excitação e inibição.
- Embora inicialmente tivesse hostilizado o governo soviético, Pavlov por fim acomodou-se ao regime com o surgimento da ameaça da Alemanha nazista. Os soviéticos viam Pavlov como o principal recurso na moldagem do moderno cidadão comunista; por conseguinte, suas pesquisas foram fartamente subsidiadas pelo governo.
- A obra de Pavlov era em geral conhecida pelos psicólogos norte-americanos do início do século XX, mas sua pesquisa só veio a ser amplamente conhecida e apreciada quando foi traduzida para o inglês na década de 1920.

JOHN B. WATSON E A FUNDAÇÃO DO BEHAVIORISMO

- Watson formou-se na funcionalista University of Chicago, onde criou aversão à introspecção e amor à pesquisa animal. À sua tese sobre a relação entre o desenvolvimento cortical e a capacidade de aprendizagem dos ratos seguiram-se vários importantes estudos sobre o papel da cinestesia para a aprendizagem da saída de labirintos entre os ratos.
- Depois de lecionar em Chicago por alguns anos após o doutorado, Watson foi para a Johns Hopkins em 1908, onde permaneceu até 1920. Em seu "manifesto behaviorista" (1913), ele proclamou que a psicologia introspectiva, de caráter intrinsecamente subjetivo, deveria ser substituída por uma psicologia que especificasse as relações entre estímulos e reações. Em seu discurso de posse na presidência da APA (1915), ele mostrou como o comportamento poderia ser condicionado por meio de procedimentos similares aos de Pavlov e, principalmente, aos de Bekhterev.
- Em seus últimos anos na Johns Hopkins, Watson estudou bebês recém-nascidos e crianças maiores, especialmente no que diz respeito a seu desenvolvimento emocional. Segundo ele, o medo, a raiva e o amor são as três emoções fundamentais, resultantes cada qual de estímulos específicos. As reações emocionais mais sofisticadas resultavam de condicionamento.
- Watson tentou demonstrar o condicionamento das reações emocionais no famoso experimento

do bebê Albert. Emparelhando um ruído alto a um rato branco, Watson e Rayner criaram na criança o medo ao animal. O medo generalizou-se diante de estímulos semelhantes (por exemplo, coelhos) e perdurou por ao menos um mês. Posteriormente, Mary Cover Jones demonstrou que os medos poderiam ser desaprendidos.

- Watson tornou-se um executivo da publicidade em seus últimos anos produtivos, aplicando princípios comportamentais à área do *marketing*. Nesse período, ele também popularizou a filosofia behaviorista, principalmente no que diz respeito à criação dos filhos.

QUESTÕES PARA ESTUDO

1. Quais as semelhanças entre as ideias empiristas de John Locke e as ideias behavioristas de Watson?
2. O que era o positivismo e qual a sua importância para a psicologia norte-americana?
3. Qual foi a influência da psicologia comparada no desenvolvimento do pensamento behaviorista?
4. O que levou Pavlov a deixar de lado a ideia de seguir a carreira religiosa e tornar-se cientista?
5. Descreva a pesquisa que valeu a Pavlov o prêmio Nobel.
6. Descreva a organização e o funcionamento do laboratório de Pavlov.
7. Do ponto de vista da história, qual o ponto importante tratado na nota 2?
8. Como Pavlov demonstrou os fenômenos elementares do condicionamento, extinção, generalização e diferenciação?
9. O que Pavlov queria dizer com "neurose experimental" e como foi que ele demonstrou sua existência?
10. Explique por que os soviéticos valorizavam as ideias de Pavlov e por que este inicialmente foi contrário ao novo governo, mas acabou se acomodando.
11. Como foi que os psicólogos norte-americanos ficaram conhecendo as ideias de Pavlov e qual a sua influência sobre a psicologia desse país?
12. Em termos historiográficos, qual o ponto importante abordado no *Close-Up* deste capítulo?
13. Descreva os fatores que levaram Watson a tornar-se behaviorista enquanto trabalhava em Chicago.
14. Descreva os estudos que Watson e Carr fizeram com labirintos do ponto de vista (a) da metodologia e (b) da ética.
15. O que Watson aprendeu nas Dry Tortugas sobre o comportamento das aves?
16. Qual a natureza da crítica de Watson ao estruturalismo e ao funcionalismo no "manifesto behaviorista" e o que ele propôs em seu lugar?
17. No manifesto, Watson descreveu o que chamou de abordagem E-R da psicologia. Explique-a.
18. Descreva o conteúdo do discurso que Watson fez ao assumir a presidência da APA. Por que ele preferia o modelo de condicionamento de Bekhterev ao de Pavlov?
19. Descreva como Watson determinou que existiam três emoções fundamentais. Quais eram essas emoções e quais os estímulos que as provocavam?
20. Descreva e analise criticamente o estudo do bebê Albert.
21. Watson e Rayner nem sequer tentaram remover o medo de Albert, mas Jones mostrou que esse medo poderia ser revertido. Como foi que ela fez isso?
22. Descreva como Watson influenciou o mundo da publicidade com (a) sua postura científica e (b) suas ideias behavioristas.
23. Diga como era a abordagem watsoniana da criação dos filhos.

LEITURA SUPLEMENTAR

BABKIN, B. P. (1949). *Pavlov: A Biography*. Chicago: University of Chicago Press.

Propicia uma noção privilegiada da vida e da obra de Pavlov através do olhar de um ex-aluno seu. Especialmente boa é a descrição da vida no laboratório de Pavlov durante os primeiros anos do século XX.

BUCKLEY, K. W. (1989). *Mechanical man: John Broadus Watson and the beginnings of behaviorism*. Nova York: The Guilford Press.

Única biografia erudita de Watson; trata-se de uma análise crítica e detalhada de como suas ideias se formaram e como, por sua vez, influenciaram a psicologia norte-americana. Bom exemplo de biografia que insere o personagem central no contexto social, cultural e institucional da época.

HARRIS, B. (1979). Whatever happened to Little Albert? *American Psychologist, 34*, 151-60.

Análise crítica de como o estudo de Albert tornou-se um "clássico" da aplicação dos princípios do condicionamento, apesar de suas graves falhas e do fracasso das tentativas de replicação. As descrições que os livros-textos apresentam do experimento em geral são imprecisas, principalmente porque os autores recorrem a fontes secundárias, e não ao artigo original.

O'DONNELL, J. M. (1985). *The origins of behaviorism: American psychology*. Nova York: New York University Press.

Descrição e análise erudita, porém de leitura muito agradável, dos anos de formação da psicologia norte-americana e dos fatores que levaram ao desenvolvimento do behaviorismo; excelente exemplo de história externa, historicista e contextual.

CAPÍTULO **11**

A EVOLUÇÃO DO BEHAVIORISMO

> Acredito que tudo que há de importante na psicologia [...] possa ser investigado, em essência, por meio da análise experimental e teórica contínua das determinantes do comportamento dos ratos quando encontrado um ponto de opção num labirinto.
> — Edward Chace Tolman, 1938

VISÃO GERAL E OBJETIVOS DO CAPÍTULO

Este capítulo dá prosseguimento à descrição da evolução do pensamento behaviorista com a abordagem da obra de três psicólogos e pesquisadores que seguiram os passos de Watson: Edward Tolman, Clark Hull e B. F. Skinner. Porém, antes ele analisa o rumo tomado pelo behaviorismo watsoniano e descreve diversas tendências (como o operacionismo, por exemplo) que abriram caminho para a aceitação, entre os psicólogos norte-americanos, do behaviorismo que se tornou a linha dominante na disciplina das décadas de 1930 até a de 1950, ao menos nos Estados Unidos. Entretanto, você verá também que nem todos os psicólogos norte-americanos eram behavioristas nessa época e que o movimento foi, em grande parte, um fenômeno restrito a esse país.

As teorias de aprendizagem que serão abordadas aqui diferiam substancialmente umas das outras (no que se referia à definição e ao papel do reforço na aprendizagem, por exemplo). Porém, todas se baseavam em pesquisas que tinham animais como sujeitos e todas se concentravam em descobrir as leis essenciais do condicionamento. Embora não desconsiderassem a importância dos fatores biológicos, os neobehavioristas, seguindo a tradição dos empiristas britânicos, achavam que compreender a ação humana significava, em grande medida, descobrir como as experiências de vida (isto é, o histórico de condicionamento) moldavam o indivíduo. Depois da conclusão deste capítulo, você deve ser capaz de:

- Distinguir entre o mito da revolução behaviorista e o que de fato aconteceu desde o manifesto de 1913, de Watson, e a ascensão do behaviorismo nos anos de 1930
- Descrever como a relação entre o positivismo lógico e o operacionismo forneceu a base para o posicionamento teórico dos neobehavioristas Tolman e Hull
- Explicar a importância do uso de definições operacionais na psicologia
- Descrever as convicções compartilhadas pelos neobehavioristas
- Citar as principais características da teoria da aprendizagem de Tolman

- Descrever a pesquisa de Tolman e definir a sua importância para a aprendizagem latente, a aprendizagem pelo lugar e os mapas cognitivos
- Descrever a contribuição de Hull para a psicologia antes do desenvolvimento de sua teoria da aprendizagem
- Enumerar as principais características da teoria hipotético-dedutiva da aprendizagem de Hull, em especial o postulado 4
- Mostrar em que a abordagem skinneriana da psicologia diferia da de Tolman e Hull
- Descrever os componentes essenciais de uma análise experimental do comportamento segundo Skinner
- Explicar a influência de *Sir* Francis Bacon sobre as ideias de Skinner
- Citar exemplos da tentativa de Skinner de aplicar seus princípios operantes às circunstâncias da vida real
- Avaliar o impacto do neobehaviorismo sobre a história da psicologia

O BEHAVIORISMO PÓS-WATSONIANO

As narrativas tradicionais da história da psicologia costumam usar o adjetivo "revolucionário" para referência ao behaviorismo de Watson. O mito é mais ou menos assim: antes de Watson havia as trevas da psicologia introspectiva. Por sua natureza extremamente subjetiva, o introspeccionismo impedia a psicologia de tornar-se uma ciência verdadeiramente objetiva. Então, em 1913, surgiu Watson com seu "Manifesto Behaviorista". Excetuando alguns poucos renitentes de mentalidade estreita, os psicólogos do mundo inteiro então "viram a luz", e a psicologia mudou radicalmente, deixando de ser a quase-ciência da consciência para tornar-se a verdadeira ciência do comportamento. Depois de Watson, o behaviorismo tornou-se rapidamente a única forma de pensar entre os psicólogos experimentais. O enredo pode ser bom, mas não foi isso o que aconteceu. A verdadeira história é infinitamente mais complexa e contradiz consideravelmente a lenda.

Conforme mencionamos no capítulo anterior, o behaviorismo de Watson não foi aceito imediatamente. A reação inicial mais provável a seu manifesto de 1913 deve ter sido a indiferença, a crítica ou um comentário do tipo: "Ah, temos aqui mais uma crítica à introspecção" (Samelson, 1981). A maioria dos psicólogos norte-americanos simplesmente continuou cuidando da própria vida: se estavam interessados no pensamento sem imagens, continuaram estudando-o por meio da introspecção e de tarefas cognitivas; se estavam interessados no funcionamento do sistema visual, continuaram estudando fenômenos como a persistência das imagens e as ilusões; se estavam interessados na psicologia comparada, continuaram estudando o comportamento animal. E, depois da Primeira Guerra Mundial, vários se envolveram no movimento da testagem mental e em outras áreas da psicologia "aplicada" (Capítulo 8). Além disso, as abordagens não behavioristas não desapareceram simplesmente da psicologia depois do manifesto de Watson nem na década de 1920. Nos livros *Psychologies of 1925* (Murchison, 1926) e *Psychologies of 1930* (Murchison, 1930), listam-se pelo menos mais de dez tipos de psicologia. Além disso, a psicologia da Gestalt (Capítulo 9) ganhou tanta atenção quanto o behaviorismo. Já em 1931, em seu muito utilizado *Contemporary Schools of Psychology*, Robert Woodworth fazia preceder o capítulo sobre o behaviorismo por um sobre a psicologia introspectiva, além de dedicar capítulos também à psicologia da Gestalt, à psicanálise de Freud e à psicologia "hórmica" (isto é, a que se concentrava nos instintos). Woodworth (1931) previu com acerto que, em cinquenta anos, os historiadores atribuiriam muita importância ao movimento behaviorista, embora não soubesse exatamente "onde [os historiadores] encontrarão essa importância" (p. 89). Admitindo que o behaviorismo atraía alguns dos psicólogos mais jovens, ele afirmou, porém, que a defesa de métodos objetivos não era privilégio de Watson e que, apesar de seus argumentos, os estudos introspectivos ainda eram realizados.

Entretanto, no início da década de 1930, o behaviorismo de fato começou a disseminar-se na psicologia experimental norte-americana. Watson certamente teve papel importante nisso, principalmente com seus contínuos esforços de cooptação de seguidores, mesmo depois de deixar a academia. Na década de 1920, seus conselhos sobre a criação dos filhos, seus diversos artigos em revistas de grande circulação (por exemplo, num número de 1926 da *Harper's Monthly*, "How We Think: A Behaviorist View") e seu *Behaviorism* (1924/1930) — apesar de não ser "um dos livros mais científicos do ponto de vista do psicólogo" (Woodworth, 1931, p. 91) — apresentavam promessas grandiosas para a formação das gerações futuras numa época de grande otimismo no país. Nos "loucos anos de 1920", os Estados Unidos chegaram ao fim da Primeira Guerra como uma potência mundial e só no fim da década viram sua segurança abalar-se com o *crash* da bolsa de valores, que trouxe consigo a Grande Depressão. O tradicionalmente conservador *New York Times* afirmou que *Behaviorism*, o livro de Watson, marcava "uma nova era na história intelectual do homem" (citado por Woodworth, 1931, p. 92). Woodworth achava que a importância do behaviorismo consistia principalmente no apelo exercido sobre aqueles que acreditavam que a ciência podia ser usada para promover o bem comum. Portanto, até certo ponto, o desenvolvimento do behaviorismo na psicologia norte-americana decorreu de uma crença otimista do público de que se havia encontrado uma forma de criar bem os filhos, melhorar o casamento e o trabalho e ajudar a viver uma vida mais produtiva no geral.

Contudo, o entusiasmo do público pelo behaviorismo não explica tudo em sua ascensão. Outros eventos da década de 1920 contribuíram igualmente para colocar o movimento na linha de frente da psicologia norte-americana. Em primeiro lugar, como vimos no capítulo anterior, boa parte da pesquisa de Pavlov foi traduzida para o inglês pela primeira vez. Embora conhecessem Pavlov, antes disso os norte-americanos não tinham ideia do alcance, da precisão e das implicações de sua obra. Se o que os psicólogos norte-americanos queriam era o modelo de um programa sistemático de pesquisa voltado para o comportamento explícito, mensurável, o encontraram ali. Como vimos no Capítulo 10, na época do Congresso Internacional de Yale em 1929, Pavlov era amplamente reconhecido como um expoente pelos psicólogos norte-americanos.

Outro fato que contribuiu para abrir caminho para o behaviorismo foi a publicação do livro de um físico de Harvard: em *The Logic of Modern Physics* (1927), Percy Bridgman apresentou o operacionismo aos psicólogos norte-americanos. Juntamente com seu parente próximo, o positivismo lógico, o operacionismo forneceu a base intelectual ao neobehaviorismo.

O Positivismo Lógico e o Operacionismo

O operacionismo surgiu mais ou menos na mesma época em que um pequeno grupo de filósofos, matemáticos e cientistas começou a reunir-se todas as quintas-feiras num café da cidade de Viena para discutir a lógica e a filosofia da ciência. Conhecido como Círculo de Viena, esse grupo promoveu uma versão do pensamento positivista que ganhou o nome de **positivismo lógico** (Gillies, 1993). Desde o século XIX, os positivistas haviam adotado uma postura estritamente empirista, afirmando que a obtenção de um dado conhecimento acerca dos fenômenos naturais passava necessariamente pela observação pública de eventos mensuráveis. Essa filosofia caiu como uma luva para Watson, pois era compatível com sua convicção de que a psicologia deveria ser o estudo do comportamento observável, em vez de introspecções subjetivas. O problema é que, mesmo se concentrando no que é observável, é difícil, se não impossível, evitar a discussão de conceitos não observáveis quando se desenvolve uma teoria. Por exemplo, se você acredita que o comportamento humano pode ser motivado pela necessidade de reduzir um impulso forte como a fome, não terá outro jeito a não ser definir exatamente o que é a fome e como esta funciona para motivar-nos a agir. Entretanto, a fome é um fenômeno não observável, aparentemente limitado a uma descrição introspectiva ("tenho uma sensação de vazio no estômago e fico um pouco tonto"). Lidando com esse problema no contexto da física — já que forças como o magnetismo e a gravidade também não podem ser observadas diretamente —, os positivistas lógicos o resolveram satisfatoriamente por meio da distinção entre eventos observáveis e eventos teóricos, embora frisassem que ambos estão estreitamente ligados. Mais especificamente, eles admitiram o uso de conceitos abstratos, não observáveis, numa teoria científica, contanto que esses conceitos estivessem estreitamente ligados a eventos observáveis. Assim, seria possível pensar o magnetismo como uma força que possuía propriedades específicas se certos objetos (por exemplo, aparas metálicas) se comportassem de modo previsível e pudessem ser observados e medidos objetivamente. E a fome poderia igualmente ser usada numa teoria da motivação se pudesse ser ligada a comportamentos observáveis. O operacionismo propiciou esse elo.

A ideia essencial do **operacionismo** era que os conceitos científicos deveriam ser definidos, não em termos absolutos, mas em relação às operações usadas para medi-los. O conceito de extensão, por exemplo, seria definido mediante procedimentos acordados. Segundo afirma Bridgman em *The Logic of Modern Physics* (1927), o "conceito de extensão é [...] fixado quando as operações por meio das quais a extensão é medida são fixadas, ou seja: o conceito de extensão envolve apenas e nada mais que um conjunto de operações" (p. 5). Bridgman discutiu ainda o que chamava de *pseudoproblemas*: questões que poderiam ser interessantes, mas não podiam ser respondidas por meio da observação científica (por exemplo, se o tempo tem começo ou fim).

Um colega de Bridgman em Harvard, o psicólogo experimental S. S. Stevens, foi o maior promotor do operacionismo na psicologia. No início da década de 1930, Stevens foi aluno de E. G. Boring no doutorado e tornou-se um dos mais famosos pesquisadores da psicofísica no século XX. Além disso, desenvolveu o esquema de classificação de escalas de medição (nominal, ordinal, de intervalo, de proporção) reconhecido por todos os que sobrevivem a um curso de estatística. Seu artigo de 1935, "The Operational Definition of Concepts", foi a primeira de várias tentativas de convencer os psicólogos do acerto da adoção de uma estratégia operacional para a definição de conceitos. Para Stevens, o operacionismo fornecia uma resposta para o problema enfrentado pelos positivistas lógicos: como definir os conceitos científicos que não podiam ser observados diretamente. Usando **definições operacionais** — isto é, definições que envolvem a descrição precisa dos procedimentos de medição e especificação das variáveis de um experimento —, os psicólogos poderiam estudar conceitos aparentemente tão invisíveis como a fome, a ansiedade, a agressividade e a memória e, ao mesmo tempo, permanecer fiéis aos ditames da filosofia positivista. Assim, os pesquisadores poderiam definir um estado motivacional, como a fome, ou uma qualidade perceptual, como o volume sonoro, em termos do conjunto de operações pressupostas na sua promoção: a fome poderia ser definida como o resultado de um certo número de horas sem comer; o volume poderia ser definido como a série de discriminações de tons quantitativamente distintos feita pelos participantes da pesquisa etc.

Stevens, além do mais, viu a relevância dos pseudoproblemas de Bridgman para a psicologia experimental. Um dos exemplos deste era o problema de determinar se a sensação que a pessoa A tinha da cor azul era igual à da pessoa B. Isso nunca se poderá saber ao certo; a questão é um pseudoproblema: tudo que se pode fazer é determinar se duas pessoas fazem discriminações similares diante de uma série de estímulos visuais de comprimentos de onda mensuráveis. Assim, um dos efeitos do pensamento operacionista foi levantar ainda mais questões acerca da validade das observações introspectivas e defender a sua substituição por observações comportamentais (isto é, discriminações entre estímulos).

Embora as definições operacionais continuem a ser amplamente utilizadas pelos cientistas da psicologia – algo que qualquer aluno que tenha feito um curso de metodologia da pesquisa sabe –, o operacionismo ortodoxo não durou muito na área. Uma das implicações que ele trazia era que o sentido de um conceito não ia além das operações realizadas para sua medição. Assim, a fome não seria *nada mais que* 24 horas sem comida. O problema é que os pesquisadores muitas vezes divergiam quanto à "melhor" definição operacional de um termo. A ideia de que uma definição poderia ser melhor que outra implicava necessariamente que os pesquisadores achavam que o significado de termos como "fome" ia além de um simples conjunto de operações. Para complicar ainda mais as coisas, muitos dos conceitos da psicologia resistiam a definições operacionais simples. Por exemplo, os que pesquisavam a agressividade criaram definições operacionais que iam desde a promoção de choques de um sujeito a outro até o uso da buzina nos cruzamentos por parte dos motoristas. Estaria a agressividade sendo estudada em ambos os casos? As medições muito diferentes de um fenômeno estariam medindo a mesma coisa? O operacionista rigoroso teria de dizer que diferentes operações medem diferentes fenômenos. Por conseguinte, ou todos os pesquisadores concordavam em estabelecer uma única definição da agressividade ou todos teriam de concordar que estavam investigando fenômenos distintos quando usavam medidas distintas.

Hilgard (1987) afirmou que a essência do operacionismo consistia simplesmente em obrigar os psicólogos experimentais a definir seus termos com mais precisão. A principal vantagem era a **replicabilidade**. Se os termos fossem definidos com suficiente clareza, outros pesquisadores poderiam reproduzir um determinado estudo. O sucesso nas replicações promove maior segurança quanto ao resultado de uma pesquisa, ao passo que o fracasso aí gera novas pesquisas destinadas a esclarecer a inconsistência. Além disso, se, apesar de tudo, os pesquisadores que usam definições operacionais ligeiramente diferentes chegam ao mesmo resultado (por exemplo, afirmar que a frustração tende a fazer-se acompanhar de agressividade), a generalidade desse resultado aumenta. O termo **operações convergentes** refere-se a essa ideia de que a nossa compreensão de um fenômeno psicológico melhora quando diversos estudos, cada qual utilizando diferentes definições operacionais, "convergem" para a mesma conclusão básica. Segundo Hilgard, os argumentos metafísicos quanto ao "verdadeiro" sentido dos fenômenos existentes no mundo poderiam ser deixados aos filósofos. Assim, em sua opinião, os psicólogos ignoraram em grande medida o debate acerca dos méritos do operacionismo e de seu primo filosófico, o positivismo lógico (Hilgard, 1987, p. 779). Para eles, a necessidade de medidas definidas com precisão passou a ser ponto pacífico.

O Neobehaviorismo

O entusiasmo do público diante da promessa do behaviorismo, o reconhecimento da importância da longa série de estudos de Pavlov sobre o condicionamento e a aceitação geral do operacionismo e do positivismo lógico convergiram com a emergência de vários psicólogos experimentais produtivos e extremamente criativos no fim da década de 1920 e início da de 1930, promovendo o surgimento de um movimento na psicologia que foi chamado de **neobehaviorismo**. Esse tornou-se a linha dominante na psicologia experimental norte-americana desde essa época até meados dos anos de 1960. Não se tratava, de modo algum, de uma escola de pensamento unificada; havia grandes diferenças entre os psicólogos que veremos a seguir. Contudo, havia um certo consenso entre os neobehavioristas.

Em primeiro lugar, todos os neobehavioristas partiam do princípio evolucionista da continuidade entre as espécies. As leis de comportamento que se aplicam a uma espécie devem aplicar-se — ao menos até um grau que pode ser determinado — a outras espécies. Consequentemente, os fenômenos relevantes para o comportamento humano poderiam ser estudados pelo uso de sujeitos de pesquisa não humanos. Além disso, o famoso livro de Wordsworth, a "bíblia de Columbia" (Capítulo 7), contribuiu para aumentar o número de estudos sobre o comportamento animal (Winston, 1990). O emprego do método experimental exigia estrito controle sobre as variáveis do estudo, tornando muitas vezes os estudos com animais mais ética e praticamente factíveis que os estudos com seres humanos (por exemplo, 24 horas sem comer, num estudo sobre o efeito da fome sobre a aprendizagem, é aceitável quando se usam ratos, mas não quando se usam crianças). Portanto, na psicologia experimental, houve um drástico aumento do uso de sujeitos animais na pesquisa elementar sobre a aprendizagem e o condicionamento no período de 1930 a 1960. Embora o comentário de Edward Tolman, em seu discurso de posse na presidência da APA — "Acredito que tudo que há de importante na psicologia [...] possa ser investigado, em essência, por meio da análise experimental e teórica contínua das determinantes do comportamento dos ratos quando encontrado um ponto de opção num labirinto" (Tolman, 1938, p. 34) —, tenha sido feito, em parte, em tom de brincadeira, era um comentário que provinha da fé dos neobehavioristas nas lições aprendidas com o estudo do comportamento animal. Tolman (1932) chegou até mesmo a dedicar seu livro mais importante a "M.N.A." (Mus Norvegicus Albinus, o rato branco), e seu *ex-libris* refletia o foco de sua pesquisa (Figura 11.1).

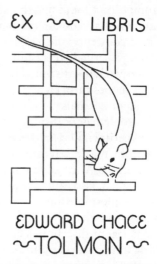

FIGURA 11.1 *Ex-libris* de Tolman.

A segunda convicção compartilhada pelos neobehavioristas era que a aprendizagem era essencial à compreensão do comportamento. Em outras palavras, eles tendiam bem mais ao lado do adquirido que ao do inato no *continuum* natureza-criação, argumentando que, para saber por que as pessoas fazem o que fazem, é preciso analisar detalhadamente os princípios básicos de como as coisas são aprendidas. Esse, evidentemente, era um dos princípios que norteavam Watson, subjacente à sua motivação para o experimento com o bebê Albert. A ênfase na aprendizagem também constituía uma ponte entre o behaviorismo e o pensamento empirista britânico. Quando John Locke ressuscitou o conceito aristoteliano da mente como tábula rasa e proclamou que a "experiência" era quem escrevia nela, estava defendendo o mesmo ponto que Watson ao alegar que os medos resultavam da aprendizagem. Para os neobehavioristas, o mundo em que vivemos, isto é, o ambiente, molda nossas formas características de comportamento.

A ênfase na aprendizagem também era compatível com a fixação da psicologia norte-americana nas aplicações práticas. O apelo que Watson exercia junto ao público em geral provinha de sua destreza em mostrar como os princípios da aprendizagem poderiam ser aplicados à melhoria da educação, da criação dos filhos e das vendas. Se somos aquilo que aprendemos e se a aprendizagem resulta de experiências específicas em determinados ambientes, manipulando-se os ambientes de determinados modos, o comportamento pode ser moldado de infinitas maneiras produtivas.

Uma coisa é proclamar a importância da aprendizagem, mas outra é saber precisamente como essa aprendizagem se verifica. Assim, na era do neobehaviorismo, o foco da teoria e da pesquisa voltou-se para o modo como a aprendizagem se processava. Essa questão fundamental produziu as divisões mais nítidas entre os neobehavioristas, mas afinal produziu também um importante conhecimento acerca de diversos fenômenos da aprendizagem. A seguir, vamos analisar as ideias dos três mais importantes neobehavioristas: Edward Tolman, Clark Hull e B. F. Skinner.

EDWARD C. TOLMAN (1886-1959): UM BEHAVIORISMO INTENCIONADO

Edward Chace Tolman nasceu num ambiente de classe média alta num subúrbio de Boston. Na juventude, aprendeu com o pai, um bem-sucedido executivo, as virtudes da perseverança e do empenho no trabalho. Com a mãe, criada no seio de uma família quacre, aprendeu a necessidade da vida reflexiva e de uma sólida base moral. Apesar de ter-se formado em eletroquímica pelo Massachusetts Institute of Technology (MIT) em 1911, Tolman não se dedicou a essa área, em parte por não querer competir com o talentoso irmão, Richard, que o antecedera em cinco anos no MIT (Crutchfield, 1961). Richard Tolman tornou-se um físico de renome, tendo contribuído para o desenvolvimento da bomba atômica durante a Segunda Guerra Mundial. A segunda razão para Edward Tolman abandonar a física e a química foi a descoberta de William James (quem mais?) em seu último ano de faculdade. *The Principles of Psychology* deu à vida de Tolman um novo rumo.

Logo depois da formatura no MIT em 1911, Tolman participou de dois cursos de verão em Harvard, um de filosofia e outro de introdução à psicologia, este último dado por Robert Yerkes. Yerkes vendeu-lhe bem a psicologia, pois Tolman matriculou-se na pós-graduação em Harvard e lá obteve um doutorado em 1915. Em um segundo curso que fez com Yerkes, concluiu a leitura de *Behavior: An Introduction to Comparative Psychology* (Watson, 1914) e, apesar de não se converter de imediato ao ponto de vista behaviorista, Tolman viu o behaviorismo como uma boa alternativa à psicologia introspectiva tradicional com que se estava deparando no laboratório de Hugo Münsterberg. Conforme diria posteriormente, sentia-se incomodado com os problemas inerentes à introspecção e a "introdução ao behaviorismo de Watson propiciada pelo curso de Yerkes foi para mim um profundo estímulo e alívio" (Tolman, 1952, p. 326). Na época em que fazia sua pós-graduação, durante uma visita à Alemanha para preparar-se para um exame de aptidão em língua estrangeira, Tolman conheceu Kurt Koffka e foi apresentado à psicologia da Gestalt (Capítulo 9). Posteriormente, o conceito gestaltista do "todo" teria papel importante em sua teorização do comportamento. (A Figura 11.2 mostra Tol-

FIGURA 11.2 Tolman com Lewin e Koffka numa reunião do Grupo topológico em 1935 (foto extraída de Marrow, 1969).

man com Lewin e Koffka numa reunião de 1935 do Grupo topológico de Lewin.) Uma última influência importante sobre Tolman durante seus anos em Harvard foi a do professor Edwin Holt (1873-1946), psicólogo cuja propensão ao behaviorismo estava imbuída das noções de metas e finalidade. Holt achava que o behaviorismo de Watson era demasiado reducionista, que o comportamento não poderia ser reduzido a simples estímulos físicos e reações musculares ou glandulares. Em vez disso, ele achava que o comportamento deveria ser definido em termos mais amplos como atos que servem a alguma finalidade. Ou seja: o comportamento tem um propósito e volta-se para metas. Essas ideias se tornariam o núcleo da teoria da aprendizagem de Tolman.

Tolman ensinou durante três anos na Northwestern University na época da Primeira Guerra Mundial. Em 1918, foi despedido supostamente por falta de didática, mas o mais provável é que a razão tenha sido sua postura claramente contrária à guerra (Tolman, 1952). Essa não seria a primeira vez que suas convicções morais — reflexo da influência quacre da mãe — afetariam sua carreira.

Tolman ingressou no corpo docente de Berkeley em 1918 e ali permaneceu até o fim de sua carreira acadêmica. Quando surgiu a oportunidade de sugerir um novo curso, logo após sua chegada, ele lembrou-se do "curso de Yerkes e do livro de Watson e propôs 'psicologia comparada'. E foi isso o que finalmente [o] fez descer a ladeira behaviorista" (Tolman, 1952, p. 329). O curso gerou algumas pesquisas sobre a aprendizagem animal de labirintos e, em pouco tempo, Tolman atraiu para seu laboratório talentosos alunos de pós-graduação. Ele começou a desenvolver sua modalidade especial de behaviorismo no início da década de 1920, publicando artigos com títulos como "A New Formula for Behaviorism" (Tolman, 1922). Sua maior obra, *Purposive Behavior in Animals and Men*, foi publicada em 1932. No restante de sua carreira em Berkeley, dedicou-se a desenvolver e revisar seu sistema e a produzir pesquisas que o respaldassem.

O Sistema de Tolman

Os escritos de Tolman ilustram a complexa inter-relação entre a pesquisa empírica e a teorização na tradição do positivismo lógico. Uma teoria deve fazer previsões testáveis que levem a uma pesquisa cujos resultados a amparem ou reformulem, o que leva a mais pesquisas, e assim por diante. Como essas teorias surgem em decorrência de resultados de pesquisas, a teoria da aprendizagem de Tolman de 1932, quando escreveu *Purposive Behavior in Animals and Men*, é diferente da sua teoria de 1959, quando escreveu um capítulo ("Principles of Purposive Behavior") para *Psychology: A Study of a Science*, série de sete volumes editada por Sigmund Koch. Contudo, existem alguns temas constantes nos escritos de Tolman: suas teorias enfatizam (a) o comportamento molar em relação ao molecular, (b) a intencionalidade ou finalidade do comportamento e (c) o uso de variáveis intervenientes.

Comportamento Molar X Comportamento Molecular

Aproveitando pistas dadas por seus amigos gestaltistas e por Holt, um de seus orientadores em Harvard, Tolman propôs que a unidade de estudo deveria ser maior que os movimentos musculares ou reações glandulares e neurológicas "moleculares", conforme havia sugerido Watson. Um dos alunos de Tolman, por exemplo, mostrou que os ratos que aprendiam a sair de um labirinto nadando depois eram capazes de fazer o mesmo correndo (McFarlane, 1930). Assim, o que era aprendido não poderia ser simplesmente uma série de reações cinestésicas individuais. Em vez disso, o animal deveria chegar a uma compreensão geral do padrão do labirinto, e a reação precisava ser compreendida em termos de padrões de comportamento integral cujo sentido ultrapassava os movimentos componentes. Como diria um gestaltista, o comportamento total é mais que a soma de suas partes. O **comportamento molar**, por conseguinte, dizia respeito a padrões amplos de comportamento que, como veremos em breve, voltavam-se para um objetivo. Tolman forneceu diversos exemplos:

> Um rato que sai de um labirinto; um gato que escapa de uma gaiola; um homem que dirige seu carro de volta para casa; uma criança que se esconde de um estranho; uma mulher que lava roupa [...]; um aluno que marca suas respostas a um teste mental; um psicólogo que recita uma lista de sílabas sem sentido; meu amigo e eu contando um ao outro o que estamos pensando e sentindo — *todos esses são comportamentos* (enquanto comportamentos *molares*). E é preciso observar que, ao mencioná-los, em nenhum momento nós nos referimos aos músculos, glândulas, nervos sensoriais e nervos motores exatos envolvidos ou — e nos envergonhamos de confessá-lo — sabemos muito bem quais são eles, pois essas reações, de algum modo, tinham outras propriedades próprias suficientemente indicativas. (Tolman, 1932, p. 8, itálico no original)

Tolman chamava sua teoria uma **teoria de campo** para distingui-la da abordagem mais molecular do modelo de estímulo e reação, a qual comparava a uma central comutadora telefônica. A aprendizagem não envolvia apenas o fortalecimento e o enfraquecimento das conexões entre as chamadas recebidas (as informações provenientes dos estímulos) e as emitidas (as reações motoras). Para ele, o cérebro se parecia mais com uma "sala de controle de mapas que com uma antiquada conexão telefônica" e, durante a aprendizagem, o animal desenvolvia um "mapa de campo do ambiente" (Tolman, 1948, p. 192).

Intencionalidade

Todos os exemplos de comportamento molar precedentes têm outra característica: eles se voltam para algum objetivo. Para Tolman, a finalidade ou **intencionalidade** era uma característica universal do comportamento aprendido. Embora o termo "intenção" pareça uma volta à psicologia subjetiva, até mesmo introspectiva, Tolman queria dizer simplesmente que o comportamento "sempre parece ter o caráter de 'chegar a' ou 'vir de' um determinado objeto visado como meta. [...] Assim, por exemplo, o comportamento de 'percorrer o labirinto' apresentado pelo rato tem como primeira e talvez mais importante característica distintiva o fato de ele estar indo ao encontro de alimento" (1932, p. 10). Aqui, Tolman foi obviamente influenciado pelo pensamento evolucionista; o comportamento que visa a uma meta é adaptativo e, portanto, adquire valor de sobrevivência para a espécie. Tolman usou o termo "intencionalidade" em seu sentido descritivo, e não causal. Ou seja, ele é simplesmente um rótulo para aquilo que pode ser inferido por meio de uma observação do comportamento, como no caso de um rato faminto que persiste até sair de um labirinto para chegar à comida. As causas desse comportamento devem ser encontradas em outra parte, na história da aprendizagem específica do animal e em seus comportamentos instintivos.

Variáveis Intervenientes

Tolman merece o crédito pela introdução de um conceito que tem sido amplamente usado na psicologia: o de variável interveniente. As condições de estímulo, ou variáveis independentes, estão sob o controle direto do experimentador; os comportamentos, ou variáveis dependentes, podem ser medidos com precisão pelo experimentador. As **variáveis intervenientes** são fatores hipotéticos que, em vez de vistos diretamente, são inferidos da maneira pela qual as variáveis independentes e dependentes são operacionalmente definidas. A suposição é que elas "intervenham" entre estímulo e comportamento de modo a influenciar a aprendizagem. Por exemplo, a "sede" é uma variável interveniente. Ela jamais é vista diretamente, mas sua existência pode ser deduzida como consequência (a) da criação de uma condição de estímulo (como impedir que o animal beba água por doze horas) ou (b) da medição da execução de algum comportamento que conduza à água e a seu consumo pelo animal. Como você pode pressupor a partir da discussão anterior, as variáveis intervenientes de Tolman são um reflexo evidente da influência do positivismo lógico e de sua insistência em atrelar os termos teóricos e abstratos (como variável interveniente) a eventos observáveis (neste caso, estímulos e reações).

As variáveis intervenientes de Tolman geralmente eram de natureza cognitiva e decorriam de sua teoria de campo. Por exemplo, ele achava que o rato gradualmente aprendia uma série de "expectativas" acerca da organização do labirinto em que era colocado. À medida que explorava as várias partes do labirinto, ele aprendia que certas pistas ambientais (visuais, olfativas, táteis etc.) estavam associadas a determinados desfechos. Tolman utilizou o termo **Gestalt de sinais** para referência às relações aprendidas entre essas pistas e as expectativas do animal quanto ao que aconteceria se escolhesse o caminho A, em vez do caminho B. Por fim, o rato criava um mapa de campo geral ou "mapa cognitivo" do labirinto que orientaria seu futuro comportamento intencionado. A Gestalt de sinais, as expectativas e os mapas constituem exemplos das variáveis intervenientes cognitivas que distinguem a teoria de Tolman. O comportamento, para ele, "cheira a intenção e a cognição. E essas intenções e cognições se evidenciam independentemente [...] de esse comportamento ser de um rato ou de um ser humano" (Tolman, 1932, p. 12).

A forte implicação de subjetividade — supostamente tão alheia ao pensamento behaviorista — presente no termo "intencionalidade" também se faz notar nos termos "expectativa" e "mapa cognitivo". Porém, Tolman, agindo mais uma vez conforme os ditames do positivismo lógico, cuidadosamente associou essas variáveis intervenientes cognitivas a situações de estímulo e comportamentos operacionalmente definidos. Ou seja, ele não acreditava que o rato tivesse no cérebro um mapa cognitivo nem estava interessado nisso. O que ele fez foi inferir a existência desse mapa hipotético a partir das condições de estímulo específicas que criou e dos subsequentes comportamentos que observou e mediu.

Como exemplo, consideremos a variável interveniente cognitiva da *expectativa*. Para Tolman, um dos resultados da aprendizagem era a criação de certas expectativas. Os ratos que encontram comida ao sair de um labirinto esperam voltar a encontrá-la no futuro. Além disso, é razoável presumir que eles passem a esperar um determinado tipo de alimento, pressuposto testado num inteligente estudo por Elliott (1928) no laboratório de Tolman. Usando o labirinto em forma de T com quatorze pontos de opção mostrado na Figura 11.3a, Elliott treinou dois grupos de ratos. O grupo experimental encontrava papa de farelo na caixa-objetivo, ao passo que o grupo de controle encontrava ali sementes de girassol. Ao longo dos nove primeiros dias do estudo (ou seja, nove ensaios, um por dia), ambos os grupos melhoraram, embora o desempenho fosse melhor no grupo alimentado com a papa. No décimo dia, Elliott mudou a recompensa dos ratos do grupo experimental: a partir daí, eles encontravam na saída sementes de girassol, em vez de papa de farelo. Confor-

A EVOLUÇÃO DO BEHAVIORISMO 377

FIGURA 11.3 (a) Labirinto em forma de T com quatorze pontos de opção usado por Elliott no estudo da aprendizagem latente; (b) resultados do estudo da aprendizagem latente de Elliott (extraídos de Tolman, 1932).

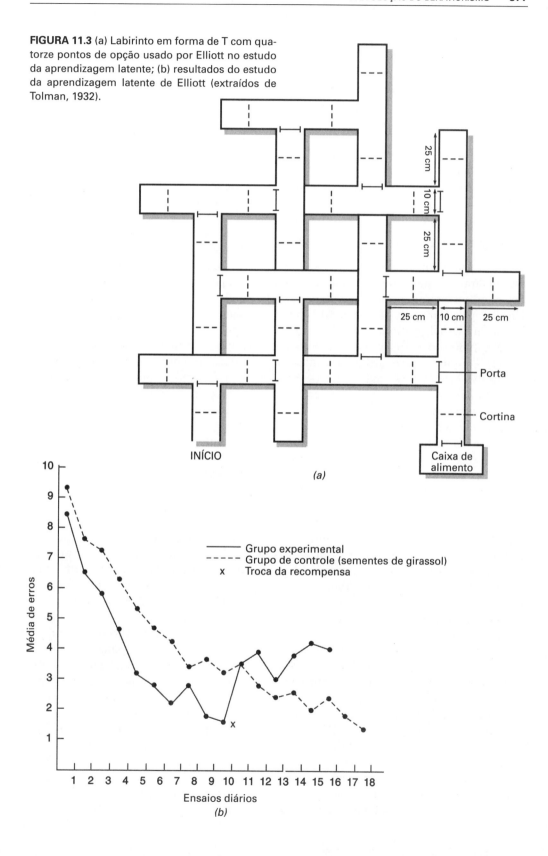

me mostrado na Figura 11.3*b*, seu comportamento se alterou. Na terminologia de Tolman, eles haviam passado a esperar papa de farelo; quando essa expectativa foi rompida, seu comportamento mudou. Em resumo, a expectativa é um processo que intervém entre o estímulo e a reação, mas está estreitamente ligado às condições de estímulo claramente definidas do experimento e aos comportamentos observados e facilmente medidos.

O Programa de Pesquisa de Tolman

Tolman e seus alunos realizaram dezenas de estudos importantes sobre a aprendizagem dos ratos em labirintos, os quais foram publicados pela *University of California Publications in Psychology* durante as décadas de 1920 e 1930, no livro *Purposive Behavior* (1932) e num famoso artigo, intitulado "Cognitive Maps in Rats and Men" (1948), que saiu na *Psychological Review*. O grosso da pesquisa estava relacionado à teoria, mas Tolman também empenhou-se consideravelmente em padronizar os procedimentos de aprendizagem de labirintos.

No início da década de 1920, os psicólogos começavam a questionar a **confiabilidade** do labirinto como ferramenta de pesquisa. Qualquer forma de medição é confiável na medida em que sua replicação produza aproximadamente os mesmos resultados, e esse era um problema fundamental. Os labirintos haviam evoluído e ganhado uma infinidade de formas e tamanhos desde os dias de Willard Small e sua adaptação do padrão de Hampton Court (*Close-Up* do Capítulo 6). Labirintos diferentes costumavam produzir diferentes resultados e, às vezes, até o mesmo labirinto gerava dados divergentes. Numa longa série de estudos, Tolman e seus alunos (por exemplo, Tolman e Nysvander, 1927) dispuseram-se a analisar a questão, identificar os fatores que reduziam a confiabilidade e desenvolver um procedimento padronizado para a aprendizagem de labirintos que garantisse confiabilidade máxima. Com base em suas pesquisas, eles recomendaram como critério o uso de erros, em vez de tempo para solução (alguns ratos simplesmente correm mais que os outros). Além disso, sugeriram que os labirintos tivessem pontos de opção uniformes (por exemplo, a opção da esquerda para a direita num "T") e numerosos (por exemplo, quatorze pontos de opção num labirinto em forma de T) e portões que se fechassem assim que o animal fizesse uma opção correta, a fim de evitar que ele retrocedesse. Eles chegaram, inclusive, a desenvolver um sistema automatizado para levar os ratos de suas jaulas habituais até os pontos de partida dos labirintos e recolhê-los nos pontos de chegada, a fim de eliminar o elemento humano em seu manuseio (Tolman, Tryon e Jeffress, 1929).

Depois de definir procedimentos para aumentar a confiabilidade dos dados da aprendizagem em labirinto, Tolman e seus alunos voltaram-se para os problemas mais substanciais da teoria da aprendizagem que se desenvolvia. A seguir, você encontrará a descrição de alguns de seus mais famosos experimentos.

Aprendizagem Latente

Em seus estudos sobre a aprendizagem latente, Tolman atacou a noção de que é necessário reforço para que a ocorrência da aprendizagem. Ele achava que a descoberta do alimento na saída do labirinto não afetava diretamente a aprendizagem do rato; simplesmente influía na motivação do animal para encontrá-lo com o máximo de rapidez e precisão. Ou seja, era preciso distinguir entre aprendizagem e desempenho, e o reforço afetava apenas o segundo. A aprendizagem do *layout* geral do labirinto processava-se de modo mais ou menos automático sempre que o animal se encontrava dentro dele, mesmo que não houvesse nenhum alimento na caixa-objetivo. Tolman denominou o fenômeno de **aprendizagem latente** porque ele ocorria "sob a superfície", isto é, sem se evidenciar imediatamente no desempenho do animal.

FIGURA 11.4 Resultados do estudo sobre a aprendizagem latente realizado por Tolman e Honzik (extraídos de Tolman, 1932).

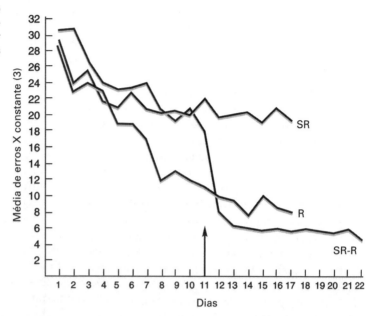

A testagem da aprendizagem latente exigia demonstrar que a aprendizagem se verificava mesmo que não houvesse reforço. Tolman e Honzik (1930) o conseguiram testando três grupos de ratos (um ensaio por dia) no mesmo labirinto em forma de T com quatorze pontos de opção mostrado na Figura 11.3a. O primeiro grupo de ratos (SR ou "sem recompensa") nunca recebeu alimento na saída do labirinto. O segundo grupo (R) sempre foi recompensado com alimento. Conforme se vê na Figura 11.4, a contagem de erros desses dois grupos durante pouco mais de duas semanas foi mais ou menos a prevista: muitos erros no grupo SR e melhoria estável de desempenho no R. Porém o grupo-chave era o terceiro. Conforme sugerido pelo seu nome — SR-R —, os ratos desse grupo não foram recompensados inicialmente (ou seja, durante os dez primeiros dias), mas a partir do 11º dia eles encontraram alimento na caixa-objetivo. O raciocínio de Tolman foi que, se o reforço fosse necessário à aprendizagem, não haveria aprendizagem alguma entre o primeiro e o décimo dias — ela presumivelmente só teria início no 11º dia, e só a partir daí é que o desempenho começaria a melhorar gradualmente. Entretanto, conforme evidencia o gráfico, isso não ocorreu. Em vez disso, o desempenho melhorou *imediatamente* depois do 11º dia. Para Tolman, isso constituía uma prova evidente de que os ratos estavam aprendendo o labirinto durante os dez primeiros dias, mesmo que essa aprendizagem não se refletisse em seu desempenho. Ou seja, a aprendizagem era "latente" e o reforço não era necessário à sua ocorrência. Segundo as palavras de Tolman (1948),

Numa interpretação antropomórfica desses resultados, diríamos que, enquanto não encontraram nenhum alimento na saída do labirinto, os animais continuaram a demorar a sair dele — continuaram a optar por muitas alternativas sem saída. Porém, a partir do momento em que descobriram que iriam receber alimento, eles demonstraram que, durante os ensaios precedentes, não recompensados, haviam aprendido onde estavam muitas das alternativas sem saída. Eles haviam criado um "mapa" e o utilizaram assim que foram motivados a fazê-lo. (pp. 194-95)

Isso nos leva às tentativas de Tolman de demonstrar diretamente a existência de mapas cognitivos.

Mapas Cognitivos

Como mencionamos anteriormente, Tolman não achava que os ratos aprendessem as relações entre estímulos e reações quando aprendiam a sair de um labirinto. A seu ver, os ratos criavam um **mapa cognitivo** do labirinto: um conhecimento geral da estrutura e do padrão espacial do labirinto que lhes dava uma ideia geral da direção a seguir quando estavam dentro dele. Dois bem pensados estudos demonstraram o funcionamento desses mapas.[1] Num deles (Tolman, Ritchie e Kalish, 1946a), os ratos deparavam-se com o labirinto mostrado na Figura 11.5, no qual partiam de I1 ou I2. Alguns ratos — o grupo da "aprendizagem pela reação" — sempre encontravam o alimento virando para a direita. Outros — o grupo da "aprendizagem pelo lugar" — sempre encontravam o alimento no mesmo local, A1. Tolman, Ritchie e Kalish (1946a) descobriram que os ratos do grupo da aprendizagem pelo lugar aprendiam mais rápido, resultado que naturalmente se coaduna com a teoria de Tolman de que os ratos aprendem um mapa cognitivo, em vez de uma série de reações a estímulos específicos.[2]

No segundo estudo (Tolman, Ritchie e Kalish, 1946b), os ratos primeiro aprendiam a sair do labirinto simples da Figura 11.6a. Partindo de A, eles passavam por uma parte circular aberta antes de chegar a C — a única parte do labirinto que tinha paredes laterais — para finalmente atingir a caixa-objetivo, G. Em H havia uma luz acesa. Como não havia possibilidade de erros, os ratos logo aprenderam a ir rapidamente de A a G. Depois de doze ensaios, o labirinto simples foi substituído pelo que se vê na Figura 11.6b. Agora o caminho através de C estava bloqueado, e os ratos tinham de optar por outra rota para chegar ao alimento. Um be-

---

1. As ideias de Tolman no que se refere aos mapas cognitivos eram parecidas com as de Karl Lashley (consulte o Capítulo 3). Em "Cognitive Maps in Rats and Men", Tolman referiu-se especificamente a uma observação feita por Lashley sobre "dois de seus ratos, os quais, após a aprendizagem de um labirinto de pistas estreitas, empurravam a cobertura perto da caixa de saída, subiam na divisória e corriam diretamente pela parte de cima desta em direção à caixa-objetivo, na qual desciam e comiam" (Tolman, 1948, p. 203).

2. A aprendizagem pelo "lugar" X a aprendizagem pela "reação" tornou-se uma questão polêmica. Os resultados de Tolman nem sempre puderam ser replicados, em especial pelos que apoiavam a teoria de aprendizagem de Clark Hull. Restle (1957) por fim concluiu que ambos os tipos de aprendizagem são possíveis e que o resultado depende da predominância de pistas de lugar ou de reação numa determinada situação.

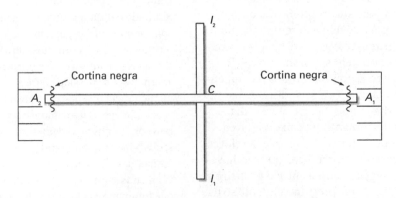

FIGURA 11.5 Labirinto usado no experimento da aprendizagem pelo lugar realizado por Tolman, Ritchie e Kalish (1946a).

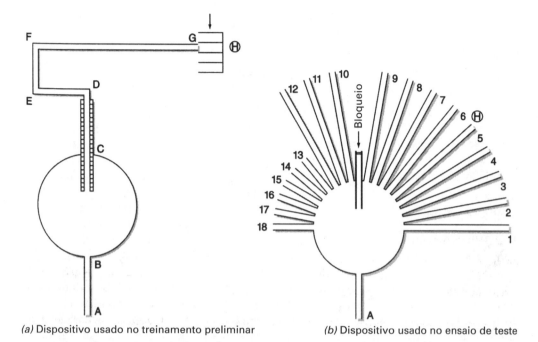

(a) Dispositivo usado no treinamento preliminar   *(b)* Dispositivo usado no ensaio de teste

FIGURA 11.6 (a) Aparato usado na primeira fase do experimento sobre as aptidões espaciais dos ratos realizado por Tolman, Ritchie e Kalish; (b) aparato "Sunburst", usado no estudo da aprendizagem espacial (extraídos de Tolman, 1948).

haviorista que acreditasse cegamente no esquema estímulo-reação esperaria que eles escolhessem 9 ou 10, as rotas mais semelhantes ao caminho que havia originalmente em C, mas Tolman, Ritchie e Kalish relataram que o caminho 6, a melhor opção para chegar ao local em que o alimento estava, foi o mais escolhido. Tolman (1948) argumentou que "os ratos haviam [...] adquirido não apenas um mapa parcial, que mostrava que aquele caminho treinado originalmente levava ao alimento, mas, melhor dizendo, um mapa mais amplo e abrangente, que indicava que o alimento estava situado em tal e tal direção na sala" (p. 204).

Tolman detalhou sua distinção entre os "mapas parciais" e os "mapas abrangentes" mais amplos na última parte de "Cognitive Maps in Rats and Men" (1948), na tentativa de mostrar qual a relevância disso tudo para o comportamento humano. Segundo ele, os estreitos mapas parciais — que a longo prazo são prejudiciais à adaptação — decorrem do excesso de repetições mecânicas do caminho original, de um ambiente demasiado limitado para que se possa ver o todo e de níveis demasiado altos de motivação ou frustração. Deve-se dar preferência aos mapas abrangentes. Deixando transparecer não só a propensão a ver o mundo como um grande labirinto, mas também o idealismo e a sensibilidade moral que sempre o caracterizaram, Tolman conclui esse artigo com um apelo aos

> que educam as crianças e aos que planejam o mundo [para que] impeçam o excesso de motivação e de frustração. Só assim as crianças poderão aprender a procurar antes e depois, a ver que muitas vezes existem desvios e caminhos mais seguros para obtenção de suas metas muito válidas — em suma, aprender a perceber que o bem-estar de brancos e negros, católicos e protestantes, cristãos e ju-

deus, norte-americanos e russos (e mesmo homens e mulheres) são mutuamente interdependentes. [...]

Precisamos, em resumo, submeter nossos filhos e a nós mesmos (como o experimentador generoso faria com seus ratos) às condições ideais de motivação moderada e ausência de frustrações desnecessárias sempre que nos colocamos todos diante desse grande labirinto divino que é o nosso humano mundo. [...] (1948, p. 208)

Avaliando Tolman

Quando o behaviorismo estava no auge, a teoria e as pesquisas de Tolman exigiram atenção, especialmente dos seguidores de Clark Hull (que abordaremos em breve), de cujas propostas Tolman discordava em praticamente tudo, exceto no que se refere à utilidade das variáveis intervenientes e aos preceitos gerais do positivismo lógico. A complexidade de sua teoria contribuiu para a fugacidade de sua influência, mas o programa de pesquisa de Tolman era criativo e ajudou a institucionalizar o labirinto como aparato padrão na pesquisa. Seus alunos eram-lhe extremamente fiéis e ele, por sua vez, os tratava como iguais. Entretanto, apesar de sua lealdade e dedicação, poucos deles continuaram fazendo pesquisa "na tradição de Tolman" depois que saíram de Berkeley: enquanto a academia se encheu de "hullianos" e skinnerianos entre os anos de 1940 e 1960, o "tolmaniano" era uma criatura realmente rara. Além disso, a pesquisa de Tolman com ratos em labirintos não deu ensejo a muitas aplicações práticas. Seu apelo para treinar as crianças a criarem mapas cognitivos amplos, por exemplo, fornecia pouca orientação explícita aos pais. Em vez de demonstrar a aplicabilidade do trabalho de Tolman aos problemas do dia a dia, esse exemplo representa mais uma boa ilustração dos riscos que há em extrapolar excessivamente os dados disponíveis.

A ênfase de Tolman na intencionalidade e seu uso frequente de variáveis mentalísticas foram objeto da crítica de seus contemporâneos. Tolman teve o cuidado de associar operacionalmente esses termos às condições do estímulo e às reações, mas alguns críticos interpretaram o uso de termos tão subjetivos como um retrocesso. Edwin Guthrie, um dos teóricos da aprendizagem, queixou-se de que a teoria de Tolman propunha tantos fatores cognitivos intervenientes que o rato que se visse diante de uma opção num labirinto ficaria perplexo: "Em sua preocupação com o que se passa na mente do rato, Tolman deixou de prever o que o rato vai fazer. Se depender da teoria, o rato morrerá de tanto pensar" (Guthrie, 1935, p. 172). A crítica é injusta — os escritos de Tolman estão cheios de dados que mostram os ratos agindo muito —, mas ilustra a preferência de muitos neobehavioristas pela ação observável, em detrimento de estados internos hipotéticos. Por outro lado, a tendência de Tolman a propor variáveis cognitivas intervenientes o torna um elo importante entre o behaviorismo e a psicologia cognitiva (Capítulo 14). Mais especificamente, dentre os que estudaram o comportamento animal, com sua teoria cognitiva, Tolman é aquele que está em maior sintonia com o difundido interesse que atualmente desperta a cognição animal. A pesquisa de Olton sobre o comportamento espacial e a memória de curto prazo em ratos (por exemplo, Olton, 1979), na qual utilizou um labirinto radial que lembra o de Tolman, é um exemplo.

Talvez a maior importância de Tolman resida, não especificamente em sua teoria da aprendizagem, mas sim no conjunto de valores e atitudes que adotava. Ele era um pesquisador cuidadoso, que levava a sério seu trabalho, e desenvolveu e defendeu sua teoria com persistência e fervor. Entretanto, Tolman tinha também um notável senso de perspectiva que lhe permitia mergulhar inteiramente na pesquisa e, ao mesmo tempo, não se levar demasiado a sério. Ele sabia que teorias melhores que a sua certamente surgiriam e que novas pesquisas substituiriam as suas. Conforme afirmou num de seus últimos escritos, publicado no ano de sua morte,

O sistema pode não resistir, [...] mas isso não me importa muito. Gostei de pensar sobre a psicologia de formas que me foram agradáveis. Já que [...] a psicologia ainda [está] imersa na incerteza e no desconhecido, o melhor que qualquer cientista [...] pode fazer é seguir seus próprios palpites e inclinações, por mais inadequados que sejam. Na verdade, acho que isso é o que todos nós fazemos. No fim, o único critério seguro é divertir-se. E isso eu fiz. (Tolman, 1959, p. 152)

Além desse saudável senso de perspectiva, Tolman tinha outra característica fundamental: sua forte noção de moral. Ela o levou a protestar contra o envolvimento dos Estados Unidos na Primeira Guerra Mundial, o que aparentemente contribuiu para que perdesse o emprego na Northwestern University em 1918. Durante a Segunda Guerra, os sentimentos que o belicismo lhe despertava voltaram à tona, motivando-o desta vez a escrever *Drives Toward War* (1942), no qual juntava algumas das ideias de Freud às suas para explicar qual a motivação que leva à guerra e fazer algumas recomendações para eliminar o problema. Uma de suas sugestões, cuja ocorrência ele admitiu ser improvável, era a criação de uma "Federação Mundial" que abolisse as fronteiras nacionais e incentivasse a cooperação, em vez da competição, entre os povos do mundo. A história da Liga das Nações e das Nações Unidas deixa bem claro o quanto é difícil superar o sentimento nacionalista.

Quando Tolman estava perto da aposentadoria, suas convicções enfrentaram uma última prova. No início dos anos de 1950, os Estados Unidos estavam no começo da assim chamada guerra fria, sua longa luta ideológica contra a União Soviética. O desejo expresso dos soviéticos, de difundir a doutrina marxista-leninista, levou os norte-americanos à criação de uma imagem na qual os países do mundo eram subvertidos um a um e caíam (como dominós) nas mãos dos comunistas. A luta contra o comunismo significava defender a Coreia do Sul, nos anos de 1950, e o Vietnã do Sul, nos 60.

Temia-se também que os comunistas se infiltrassem nos Estados Unidos, corrompessem a juventude e, finalmente, assumissem o controle do país. Esses medos foram exacerbados por um obscuro senador do estado de Wisconsin, Joseph McCarthy, que alegava ter conhecimento de comunistas infiltrados no governo. As decisões do senado, em sessões cercadas de muitos rumores e insinuações, arruinaram a carreira de todos os que foram simplesmente acusados de serem "Vermelhos". McCarthy insinuou também que os comunistas estavam se infiltrando na indústria do cinema (o que era perigoso, pois os filmes influem sobre as atitudes) e na educação superior (o que era ainda pior, dada a sua maior influência).

Nesse clima, os responsáveis pela administração do sistema universitário da Califórnia exigiram que os professores assinassem juramentos de lealdade aos Estados Unidos e declarassem não ser membros do partido comunista. Os que não o fizessem eram ameaçados de demissão. Na qualidade de um dos professores mais antigos de Berkeley e, àquela altura, um dos maiores psicólogos experimentais do país, Tolman poderia facilmente ter deixado Berkeley, pois seria bem-vindo em qualquer outra universidade. Porém, ele corajosamente se recusou a assinar o juramento, com base no princípio geral de que este violava o direito à liberdade de expressão assegurado pela Primeira Emenda da Constituição. E, preocupado com os professores mais jovens e vulneráveis (isto é, não titulares), recusou-se também a sair de Berkeley e liderou uma luta que, afinal, conseguiu banir o juramento no estado da Califórnia e preservar o conceito da liberdade acadêmica. Em 1957, Tolman recebeu da APA o Distinguished Scientific Contribution Award, um prêmio em reconhecimento à sua contribuição científica. E em 1959, pouco antes de sua morte, o conselho da University of California reconheceu a importância de sua luta pela liberdade acadêmica concedendo-lhe um título honorífico (Crutchfield, 1961).

CLARK HULL (1884-1952): UM SISTEMA HIPOTÉTICO-DEDUTIVO

A vida e a carreira de Clark Leonard Hull constituem um estudo de caso sobre a superação de obstáculos aparentemente intransponíveis por meio da perseverança e do empenho no trabalho. Nascido pobre, numa cabana de madeira de uma fazenda do estado de Nova York, Hull viveu uma infância "remediada" em outra fazenda, no estado de Michigan. Frequentando uma escola que só tinha uma sala, criou-se em "condições análogas às da época dos pioneiros" (Hull, 1952b, p. 143). Como se não bastassem todas essas duras circunstâncias, ele quase morreu de febre tifoide pouco antes de entrar para a universidade e, ao terminar o segundo ano no Alma College, em Michigan, contraiu pólio e ficou parcialmente paralítico aos 24 anos de idade. Na época, queria tornar-se engenheiro de minas, mas a doença o impossibilitou de cumprir as exigências físicas para seguir essa carreira.

Depois de passar um ano em casa, ao longo do qual sua saúde melhorou um pouco, Hull decidiu seguir carreira na psicologia. Mas por que psicologia? Segundo suas próprias palavras, ele queria uma área ligada à filosofia que envolvesse trabalho teórico e "que fosse nova o bastante para permitir o crescimento rápido, de modo que os jovens não precisassem esperar os predecessores morrerem para que seu trabalho fosse reconhecido, e [...] que permitisse projetar e trabalhar com aparelhos automáticos" (Hull, 1952b, p. 145). A citação revela duas características marcantes de Hull: sua grande ambição e seu talento para criar e construir aparelhos experimentais. Essa segunda característica manifestou-se inicialmente durante o episódio da pólio, quando ele projetou um aparelho para sua própria perna.

Depois de dois anos como professor secundário e um casamento, Hull foi para a University of Michigan. Sua experiência mais memorável foi um curso de psicologia experimental de um ano, dado conjuntamente por John Shepard (que havia sido aluno de Watson por um breve período) e Walter Pillsbury (que havia feito doutorado com Titchener). Depois da formatura na graduação e o trabalho por mais algum tempo no ensino secundário — desta vez numa escola normal de Kentucky —, Hull candidatou-se à pós-graduação. Rejeitado por Cornell e Yale, foi aceito pela University of Wisconsin, onde obteve um Ph.D. sob a orientação de Joseph Jastrow, um ex-aluno de G. Stanley Hall na Johns Hopkins.

Não é raro as teses de doutorado irem parar nos recônditos mais inalcançáveis dos arquivos das universidades, mas a de Hull (1920), um estudo dos processos envolvidos na aprendizagem de novos conceitos, acabou ficando famosa.[3] Como estímulos, ele usou caracteres chineses, entre os quais os mostrados na Figura 11.7. Observe que os caracteres de cada linha têm uma característica comum, algo que se chama "radical". Os sujeitos de Hull tinham de aprender a associar um som sem sentido a cada radical (por exemplo, o som "oo" deveria ser associado ao radical que se parece com uma grande marca de verificação). Ao longo de vários grupos ("pacotes") de estímulos, os sujeitos aprenderam a ver um caractere e emitir o som sem sentido correspondente; no fim, eles conseguiram identificar estímulos que não haviam visto antes. O estudo propiciou diversas descobertas, mas a que mais impressionou Hull foi a da forma da curva de aprendizagem: o desempenho melhorava de modo gradual, porém estável. A ideia de que a aprendizagem resultava de um aumento gradual da "força do hábito" tornou-se por fim uma das principais características da sua teoria da aprendizagem.

---

3. O estudo foi inicialmente ignorado por outros pesquisadores, o que desanimou seu autor imensamente. Contudo, depois de ter sido brevemente descrito num conhecido livro de psicologia geral do fim da década de 1920 — e devido à tendência que têm os autores de livros-textos de repetir uns aos outros —, o estudo de Hull passou a ser cada vez mais citado (Hilgard, 1987).

FIGURA 11.7 Caracteres chineses usados como estímulos na tese de doutorado de Hull sobre a aprendizagem de conceitos (extraídos de Hull, 1920).

Hull concluiu o doutorado em 1918, aos 34 anos, e permaneceu em Wisconsin por mais dez. Nesse período, interessou-se por duas coisas bastante distintas, ambas resultantes dos cursos que havia dado. Logo no início da carreira, convidaram-no a dar um curso sobre testagem psicológica. Embora soubesse pouco sobre o tema, estava interessado nele, principalmente na matemática ligada à validação desse tipo de teste. Então o que ele fez foi mergulhar na literatura que havia sobre o assunto — em especial, na parte que diz respeito aos testes de orientação vocacional — e, em poucos anos, escreveu um livro que se tornou um texto de referência, intitulado *Aptitude Testing* (Hull, 1928). Demonstrando mais uma vez seu talento para a mecânica, construiu uma máquina para cálculo automático das correlações exigidas para validação dos testes (por exemplo, entre os resultados dos testes e uma medida de desempenho), o que lhe poupava o tédio de calcular à mão esse tipo de correlação. Entretanto, essa máquina era muito sensível, e isso impediu a difusão de sua utilização.[4]

---

4. Depois de uma viagem de trem com Hull para participar de um congresso em 1928, Walter Miles, de Stanford, escreveu em seu diário que Hull havia construído três dessas máquinas, mas que elas eram "difíceis de manter em forma e [ele] não vai conseguir enviá-las para longe". Por isso, o pedido de compra de uma dessas máquinas que Miles havia feito teve de ser cancelado (Miles, 1928).

Logo depois de começar a dar o curso sobre testagem, Hull foi encarregado de dar uma parte do curso de introdução à psicologia que estava sendo oferecido aos alunos do curso de preparação para a medicina. Como acreditava que a sugestão e a autoridade do médico influíam no resultado de muitos tratamentos de saúde, ele resolveu incorporar o tema às suas aulas. E isso o levou a desenvolver um segundo interesse, a hipnose, e a afirmar eufemisticamente que "o tema tende a atrair experimentadores que, em sua maior parte, adotam uma abordagem caracteristicamente acientífica" (Hull, 1952b, p. 152). No intuito de corrigir o problema, Hull passou cerca de dez anos investigando o fenômeno sistematicamente, tendo ao fim escrito *Hypnosis and Suggestibility: An Experimental Approach* (Hull, 1933) e concluído que a hipnose era um estado de hipersugestionabilidade e redução do pensamento analítico causado pelo relaxamento hipnoticamente induzido. Ele achava que a hipnose era quantitativa, e não qualitativamente, diferente da consciência normal. Assim, dadas as instruções adequadas, os vários fenômenos hipnóticos (por exemplo, a redução da dor) poderiam ser demonstrados em sujeitos não hipnotizados. Hull acreditava também que a comunidade médica superestimava o valor terapêutico da hipnose. Por exemplo, ele descobriu que, ao contrário do que pensava a grande maioria dos membros da comunidade médica, a memória não sofria nenhuma melhora considerável com a hipnose.

Embora tenha trabalhado basicamente com a testagem de aptidões e a hipnose na década de 1920, Hull não perdeu de vista o tema de sua tese. Com efeito, apesar de seus interesses pela testagem de aptidões, pela hipnose e pela aprendizagem serem muitas vezes retratados como se representassem três períodos distintos de sua vida, eles estavam entrelaçados e refletiam todos sua abordagem analítica e sistemática da pesquisa (Triplett, 1982). Durante a década de 1920, Hull familiarizou-se com os escritos de Watson e a pesquisa de Tolman. Porém, a aprendizagem ganhou o foco principal em sua vida depois da leitura que fez das pesquisas de Pavlov, no fim dos anos de 1920, tendo absorvido toda a sua atenção logo depois de 1929, ano em que saiu de Wisconsin para enfrentar, aos 45 anos de idade, um grande desafio na Yale University.

Quando assumiu em 1921 a reitoria de Yale, James Angell — um dos líderes do grupo funcionalista original de Chicago (Capítulo 7) — descobriu que a psicologia que se fazia nessa universidade só poderia encontrar uma descrição: moribunda. Os psicólogos ainda estavam lotados no departamento de filosofia, não havia praticamente nenhuma pesquisa em andamento e apenas oito doutorados em psicologia haviam sido concluídos entre 1903 e 1921 — pouquíssimos, em relação aos 46 de Columbia e 51 de Chicago (Morawski, 1986). Com a ajuda de Robert Yerkes, Angell criou o Instituto de Psicologia em 1924. E com as generosas doações do Laura Spelman Rockefeller Memorial, na época chefiado por um psicólogo estreitamente ligado tanto a Yerkes quanto a Angell, o instituto pôde contratar pesquisadores de primeira linha e equipar os laboratórios. Em 1929, o instituto expandiu-se e se tornou uma entidade multidisciplinar de relações humanas (Institute of Human Relations, IHR) que tinha o nobre objetivo de "correlacionar o conhecimento e coordenar a técnica em campos relacionados, a fim de possibilitar maior progresso na compreensão da vida humana" (Angell, 1929, citado por Morawski, 1986, p. 219). O instituto era composto por professores de Yale responsáveis pelo ensino de diversas disciplinas, entre as quais psicologia, direito, sociologia, antropologia e economia, que tiveram suas cargas horárias reduzidas ao mínimo para poderem dedicar a maior parte de seu tempo às novas tarefas. Um dos psicólogos que a universidade transferiu para o IHR era Clark Hull, que havia acabado de sair de Wisconsin para trabalhar no antigo Instituto de Psicologia. Hull passou o resto de sua carreira em Yale, morrendo de um segundo ataque do coração apenas três semanas depois de aposentar-se. Enquanto esteve lá, desenvolveu sua teoria da aprendizagem, testou-a extensivamente em laboratório e criou um pequeno exército de seguidores: alunos (e alunos de alunos) e colegas que levaram seu programa de pesquisa para muito além de New Haven. O mais famoso foi Kenneth Spence (1907-1967), que conheceu Hull enquanto estava estudando em Yale com Yerkes. As contribuições aportadas por Spence foram significativas para a teoria de Hull a ponto de os adeptos a chamarem de teoria de Hull-Spence. Na University of Iowa, Spence perpetuou o legado de Hull orientando nada menos que 73 doutorandos entre os anos de 1940 e 1963 (Hilgard, 1967).

O Sistema de Hull

Um dos heróis de Hull era *Sir* Isaac Newton. Ele sempre tinha em sua mesa uma cópia de *Principia Mathematica* e instava os alunos a lerem esse livro de Newton, a fim de poderem compreender como sua abordagem na pesquisa psicológica refletia a deste na física. Newton via o universo como uma máquina gigante, controlada por leis matemáticas precisas, e Hull pensava sobre os seres humanos do mesmo modo mecânico. Com efeito, para ele a suprema compreensão do comportamento humano só poderia ocorrer caso se pudesse construir uma máquina que fosse indistinguível do ser humano, postura essa sem dúvida influenciada por seu grande talento para a construção de aparelhos.

Newton influiu também sobre as convicções de Hull quanto ao progresso na ciência e à importância da teoria. Para Hull, a ciência avançava desenvolvendo teorias sofisticadas, testando-as, modificando-as, testando as revisões e assim por diante. Esse sistema, também usado por Tolman e compatível com os ditames do positivismo lógico, é conhecido como **sistema hipotético-dedutivo**. No centro desse tipo de teoria do comportamento humano está um conjunto de postulados, os quais são afirmações acerca do comportamento — baseadas no conhecimento acumulado a partir de pesquisa e lógica — tidas como verdadeiras, já que não podem ser testadas diretamente. Porém, desses postulados podem ser deduzidos logicamente teoremas específicos, os quais levam diretamente a experimentos. Os resultados desses experimentos podem respaldar ou não os teoremas, o que, por sua vez, fortalece ou enfraquece a teoria básica e, por fim, modifica seus postulados. Por conseguinte, a teoria evolui com o tempo, com base na presença ou na ausência de respaldo empírico.

Além de emular Newton, Hull foi motivado a desenvolver sua teoria pelo que julgava ser a ausência de teorização sistemática entre os psicólogos norte-americanos em relação ao grande volume de teorias compilado pelos gestaltistas (Mills, 1988). Era chegada a hora de a psicologia norte-americana colocar-se à altura da deles. Conforme as palavras de Hull,

> esses gestaltistas são assombrosamente bem articulados. Praticamente todos escreveram vários livros. O resultado é que, embora constituam um percentual relativamente pequeno da população que lida com a psicologia no país, eles escreveram dez vezes mais teoria que nós, norte-americanos. (Hull, 1942, citado por Mills, 1988, p. 393)

Hull trabalhou em sua teoria até a morte: seu último escrito a respeito, *A Behavior System* (1952a), foi publicado postumamente. Porém, a versão mais conhecida do seu sistema encontra-se em *Principles of Behavior* (1943). Esse livro contém dezesseis postulados, apresentados tanto verbal quanto matematicamente, além da descrição das pesquisas que respaldam a teoria. A abordagem detalhada da teoria de Hull ultrapassa em muito o escopo deste segmento do capítulo, mas pode-se compreendê-la melhor por meio da análise do seu mais famoso postulado, o de número 4.

O Postulado 4: A Força do Hábito

O postulado 4 revela o essencial na convicção de Hull quanto às condições necessárias à ocorrência da aprendizagem. Além disso, ele mostra até que ponto Hull visava à formalidade e à precisão teóricas — *Principles of Behavior* não se destinava a ser uma leitura leve. Veja como ele apresentou parcialmente o quarto postulado:

> Sempre que uma atividade efectora ($r \rightarrow R$) e uma atividade receptora ($S \rightarrow s$) ocorrem em contiguidade temporal ($_sC_R$) e $_sC_R$ está estreitamente associada à diminuição de uma necessidade (G) ou a um estímulo que se apresenta estreita e consistentemente associado à diminuição de uma necessidade (G), o resultado será o incremento na tendência ($\Delta_s H_R$) desse impulso aferente de evocar essa reação em ocasiões posteriores. Os incrementos provenientes de reforços sucessivos somam-se de maneira a produzir uma força combinada ao hábito ($_sH_R$), a qual é uma simples função do crescimento positivo do número de reforços (N). (Hull, 1943, p. 178)

Os elementos-chave aqui são a contiguidade e o reforço. Segundo Hull, a aprendizagem ocorre quando existe uma contiguidade temporal muito estreita entre estímulo e reação. O rato aprende a associar o local X de um labirinto, por exemplo, à reação "virar à direita". Porém, embora necessária, a contiguidade não é suficiente. Além disso, o reforço deve estar presente para que a aprendizagem ocorra. Para Hull, os reforçadores eram estímulos que reduziam impulsos: a comida reduz a fome, por exemplo. Juntos, a contiguidade entre S e R e o reforço gradualmente aumentam $_sH_R$, isto é, a **força do hábito**. Assim, com a repetição da chegada ao ponto X, da virada para a direita e do encontro do alimento, o rato acumula força de hábito a cada ensaio de reforço. Aprender é aumentar $_sH_R$. O fato de o caráter da aprendizagem ser incremental ("uma simples função do crescimento positivo"), e não repentino, condiz com os resultados que Hull havia obtido em sua tese sobre a aprendizagem de conceitos. A importância das ideias do postulado 4 para Hull pode ser inferida a partir da Figura 11.8, um retrato feito no fim de sua carreira. O gráfico que aparece no fundo é uma curva de aprendizagem idealizada, na qual a força do hábito aumenta gradualmente em função do número de ensaios de reforço.

Portanto, para Hull, o reforço era definido em termos da redução de impulsos ("diminuição de uma necessidade"), o que explica por que sua teoria é às vezes chamada de teoria da **redução de impulsos**. Os impulsos primários são os que estão diretamente relacionados à sobrevivência e podem ser reduzidos com **reforçadores primários**, como água e alimento. Mas Hull mencionou também **reforçadores secundários**, estímulos que descreveu no postulado 4 como aqueles que estão associados aos reforçadores primários. Um tom emparelhado ao reforçador primário do alimento, por exemplo, pode tornar-se também um reforçador.

Potencial de Reação

Embora tivesse rejeitado o tipo de variável interveniente usado por Tolman, Hull admitiu haver tomado emprestado o conceito do colega neobehaviorista (Hull, 1943, p. 31). Uma importante variável interveniente para Hull era o que ele chamava de **poten-**

FIGURA 11.8 Retrato de Clark Hull (extraído de Popplestone e McPherson, 1994).

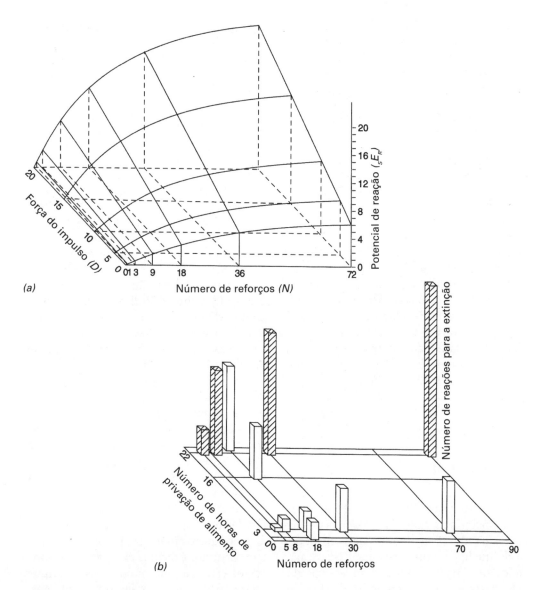

FIGURA 11.9 (a) Efeitos teóricos da força do hábito e do impulso sobre o potencial de reação; (b) dados de pesquisas que mostram os efeitos da força do hábito e do impulso sobre o potencial de reação (extraídos de Hull, 1943).

cial de reação ou $_sE_R$. Apresentado no postulado 7, esse $_sE_R$ refere-se à probabilidade ("potencial") de uma resposta ("reação") ocorrer num determinado momento e pode ser inferido por meio de diversos tipos de medição (por exemplo, da latência de reação, o tempo que um animal leva para reagir numa determinada situação — quando o potencial de reação é alto, a latência é breve). Hull achava que o $_sE_R$ era afetado por diversos fatores, dos quais os mais importantes eram o impulso e a força do hábito. Ou seja, há maior probabilidade de uma reação ocorrer se tanto a força do hábito quanto o impulso forem altos. E Hull argumentava que essa relação é multiplicativa ($_sE_R = D \times {_sH_R}$), em vez de aditiva. Conforme escreveu no postulado 7,

> Toda força do hábito ($_sH_R$) que seja eficaz é traduzida em potencialidade de reação ($_sE_R$) por todos os impulsos primários ativos no organismo num dado momento, sendo a magnitude dessa potencialidade o produto da multiplicação de uma função crescente de $_sH_R$ por uma função crescente de D. (Hull, 1943, p. 253)

Assim, se o impulso ou a força do hábito forem zero, a reação não ocorrerá. Os ratos só conseguirão sair de um labirinto se estiverem motivados (por exemplo, famintos) e já tiverem "nas costas" um número suficiente de ensaios de reforço. A Figura 11.9a mostra como Hull via os efeitos teóricos do impulso e da força do hábito (isto é, o número de ensaios de reforço) sobre o potencial de reação. Para respaldo empírico, Hull tomou os dados de dois estudos (Perin, 1942, e Williams, 1938) e os combinou, formando a Figura 11.9b.

Avaliando Hull

Ao longo de toda a década de 40 e no início da de 1950, Clark Hull foi possivelmente o principal pesquisador da psicologia nos Estados Unidos. Sua obra foi mais citada que a de qualquer outro psicólogo (bem mais que a de Tolman), e seus alunos — e os alunos destes — encarregaram-se de divulgar seu trabalho. Entre 1941 e 1950, por exemplo, cerca de 70% de todos os artigos de pesquisa nas áreas da aprendizagem e da motivação publicados mencionavam o trabalho de Hull e incluíam-no entre as referências (Spence, 1952). Para os psicólogos que eram seus contemporâneos, a teoria de Hull supria a necessidade de uma direção futura clara. A psicologia introspectiva havia encontrado seu fim na década de 1920, mas não aparecera nada que a substituísse. É verdade que surgira o behaviorismo de Watson, mas junto com ele vieram também a psicologia da Gestalt, a psicanálise de Freud, a testagem mental e diversas outras variantes. Na busca de maturidade e respeitabilidade para a psicologia como ciência, os psicólogos aferraram-se àquilo que parecia ser exatamente o tipo de teoria formal que caracterizava as ciências mais antigas, em especial a física.

Paradoxalmente, além de não fazerem ideia da estatura alcançada por Hull, os universitários de hoje raramente ouviram falar do seu nome. A ascensão e a queda de Hull foram documentadas numa análise feita por Guttman (1977), que examinou as citações de todos os artigos publicados no *Journal of Experimental Psychology* em 1940, 1950, 1960 e 1970 e levantou o total de referências ao trabalho de Hull ou ao de seu mais conhecido colaborador, Spence. O percentual de artigos que citavam Hull e/ou Spence nesses quatro anos foi, respectivamente, de 4%, 39%, 24% e 4%.

Há várias razões para o colapso da teoria de Hull. Uma delas é o excesso de ambição, pois se tratava de uma teoria de extraordinária complexidade e precisão matemática construída sobre uma base empírica que, afinal, se revelou muito estreita: o comportamento de organismos simples (em geral ratos) em ambientes simples, artificiais e altamente controlados. Seus adeptos argumentavam que as demais ciências fazem o mesmo; que os biólogos, por exemplo, isolam culturas de tecidos para estudar os processos celulares, mesmo que essas culturas sejam "artificiais" em relação aos ambientes biológicos do mundo real. Além disso, Hull planejava fazer um trabalho muito importante, que estendesse seu sistema ao complexo comportamento humano, mas não conseguiu avançar muito nele antes de morrer. Por outro lado, vários de seus alunos, ao lado de outros membros do IHR de Yale, conseguiram aliar as ideias de Hull às de Freud numa teoria testável da agressividade humana. Em *Frustration and Aggression* (Dollard, Doob, Miller, Mowrer e Sears, 1939), os alunos de Hull desenvolveram a conhecida hipótese da frustração-agressividade e a testaram tanto em animais quanto em crianças. Esse mesmo grupo posteriormente produziu *Social Learning and Imitation* (Miller e Dollard, 1941), que lançou a moderna teoria da aprendizagem social.

Outra crítica à teoria de Hull é que ela não levava em consideração a natureza bastante humana de toda pesquisa. Em consonância com a ideia subjacente de que o homem é uma máquina e com os ditames do positivismo lógico, Hull partiu do princípio de que os questionamentos relativos ao respaldo empírico da teoria seriam discutidos por cientistas desapaixonados e completamente objetivos, com base em seus dados. Apesar da fé em que os "experimentos cruciais" revelariam a "verdade" de cada problema, os problemas e as polêmicas não se resolviam nunca. Por exemplo, durante as décadas de 1930 e 1940, Hull e Tolman entraram numa série de escaramuças acerca da questão da natureza da aprendizagem. O grupo de Tolman conduzia um estudo que refutava algum aspecto da teoria de Hull; o grupo de Hull então corria a produzir dados que dessem uma explicação convincente para os resultados de Tolman e, ao mesmo tempo, mantivessem o modelo de Hull; Tolman então respondia e assim por diante. Embora os seguidores de cada teórico achassem que os dados confirmavam suas próprias ideias, para quem estava de fora, eles não pareciam estar resolvendo nada. Além disso, a falta de resolução dessa polêmica sobre a aprendizagem aumentou a suspeita de que o behaviorismo era um sistema falho. E os questionamentos acerca da adequação do behaviorismo contribuíram para o desenvolvimento da psicologia cognitiva nos anos de 1960 (Segal e Lachman, 1972), conforme será visto no Capítulo 14.

Embora a teoria de Hull possa não ter resistido, sua abordagem positivista da pesquisa persiste. Pode ser que hoje já não haja muita gente que defenda o postulado 4, mas o legado da pesquisa programática foi mantido pelos descendentes intelectuais de Hull. Nas pós-graduações de psicologia experimental, os alunos aprendem a pesquisar de modo sistemático, ou seja, aprendem a extrair hipóteses testáveis de teorias de trabalho, a definir termos operacionalmente, a coletar os dados relacionados às hipóteses e a ajustar a teoria com base nos resultados empíricos. Apesar de já não serem tão formais ou matemáticas quanto a de Hull, as teorias ainda se baseiam no mesmo tipo de raciocínio.

O terceiro problema de Hull foi também um problema para Tolman e talvez seja a principal razão para tanto eles dois quanto Watson terem sido relegados a relativa obscuridade na segunda metade do século XX. Esse problema foi o surgimento de B. F. Skinner, que aliava o espírito empreendedor e desabusado de Watson à criatividade científica, à ética de trabalho e à capacidade de atrair alunos talentosos para fazer frente a Tolman e Hull.

B. F. SKINNER (1904-1990): UM BEHAVIORISMO RADICAL

Burrhus Frederick Skinner nasceu numa cidadezinha norte-americana (Susquehanna, Pensilvânia) na assim chamada era do progresso. Sua infância transcorreu numa época de grande otimismo para os membros da emergente classe média branca norte-americana. O país acabava de superar as dificuldades econômicas da década de 1890 e vencer os espanhóis — mais numerosos — na guerra hispano-americana. O presidente, Theodore Roosevelt, era o galhardo herói da guerra e o mais jovem até então a assumir o cargo. Os pais — exceto se fossem pobres e/ou não fossem brancos — tinham todos os motivos para esperar que seus filhos encontrassem grandes oportunidades. O pai de Skinner era um advogado relativamente bem-sucedido; a mãe era uma dona de casa que infundiu no filho valores protestantes como a necessidade de dedicar-se ao trabalho e a preocupação constante com "o que os outros vão pensar".

O empenho no trabalho de fato caracterizou a vida de Skinner, mas a preocupação com o que os outros pensavam do seu comportamento não se tornou uma de suas características. Pelo contrário, seu estilo baseava-se mais no pensamento independente e na recusa em aceitar a "sabedoria dos mais velhos", a menos que viesse acompanhada de provas concretas. E esse traço manifestou-se muito cedo: o diretor de sua escola recomendou-o muito bem ao Hamilton College de Nova York, mas advertiu que o jovem "gostava imensamente de discutir com os professores. Ele é um leitor voraz e, apesar de eu não achar que na verdade se julgue mais informado que seus professores, percebo que ele costuma dar essa impressão" (citado por Bjork, 1993, p. 28).

A princípio, Skinner não se viu à vontade na atmosfera dominada pelas associações feminina e masculina de alunos de Hamilton, mas logo encontrou seu próprio lugar e descobriu-se apaixonado pela escrita criativa, chegando inclusive a enviar alguns contos ao poeta Robert Frost, que conhecera num congresso de literatura. Os elogios rasgados de Frost levaram o jovem a uma decisão profissional: determinado a tornar-se um escritor famoso, Skinner informou aos pais que queria tirar um ano após a graduação, em 1926, simplesmente para escrever. Isso criou problemas para os pais de Skinner, que, naturalmente, se preocuparam com o que as pessoas iriam pensar do recém-formado, que voltara para casa, mas não tinha um emprego de verdade. Não é difícil imaginar a pressão que os pais faziam para que produzisse ("E o que você escreveu hoje, Fred?") e, à medida que o tempo foi passando, ele se foi convencendo cada vez mais de que nunca conseguiria escrever tão bem como os famosos escritores cujas obras estava lendo. Embora Skinner se tenha referido a essa época como seu "ano sombrio", algumas das coisas que lera desencadearam uma série de eventos que, por fim, o levaram a uma pós-graduação em psicologia em Harvard. Por exemplo, nesse ano ele leu vários artigos populares sobre behaviorismo, os quais o levaram a Watson e Pavlov e instigaram sua curiosidade. As-

FIGURA 11.10 B. F. Skinner quando era aluno da pós-graduação de Harvard, em 1930 (foto extraída de Malone, 1991).

sim, no fim de 1928, ele foi para Cambridge, Massachusetts. A Figura 11.10 mostra-o trabalhando no laboratório de Harvard dois anos depois.

Skinner desenvolveu seu sistema behaviorista quando ainda estava em Harvard, primeiro como aluno da pós-graduação e depois como professor.* Ao longo desse tempo, não houve nenhuma mudança perceptível em sua atitude diante da autoridade. Ele não se mostrou impressionado, por exemplo, com o trabalho de E. G. Boring, chefe do laboratório e, como vimos anteriormente, o mais conhecido aluno de Titchener. Referindo-se ao curso sobre percepção que Boring ministrava como "simplesmente penoso" (Skinner, 1979, p. 47), lamentou que este passasse três aulas intei-

---

* Skinner ocupava em Harvard o prestigioso cargo de "University Fellow", que não tem correspondência no sistema universitário brasileiro. Trata-se de um cargo em que o professor acumula as funções de docente e de membro do conselho administrativo reitoral. (N. da T.)

ras explicando uma única ilusão visual. Boring, por sua vez, não simpatizava com o behaviorismo e recusou-se a participar da banca examinadora de Skinner. Durante a defesa de sua tese de doutorado, quando o eminente teórico da personalidade Gordon Allport perguntou-lhe quais, a seu ver, eram as deficiências do behaviorismo, Skinner respondeu que não conseguia pensar em nenhuma (p. 75).

O primeiro livro de Skinner, *The Behavior of Organisms* (1938), resumia seus oito anos de pesquisa em Harvard. Depois de nove anos na University of Minnesota e mais três como catedrático do departamento de psicologia da Indiana University, Skinner retornou a Harvard em 1948 e lá continuou trabalhando até depois de aposentar-se, em 1974. Em 1990, apenas oito dias antes de sua morte por leucemia, ele fez o discurso de abertura da reunião anual da APA, em Boston. Eu estava na plateia naquela noite e lembro-me que ele precisou ser ajudado (pela filha) para subir ao palco e caminhar até o microfone. Mas, ao chegar lá, ele mal olhou para suas anotações ao fazer um apelo articulado e veemente em favor do seu tipo de behaviorismo e contra o que via como os esforços mal direcionados dos psicólogos cognitivistas. O discurso foi publicado pouco depois da sua morte com o título de "Can Psychology be a Science of the Mind?" (Skinner, 1990).

A Análise Experimental do Comportamento

Você ainda tem seu livro de introdução à psicologia? Aposto que, no capítulo sobre a aprendizagem, você encontrará uma parte importante sobre o condicionamento "clássico" ou pavloviano (provavelmente acompanhada de uma ilustração errada do aparato de Pavlov) seguida de um trecho igualmente longo sobre o condicionamento "operante". A relação entre os dois é complexa e foge ao escopo deste capítulo, mas Skinner foi quem traçou essa distinção, e o condicionamento operante é às vezes chamado de condicionamento skinneriano.

Em *The Behavior of Organisms* (1938), Skinner traçou a distinção entre o condicionamento do Tipo S e o condicionamento do Tipo R. O **condicionamento do Tipo S** (de *stimulus*, estímulo) é o modelo pavloviano: um estímulo identificável induz uma reação identificável por meio do procedimento de emparelhamento de dois *estímulos*, um que inicialmente induz a reação (por exemplo, o alimento) e um que não a induz (por exemplo, um tom). Ele é chamado de "S" porque, no caso, forma-se uma associação entre dois estímulos (o alimento — o ENC — e o tom — o EC) e, por fim, ambos provocam a mesma reação (a salivação). O condicionamento do Tipo S explica um certo tipo de comportamento, mas Skinner argumentava que ele não explicaria muitos comportamentos que parecem não ter um estímulo facilmente identificável. Isto é, certos comportamentos são *emitidos* pelo organismo e controlados pelas consequências imediatas desses comportamentos, e não por um estímulo indutor. No **condicionamento do Tipo R** (de *response*, reação) ou **condicionamento operante**, é emitido um comportamento ao qual se seguem consequências, e as futuras chances de esse comportamento ocorrer são determinadas por essas consequências. Se elas forem positivas — se o comportamento for recompensado, por exemplo —, haverá reforço do comportamento. Se, por outro lado, as consequências forem negativas — por exemplo, se o comportamento for punido —, haverá enfraquecimento do comportamento. Skinner chamou o condicionamento operante de Tipo "R" porque, nesse caso, uma consequência (por exemplo, a obtenção de um brinquedo por uma criança) se associa à *reação* que a precedeu (por exemplo, a criança deu um "chilique" numa loja de brinquedos). Skinner escolheu o termo **operante** para descrever essa forma de comportamento porque o comportamento "opera" ou age sobre o ambiente — quando ele ocorre, produz um desfecho previsível.

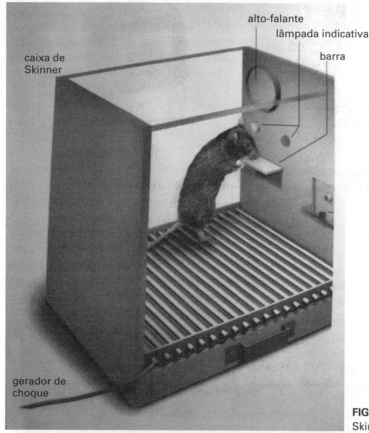

FIGURA 11.11 Uma caixa de Skinner típica para ratos.

Para Skinner, a psicologia deveria ter apenas dois objetivos: a previsão e o controle do comportamento, fosse este humano ou não. Isso poderia ser obtido por meio de uma "análise experimental do comportamento", ou seja, uma descrição completa dos comportamentos operantes, dos ambientes em que eles se verificam e das consequências imediatas desses comportamentos. Embora reconhecesse que os comportamentos são influenciados pelas tendências e capacidades comportamentais inatas do indivíduo, Skinner concentrava-se na investigação de como os comportamentos são moldados pelo ambiente. Portanto, nesse sentido ele estava relacionado ao empirismo britânico e ao ambientalismo de Watson e ilustrava claramente a ênfase do neobehaviorismo na aprendizagem.

O Condicionamento Operante: Uma Introdução

Skinner passou a vida desenvolvendo uma explicação minuciosa do condicionamento operante. A melhor descrição completa desse tipo de condicionamento encontra-se no livro que escreveu em 1953, *Science and Human Behavior*, mas existem descrições relativamente completas em livros-textos sobre a psicologia da aprendizagem. Abordaremos a seguir algumas de suas características essenciais.

Skinner investigou o condicionamento operante criando um ambiente altamente estruturado que lhe permitiu seguir o que julgava o bom conselho de Pavlov. Em suas próprias palavras, "peguei a dica de Pavlov: controle as condições e verá organização" (Skinner, 1956, p. 223). A Figura 11.11

A EVOLUÇÃO DO BEHAVIORISMO 395

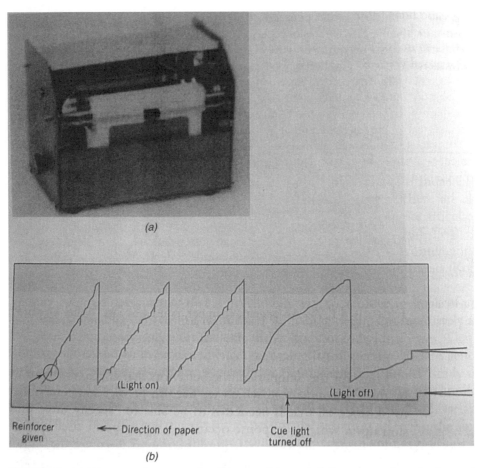

FIGURA 11.12 (a) Um gravador cumulativo; (b) um registro cumulativo que mostra, primeiramente, uma alta taxa de reação e, em seguida, um declínio até a ausência de reação (talvez resultante de um procedimento de extinção).

mostra esse ambiente controlado em sua versão destinada a experimentos com ratos. Ela consiste numa câmara numa das paredes da qual há uma pequena barra que pode ser pressionada pelo rato, um pequeno recipiente com alimento (para a promoção das consequências positivas — no caso, a comida), dispositivos para a apresentação de estímulos visuais e/ou auditivos e, no piso, uma série de barras paralelas que permitem a passagem de uma corrente elétrica (para a promoção das consequências negativas — no caso, um leve choque elétrico). Há também um dispositivo semelhante para pombos que, em vez da barra, dispõe de um disco circular que deve ser bicado. Skinner denominou esse dispositivo câmara operante, mas Clark Hull se referia a ela como caixa de Skinner, e o nome "pegou". O comportamento é registrado nessa caixa por meio de um gravador cumulativo (Figura 11.12a). O papel é inserido a um ritmo constante, produzindo assim o tempo no eixo X; uma caneta risca o papel cada vez que a barra é pressionada (ou a tecla é bicada). A taxa de reação — que, para Skinner, era a única medida importante do comportamento — pode ser determinada verificando-se a subida da linha. Sempre que um determinado comportamento é reforçado (isto é, acompanhado de alimento), a caneta marca uma breve linha vertical descendente.

Quando atinge a parte superior do papel, a caneta volta rapidamente à parte inferior para começar novamente o registro. A Figura 11.12b mostra um registro cumulativo.

Com a câmara operante e o gravador cumulativo, Skinner pôde examinar a fundo o condicionamento operante. Assim como Pavlov conseguiu demonstrar fenômenos como a extinção em seu paradigma do condicionamento clássico, Skinner os demonstrou com um procedimento operante. Com um rato condicionado a pressionar a barra porque o comportamento havia tido como consequência imediata um reforçador alimentar, por exemplo, ele demonstrou a *extinção* suspendendo o reforço. Na verdade, essa demonstração da extinção surgiu por acaso. Nas palavras do próprio Skinner (que revelam também a euforia que ele sentiu com a descoberta),

> Minha primeira curva de extinção surgiu por acaso. Um rato estava pressionando a barra num experimento de saciação quando o dispositivo que dispensava o alimento encrencou. Eu não estava lá no momento e, ao voltar, deparei-me com uma bela curva. [...]
> A mudança era mais organizada que a extinção de um reflexo salivar no contexto de Pavlov e me deixou excitadíssimo. Era uma sexta-feira à tarde, e não havia no laboratório ninguém a quem eu pudesse contar o fato. Naquele fim de semana, cruzei as ruas com especial cuidado e evitei todos os riscos desnecessários para proteger minha descoberta contra minha possível morte por acidente. (Skinner, 1979, p. 95)

A curva de extinção que Skinner descobriu deve ter sido parecida com a da Figura 11.12b: uma alta taxa de reação enquanto o rato estava sendo reforçado por pressionar a barra, seguida de uma diminuição até a completa ausência de reação.

Além da extinção, Skinner pôde demonstrar também outros fenômenos do condicionamento. Por exemplo, quando um rato estava sendo condicionado a pressionar a barra, a luz sempre ficava acesa na câmara operante. Quando a intensidade da luz era reduzida, a taxa de reação também se reduzia. Isso constituía *generalização*: o comportamento que ocorria num ambiente também se verificava num ambiente semelhante. Com o reforço da pressão da barra quando a luz estava acesa, mas não quando estava apagada, o rato finalmente passou a só pressionar a barra quando a luz estava acesa — ou seja, o fenômeno que Pavlov chamou de *diferenciação* (Skinner o chamou de *discriminação*, termo que é usado hoje). Juntos, esses fenômenos ilustram o que Skinner chamou de **controle do estímulo**. No condicionamento operante, o ambiente em que um comportamento é reforçado (uma caixa de Skinner com a luz acesa) passa a exercer controle sobre o comportamento do rato. Portanto, numa análise experimental, a compreensão do comportamento requer a capacidade de especificar o comportamento que está sendo estudado, as consequências imediatas desse comportamento e o ambiente em que ele ocorre. Observe que os dois objetivos principais de Skinner são assim atingidos: com o conhecimento do ambiente e do histórico de reforço do organismo, o comportamento pode ser previsto e também controlado (por exemplo, acendendo-se e apagando-se a luz).

Skinner e a Teoria

A filosofia da ciência abraçada por Skinner diferia fundamentalmente daquela de Hull e Tolman. Em vez de deduzir hipóteses a partir de afirmações teóricas, projetar estudos que testassem essas hipóteses e depois ajustar a teoria a depender dos resultados da pesquisa, Skinner preferia a abordagem puramente indutiva da pesquisa, estudando exemplos de comportamento observável e buscando regularidades que pudessem tornar-se princípios gerais. Sua referência a Pavlov e sua busca de comportamentos organizados dão uma pista de sua estratégia; essa liberdade dos ditames da teoria também se evidencia em sua recomendação aos pesquisadores: "[q]uando encontrarem alguma coisa fascinante, deixem tudo de lado e estudem-na" (p. 223). Com efeito, Skinner tinha um certo desprezo pela ideia de que os cientistas de verdade agem de acordo com uma série de regras ditadas pelo tipo de lógica hipotético-dedutiva usada por Hull e Tolman:

> Mas é um erro identificar a prática científica aos construtos formais da estatística e do método [hipotético-dedutivo]. Essas disciplinas têm seu lugar, mas ele não coincide com o lugar da pesquisa científica [cotidiana]. Elas oferecem um método científico, mas não — como muitas vezes se insinua — o método. [...] Não é de surpreender que o cientista de laboratório fique perplexo e, não raro, consternado ao descobrir que seu comportamento foi reconstruído nas análises formais do método científico. Ele provavelmente protestará que isso não é, de modo algum, uma descrição justa daquilo que faz. (Skinner, 1956, p. 221).

O *modus operandi* de Skinner consistia em estudar atentamente o comportamento submetido a diversas circunstâncias e depois traçar conclusões gerais. Sua pesquisa sobre os assim chamados programas de reforço é um exemplo clássico dessa estratégia indutiva. Partindo da observação de que, na vida real, os reforçadores podem ocorrer esporadicamente, em vez de depois de cada reação, ele analisou como diferentes **programas de reforço** poderiam produzir diferentes padrões de comportamento. Por exemplo, num programa de taxa fixa para um rato já condicionado a pressionar a barra, o reforço pode ocorrer uma vez a cada vinte que ele a pressiona, em vez de a cada vez que ele a pressionar (nesse caso, será um programa FR20, ou taxa fixa 20). Num programa de intervalo fixo, afetado mais pelo tempo que pelas reações *per se*, o reforço pode acompanhar a primeira reação após o transcurso de vinte segundos (nesse caso, será um programa FI20, ou intervalo fixo 20). Com seu aluno Charles Ferster, Skinner analisou dezenas de programas de reforço diferentes, e o

DATA-CHAVE 1953

Este ano marcou a publicação do prestigioso *Science and Human Behavior*, de Skinner.

Os seguintes fatos também ocorreram:

- A revolução no tratamento da doença mental teve início com a aprovação do tranquilizante Serpasil pela Food and Drug Administration
- James Watson e Francis Crick criaram o primeiro modelo preciso da molécula do DNA
- O general Dwight Eisenhower, herói norte-americano da Segunda Guerra Mundial, assumiu o primeiro dos dois mandatos que exerceu como presidente dos Estados Unidos
- Teve início o reinado do Marechal Tito da Iugoslávia
- Elizabeth II foi coroada rainha da Inglaterra
- O casal Rosenberg, acusado de exercer espionagem para os soviéticos, foi executado
- *Sir* Edmund Hillary tornou-se o primeiro homem a escalar o Monte Everest
- Pesquisas indicaram pela primeira vez a associação entre o fumo e o câncer de pulmão
- Nasceram:

  Tony Blair, ex-primeiro-ministro da Inglaterra

  Pierce Brosnan, ator irlandês (por exemplo, filmes de James Bond)

  Ken Burns, cineasta norte-americano (por exemplo, *A guerra civil*)
- Morreram:

  E. P. Hubble, astrônomo norte-americano (deu seu nome ao telescópio orbital)

  Jim Thorpe, atleta indígena norte-americano que ganhou medalhas de ouro no pentatlo e no decatlo em 1912

  Eugene O'Neill, dramaturgo norte-americano vencedor do prêmio Nobel (por exemplo, *Longa viagem noite adentro*) resultado foi publicado em *Schedules of Reinforcement* (Ferster e Skinner, 1957). Esse livro, que tem 739 páginas, apresenta mais de novecentos registros cumulativos de programas de reforço e os comportamentos característicos gerados por cada um (por exemplo, taxas mais altas de reação a programas de taxa fixa que a programas de intervalo fixo). Pode-se depreender um pouco da ética de trabalho de Skinner em sua descrição do processo de compilação do livro:

> Milhares de horas de dados implicavam centenas de metros de registros cumulativos. [...] Trabalhamos sistematicamente. Tomávamos um protocolo e uma pilha de registros cumulativos, ditávamos um relato do experimento, selecionávamos registros ilustrativos e os recortávamos e agrupávamos em números. No fim, estávamos com mais de mil, 921 dos quais entraram para o livro. (Skinner, 1984, p. 109)

Como você pode adivinhar com base nessa descrição, o livro não tem leitura muito divertida. Porém, para os skinnerianos, tornou-se uma fonte indispensável de informações sobre como o comportamento pode ser previsto a partir do conhecimento de diversos programas de reforço.

Skinner e o Problema da Explicação

Vimos que Tolman e Hull julgaram necessário propor a existência de variáveis intervenientes para explicar o comportamento aprendido e que essas variáveis eram cuidadosamente atreladas a estímulos e reações por meio de definições operacionais. Porém, Skinner rejeitou o conceito, basicamente porque abria a porta ao que ele chamou de **ficções explanatórias**. A ficção explanatória é a tendência a propor algum fator interno hipotético situado entre os estímulos observáveis e os comportamentos mensuráveis e, então, usar esse fator como uma pseudoexplicação do comportamento. Trata-se de algo que fazemos o tempo todo, pelo menos informalmente. Por exemplo, imagine que seu novo companheiro de quarto fica estudando até tarde e passa mais tempo na biblioteca que qualquer outra pessoa que você conhece. Você pergunta a seus amigos sobre ele. Seus amigos lhe dizem que ele tem uma grande necessidade de realização. Segundo Skinner, a essa altura nós poderíamos cometer o erro de pensar que o comportamento de estudar estaria explicado pela grande necessidade de realização. Porém, na verdade, essa "necessidade de realização" é simplesmente um rótulo que resume os comportamentos de estudar e ir à biblioteca, mas não acrescenta nada à sua explicação. Para Skinner, essa explicação estaria no histórico geral de aprendizagem da pessoa e nas contingências de reforço específicas em evidência no momento em que o comportamento ocorre.

O problema das ficções explanatórias levou Skinner a criticar os psicólogos fisiologistas, que tentavam explicar o comportamento reduzindo-o, a seu ver, à atividade do sistema nervoso. Embora reconhecesse a importância do estudo da função cerebral e da atividade do sistema nervoso, Skinner tinha certeza de que era possível analisar o comportamento de modo experimental e rigoroso, sem nenhuma referência ao sistema nervoso. Nesse aspecto, ele adotava a mesma postura de W. J. Crozier,[5] fisiologista de Harvard, que também rejeitava a maior parte da psicologia cognitiva feita na época alegando que ela também recorreria a ficções explanatórias (por exemplo, a atribuição de falhas de memória a limitações da memória de curto prazo). Em seu último discurso na APA, em 1990, Skinner sarcasticamente referiu-se à psicologia cognitiva como o equi-

---

5. Para W. J. Crozier (1892-1955), professor de fisiologia de Harvard e ex-aluno de Loeb que exerceu forte influência sobre Watson (Capítulo 10), não havia dúvida de que o comportamento podia ser interpretado em termos mecanicistas e sem referência ao sistema nervoso. Skinner (1956) certa vez afirmou que já "se dissera de Loeb — e se poderia ter dito de Crozier — que ele 'se ressentia do sistema nervoso'. Se isso é verdade ou não, o fato é que, surpreendentemente, ambos conseguiram falar sobre o comportamento animal sem mencionar o sistema nervoso" (pp. 222-23).

valente do criacionismo científico na biologia, com base principalmente nesse problema da ficção explanatória.

Isso não quer dizer que ele tenha negado o fato óbvio de que o pensamento, a memória e a linguagem ocorrem. Contudo, ele rejeitava a ideia de que houvesse uma distinção qualitativa entre os eventos públicos e os particulares ou, como defendiam alguns behavioristas, de que os eventos particulares não pudessem ser estudados cientificamente. Em vez disso, argumentava que ambos os tipos de eventos são essencialmente a mesma coisa e podem ser compreendidos por meio de uma análise experimental (Skinner, 1953). Correr é um evento público e resolver um problema é um evento particular, mas ambos são coisas que os seres humanos fazem e, portanto, estão sujeitos às contingências do reforço e do controle dos estímulos. Uma análise skinneriana da solução de problemas, por exemplo, se concentraria no modo como diferentes comportamentos de solução se processam em diferentes ambientes e como esses comportamentos encontram reforço no histórico de aprendizagem do indivíduo. Skinner delineou pela primeira vez suas ideias acerca dos eventos públicos e particulares num artigo de 1945 chamado "The Operational Analysis of Psychological Terms". Ali, ele chamou explicitamente a sua abordagem de "behaviorismo radical", rótulo que continua a ser associado a seu sistema.

Uma Tecnologia do Comportamento

A estratégia indutiva de Skinner pertence à tradição de *Sir* Francis Bacon, e Skinner muitas vezes o citou especificamente como modelo (Smith, 1996a). Conforme você deve lembrar, no Capítulo 2 vimos que, para Bacon, a compreensão da natureza exigia observações sistemáticas sem um arcabouço teórico preconcebido. Essas observações sistemáticas dariam origem a princípios gerais. Além disso, Bacon julgava que o controle da natureza era um objetivo importante da ciência.

Bacon forneceu o protótipo daquilo a que o psicólogo e historiador Lawrence Smith (1992) referiu-se como *ideal tecnológico* — o cientista que deseja não apenas compreender, mas também controlar a natureza. Com efeito, Bacon afirmava que uma verdadeira compreensão só ocorre quando se pode demonstrar controle sobre o fenômeno estudado, seja por meio da manipulação de algum aspecto do ambiente e da observação de um resultado previsto ou por meio da criação de alguma tecnologia que funcione de maneira confiável. Assim, é possível demonstrar uma profunda compreensão da física por meio da criação de máquinas que se baseiem em leis físicas diversas. Para Skinner, a extrapolação disso para a psicologia era fácil: bastava mostrar que o comportamento poderia ser previsto e criar uma tecnologia do comportamento baseada nos princípios do reforço para mostrar que o comportamento podia ser controlado.

O assim chamado Projeto Pombo (Skinner, 1960) foi a sua primeira tentativa importante de desenvolver uma tecnologia comportamental. Durante a Segunda Guerra Mundial, ele conseguiu um modesto financiamento para desenvolver um sistema de orientação que usava pombos para direcionar mísseis ao alvo. E, junto a uma dedicada equipe de alunos, treinou pombos para bicar o alvo numa tela. Conforme esse alvo fosse bicado, o míssil mudava de direção até o alvo ficar em mira na tela. Como medida de precaução, eram usados três pombos, cada um com seu próprio alvo, no cone do míssil. Naturalmente, os pombos fariam apenas uma viagem. Além de construir um sofisticado protótipo, Skinner conseguiu demonstrar sua eficácia, mas os militares por fim engavetaram o projeto.[6] Apesar disso, essa experiência convenceu Skinner

---

6. Um dos responsáveis pela descontinuação do Projeto Pombo foi o físico Richard Tolman, que estava ligado ao National Defense Research Committee, o comitê de pesquisa de defesa dos Estados Unidos. Aparentemente, para Skinner, "a falta de respeito [de Richard Tolman] pela psicologia behaviorista do irmão" (Bjork, 1993, p. 123) contribuiu para o arquivamento definitivo do projeto.

de que seu behaviorismo era aplicável de uma maneira que ia muito além do laboratório. Num simpósio em 1947 sobre tendências atuais na psicologia, ele defendeu veementemente a "extensão das práticas das ciências experimentais ao mundo em geral. Podemos fazê-lo assim que o desejarmos" (citado por Capshew, 1996, p. 144).

Apesar do revés sofrido pelo Projeto Pombo, a experiência representou um incentivo para Skinner e, como está claro na citação precedente, ele mais determinado do que nunca a mostrar que a tecnologia operante poderia propiciar resultados úteis. Nas décadas seguintes, ele (a) seguiria o exemplo de Watson e se aprofundaria nas áreas do desenvolvimento infantil e da criação dos filhos, (b) questionaria a prática educacional e desenvolveria uma máquina de ensino programada para facilitar a aprendizagem — isso muito antes do desenvolvimento dos PCs — e (c) satisfaria um antigo desejo escrevendo *Walden Two* (Skinner, 1948), uma obra de ficção sobre uma comunidade utópica baseada em princípios operantes. Nós a abordaremos mais detalhadamente no *Close-Up* deste capítulo. Além disso, as ideias de Skinner foram estendidas por outros estudiosos às áreas da psicoterapia e do trabalho.

Finalmente, embora Skinner não estivesse diretamente envolvido, a tecnologia operante de fato foi aplicada a um programa de mísseis. Em pelo menos dois dos primeiros voos do programa espacial da NASA, foram enviados chimpanzés ao espaço para aprender tarefas operantes diversas. Um dos psicólogos envolvidos no projeto afirmou que "[t]odas as técnicas, programas e dispositivos de programação e registro que utilizamos, então e posteriormente, podem ser atribuídos a [Skinner] ou a seus alunos" (Rohles, 1992, p. 1.533).

CLOSE-UP:
UMA UTOPIA SKINNERIANA

Se o comportamento é controlado inexoravelmente pelas contingências do reforço, então por que não as manipular para criar pessoas felizes, úteis e produtivas? Skinner certamente não via nenhuma boa razão para não fazer isso nem tinha vergonha de defender o replanejamento da sociedade de acordo com os princípios operantes. Sua primeira tentativa de propor uma tecnologia comportamental para melhorar o mundo data de 1948, ano da publicação de *Walden Two*, a história de uma comunidade criada a partir de ideias baseadas no condicionamento operante.

Como todas as narrativas utópicas, o enredo é simples — constitui apenas o meio que permite ao autor descrever seu "admirável mundo novo". Em *Walden Two*, um professor chamado Burris visita uma comunidade rural de cerca de mil habitantes em companhia de dois ex-alunos, suas namoradas e um colega filósofo. Eles passam algum tempo em Walden Two, quase sempre na companhia de Frazier, fundador da comunidade e cicerone de plantão. O filósofo (naturalmente) mostra-se cético ao longo de todo o romance, convencido de que os habitantes da comunidade sofreram uma lavagem cerebral e estão sob o controle diabólico de Frazier. Burris a princípio também se mostra cético, mas se deixa convencer e, no fim do livro, decide abandonar o mundo acadêmico e ficar para sempre em Walden Two.

A vida em Walden Two parecia idílica. Seus habitantes podiam escolher as atividades em que trabalhariam, dentro dos limites de sua capacidade. Para fazer jus a todos os benefícios da comunidade (por exemplo, atendimento de saúde, educação e oportunidades culturais gratuitos), cada cidadão teria de obter um determinado número de créditos de trabalho por ano. As atividades menos atraentes (como coletar o lixo) recebiam mais créditos que as mais agradáveis (como cuidar dos jardins). A maioria dos habitantes podia obter todos os créditos necessários trabalhando apenas quatro horas por dia. Um conselho de seis "Planejadores" — que eram periodicamente substituídos — administrava a comunidade, auxiliado por um grupo maior de "Administradores", formado por especialistas em áreas como nutrição e puericultura, e "Cientistas", cujas pesquisas eram usadas no processo de tomada de decisões. Todos, independentemente de sua posição na comunidade, realizavam algum trabalho físico, manual ou braçal, diariamente.

A criação dos filhos em Walden Two não ficava a cargo dos pais de cada criança, pois era uma tarefa compartilhada pela comunidade. Assim como Watson, Frazier dizia que "[o] lar não é lugar para se criarem os filhos" (p. 132). Os comportamentos produtivos das crianças eram modelados pelo reforço positivo; não se usava reforço negativo. Por exemplo, as crianças aprendiam a tolerar a frustração com a exposição inicial a uma situação frustrante de pouca monta seguida de elogios por conseguir superá-la. A partir daí, eram submetidas a uma série de eventos ligeiramente mais frustrantes, desenvolvendo gradualmente sua capacidade de administrar a frustração.

Dois outros aspectos da comunidade mostram que Skinner, como todos os bons autores de utopias, se antecipou a movimentos que estavam muito longe de ocorrer de fato. O primeiro é que em Walden Two havia estrita igualdade entre os sexos, mantida por meio de um número igual de Planejadores homens e mulheres e refletida no conceito comunitário de criação dos filhos. As mulheres podiam dedicar-se a qualquer coisa que lhes interessasse. O segundo é o esforço que se verificava para proteger os recursos naturais e ambientais do entorno de Walden. Os valores da opção por uma vida simples e da proteção da terra permeiam o livro e constituem a razão para Skinner ter pensado que sua obra tinha uma relação com a obra original de Thoreau, *Walden*.

As vendas iniciais de *Walden Two* não foram muito boas. Numa época em que acabavam de sair da Segunda Guerra Mundial e entravam na guerra fria, os norte-americanos aparentemente não se interessaram por uma ideia que tinha uma aparência vagamente comunista e parecia negar a importância do espírito competitivo e da iniciativa individual. Porém as vendas aumentaram nas décadas de 1960 e 1970, época de protesto contra a guerra e o *establishment*, quando a juventude norte-americana abraçou as alternativas contraculturais ao comportamento convencional. Porém, ao mesmo tempo, o livro era controverso e foi condenado em alguns círculos, especialmente no que se refere às questões inseparáveis da liberdade e do controle do comportamento (Rutherford, 2003). Skinner deixa sua posição clara por intermédio de Frazier, que discute o problema com o filósofo:

> Se o homem for livre, então a tecnologia do comportamento é impossível. Mas o que lhe peço é que considere a situação inversa. [...] Eu nego inteira-

> mente a existência da liberdade. Preciso negá-la, senão meu programa será absurdo. Não se pode ter uma ciência que trate de um tema que mude caprichosamente o tempo todo. Talvez jamais possamos provar que o homem não é livre; é uma pressuposição. Mas o crescente sucesso da ciência do comportamento a torna cada vez mais plausível. (Skinner, 1948, pp. 241-42)
>
> Skinner repetiu essa mensagem pelo resto da vida. A liberdade de escolha é ilusória e contrária ao pressuposto de que o comportamento segue leis previsíveis e está sob o controle das contingências do reforço. Se no fim o comportamento será controlado de uma maneira ou de outra, por que então não o fazer pelo bem geral? Porém Skinner aparentemente nunca vislumbrou a importância da pergunta: "Quem controla?", à qual se aferraram os críticos, que não pouparam acusações de que *Walden Two* era um tratado totalitário no qual as pessoas eram tratadas como ratos em caixas de Skinner. Skinner argumentava que os cientistas do comportamento, dada a sua especialidade, deveriam naturalmente ter um papel de destaque no planejamento da sociedade, mas a questão de como isso poderia ser atingido numa democracia nunca foi esclarecida.

Avaliando Skinner

Ao contrário de Tolman e Hull, Skinner nunca foi eleito presidente da American Psychological Association. Sua pesquisa raramente é mencionada nas publicações convencionais da APA, como o *Journal of Experimental Psychology*. Ele atraiu vários pós-graduandos entusiastas, alguns dos quais continuaram dedicados à pesquisa operante, e espalhados em muitas universidades ainda existem redutos de seguidores, mas o behaviorismo radical de Skinner estava (e ainda está) longe de ser a linha dominante na psicologia norte-americana. Hoje em dia, poucos departamentos têm mais de um "operante" (Robinson e Woodward, 1996). Skinner estava preocupado com a longevidade do seu behaviorismo, pois temia que este se desvanecesse depois de sua morte. Já em 1974, escreveu sobre o que julgava ser "a falta de jovens condicionadores operantes" (citado por Bjork, 1993, p. 224) e a dificuldade que eles tinham para encontrar emprego a partir do instante em que a psicologia cognitiva ficou na "moda". Entretanto, não resta dúvida de que o seu impacto sobre a psicologia supera o de Tolman e Hull, assim como o da maioria dos psicólogos citados neste livro. Numa pesquisa que conduziram, Korn, Davis e Davis (1991), por exemplo, pediram a historiadores e chefes de departamento que classificassem psicólogos em termos de sua eminência. Dois grupos de classificações foram obtidos: um para os dez principais psicólogos "contemporâneos" e outro para os dez principais psicólogos de "todos os tempos". Skinner ficou em primeiro lugar entre os "contemporâneos" tanto para os chefes de departamento quanto para os historiadores; na lista de "todos os tempos", Skinner mais uma vez ficou em primeiro lugar para os chefes de departamento, embora tenha caído para oitavo na opinião dos historiadores. Embora essa classificação de Skinner possa ter sido influenciada pela proximidade de sua morte em 1990, fica claro que tanto psicólogos quanto historiadores o consideram uma das figuras de mais peso na área. O mesmo não pode ser dito de Tolman nem de Hull, que não foram incluídos em nenhuma das listas.

Ao longo desta história da psicologia moderna, vimos que os psicólogos norte-americanos sentiram-se pressionados a demonstrar que seus sistemas poderiam ser aplicados à melhoria do bem-estar geral.

Essa é uma das razões para o fracasso da psicologia titcheneriana e para o sucesso generalizado das psicologias funcional e behaviorista. Nesse aspecto, as contribuições de Skinner não encontram par na história da psicologia. Sua pesquisa inicial em Harvard, posteriormente publicada como *The Behavior of Organisms*, e seu trabalho na década de 1950, que culminou com a publicação de *Schedules of Reinforcement*, inserem-se na categoria da pesquisa básica de laboratório, mas o grosso do que escreveu consistia numa tentativa de convencer o mundo de que a análise experimental do comportamento era a única esperança para o futuro bem-estar da espécie humana. Isso, evidentemente, o torna o verdadeiro herdeiro de Watson, que também lutou muito tempo para difundir o "evangelho" do behaviorismo. Essa defesa veemente e sistemática fez de Skinner uma figura controversa,[7] mas também contribuiu para que suas ideias fossem aplicadas de muito mais formas do que as que jamais imaginariam Tolman ou Hull.

---

7. Skinner jamais titubeou em suas convicções, e sua defesa insistente levou muitos a julgá-lo arrogante, condescendente e alienado dos valores centrais dos norte-americanos. No entanto, Rutherford (2003) mostrou que as ideias de Skinner para a melhoria da sociedade às vezes estavam de acordo com os valores culturais contemporâneos e eram aplaudidas. Sua tentativa de criar um mercado, depois da Segunda Guerra Mundial, para aperfeiçoamento dos berços dos bebês, por exemplo, foi vista com simpatia por muita gente, no contexto de uma época que valorizava a aplicação dos avanços tecnológicos na melhoria da vida doméstica. Os que o conheceram quase sempre o descrevem como um homem afetuoso, atencioso, despretensioso e gentil. Além disso, Skinner estava longe de ser o cientista bitolado que se dedica ao trabalho 24 horas por dia: era leitor voraz, poeta publicado, fã de ópera e participava de um grupo de leitura dramática em Cambridge. (Smith, 1996b)

EM PERSPECTIVA: O NEOBEHAVIORISMO

O behaviorismo representa uma força poderosa na psicologia norte-americana: produziu alguns dos personagens mais famosos da psicologia (Watson e Skinner), dominou a pesquisa por várias décadas do século XX e suas aplicações continuam a difundir-se e utilizar-se nas áreas dos negócios, da educação, da psicoterapia e até da vida diária. Entretanto, é importante fazer duas ressalvas. Em primeiro lugar, o behaviorismo foi em grande medida um fenômeno norte-americano: ele não foi muito influente na Europa, por exemplo. Apesar da herança do empirismo britânico, não se formou no Reino Unido uma comunidade comprometida com a causa behaviorista e, nos demais países, o movimento teve pouco impacto. Vimos, ao discutir Thorndike e sua polêmica com Mills acerca dos métodos de laboratório (Capítulo 7), por exemplo, que os psicólogos europeus que trabalhavam com animais (como Lorenz e Tinbergen) dispunham-se muito mais que os norte-americanos a estudar o comportamento animal em seu ambiente natural, e não no laboratório. Além disso, eles estavam muito mais interessados no comportamento instintivo que no comportamento aprendido. Uma razão central para o behaviorismo ser muito mais um fenômeno norte-americano diz respeito à sua aplicabilidade. Conforme frisamos muitas vezes, o pragmatismo norte-americano influiu muito na formação da psicologia no país.

A segunda ressalva é que, embora seja verdade que o behaviorismo tenha dominado a psicologia experimental nos Estados Unidos nas décadas de 1930, 1940 e 1950, também se conduziam nos laboratórios do país outras pesquisas que tinham pouco que ver com o behaviorismo. Ao longo desses anos, as páginas das principais publicações especializadas continuaram mostrando vários artigos sobre as pesquisas cognitivas da memória, da percepção, da atenção, da linguagem e do pensamento, por exemplo. Um deles, publicado em 1935, constitui um dos mais famosos textos da psicologia: trata-se do resumo de três experimentos conduzidos por J. Ridley Stroop (1935/1992), um obscuro pós-graduando do George Peabody College, Tennessee. O "efeito Stroop" — um problema no qual a nomeação de cores é afetada pela interferência de processos automáticos de leitura (por exemplo, a palavra VERMELHO é impressa em verde e a resposta correta é "verde", e não "vermelho") — é considerado a conclusão mais replicada da psicologia (McLeod, 1992). Portanto, nem todas as pesquisas feitas no auge do behaviorismo envolviam ratos em labirintos ou pombos em caixas de Skinner.

No parágrafo de abertura de seu livro sobre a suposta revolução cognitiva de meados do século XX na psicologia, Bernard Baars (1986) observa que "geralmente se fala do behaviorismo usando o pretérito perfeito" (p. 1) e que agora poucos psicólogos continuam a classificar-se como behavioristas. Sua afirmação tem um certo grau de verdade. Como veremos no Capítulo 14, o behaviorismo com "B" maiúsculo vem declinando há algumas décadas, e a psicologia cognitiva — que voltou a proporcionar respeitabilidade científica ao estudo dos processos mentais — o vem substituindo como linha conceptual predominante na psicologia norte-americana. Porém, mesmo assim, a afirmativa de Baars é exagerada: ela deixa de lado o fato de que a pesquisa sobre a aprendizagem e o condicionamento continua a ser empreendida em praticamente todas as principais universidades dos Estados Unidos e que os princípios behavioristas continuam a embasar muitas aplicações bem-sucedidas (por exemplo, a terapia do comportamento). Mas o mais importante é que a mensagem central do behaviorismo é hoje considerada ponto pacífico por todo psicólogo que se dedica à pesquisa, e isso indica até que ponto foi a influência do movimento. Ou seja, independentemente de se considerarem "behavioristas" ou não, os pesquisadores cuidam de definir operacionalmente os conceitos psicológicos em termos comportamentais e, mesmo que estejam interessados em processos interiores, não observáveis (por exemplo, o *insight* na resolução de problemas), limitam suas provas a fenômenos comportamentais (por exemplo, as soluções para os problemas). Além disso, não conheço nenhum livro-texto de introdução à psicologia que deixe de incluir o termo "comportamento" na sua definição da psicologia. O próprio Baars reconhece isso no prefácio de seu livro, quando afirma que, no sentido que acabamos de mencionar, "somos todos behavioristas" (p. ix).

RESUMO

O BEHAVIORISMO PÓS-WATSONIANO

- Ao contrário dos relatos históricos tradicionais, a psicologia norte-americana não se tornou predominantemente behaviorista por causa do programa de Watson. É verdade, porém, que o behaviorismo começou a firmar-se na década de 1930 nos Estados Unidos em parte devido à constante propaganda de Watson, mas também devido à primeira tradução completa da pesquisa de Pavlov para o inglês.
- O positivismo lógico, que permitiu que as teorias incluíssem conceitos abstratos, contanto que estes estivessem atrelados a eventos observáveis, criou um clima propício à evolução do behaviorismo. O operacionismo, surgido na física no fim da década de 1920, também ajudou a criar um ambiente favorável para o objetivo pensamento behaviorista. As definições operacionais definem os conceitos em termos de um conjunto de operações controladas pelo observador que supostamente dão ensejo ao termo em questão (por exemplo, passar 24 horas sem comida produz fome). A segurança na generalidade do resultado de uma pesquisa aumenta quando estudos diversos, cada um dos quais com uma definição operacional ligeiramente diferente, convergem para o mesmo resultado.

- Os neobehavioristas divergiam em relação a diversas questões, mas concordavam em que (a) a continuidade entre as espécies permitia a inferência de regras gerais de comportamento a partir de espécies não humanas, (b) a compreensão do comportamento exigia o conhecimento profundo de como o organismo aprende e (c) os resultados de pesquisa deveriam ter aplicações práticas.

EDWARD C. TOLMAN (1886-1959):
UM BEHAVIORISMO INTENCIONADO

- Boa parte da pesquisa de Tolman voltava-se para a aprendizagem em labirinto, e ele investigou tanto a confiabilidade geral do labirinto como dispositivo quanto a forma como os ratos o aprendem. Segundo Tolman, o rato que aprende a sair de um labirinto não aprende uma série de relações entre estímulos e reações, mas sim um mapa cognitivo geral desse labirinto. Essa capacidade espacial pode ser demonstrada por meio de estudos sobre a aprendizagem latente — os quais comprovam que os animais estão aprendendo o labirinto mesmo que a aprendizagem não se reflita em seu desempenho antes da inclusão do reforço — e na aprendizagem pelo lugar — na qual os animais aprendem a ir até um determinado lugar mais rápido do que a apresentar uma reação específica.
- Tolman achava que todo comportamento importante era voltado para um objetivo — ou intencionado — e que a unidade de estudo deveria ser o comportamento molar, e não o molecular. Além disso, ele não julgava o reforço necessário à ocorrência da aprendizagem. Tolman desenvolveu o conceito de variável interveniente, um fator hipotético intrínseco ao organismo que intervém entre estímulo e reação e se define operacionalmente. Muitas das variáveis intervenientes do sistema de Tolman (por exemplo, a expectativa) eram cognitivas.

CLARK HULL (1884-1952):
UM SISTEMA HIPOTÉTICO-DEDUTIVO

- Apesar de ser mais conhecido por sua teoria da aprendizagem baseada em estudos com animais, Hull também investigou o desenvolvimento da aprendizagem de conceitos nos seres humanos, a testagem de aptidões e a hipnose experimental, tendo escrito uma tese de doutorado sobre o primeiro tema e livros sobre os dois últimos.
- Baseado na física newtoniana e compatível com os ditames do positivismo lógico, o sistema hipotético-dedutivo do comportamento proposto por Hull envolvia o desenvolvimento de uma teoria para a qual se criassem experimentos específicos, a fim de testar hipóteses derivadas de postulados altamente formalizados. Os resultados das pesquisas iriam então fortalecer esses postulados ou promover a sua revisão.
- A teoria da aprendizagem de Hull é uma teoria de redução de impulsos. O postulado número 4 propõe que a aprendizagem (isto é, o aumento da força do hábito) envolve uma contiguidade entre estímulo e reação seguida de reforço. Os reforçadores são estímulos que reduzem os impulsos. Eles podem ser primários — ou de base biológica (por exemplo, a comida) — ou secundários (ou seja, aprendidos por meio de associação a reforços primários).
- Hull utilizou um grande número de variáveis intervenientes, a mais importante das quais era o potencial de reação, $_SE_R$, a probabilidade de ocorrência de uma reação num dado momento. O potencial de reação seria influenciado por diversos fatores, entre os quais o impulso (D) e a força do hábito ($_SH_R$), que, para Hull, eram necessários à ocorrência do comportamento aprendido.

B. F. SKINNER (1904-1990):
UM BEHAVIORISMO RADICAL

- Skinner rejeitou as teorias mais formais de Tolman e Hull, defendendo um behaviorismo mais indutivo e descritivo, que simplesmente buscasse evidências de comportamentos que pudessem ser previstos e controlados. Ele é mais conhecido por ter desenvolvido a distinção entre o condicionamento clássico e o condicionamento operante e por ter investigado este último. Para tal, criou a caixa de Skinner, uma câmara experimental que permite o registro contínuo da frequência de uma reação (por exemplo, pressionar uma barra) por um gravador cumulativo. Os objetivos da psicologia deveriam ser a previsão e o controle do comportamento, e a compreensão do comportamento, segundo Skinner, ocorria por meio de uma análise experimental deste. O condicionamento operante se dá quando o comportamento é modelado pelas consequências imediatas: se estas forem positivas, o comportamento que se verifica num ambiente específico terá maior probabilidade de ocorrer naquele ambiente no futuro; se forem negativas, a ocorrência desse comportamento terá menor probabilidade. Os padrões de comportamento variam em função dos diversos programas de reforço.

- Skinner rejeitou o uso do que denominou ficções explanatórias: fatores hipotéticos que aparentemente explicam um fenômeno, mas na verdade só o rotulam novamente. Por conseguinte, ele criticava as explicações do comportamento que se baseavam no sistema nervoso e jamais aceitou a ideia de que a psicologia cognitiva pudesse encontrar essas explicações.

- Skinner buscava uma tecnologia do comportamento que melhorasse a criação dos filhos, a educação e a sociedade como um todo por meio de técnicas comportamentais. Em *Walden Two* ele indicou como toda uma comunidade poderia funcionar com base em princípios operantes.

QUESTÕES PARA ESTUDO

1. Descreva o "mito" da revolução behaviorista.
2. Descreva os eventos da década de 1920 que abriram caminho para que o neobehaviorismo se tornasse dominante nos anos de 1930.
3. Explique como o positivismo lógico, aliado ao operacionismo, lidou com a questão do estudo objetivo de fenômenos abstratos não observáveis como, por exemplo, a fome.
4. Dê um exemplo que mostre que você sabe o que é uma definição operacional e explique a importância do uso desse tipo de definição na pesquisa em psicologia.
5. Havia um certo consenso entre os neobehavioristas em relação a diversos problemas. Descreva quais.
6. Descreva a influência (a) da psicologia da Gestalt e (b) de Edwin Holt sobre a teoria da aprendizagem de Tolman.
7. Defina uma variável interveniente e dê exemplos que mostrem como o conceito foi usado por (a) Tolman e (b) Hull.
8. Descreva o estudo de Tolman sobre a aprendizagem latente e explique o que ele pensava que esse estudo demonstrava no que se refere ao papel do reforço na aprendizagem em labirinto.
9. Descreva a pesquisa de Tolman sobre os mapas cognitivos e mostre como essa pesquisa se enquadra em sua teoria da aprendizagem.
10. Descreva o experimento que Tolman realizou com a aprendizagem pelo lugar e explique a sua importância.
11. Descreva a tese de doutorado de Hull sobre a aprendizagem de conceitos e mostre de que modo ela se relaciona à sua posterior teoria da aprendizagem.
12. Descreva como se conduz uma pesquisa de cunho hipotético-dedutivo.
13. Descreva o postulado 4 de Hull.
14. Qual era a importância do potencial de reação na teoria de Hull e qual a importância de a relação entre o impulso e a força do hábito ser multiplicativa, em vez de aditiva?
15. Explique por que, apesar de ter sido uma figura de peso na psicologia norte-americana nas décadas de 1940 e 1950, Hull hoje está praticamente esquecido.
16. Descreva a influência de *Sir* Francis Bacon sobre as ideias de B. F. Skinner.
17. Em que a abordagem da ciência proposta por Skinner diferia da de Hull e da de Tolman?
18. O que distingue o condicionamento do Tipo S do condicionamento do Tipo R?
19. O que Skinner queria dizer com "análise experimental do comportamento"?
20. Descreva o risco que Skinner via nas ficções explanatórias. Use um exemplo.
21. Descreva como Skinner aplicou o pensamento operante a seu romance utópico, *Walden Two*.
22. Escreva um breve ensaio que conecte os dois seguintes conceitos: ideal tecnológico e Projeto Pombo.
23. Em seu livro sobre a história da psicologia cognitiva, Baars concluiu que "somos todos behavioristas". Explique.

LEITURA SUPLEMENTAR

BJORK, D. W. (1993). *B. F. Skinner: A life*. Nova York: Basic Books.

Biografia de Skinner concisa e de fácil leitura. Não detalha muito a pesquisa de Skinner nem a de outros cientistas operantes, mas aborda de excelente maneira o início de Skinner como cientista operante e sua cruzada em favor de uma engenharia do comportamento.

BORING, E. G., LANGFELD, H. S., WERNER, H. e YERKES, R. M. (orgs.), *A history of psychology in autobiography, Vol. 4*. Worcester, MA: Clark University Press.

Parte de uma série de autobiografias. O Volume 4 apresenta interessantes capítulos autobiográficos escritos por Hull (143-62) e Tolman (323-39).

DELPRATO, D. J., E MIDGLEY, B. D. (1992). Some fundamentals of B. F. Skinner's behaviorism. *American Psychologist, 47*, 1507-1520.

Boa introdução aos princípios essenciais da psicologia de Skinner, destinada a esclarecer alguns mal-entendidos acerca de sua obra. Trata-se de um dos 25 artigos sobre Skinner publicados no número especial de novembro de 1992 do American Psychologist.

MALONE, J. C. (1991). *Theories of learning: A historical approach*. Belmont, CA: Wadsworth Publishing Company.

Contém descrições minuciosas das principais teorias da aprendizagem, a partir de um ponto de vista histórico. Além das de Tolman, Hull e Skinner, o livro aborda outras importantes teorias da aprendizagem (como as de Thorndike, Pavlov, Watson e Guthrie).

SMITH, L. D., E WOODWARD, W. R. (1996). *B. F. Skinner and behaviorism in American culture*. Bethlehem, PA: Lehigh University Press.

Volume editado por dois eminentes historiadores da psicologia que contém quatorze capítulos organizados com base nos seguintes tópicos: "Skinner como filósofo social", "Skinner como cientista", "O mundo pessoal de Skinner" e "A diversificação e ampliação do behaviorismo".

CAPÍTULO 12
A DOENÇA MENTAL E SEU TRATAMENTO

> Eu gostaria de formular o que vimos até aqui da seguinte maneira: nossos pacientes histéricos sofrem de reminiscências. Seus sintomas são resíduos e símbolos mnemônicos de certas experiências (traumáticas).
> — Sigmund Freud, 1909

VISÃO GERAL E OBJETIVOS DO CAPÍTULO

Quando começam a explorar a psicologia, os alunos sempre associam o campo ao diagnóstico e tratamento da "doença mental". Naturalmente, eles logo descobrem que a psicologia é uma disciplina muito mais ampla. Num curso introdutório normal, eles têm de ler mais ou menos uma dezena de capítulos sobre tópicos como o cérebro e o comportamento, a percepção, a aprendizagem e a cognição antes de chegar aos capítulos que tratam das psicopatologias e seu tratamento. Do mesmo modo, a maioria das histórias da psicologia (inclusive esta) concentra-se em mostrar como a disciplina começou a aplicar métodos científicos a questões filosóficas antiquíssimas e como se desenvolveu como "ciência" no ambiente acadêmico. Contudo, nenhuma história da psicologia pode ser completa se não descrever, ainda que rapidamente, as diversas maneiras pelas quais a psicopatologia foi concebida e tratada ao longo dos anos. A maior parte deste capítulo é dedicada a Sigmund Freud e à criação e promoção da psicanálise, nome por ele dado tanto à sua teoria da personalidade quanto ao seu método de tratar os distúrbios da personalidade. Analisaremos as origens e a evolução de alguns de seus conhecidos conceitos. Porém, antes da discussão sobre Freud, o capítulo analisa alguns dos primeiros conceitos de doença mental e diversas tentativas de reforma das instituições dedicadas a seu tratamento, além de abordar brevemente a intrigante história da hipnose.

A parte final deste capítulo trata dos primórdios da psicologia clínica nos Estados Unidos, desde suas modestas origens até os anos imediatamente anteriores à Segunda Guerra Mundial. Seu desenvolvimento no pós-guerra, quando se tornou uma das principais forças na psicologia, será discutido no Capítulo 13. Ao contrário da psicanálise, que surgiu num contexto médico, a psicologia clínica numa de suas primeiras manifestações surgiu no ambiente de laboratório que caracterizava a nova psicologia do fim do século XIX. Pioneiros como Lightner Witmer adaptaram os procedimentos de laboratório existentes e criaram outros, visando diagnosticar e tratar crianças cujos problemas afetavam seu desempenho escolar. A moderna psicologia clínica tem suas origens nessas primeiras clínicas e nos movimentos da higiene mental e da testagem mental do início do século XX. Depois da conclusão deste capítulo, você deve ser capaz de:

- Mostrar como o pensamento iluminista influiu nas reformas do tratamento dos doentes mentais propostas por Pinel
- Descrever o "tratamento moral" adotado por Pinel e Tuke
- Descrever a abordagem médica do tratamento, conforme proposta inicialmente por Rush
- Explicar por que Itard achou que poderia reabilitar "Victor" e descrever o resultado de sua tentativa
- Descrever as tentativas de reforma de Dix e Beers e os resultados do seu trabalho
- Descrever os esforços iniciais de Kraepelin para classificar e diagnosticar a doença mental
- Descrever a abordagem adotada por Mesmer no tratamento da histeria e explicar por que ela às vezes era bem-sucedida
- Contrastar as teorias da hipnose propostas por Liebeault e Bernheim e por Charcot
- Descrever o mito de Freud e mostrar como foi promovido
- Mostrar como o pensamento materialista e evolucionista influiu nas ideias de Freud
- Descrever e criticar a análise tradicional do caso de Anna O. e explicar o que Freud achava que havia aprendido com ele
- Apontar as características essenciais da teoria da personalidade de Freud e descrever sua evolução ao longo dos anos
- Descrever as alternativas à teoria psicanalítica proposta por Adler e Jung
- Analisar criticamente a contribuição de Freud para a psicologia
- Resumir a contribuição de Witmer para a psicologia clínica e explicar por que ele é também considerado um pioneiro da psicologia escolar
- Descrever o estado da psicologia clínica nos anos anteriores à Segunda Guerra Mundial

OS PRIMEIROS TRATAMENTOS DA DOENÇA MENTAL

Toda sociedade precisa enfrentar a necessidade de lidar com as pessoas cujos processos de raciocínio, emoções e comportamento se caracterizam como desvios da norma. Segundo a maior parte dos registros históricos, essas pessoas, tão diferentes de "nós", provocaram muitas vezes medo e ódio e foram tratadas de maneira inumana. Ao julgá-las nefastas ou possuídas pelo demônio, a voz corrente as condenava a torturas e à morte, na fogueira ou por afogamento, tratamento reservado aos "feiticeiros" e "bruxos". Quando isso não acontecia, esses indivíduos ou eram tachados de moralmente deficientes e perniciosos à sociedade por suas transgressões ou eram considerados um estorvo irremediável que precisava ser afastado das pessoas de bem. E, assim, eles poderiam ser trancados num quarto ou acorrentados a uma parede para sempre, por exemplo — o que os olhos não veem, o coração não sente. Por outro lado, o quadro nem sempre foi tão funesto como o pintado na maioria das histórias da doença mental (por exemplo, Zilboorg, 1941). Já na Idade

Média — época em que a demonologia era uma hipótese concorrente — havia tratados que atribuíam causas biológicas plausíveis à doença mental, e cada vez mais encontram-se evidências de que os insanos eram muitas vezes tratados com compaixão em suas comunidades e por meio da intervenção governamental organizada (Neugebauer, 1978; Kroll, 1973). Porém, como é o caso também hoje em dia, o tamanho da comunidade e o *status* socioeconômico eram importantes fatores na previsão do tipo de atendimento. Os pobres, em especial os que viviam nas áreas mais populosas, recebiam o pior tratamento, se é que recebiam algum tipo de ajuda.

A Reforma "Iluminada": Pinel, Tuke, Rush e Itard

Entre o fim do século XVIII e o início do século XIX, houve várias tentativas de melhorar o tratamento dos doentes mentais, todas elas produto dos últimos anos do Iluminismo, uma época que "lançou luz sobre os recônditos mais obscuros da mente humana" (Appleby, Hunt e Jacob, 1994, p. 36). Como vimos no Capítulo 3, o que marcou o pensamento iluminista foi a crença nas ideias de progresso e reforma e a fé na capacidade da ciência de melhorar a sociedade. Foi esse tipo de pensamento que contribuiu para promover revoluções políticas tanto na França quanto nos Estados Unidos e para elevar a "ciência", o motor do progresso, ao *status* de religião. Nesse contexto, a doença mental passou a ser vista em termos naturalísticos como de origem biológica e passível de tratamento.

O mais conhecido reformista dessa época foi o médico francês Phillipe Pinel (1745-1826), que instituiu reformas humanitárias em Paris, primeiro em 1793, no hospício de Bicêtre (masculino), e depois em 1795, no de Salpêtrière (feminino). A ação mais radical de Pinel foi a remoção das correntes de pacientes que haviam estado presos a elas, em alguns casos, por anos.

Embora se tenha mostrado (veja, por exemplo, Weiner, 1979, citado por Micale, 1985) que o número de pacientes liberados foi relativamente pequeno (cerca de 15% da população total dos hospícios) e que, na maioria dos casos, as correntes simplesmente foram substituídas por formas mais modernas e "humanitárias" de restrição, Pinel de fato merece o crédito por ter levado o conceito de reforma às instituições de tratamento mental. Seu programa — que ele chamou de *traitement moral* ("tratamento moral") — trazia melhoras na nutrição, higiene e condições gerais de vida dos pacientes, além de uma forma precursora de modificação de comportamento que utilizava recompensas e punições para organizar um pouco a sua vida. Ocorrendo no contexto da Revolução Francesa, a atuação de Pinel constitui um exemplo da abordagem "esclarecida" da doença mental e um ataque às instituições associadas à repressão da liberdade. Suas reformas reuniam a fé iluminista no progresso e o desejo revolucionário de libertar os oprimidos.

Enquanto Pinel promovia mudanças na França, reformas semelhantes ocorriam na Inglaterra sob a liderança de William Tuke (1732-1822). Tuke, um quacre que comercializava chá, estava disposto a ajudar os desvalidos (a Society of Friends também liderou o movimento antiescravagista) e especialmente os quacres que sofriam de doenças mentais. Em 1792, um ano antes de Pinel assumir a direção de Bicêtre, Tuke fundou o York Retreat, no norte da Inglaterra, para tratamento humanitário dos insanos. Situado em ambiente rural e projetado para parecer-se mais com uma fazenda que com uma prisão, o retiro tinha um programa de tratamento cujo espírito era semelhante ao do adotado por Pinel. Os pacientes que se comportavam bem tinham mais liberdade de movimento e podiam receber mais visitas e ganhar mais oportunidades de trabalho e recreação. Os que não se comportavam bem ou perdiam o controle, por sua vez, eram punidos, em geral com o isolamento dos demais pacientes, mas às vezes também podiam ser amarrados às camas (Bell, 1980). O fato de ter origens religiosas na Society of Friends implicava que o York Retreat e sua filosofia de tratamento seriam conhecidos por quacres de outras partes do mundo que estivessem motivados pelas mesmas intenções reformistas. Segundo Grob (1994), o retiro de Tuke em York tornou-se um modelo para pelo menos metade dos hospitais-hospício privados criados nos Estados Unidos nos primeiros 25 anos do século XIX.

Aquele que detém o crédito por ter sido o primeiro a abordar cientificamente o tratamento da doença mental nos Estados Unidos é Benjamin Rush (1745-1813), diretor geral de saúde pública dos confederados da Revolução Americana e um dos que assinaram a Declaração de Independência. Ele tem sido considerado o "pai" da moderna psiquiatria, em grande parte graças a *Medical Inquiries and Observations upon the Diseases of the Mind*, livro que foi editado cinco vezes entre 1812 e 1835. Um dos poucos "médicos" da época que de fato tinham formação universitária em medicina,[1] Rush tornou-se um defensor da crença então comum de que muitas doenças decorriam de problemas no sangue e no sistema circulatório. De acordo com essa crença, o remédio era a remoção do sangue doente ou excessivo, e assim Rush promovia a **sangria** como cura de uma ampla gama de doenças, entre as quais as doenças mentais, que atribuía à "hipertensão nos vasos sanguíneos do cérebro" (Bell, 1980, p. 9). Para reduzir a tensão, portanto, era preciso abrir veias e eliminar uma parte do sangue até que o doente ficasse mais tranquilo. A técnica costumava funcionar para acalmar temporariamente os pacientes mais violentos, provavelmente porque, com menos alguns litros de sangue, esses infelizes ficavam fracos demais. Rush relata o caso de um paciente violento ao qual foram aplicadas 47 sangrias, totalizando a perda acumulada de entre onze e quatorze litros de sangue. Esse paciente por fim teve alta, voltou ao convívio da comunidade e escreveu um testemunho elogiosíssimo no qual agradecia a Rush pela terapia, mas pouco depois sofreu uma recaída e enforcou-se (Bell, 1980).

Além das sangrias, Rush tratava os pacientes com dois dispositivos que criou para acalmar a circulação sanguínea. O *girador* era uma prancha rotatória na qual o paciente era girado rapidamente para que o sangue fosse redistribuído para a cabeça. O *tranquilizador*, mostrado na Figura 12.1, era uma cadeira com tiras para amarrar braços e pernas e uma espécie de caixa para prender a cabeça. Com a eliminação dos movimentos, o objetivo era reduzir a pulsação. Ambos os aparelhos foram adotados como padrão pelos hospícios pós-revolucionários e, embora

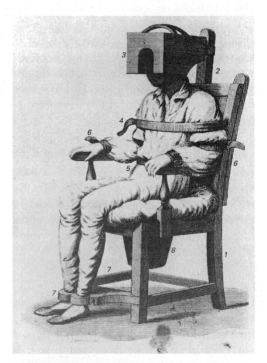

FIGURA 12.1 O tranquilizador criado por Benjamin Rush para conter e "acalmar" os doentes mentais agitados (ilustração extraída de Bell, 1980).

---

1. Essa formação incluía uma passagem pela universidade de Edimburgo, na Escócia. Conforme mencionado no Capítulo 5, Edimburgo era o principal centro de formação em medicina do Reino Unido, local onde se deu a tentativa frustrada de Darwin de tornar-se médico.

hoje nos pareçam cruéis e estranhos, refletiam na época uma ideia nova e importante: a de que os doentes mentais poderiam melhorar com a terapia.

O francês Jean Itard (1775-1838) foi contemporâneo de Pinel e, como este, estava interessado na reforma. Porém, no caso de Itard, o interesse maior estava no que era então chamado de deficiência mental, em vez de doença mental. Embora seu principal ofício tenha sido o de professor de surdos, Itard ficou famoso pela tentativa corajosa, embora vã, de domesticar um jovem que a história conhece pelo nome de Victor, o assim chamado "garoto selvagem de Aveyron". Com cerca de 12 anos de idade quando foi encontrado em 1799, Victor obviamente tinha sido abandonado pelos pais e, apesar disso, conseguido sobreviver sozinho no bosque por tempo indeterminado. Além de imundo e subnutrido, o garoto aparentemente não conhecia a linguagem falada. Depois de ter sido rapidamente examinado e considerado um "idiota incurável" por Pinel (Humphrey, 1962, p. vii), Victor foi acolhido por Itard, que — com a atitude iluminista de considerar que mesmo os mais retardados poderiam melhorar com um treinamento de base científica — assumiu a tarefa de educá-lo e escrever sobre seu caso em *The Wild Boy of Aveyron* (Itard, 1801/1962). Durante dois anos, o paciente Itard tentou socializar Victor e ensiná-lo a falar. Embora tenha se apegado a Itard e conseguido executar tarefas simples, o garoto jamais pôde cuidar sozinho de si mesmo. Quanto à linguagem, embora tivesse demonstrado compreender algumas ordens e conseguisse imitar palavras e frases curtas, Victor nunca conseguiu usar a língua de uma maneira produtiva (Candless, 1993). O relato de Itard acerca do modo como Victor ganhou esse nome dá uma ideia dos desafios do pobre garoto:

> Um dia, quando ele cozinhava batatas na cozinha, duas pessoas tiveram uma discussão feia por trás de suas costas sem que ele aparentemente percebesse nada. Uma terceira chegou de repente e, entrando na discussão, iniciou todos os seus apartes com as palavras: "Oh, isso é diferente". Percebi que toda vez que essa pessoa dizia sua escapatória favorita — o "Oh!" —, o *selvagem de Aveyron* virava rapidamente a cabeça. Naquela noite, quando ele foi dormir, fiz alguns experimentos com esse som e obtive praticamente os mesmos resultados. Usei todos os outros sons simples conhecidos como vocálicos sem o menor sucesso. Sua preferência pelo "O" obrigou-me a dar-lhe um nome que terminasse com essa vogal. Escolhi Victor. Esse continua sendo seu nome e, quando é dito, ele raramente deixa de virar a cabeça ou correr para quem o pronuncia. (Itard, 1801/1962, pp. 28-9, itálico no original)

Embora Itard não tenha julgado o caso de Victor especialmente encorajador, seu assistente, Edouard Seguin (1812-1880), continuou a trabalhar com o garoto. Apesar de tampouco ter tido muito sucesso, Seguin convenceu-se de que, pelo menos, Victor estava numa situação melhor que a de antes e parecia relativamente feliz. Esse desfecho levou Seguin a dedicar a vida ao cuidado e treinamento dos retardados mentais, fato que o coloca entre os pioneiros dessa área. Algumas de suas técnicas, principalmente as que dizem respeito à manipulação de objetos de formas diferentes, foram posteriormente adotadas por Maria Montessori quando criou seus métodos de treinamento educacional.

A Reforma dos Manicômios: Dix e Beers

Nas primeiras três décadas do século XIX, foram fundados nos Estados Unidos vários manicômios privados baseados na influência reformista de homens como Pinel e Tuke. Porém, como eram particulares, raramente ficavam superlotados e os pacientes geralmente tinham boa situação econômica. Por exemplo, o McLean Asylum de Belmont (perto de Boston), uma das primeiras dessas instituições, abrigava em média cinquenta pacientes por ano em seus primeiros de dezenas de anos de existência e tinha aproximadamente dois funcionários por paciente (Beam, 2001). Seu programa de tratamento moral era progressivo, baseado no modelo de York, e enfatizava a realização de atividades terapêuticas ao ar livre (jardinagem, por exemplo). McLean parecia mais um *campus* universitário que uma instituição de tratamento mental, com vários prédios construídos num parque segundo projeto de Frederick Law Olmstead, idealizador do Central Park de Nova York. Já os mentalmente insanos que eram pobres, por sua vez, quando não eram largados pelas famílias e vagavam pelo interior do país, geralmente acabavam em prisões ou asilos de caridade. Porém, à medida que a população do país aumentava — e, principalmente, à medida que as áreas urbanas cresciam —, o número de pacientes de doenças mentais crescia proporcionalmente e a necessidade de apoio público tornou-se cada vez mais evidente. A reação foi a criação de grandes manicômios financiados pelo estado que, embora destinados tanto aos ricos quanto aos pobres, acabaram abrigando principalmente a estes últimos. A Figura 12.2*a*, um postal do manicômio aberto em 1877 em Worcester, Massachusetts, dá uma ideia do tamanho desses manicômios. Esse hospício é um exemplo clássico do "padrão Kirkbride": um prédio administrativo central com grandes anexos laterais, os de um lado para os homens e os do outro para mulheres (Grob, 1983). Os pacientes de melhor comportamento tendiam a ser colocados perto do centro, ao passo que os mais "excitáveis" geralmente eram alojados mais longe. A Figura 12.2*b* mostra uma planta típica desses estabelecimentos. Os manicômios geralmente situavam-se nas áreas rurais e/ou nos centros geográficos dos estados (ou seja: eram igualmente acessíveis a todos os cidadãos, mas também não "davam na vista") e, como quase sempre abrigavam os desvalidos, logo estavam precisando de verbas, superlotados e mais sujos do que a imaginação possa alcançar. E, em vez de terapia, representavam prisão.

(a)

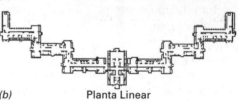

(b) Planta Linear

FIGURA 12.2 (a) Antigo cartão postal do manicômio inaugurado em 1877 em Worcester, Massachusetts. Posteriormente transformado no Worcester State Hospital, foi cenário de um grande incêndio em 1991 e hoje está abandonado. (b) Planta baixa do "padrão Kirkbride". O manicômio de Worcester baseava-se exatamente nesse tipo de projeto.

A melhoria do tratamento fornecido nesses manicômios foi objeto de enérgica campanha liderada por Dorothea Dix (1802-1887). Dix (Figura 12.3) foi uma educadora da Nova Inglaterra que, preocupada com os menos afortunados, decidiu investigar as condições em que eram tratados os que estavam abrigados nas instituições públicas. Em Massachusetts, em 1841, ela deu início a uma visita de inspeção que durou dezoito meses às prisões, hospitais, asilos e qualquer outro tipo de estabelecimento estatal que pudesse abrigar os doentes mentais pobres. O que ela encontrou foi um nível alarmante de abuso e negligência, com os doentes sendo tratados pior que animais. Muitas vezes acorrentados às paredes de cubículos sem aquecimento e cheios de excrementos, mal vestidos e mal alimentados, eles eram geralmente tratados a surras e abandonados. Ao voltar para casa, ela escreveu uma feroz acusação ao sistema e não mediu palavras para descrever o que havia visto. Sua denúncia foi levada ao legislativo de Massachusetts e promoveu o início de uma série de reformas, entre as quais o aumento das verbas para melhoria do manicômio público estadual de Worcester. Esse sucesso levou-a a fazer o mesmo em outros estados, primeiro visitando sistematicamente as instituições e depois apresentando uma exposição longa e detalhada. Em 1848, à exceção da Carolina do Norte, Texas e Flórida, sua campanha havia atingido todos os estados. Dix viajou quase cem mil quilômetros, tendo observado ao longo do caminho "mais de nove mil idiotas, epilépticos e insanos [...] desprovidos de proteção e atendimento apropriados" (Dix, 1848, citada por Viney, p. 22). Seus esforços contribuíram para a criação de 47 hospitais e escolas para os mentalmente deficientes (Viney e Zorich, 1982). Embora, com os anos, muitas dessas instituições tenham crescido a um ponto que impede a eficácia de qualquer tratamento, voltando no século XX a apresentar problemas de superpopulação e abuso, sua defesa dos doentes mentais pobres melhorou radicalmente a vida dessas pessoas. Que ela tenha conseguido o que conseguiu tendo em vista a sua saúde precária (provavelmente sofria de tuberculose), as difíceis condições de viagem e a crença vigente de que não valia a pena dar ouvidos às mulheres é simplesmente extraordinário.

Assim como outros reformistas do século XIX, Dorothea Dix empenhou-se em melhorar o tratamento daqueles que já eram doentes mentais e viviam em instituições. Muitas vezes, mesmo nas circunstâncias mais favoráveis, essa melhoria se limitava às condições de vida de pessoas condenadas a passar a maior parte de seus dias ou toda a sua vida nesses lugares. Porém, logo após a virada do século, teve início outro movimento de reforma que se baseava na ideia de que (a) a doença mental poderia ser curada e (b) até mesmo evitada, com tratamento adequado. Encabeçado por Clifford Beers (1876-1943), ele foi chamado de movimento da Higiene Mental. Como ex-paciente de uma instituição de tratamento mental, Beers estava mais do que qualificado para discutir a questão. Depois de formar-se em Yale, começara a trabalhar numa empresa de seguros de Nova York. Aparentemente tudo ia bem — até que uma tentativa de suicídio, seguida de um ano de depressão, o levou à primeira das três instituições de tratamento mental onde viveria por mais de três anos. Depois de receber alta da terceira em 1903, ele compilou as anotações que escrevera num livro que descrevia o que era a vida de um paciente mental hospitalizado. *A Mind That Found Itself*, lançado em 1908, tinha como prefácio uma carta de William James, que havia lido o manuscrito e quis prestar seu apoio à causa de Beers. Embora na época já houvesse outros relatos sobre a vida nas instituições de tratamento mental, o livro de Beers teve impacto especial pelo fato de seu autor ter passado por essa terrível experiência. Beers criticou os psiquiatras que encontrara, julgando-os em geral incompetentes e demasiado dispostos a recorrer a medidas punitivas, mas reservou as acusações mais graves aos atendentes responsáveis pelo funcionamento diário das

FIGURA 12.3 Dorothea Dix, ativista da reforma do sistema de saúde mental (extraída de Viney, 1996).

alas psiquiátricas. Documentando os constantes abusos verbais — e, ocasionalmente, também físicos — sofridos, ele exigia melhores condições gerais e treinamento profissional para os atendentes.

E, já que Beers havia vivido em instituições de tratamento mental e sobrevivido para contar a experiência, o livro tinha outra mensagem: a doença mental tinha cura. Essa era uma ideia importante, tendo em vista que, na época, a comunidade médica geralmente achava que não havia muita esperança para os pacientes que viviam nessas instituições. Em 1909, Beers fundou o National Committee for Mental Higiene, uma comissão de âmbito nacional dedicada ao fomento da prevenção, e passou o resto da vida informando o público de suas opiniões acerca da doença mental, promovendo programas de incentivo à saúde mental e fazendo campanhas pela criação de clínicas de higiene mental (Williams, Bellis e Wellington, 1980).

O progresso no tratamento da doença mental implica necessariamente o aperfeiçoamento do seu diagnóstico. Talvez você já tenha ouvido falar do DSM-IV, a quarta edição da classificação dos transtornos mentais da American Psychiatry Association. Seja como for, com o *Close-Up* deste capítulo, você poderá ter uma ideia melhor da evolução do tema (que, inclusive, tem uma relação com Wundt).

CLOSE-UP
O DIAGNÓSTICO DA DOENÇA MENTAL

Como você deve ter visto em seu curso de psicologia geral — ou num curso de psicologia do anormal —, uma das mais valiosas ferramentas para os psiquiatras e psicólogos clínicos é o DSM-IV, abreviatura de *Diagnostic and Statistical Manual of Mental Disorders*, atualmente em sua quarta edição (1994). Ele possui descrições detalhadas dos sintomas dos diversos distúrbios, com base em pesquisas realizadas ao longo de décadas. Enciclopédico, com dezessete amplas categorias divididas em mais de quatrocentas subcategorias de diagnóstico psiquiátrico e quase novecentas páginas, o DSM-IV é apenas a mais recente de uma longa série de tentativas de categorizar a doença mental. O médico alemão Emil Kraepelin (1856-1926) foi responsável por um dos principais avanços na área. Aparentemente, ele utilizou o que aprendera no laboratório de Wundt para delimitar com clareza o distúrbio que denominou *demência precoce*, hoje conhecido como esquizofrenia.

Kraepelin formou-se em medicina pela Universidade de Würzburg em 1878, com especialização em psicologia. Enquanto fazia residência em psiquiatria em Munique, ouviu falar do laboratório de psicologia que acabava de ser inaugurado em Leipzig e viajou para lá em 1882, a fim de ver de perto o laboratório de Wundt. Embora estivesse envolvido em diversos projetos de pesquisa nos dois anos que passou em Leipzig, ele não fez doutorado com Wundt. Depois de vários empregos temporários em manicômios e universidades na década de 1880, em 1890 ele teve sua grande chance: um convite para ser professor de psiquiatria da clínica da Universidade de Heidelberg. Prestigiosa, a clínica forneceu a Kraepelin um bom número de pacientes, permitindo-lhe iniciar um processo de triagem em diversas categorias, em parte baseadas em sintomas, mas principalmente nos desfechos (prognósticos) que poderiam ser esperados. Ele ficou conhecido pelas numerosas fichas que guardava, uma por paciente, nas quais anotava os detalhes de cada caso, desde as informações obtidas na admissão até o resultado final. Kraepelin permaneceu em Heidelberg por treze anos, encerrando sua carreira como psiquiatra em Munique como diretor da clínica da universidade de lá.

Kraepelin começou a criar um esquema de classificação das doenças mentais em 1883, e seu "livro-texto" chegou a nove edições, a última das quais um ano após sua morte. Ao que tudo indica, o principal objetivo de sua primeira classificação, publicada quando ele tinha apenas 27 anos, era obter algum dinheiro para poder casar-se. Apesar de ter sido às vezes descrita como um "breve compêndio sem nenhum mérito especial" (Shorter, 1997, p. 102), na verdade tinha quatrocentas páginas e serviu para firmar o nome de Kraepelin. Na época de sua morte, a nona edição havia chegado a dois volumes e tinha 2.425 páginas (Menninger, 1963).

A sexta edição, publicada em 1899, é a mais conhecida. Nela Kraepelin identificou treze categorias de doenças mentais, que iam desde as relativamente moderadas, de prognóstico promissor (por exemplo, a "neurose do pânico"), até as mais graves. Entre estas, as mais sérias eram as que ele denominou psicose maníaco-depressiva e demência precoce (Havens, 1965). Embora a mania e a depressão já fossem conhecidas havia algum tempo e os "estados circulares" também já tivessem sido descritos, Kraepelin foi quem forneceu a primeira descrição ampla do que hoje conhecemos como distúrbio bipolar. Porém, foi a descrição da **demência precoce** (*dementia praecox*) que o levou à fama. Ele escolheu o termo para indicar que esse debilitante distúrbio mental tendia a surgir relativamente cedo, em geral no fim da adolescência. Entre os sintomas, estavam "distúrbios de apreensão, [...] orientação, [...] atenção, [...] memória, [...] raciocínio, [...] julgamento, [...] afetividade, [...] volição" e "alucinações" (Kraepelin, citado por Sahakian, 1968, p. 323). Observe que vários desses sintomas refletem os tipos de processo cognitivo que ele havia aprendido quando estudava no laboratório de Wundt. Para Kraepelin, uma das características mais evidentes da demência precoce era a incapacidade de concentrar a atenção, e nisso sua teoria é semelhante às atuais teorias da atenção com que se aborda o distúrbio. Ele argumentava que os processos de raciocínio dos que padeciam desse mal careciam da capacidade aperceptiva normalmente presente nas pessoas e que sua capacidade de atenção é seriamente limitada. Enquanto as pessoas normais conseguem concentrar a atenção e conduzir sua atividade mental por caminhos coerentes (ou seja, elas podem *aperceber*, para usar o termo de Wundt), as que sofrem de demência, não. Por conseguinte, sua atividade mental se assemelha a associações aleatórias. Isso explica um dos sintomas mais comuns: as sequências de frases incoerentes (a "salada de palavras") que geralmente se verificam entre os portadores do distúrbio.

Kraepelin acreditava também que o prognóstico para esse tipo de demência era tão ruim que praticamente tornava impossível qualquer esperança de recuperação. Porém, esse prognóstico fatalista não demorou a ser contestado por psiquiatras que apresentaram casos em que houve melhora. Um deles foi Eugene Blueler (1857-1939), que rebatizou o distúrbio como *esquizofrenia*, termo usado até hoje.

> Mas Kraepelin não estava interessado apenas na demência precoce — uma forma de deterioração mental. Ele investigou também uma forma de demência que surgia misteriosamente em adultos de meia-idade e era muito parecida à apresentada pelos que são muito velhos. Essa demência prematura foi posteriormente estudada em profundidade por um grande amigo e colega de Kraepelin em Heidelberg, Aloys Alzheimer (1864-1915), cujo nome foi dado a essa terrível doença.

O MESMERISMO E A HIPNOSE

Enquanto ocorriam diversas reformas no tratamento das doenças mentais, filósofos, psicólogos e médicos tentavam desenvolver teorias acerca das causas das doenças mentais e das características que as definiam, além de métodos para seu tratamento. Conforme vimos anteriormente, as sangrias eram uma prática médica comum no fim do século XVIII e início do século XIX e, em vários manicômios particulares, eram adotadas diversas formas de "tratamento moral" para manipular o comportamento por meio de recompensas e castigos. E, como veremos em breve, uma nova abordagem no tratamento psicológico se popularizou quando Freud desenvolveu a psicanálise. Porém, primeiro iremos preparar o cenário para a entrada de Freud descrevendo rapidamente a história da hipnose, uma técnica que Freud aprendeu em Paris e usou por um breve período, antes de decidir-se por outros procedimentos. As origens da hipnose remontam a um excêntrico médico vienense que criou uma terapia ocasionalmente eficaz, com base na ideia de que a doença, fosse mental ou não, era resultante do mau alinhamento de forças magnéticas na pessoa afligida.

O Mesmerismo e o Magnetismo Animal

O início da carreira de Franz Anton Mesmer (1734-1815) foi bastante convencional. Ele diplomou-se em medicina pela prestigiosa Universidade de Viena em 1766, e logo em seguida montou um próspero consultório. Por meio de um casamento afortunado, entrou para as mais altas rodas sociais de Viena e travou amizade, entre outros, com o jovem compositor Wolfgang Amadeus Mozart. Por ser cientista, Mesmer estava a par dos avanços correntes e tinha especial curiosidade em relação à recente descoberta de forças como a eletricidade e o magnetismo. Aos poucos, ele convenceu-se de que as forças magnéticas afetavam diretamente os seres humanos e de que a boa saúde decorria de seu devido alinhamento interno. Se essas forças estivessem mal alinhadas, o resultado seria a má saúde (física ou mental). Se imaginarmos os efeitos da tentativa de juntar os polos positivos de dois ímãs, teremos uma ideia do conceito de doença de Mesmer. As doenças resultavam da desarmonia entre forças que se opunham. Portanto, a cura exigia o ordenamento dessas forças no corpo. Mesmer descobriu que era possível ajudar muitos de seus pacientes, principalmente os que sofriam de distúrbios de origem psicológica, prescrevendo-lhes remédios que continham altas doses de ferro e, em seguida, passando ímãs sobre seus corpos. Os pacientes então entravam num "estado de crise", uma espécie de transe, e, ao sair dele, verificavam que sua saúde havia melhorado. Mesmer denominou sua teoria da doença e da cura de **magnetismo animal**. Embora não o soubesse, sem querer, ele havia demonstrado o poder da sugestão sobre o comportamento humano e descoberto aquilo que mais tarde seria rebatizado como hipnose.

Mesmer logo descobriu que podia produzir a cura sem utilizar os ímãs. Convencido de possuir ele mesmo poderes magnéticos, abandonou os ímãs e começou a tratar os pacientes passando as mãos sobre eles. Além disso, massageava os nervos das partes do corpo dos pacientes que apresentavam dores ou problemas (por exemplo, um braço aparentemente paralisado) e sugeria que as coisas iriam melhorar (Winters, 1950). Às vezes, colocava uma mão sobre o estômago e outra sobre a cervical do paciente a fim de "saturar o tronco com fluido magnético" (Forrest, 1999, p. 19). Mesmer teve um certo êxito, convenceu-se de que era dotado de poderes especiais e, assim, provocou a fúria da conservadora comunidade médica de Viena. O fato de a maioria de seus pacientes ser do sexo feminino e sua terapia ser do tipo "mãos à obra" contribuiu para a consternação geral.[2] Depois de envolver-se em diversas controvérsias acirradas acerca da eficácia de suas curas magnéticas e da propriedade de suas técnicas, ele caiu nas más graças da opinião pública local. Em maio de 1777, foi expulso do corpo docente da faculdade de medicina da Universidade de Viena e proibido de exercer a prática na cidade (Hoffeld, 1980). Era hora de seguir adiante.

Na esperança de encontrar um ambiente de mentalidade mais aberta, Mesmer transferiu seu consultório de terapia magnética para Paris em 1778, mesmo ano em que Pinel chegou à cidade (Zilboorg, 1941). Valendo-se de sua capacidade de autopromoção e de sua personalidade "magnética", em pouco tempo já tinha pacientes em fila de espera para uma consulta. A fim de resolver o problema, criou então uma espécie de terapia de grupo. Numa clínica finamente decorada e situada num dos melhores bairros de Paris, pequenos grupos de pacientes reuniam-se em torno do famoso *baquet* de Mesmer. O *baquet* era uma espécie de baú de madeira onde se guardavam várias substâncias químicas, no qual havia varinhas de ferro voltadas para todas as direções. Os pacientes davam-se as mãos em volta do *baquet* enquanto Mesmer, que geralmente envergava um guarda-pó lilás, circulava entre eles, incentivando-os a entrar no estado de crise. Não faltavam gemidos e desmaios, e sem dúvida muita gente era influenciada por uma espécie de contágio grupal. Quando a crise coletiva passava, os pacientes se recompunham, diziam sentir-se muito melhor e saíam da clínica falando maravilhas do tratamento. Com efeito, muitos desses pacientes — principalmente os que sofriam de sintomas que hoje chamamos de psicossomáticos (por exemplo, dores de cabeça, desmaios, problemas digestivos) — aparentemente se curaram. Embora a maioria desses pacientes tivesse meios financeiros para pagar o tratamento, alguns não tinham, e Mesmer reagiu propiciando-lhes magnetismo gratuitamente: ele magnetizou um grande carvalho que havia num parque em Paris para que os necessitados pudessem ir até lá e beneficiar-se um pouco do tratamento segurando as cordas que ele havia prendido na árvore (Forrest, 1999).

Entretanto, assim como a de Viena, a comunidade médica local não se impressionou com Mesmer. Nos anos anteriores à revolução, Paris era um lugar de muitas incertezas e muito fluxo, cheio de curandeiros e de toda sorte de gente que prometia respostas simples para as ansiedades do momento (Hoffeld, 1980). Nesse contexto, Mesmer parecia ser apenas mais um charlatão. A questão da validade do **mesmerismo**, como a técnica de Mesmer passou a ser chamada, foi investigada por uma comissão da Real Academia de Ciências da França especialmente designada pelo rei. Seu chefe era o famoso Benjamin Franklin, embaixador dos Estados Unidos na França e eminente cientista, pioneiro do estudo da eletricidade e inventor do para-raios (Cohen, 1995). Na

---

2. Conforme um registro, Mesmer "sentava-se diante do paciente com os joelhos por dentro dos deste enquanto o acariciava com movimentos largos (*grandes passes*) das mãos, indo dos ombros aos braços e, por fim, às mãos. [...] Às vezes, os movimentos continuavam até os pés do paciente, podendo ser feitos a uma distância de poucos centímetros, quando não em contato direto com as roupas ou a pele exposta". (Forrest, 1999, p. 19)

comissão também estavam o renomado químico Lavoisier, descobridor do oxigênio, e o médico Joseph Guillotin, que em pouco tempo inventaria a guilhotina, dispositivo de execução que aplicava criativamente os princípios gravitacionais de Newton ao movimento de queda acelerada de uma lâmina de aço.

Como seria de esperar, tendo em vista a experiência de Mesmer em Viena, o relatório da comissão francesa de Franklin concluiu em 1784 que essa forma de terapia não tinha fundamento científico. Apesar de reconhecer que Mesmer de fato havia ajudado alguns pacientes, a comissão acertadamente atribuiu as possíveis curas às crenças destes, e não aos poderes "magnetizantes" do médico. Conforme Benjamin Franklin disse em carta a um amigo enfermo que pensava em consultar um mesmerizador, se os hipocondríacos que abusam dos medicamentos "podem ser persuadidos a abster-se destes na expectativa de serem curados apenas porque o dedo do médico ou uma varinha de ferro é apontada para eles, podem de fato obter efeitos benéficos, embora confundam a verdadeira causa" (citado por Hoffeld, 1980, p. 380). Mesmer ignorou o relatório da comissão e continuou a praticar em Paris por algum tempo, mas deixou o país em 1792 e viveu durante algum tempo na Inglaterra e na Alemanha, tendo trabalhado com o mesmerismo até sua morte em 1815.

Do Mesmerismo à Hipnose

Embora Mesmer tenha gradualmente desaparecido de cena depois do relatório da comissão de Franklin, o mesmerismo continuou a espalhar-se pela Europa, ainda que mais na área do entretenimento. Como fazem hoje os hipnotizadores que se apresentam em espetáculos, os mesmerizadores viajavam pelo interior dos países fazendo apresentações dramáticas que impressionavam os habitantes das vilas. Poucos cientistas prestaram atenção, mas um dos que o fizeram foi John Elliotson (1791-1868), professor de medicina do University College de Londres e médico-chefe do hospital-escola da faculdade. Ele ficou intrigado com as supostas demonstrações de anestesia, durante as quais os mesmerizados não demonstravam sentir dor nem mesmo quando cutucados com agulhas afiadas. Elliotson era um desses cientistas de cabeça aberta que geralmente questionam a ordem estabelecida, e já era considerado suspeito por promover um aparato novo, que outros médicos se recusavam a usar, o estetoscópio (Boring, 1950). Assim, a reação foi de alerta quando ele começou a mesmerizar seus pacientes e, quando propôs um estudo sistemático dos efeitos anestésicos do mesmerismo no fim da década de 1830, a reação foi de escândalo. O conselho diretor do hospital não apenas negou permissão para o estudo, mas também proibiu o mesmerismo em suas instalações. Elliotson renunciou ao cargo em sinal de protesto e passou o resto da vida investigando o mesmerismo.

Enquanto isso, outros médicos começaram a usar o mesmerismo para reduzir a dor nas cirurgias. Há vários relatos de amputações realizadas na década de 1840, por exemplo, enquanto o paciente estava em transe. A testemunha de um caso de amputação de perna em 1842 relatou que:

> O olhar plácido em seu semblante não se alterou por um instante sequer; todo o seu corpo jazia, livre de controle, em perfeita imobilidade e repouso; não se viu nem um músculo se mover. Até o fim da operação — inclusive a serradura do osso, o estrangulamento das artérias e a aplicação das bandagens, que ocuparam mais de vinte minutos — ele ficou parado como uma estátua. (citado por Forrest, 1999, p. 180)

O estudo mais longo sobre os efeitos do mesmerismo sobre a dor foi realizado por James Esdaile (1808-1859), um cirurgião escocês que trabalhou na Índia. Em 1845, ele resumiu os resultados de centenas de cirurgias feitas com anestesia induzida por mesmerização. A taxa de mortalidade em decorrência de cirurgias por ele observada foi inferior a 5%, quando na época essa taxa situava-se em torno dos 40% (Gravitz, 1988). Lembre-se que nessa época não havia anestésicos químicos — como o éter, por exemplo — e as cirurgias eram procedimentos brutais em que a rapidez contava mais que a precisão, pois os pacientes gritavam e tinham de ser amarrados às mesas de operação. Assim, qualquer procedimento que servisse para reduzir a dor era bem-vindo. Contudo, a comunidade médica demorou a mudar. De acordo com a sabedoria médica vigente, a dor, por ser um fenômeno que ocorria naturalmente, era boa e até necessária ao sucesso da cirurgia. Como afirmou um tratado médico contemporâneo, "a dor é uma condição sábia da natureza, e os pacientes devem sofrer essa dor enquanto estão sendo operados pelo cirurgião: é melhor para eles, que se recuperam com mais rapidez" (citado por Forrest, 1999, p. 181).

O mesmerismo finalmente começou a ganhar respeitabilidade no fim da década de 1840, em parte por causa de uma mudança de nome. O médico escocês James Braid (1795-1860), respeitável membro do conservador *establishment* médico, decidiu investigar o mesmerismo no intuito de dar-lhe o golpe final. Porém os estudos que conduziu o levaram a reconhecer a validade de alguns de seus efeitos. Como em sua concepção o estado de transe era semelhante ao do sono, ele cunhou um novo termo: **neuro-hipnologia**, com base nos termos gregos "neuron" (nervo) e "hypnós" (sono), definido como um "sono nervoso". Logo a primeira palavra do termo foi abandonada e o fenômeno passou a ser chamado de hipnologia ou **hipnotismo**. Braid descobriu que o transe hipnótico poderia ser induzido fazendo o paciente olhar fixamente para um objeto um pouco acima de sua linha de visão e concluiu que havia uma fixação da atenção geral por trás do fenômeno. Além disso, ele enfatizou a importância da sugestão na produção de efeitos hipnóticos e, aparentemente, reconheceu a importância do processamento inconsciente ao relatar que as lembranças poderiam persistir de uma sessão de hipnose a outra, ainda que a pessoa não se lembrasse de nada nos intervalos em que recobrava a consciência normal (Boring, 1950). Por volta de 1860, quando a descoberta do éter e do clorofórmio tornou desnecessário o uso cirúrgico da hipnose, o fenômeno já havia sido reconhecido pela comunidade científica como legítimo e digno de estudo. Novos avanços, e controvérsias, surgiram na França.

As Controvérsias sobre o Hipnotismo

Com Braid, o hipnotismo atingiu um certo grau de legitimidade, mas não havia consenso quanto à sua explicação. Duas opiniões divergentes quanto à natureza do hipnotismo surgiram na França, dando ensejo a um debate por vezes acrimonioso: de um lado, dois médicos da provincial cidade de Nancy (situada cerca de trezentos quilômetros a leste de Paris) e, do outro, o poderoso diretor do famoso Hospital Salpêtrière, de Paris.

A assim chamada escola de hipnose de Nancy nasceu da curiosidade de Auguste Liebeault (1823-1904), um despretensioso médico de interior, que trabalhava nos arredores da cidade de Nancy. Depois da leitura de um antigo livro sobre o magnetismo animal, decidido a experimentar a hipnose, ele recrutou pacientes para um tratamento hipnótico grátis. O sucesso foi tanto que Liebeault acabou criando fama lendária na região, logo chamando a atenção de Hippolyte Bernheim (1840-1919), médico nacionalmente conhecido que vivia nas cercanias de Nancy. Bernheim foi até a clínica de Liebeault na expectativa de descobrir e denunciar uma impostura, mas acabou convencido a ponto de tornar-se a principal voz da escola de Nancy.

A principal característica da teoria da hipnose de Liebeault e Bernheim era o conceito de **sugestão**, por eles definido como a aceitação acrítica de uma ideia ou ordem do hipnotizador e sua transformação em ação (Ellenberger, 1970). Eles consideravam a sugestionabilidade um traço de personalidade como outro qualquer, presente em todas as pessoas, sendo sua variação apenas uma questão de grau. Portanto, a suscetibilidade à hipnose era considerada um fenômeno normal, vivenciado pelas pessoas com graus variáveis de intensidade. Em sua prática médica, Liebeault e Bernheim induziam a hipnose fazendo o paciente fitar atentamente seus olhos, ao tempo que lhes diziam que relaxasse profundamente. Depois que o paciente entrava num transe semelhante ao sono, eles lhe sugeriam que os sintomas (por exemplo, dor de cabeça) iriam desaparecer. E, muitas vezes, era exatamente isso que ocorria.

Enquanto isso, o Hospital Salpêtrière, cada vez maior e mais importante, se tornara a meca europeia do estudo da hipnose. Seu diretor, Jean-Martin Charcot (1825-1893), era conhecido em toda a Europa por seu trabalho pioneiro no tratamento da epilepsia: fora o primeiro a identificar as características da crise do grande mal (a crise epiléptica generalizada) e distingui-las das da crise do pequeno mal (a crise epiléptica parcial). Além disso, Charcot era especialista no estudo da **histeria**, distúrbio caracterizado por uma grande variedade de sintomas que, apesar de parecerem indícios de disfunção neurológica, aparentemente não causavam lesão física ao sistema nervoso. Alguns pacientes sofriam crises semelhantes às epilépticas, outros desenvolviam paralisias neurologicamente impossíveis (por exemplo, uma paralisia apenas na mão) e outros ainda apresentavam tiques nervosos, fortes dores de cabeça, perdas sensoriais (por exemplo, surdez) ou lapsos de memória. O termo "histeria" deriva de uma palavra grega que significa "útero", e por algum tempo se pensou que o distúrbio só se verificasse entre as mulheres. Porém, na época de Charcot já haviam sido detectados vários casos de histeria em homens (Sulloway, 1979). A contribuição de Charcot foi considerar a histeria como um distúrbio de fato e buscar a sua causa. A opinião médica contemporânea, calcada na crença materialista de que os distúrbios reais tinham base física, era de que os histéricos simplesmente fingiam que estavam doentes, inventando seus sintomas. A disposição de Charcot de atacar o problema de frente valeu-lhe por fim o título de "Napoleão das neuroses" (Ellenberger, 1970, p. 95).

Como havia observado que muitos dos sintomas da histeria eram iguais aos fenômenos demonstrados sob hipnose, Charcot passou a acreditar que a histeria e a capacidade de deixar-se hipnotizar eram duas manifestações da mesma patologia. Assim, embora os hipnotistas de Nancy considerassem a sugestionabilidade um traço normal e, por conseguinte, uma ferramenta em geral útil na terapia, Charcot declarou que o hipnotismo era perigoso se usado indiscriminadamente. Além disso, ele acreditava que a suscetibilidade à hipnose era um indício de tendências histéricas subjacentes, as quais acreditava serem resultantes de um distúrbio genético do sistema nervoso. Assim, o hipnotismo seria "uma reação de predisposição inata [da parte dos histéricos] a derrames, fixações do aparelho sensorial e vários outros meios de indução hipnótica" (Sulloway, 1979, p. 46). Para Charcot, o hipnotismo poderia ser útil basicamente como meio de investigar e influenciar os sintomas dos que sofriam de histeria. Além disso, como alguns pacientes realmente fingiam-se de enfermos, a hipnose era um meio de separar os verdadeiros histéricos dos falsos. Em sua opinião, apenas os verdadeiros histéricos poderiam ser hipnotizados.

No Hospital Salpêtrière, Charcot era famoso por suas detalhadas e espetaculares demonstrações clínicas da histeria. Ele selecionava seus "melhores" pacientes histéricos, hipnotizava-os e lhes sugeria diversos sintomas. Segundo consta, esses pacientes até brigavam pelo privilégio de subir ao "palco". E, previsivelmente, agiam conforme se esperava. A Figura 12.4 mostra Charcot dando uma demonstração clínica de hipnose com Blanche Wittman, cujas "atuações" dramáticas valeram-lhe o epíteto, entre os demais pacientes, de "rainha dos his-

FIGURA 12.4 Pintura que retrata Charcot dando uma aula sobre histeria em Salpêtrière, tendo como paciente hipnotizada Blanche Wittman (reprodução extraída de Gay, 1988). Freud comprou uma reprodução dessa pintura e a pendurou em seu consultório.

téricos" (Fancher, 1990). Charcot também usou a hipnose para sugerir a remoção de sintomas histéricos em seus pacientes, alegando haver obtido algum sucesso.

Os médicos de Nancy discordavam inteiramente das opiniões de Charcot acerca da hipnose, argumentando que suas dramáticas demonstrações clínicas simplesmente mostravam os efeitos da sugestão: os pacientes de Charcot sabiam exatamente o que se esperava deles e agiam de acordo com esse conhecimento. Então, em meados da década de 1880, teve lugar um debate contundente. Uma fonte bibliográfica lista, entre 1888 e 1893, 801 artigos sobre a natureza da hipnose em revistas e outras publicações (Sulloway, 1979). Em meados da década de 1890, a maioria dos observadores havia rejeitado as ideias de Charcot acerca da hipnose em favor do modelo de Nancy.[3]

Quando Charcot estava no auge da fama, médicos recém-formados iam de todas as partes da Europa para o Hospital Salpêtrière a fim de conhecê-lo de perto e aprender com suas brilhantes palestras e demonstrações. Um deles era um jovem médico de Viena cujas ideias repercutiram ao longo do século XX.

SIGMUND FREUD (1856-1939): A FUNDAÇÃO DA PSICANÁLISE

Que Freud exerceu profunda influência na cultura ocidental é um fato amplamente reconhecido. O que não é tão conhecido é o modo como suas ideias evoluíram ou as fontes que sobre ele influíram. Com efeito,

---

3. O Capítulo 8 descreveu rapidamente uma pesquisa da hipnose que deixou constrangido o então jovem Alfred Binet, na qual se comprovou que o aparente sucesso na promoção de determinados efeitos com ímãs era resultante da sugestão. Esse estudo foi conduzido sob a supervisão de Charcot em Salpêtrière, e a paciente era ninguém menos que Blanche Wittman (Fancher, 1990).

os alunos dos cursos de introdução à psicologia ou de psicologia da personalidade muitas vezes encontram uma descrição distorcida de Freud que perpetua o que o historiador da ciência Frank Sulloway (1979) chamou "o mito do herói". Para ele, o mito de Freud abarca dois componentes: primeiro, apresenta a imagem de Freud como uma figura heroica e solitária que luta para defender suas ideias num ambiente sempre hostil e, segundo, mantém a ilusão de que as teorias do herói eram absolutamente originais, sem nenhum precedente concreto. Ambos os aspectos desse mito de Freud vêm sendo questionados por recentes estudos históricos. Conforme será visto, Freud de fato era um personagem controverso, mas suas ideias não eram tão revolucionárias como normalmente são retratadas, e todos os seus principais conceitos têm origens que remontam a ideias relacionadas ou idênticas em vigor no fim do século XIX e início do século XX. O gênio de Freud não estava na criação, mas sim na síntese e na divulgação — na reunião de ideias para formar uma teoria unificada e na promoção enérgica dessa teoria na comunidade médica.

É interessante observar que Freud teve participação na criação do seu próprio mito, em parte por selecionar seu primeiro biógrafo, Ernest Jones, mas também por destruir suas cartas e papéis em pelo menos duas ocasiões (1885 e 1907), dificultando assim a detecção das origens de suas ideias. Após a primeira dessas ocasiões, ocorrida muito antes de ele começar a criar fama, Freud escreveu para dizer à noiva que as cartas dela estavam a salvo e para explicar-lhe seus propósitos:

> Uma intenção [...] que estou praticamente acabando de concretizar; uma intenção que vários desafortunados que ainda nem nasceram um dia vão maldizer [...]: meus biógrafos. Destruí todas as anotações que guardei nos últimos quatorze anos, assim como cartas, escritos científicos e os manuscritos de meus ensaios. Quanto às cartas, só as da família foram poupadas. As suas, minha querida, jamais correram perigo. [...] Eu não conseguiria envelhecer nem morrer sem preocupar-me com quem poria as mãos nesses papéis. [...] Quanto aos biógrafos, que se lixem; não temos a menor vontade de tornar-lhes as coisas fáceis. Cada um deles estará certo em sua opinião sobre "A Criação do Herói", e eu já estou ansioso para que se percam. (citado por Sulloway, 1979, p. 7)

Essa é uma carta notável. Quem era esse jovem que ainda não fizera 30 anos, mas tinha tanta certeza de que um dia se escreveriam biografias suas?

Juventude e Formação

Freud passou a maior parte de sua vida em Viena. Seu pai se mudara para lá com a família que crescia em 1860, quando o filho tinha apenas 4 anos de idade, e Freud só deixaria a cidade quando a ameaça nazista à sua segurança pessoal o levou a Londres em 1938, um ano antes de sua morte. A promessa intelectual de Freud manifestou-se cedo: criança precoce num lar onde os recursos não sobravam, ele era o único dos filhos que tinha um quarto só para si para poder estudar. Além disso, dispunha de uma generosa mesada para a compra de livros e, segundo reza a lenda, quando certa vez reclamou das barulhentas aulas de piano de uma irmã mais nova, as aulas acabaram e o piano sumiu da casa.

Freud era o primogênito dos oito filhos do casal Jacob e Amalia Freud. Amalia era a terceira mulher de Jacob e tinha metade de sua idade (20 X 40). Freud era emocionalmente muito apegado à sua jovem mãe, ao passo que o pai era mais distante e parecia mais avô que pai — a dinâmica familiar sem dúvida influiu no que Freud pensaria depois a respeito das relações entre pais e filhos, em especial em sua defesa do complexo de Édipo (Kramer, 2006). Embora a família fosse judia, a prática religiosa não constituía o centro da vida familiar — Freud posteriormente diria que o pai lhe "permitira crescer ignorando completamente tudo que dizia respeito ao judaísmo" (citado por Gay, 1988, p. 6). Contudo, um aspecto do judaísmo que Freud vivenciou foi o antissemitismo onipresente de Viena. No período que corresponde à sua juventude, a população judia da cidade aumentou regularmente, passando de 2% da população total em 1857 a 10% desta em 1888 (Gay, 1988). Embora as reformas liberais tivessem tornado mais fácil a vida dos judeus na década de 1860, a grave depressão econômica de 1873 deu ensejo a uma situação cujo elemento de busca de bodes expiatórios é bastante conhecido: os judeus foram acusados pelos problemas de Viena e tornaram-se o alvo de discriminações e ataques políticos (e físicos). Nesse mesmo ano, Freud entrou para a famosa escola de medicina de Viena, depois de concluir com louvor o ginásio. Ele não demorou a conscientizar-se de seu *status* de judeu num ambiente dominado por não judeus, mas se recusou a sentir-se inferior aos colegas. Na verdade, como deixara entrever sua promissora infância, ele rapidamente se tornou uma estrela na universidade.

Quando começou a fazer o curso, Freud não tinha nenhuma intenção de vir a praticar a medicina algum dia — sua paixão era a pesquisa. Seu mentor, uma das influências mais importantes em sua vida, foi Ernst Brücke, diretor do instituto de fisiologia da universidade. Por influência de Brücke, Freud mergulhou no *Zeitgeist* materialista, mecanicista e determinista que dominava a fisiologia (consulte o Capítulo 3). Brücke havia sido aluno do grande Johannes Müller e, juntamente com Helmholtz e outros alunos de Müller, liderava o movimento que buscava explicar toda ação viva por meio de sua redução a forças físicas, mecânicas. Embora o interesse de Freud pela busca dos mecanismos fisiológicos subjacentes aos processos psicológicos diminuísse com os anos, ele jamais titubeou em sua convicção de que todos os fatos têm causas que podem ser identificadas pela ciência. Sua ideia posterior de que os sonhos não eram acontecimentos aleatórios, pois tinham significados subjacentes profundos, e de que mesmo os eventos que parecem acidentais (como os atos falhos) são significativos é apenas um exemplo de sua fé na previsibilidade e na ordem essencial dos fatos psicológicos.

O mergulho de Freud na pesquisa foi a principal razão para ele ter passado oito anos, em vez dos cinco habituais, na universidade para obter seu diploma de médico. Trabalhando no laboratório de Brücke de 1876 a 1882, ele publicou artigos sobre os sistemas nervosos de várias espécies e sobre a estrutura gonadal das enguias; além disso, desenvolveu uma importante técnica de pesquisa para tingimento de fibras nervosas. Boa parte de suas pesquisas neurológicas comparadas tinha fortes implicações evolucionistas, pois o monumental texto de Darwin ainda não tinha vinte anos de publicado e suas ideias afetaram o pensamento de todos os fisiologistas daquela época. Com efeito, o pensamento de Darwin acabaria influenciando Freud profundamente. Em primeiro lugar, a percepção básica de Darwin de que a natureza humana se baseia em seu passado animal forneceu respaldo para as ideias de Freud acerca da importância dos instintos biológicos na motivação do comportamento e do fato de que o comportamento nem sempre é "racional". Em segundo lugar, a crença de Freud na importância central da motivação sexual decorre logicamente do fato, bastante óbvio, de que o sexo e a resultante perpetuação da espécie constituem a própria base da evolução.

Apesar de querer continuar suas pesquisas quando concluiu o curso de medicina, em 1883, nessa época Freud estava também muito apaixonado e se via diante de um futuro financeiramente incerto como pesquisador de laboratório. E, como era judeu, teria poucos cargos acadêmicos à sua disposição. Se quisesse casar-se, seria preciso abrir um consultório médico. Portanto, a conselho de Brücke, ele relutantemente começou a preparar-se para a vida de médico inscrevendo-se num curso de três anos no

Hospital Geral de Viena. Por cinco meses desse período, ele esteve sob a tutela de Theodor Meynert (1833-1893), famoso como anatomista do cérebro e professor de psiquiatria. As pesquisas anteriores de Freud com Brücke o levaram a interessar-se especialmente pelos distúrbios do sistema nervoso, e o tempo que passou com Meynert confirmou nele a decisão de especializar-se nessa área. Entre os pacientes com problemas neurológicos incluíam-se, evidentemente, também os histéricos, e foi por meio dessa experiência com Meynert que Freud começou a ter contato com o tipo de paciente que logo se tornaria o foco de sua vida profissional. Em 1885, ele ampliou seu conhecimento da histeria e começou a aprender também algo sobre a hipnose quando ganhou uma bolsa de seis meses para estudar com Charcot em Salpêtrière. Ele posteriormente usaria a hipnose nos primeiros anos em seu consultório, mas por fim a abandonaria por julgá-la uma técnica ineficaz para a análise do inconsciente.

Breuer e o Método da Catarse

Outro importante contato que Freud travou enquanto cursava a faculdade de medicina foi com o eminente médico neurologista Joseph Breuer (1842-1925), conhecido pela descoberta do papel dos canais semicirculares do ouvido interno na manutenção do equilíbrio. De 1880 a 1882, enquanto Freud ainda era aluno do curso de medicina, Breuer tratou de um caso desconcertante de histeria, que viria a tornar-se um dos eventos decisivos da história da psicanálise: o **caso de Anna O.**, que também constitui um exemplo de como a história da psicanálise foi distorcida com o passar dos anos.

Anna O. (Figura 12.5) foi o pseudônimo que Breuer deu a Bertha Pappenheim, uma inteligente jovem de vinte e poucos anos que tinha uma série desconcertante de sintomas histéricos.[4] Por diversas vezes, ela ficou com o lado direito (e depois o esquerdo) do corpo aparentemente paralisado e dormente. Além disso, sofria de uma persistente tosse nervosa e de déficit visual e auditivo, tinha hábitos alimentares bizarros (por exemplo, durante várias semanas comia apenas laranjas), perdeu por algum tempo a capacidade de falar alemão (embora tenha retido a de falar inglês) e vivia es-

FIGURA 12.5 Bertha Pappenheim (Anna O.) na época em que fazia terapia com Breuer (foto extraída de Sulloway, 1979).

---

4. A família de Bertha Pappenheim (1859-1936) não gostou quando Ernest Jones revelou sua verdadeira identidade no primeiro volume de sua biografia de Freud (Jones, 1953, 1955, 1957). Depois de recobrar a saúde, Bertha tornou-se líder do movimento feminista na Alemanha, tendo escrito certa vez: "Se houver alguma justiça no próximo mundo, as mulheres farão as leis e os homens terão os filhos" (citada por Sulloway, 1979, p. 57). O governo da Alemanha Ocidental criou um selo em sua homenagem em 1954.

tados dissociativos a que chamava "ausências" (Sulloway, 1979). A ocorrência desses problemas aparentemente foi precipitada pelo longo tempo que passara cuidando do pai moribundo, embora a frustração geral de Anna em relação à própria vida também tenha contribuído. Jovem e inteligente, Anna havia sido criada numa família cujo contexto cultural sempre sufocara seu intelecto e suas ambições.

De acordo com a descrição tradicional (e mítica) do caso, Breuer teve sucesso com um método a que denominava **catarse**. Ele descobriu que, quando conseguia remontar à primeira ocorrência de um sintoma, Anna vivenciava uma liberação emocional à qual Breuer se referia como uma "catarse" e os sintomas cediam. Anna chamava a isso de "cura pela palavra". Por exemplo, durante certo tempo ela não conseguiu beber água em copos porque tinha nojo. Breuer a fez retroceder à situação em que havia visto uma mulher dar água a seu cão no mesmo copo em que ela própria bebia. Depois que a primeira lembrança foi resgatada, Anna atingiu uma catarse e a hidrofobia desapareceu. Segundo diz a história, Breuer trabalhou laboriosamente os demais sintomas de Anna dessa mesma maneira, tendo-a atendido quase que diariamente por mais de um ano.

O caso de Anna O. é convincente, mas o sagaz trabalho de detetive de Ellenberger (1972) mostrou que ele não foi tão simples quanto o descrevem. Apesar do relativo êxito do método catártico, o alívio dos sintomas de Anna muitas vezes era apenas temporário; o diagnóstico inicial de histeria era apenas uma pequena parte do seu problema (ela também tinha sintomas psicóticos e possivelmente um distúrbio dissociativo). Anna só começou a recuperar-se após várias internações num sanatório depois que Breuer lhe deu alta. Além disso, vários dos eventos relatados nas descrições tradicionais são factualmente errados. Por exemplo, segundo o relato de Jones na biografia de Freud, a mulher de Breuer não estava gostando de ver o tempo que o marido investia naquela jovem atraente e, quando Anna desenvolveu uma pseudogravidez e apontou Breuer como o pai da criança, ele aplicou sua catarse mágica para aliviar o sintoma e, não sem um certo pânico, pôs fim à terapia. No dia seguinte, mais que depressa viajou em segunda lua de mel com a mulher para Veneza, onde conceberam uma filha (e viveram todos felizes para sempre). Porém, Ellenberger mostra que nenhuma das anotações que Breuer fez do caso menciona uma pseudogravidez e que a data de nascimento de sua filha contradiz a história da segunda lua de mel.

Breuer contou a Freud, seu colega mais jovem, sobre o caso, que por fim figura como o primeiro dos vários descritos em *Studies on Hysteria*, que escreveram a quatro mãos (Breuer e Freud, 1895/1955). Esse livro costuma ser considerado o marco de fundação da psicanálise. Para Freud, o caso demonstrava que, (a) apesar de poder ser recalcada no inconsciente, a lembrança de um evento traumático continuava a influir no comportamento da pessoa sob a forma de um sintoma histérico; (b) a forma que o sintoma histérico assume mantém uma relação simbólica com o evento traumático, como no caso do exemplo da hidrofobia; (c) o sintoma histérico pode ser minorado se a pessoa chegar a um *insight* em relação ao evento de origem. Como diria ele posteriormente, na primeira de uma série de conferências que fez na Clark University, "[N]ossos pacientes histéricos sofrem de reminiscências. Seus sintomas são resíduos e símbolos mnêmicos de determinados eventos (traumáticos)" (1909/1977, p. 16).

Freud acreditava, ainda, ter detectado uma forte veia sexual subjacente no caso, pois Anna parecia excepcionalmente apegada ao pai e, perto do fim da terapia, criou forte apego também a Breuer. Freud posteriormente usaria o termo **transferência** para referir-se a esse apego ao terapeuta, considerando-o um passo importante no caminho para a recuperação. Apesar de reconhecer que a sexualidade estava presente no caso, Breuer rejeitou o argumento de Freud de que *todas* as neuroses tinham origens sexuais e rompeu com Freud por causa disso, terminando assim uma longa amizade. Não seria a primeira vez que a insistência na importância da motivação sexual custaria a Freud o rompimento com um colega.

A Criação da Psicanálise

Entre meados da década de 1880 e meados da de 1890, Freud desenvolveu sua prática neurológica, especializando-se no tratamento da histeria. E não lhe faltavam pacientes. Viena era como outras cidades europeias na era vitoriana: o sexo no casamento era considerado um mal necessário, destinado unicamente à produção de herdeiros, e o sexo por prazer limitava-se à busca de prostitutas pelos homens. Entre os resultados dessas ideias estavam a frustração das necessidades sexuais da esposa fiel, a sensação de culpa persistente do marido adúltero e uma boa clientela para terapeutas como Freud. O quadro, naturalmente, era mais complexo — os historiadores continuam debatendo se a mulher vitoriana era sexualmente inibida (por exemplo, Sterns, 1985). Seja como for, havia uma abundância de sintomas neuróticos na época em que Freud estava tentando firmar seu consultório. Ele tentou de tudo com seus pacientes, indo desde os tratamentos convencionais, como a hidroterapia (isto é, algo semelhante a um banho de hidromassagem, presumivelmente destinado a acalmar os nervos), a procedimentos como a hipnose e outro em que ele pressionava a testa dos pacientes enquanto insistia para que eles tentassem resgatar lembranças recalcadas. Freud por fim descobriu uma técnica que se tornaria o eixo da prática psicanalítica: a **livre associação**. Os pacientes se colocavam em uma posição relaxada (daí o famoso divã — Figura 12.6) e eram incentivados a dizer o que quer que lhes viesse à cabeça, sem censurar nada. Isso muitas vezes era difícil para os pacientes, que demonstravam o que Freud chamou de **resistência** — eles não conseguiam ou não se dispunham a mencionar algo que lhes havia ocorrido. Freud costumava ver nas resistências um sinal inequí-

FIGURA 12.6 O divã de Freud.

voco de que estava chegando à raiz do problema. Por exemplo, se uma paciente deprimida tivesse resistência em contar ao terapeuta que se sentia atraída pelo cunhado, o qual, além de parecer-se um pouco com seu próprio pai, também compartilhava com este alguns hábitos ou atitudes, Freud imediatamente começaria a pensar que os problemas dessa paciente poderiam decorrer de sentimentos não resolvidos em relação ao pai.

Além da livre associação, Freud também usava a **análise dos sonhos** como meio de explorar o inconsciente, tendo inclusive chegado a descrever os sonhos como a "via régia" para acesso a este. Ele inicialmente teve essa ideia quando pensava numa maneira de psicanalisar a si mesmo, tarefa que empreendeu no fim da década de 1890. Capaz de lembrar em detalhes os próprios sonhos, ele descobriu que estes constituíam uma fonte muito rica de informações, não apenas em si mesmos, mas também como ponto de partida para futuras livres associações. Freud publicou *A interpretação dos sonhos*, geralmente considerado seu livro mais importante, em 1900. Como você deve lembrar com base no curso de psicologia geral, Freud achava que os sonhos eram desejos disfarçados, distinguindo entre seu conteúdo *manifesto* (a descrição verbal que fornecemos dos sonhos; aquilo de que eles aparentemente falam) e seu conteúdo *latente* (seu verdadeiro significado inconsciente, que em geral tem relação com a sexualidade e/ou a agressividade). Por meio da *elaboração onírica*, o conteúdo latente dos sonhos se transforma, simbolicamente, no conteúdo manifesto. Um sonho que, na verdade, é sobre um desejo frustrado de sexo, por exemplo, pode ser (mais ou menos) disfarçado como um sonho sobre um brinquedo que consiste num trem que atravessa vários túneis. Freud argumentava que, interpretando os sonhos, poderíamos perceber melhor nossos verdadeiros, porém inconscientes, desejos.

A Importância do Sexo

À medida que sua experiência com a histeria cresceu, Freud convenceu-se de que os problemas sexuais não resolvidos estavam no âmago da questão para seus pacientes problemáticos. Os pacientes que empreendiam a volta ao passado por meio de livres associações e relatos de sonhos aparentemente haviam vivido algum tipo de trauma sexual na infância. Em meados da década de

---

DATA-CHAVE 1900

Este ano marcou a publicação oficial de *A interpretação dos sonhos*, de Freud. Embora o livro tivesse surgido no ano anterior, Freud queria que ele tivesse o milênio como data de publicação.

Os seguintes fatos também ocorreram:

- Os psicólogos e os filósofos haviam formado uma incômoda aliança dentro da American Psychological Association; os filósofos, por fim, criaram sua própria associação, que teve início em 1900 com a fundação da Western Philosophical Association, em Kansas City
- O físico Max Planck formulou a teoria quântica
- F. E. Dorn descobriu o radônio
- Foi criada a Confederação da Austrália
- D. F. Davis foi homenageado com a criação de um torneio internacional de tênis cujo prêmio, uma copa, leva seu nome
- A ópera *Tosca*, de Puccini, fez sua estreia em Roma
- Nasceram:
    Spencer Tracy, ator norte-americano (duas estatuetas de melhor ator)
    Aaron Copeland, compositor norte-americano (por exemplo, *Appalachian Spring*)
- Morreram:
    Oscar Wilde, autor irlandês (por exemplo, *A importância de ser prudente*)
    Friedrich Nietzsche, filósofo alemão (uma de suas declarações mais citadas: "Deus está morto")

1890, Freud já havia ouvido bastante sobre o tema para propor aquela que ficou conhecida como a sua **hipótese da sedução**. A seu ver, a histeria resultava de abuso sexual na infância por parte de um dos pais ou outro adulto. E, como a criança não tinha compreensão do que estava ocorrendo, a experiência era esquecida, enterrada no fundo do inconsciente. Algum tempo depois da chegada da puberdade, quando a pessoa começava a compreender e viver a sexualidade madura, essa lembrança enterrada tanto tempo antes viria à tona sob a forma de um ou mais sintomas histéricos (Gleaves e Hernandez, 1999).

Freud inicialmente apresentou sua teoria da sedução em 1896, num encontro da Sociedade de Psiquiatria e Neurologia de Viena presidido por Richard von Krafft-Ebbing, a maior autoridade da época em patologia sexual. A apresentação não foi bem recebida pela comunidade médica, e Krafft-Ebbing chegou a chamar a teoria de "conto de fadas científico" (Gay, 1988, p. 93). O próprio Freud logo começou a duvidar da força da relação entre abuso e histeria, em parte porque algumas das histórias contadas pelos pacientes aparentemente não se coadunavam com outras evidências. Além disso, ele estava incomodado com a ideia de que apenas os traumas sexuais da infância dariam origem a problemas posteriores. Que dizer de todos os outros traumas, de ordem não sexual (por exemplo, doenças graves, quedas sérias), que as crianças sofrem? Por que não acarretavam psicopatologias posteriores? Conforme escreveria depois, era impossível "supor que os afetos sexuais angustiantes superassem tanto em intensidade todos os demais afetos desagradáveis. É preciso que as ideias sexuais tenham outra característica que possa explicar como é que só elas estão sujeitas ao recalque [patológico]" (citado por Sulloway, 1979, p. 111).

Segundo reza a tradição, o grande avanço intelectual de Freud foi o abandono de sua teoria da sedução em favor da ideia de que os eventos sexuais da infância não eram reais, mas sim imaginários, e de que a sexualidade não começava na adolescência, mas existia em alguma forma desde a mais tenra infância. Essa descoberta acerca da universalidade da sexualidade infantil supostamente proviria da autoanálise de Freud, no fim da década de 1890. Provavelmente, há alguma verdade no relato "heroico" de Freud acerca de como, inteiramente só e sem influência das ideias contemporâneas, veio a abandonar sua hipótese da sedução e desenvolver seu famoso complexo de Édipo. Contudo, essa é uma área em que o mito de Freud também atuou. Freud não estava partindo de um vazio intelectual para criar ideias singulares nesse caso. Por exemplo, vários outros famosos "sexólogos" (por exemplo, Havelock Ellis) também estavam sugerindo que as energias sexuais estavam presentes na infância e que a sexualidade recalcada estava relacionada às psicopatologias subsequentes. Com efeito, na década de 1890 foram publicados vários livros sobre a sexualidade, infantil ou não, e Freud tinha pleno conhecimento deles (Sulloway, 1979). Por conseguinte, as origens do conceito da sexualidade infantil podem passar pela autoanálise de Freud, mas vão muito além e incluem o contexto intelectual da Europa do fim do século XIX.

A Psicanálise Chega ao Século XX

Na virada do século XX, Freud já havia constituído sua carreira como psicanalista especializado no tratamento da histeria. Com *A interpretação dos sonhos*, ele começou a desenvolver sua teoria geral do comportamento, que continuou a evoluir ao longo do resto de sua vida. Em 1901, publicou *Psicopatologia da vida cotidiana*, que contém a análise do fenômeno que posteriormente viria a ser chamado de ato falho.[5]

---

5. *Psicopatologia da vida cotidiana* está repleta de exemplos de atos falhos (em inglês, *Freudian slips*). Entre eles, Freud menciona o de um palestrante num congresso que, ao se referir à teoria da histeria proposta por Breuer e por ele próprio ("Breuer-Freudian theory"), disse, em vez disso, "Freuer-

E, em 1905, mais dois livros: *Três ensaios sobre a teoria da sexualidade* e *Os chistes e a sua relação com o inconsciente*. Com eles (quatro livros em cinco anos), sua reputação cresceu, lenta porém progressivamente, ao longo da primeira década do século XX. Nos Estados Unidos, suas teorias chamaram a atenção de G. Stanley Hall, da Clark University, e foram por este recebidas com entusiasmo. Como vimos no Capítulo 6, os amplos interesses de Hall abrangiam o estudo da criança e do adolescente, inclusive do ponto de vista do seu desenvolvimento sexual. Ele descreveu o trabalho de Breuer e Freud sobre a histeria em seu livro sobre a adolescência e, já em 1904, estava oferecendo cursos sobre a sexualidade (Rosenzweig, 1992). Em 1909, para comemorar o vigésimo aniversário da fundação da Clark University, Hall convidou Freud a Worcester para receber um título honorífico e proferir palestras sobre a psicanálise. Na ocasião, vários outros eminentes "cientistas do comportamento" também fizeram apresentações e receberam títulos, entre os quais Titchener, o famoso antropólogo Franz Boas e Carl Jung, que acompanhou Freud na viagem transatlântica. Outros psicólogos ainda compareceram para assistir às palestras, entre os quais James, Cattell e Goddard. Essa foi a única visita que Freud fez aos Estados Unidos, país que lhe provocou franca aversão, especialmente em termos culinários. Não obstante, ele ficou muito grato a Hall, a quem atribuiu papel importante na consolidação da fama internacional da psicanálise por ter propiciado "o primeiro reconhecimento oficial de nossos esforços" (citado por Gay, 1988, p. 207).

Breudian theory". Um segundo exemplo está no que disse uma paciente que, não conseguindo lembrar-se onde havia sido tocada, quando criança, por um homem (ou seja, tendo recalcado a lembrança do fato), mudou o tema da conversa para sua casa de veraneio. Quando perguntaram-lhe onde ficava a casa, ela respondeu: "No lombo da montanha", quando queria dizer "No flanco da montanha".

A Evolução da Teoria Psicanalítica

Freud já tinha 54 anos quando proferiu suas palestras na Clark University, mas estava apenas começando a desenvolver algo a que denominava sua **metapsicologia** — a sua teoria geral dos processos mentais e do comportamento humano. Ao longo dos vinte anos seguintes, essa metateoria evoluiu consideravelmente. Com efeito, muitos dos conceitos mais frequentemente associados a Freud não surgiram senão depois da Primeira Guerra Mundial, quando ele já estava se aproximando dos 70 anos (para uma descrição mais precisa da teoria, consulte qualquer livro-texto sobre teorias da personalidade). Uma das principais mudanças sofridas pela metapsicologia de Freud depois da Primeira Guerra Mundial deveu-se à sua convicção de que as tendências destrutivas tinham tanta influência sobre a motivação do comportamento quanto as tendências sexuais.

Freud não ignorou a agressividade nos anos anteriores à Primeira Guerra Mundial. Os sentimentos masculinos de hostilidade em relação ao pai eram parte integrante do complexo de Édipo e, para ele, o ato sexual em si também continha elementos de agressividade masculina. Entretanto, a guerra, com sua brutalidade sem limites e seu impressionante desperdício de vida, teve profundo impacto sobre o pensamento de Freud (Gay, 1988). Em 1920, ele publicou *Para além do princípio do prazer*, no qual propunha uma distinção entre **eros**, o instinto de vida, manifesto na motivação sexual, e **tânatos**, a pulsão de morte, expressa por meio da agressividade e da autodestruição. Assim, propôs que o comportamento humano seria motivado conjuntamente por pulsões que fomentavam a vida (sexuais) e pulsões que a destruíam (agressivas).

Embora suas reflexões sobre a guerra mundial tenham sido o estímulo imediato para a proposição de que todos os seres humanos têm tendências destrutivas instintivas, seu conceito de instinto de morte provinha também de uma antiga preocupação que Freud tinha com a morte, e sua convicção da realidade desta fortaleceu-se com algumas ocorrências em sua vida durante os anos de 1920. Logo depois da publicação de *Para além do princípio do prazer*, uma de suas três filhas morreu durante uma epidemia de gripe. Em seguida, um de seus netos favoritos morreu e uma sobrinha suicidou-se. E então, em 1923, Freud, que fumava até vinte charutos por dia, foi diagnosticado com câncer de boca e viu surgir no horizonte a própria morte. Ao longo dos dezesseis anos seguintes, ele submeteu-se a 33 penosas cirurgias e teve de utilizar uma série de próteses semelhantes a dentaduras, cada vez maiores conforme iam sendo extirpadas mais partes do palato e da mandíbula. Freud viu todos esses eventos como uma confirmação de que os instintos de morte emparelham-se aos de vida.

Outros famosos conceitos freudianos foram desenvolvidos em anos posteriores, entre os quais o da divisão estrutural da personalidade em id, ego e superego, e sua descrição da relação entre a ansiedade e os mecanismos de defesa do ego. Freud escreveu pela primeira vez sobre sua conhecida estrutura tripartite da personalidade — id, ego e superego — em *O ego e o id*, um livro curto publicado em 1923. O **ego**, em parte consciente e em parte inconsciente, situa-se no centro da personalidade. Freud escreveu, tentando manter o equilíbrio entre três forças conflitivas: o id, o superego e a realidade. O **id**, repositório dos impulsos instintivos do sexo e da agressividade, exige constantemente a satisfação de suas necessidades. Por outro lado, o **superego**, constituído pelos valores morais aprendidos por cada um, trabalha para inibir a livre expressão dos instintos. O ego precisa, além disso, levar em consideração os fatores ambientais presentes no mundo real, os quais entram no sistema através do que Freud denominou sistema de "percepção-consciência". O ego que funciona bem, segundo Freud, serve de mediador, direcionando as necessidades provenientes do id de maneira realista e compatível com os valores morais.

As exigências feitas ao ego produzem necessariamente alguma tensão. A abordagem de Freud distinguia na ansiedade três formas, uma para cada uma das forças que pressionam o ego. A **ansiedade objetiva** (ou ansiedade "realística") é uma reação normal diante de uma ameaça percebida no mundo exterior, baseada nas lembranças que a pessoa guarda de situações de perigo vividas no passado. Assim, quando os marinheiros observam que o "céu está vermelho ao amanhecer", sabem que precisam "tomar cuidado", pois isso constitui um indício de que haverá tempestade. Essa percepção, aliada à memória, criaria um nível de ansiedade objetiva compreensível. Porém, mais interessantes para o psicanalista eram as duas outras formas de ansiedade, a neurótica e a moral. Na **ansiedade neurótica**, a pessoa teme que os impulsos provenientes do id fujam a seu controle. As lembranças de punição por agir impulsivamente no passado promovem a sensação de ansiedade. Na **ansiedade moral**, estreitamente relacionada à neurótica, surge a sensação de culpa e vergonha quando se pressente a violação iminente do estrito código moral do superego.

Segundo Freud, a sensação de ansiedade funciona como um sinal de que o ego está sob ataque e, por isso, ele reage defendendo-se. A reação à ansiedade objetiva consiste em lidar de forma realista com a situação (no caso dos marinheiros, por exemplo, preparando o barco para a tempestade) ou adotar o reflexo de lutar ou fugir se de fato houver risco iminente. Contudo, como as ansiedades neuróticas e morais geram-se internamente, as reações também devem vir de dentro, e o fazem sob a forma de **mecanismos de defesa** do ego. A forma mais comum de defesa é o **recalque**, realizado pela parte do ego que é inconsciente. No recalque, os impulsos indesejados são forçados a abandonar o consciente e a alojar-se no inconsciente. O recalque também é elemento de outras defesas. Na **projeção**, por exemplo, as próprias falhas não podem ser aceitas, sendo por isso atribuídas a outra pessoa. Aqueles que não conseguem aceitar a hostilidade que têm em si mesmos, por exemplo, podem convencer-se de que os que os cercam é que são hostis. Ou seja, eles recalcam a própria hostilidade e a projetam nos outros. Outra defesa comum é a **formação de reação**, na qual os impulsos inaceitáveis são recalcados e substituídos por seus opostos. Por exemplo, o ódio a um filho indesejado, inaceitável ao superego, é transformado em atenção exagerada e recusa em deixar que venham à tona quaisquer sentimentos negativos em relação a esse filho (Hall, 1954). A **sublimação** é uma defesa bem-sucedida, no entender de Freud, pelo fato de canalizar as pulsões instintivas para atividades que possuem valor social. A agressividade pode ser canalizada para o atletismo, por exemplo, e o sexo, para a arte (tanto o sexo quanto a arte são "criativos").

Freud contou com a ajuda significativa de sua filha e colega psicanalista Anna Freud (1895-1982) (Figura 12.7) no que se refere ao desenvolvimento do conceito de mecanismos de defesa. Aparentemente alheio aos riscos, Freud psicanalisou Anna a fim de prepará-la para a carreira de analista. Anna sobreviveu à análise e tornou-se uma profissional renomada, tendo sido pioneira na aplicação da prática psicanalítica às crianças pelo uso da *terapia do jogo*. Como as crianças evidentemente não dispõem de fluência verbal suficiente para a análise convencional, Anna analisava-as dando-lhes materiais variados (por exemplo, bonecos que representavam Papai e Mamãe) e pedindo-lhes que simplesmente brincassem. Além disso, ela ajudou o pai a desenvolver a própria teoria, especialmente no que se refere à relação entre ansiedade e defesa. Na verdade, as listas de mecanismos de defesa (projeção, formação de reação etc.) que normalmente vemos nos textos introdutórios são resultantes mais do seu trabalho que do de seu pai. Ela o apresentou em *The Ego and Mechanisms of Defense* (A. Freud, 1937). Depois da morte do pai, Anna tornou-se uma feroz defensora da reputação de seu pai, tendo colaborado para perpetuar o "mito freudiano" (Sulloway, 1979).

Os Seguidores de Freud: Lealdade e Dissensão

Na virada do século XX, Freud estava atraindo o interesse de outros médicos de Viena. Em 1902, ele convidou quatro deles a reunir-se nas noites de quarta-feira para discutir questões relativas à psicanálise. Em 1908, o grupo já contava com cerca de vinte pessoas e começara a autodenominar-se Sociedade Psicanalítica de Viena. As discussões eram animadas, mas o autoritário e dogmático Freud as dominava e deixava claro que sua palavra deveria ser considerada lei. Como se poderia esperar, alguns dos participantes permaneceram fiéis a Freud por vários anos, ao passo que outros não eram tão condescendentes. O primeiro a desertar foi um dos quatro convidados a formar o grupo em 1902.

Alfred Adler (1870-1937) formara-se em 1895 pela faculdade de medicina da Universidade de Viena, especializando-se em oftalmologia e clínica geral. Ao que tudo indica, ele sentiu-se atraído pelas ideias de Freud com a leitura da *A interpretação dos sonhos* e tornou-se um dos participantes mais entusiasmados das reuniões das quartas-feiras à noite. Porém, logo começou a

FIGURA 12.7 Freud e sua filha Anna em 1928, ano em que ela publicou seu livro sobre a psicanálise das crianças (foto extraída de Gay, 1988).

questionar a aparente obsessão de Freud com a universalidade da motivação sexual e, baseando-se em sua própria infância conturbada — que incluía doenças e sentimentos de inferioridade em relação a um irmão mais velho —, propôs o **complexo de inferioridade** como base de uma teoria alternativa. Segundo argumentava, todos os bebês são intrinsecamente inferiores em sua capacidade, e a vida poderia então ser vista como uma tentativa de compensar essa inferioridade. Além disso, a seu ver, à medida que crescemos, o ambiente social nos coloca no caminho obstáculos que também geram sentimentos de inferioridade que precisam ser superados. A ênfase de Adler na primazia dos fatores sociais sobre os biológicos, seus escritos sobre a inferioridade e sua convicção de que o comportamento era tão determinado pelo planejamento consciente do futuro quanto pelos eventos recalcados do passado o alienaram de Freud. O rompimento oficial deu-se em 1911, quando foi expulso da Sociedade Psicanalítica de Viena, levando consigo vários seguidores. Adler criou posteriormente uma escola rival de psicanálise à qual chamou **psicologia individual**. Adler e Freud jamais se reconciliaram; na verdade Gay (1988) descreveu o que se estabeleceu subsequentemente entre os dois como uma relação de ódio recíproco, e quando Adler morreu de repente em 1937, Freud alegrou-se em saber que havia sobrevivido ao rival.

Um rompimento igualmente amargo ocorreu entre Freud e o psiquiatra suíço Carl Jung (1875-1961), conhecido por seu trabalho pioneiro com a esquizofrenia. Os dois conheceram-se em Viena em 1907, após uma troca de correspondência em que os elogios de Jung à teoria dos sonhos igualavam-se ao entusiasmo de Freud pelo procedimento de **associação de palavras** que Jung (1919) havia criado. Esse procedimento consistia em dar aos pacientes uma lista previamente preparada de palavras e pedir-lhes que reagissem a cada uma dizendo a primeira palavra que lhes ocorresse. Além disso, suas reações eram cronometradas e anotavam-se também algumas medidas fisiológicas (Watson e Evans, 1991). Jung presumia que os tempos de reação mais longos e a excitação (por exemplo, aceleração da respiração) indicavam que uma determinada palavra tinha implicações emocionais importantes, lógica semelhante à que mais tarde se usaria para justificar a validade do polígrafo como detector de mentiras.

Jung acompanhou Freud aos Estados Unidos para a conferência de 1909 da Clark University, onde apresentou seu procedimento de associação de palavras. Em 1911, Freud arranjou para que Jung fosse nomeado o primeiro presidente da recém-criada Sociedade Psicanalítica Internacional, em parte porque achava que a nomeação de Jung, que não era nem vienense nem judeu, faria a associação parecer mais internacional e pluralista do que realmente era. Nesse meio-tempo, Freud havia começado a pensar em Jung como se fosse um filho, tendo chegado a escrever-lhe chamando-o de seu "sucessor e príncipe herdeiro" (citado por McGuire, 1974, p. 218). Mas começaram a surgir problemas entre eles e, em 1913, Jung seguiu o caminho de Adler, tendo sido expulso do círculo mais íntimo de Freud.

Além de ter algumas ideias próprias, Jung, como Adler, questionou a ênfase de Freud no sexo. Ao longo do resto de sua carreira, ele desenvolveu uma escola que veio a chamar-se **psicologia analítica**, a qual deve ser distinguida da psicanálise de Freud. Em certos aspectos, Jung foi além deste, tendo proposto, por exemplo, ao lado do conceito do inconsciente "pessoal", conforme sugerido por Freud, o conceito do **inconsciente coletivo**, que incluiria as experiências coletivas de nossos ancestrais. A seu ver, os temas recorrentes da mitologia eram o reflexo de um legado humano comum. Jung contribuiu ainda para a teoria da personalidade com a distinção entre os que julgava serem os dois principais tipos de personalidade: os introvertidos e os extrovertidos.

Depois da deserção de Adler, Jung e outro analista chamado Steckel, Freud cerrou fileiras. Por sugestão de Ernest Jones, a quem posteriormente escolheria para seu biógrafo, Freud criou um grupo secreto denominado "Comitê", formado por oito pessoas que receberam dele um anel de ouro. Sua tarefa era salvaguardar o freudianismo ortodoxo, responder aos críticos, controlar as diversas organizações psicanalíticas e, conforme se pode depreender em retrospectiva, perpetuar o mito de Freud (Sulloway, 1979).

A Psicanálise nos Estados Unidos

As conferências da Clark University puseram Freud no mapa intelectual dos Estados Unidos, mas nem todos os assistentes ficaram impressionados. Apesar da saúde precária, William James viajou até Worcester, um ano antes de sua morte, para assistir à quarta conferência de Freud, e os dois conversaram um pouco a sós. James depois escreveria a um colega manifestando a esperança de que Freud desenvolvesse ao máximo suas interessantes ideias porque elas "não podem deixar de lançar luz sobre a natureza humana". Mas, por outro lado, James teve de "confessar que [Freud] me deu pessoalmente a impressão de ser um homem obcecado com ideias fixas. No meu próprio caso, não posso usar para nada as suas teorias sobre os sonhos, e obviamente o 'simbolismo' é um método perigosíssimo" (citado por Rosenzweig, 1992, p. 174).

Ao longo dos anos seguintes, os psicólogos norte-americanos tiveram a oportunidade de saber mais sobre Freud. O *Journal of Abnormal Psychology* publicou com certa regularidade algumas resenhas sobre a obra de Freud e alguns artigos sobre a psicanálise, mas muitos psicólogos acadêmicos consideraram a psicanálise periférica a seus interesses de pesquisa ou excessivamente "acientífica". Robert Woodworth, de Columbia (Capítulo 7), que poderia ter simpatizado com os freudianos devido a seu próprio interesse na motivação e seu ecletismo geral, acusou a psicanálise de ser mais religião que ciência (Woodworth, 1917). Ele ficou especialmente irritado com uma estratégia astuta usada pelos analistas: sempre que atacados, atribuíam a crítica a uma resistência inconsciente da parte do atacante, propiciando assim um pseudoapoio a um conceito freudiano fundamental. Criava-se então um impasse: os analistas sempre davam respaldo às ideias de Freud, independentemente de os críticos as elogiarem ou condenarem. Para Woodworth, essa atitude ultrapassava os limites. E igualmente mortificante para os psicólogos norte-americanos era a alegação dos analistas de que, para poder realmente compreender a psicanálise e criticá-la, era preciso primeiro submeter-se à terapia psicanalítica (Hornstein, 1992).

Conforme mencionado no capítulo anterior, no fim da década de 1930, alguns psicólogos de inclinações behavioristas (por exemplo, John Dollard e Neal Miller) tentaram assimilar a psicanálise reinterpretando-a em termos para eles compreensíveis. O recalque, por exemplo, em vez de ser uma força misteriosa que luta contra ideias inaceitáveis e as enxota para o profundo vácuo do inconsciente, poderia ser considerado "mais racionalmente" a reação de não pensar sobre certos eventos associados, na história de aprendizagem de cada um, a emoções negativas. Tratava-se simplesmente de uma questão de condicionamento de evitação: o ato de não pensar sobre um determinado evento era reforçado pela eliminação da ansiedade associada a esse evento. Outros psicólogos tentaram levar as ideias de Freud ao laboratório e submetê-las às definições operacionais. O recalque, por exemplo, poderia ser definido em termos de as pessoas reconhecerem ou não "palavrões" mostrados rapidamente de modo subliminar (por exemplo, McGinnies, 1949). Essa pesquisa da defesa perceptual tinha interesse em si mesma, mas se testava adequadamente as ideias de Freud já era outra questão.

Outra tentativa importante de levar os conceitos da psicanálise para o meio acadêmico foi empreendida por Henry Murray (1893-1988), de Harvard, que se tornou o segundo diretor da Harvard Psychological

Clinic em 1928 (a clínica havia sido fundada dois anos antes). Formado em medicina e muito interessado no inconsciente e na psicanálise, Murray havia estudado por um breve período com Carl Jung e tinha uma "queda" por análises exaustivas de casos. Seu livro *Explorations in Personality* (Murray, 1938), baseado na análise detalhada de cinquenta rapazes em idade universitária, tornou-se referência nos históricos de caso da personalidade (Barenbaum, 2006). Juntamente com Christiana Morgan, Murray desenvolveu também uma ferramenta de avaliação da personalidade que ainda hoje continua sendo amplamente utilizada: o Teste de Apercepção Temática (TAT, Thematic Apperception Test). Os que se submetem ao teste recebem uma série de ilustrações ambíguas (por exemplo, um jovem olhando para um violino) e são instruídos a descrever o que acham que está acontecendo nessas ilustrações. O teste presta-se à avaliação de construtos como a necessidade de realização.

Murray era uma figura carismática. Ele atraiu para a clínica numerosos jovens acadêmicos que depois se tornaram famosos (por exemplo, Erik Erikson), e seu curso de psicologia do anormal era um dos mais populares de Harvard. Contudo, ele muitas vezes entrava em atrito com os acadêmicos mais tradicionalistas de Harvard, em especial o lendário E. G. Boring, que reinava no departamento de psicologia na década de 1930 e, como você já sabe, tinha preferência pela mais rigorosa das psicologias experimentais. Que Murray e Boring entrassem em choque talvez fosse algo inevitável, tendo em vista o desprezo do primeiro pela psicologia científica que se praticava nos anos de 1930. Numa declaração muito citada, Murray queixou-se de que a psicologia estava no rumo errado — dedicando-se ao estudo de processos básicos como a sensação, a percepção e a memória no laboratório, ela havia deixado de compreender os seres humanos reais:

A verdade que os informados hesitam em revelar e os desinformados espantam-se ao descobrir é que a psicologia acadêmica não contribuiu em praticamente nada para o conhecimento da natureza humana. Por mais chocante que seja a constatação, ela não só deixou de lançar luz sobre os grandes e inquietantemente recorrentes problemas, como também não tem a menor intenção de tentar investigá-los. (Murray, citado por Barenbaum, 2006, p. 170)

Você certamente não se surpreenderá ao saber que esse tipo de opinião não tornava Murray muito querido entre os colegas mais tradicionais, de modo que suas ideias psicanalíticas jamais ganharam muito espaço em Harvard.

A psicanálise freudiana pode não ter tido muita repercussão no mundo acadêmico, mas exerceu forte impacto na prática médico-psiquiátrica, além de arrebatar a imaginação do público em geral. Entre 1912 e 1918, cerca de 170 artigos relativos à psicanálise saíram em publicações médicas e aproximadamente cinquenta, em revistas populares como *The Ladies' Home Journal* e *The New Republic* (Green e Rieber, 1980). Ao chegar a década de 20, a psicanálise já era conhecida o bastante para tornar-se o alvo de sátiras leves. Em "A Manual of the New Mentality", por exemplo, Stephan Leacock (1924) diz que "[e]m todas as partes encontramos referências a psicanálise, autossugestão, hipnose, hipnozes, psiquiatria, inebriação e coisas jamais pensadas um minuto antes" (p. 471). Um tom mais sarcástico foi adotado por Grace Adams, ex-aluna de Titchener, em artigo publicado no *Atlantic Monthly*. Referindo-se à conferência de Clark, ela diz que os psicólogos da plateia, não percebendo que estavam escutando a onda do futuro, pensaram "que estavam ouvindo apenas um estrangeiro barbudo fazer uns comentários absolutamente ridículos" (1934, p. 85). Adams prossegue, lamentando "a intromissão da psicanálise na vida cotidiana, com sua verborreia majestosa e suas bisbilhotagens altruístas" (p. 88). Os analistas podiam não saber nada a respeito do que era exigido em atividades como cuidar de uma casa, representar e dirigir um banco, por exemplo, "mas, por dominarem sua matéria, podiam dizer a uma dona de casa, uma atriz ou um banqueiro como executar as tarefas deles" (pp. 86-7).

Apesar das críticas e das sátiras, a psicanálise perseverou e fez importantes avanços na comunidade médica. Por volta de 1930, a formação em psiquiatria e neurologia geralmente previa uma boa dose de Freud (Hale, 1971). Além disso, criaram-se institutos psicanalíticos nas áreas urbanas, especialmente na parte leste dos Estados Unidos, para atender à demanda de médicos desejosos de credenciar-se como psicanalistas profissionais. Contudo, ao longo dos anos, devido a diferenças de contexto institucional e interesse, os psicólogos acadêmicos e os psicanalistas tenderam a trilhar caminhos distintos.

Freud em Perspectiva

Perto do fim da vida, Freud foi lembrado mais uma vez de sua herança judaica. Alguns sinais de mau augúrio surgiram logo após a ascensão dos nazistas ao poder em 1933. Conforme vimos no capítulo sobre a psicologia da Gestalt, os professores judeus estavam sendo sistematicamente destituídos de seus cargos. Além disso, a psicanálise foi tachada de "ciência judia" e banida na Alemanha. Pouco depois, os livros de Freud foram queimados em praça pública, junto com livros escritos por outros judeus (por exemplo, Einstein). Freud comentou ironicamente que o mundo aparentemente estava progredindo: "Na Idade Média, eles teriam queimado a mim; hoje em dia, contentam-se em queimar meus livros" (citado por Gay, 1988, pp. 592-93). E em março de 1938, os nazistas ocuparam a Áustria. As ruas de Viena, a cidade da cultura e das artes, tornaram-se cenário de espancamentos e até mesmo assassinatos a sangue-frio de judeus. Freud relutou em deixar Viena, mas afinal convenceu-se dessa necessidade depois que sua casa foi revistada por simpatizantes do nazismo e que sua filha Anna foi detida por um breve período pela Gestapo.[6] Em junho de 1938, ele abandonou Viena e instalou-se com a família em Londres, onde morreria de câncer em 23 de setembro de 1939.

O valor da contribuição de Freud à psicologia tem sido alvo de muito debate nos últimos anos. Um crítico chegou a ponto de referir-se à psicanálise como "o mais estupendo conto do vigário intelectual do século XX [...]; uma vasta estrutura de projeto radicalmente precário sem nenhuma posteridade" (Medawar, citado por Sulloway, 1979, p. 499). Os estudiosos que dissecaram os estudos de casos publicados por Freud encontraram escassos indícios de eficácia da psicanálise como terapia; na verdade, há muitos indícios de que ele pode ter distorcido os fatos ao relatar esses estudos com o intuito de fazê-los encaixar-se nas teorias que decidiu adotar (Kramer, 2006). Além disso, Freud foi censurado por não aproveitar a oportunidade de denunciar a generalidade do abuso sexual quando abandonou sua teoria original da sedução e foi até acusado de plágio (Gay, 1988). Seus defensores, por sua vez, afirmam que Freud é responsável por algumas das ideias mais importantes do século XX e que sua influência vai muito além da psicologia, atingindo o cerne da cultura ocidental. Essa questão, evidentemente, não será resolvida aqui nem no futuro próximo. O que podemos fazer é enumerar alguns aspectos da influência de Freud e algumas das críticas mais comuns à sua obra.

Contribuições

Estudiosos contemporâneos têm descoberto muitas fontes e antecedentes para as ideias de Freud. Por conseguinte, elas têm sido consideradas menos originais do que pareciam (Sulloway, 1979). Não obstante, qual-

---

6. Freud aparentemente nunca se deu conta da precariedade de sua situação e, como muita gente na época, não tinha ideia do mal que ainda estava por vir. Entre os seis milhões de judeus mortos nos campos de concentração nazistas, estavam quatro de suas irmãs (Fancher, 1990).

quer tentativa de compreender a natureza humana precisa passar pela consideração atenta de sua obra. Em primeiro lugar, embora não tenha descoberto o inconsciente, Freud popularizou o conceito, e os componentes do pensamento inconsciente — como o recalque, a defesa e o ato falho — tornaram-se parte do vocabulário da psicologia (e do cotidiano). A ênfase que ele dava às motivações inconscientes também levantou a questão da necessidade de estudar os processos motivacionais. Em segundo lugar, hoje partimos do princípio de que os eventos da tenra infância podem afetar significativamente o desenvolvimento posterior. Podemos divergir do modelo freudiano do desenvolvimento infantil, especialmente no que diz respeito ao complexo de Édipo e suas ramificações, mas não há dúvida de que ele nos conscientizou mais da maleabilidade da mente infantil. Em terceiro lugar, numa época em que a comunidade médica favorecia a explicação biológica dos distúrbios mentais e seu tratamento, Freud mostrou que alguns problemas tinham origem psicológica e, portanto, poderiam ser tratados com meios psicológicos, isto é, pela psicoterapia.

Críticas

Muitos dos conflitos de Freud com colegas deviam-se à ênfase que ele dava à motivação sexual. Breuer, Jung e Adler discordaram dele nessa questão, e hoje se reconhece que o comportamento humano é demasiado complexo para ser reduzido a um só tipo de motivo genérico. Os psicanalistas da era pós-freudiana deram atenção cada vez maior ao papel das relações interpessoais ("relações objetais") e do ambiente social na formação da personalidade (Pervin, 1991). A crítica à ênfase excessiva que Freud dava ao sexo faz parte de um problema mais amplo — ele muitas vezes exagerava. Assim, embora a infância seja claramente um determinante importante da personalidade futura, seria exagero dizer, como Freud disse, que a estrutura da personalidade é determinada essencialmente durante os primeiros cinco ou seis anos de vida. Uma terceira crítica frequente a Freud, feita muitas vezes pelos que estão acostumados ao controle de laboratório sobre as variáveis, diz respeito ao "*status* científico" de sua obra. Freud foi criticado por usar uma amostra limitada de estudos de caso, por ser demasiado parcial ao usar os dados de seus pacientes de maneiras que lhe convinham e por definir os termos de modo demasiado amplo para a testagem adequada de sua teoria. A insistência dogmática em seu próprio ponto de vista e na lealdade de seus seguidores também foi considerada incompatível com a "objetividade" esperada de cientistas de tradição positivista. Por fim, Freud foi muito criticado por suas opiniões teóricas acerca da psicologia feminina, embora seja preciso cuidado para reconhecer que poucas pessoas conseguem dissociar-se do contexto social em que vivem. Assim Freud era um vienense vitoriano típico que adotava uma atitude vitoriana típica em relação ao *status* de segunda classe da maioria das mulheres, e isso transparece em sua obra. Ele achava, por exemplo, que o desenvolvimento do superego nas mulheres nunca chegava ao fim, que elas tinham inveja da condição masculina e que a maior esperança de realização de uma mulher era gerar filhos homens. Segundo declarou Freud, anatomia era destino. Para sermos justos, Freud nunca se opôs à formação de analistas do sexo feminino competentes, tendo mesmo sido favorável a ela, e o exemplo mais óbvio está em sua filha Anna. E, além disso, ele ocasionalmente reconhecia sua parca compreensão da psique feminina, tendo certa vez perguntado queixosamente: "O que quer uma mulher?" (citado por Gay, 1988, p. 501).

A grande teoria de Freud, sua metapsicologia, pode não ter se sustentado, mas muitas de suas ideias resistiram à prova dos anos. Já em 1910, seu contemporâneo Havelock Ellis chegara a essa conclusão acerca de Freud, a qual fecha muito bem esta seção do capítulo: "Mas se [...] às vezes seleciona um fio muito fino [para "amarrar" seus argumentos teóricos], Freud raramente deixa de enfiar-lhe pérolas — e estas têm valor, independentemente de o fio partir-se ou não" (Ellis, 1910, citado por Sulloway, 1979, p. 500).

A PSICOLOGIA CLÍNICA NOS ESTADOS UNIDOS

Atualmente, os psicólogos clínicos especializam-se no diagnóstico e no tratamento de todos os tipos de distúrbios mentais e colocam-se à frente da pesquisa desses problemas. Nos Estados Unidos, os psicólogos clínicos formam-se nas faculdades de psicologia e podem obter os graus de Ph.D. ou Psy.D., ao contrário dos psiquiatras, que se formam nas faculdades de medicina e obtêm um M.D.* Muitos têm consultórios particulares, ao passo que outros podem trabalhar em hospitais ligados à rede da Veterans [Health] Administration (VA) ou em clínicas particulares. Alguns aliam a prática clínica ao ensino universitário. Embora a maioria não adote conceitos freudianos em sua prática, alguns o fazem. Hoje os psicólogos constituem um grupo muito influente entre os provedores de serviços relacionados à saúde mental. Esse tipo de psicólogo clínico começou a surgir no fim da Segunda Guerra Mundial, quando o aumento do número de portadores de problemas psicológicos gerou uma demanda que a comunidade médica — e, em particular, a psiquiatria — não pôde atender. Em certo sentido, portanto, a **psicologia clínica** conforme a conhecemos tem cerca de cinquenta anos.

Por outro lado, parte da reunião anual de 1996 da APA foi dedicada à comemoração do *centenário* da psicologia clínica. Falou-se muito de uma clínica criada no *campus* da University of Pennsylvania em 1896 pelo diretor do laboratório de psicologia de lá, Lightner Witmer. O fato sem dúvida foi importante, conforme veremos em breve, e desencadeou circunstâncias que por fim contribuíram para o surgimento da psicologia clínica moderna. Porém a psicologia clínica que existia antes da Segunda Guerra Mundial era bem diferente da disciplina que emergiu no pós-guerra. A comemoração desse centenário promovida pela APA é um exemplo interessante de como a importância histórica de um fato pode ser criada muito depois de sua ocorrência, por meio das decisões de historiadores e outros (por exemplo, planejadores de convenções) que podem estar motivados por mais que um simples desejo de verdade histórica. Assim, embora o centenário da clínica de Witmer tivesse mérito para ser comemorado, provavelmente não foi por coincidência que essa celebração veio no momento em que os psicólogos clínicos lutam para manter seu *status* diante de provedores de serviços de saúde que, preocupados com os custos, às vezes questionam a validade do pagamento de serviços clínicos adequados. Cem anos de profissão dão impressão de maior solidez que cinquenta.

Lightner Witmer (1867-1956): A Criação da Primeira Clínica de Psicologia

Como muitos outros psicólogos norte-americanos, Lightner Witmer (Figura 12.8) formou-se fazendo pesquisa básica de laboratório, mas ficou conhecido aplicando a psicologia à solução de problemas do dia a dia. Nascido na Filadélfia, Witmer passou quase toda a vida perto de casa, formando-se em 1888 na vizinha University of Pennsylvania e, em seguida, fazendo lá mesmo cursos de pós-graduação enquanto lecionava em outra faculdade local. Seus diversos interesses por fim concentraram-se na psicologia e, por algum tempo, ele trabalhou como assistente de laboratório do novo professor de psicologia da universidade, James McKeen Cattell (Capítulo 8).

---

* O grau de M.D. (Medical Doctor) corresponde ao de doutor em medicina, ao passo que os de Ph.D. (Philosophiae Doctor) e Psy.D. (Doctor of Psychology), a doutor em filosofia e em psicologia, respectivamente. (N. da T.)

FIGURA 12.8 Lightner Witmer, retratado depois de sua entrada para o corpo docente da University of Pennsylvania.

Depois disso, seguindo o exemplo de Cattell, Witmer foi para Leipzig e obteve um doutorado com Wundt em 1892 (ano em que Titchener também estava estudando lá). Ao voltar para os Estados Unidos, tendo em vista a transferência de Cattell no ano anterior para Columbia, ele foi nomeado diretor do laboratório da University of Pennsylvania e tornou-se um ardoroso defensor da nova psicologia de laboratório. Witmer revelou sua paixão pela pesquisa numa divertida carta enviada a Hugo Münsterberg em 1893 (citada no *Close-Up* do Capítulo 7), na qual descrevia um estudo sobre a psicologia da memória e da dor que ele havia empreendido, num nível bastante pessoal, para isso deixando que o cavalo o derrubasse (Witmer, 1893). O episódio aparentemente era compatível com o espírito de Witmer — um amigo posteriormente lembraria que, em férias nas montanhas Adirondacks, em Nova York, ele gostava de passear em sua bicicleta, sem freios, por colinas íngremes [...] com as pernas no guidão" (Collins, 1931, p. 9).

Apesar de seu feroz compromisso com a psicologia científica, como a maioria dos psicólogos norte-americanos, Witmer achava que a psicologia deveria ser aplicada à melhoria da vida das pessoas. Por isso, ficou intrigado quando uma professora da cidade, que o conhecia por ter feito com ele um curso de verão, foi ao laboratório em março de 1896, levando consigo um garoto de 14 anos que não conseguia aprender a escrever, embora fosse razoavelmente competente nas demais tarefas escolares. Sempre disposto a experimentar algo novo, Witmer concordou em ajudar e logo descobriu que parte do problema era de visão: com óculos, o garoto pôde fazer um treinamento e seu desempenho escrito melhorou um pouco. Esse e um segundo episódio, desta vez envolvendo uma criança que tinha um distúrbio de fala, transformaram uma parte do laboratório de Witmer numa clínica e lançaram, assim, a psicologia clínica, cujo desfecho foram vários dias de simpósios e comemorações na convenção de 1996 da APA.

A nova clínica não demorou a tornar-se objeto de comentários e logo Witmer começou a atender cerca de vinte outras crianças com problemas fisiológicos, cognitivos e comportamentais relacionados ao desempenho escolar no ano de 1896 (McReynolds, 1987). Em dezembro desse mesmo ano, ele fez um pronunciamento na reunião anual da APA em Boston, no qual lançou um apelo para que se fizessem mais pesquisas sobre os problemas com que ele estava trabalhando e se desenvolvessem programas de treinamento para aumentar o número de especialistas capazes de tratá-los. Em 1907, ele fundou a publicação *The Psychological Clinic*, que trazia estudos de casos, relatórios de pesquisas e artigos teóricos. O artigo principal do primeiro número era de Witmer; seu título — "Clinical Psychology" — deu nome à especialidade que surgia (Witmer, 1907/1931). Nesse artigo, ele descrevia os dez primeiros anos da clínica e voltava a pedir mais pesquisa e treinamento, instando à criação de "uma nova profissão — a do especialista em psicologia, que teria sua carreira ligada ao sistema escolar, por meio do exame e do tratamento de crianças mental e moralmente retardadas" (p. 346). Assim, a psicologia clínica começou com foco relativamente estreito: diagnóstico e tratamento de crianças com problemas escolares. Hoje essa especialidade está relacionada à **psicologia escolar**. Na verdade, os psicólogos escolares também consideram Witmer um de seus pioneiros, e todos os anos a divisão de Psicologia Escolar da APA concede o "prêmio Lightner Witmer" a jovens e promissores psicólogos escolares (Baker, 1988).

Com a progressiva expansão, em 1909 a clínica de Witmer havia desenvolvido uma abordagem de equipe no trabalho. A criança que fosse admitida no programa era cuidadosamente examinada por um médico consultor, um assistente social compilava seu histórico escolar e familiar e Witmer, ou um de seus auxiliares, fazia a testagem mental, usando uma bateria de testes para avaliação de coisas como memória, atenção e coordenação motora (Fernberger, 1931). Witmer não gostava dos testes de inteligência feitos com lápis e papel e, embora achasse que avaliações como os testes de Binet podiam fornecer informações interessantes sobre várias habilidades, acreditava que elas eram usadas excessivamente e via pouca utilidade nos resultados de QI em si (McReynolds, 1996). Depois da compilação de todas as informações, as crianças eram classificadas como (a) portadoras de algum problema médico passível de correção (por exemplo, problemas de visão), mas não necessitadas de treinamento especial, (b) possivelmente portadoras de algum problema médico, mas claramente necessitadas de algum programa especial ou outra intervenção ambiental (por exemplo, melhor nutrição), ou (c) gravemente retardadas, não passíveis de tratamento e necessitadas de encaminhamento ao juizado de menores (Baker, 1988).

Ao contrário da maioria de seus contemporâneos, Witmer reagia com ceticismo diante das alegações em favor da herança de traços como a deficiência mental. Ele reconhecia claramente as diferenças individuais de capacidade nos escolares que atendia e admitia que um certo grau de deficiência era intrínseco e inalterável. Em sua opinião, as crianças que sofriam de retardos graves deveriam ser segregadas da sociedade em instituições especiais e impedidas de procriar. Entretanto, a própria existência da clínica demonstrava sua convicção de que algumas deficiências poderiam ser corrigidas com treinamento adequado e/ou controle do ambiente. Por conseguinte, Witmer tinha em comum com os behavioristas a crença de que o ambiente poderia modelar o comportamento. Ele achava que se o problema de comportamento observado na clínica era produzido por influências ambientais passadas, então futuras intervenções ambientais poderiam alterar esse comportamento e tornar a criança um aluno mais produtivo. Ele considerava sua abordagem otimista, argumentando que enfatizar a hereditariedade era renunciar à esperança de mudança: "Atribuir um problema ao ambiente é um desafio a que façamos algo por sua melhora ou cura; atribuí-lo à hereditariedade quase sempre significa cruzarmos os braços e não fazermos nada" (Witmer, 1911, p. 232). Witmer introduziu o termo **ortogenia** para referir-se a essa estratégia de "investigar o retardo e o desvio e os *métodos para restabelecer a condição normal* daqueles que, por uma razão ou outra, são considerados retardados ou desviados" (Witmer, 1909, p. 122, itálico nosso).

A clínica de Witmer cresceu rapidamente nas primeiras décadas do século XX, atingindo quase 10 mil arquivos de casos em 1931 (Fernberger, 1931). Além disso, incorporou diversas funções especializadas ao seu objetivo geral de diagnosticar e tratar os problemas de crianças em idade escolar. Uma delas foi uma clínica de distúrbios da fala, criada por E. B. Twitmyer em

1914.[7] Outra foi uma clínica vocacional, frequentada por adolescentes e adultos que buscavam testes e aconselhamento quanto às suas opções profissionais, fundada por Morris Viteles, que poderia ter sido incluído na lista de pioneiros da psicologia industrial do Capítulo 8. As clínicas de Witmer serviram de modelo a numerosas cópias e variantes: mais de vinte até o início da Primeira Guerra Mundial (Sexton, 1965). Enquanto isso, entravam em ação outras forças que por fim promoveriam o surgimento da moderna psicologia clínica.

A Psicologia Clínica Antes da Segunda Guerra Mundial

O Capítulo 8 abordou a evolução do movimento da testagem mental e este descreveu em breves pinceladas o movimento da higiene mental, promovido por Clifford Beers. Ambos contribuíram para o desenvolvimento da psicologia clínica. Além disso, no período que se seguiu à Primeira Guerra Mundial, verificaram-se vários esforços institucionais, dentro da APA, no sentido de profissionalizar o trabalho do clínico. Foi uma luta difícil. Um dos problemas foi que, com a crescente popularidade da psicologia e o aparente sucesso do programa de testagem militar, muitas pessoas sem qualificação começaram a alegar que poderiam fornecer serviços psicológicos. Na tentativa de solucionar esse impasse, a APA aprovou uma resolução em 1915 que determinava que só os profissionais treinados para aplicar testes poderiam trabalhar com testagens. Porém, como a maioria dos que ministravam os testes não pertenciam à APA, a resolução surtiu pouco efeito (Napoli, 1981). O segundo problema era que os clínicos nem sempre se sentiam bem recebidos na APA, já que esta girava em torno do ambiente acadêmico e tinha requisitos acadêmicos muito rigorosos para afiliação. O terceiro problema para os clínicos é que, a menos que trabalhassem em clínicas como a Witmer, tinham pouco prestígio profissional em seus ambientes de trabalho, em geral constituídos por hospitais e clínicas particulares. Muitas vezes, eles limitavam-se unicamente a ministrar testes mentais elementares, enquanto o trabalho principal — de diagnóstico e terapia — ficava a cargo dos psiquiatras. E a comunidade médica não tinha a menor intenção de abrir mão de sua autoridade ou *status*.

A primeira tentativa mais séria de formação de uma identidade para os clínicos dentro da APA teve lugar no encontro anual de 1917, quando J. E. Wallace Wallin convocou uma reunião "para avaliar a conveniência de estabelecer uma nova associação para 'incentivo e desenvolvimento dos serviços profissionais no campo da psicologia clínica'" (Wallin, 1966, p. 107). As sete pessoas que se reuniram em Pittsburgh naquele inverno — entre as quais estava Leta Hollingworth (veja o *Close-Up* do Capítulo 8) — criaram a AACP, American Association of Clinical Psychologists. Porém, a liderança da APA não achou graça, temendo uma possível desintegração de sua organização. Em 1919, chegou-se a um acordo quando a APA criou uma "seção" interna para a psicologia clínica e os membros da AACP extinguiram sua associação e filiaram-se à APA. Na década de 1920, a seção Clínica tratou de diversas questões profissionais, entre as quais a formação adequada, o credenciamento e a ética, mas seus esforços de pouco adiantaram. O único grande efeito de sua presença cada vez mais forte foi que a APA baixou seu nível de exigência para concessão de afiliação

---

7. A tese de Twitmyer, feita com orientação de Witmer, era uma análise do reflexo patelar (Twitmyer, 1905). No curso de sua investigação, ele descobriu que esses movimentos involuntários do joelho poderiam ser induzidos por estímulos associados à estimulação do tendão patelar. Ou seja, logo após a descoberta do condicionamento clássico por Pavlov na Rússia, Twitmyer estava fazendo a mesma descoberta nos Estados Unidos. Porém Pavlov merece o crédito por causa do seu extenso programa de pesquisa. Twitmyer, por sua vez, depois de ser ignorado quando apresentou sua pesquisa na reunião de 1904 da APA, abandonou o condicionamento e envolveu-se na clínica de Witmer.

em meados da década de 1920, criando duas categorias: membro integral, com plenos direitos, e membro associado, sem direito a voto. No fim da década, os associados superavam em número os membros integrais (Napoli, 1981).

Durante a década de 1930, os psicólogos clínicos (e outros psicólogos interessados na aplicação da disciplina) continuaram pressionando a APA, que continuava dominada por interesses acadêmicos, em busca de reconhecimento. Porém, até mesmo o mais ferrenho acadêmico teve de enfrentar a realidade da Grande Depressão. Conforme vimos na discussão sobre as experiências de Lewin nos anos de 1930 (Capítulo 9), os cargos acadêmicos tornaram-se cada vez mais raros durante os anos da Depressão, o que tornou a busca de emprego em outras esferas uma necessidade premente para os psicólogos jovens. A APA criou comissões como o Committee on the Social Utilization of Unemployed Psychologists e o Committee on Psychology and the Public Service. Contudo, apesar desses esforços, os psicólogos aplicados ainda sentiam necessidade de ter a sua própria organização e, finalmente, a criaram em 1937 — a AAAP, American Association for Applied Psychology. Em 1940, a AAAP já contava com mais de seiscentos membros, em relação aos cerca de 4 mil da APA, e tinha seções específicas para psicologia clínica, educacional, consultiva e industrial (Hilgard, 1987).

Até o fim da Segunda Guerra Mundial, a AAAP teve existência independente da APA, mas não competia com esta — na verdade, aproximadamente 90% de seus membros também pertenciam à APA (Capshew, 1999). A organização conseguiu avançar nas questões de formação e padrões, mas o advento da Segunda Guerra Mundial na geração seguinte transformou a psicologia mais uma vez. O espírito nacional de unidade e interdependência promoveu um grau de cooperação entre os acadêmicos e os profissionais dedicados à prática que jamais havia sido visto antes (e também não foi visto depois). O resultado foi a total reorganização da APA para acomodar tanto os interesses científicos quanto os aplicados. Essa reorganização teve início com um encontro entre várias associações ocorrido em Nova York em 1943, presidido por E. G. Boring, que congregou 25 delegados de várias entidades, mas principalmente da APA e AAAP. Eles aprovaram uma nova estrutura para a APA que foi mantida até hoje e a transforma numa organização mais ampla, que abrange "Divisões" de interesses especiais e tem novos propósitos. Enquanto a APA original tinha como objetivo principal o avanço da psicologia como "ciência", sua versão revista e ampliada inclui também o avanço da psicologia como "profissão" e como "meio de promover o bem-estar humano" na sua lista de finalidades (Napoli, 1981, p. 127). Conforme veremos no próximo capítulo, o espírito de união que a guerra promoveu na APA não durou muito. Além disso, a guerra provocou uma transformação significativa na própria natureza da psicologia clínica.

EM PERSPECTIVA: O TRATAMENTO DA DOENÇA MENTAL

Este capítulo abordou muita coisa, partindo das primeiras tentativas de tratar os doentes mentais de uma forma humana, com o esforço monumental de Freud nesse sentido e sua construção simultânea de uma teoria geral do comportamento humano, e terminando com as tentativas dos psicólogos "clínicos" norte-americanos de criar uma identidade profissional já antes da Segunda Guerra Mundial. O que aqui se lê é apenas uma pequena parte de uma história muito maior, a cuja exposição daremos continuidade no próximo capítulo, abordando a nova identidade assumida pela psicologia clínica após a Segunda Guerra Mundial, identidade essa que teve influência direta sobre o psicólogo clínico em sua versão atual.

Talvez você se surpreenda ao ver que este livro se dedica relativamente pouco ao diagnóstico e tratamento dos doentes mentais. Afinal, quando pensa em psicologia, a maioria das pessoas pensa no estereótipo do psicólogo como terapeuta, numa imagem que pode incluir até o divã. Porém, a esta altura, e talvez também por causa de seus outros cursos de psicologia, você já deve saber que a psicologia constitui um esforço muito mais amplo. Pelo menos nos Estados Unidos, sua história foi principalmente a da tentativa de se estabelecer como uma nova disciplina, em especial no ambiente acadêmico. Isso, por sua vez, implica que a maioria dos psicólogos norte-americanos procurou ampliar nossa compreensão do comportamento e dos processos mentais por meio da pesquisa científica e, por meio de aplicações diversas, melhorar a sociedade com esse aumento da compreensão. A história do tratamento dos doentes mentais, por outro lado, se sobrepõe em muito à história da medicina e, na maior parte, transcorreu fora do ambiente acadêmico (com as exceções de praxe, sendo Witmer a mais notável delas). Como a maioria dos atuais departamentos de psicologia continua tendo a missão da pesquisa e da aplicação, não é de surpreender que seu curso de história da psicologia na faculdade (e o livro-texto nele adotado) enfatize esse lado acadêmico.

RESUMO

OS PRIMEIROS TRATAMENTOS DA DOENÇA MENTAL

- Perto do fim do século XVIII, os pensadores iluministas começaram a pressionar por reformas no tratamento destinado aos doentes mentais. Na França, Phillipe Pinel introduziu o conceito de "tratamento moral", com base no qual as condições de vida nas instituições melhoraram, a tendência a recorrer exclusivamente à contenção física dos pacientes diminuiu e empreenderam-se esforços diretos para melhorar o comportamento dos pacientes. Reformas semelhantes foram realizadas por William Tuke no York Retreat, na Inglaterra. Seu modelo foi muito copiado nos Estados Unidos no século XIX. Benjamin Rush, considerado o fundador da moderna psiquiatria, criou um modelo médico para explicar a doença mental e desenvolveu um tratamento que se baseava em "melhorar" o sistema sanguíneo e circulatório dos pacientes. Jean Itard tentou mostrar — com resultados um tanto pífios — que se poderia aliviar o retardo mental.
- Na metade do século XIX, com seu trabalho, Dorothea Dix conseguiu promover a reforma dos grandes manicômios públicos e a melhora do tratamento destinado aos doentes mentais pobres. Na virada do século XX, Clifford Beers, ex-paciente mental, tornou-se ativista em prol de reformas semelhantes. Além disso, ele foi um pioneiro do movimento da Higiene Mental, cuja ênfase recaía na prevenção.
- A classificação das doenças mentais sofreu um grande avanço com o trabalho de Emil Kraepelin, psiquiatra e ex-aluno de Wundt. Entre outras coisas, Kraepelin é conhecido por ter sido o primeiro a descrever a demência precoce (posteriormente rebatizada como esquizofrenia), inclusive nos aspectos referentes à atenção.

O MESMERISMO E A HIPNOSE

- Em meados do século XVIII, Franz Anton Mesmer criou um procedimento para tratar a histeria (constituída por aparentes distúrbios do sistema nervoso sem danos orgânicos reais) baseado na convicção de que o mal resultava de forças magnéticas mal alinhadas no corpo. Convencido de possuir poderes magnéticos, Mesmer tratou seus pacientes e promoveu algumas curas "mesmerizando-os". Embora o ignorasse, seus êxitos decorriam do poder da sugestão: ele descobriu o procedimento que posteriormente seria chamado de hipnotismo.
- No século XIX, antes da descoberta de drogas como o éter, o mesmerismo foi adotado como anestésico em cirurgias pelo médico britânico John Elliotson e amplamente usado na Índia por outro médico britânico, James Esdaile. A técnica ganhou ainda mais credibilidade científica com James Braid, que a rebatizou como "neuro-hipnologia", daí passando a ser conhecida como hipnologia ou hipnotismo.
- Na França, em meados do século XIX, desenvolveram-se duas linhas de pensamento quanto à natureza do hipnotismo. Segundo Liebeault e

Bernheim, da escola de Nancy, o hipnotismo era um fenômeno normal cujos efeitos produziam-se pelo poder da sugestão: as pessoas apresentavam diferentes graus de sugestionabilidade. Porém, segundo Charcot, de Paris, os efeitos hipnóticos refletiam, como num espelho, os sintomas da hipnose, e a sugestionabilidade era um indício de neurose histérica.

SIGMUND FREUD (1856-1939): A FUNDAÇÃO DA PSICANÁLISE

- Freud é uma das figuras mais afamadas da psicologia. Ao longo dos anos, desenvolveu-se o mito freudiano, uma falsa crença de que ele foi um herói solitário que defendia suas ideias diante de resistências avassaladoras e de que suas ideias nasceram com ele, pois não teriam antecedentes importantes. Recentes estudos vêm questionando ambos os aspectos do mito.
- Freud formou-se em neurologia e sofreu influência, devido a seu contato com Ernst Brücke, do materialismo e do determinismo que dominavam a fisiologia no século XIX. Problemas financeiros o levaram a dedicar-se à neurologia clínica, quando então se interessou pelo tratamento da histeria. Na década de 1880, ele estudou com dois dos maiores especialistas nessa área, Meynert e Charcot. Além disso, Freud foi muito influenciado pela obra de Darwin.
- Por intermédio de Josef Breuer, Freud tomou conhecimento do caso de Anna O., no qual se evidenciou que os sintomas histéricos estavam associados a lembranças recalcadas. O tratamento (aparentemente) tinha sucesso quando a paciente conseguia resgatar lembranças dos eventos que cercavam o surgimento inicial de um sintoma. As lembranças produziam uma liberação emocional ou catarse. Com Breuer, Freud publicou *Estudos sobre a histeria* em 1895, em geral considerado o marco da fundação da psicanálise.
- Freud achava que a histeria provinha do recalque de traumas reais ou imaginados no inconsciente e que o objetivo da psicanálise era trazer as recordações recalcadas à tona para que o paciente pudesse chegar à descoberta das causas do seu problema. Para explorar o inconsciente, Freud desenvolveu o procedimento da livre associação — no qual a pessoa diz o que lhe vem à mente — e a análise dos sonhos — na qual o conteúdo superficial ou "manifesto" dos sonhos é examinado para que se descubra seu conteúdo subjacente ou "latente". Para Freud, todo sonho representa a satisfação disfarçada de um desejo. Além disso, ele acreditava que todos os fatos têm uma causa; mesmo os acidentes ou lapsos de língua (atos falhos) possuem propósitos inconscientes.
- Freud achava que os problemas sexuais eram determinantes da histeria. A princípio, ele pensava que a histeria era efeito de abuso sexual na infância, mas posteriormente abandonou essa hipótese da "sedução", argumentando que as recordações de abuso eram na verdade o resultado de sentimentos sexuais originários da infância. Isso o levou à sua teoria da sexualidade infantil e ao complexo de Édipo.
- Freud cultivava, em seu círculo íntimo, alguns seguidores fiéis à psicanálise. Dois deles, Alfred Adler e Carl Jung, romperam com Freud por causa da questão do sexo e estabeleceram suas próprias escolas de pensamento: a psicologia individual (Adler) e a psicologia analítica (Jung). Um dos mais fiéis discípulos de Freud foi sua filha Anna, conhecida por estender a psicanálise ao tratamento das crianças.
- Depois da Primeira Guerra Mundial, a teoria de Freud evoluiu com a inclusão de três propostas: (a) tanto o instinto de vida (sexo) quanto o de morte (agressividade) fazem parte da natureza humana, (b) a estrutura da personalidade baseia-se no ego, que serve de mediador entre as exigências instintuais do id, as restrições morais do superego e as limitações impostas ao comportamento pela realidade, e (c) cada uma das três fontes de pressão sobre o ego pode gerar ansiedade, e o ego reage acionando mecanismos de defesa como o recalque, a projeção e a formação de reação.
- As ideias de Freud foram recebidas com algum ceticismo pelos psicólogos acadêmicos, tendo tido inicialmente maior influência sobre a comunidade médica e o público em geral. Entre suas contribuições, destacam-se os conceitos de inconsciente e recalque, a ênfase na importância da tenra infância e a insistência na natureza psicológica dos distúrbios mentais. Os críticos o acusaram de superestimar a importância da sexualidade e questionaram o *status* científico da psicanálise e a sua descrição da psicologia feminina.

A PSICOLOGIA CLÍNICA NOS ESTADOS UNIDOS

- Lightner Witmer é o psicólogo a quem normalmente se considera o criador da primeira clínica de tratamento de distúrbios psicológicos nos Estados Unidos, em 1896. Sua clínica voltava-se para problemas "psicoeducacionais" semelhantes aos enfrentados hoje pelos psicólogos escolares: problemas de ordem fisiológica, cognitiva e com-

portamental relacionados ao desempenho escolar. Ele achava que os problemas que havia estudado podiam ser curados e chamou seu programa de tratamento de ortogenia.
- Antes da Segunda Guerra Mundial, os psicólogos clínicos, em sua grande maioria, forneciam serviços de testagem mental e não tinham muito prestígio nem nas clínicas, dominadas por psiquiatras, nem na APA, controlada por acadêmicos. A American Association for Applied Psychology foi criada em 1937 com o intuito de profissionalizar a prática da psicologia. A APA sofreu uma reformulação no fim da Segunda Guerra Mundial e expandiu sua missão, abrangendo, além da ciência, a prática profissional da psicologia.

QUESTÕES PARA ESTUDO

1. Explique como Pinel foi influenciado pelos ideais gerais do Iluminismo.
2. Descreva a prática do "tratamento moral".
3. Descreva o que você imagina que seria a vida de um paciente de Benjamin Rush.
4. Descreva o trabalho de (a) Dorothea Dix e (b) Clifford Beers como militantes da reforma da saúde mental.
5. Descreva a contribuição de Emil Kraepelin à classificação dos distúrbios mentais.
6. Qual a teoria por trás do "mesmerismo"? Por que o tratamento às vezes "funcionava"?
7. Descreva as origens do termo "hipnotismo".
8. Qual era a teoria do hipnotismo desenvolvida pela escola de Nancy e por que Charcot a considerava arriscada? Qual foi a visão que prevaleceu?
9. Descreva os dois principais componentes do assim chamado mito freudiano. Qual o papel de Freud na perpetuação desse mito?
10. Qual a influência do pensamento materialista do século XIX e da teoria de Darwin sobre as ideias de Freud?
11. Descreva a versão tradicional do caso de Anna O., o que realmente aconteceu e o que Freud aprendeu (ou achava ter aprendido) com o caso.
12. Descreva os métodos usados por Freud para explorar o inconsciente.
13. As convicções determinísticas de Freud evidenciam-se em sua teoria dos sonhos e sua descrição dos atos falhos. Explique.
14. Descreva a hipótese da sedução proposta por Freud e diga o que ocorreu com ela.
15. Descreva a evolução da teoria de Freud depois da Primeira Guerra Mundial.
16. Qual a contribuição de Anna Freud para as teorias do pai?
17. Quais as alternativas à psicanálise freudiana propostas por (a) Alfred Adler e (b) Carl Jung?
18. Qual o impacto da psicanálise freudiana nos Estados Unidos, em termos dos círculos acadêmicos e do público em geral?
19. Escreva uma análise das contribuições de Freud para a psicologia do século XX e das críticas que ele sofreu.
20. Lightner Witmer é por vezes considerado o fundador da psicologia clínica nos Estados Unidos. Em que se baseia essa suposição? Por que, em vez disso, ele poderia ser considerado o fundador da psicologia escolar?
21. Descreva o trabalho característico de um psicólogo clínico no período anterior à Segunda Guerra Mundial.
22. Descreva o trabalho de Henry Murray no intuito de introduzir uma psicologia da personalidade de base psicanalítica no ambiente acadêmico de Harvard.

LEITURA SUPLEMENTAR

HORNSTEIN, G. A. (1992). The return of the repressed: Psychology's problematic relations with psychoanalysis, 1909-1960. *American Psychologist, 47*, 254-63.

Análise excelente (e, para um artigo acadêmico, espirituosa) da reação dos psicólogos norte-americanos à psicanálise ao longo dos anos; mostra como eles inicialmente a rejeitaram e, em seguida, tentaram incorporá-la à psicologia experimental tradicional.

MCREYNOLDS, P. (1994). *Lightner Witmer: His life and times*. Washington, DC: American Psychological Association.

A biografia de maior autoridade de Witmer; inclui descrições detalhadas do trabalho em sua clínica e dos primeiros casos por ele tratados, além de cobrir a expansão da clínica nos anos subsequentes.

ROSENZWEIG, S. (1991). *The historic expedition to America (1909): Freud, Jung and Hall the kingmaker.* St. Louis: Rana House.

Fonte fidedigna de informações sobre a viagem de Freud aos Estados Unidos; embora lhe falte análise contextual, suas extensas notas de rodapé propiciam uma grande riqueza de detalhes; uma tradução para o inglês das conferências de Freud dá aos leitores norte-americanos a chance de lê-lo no original e fornece um bom resumo do pensamento freudiano em 1909.

SEXTON, V. S. (1965). Clinical psychology: A historical survey. *Genetic Psychology Monographs,* 72, 401-34.

Apesar de um tanto datado, o estudo constitui um bom resumo da psicologia clínica nos Estados Unidos; inclui informações sobre a testagem mental, a higiene mental e os esforços dos psicólogos clínicos na busca da profissionalização; também útil é um artigo semelhante, porém ainda mais antigo, de Watson (1953).

SULLOWAY, F. J. (1979). *Freud: Biologist of the mind.* Nova York: Basic Books.

Uma das várias biografias de Freud, é excelente no que se refere à análise do mito freudiano; inclui um tratamento extensivo de fontes contemporâneas de ideias muitas vezes atribuídas a Freud (por exemplo, a da sexualidade infantil); mais crítica que outra biografia de primeira linha, a de Gay (1988).

CAPÍTULO **13**

OS PRATICANTES DA PSICOLOGIA

Uma forma concisa de descrever a mudança que ocorreu em mim é dizer que, em meus primeiros anos de carreira, eu me perguntava: "Como posso tratar, curar ou mudar essa pessoa?" Agora eu reformularia essa pergunta da seguinte maneira: "Como posso fornecer uma relação que essa pessoa possa usar para seu próprio crescimento pessoal?"

— Carl Rogers, 1961b

VISÃO GERAL E OBJETIVOS DO CAPÍTULO

Depois de uma discussão preliminar da divisão fundamental, porém um tanto artificial, da psicologia entre cientistas e profissionais da prática, este capítulo prossegue do ponto em que o anterior parou: a prática da psicologia clínica. Conforme veremos, a Segunda Guerra Mundial transformou o *status* dos psicólogos clínicos: de assistentes de psiquiatras, limitados basicamente a aplicar testes psicológicos, passaram a profissionais altamente treinados para diagnosticar e tratar todos os distúrbios mentais e comportamentais. Além disso, depois da guerra, a psicoterapia tradicional baseada no modelo freudiano teve sua eficácia questionada, dando origem a abordagens alternativas. As que consideraremos aqui são a terapia do comportamento, derivada dos princípios condicionantes behavioristas, e as terapias que evoluíram de uma abordagem que se autointitulava a Terceira Força. Essa "psicologia humanística" criou uma identidade distinta por meio da comparação com as duas outras forças da psicologia: a psicanálise e o behaviorismo. Seus defensores mais conhecidos foram Abraham Maslow e Carl Rogers, criador da terapia centrada no cliente.

Porém, a prática profissional da psicologia evidentemente foi além da psicologia clínica. Conforme vimos no Capítulo 8, uma das principais áreas da psicologia aplicada era a do comércio e a da indústria. A moderna psicologia industrial/organizacional dá prosseguimento à tradição iniciada por pioneiros como Scott, Münsterberg e Bingham. Este capítulo retomará a discussão do Capítulo 8 sobre a psicologia aplicada ao comércio e à indústria, tendo como ponto alto a análise de uma famosa série de estudos realizada numa fábrica de componentes de sistemas telefônicos em Hawthorne, Illinois. Depois da conclusão deste capítulo, você deve ser capaz de:

■ Compreender as razões da divisão histórica entre os cientistas da psicologia e aqueles que se concentram na prática profissional da psicologia

- Descrever os efeitos da Segunda Guerra Mundial sobre o desenvolvimento da psicologia clínica
- Comparar os modelos de formação em nível de pós-graduação para psicólogos clínicos de Boulder e Vail e descrever o *status* de ambos
- Descrever os estudos de Eysenck sobre a eficácia da psicoterapia e seu impacto sobre a psicologia clínica
- Descrever a história da lobotomia como ferramenta médica no tratamento de doenças mentais graves
- Descrever a terapia do comportamento, especialmente a história da dessensibilização sistemática, e mostrar sua relação com os princípios behavioristas
- Explicar por que a psicologia humanística é às vezes chamada de "terceira força" da psicologia
- Descrever o desenvolvimento do conceito de autoatualização e mostrar como este se enquadra na filosofia da psicologia humanística
- Descrever a essência da terapia centrada no cliente proposta por Carl Rogers, e mostrar como a atmosfera terapêutica é crucial para o crescimento pessoal do cliente
- Descrever os principais avanços da psicologia industrial nas décadas de 1920 e 1930 e no pós-guerra
- Descrever os experimentos de Hawthorne e analisá-los criticamente

PESQUISADORES E PRATICANTES

No fim do capítulo anterior, vimos como os psicólogos clínicos tiveram os primeiros vislumbres de uma identidade profissional. Primeiro, eles criaram em 1917 uma associação que teve vida breve, a American Association of Clinical Psychologists; depois, conseguiram promover a criação de uma "seção" para eles dentro da APA; e por fim juntaram-se a outros psicólogos aplicados para formar uma associação mais atuante, a American Association for Applied Psychology (AAAP), em 1937. Perto do final da Segunda Guerra Mundial, eles tiveram papel fundamental na reorganização (na verdade, recriação) da APA. A nova APA já não se dedicaria exclusivamente à busca da ciência, mas também ao avanço da psicologia como profissão e à promoção do bem-estar humano (Hilgard, 1987). Antes da Segunda Guerra Mundial, a psicologia acadêmica dominara a APA, mas, depois da guerra, o poder começou a mudar de mãos até a virada de 1962, quando pela primeira vez os psicólogos que trabalhavam em cargos não acadêmicos superaram em número aqueles que trabalhavam em universidades (Tryon, 1963).

Essa mudança não foi bem recebida pelos psicólogos acadêmicos. Evidentemente, essa não era a primeira vez que pesquisadores e acadêmicos da psicologia ficavam insatisfeitos com a APA. Já em 1898 houvera uma proposta de separação dos pesquisadores da APA para formação de uma entidade própria, feita por ninguém menos que Lightner Witmer (Capítulo 12), na época mais interessado na pesquisa experimental que em sua recém-criada clínica. G. Stanley Hall descrevera a ideia a Titchener nos seguintes termos:

> Witmer escreveu-me umas linhas para dizer que deseja juntar-se a você, a mim e a outros para formar uma nova Associação Psicológica que dê ao laboratório a sua devida importância e exclua os híbridos e os extremistas. O que você acha? (citado por Goodwin, 1985, p. 386)

A iniciativa de Witmer não deu em nada. Mas, como você sabe pela leitura do Capítulo 7, Titchener formou seu grupo de "Experimentalistas" logo depois (em 1904). Depois de sua morte, em 1927, o grupo transformou-se na Society of Experimental Psychologists, e existe até hoje como uma sociedade honorária que congrega pesquisadores distinguidos.

Mesmo antes de os profissionais da prática superarem em número os acadêmicos e pesquisadores em 1962, estes estavam insatisfeitos com o rumo que a nova APA estava tomando. Em especial, estavam preocupados com o formato da reunião anual, que estava se dedicando cada vez mais, depois da Segunda Guerra, a questões relacionadas à prática e adotando uma estrutura que dificultava a apresentação de pesquisas. Um pequeno exemplo está na decisão tomada pela APA em 1959, de não permitir a apresentação de *slides* em nenhuma das comunicações, enfurecendo assim os experimentalistas, acostumados a usar *slides* para apresentar os dados de suas pesquisas (Dewsbury e Bolles, 1995). O incidente provocou a saída de muitos psicólogos experimentais, que criaram a Psychonomic Society no fim dos anos de 1950. Em 1960 houve o primeiro encontro, dedicado à apresentação de pesquisas (com *slides*), e a sociedade é até hoje uma organização importante para os psicólogos experimentais.

Além de militar por melhores condições para os acadêmicos e pesquisadores, a maioria dos membros da Psychonomic Society continuou afiliada também à APA. Porém, a APA continuou direcionando seus recursos para a prática da psicologia, voltando-se em grande parte para problemas de interesse dos praticantes (por exemplo, se os psicólogos clínicos deveriam ter direito legal a prescrever medicamentos). Em meados dos anos de 1980, os pesquisadores mobilizaram-se para reorganizar a APA de uma maneira que restaurasse parte de seu *status* e, quando a tentativa fracassou, um grupo de eminentes psicólogos experimentais debandou e criou a APS — American Psychological Society. O número de membros chegou a mais de 5 mil nos primeiros seis meses, o que indicava que o grupo havia tocado um ponto sensível na classe, e a APS rapidamente se tornou uma força importante na defesa da pesquisa psicológica, criando um grupo de publicações de alta qualidade (por exemplo, *Psychological Science*) e promovendo uma reunião anual inteiramente dedicada à pesquisa. Ao celebrar seu 15º aniversário em 2003, contava com mais de 13.500 membros. Em 2006, o grupo deu um foco mais nítido à missão de sua associação mudando-lhe o nome para Association for Psychological Science, que mantém a mesma sigla.

É preciso cuidado ao analisar a divisão entre pesquisadores e praticantes presente nas histórias da APA e da APS, pois é fácil resvalar para o exagero. A maioria dos membros da APS também pertence à APA; esta possui uma "Junta Científica" atuante; a maioria das publicações da APA é dedicada à pesquisa; e em 2001 a APS lançou uma nova publicação, *Psychological Science in the Public Interest*, que apresenta pesquisas sobre temas relevantes para a prática da psicologia, como se pode depreender da seguinte amostra de títulos de artigos:

Psychological Science Can Improve Diagnostic Decisions [A ciência da psicologia pode melhorar as decisões diagnósticas]

Treatment and Prevention of Depression [Tratamento e prevenção da depressão]

Eyewitness Evidence: Improving Its Probative Value [Aumentando o valor probatório do testemunho ocular]

No entanto, a divisão entre pesquisadores/acadêmicos e praticantes de fato existe e representa diferentes sistemas de valores e diferentes interesses. Os dois próximos capítulos são organizados com base nessas duas formas de ver o mundo da psicologia. Este capítulo retoma a discussão no ponto em que a interrompemos no Capítulo 12 e se concentra na prática profissional da psicologia, em especial a psicologia clínica e a psicologia industrial, nos Estados Unidos. O Capítulo 14 analisa os avanços verificados depois da Segunda Guerra Mundial na área da pesquisa em psicologia no mesmo país.

A EMERGÊNCIA DA MODERNA PSICOLOGIA CLÍNICA

Conforme vimos no fim do capítulo anterior, antes da Segunda Guerra Mundial os psicólogos clínicos estavam lutando para estabelecer-se como profissionais independentes. Na década de 1930, por exemplo, eles quase sempre estavam empregados em clínicas ou hospitais de tratamento mental e estavam subordinados aos psiquiatras; sua "prática" limitava-se basicamente à aplicação de testes mentais e de outros tipos e, como não existia praticamente nenhum tipo de treinamento clínico formal, eles se especializavam no próprio trabalho ou em arranjos baseados no modelo da "residência" existente para os médicos (Capshew, 1999). Porém, as cruéis circunstâncias da guerra criaram um nicho permanente para os provedores de serviços profissionais voltados para os que retornaram trazendo cicatrizes mentais. E entre esses provedores incluíam-se os psicólogos clínicos. A psiquiatria, que havia detido o controle do fornecimento de serviços terapêuticos aos doentes mentais antes da guerra, não tinha condições de atender à demanda de terapia. Como na Primeira Guerra, os psicólogos aplicados continuaram dando sua contribuição por meio de vários programas de testagem, mas na Segunda Guerra eles também adquiriram experiência no tratamento daqueles que haviam sofrido danos psicológicos com a experiência da guerra. E a necessidade desse tratamento era grande. Em 1942, na violenta batalha de Guadalcanal, por exemplo, 40% das vítimas graves o suficiente para a evacuação deviam-se a crises psicológicas (Herman, 1995). Além disso, dentre os primeiros 1,5 milhão de soldados que tiveram alta médica, cerca de 675 mil (45%) foram liberados por razões psiquiátricas (Vandenbos, Cummings e DeLeon, 1992). Quando a guerra acabou, havia aproximadamente 44 mil veteranos nos hospitais da rede da Veterans Administration (VA) com distúrbios mentais diversos decorrentes da guerra, ao passo que os internados por ferimentos físicos eram 30 mil (Sexton, 1965). A psiquiatria simplesmente não podia atender a essa sobrecarga de casos e teve de abrir mão do monopólio da terapia. Além disso, o governo federal norte-americano, tendo em conta o aumento da demanda, lançou um agressivo programa de apoio à formação em psicologia clínica para alunos da pós-graduação. No ano letivo de 1946-1947, por exemplo, os programas de especialização financiados pela VA em 22 universidades atraíram duzentos alunos (Capshew, 1999).

Dessas circunstâncias surgiu o moderno psicólogo clínico: não mais limitado à testagem, mas gradualmente reconhecido como especialista em diagnóstico e terapia; não mais limitado a tratar de crianças e jovens nas escolas, mas capaz de fornecer serviços a quem quer que deles precisasse; não mais restrito ao ambiente de uma clínica, mas agora mais tendente ao ambiente de um consultório particular; não mais subordinado aos psiquiatras, mas cada vez mais em condições de igualdade. Porém, à medida que esse novo clínico emergia, rapidamente se tornou clara a necessidade de formação padronizada e de algum tipo de credenciamento.

O Modelo de Boulder

Em 1947, com apoio financeiro da Veterans Administration e do U.S. Public Health Service, a entidade responsável pela saúde pública no país, a APA criou o CTCP, Committee on Training in Clinical Psychology. Essa comissão era presidida por David Shakow (1901-1981), já conhecido por divulgar e promover ativamente suas ideias acerca do treinamento dos psicólogos clínicos. Como psicólogo-chefe do Worcester State Hospital (veja a Figura 12.2), Shakow havia

FIGURA 13.1 Participantes da histórica conferência de Boulder, em 1949.

sido um membro muito atuante da American Association of Applied Psychologists original e, logo antes do início da Segunda Guerra Mundial, participara da comissão encarregada do treinamento dos clínicos. A influência de Shakow no CTCP se evidencia no fato de que o relatório do comitê é geralmente chamado de "Relatório Shakow" (Baker e Benjamin, 2000). Ele constituiu a principal base para as deliberações sobre o treinamento clínico promovidas numa conferência intensiva que durou 15 dias e contou com a participação de 71 psicólogos clínicos e outros profissionais na University of Colorado, em Boulder, no fim do terceiro trimestre de 1949 (Figura 13.1).

Nessa conferência de Boulder, criou-se um programa de treinamento clínico idealizado para promover o equilíbrio entre o que Shakow via como as três formas de experiência essenciais a um psicólogo clínico: eles deveriam ser especialistas no diagnóstico dos distúrbios mentais, na psicoterapia e na pesquisa empírica de qualidade. Por aliar de modo ideal a formação científica à prática da psicologia, o "modelo de Boulder" ficou conhecido como o modelo de treinamento clínico do **cientista-praticante**. O treinamento deveria incluir uma ampla base nos princípios essenciais da psicologia e nos métodos de pesquisa que lhes deram origem, uma profunda compreensão da psicometria (testagem psicológica), psicopatologia e psicoterapia, uma tese de doutorado que envolva a pesquisa empírica e uma residência de um ano numa clínica, hospital da VA ou estabelecimento similar. A formação total exigiria entre quatro e cin-

DATA-CHAVE 1949

Este foi o ano da conferência de Boulder, no qual se estabeleceu o modelo do cientista-praticante para a formação dos psicólogos clínicos.

Os seguintes fatos também ocorreram:

- Criou-se o National Institute of Mental Health (NIMH) em Washington

- A República Popular Comunista foi proclamada na China, sob a liderança de Mao Tse-tung

- Criou-se a Organização do Tratado do Atlântico Norte (OTAN)

- A Câmara dos Comuns britânica reconheceu a independência da República da Irlanda, tendo Dublin como capital, mas declarou a Irlanda do Norte como território pertencente ao Reino Unido

- O *apartheid* foi oficialmente instituído na África do Sul

- *A morte do caixeiro viajante*, de Arthur Miller, ganhou os prêmios Pulitzer e Tony

- Rogers e Hammerstein estrearam a primeira montagem de *South Pacific*

- A União Soviética testou a sua primeira arma atômica

- "Silly Putty", uma massa de modelar de borracha, é inventada

- Nasceram:

  George Foreman, campeão mundial dos pesos pesados de 1973 a 1974

  John Belushi, ator e comediante (por exemplo, *Clube dos cafajestes*)

- Morreram:

  Margaret Mitchell, autora norte-americana de *E o vento levou*

  Solomon Guggenheim, colecionador de arte norte-americano (o museu Guggenheim de Nova York, um projeto de Frank Lloyd Wright, tem seu nome)

co anos e levaria a um Ph.D. em psicologia clínica. Com a definição de um modelo de treinamento e uma grande demanda de serviços, o número de psicólogos clínicos — assim como a sua influência na APA — aumentou rapidamente, como mencionado anteriormente.

O Estudo de Eysenck: Problemas para a Psicoterapia Tradicional

A conferência de Boulder estabeleceu um novo ideal de formação para os psicólogos clínicos. Mais ou menos na mesma época, sua possibilidade de conduzir terapias eficazes foi ampliada pelo desenvolvimento de novas formas de terapia. Duas delas, a terapia do comportamento e a terapia centrada no cliente, serão abordadas neste capítulo. Elas surgiram e floresceram no contexto de uma época que estava questionando se a terapia psicanalítica tradicional e outras terapias baseadas no *"insight"* realmente funcionavam. As dúvidas cresceram com a publicação, em 1952, de um artigo de seis páginas sobre os efeitos da psicoterapia intitulado "The Effects of Psychotherapy: An Evaluation", escrito pelo psicólogo britânico Hans Eysenck. No artigo, Eysenck analisava a eficácia das psicoterapias tradicionais de base no *"insight"* por meio dos resultados relatados em dezenove outros estudos, cinco dos quais avaliavam a terapia psicanalítica e os restantes quatorze, aquilo que se conhecia como terapia "eclética". Diante da falta de um grupo de controle que não estivesse fazendo terapia, Eysenck combinou os resultados de dois outros estudos que analisavam a melhora verificada entre "neuróticos" na ausência de psicoterapia formal (por exemplo, com base em solicitações de indenização por invalidez apresentadas a companhias seguradoras). Embora reconhecesse os problemas desse grupo de comparação, Eysenck alegou ter havido um percentual de melhora de cerca de 72% na ausência de terapia (no decurso de dois anos). Porém, ao observar os percentuais de recuperação de pacientes submetidos a psicoterapia, ele verificou que o índice de melhora entre os que faziam psicanálise freudiana era de escassos 44%. O percentual de recuperação de 64% reportado pela terapia eclética era um pouco melhor, mas ainda estava abaixo do existente no caso dos que *não faziam nenhuma terapia*. Eysenck concluiu que não havia indícios que comprovassem a eficácia da psicoterapia como então estava sendo praticada. Pesquisas posteriores (por exemplo, Bergin, 1971) expuseram diversos problemas metodológicos que colocavam em questão a validade do estudo do próprio Eysenck, mas o mal já estava feito. Ao longo das décadas de 1950 e 60, os psicólogos que propunham alternativas à psicanálise tradicional geralmente apontavam o trabalho de Eysenck como prova da necessidade de novas estratégias. Entre as que surgiram nessa época, uma era uma terapia derivada do behaviorismo e outra, da assim chamada psicologia "humanística". Antes de analisá-las, porém, vejamos o *Close-Up* deste capítulo, que aborda um momento infeliz da história dos procedimentos médicos para tratamento da doença mental.

CLOSE-UP
A ESTRATÉGIA MÉDICA: LOBOTOMIAS TRANSORBITAIS E OUTRAS

No fim do século XIX, a prática da psiquiatria centrava-se no manicômio e no tratamento de pacientes que sofriam de doenças mentais graves. Além da internação, pouco se podia fazer por eles, e o "tratamento" geralmente limitava-se à contenção e à sedação. Com o advento da psicanálise freudiana, os psiquiatras começaram a abrir consultórios particulares e a tratar de pacientes com distúrbios menos sérios (Shorter, 1997), passando do tratamento médico à análise psicológica. Entretanto, os que padeciam de problemas graves — cujo número aumentou regularmente no século XX — continuaram confinados a hospitais e manicômios, com pouca esperança de melhora. Porém, nos anos de 1920 e 1930, surgiram vários novos tratamentos médicos que traziam a promessa de ajudar de alguma maneira os casos desesperados. Como mais um exemplo dos riscos do presentismo, é fácil tachar algumas dessas terapias de ideias equivocadas de charlatães que se faziam passar por médicos. É importante ter em mente que a comunidade psiquiátrica estava, de fato, tentando levar algum alívio a pacientes que claramente sofriam numa época em que nada parecia surtir efeito. Além disso, nos Estados Unidos os psiquiatras viram-se sob uma certa pressão para justificar seus honorários demonstrando que seus procedimentos tinham efeitos mensuráveis, em especial durante a Depressão dos anos de 1930 (Grob, 1983). Não obstante, certas técnicas tornaram-se práticas relativamente difundidas mesmo quando havia uma surpreendente falta de base científica para sua implementação e poucos indícios de sua eficácia, quando os havia. Tomemos, por exemplo, o caso da **lobotomia**.

A história começou com um trabalho apresentado no Segundo Congresso Internacional de Neurologia, ocorrido em Londres em 1935. Esse trabalho relatava uma pesquisa interessante feita por dois cientistas norte-americanos, Carlyle Jacobsen e John Fulton. Eles afirmavam que a inflicção de dano cirúrgico aos lobos frontais de chimpanzés poderia ter efeitos benéficos. Antes da cirurgia, os animais demonstravam comportamento agressivo, mas essa agressividade diminuíra após a cirurgia, e as funções mentais dos animais permaneceram aparentemente inalteradas em outros aspectos. Com o corte das conexões entre os lobos frontais e os centros cerebrais inferiores relacionados aos comportamentos afetivos, os pesquisadores pareciam ter encontrado uma maneira de acalmar os chimpanzés mais agitados. Presente à apresentação estava um neuropsiquiatra português, Egas Moniz. Ele já era muito conhecido e respeitado, tendo sido indicado para o prêmio Nobel por sua descoberta de métodos para criar imagens do fluxo sanguíneo cerebral. E ocorreu-lhe que o procedimento descrito por Jacobsen e Fulton poderia ser aplicado a pacientes psicóticos graves (e agitados) (Grob, 1983).

Sem apoio científico algum a não ser o estudo de Jacobsen e Fulton com os primatas, Moniz desenvolveu um procedimento a que chamou *leucotomia pré-frontal* (que, *grosso modo*, significa um corte da substância branca da área pré-frontal do córtex), executado com um instrumento por ele criado, a que batizou de leucótomo. Depois da execução de uma série de pequenos orifícios em ambos os lados do crânio, logo acima e diante das têmporas, o fino leucótomo era introduzido sucessivamente em cada orifício, numa profundidade predeterminada, e movimentado de um lado para o outro, cortando assim o tecido cerebral que liga os lobos frontal e pré-frontal aos centros cerebrais inferiores. No início de 1936, Moniz havia executado o procedimento em vinte pacientes, afetados basicamente por psicose maníaco-depressiva ou distúrbios obsessivo-compulsivos graves o bastante para torná-los suicidas ou perigosos. Moniz relatou (sem nenhum respaldo substancial) que o procedimento tinha sido, na maior parte dos casos, bem-sucedido (quatorze dos vinte pacientes haviam "melhorado") (Shorter, 1997). Embora muitos deles se tivessem tornado indiferentes, apáticos e emocionalmente passivos após recuperar-se da cirurgia, Moniz achava que o preço era pequeno para o alívio de seus graves sintomas, que muitas vezes punham em risco sua própria vida. Diga-se, em seu favor, que Moniz advertiu que o procedimento só deveria ser usado em casos extremos e quando todos os demais métodos que poderiam ajudar o paciente se mostrassem inócuos. Por esse trabalho, ele ganhou o prêmio Nobel em 1949.

Se Moniz tinha cuidado na utilização de seu novo procedimento, não se pode dizer o mesmo de dois neurologistas norte-americanos. Walter Freeman e James Watt julgaram o procedimento de Moniz um avanço incomparável no tratamento de uma ampla série de distúrbios psiquiátricos e começaram a

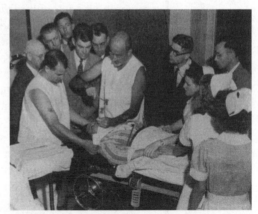

FIGURA 13.2 Demonstração de uma lobotomia transorbital pré-frontal feita por Walter Freeman em 1949.

promover a excelente nova, ao tempo em que realizavam quantas dessas cirurgias podiam. Eles renomearam o procedimento como "lobotomia" e, em 1946, Freeman inventou uma nova técnica chamada *lobotomia transorbital*. Essa técnica consistia na inserção de um instrumento semelhante a um quebrador de gelo nos lobos pré-frontais e frontais através das cavidades oculares. Com ela, era possível cortar mais fibras que com a técnica de Moniz, mas também aumentava-se o risco de cortar alguma artéria importante. Porém Freeman não se deixou deter pela morte ocasional dos pacientes (cerca de 2,5%) e promoveu o novo procedimento entusiasticamente, em parte porque ele podia ser levado a termo mais rápido que o de Moniz (ou seja, permitia ganhar mais). Esse entusiasmo provocou o rompimento com Watt, que ficou cada vez mais nervoso com o zelo missionário com que Freeman defendia o procedimento. Freeman não se deu por vencido e continuou com a sua "missão", chegando inclusive a percorrer o país fazendo "demonstrações" como a que se vê na Figura 13.2, na qual ele golpeia seu leucótomo no olho de um paciente, enquanto as enfermeiras aguardam e os espectadores observam atentamente (sem espirrar, espera-se).

De acordo com as estimativas (Grob, 1991), em 1951, mais de 18 mil pacientes haviam sido submetidos a lobotomias, apesar da inquietação crescente que o procedimento provocava. Ele certamente acalmava os pacientes agitados, mas frequentemente provocava alterações irreversíveis da personalidade, criando às vezes verdadeiros zumbis. Além disso, o procedimento era ocasionalmente usado simplesmente para controlar pacientes indisciplinados ou incômodos, situação retratada com fidelidade perturbadora no romance *Um estranho no ninho*, publicado por Ken Kesey em 1962. O livro virou filme em 1975 e arrebatou todos os Oscars no ano seguinte. As lobotomias saíram de moda em meados dos anos 1950, com o advento de diversas drogas antipsicóticas de eficácia comprovada.

A Terapia do Comportamento

Vimos no Capítulo 10 que uma das razões para a popularidade das ideias behavioristas de gente como Watson foi a promessa de aplicação à vida cotidiana, por meio de coisas como a melhoria das práticas adotadas na criação dos filhos. Se os comportamentos são essencialmente o resultado da aprendizagem, então presumivelmente os comportamentos que se apresentam como disfuncionais podem ser desaprendidos e substituídos por outros mais adaptativos. Essa lógica fazia parte do raciocínio de Watson ao formular o estudo do bebê Albert. Conforme você deve se lembrar do Capítulo 10, embora não tenham tentado remover o medo de ratos que Albert adquirira, ele e Rayner tinham várias sugestões sobre como isso poderia ser feito, com base em suas crenças em relação ao condicionamento. Além disso, algumas dessas ideias foram testadas na década de 1920, especialmente por Mary Cover Jones, que muitas vezes é citada como pioneira da terapia do comportamento. Ela testou todas as sugestões de Watson e várias de suas próprias ideias com diversas crianças diferentes e é lembrada por um caso específico, no qual removeu o medo que um garoto pequeno tinha de coelhos aproximando gradualmente um desses animais à criança enquanto esta comia, procedimento que denominou "condicionamento direto".

Nos anos de 1920 e de 1930, houve diversas demonstrações de como os princípios do condicionamento poderiam ser aplicados para alterar o comportamento em ambientes clínicos. Na Rússia, por exemplo, pesquisadores aplicaram os princípios pavlovianos ao tratamento do alcoolismo emparelhando o álcool (EC) a choques elétricos (ENC) e da histeria condicionando o movimento em membros que inicialmente pareciam paralisados (Kazdin, 1978). Nos Estados Unidos, O. Hobart e Willie M. Mowrer desenvolveram um programa de tratamento para a enurese noturna baseado em princípios condicionantes: eles criaram um colchão para berços que fazia soar uma campainha quando era molhado, tendo utilizado o sucesso de seu procedimento para criticar os conceitos psicanalíticos usados para explicar a enurese noturna, baseados em conflitos profundamente arraigados. Em sua opinião, era muito mais simples presumir que o problema decorria da incapacidade de identificar as pistas relacionadas à tensão da bexiga. Para eles, se o condicionamento era o problema, então também seria a solução (Mowrer e Mowrer, 1938).

A terapia do comportamento ganhou impulso na década de 1950 com (a) o trabalho de Eysenck e seus colegas de Londres e (b) o desenvolvimento de uma técnica terapêutica eficaz, descendente da pesquisa de Mary Cover Jones. Depois de sua crítica da terapia tradicional em 1952, Eysenck reuniu um grupo de colegas no Maudsley Hospital, em Londres, para analisar a possibilidade de desenvolver uma nova abordagem terapêutica baseada nos princípios condicionantes de Pavlov e Hull. Em 1960, esse grupo havia coletado um número de aplicações de princípios condicionantes suficiente para justificar a produção de um livro (Eysenck, 1960) que pela primeira vez levava no título o termo "terapia do comportamento" (Glass e Arnkoff, 1992). Três anos depois, Eysenck fundou a primeira publicação especializada na terapia do comportamento — *Behaviour Research and Therapy* —, cujo título deixava clara a sua convicção de que as terapias não deveriam ser usadas se não pudessem demonstrar sua eficácia por meio de provas demonstradas por pesquisas.

Na década de 1950, Joseph Wolpe, um sul-africano da University of Witwatersrand, criou um procedimento, baseado no trabalho de Jones, ao qual chamou **dessensibilização sistemática** (Wolpe, 1958) e que continua sendo uma das mais conhecidas e eficazes técnicas da terapia do comportamento. Wolpe, que era médico, havia sido treinado nos procedimentos psicanalíticos tradicionais, mas ficara insatisfeito com eles. Então começou a estudar a teoria da aprendizagem, especialmente a de Hull, tendo aproveitado a presença na África do Sul de um psicólogo norte-americano que havia estudado com Kenneth Spence, o *alter ego* de Hull.

Wolpe começou a sondar as técnicas comportamentais estudando as reações fóbicas dos gatos. Depois de criar fobias submetendo os animais a choques cada vez que se aproximavam da comida, ele tentou eliminar o medo. Como Jones, presumia que o medo e o comer eram reações incompatíveis, e então tentou substituir a reação de medo pela de alimentar-se. Wolpe conseguiu isso alimentando o animal inicialmente numa sala que lembrava vagamente aquela em que ele havia recebido o choque; em seguida, em outra sala ainda mais parecida e assim sucessivamente. Ou seja, a reação de medo foi gradualmente enfraquecida, substituída pela aproximação da comida (Kazdin, 1978).

Wolpe descobriu uma maneira de aplicar esse procedimento a seres humanos fóbicos depois de ler um livro do fisiologista de Chicago Edmund Jacobson, no qual se descrevia uma técnica chamada **relaxamento progressivo** (Jacobson, 1929). Jacobson havia usado o relaxamento para tratar pacientes afligidos por distúrbios nervosos; Wolpe viu o procedimento como um substituto à reação de comer que havia utilizado com os gatos. Em resumo, a técnica de dessensibilização sistemática de Wolpe exigia o treinamento para o relaxamento e, em seguida, a criação de uma "hierarquia da ansiedade" — uma lista de situações que criavam níveis de ansiedade cada vez mais altos. Os pacientes relaxavam-se, imaginavam uma situação com o mínimo de ansiedade e iam gradualmente ascendendo na hierarquia. Wolpe descobriu que, depois de apenas algumas sessões, os pacientes conseguiam permanecer relaxados na presença dos objetos que mais lhes provocavam medo.

Com algumas modificações ao longo dos anos, o procedimento de Wolpe revelou-se muito eficaz para certos tipos de problemas decorrentes da ansiedade (Paul, 1966). Com o tempo, várias outras técnicas da terapia do comportamento foram desenvolvidas, indo desde sistemas de reforço/economia simbólicos, baseados num modelo skinneriano, até a terapia do comportamento cognitivo, que reúne a teoria da aprendizagem e os *insights* da psicologia cognitiva. Um bom resumo é encontrado em Kazdin (1978).

A Abordagem Humanística da Psicoterapia

A psicologia humanística começou como uma rebelião. Conhecida como a "terceira força" da psicologia, representava a rejeição ao suposto "*establishment* mecanicista, impessoal, hierárquico e elitista da psicanálise e [ao] behaviorismo, excessivamente cientificista, frio e distante" (Cushman, 1992, p. 55). Os psicólogos humanísticos criticavam a ideia de que o comportamento humano pudesse ser reduzido a instintos biológicos recalcados ou simples processos de condicionamento, rejeitavam a ideia de que a história pessoal limitasse inevitavelmente as possibilidades futuras e negavam os pressupostos deterministas das duas outras "forças" da psicologia, a psicanálise e o behaviorismo. Em vez disso, eles propunham que as qualidades que melhor caracterizavam os seres humanos eram o livre-arbítrio e a sensação de responsabilidade e propósito, a busca eterna e progressista de sentido na vida e a tendência inata de crescer rumo à assim chamada **autoatualização**. Autoatualizar-se significa atingir seu potencial de vida em toda a sua plenitude.

Os dois psicólogos norte-americanos que tiveram maior associação com a psicologia humanística foram Abraham Maslow e Carl Rogers. Maslow (1908-1970; Figura 13.3) tinha formação em psicologia experimental e havia pesquisado o comportamento dominante nos primatas, mas num dado momento trocou o que julgava uma abordagem científica reducionista e estéril pela estratégia humanística, mais holística. Depois de concluir um doutorado em 1934, ele foi para Nova York e acabou tornando-se professor do Brooklyn College, onde permaneceu até 1951, tendo então se transferido para a Brandeis University (perto de Boston) e ali permanecido até o fim da sua carreira.[1] Maslow é conhecido entre os alunos de psicologia geral por sua hierarquia das necessidades, modelo que propõe uma série de sistemas de necessidades, arrumada em forma de pirâmide, com as de níveis inferiores e mais primitivas embaixo e a autoatualização, no topo. Para atingir a autoatualização, era necessário satisfazer todas as necessidades que estavam abaixo: necessidades fisiológicas, de segurança, de amor e entrosamento e de autoestima, nessa ordem. Conforme afirmou certa vez,

> as pessoas saudáveis satisfazem suficientemente suas necessidades básicas de segurança, entrosamento, amor, respeito e autoesti-

---

1. Maslow sem dúvida influenciou diversos alunos, um dos quais Elliot Aronson, eminente psicólogo social que fez um doutorado com Leon Festinger (apresentado no próximo capítulo). Quando fazia graduação na Brandeis University, Aronson assistiu a uma palestra de introdução à psicologia dada por Maslow. O tema — o preconceito — chamou a atenção de Aronson, judeu que havia sentido na pele os produtos comportamentais do preconceito enquanto crescia, no duro ambiente operário da cidade de Revere, Massachusetts. Aronson imediatamente transferiu a concentração do seu curso de graduação para psicologia e criou uma amizade íntima e duradoura com Maslow. Em 1999, ele recebeu da APA um prêmio em reconhecimento à sua contribuição científica para a psicologia, o Distinguished Scientific Contribution Award.

FIGURA 13.3 O psicólogo humanístico Abraham Maslow.

ma, de modo que se motivam principalmente pela [...] autoatualização, definida como atualização contínua de potenciais, capacidades e talentos, de cumprimento da missão [...], como um conhecimento mais pleno e uma aceitação da própria natureza intrínseca de cada um, como uma tendência incessante à unidade, integração ou sinergia interna. (Maslow, 1971, p. 25)

Para Maslow, o estudo da autoatualização, ao contrário das estratégias voltadas para os distúrbios psicológicos (como, por exemplo, a psicanálise de Freud), produziria uma psicologia mais saudável. Conforme disse num trecho muitas vezes citado, "o estudo de espécimes traumatizados, atrofiados, imaturos e doentios só pode produzir uma psicologia igualmente prejudicada. [...] O estudo de pessoas que se autoatualizam deve constituir a base de uma ciência mais universal da psicologia" (Maslow, 1954, p. 234). Maslow seguiu seu próprio conselho e analisou mais detidamente o conceito da autoatualização, identificando pessoas reais cuja história levasse a crer que eram personagens autoatualizados e, em seguida, buscando elementos comuns entre elas. O trabalho começou informalmente — ele refletiu sobre duas pessoas que havia conhecido em Nova York, a antropóloga Ruth Benedict e o psicólogo gestaltista Max Wertheimer. Maslow diria posteriormente que, enquanto estudava Benedict e Wertheimer, percebeu que "os dois padrões [dessas duas pessoas] poderiam ser generalizados. Eu estava falando sobre um tipo de pessoa, e não sobre dois indivíduos que não poderiam ser comparados. [...] Tentei descobrir se esse padrão poderia ser encontrado em outras pessoas" (Maslow, 1971, pp. 41-2). E podia. Empregando diversas técnicas, Maslow identificou várias pessoas que aparentemente compartilhavam alguns dos atributos de Benedict e Wertheimer. Maslow descobriu que aqueles que se autoatualizavam percebiam a realidade com precisão, eram extremamente independentes e criativos, agiam de forma espontânea e natural com os demais, viam seu trabalho mais como uma carreira ou vocação que como um emprego, possuíam um forte código moral e ocasionalmente tinham momentos de satisfação ou fruição intensas, aos quais denominou **experiências de pico**. Tanto a obra de Maslow quanto seu inabalável otimismo diante das possibilidades da existência humana prefiguram a atual *psicologia positiva*, movimento que coloca a saúde mental acima da doença mental e analisa temas como a felicidade, o otimismo e a criatividade.

Carl Rogers e a Terapia Centrada no Cliente

O segundo grande expoente da psicologia humanística foi Carl Rogers (1902-1987), criador da **terapia centrada no cliente**, abordagem que encontrou grande número de adeptos entre os psicólogos clínicos dos anos de 1960 e de 1970. Apesar de ser produto de um ambiente familiar altamente controlado, Rogers (Figura 13.4) conseguiu construir uma carreira própria, não obstante todas as experiências de sua infância e adolescência. O quarto dos seis filhos de um casal protestante extremamente conservador, ele foi criado num subúrbio de Chicago no seio de uma família que valorizava o trabalho e o empenho pessoal e considerava todos os prazeres pecado. Conforme rememoraria o próprio Rogers (1961a), "[A]té mesmo os refrigerantes tinham um aroma ligeiramente pecaminoso, a ponto de eu me lembrar até hoje da leve sensação de imoralidade que acompanhou a minha primeira garrafa" (p. 5). Quando Rogers tinha 12 anos, o pai mudou-se com a família para uma grande fazenda em Wisconsin, em parte para afastar os filhos dos males dos subúrbios. Ele estava disposto a administrar a fazenda com base nos princípios da "agricultura científica", e com essa experiência Carl desenvolveu um profundo apreço pela ciência. Por isso, matriculou-se em agronomia na University of Wisconsin, mas o entusiasmo não demorou a se desvanecer, à medida que o jovem, que havia sido tão protegido da realidade, foi descobrindo um mundo novo e instigante de pessoas e ideias. Transferiu-se então para o curso de história e, tendo decidido tornar-se ministro, entrou para o Union Theological Seminary, de Nova York, depois de formar-se em Wisconsin em 1924. Os alunos de teologia do seminário eram incentivados a pensar por si mesmos e, nesse ambiente liberal, Rogers (1961a) logo viu que "não daria para continuar na carreira religiosa" (p. 8) e pensou então na psicologia.

Rogers só precisou atravessar a rua para fazer os primeiros cursos: o Teachers College de Columbia fica do lado oposto ao Union Theological Seminary. Em Columbia, conheceu Leta Hollingworth (*Close-Up* do Capítulo 8), que lhe despertou o interesse pelo trabalho de orientação infantil.

FIGURA 13.4 Carl Rogers, criador da terapia centrada no cliente.

Pela primeira vez, então, Rogers pensou em tornar-se um psicólogo clínico. Ele fez residência no Institute for Child Guidance de Nova York, de orientação freudiana. Ali, apesar de ganhar uma compreensão mais profunda dos processos inconscientes, Rogers criou aversão à psicanálise. Depois de obter um doutorado pela Columbia University em 1931, juntou-se ao quadro de psicólogos de uma clínica para orientação infantil em Rochester, Nova York, onde permaneceu mais de dez anos. Foi nessa época que começou a desenvolver sua forma pessoal de terapia. Profissionalmente, ele participava dos encontros da APA, mas achava que eles eram "cheios de trabalhos sobre os processos de aprendizagem dos ratos e experimentos de laboratório que pareciam [...] não ter a menor relação com o que [ele] estava fazendo" (Rogers, 1961a, p. 12). Porém quando a American Association for Applied Psychology (AAAP) se formou, em 1937, ele tornou-se um membro atuante, tendo defendido em 1939 um modelo de treinamento para os clínicos que reduzisse a ênfase na pesquisa e aumentasse as oportunidades de prática supervisionada em diagnóstico e terapia. A academia ignorou sua proposição, mas a ideia era, em essência, idêntica à que surgiu trinta anos mais tarde na University of Illinois sob a forma do Psy.D (Napoli, 1981).

Rogers entrou no mundo acadêmico em 1940, aceitando um cargo na Ohio State University. Lá, o estímulo propiciado por alunos de pós-graduação dotados de espírito crítico afiou-lhe as ideias acerca da terapia e da natureza da personalidade, dando origem a seu primeiro livro, *Counseling and Psychotherapy*, publicado em 1942. Três anos depois, ele foi contratado pela University of Chicago como professor de psicologia e diretor do centro de orientação psicológica. Em 1946, foi eleito presidente da APA, o segundo depois da grande reorganização ocorrida depois da Segunda Guerra, o que representou para os acadêmicos voltados para a pesquisa um sinal inequívoco de que a APA agora se voltaria mais para a prática. Rogers passou doze anos em Chicago e depois mais quatro em Wisconsin, onde ensinou psicologia e psiquiatria. Os anos passados em Wisconsin não foram muito felizes: sua terapia centrada no cliente estava sendo acusada de ser relevante apenas para pessoas bem articuladas que sofressem de problemas leves, e Rogers queria mostrar que os clientes afligidos por problemas mais graves também poderiam beneficiar-se. Por isso, lançou-se a um projeto ambicioso, que previa a aplicação da terapia aos pacientes esquizofrênicos de um hospital local, mas os resultados foram, na melhor das hipóteses, "equívocos" (Lakin, 1996). Isso e mais a recepção em geral fria do departamento de psicologia de Wisconsin, de orientação experimentalista, levaram Rogers a buscar novos horizontes. Ele os encontrou na Califórnia, ao aceitar o convite de um ex-aluno para trabalhar no Western Behavioral Sciences Institute, em La Jolla, em 1961. Vários anos depois, Rogers fundaria em La Jolla o Center for the Study of the Person, onde estendeu sua terapia centrada no cliente ao trabalho com grupos.

A essência da terapia centrada no cliente proposta por Rogers é simples: em consonância com um dos princípios fundamentais da psicologia humanística, ele rejeitava a ideia de que seria preciso mergulhar no passado do cliente para que a terapia surtisse efeito. Em vez disso, a fórmula para o sucesso estava no terapeuta conseguir criar o ambiente terapêutico certo. Isso, por sua vez, permitiria ao cliente assumir o controle da própria vida e crescer rumo à autoatualização. Essa atmosfera terapêutica ideal envolvia três componentes fundamentais. Primeiro, o terapeuta deveria ser "autêntico" e honesto com o cliente (Rogers evitava a palavra "paciente", com suas conotações médicas). A seu ver,

> Isso significa que tenho de ter consciência dos meus próprios sentimentos, [...] em vez de demonstrar exteriormente uma atitude e, na verdade, ter outra num nível mais [...] profundo. Ser autêntico implica também a disposição de ser e manifestar, em minhas palavras e meu comportamento, os vários sentimentos e atitudes que há em mim. (Rogers, 1961b, p. 33)

Embora Rogers não o tenha afirmado aqui, essa autenticidade também permite ao terapeuta funcionar como modelo do tipo de saúde emocional buscado no cliente. Segundo, ele achava essencial que o terapeuta aceitasse o cliente como pessoa, querendo com isso ter "uma consideração afetuosa por ele como uma pessoa cujo valor é inquestionável, não importa quais sejam seus problemas, seu comportamento ou seus sentimentos" (p. 34). Isso implica aceitar que as pessoas têm valor em virtude simplesmente de serem humanas. Em termos práticos, representa evitar os rótulos. Por exemplo, certa vez ouvi a gravação de uma conversa entre Rogers e um adolescente que havia tido uma série de problemas. O garoto, muito defensivamente, começa a conversa dizendo que imaginava que Rogers devia ter muita experiência no trabalho com delinquentes. Rogers, muito calmamente, simplesmente lhe disse que preferia pensar nele como "Mike". A mensagem: o garoto era uma pessoa, e não o rótulo "delinquente".

O terceiro componente de uma relação eficaz entre terapeuta e cliente, a **empatia**, decorre da proposição filosófica humanística de que a realidade é a realidade conforme percebida e vivida por alguém. Portanto, para compreender uma pessoa, é preciso tentar compreender sua maneira de ver as coisas. Rogers reconhecia a impossibilidade de compreender inteiramente outra pessoa, mas o que contava era o esforço. Esse esforço abrangia a principal técnica terapêutica por ele empregada, a **reflexão**: tomar algo dito pelo cliente e verbalizá-lo de tal modo que este conclua que "esse terapeuta entende o que eu estou dizendo". Como exemplo, vejamos esta transcrição de uma sessão de terapia com Rogers:

> C: Acho que, do ponto de vista prático, se poderia dizer que o que eu devia estar fazendo é resolver alguns [...] problemas do dia a dia. E, no entanto, [...] o que eu estou tentando fazendo é resolver [...] outra coisa que é muito [...] mais importante que os pequenos problemas do dia a dia.
>
> T: Vamos ver se isto vai distorcer o que você quer dizer: que, de um ponto de vista realista, você devia empregar seu tempo refletindo sobre certos problemas específicos. Mas você se pergunta se não está em busca de seu eu total e se isso não será mais importante que a solução dos problemas do dia a dia.
>
> C: Acho que é isso. Acho que é isso, sim. É provavelmente o que eu queria dizer. (Rogers, 1961c, p. 90)

Se consegue estabelecer o ambiente terapêutico apropriado, o terapeuta obtém bons resultados, segundo Rogers. Ou seja, o cliente "mostra menos das características que geralmente são classificadas como neuróticas ou psicóticas e mais das características de uma pessoa saudável e equilibrada" (Rogers, 1961b, p. 36). E, finalmente, Rogers achava que aquilo que tinha a dizer sobre o ambiente terapêutico aplicava-se a *todas* as relações humanas:

> Portanto, podemos levantar a hipótese de que se os pais criarem com os filhos uma atmosfera psicológica como a que descrevemos, esses filhos se tornarão mais centrados em si mesmos, socializados e maduros. Se os professores estabelecerem uma relação assim com seus alunos, estes se tornarão mais capazes de aprender por si mesmos, mais originais, mais autodisciplinados e menos ansiosos e centrados nos outros. Se os administradores, os líderes militares e industriais criarem esse clima em suas organizações, seu pessoal se tornará mais responsável, mais criativo, mais capaz de adaptar-se a novos problemas, mais [...] cooperativo. (p. 37)

A terapia centrada no cliente (inicialmente chamada de terapia não diretiva) e várias outras terapias humanísticas similares — nas quais, ao contrário das terapias baseadas no *insight*, de orientação freudiana, o terapeuta não tinha papel controlador — logo se popularizaram entre os psicólogos clínicos. Ao contrário das abordagens analíticas, ela era fácil de aprender em termos conceituais e de fato parecia ajudar as pessoas. Era também uma terapia que se baseava numa avaliação mais otimista do potencial humano de mudança, reflexo da capacidade do próprio Rogers de assumir o controle de sua vida e de uma fé característica do meio-oeste norte-americano de que as coisas podem melhorar quando há empenho suficiente. Além disso, Rogers conseguiu demonstrar a eficácia dessa terapia com base num programa de pesquisa desenvolvido por ele e seus alunos. Talvez devido às experiências que tivera na área da agricultura científica, Rogers tinha prazer em pesquisar empiricamente os resultados da terapia, comparando os clientes que estavam em tratamento e os grupos de controle, constituídos por pessoas inscritas em listas de espera. Ele conseguiu demonstrar que sua abordagem promovia mudanças positivas mensuráveis na vida das pessoas (por exemplo, Rogers, 1954).

A psicologia humanística gozou de grande popularidade nos anos de 1960 e de

1970. Em 1961 foi lançado o *Journal of Humanistic Psychology*, em grande parte fruto dos esforços de Maslow; a American Association of Humanistic Psychologists foi criada no ano seguinte para congregar os psicólogos humanísticos; Maslow foi eleito presidente da APA em 1968; e a APA criou uma divisão para a psicologia humanística (a Divisão 32) em 1972. E essa popularidade nesse período da história norte-americana não é surpresa. Como rebelião contra as forças da psicanálise e do behaviorismo, a psicologia humanística se encaixava muito bem no contexto de uma época marcada pelos desafios às autoridades estabelecidas. E, como filosofia centrada na pessoa (por exemplo, AUTOatualização), era compatível com alguns dos valores da década de 1970, a qual às vezes é chamada de "década do eu" (Schulman, 2001). Contudo, a despeito de sua popularidade, o movimento humanístico tem sido colocado às margens da psicologia, principalmente por haver sido acusado de superestimar a importância do eu em detrimento da importância da comunidade e por especificar mais claramente aquilo de que era contra do que o que propunha em seu lugar (por exemplo, Farson, 1978; Wertheimer, 1978). Não obstante, exerceu impacto considerável sobre a prática clínica da psicologia nos Estados Unidos, em especial por causa do trabalho de Rogers.

A Conferência de Vail e o Título de Doutor em Psicologia

Antes de fecharmos esta parte do capítulo sobre a psicologia clínica, vale a pena analisarmos como o modelo de Boulder foi visto ao longo dos anos e como se chegou ao desenvolvimento de uma importante alternativa. Conforme você deve estar lembrado, o modelo de Boulder teoricamente propunha a síntese ideal entre o cientista e o praticante, uma pessoa capaz de conduzir pesquisas de alta qualidade e também de fornecer serviços clínicos competentes. Embora continue sendo o modelo dominante na formação dos clínicos, não está claro se ele de fato atingiu esse ideal. Em sua análise dos cinquenta primeiros anos do modelo, Benjamin e Baker (2000), por exemplo, afirmam que ele "foi muito elogiado, muito atacado e, segundo dizem alguns, raramente — se muito — aplicado" (p. 233). Quais foram os problemas?

Em primeiro lugar, como os departamentos acadêmicos de psicologia controlavam os programas de formação de clínicos, em muitos casos o lado científico do treinamento teve ênfase muito maior que o lado prático, apesar da visão de Shakow de que essa divisão deveria ser meio a meio (Cautin, 2006). No fim dos anos de 1950, muitos clínicos de Ph.D. queixaram-se de não ter sido preparados para a prática da psicologia e, como na maioria das vezes trabalhavam em clínicas e não nas universidades, não tinham muito o que fazer com as habilidades de pesquisa que haviam adquirido. Um segundo problema que tem relação com esse foi que, segundo as recomendações de Boulder, os professores de psicologia clínica deveriam "preservar sua capacidade clínica dedicando-se a algum tipo de prática clínica" (Raimy, 1950, p. 130). A maioria o fazia, mas apenas até certo ponto. No ambiente acadêmico, os professores de psicologia clínica estavam sob a pressão usual de publicar o máximo possível, e isso lhes dificultava muito dedicar-se à prática clínica. Por conseguinte, os alunos nem sempre tinham o melhor treinamento nessa prática. Muitos departamentos presumiram que os alunos desenvolveriam todas as capacidades clínicas necessárias quando fizessem seu ano de residência, embora o modelo de Boulder especificasse que o treinamento em prática clínica deveria ocorrer ao longo dos quatro ou cinco anos do curso e que a residência não deveria ser vista como "remendo" para a falta de experiência anterior (Stricker e Cummings, 1992).

As críticas ao modelo de Boulder levaram à consideração de uma alternativa que enfatizasse mais a prática que a pesquisa da psicologia clínica. Essa ideia na verdade era anterior a Boulder. Por exemplo, em meados da década de 1920, Crane (1925) escreveu um artigo intitulado "A Plea for the Training of Psychologists". Escrito quando ainda não havia *nenhum* programa de doutorado em psicologia clínica (Capshew, 1999), esse artigo afirmava que o treinamento fornecido pelo curso de Ph.D. típico em psicologia, com sua ênfase na pesquisa básica de tópicos tradicionais (por exemplo, a percepção e a aprendizagem), era inadequado. Em vez disso, os aspirantes a psicólogos clínicos deveriam ser muito mais treinados na prática real da psicologia e, por isso, o autor sugeria a criação de um novo título, a que chamou "doutor em psicologia" (Peterson, 1992). Porém, como nessa época os psicólogos clínicos não tinham quase nenhum prestígio, a proposta não teve nenhuma repercussão. O mesmo ocorreu com uma ideia semelhante, ventilada por Carl Rogers em 1939, anteriormente mencionada.

Contudo, na década de 1960, a insatisfação com o modelo de Boulder suscitou novas propostas acerca da maneira como os clínicos deveriam ser treinados. E o clima geral de dissensão que permeou a década promoveu várias tentativas de criar uma nova alternativa de formação. Primeiro, uma comissão especial da APA sobre treinamento recomendou, em 1967, a exploração de alternativas para o modelo do cientista-praticante, inclusive uma que enfatizava a prática clínica e dava origem a um novo título, concedido mediante um Doutorado em Psicologia ou **Psy.D.** Segundo, no contexto acadêmico, a University of Illinois decidiu implementar a recomendação, criando assim, em 1968, o primeiro programa universitário de doutorado em psicologia dos Estados Unidos. O prestígio da University of Illinois imediatamente conferiu ao Psy.D. uma certa respeitabilidade, e outras universidades logo começaram a oferecer programas semelhantes. Terceiro, algumas escolas de psicologia independentes, não afiliadas a universidades, começaram a oferecer programas de doutorado em psicologia. O primeiro deles foi criado na Califórnia, na California School of Professional Psychology (CSPP), com a abertura de dois *campi* em 1970 (em San Francisco e Los Angeles) e mais dois em 1972 (em San Diego e Fresno).

Do mesmo modo que a necessidade de diretrizes de treinamento claras para o novo psicólogo clínico do pós-guerra levara à conferência de Boulder em 1949, a necessidade de algum grau de padronização no treinamento do novo clínico detentor de um Psy.D. levou a uma segunda conferência, promovida em Vail, Colorado, em 1973. O objetivo dessa conferência era legitimar o título de Psy.D. e promover uma distinção nítida entre este e os programas que concediam um Ph.D. em psicologia. Em resumo, o Ph.D. se destinaria a produzir o cientista-praticante tradicional, ao passo que o Psy.D. se destinaria a produzir um cientista-praticante que, embora também versado em pesquisa, fosse treinado principalmente para o fornecimento de serviços de psicologia. Apesar de ter sido necessário algum tempo para que os programas de doutorado em psicologia obtivessem legitimidade efetiva, a APA agora fornece credenciamento para os programas tanto de Ph.D. (baseados no modelo de Boulder) quanto de Psy.D. (baseados no modelo de Vail).

Boa parte da história da psicologia clínica nos Estados Unidos do pós-guerra consiste na melhoria de seu *status* dentro da comunidade de provedores de serviços da área de saúde mental. Conforme vimos no Capítulo 12, antes da Segunda Guerra Mundial, os psicólogos clínicos tinham relativamente pouco prestígio entre os profissionais da área de saúde e geralmente estavam sob a supervisão direta dos psiquiatras. Porém, depois da guerra, a hegemonia da psiquiatria diminuiu gradualmente. Nos últimos cinquenta anos, às vezes depois de renhidas batalhas legais, os psicólogos clínicos ganharam o direito de (a) admitir pacientes em hospitais de tratamento mental e também dar-lhes alta, (b) testemunhar como peritos perante os tribunais (por exemplo, em casos de insanidade) e (c) receber pagamentos de terceiros (seguros-saúde). No momento, as associações que representam os psicólogos e os psiquiatras estão em contenda legal pelo privilégio da prescrição de medicamentos, com alguns estados (como o Novo México) já permitindo que os psicólogos clínicos forneçam receitas. Ao que tudo indica, não demorará muito para que essa diferença importante entre as duas categorias desapareça (Wiggins, 1994).

A PSICOLOGIA E O MUNDO DO COMÉRCIO E DA INDÚSTRIA

Já vimos no Capítulo 8 que a psicologia não demorou muito a envolver-se no mundo do comércio e da indústria. Logo depois da virada do século XX, Walter Dill Scott escreveu acerca da aplicação da psicologia à publicidade e da maneira pela qual a psicologia poderia contribuir para o mundo empresarial (Scott, 1903; 1910) e Hugo Münsterberg forneceu a consultoria que serviu de base para a criação de *Psychology and Industrial Efficiency* (1913). Além de fornecer serviços de consultoria, Walter Bingham criou a Divisão de Psicologia Aplicada do Carnegie Institute, em Pittsburgh, o casal Gilbreth fundou sua bem-sucedida firma de consultoria e Leta e Harry Hollingworth fizeram sua pesquisa sobre a cafeína para a Coca-Cola.

Na década de 1920, período de crescimento e prosperidade nos Estados Unidos (após a recessão de 1921-1922), esse tipo de atividade aumentou sensivelmente. Depois de toda a divulgação que tivera o programa de testagem das forças armadas na Primeira Guerra Mundial (Capítulo 8), os psicólogos começaram a desenvolver testes — na área tanto da educação como da indústria — com tamanha rapidez que mal dava tempo de imprimi-los para publicação, e muitas empresas contrataram psicólogos para reformular seus departamentos de pessoal, basicamente por meio do desenvolvimento de testes para seleção e avaliação dos empregados. Muitos desses testes eram de qualidade questionável, o que levou Anne Anastasi, autora de um lendário livro sobre testagem, a concluir que "a explosão dos testes nos anos 1920 provavelmente contribuiu mais para retardar que para acelerar o avanço da testagem" (1993, p. 17).[2] O surgimento de problemas de confiabilidade e validade só deteve a "explosão" do movimento de testagem no fim da década, e seu aparente sucesso deu origem, ainda na década de 1920, a algo novo: empresas destinadas a fornecer serviços de consultoria psicológica.

A primeira delas, a Scott Company, foi criada por Walter Dill Scott logo após o fim da Primeira Guerra Mundial (veja a Figura 13.5), mas só durou cinco anos, em parte devido à ausência física de Scott após sua nomeação como reitor da Northwestern University em 1920. Uma segunda tentativa, inicialmente meio cambaleante, foi a Psychological Corporation, criada por James McKeen Cattell, o qual, como você deve lembrar (Capítulos 4 e 8), foi doutorando de Wundt, promotor — sem sucesso — da abordagem galtoniana da testagem mental e catedrático do departamento de psicologia de Columbia quando esta se tornou uma das principais escolas de psicologia em nível de pós-graduação (como vimos, dois de seus alunos foram Thorndike e Woodworth). No início da década de 1920 Cattell estava afastado da academia, tendo sido demitido de Columbia por suas opiniões contrárias à guerra. Ele continuou sendo o editor chefe da *Science*, mas queria encontrar um jeito de voltar a ter destaque entre os colegas psicólogos. Além disso, estava preocupado com o número cada vez maior de pessoas que fraudulentamente alegavam ter qualificação em psicologia e aproveitavam-se, assim, do interesse despertado pela testagem psicológica (Sokal, 1981a). Sua ideia, ao fundar a empresa, era criar uma rede nacional de psicólogos com Ph.D. e perícia re-

---

2. A primeira edição desse livro notável é de 1954, mas ele teve sete edições enquanto Anastasi viveu (1908-2001). A sétima, de 1997, ainda está disponível e é muito utilizada.

conhecida na metodologia experimental e na testagem. A Psychological Corporation seria, assim, uma central de informações: uma firma de St. Louis, por exemplo, que precisasse de assessoria psicológica procuraria a matriz em Nova York (ou uma das filiais planejadas) e seria encaminhada aos psicólogos locais que tivessem vínculo com a empresa. Os psicólogos fariam o trabalho e cobrariam os honorários, metade dos quais iria para a Psychological Corporation.

A Psychological Corporation abriu as portas em 1921, com Cattell na presidência. Em princípio, era uma boa ideia, mas quase imediatamente a empresa viu-se em dificuldades, basicamente devido ao estilo de liderança de Cattell. Ele nunca esclareceu precisamente quais os serviços que seriam oferecidos, o que fazia as empresas relutarem em assinar contratos, além de não ter tino comercial. Já em 1925, por exemplo, a renda líquida da empresa foi de US$ 51,75, embora alugasse escritórios no melhor ponto da cidade de Nova York e pagasse US$ 2,5 mil à pessoa encarregada das operações diárias. Para manter a empresa funcionando, Cattell teve de entrar com US$ 5 mil do seu próprio bolso (Sokal, 1981a). Mas isso não adiantou, e em 1926 ele foi destituído do Conselho Diretor. Walter Van Dyke Bingham, que tinha melhores relações com o mundo empresarial devido à experiência na administração da divisão de psicologia aplicada do Carnegie Institute, em Pittsburgh (Capítulo 8), o substituiu. Embora tenha sofrido durante a Grande Depressão dos anos de 1930, a Psychological Corporation sobreviveu e prosperou, especialmente após a Segunda Guerra Mundial. Em 1969, ano em que foi comprada por uma editora, ela possuía um ativo total de US$ 2,5 milhões e vendia cerca de US$ 5 milhões em testes psicológicos ao ano (Sokal, 1981a).

O campo da psicologia industrial ganhou em legitimidade com a publicação em 1932 de um livro-texto extenso e importante, escrito por Morris Viteles, o mais conhecido doutorando de Lightner Witmer, que se intitulava simplesmente *Industrial Psychology*.

> Walter Dill Scott L. B. Hopkins Joseph W. Hayes
> Robert C. Clothier Beardsley Ruml Stanley B. Mathewson
>
> Anunciam a organização de
>
> THE SCOTT COMPANY
>
> Para oferecer à indústria métodos que solucionem problemas do setor de pessoal.
>
> Para divulgar à indústria os resultados de pesquisas que propiciem uma melhor compreensão dos fatores sociais, econômicos e psicológicos na adaptação ao trabalho.
>
> Para oferecer à indústria um serviço de consultoria que alia os pontos de vista industrial e científico.
>
> 751 Drexel Building
> Philadelphia

FIGURA 13.5 Anúncio da inauguração da Scott Company, a primeira empresa de consultoria comercial organizada por psicólogos.

Viteles obteve seu doutorado, um estudo — que fazia lembrar os de Münsterberg — sobre a testagem da competência dos funcionários de uma empresa de transportes (bondes), na University of Pennsylvania em 1921 (McReynolds, 1997). Dois anos depois, Witmer nomeou Viteles diretor de uma nova seção da clínica, chamada Clínica de Orientação Vocacional, destinada principalmente a ajudar alunos secundários e universitários a preparar-se para a entrada no mundo do trabalho, mas que também forneceria serviços de testagem e consultoria a empresas. Viteles passou o resto da carreira na clínica, tendo também trabalhado como consultor para várias firmas e indústrias da Filadélfia. Seu trabalho de consultoria ia muito além da típica seleção de empregados: Viteles conduziu estudos importantes sobre a segurança e a prevenção de acidentes para a Yellow Cab Company e, para a Bell Telephone Company, desenvolveu um programa para auxiliar os gerentes a desenvolverem a capacidade de liderança e participarem mais efetivamente dos processos de tomada de decisões da empresa (Hilgard, 1987).

Os Estudos de Hawthorne

Um dos principais eventos da década de 1920 foi o início de uma série de experimentos de pesquisa aplicada que se estenderam até a década de 1930. Essa pesquisa levou à descoberta de um efeito —supostamente demonstrado repetidas vezes nos estudos — que hoje figura com regularidade nas páginas dos livros de metodologia da pesquisa e da psicologia industrial e social, o assim chamado efeito Hawthorne. O nome provém da cidade do estado de Illinois onde a pesquisa foi conduzida, sede da fábrica da Western Electric. Nessa fábrica, produzia-se o equipamento utilizado pela AT&T (American Telephone and Telegraph Company).

Os experimentos de Hawthorne tiveram início em 1924 com uma série de estudos que duraram três anos. O objetivo era a análise dos efeitos da iluminação sobre a produtividade dos trabalhadores. Embora parecessem bem planejados e objetivos, haviam sido na verdade parcialmente patrocinados pela indústria elétrica, que esperava encontrar provas de uma correlação simples entre a iluminação e a produtividade: quanto mais luz no local de trabalho, maior a produtividade (Gillespie, 1991). Essas provas, naturalmente, contribuiriam para o aumento da venda de lâmpadas. Entretanto, a pesquisa não demonstrou nenhuma relação consistente entre a iluminação e a produtividade, que permaneceu praticamente a mesma, independentemente do nível de iluminação (e mesmo sob luz fraca). Hoje sabemos que a produtividade é extremamente complexa e depende de uma série de fatores. Mas, em Hawthorne, a conclusão do estudo foi de que o ambiente físico não era tão importante para a produtividade quanto o "fator humano". Os trabalhadores sabiam que estavam sendo estudados e que os resultados eram importantes e, assim, sua produtividade permaneceu alta porque eles se sentiram valorizados. Ao menos, essa é a interpretação padrão. O que não foi mencionado é que vários outros fatores contribuíram para esse alto nível de produtividade — por exemplo, o grau de supervisão direta aumentou durante o período dos experimentos (Gillespie, 1991).

As conclusões dos experimentos com a iluminação foram confirmadas e reconfirmadas — pelo menos é o que se diz — no mais famoso dos estudos de Hawthorne, o da sala de teste de montagem de relés. Nesse experimento, seis operárias foram selecionadas de um grupo maior que havia na fábrica. Seu trabalho era montar relés telefônicos elétricos. Cinco delas faziam a montagem, e a sexta lhes entregava as peças. A Figura 13.6 mostra a sala de trabalho de dois ângulos diferentes. A tarefa era demorada, repetitiva e trabalhosa e exigia a montagem de cerca de 35 componentes por relé. A Western Electric produzia cerca de 7 milhões de relés por ano (Gillespie, 1988)

FIGURA 13.6 Organização do ambiente de trabalho no experimento da sala de teste de montagem de relés da fábrica de Hawthorne. À esquerda podem ver-se os escoadouros para captação e contagem dos relés prontos. À direita está a sala conforme as operárias a viam.

e, naturalmente, estava interessada em aumentar ao máximo a produtividade dos operários.

A primeira série de estudos sobre a montagem de relés processou-se entre maio de 1927 e setembro de 1928. Nesse período, diversas variáveis do local de trabalho foram estudadas (e, na verdade, também confundidas umas com as outras). Em vários momentos, houve mudanças na programação dos intervalos de descanso, do total de horas de trabalho e das gratificações pagas por certos níveis de produção. Segundo o relato oficial, como no caso dos resultados dos estudos sobre a iluminação, a produtividade desse pequeno grupo atingiu altos níveis em pouco tempo e permaneceu alta mesmo que as condições de trabalho piorassem. O exemplo que sempre é mencionado diz respeito ao famoso "12º período de testes", quando as operárias foram informadas de que a semana de trabalho aumentaria de 42 para 48 horas e que os intervalos de descanso e as regalias seriam suspensos (Gillespie, 1988). Praticamente, todos os livros-textos de metodologia da pesquisa descrevem os resultados mais ou menos assim:

> Com poucas exceções, independentemente das alterações feitas — se havia muitos ou poucos intervalos de descanso, se o dia de trabalho era mais curto ou mais longo etc. —, as mulheres tenderam a produzir cada vez mais relés telefônicos. (Elmes, Kantowitz e Roediger, 2003, p. 138)

Supostamente, as operárias permaneceram produtivas porque acreditavam que formavam um grupo especial, que constituíam o foco das atenções — faziam parte de um experimento. Isso, juntamente com o resultado semelhante dos estudos sobre a iluminação, deu origem ao assim chamado **efeito Hawthorne**, a tendência que tem o desempenho a ser afetado quando as pessoas sabem que estão sendo estudadas numa pesquisa. O efeito pode ser autêntico no contexto da pesquisa, mas se de fato ocorreu na Western Electric não é certo.

Uma análise mais detida do que realmente aconteceu no estudo da sala de teste de montagem de relés dá margem a algumas explicações alternativas interessantes. Primeiro, embora os relatos acerca desse estudo costumem enfatizar sempre o quanto as mulheres estavam satisfeitas por estar nessa sala de testagem especial, o fato é que duas das cinco montadoras iniciais tiveram de ser removidas da sala por insubordinação e baixa produtividade. Segundo se afirma, uma delas havia "virado bolchevique" (Bramel e Friend, 1981). Não devemos esquecer que nessa época a União Soviética acabara de formar-se e o "perigo vermelho" era considerado uma ameaça pelos industriais do país, que tinham medo dos sindicatos de operários. Das duas funcionárias que as substituíram, uma era especialmente habilidosa e alegre e logo se tornou a líder do grupo. Aparentemente, ela havia sido selecionada porque "sua ficha tinha uma indicação de que ela era a funcionária mais rápida do departamento de montagem de relés" (Gillespie, 1988, p. 122). Sua presença contribuiu muito para o alto nível de produtividade.

Um segundo problema com a interpretação dos dados desse estudo foi uma simples questão estatística. No famoso 12º período, a produtividade foi registrada como a produção por semana, em vez da produção por hora, mas as operárias estavam trabalhando mais seis horas por semana em relação ao período de testes anterior. Se fosse usado o critério da produção por hora — mais adequado —, a produtividade na verdade teria *caído* ligeiramente (Bramel e Friend, 1981). Além disso, apesar de estarem evidentemente insatisfeitas com a mudança, as mulheres tinham medo de reclamar e ser removidas da sala de teste, perdendo assim a gratificação (houve indiretas não muito sutis de que isso poderia acontecer caso elas criassem confusão). Por fim, pode ser que no estudo da sala de teste de montagem de relés, como também em outros dos experimentos realizados em Hawthorne, o aumento da produtividade das operárias tenha sido simplesmente o resultado do *feedback* e das recompensas concretas pelo aumento da produção (Parsons, 1974).

Como você já deve saber a esta altura, os fatos históricos devem ser entendidos em seu contexto político, econômico e institucional. Os estudos de Hawthorne não são exceção. Pintar um quadro cor-de-rosa de operários impávidos diante de determinadas condições de trabalho e mais preocupados em ser considerados especiais foi o prelúdio do movimento das relações humanas na indústria e levou as empresas a enfatizar a administração humanitária dos empregados, a fim de criar a impressão de uma grande família feliz: operários e administradores. A atenção ao bem-estar dos empregados foi um avanço importante no contexto da sua longa história de necessidades ignoradas pelas administrações. Contudo, esse quadro também ajuda a manter o poder nas mãos dessas administrações e dificulta a sindicalização, que são, na opinião de alguns historiadores (por exemplo, Bramel e Friend, 1981), a verdadeira razão por trás dos estudos realizados na Western Electric.

EM PERSPECTIVA: OS PSICÓLOGOS COMO PRATICANTES

Vimos que a Segunda Guerra Mundial foi responsável pela criação da moderna psicologia clínica nos Estados Unidos. A guerra forneceu impulso também a outras áreas da psicologia aplicada. Como no caso do primeiro conflito mundial, os psicólogos envolveram-se na criação de testes para a seleção de oficiais militares e a colocação de soldados em cargos aos quais se adequassem. A Primeira Guerra produziu os testes alfa e beta do exército; a Segunda, um teste muito mais sofisticado: o Teste de Classificação Geral do Exército (TCGE), que classificava os soldados em cinco níveis de capacidade e, além de confiabilidade suficiente, tinha um certo grau de validade, na medida em que estabelecia uma correlação razoavelmente boa com o nível de escolaridade (Capshew, 1999). A guerra também estimulou os psicólogos aplicados que trabalhavam na análise da relação entre o homem e a máquina, produzindo uma nova subdisciplina na psicologia: a **psicologia da engenharia**. Essa área tinha como meta a criação de máquinas projetadas para utilização eficaz pelos seres humanos. O *cockpit* de um avião, quando bem projetado, teria assentos que reduziriam a fadiga e instrumentos que evitariam os erros de percepção. Como vimos no Capítulo 8, uma das mais importantes pioneiras dessa área foi Lillian Gilbreth.

O foco deste capítulo concentrou-se na aplicação da psicologia ao diagnóstico e tratamento dos que sofriam de distúrbios mentais e comportamentais (psicologia clínica) e no uso dos princípios psicológicos para melhoria dos negócios (psicologia industrial). É importante frisar, porém, que a psicologia aplicada estende-se a outras áreas que não fazem parte deste capítulo, entre as quais o aconselhamento psicológico e a psicologia escolar, legal e educacional.

A reorganização da APA marcou o começo de um período de tremendo crescimento para a psicologia nos Estados Unidos. A psicologia aplicada foi a beneficiária dos novos estatutos da APA, que incluíram a promoção da psicologia como profissão à sua meta original de fomentar a ciência da psicologia. Como vimos no início deste capítulo, um dos resultados foi a crescente sensação de alienação por parte dos cientistas da APA. Mas o lado científico da psicologia também avançou nos anos posteriores à Segunda Guerra Mundial, especialmente na forma de um movimento chamado psicologia cognitiva. A história da ascensão da psicologia cognitiva no pós-guerra e a discussão de outros marcos históricos importantes para a psicologia científica durante essa época serão abordadas no próximo capítulo.

RESUMO

PESQUISADORES E PRATICANTES

- Um dos resultados da reorganização da APA em 1945 foi o aumento da visibilidade dos profissionais dedicados à prática da psicologia, os psicólogos clínicos. Isso não agradou muito aos psicólogos acadêmicos, cujas principais atividades eram o ensino e a pesquisa. Os acadêmicos haviam detido o controle da APA entre as duas guerras mundiais.
- Achando que a APA estava se voltando demasiadamente para a prática profissional, os cientistas da psicologia criaram a Psychonomic Society em 1960 e a American Psychological Society (APS) em 1988, rebatizada, em 2006, como Association for Psychological Science.

A EMERGÊNCIA DA MODERNA PSICOLOGIA CLÍNICA

- A moderna psicologia clínica surgiu da tremenda demanda de serviços gerada pela Segunda Guerra Mundial. A psiquiatria, que até então controlara o tratamento da doença mental, não teve condições de atender a esse aumento de demanda. Logo depois da guerra, houve uma conferência em Boulder, sob a liderança de David Shakow, para tratar da formação dos psicólogos clínicos. O resultado foi a criação de um modelo de treinamento que aliava a perícia científica à especialização no diagnóstico e tratamento dos distúrbios mentais. O psicólogo clínico teria de apresentar uma tese de doutorado baseada em pesquisa e obteria um Ph.D.
- Um estudo realizado por Eysenck em 1952 colocou em questão a eficácia das psicoterapias tradicionais baseadas no *insight*, como, por exemplo, a psicanálise freudiana. O estudo, que se voltava para a necessidade de pesquisas sérias sobre a eficácia da terapia, deu ensejo ao desenvolvimento de várias novas abordagens terapêuticas, em especial a terapia do comportamento e diversas terapias humanísticas.
- Uma controversa estratégia médica para o tratamento da doença mental, a leucotomia ou lobotomia, foi criada na década de 1930 por Egas Moniz. A técnica valeu-lhe o prêmio Nobel, mas Moniz aconselhava discriminação na aplicação do procedimento. A lobotomia baseava-se na ideia de que, com o corte das conexões entre o lobo frontal e os centros cerebrais inferiores, a pessoa seria mais capaz de controlar as emoções. Menos cauteloso foi Walter Freeman, que desenvolveu um procedimento mais eficaz, a lobotomia transorbital, feito por meio de incisão na cavidade ocular. O procedimento caiu em desuso na década de 1950: sua eficácia era questionável, as razões para seu uso eram às vezes dúbias e surgiram meios melhores de tratamento (drogas).
- A terapia do comportamento baseia-se na ideia de que muitos dos problemas da vida resultam da aprendizagem e que a experiência influi sobre o tipo de distúrbio que se desenvolve. As terapias baseadas nos princípios behavioristas já existiam muito antes da Segunda Guerra Mundial, mas depois da guerra ganharam novo impulso, principalmente com o trabalho de Joseph Wolpe, que desenvolveu uma forma de terapia chamada dessensibilização sistemática.
- A psicologia humanística às vezes é chamada de "terceira força" da psicologia, pois rejeitava o determinismo da psicanálise e do behaviorismo e propunha que, em vez de atrelados a seu passado, os seres humanos eram livres para desenvolver e controlar suas próprias vidas. Os psicólogos humanísticos acreditam que todos têm potencial de crescimento e autoatualização, conceito investigado por Abraham Maslow, que estudou exemplos reais de pessoas autoatualizadas (por exemplo, Max Wertheimer). Além de dedicados a sua carreira, os que se autoatualizam percebem a realidade com precisão, são independentes, criativos, espontâneos, éticos e naturais, ocasionalmente vivendo o que se convencionou chamar de experiências de pico.
- Carl Rogers rejeitou a psicoterapia tradicional e desenvolveu uma abordagem humanística do tratamento. A ênfase da terapia centrada no cliente recai no crescimento positivo deste, ocorrido quando o ambiente terapêutico é saudável. A função do terapeuta é criar esse ambiente, tornando-se um modelo de pessoa autoatualizada ("autêntica"), adotando um olhar positivo incondicional sobre o cliente e demonstrando empatia. A técnica terapêutica da reflexão destina-se a ajudar nesse processo.
- Em 1973, a conferência de Vail deu origem a um novo modelo de formação para os clínicos. Mais voltado para a prática que para a pesquisa, esse modelo não exigia necessariamente uma tese baseada em pesquisa e culminava na concessão de um Psy.D. (doutorado em psicologia), em vez do tradicional Ph.D. Atualmente, a APA credencia programas baseados em ambos os modelos de Boulder e Vail.

A PSICOLOGIA E O MUNDO DO COMÉRCIO E DA INDÚSTRIA

- Durante a década de 1920, muitos psicólogos trabalharam como consultores para empresas e indústrias, em parte por causa do grande interesse gerado pela testagem nessa década. Os psicólogos também se reuniram e criaram empresas de consultoria que ofereciam uma ampla gama de serviços. A primeira, a Scott Company, não durou muito. Mas a Psychological Corporation sobreviveu e acabou tornando-se uma empresa próspera após a saída do seu caprichoso fundador, James McKeen Cattell, da direção.
- Os estudos de Hawthorne, feitos de 1924 a 1933, foram tradicionalmente considerados uma prova de que a produtividade é alta quando os operários são bem tratados e dispõem de condições salubres de trabalho. A produtividade aparentemente não seria afetada por coisas como as condições de iluminação e mudanças nos intervalos de descanso; o que parecia importar mais era que os operários se sentissem importantes por estarem participando de um experimento (ou seja, o tradicional efeito Hawthorne). Porém, os historiadores têm mostrado que a versão tradicional do que ocorreu em Hawthorne é questionável e que os estudos tiveram como efeito a manutenção do controle da administração sobre o local de trabalho.
- A Segunda Guerra Mundial contribuiu para a criação e o crescimento da psicologia da engenharia, uma forma de psicologia experimental aplicada que investiga a relação entre o homem e a máquina. Seu objetivo é o desenvolvimento de máquinas que possam ser usadas com eficácia, conforto e segurança pelas pessoas.

QUESTÕES PARA ESTUDO

1. Qual a natureza da divisão entre acadêmicos/pesquisadores e praticantes? Qual o efeito da reorganização da APA?
2. Descreva o problema essencial que levou à criação da Psychonomic Society e da APS.
3. Qual a diferença entre as atividades dos psicólogos clínicos antes e depois da Segunda Guerra Mundial? O que causou essa mudança?
4. Compare os dois principais modelos de formação de psicólogos clínicos, os de Boulder e de Vail. Quais os problemas do primeiro que levaram à criação do segundo?
5. Qual era a base científica para o desenvolvimento da lobotomia e como Freeman alterou o procedimento inventado por Moniz? Por que a lobotomia começou a cair em desuso em meados dos anos 1950?
6. O que Hans Eysenck descobriu em sua análise de estudos que avaliavam a psicoterapia? Qual o impacto do estudo de Eysenck?
7. Descreva a dessensibilização sistemática de Wolpe e mostre como está relacionada aos princípios behavioristas.
8. Por que a psicologia humanística é às vezes chamada de "terceira força" da psicologia?
9. Resuma rapidamente as convicções básicas dos psicólogos humanísticos.
10. Descreva o trabalho de Maslow com a autoatualização. Qual a sua conclusão quanto aos atributos de uma pessoa autoatualizada?
11. Descreva as três condições necessárias para o sucesso da terapia segundo Rogers.
12. Descreva a técnica terapêutica da reflexão, conforme Rogers a usava, e explique seu objetivo.
13. Além da criação da terapia centrada no cliente, Rogers é conhecido também pelo interesse na pesquisa da eficácia da terapia. Explique como sua história pessoal pode ter contribuído para esse interesse.
14. A psicologia humanística entrou em ascensão nos anos de 1960 e de 1970, mas desde então o interesse que despertava vem declinando. Explique por quê.
15. Descreva as origens da Psychological Corporation, como deveria funcionar e o que aconteceu com ela.
16. Qual a contribuição de Morris Viteles para a psicologia industrial nas décadas de 1920 e de 1930?
17. Qual o propósito original dos estudos feitos em Hawthorne sobre a iluminação, quais os seus resultados e qual a interpretação tradicional desses resultados?
18. Qual o propósito original da sala de teste de montagem de relés em Hawthorne, quais os seus resultados e qual a interpretação tradicional desses resultados? O que realmente ocorreu na sala de teste de montagem de relés?
19. Diz-se que os estudos de Hawthorne mostram que a relação com os operários era o segredo da produtividade, mas os historiadores vêm reinterpretando esses estudos de um modo diferente. Explique.

LEITURA SUPLEMENTAR

GILLESPIE, R. (1991). *Manufacturing knowledge: A history of the Hawthorne experiments*. Nova York: Cambridge University Press.

Descrição e análise detalhada de todos os estudos de Hawthorne, que se estenderam de 1924 a 1933; mostra que os resultados foram interpretados de forma compatível com o movimento das relações humanas no trabalho, mas que uma análise mais atenta coloca em questão a interpretação tradicional do assim chamado efeito Hawthorne; uma análise mais concisa encontra-se em Gillespie (1988).

History of Psychology: The Boulder conference. *American Psychologist, 55*, 233-54.
Conjunto de artigos comemorativos do quinquagésimo aniversário de criação do modelo cientista-praticante para a formação de psicólogos clínicos, entre os quais alguns que abordam a formação clínica antes de Boulder e uma série de breves reflexões sobre o impacto da conferência.

ROGERS, C. R. (1961). *On becoming a person*. Boston: Houghton Mifflin.

Grupo de artigos escritos e selecionados por Rogers; inclui um ensaio autobiográfico inicial, vários ensaios sobre sua filosofia básica, artigos sobre a pesquisa de resultados em terapia e artigos sobre a terapia centrada no cliente.

SOKAL, M. M. (1981) The origins of the Psychological Corporation. *Journal of the History of the Behavioral Sciences, 17*, 54-67.

Descreve o precário início de uma das empresas mais bem-sucedidas da psicologia; mostra como a visão novecentista que Cattell tinha da psicologia o impossibilitou de liderá-la e insere bem a história narrada no contexto dos Estados Unidos das décadas de 1920 e de 1930.

CAPÍTULO 14
A CIÊNCIA DA PSICOLOGIA NA ERA DO PÓS-GUERRA

A razão essencial para o estudo dos processos cognitivos é tão clara quanto a razão para o estudo de qualquer outra coisa: o fato de eles existirem. [...] Os processos cognitivos sem dúvida existem; portanto, dificilmente seu estudo será acientífico.

— Ulric Neisser, 1967

VISÃO GERAL E OBJETIVOS DO CAPÍTULO

O que houve de mais importante na psicologia acadêmica desde a Segunda Guerra Mundial foi o advento e o desenvolvimento da moderna psicologia cognitiva. Durante as décadas de 1950 e, especialmente, de 1960, houve uma mudança nos interesses teóricos e de pesquisa dos psicólogos norte-americanos. Enquanto nos anos de 1930 e de 1940 o behaviorismo e a busca de leis básicas de condicionamento ocuparam a atenção da maioria dos pesquisadores de laboratório, o pós-guerra viu ressurgir o interesse pelo estudo de processos cognitivos como a percepção, a memória, a atenção, as imagens e o pensamento. Essa mudança foi mais uma evolução que uma revolução — muitos psicólogos estavam interessados na cognição durante o apogeu do behaviorismo, e os behavioristas (em especial, os skinnerianos) permaneceram ativos e produtivos com essa mudança na direção da psicologia cognitiva. Não obstante, a psicologia acadêmica em 1970 era bem diferente da que existia em 1950. A maior parte deste capítulo se dedica à análise da ascensão da psicologia cognitiva e sua influência sobre outras subáreas da psicologia.

Depois da descrição da evolução da psicologia cognitiva, o restante deste capítulo analisa quatro outras importantes áreas de pesquisa em psicologia: psicologia fisiológica ou neuropsicologia, psicologia social, psicologia da personalidade e psicologia do desenvolvimento. Em cada uma dessas áreas, destacaremos a influência de um pesquisador historicamente importante: Donald Hebb, Leon Festinger, Gordon Allport e Jean Piaget, respectivamente. Depois da conclusão deste capítulo, você deve ser capaz de:

- Dar exemplos da pesquisa cognitiva feita na era do neobehaviorismo, especialmente o trabalho de *Sir* Frederick Bartlett
- Descrever os fatores, dentro e fora da psicologia, que influenciaram o desenvolvimento da psicologia cognitiva
- Analisar criticamente se de fato houve uma "revolução cognitiva" na psicologia

- Descrever as pesquisas (por exemplo, a da capacidade da memória de curto prazo) que marcaram o estabelecimento da psicologia cognitiva como uma força dentro da psicologia
- Descrever o impacto do primeiro livro de Neisser sobre a psicologia cognitiva e comparar seu foco ao do segundo livro do autor sobre o tema
- Distinguir a psicologia cognitiva da ciência cognitiva e a contribuição desta para o campo da inteligência artificial
- Analisar criticamente o impacto da psicologia cognitiva sobre a psicologia como um todo
- Descrever as contribuições de Donald Hebb para o estudo da relação entre o cérebro e o comportamento
- Descrever as contribuições de Leon Festinger para o estudo da psicologia social
- Descrever as contribuições de Gordon Allport para o estudo da personalidade
- Descrever as contribuições de Jean Piaget para o estudo da psicologia do desenvolvimento

A VOLTA DA PSICOLOGIA COGNITIVA

Quando a psicologia começou a se identificar como disciplina à parte na segunda metade do século XIX, visava a uma compreensão científica da experiência consciente humana, e pioneiros como Ebbinghaus, Wundt, Külpe, Wertheimer, Titchener, entre outros, estudaram fenômenos mentais como a memória, a atenção, a percepção e o pensamento. Nos Estados Unidos, os psicólogos também se voltaram para esses tópicos, deram-lhe um tratamento funcionalista e os investigaram intensivamente nos primeiros anos do século XX. Então surgiu Watson dizendo que o estudo da vida mental era acientífico e que todo mundo deveria ser behaviorista e estudar as relações entre os estímulos ambientais e as reações individuais. Evidentemente, nem todos lhe deram ouvidos e, como vimos no Capítulo 10, demorou muito até que a mensagem de Watson produzisse efeitos significativos. Porém, em meados dos anos de 1930 o behaviorismo já se havia tornado uma força na psicologia norte-americana, fazendo com que a paisagem mais típica do laboratório de psicologia da época incluísse ratos e labirintos. Mas depois da Segunda Guerra Mundial, os interesses começaram a mudar novamente, pondo o estudo dos processos cognitivos de novo na ordem do dia. Dessa vez, embora os métodos fossem diferentes, mais rigorosos, e os modelos se baseassem num novo avanço tecnológico (o computador), os tópicos de interesse permaneceram os mesmos. Alguns psicólogos começaram a intitular-se cognitivistas, e um novo movimento — que, de certo modo, era o retorno a um antigo — nasceu. Na segunda metade do século XX, o arcabouço conceptual da psicologia cognitiva tornou-se o lastro principal da psicologia norte-americana.

As Origens da Moderna Psicologia Cognitiva

Apesar de todos os esforços promocionais de Watson, a psicologia norte-americana não se tornou behaviorista da noite para o dia e, mesmo quando o behaviorismo entrou em moda nos Estados Unidos, nem todo mundo aderiu. Nas décadas de 1920, de 1930 e de 1940, as páginas das principais publicações especializadas ainda continham diversos artigos sobre a pesquisa de temas cognitivos como a memória, a atenção, a percepção, a atenção, a linguagem e o pensamento, entre os quais destacam-se o famoso estudo sobre o "efeito Stroop" (Stroop, 1935), rapidamente mencionado no Capítulo 11, e um estudo de Jenkins e Dallenbach (1924) que ainda é regularmente incluído nos livros de psicologia geral. Seu experimento analisava o efeito da interferência cognitiva sobre a memória, mostrando que, após o estudo de materiais verbais, o grau de rememoração poderia aumentar se houvesse um período de sono (isto é, de interferência mínima) entre o estudo e a recordação. Além disso, surgiram livros sobre temas cognitivos no apogeu do behaviorismo, inclusive um cujo título era *Cognitive Psychology* (Moore, 1939). Embora seu tratamento da cognição fosse mais uma revisão dos primeiros anos do século que um apelo para uma nova abordagem (Knapp, 1985), o livro abordava muitos dos tópicos que seriam tratados pelos psicólogos cognitivos duas décadas depois. E, no *front* teórico, os gestaltistas (Capítulo 9) promoveram o estudo da cognição e discussões com os behavioristas ao longo das décadas de 1930 e de 1940.

Como o behaviorismo foi um fenômeno basicamente norte-americano, não é de surpreender que, enquanto vários importantes psicólogos europeus estavam investigando a cognição na época de ouro do behaviorismo, a maioria dos psicólogos experimentais norte-americanos — concentrada em observar se o rato viraria para a direita ou para a esquerda numa esquina do labirinto — estivesse prestando pouca atenção à continuidade dessa pesquisa cognitiva. Entre esses europeus, estava o famoso suíço Jean Piaget, um psicólogo do desenvolvimento. Embora inicialmente surgidas nos anos de 1920 (Piaget, 1923/1959), suas ideias sobre o desenvolvimento cognitivo só tiveram repercussão nos Estados Unidos a partir da década de 1960. Piaget e seu trabalho serão analisados posteriormente neste capítulo, numa seção sobre a pesquisa na área da psicologia do desenvolvimento. O segundo nome famoso é o de *Sir* Frederick Bartlett, inglês que na década de 1930 deu à pesquisa da memória um rumo muito diferente do que havia proposto Ebbinghaus (Bartlett, 1932/1967).

Frederick C. Bartlett (1886-1969): A Construção da Memória

Em 1932 foi publicado um breve livro sobre a memória, do ponto de vista da psicologia experimental e social, que tinha o título simples de *Remembering: A Study in Experimental and Social Psychology*. Seu autor, Frederick Bartlett, era um psicólogo da Cambridge University inglesa. Nos Estados Unidos, o livro foi ignorado, e uma resenha escrita três anos depois de sua publicação concluiu, com desdém, que o livro iria "encontrar um lugar na estante dos que estudam a memória, mas não na parte especial, reservada aos investigadores cujos escritos se tornaram marcos no avanço rumo à compreensão dessa importante questão" (Jenkins, 1935, p. 715). O autor da resenha provavelmente tinha Ebbinghaus em mente como "marco". Hoje em dia, a importância do livro de Bartlett é considerada equivalente à do livro de Ebbinghaus.

Frederick Bartlett (à direita na Figura 14.1) nasceu e criou-se na região agrícola inglesa de Cotswolds, situada a noroeste de Londres e perto de Oxford e Stratford-upon-Avon. Boa parte de sua educação transcorreu em casa, tendo seu primeiro diploma superior formal sido obtido por meio de um curso de correspondência da London University. Em seguida, ele fez um curso de graduação mais tradicional no Saint John's College da Cambridge University, tendo-o concluído em 1914. Bartlett permaneceu em Cambridge para fazer uma pós-graduação e apresentou sua tese de doutorado — essa pesquisa sobre a memória — logo depois da Primeira Guerra Mundial. Portanto, os estudos de *Remembering* foram escritos cerca de quinze anos antes de sua publicação (Oldfield, 1972). Na década de 1920, Bartlett assumiu a direção do laboratório de psicologia de Cambridge e empenhou-se em estabelecer um dos poucos centros de psicologia experimental da Grã-Bretanha. Foi diretor do laboratório até aposentar-se em 1952, produzindo, com seus alunos, pesquisas sobre temas que iam desde a fadi-

FIGURA 14.1 *Sir* Frederick Bartlett (à direita).

ga entre pilotos até a aprendizagem animal. Além disso, adaptando alguns dos métodos usados em seu livro sobre a memória ao estudo do pensamento, escreveu *Thinking: An Experimental and Social Study* (1958). Porém foi o livro sobre a memória que criou sua fama.

Bartlett sobre a Memória

Bartlett inicia o livro sobre a memória questionando a utilidade da pesquisa na tradição de Ebbinghaus, baseada nos efeitos da repetição por memorização de estímulos altamente artificiais — as famosas sílabas sem sentido —, e sua base teórica associacionista.

> Nessa série de experimentos, tentei evitar ao máximo a artificialidade que paira sobre os experimentos de laboratório em psicologia. Por isso, descartei a utilização de sílabas sem sentido, empregando em todos os momentos materiais que pudessem ser considerados, pelo menos em parte, interessantes e suficientemente normais. (Bartlett 1932/1967, p. 47)

Além disso, propôs que a pesquisa sobre a memória se voltasse mais para os atributos da pessoa que memoriza e menos para a natureza dos materiais de estímulo. Em sua opinião, em vez de acumular passivamente força associativa em decorrência da prática e da repetição, a pessoa que memoriza organiza *ativamente* o material em todos coerentes, aos quais referiu-se usando a palavra **esquemas**. Bartlett definiu o esquema como "a organização ativa de reações ou experiências passadas, a qual sempre se supõe presente em qualquer reação orgânica bem adaptada" (1932/1967, p. 201). Por exemplo, em virtude de nossas experiências, nós desenvolvemos um esquema relativo ao conceito da morte. Esse esquema, por sua vez, influi em nossa atual e futura percepção da morte e do morrer, afetando nossa memória dessa experiência. Pessoas com diferentes experiências e provenientes de diferentes culturas possuem esquemas diferentes associados à morte.

Para dar respaldo empírico a seus argumentos, Bartlett criou uma série de tarefas de memória, duas das quais veremos aqui. Na primeira, ele usou uma série de cinco cartões, em cada um dos quais estava desenhado o rosto de um oficial militar (Figura 14.2). Ele colocava diante dos vinte sujeitos os cinco cartões, sempre arrumados na mesma sequência, virados para baixo. Os sujeitos tinham dez segundos para examinar cada um dos cinco cartões e, enquanto o faziam, os outros quatro ficavam virados para baixo. Em seguida, Bartlett aguardava meia hora, durante a qual conversava com os participantes sobre temas que não tinham relação com o experimento. Depois desse intervalo, ele lhes pedia que descrevessem as figuras na mesma ordem em que as haviam examinado, fazendo uma série de perguntas sobre elas. Ao contrário do meticuloso Ebbinghaus, Bartlett apresentou seus resultados em forma narrativa, e não como gráficos estatísticos. Além disso, sua descrição da metodologia é muitas vezes vaga. Como observou um resenhista, os estudos de Bartlett parecem mais "demonstra-

FIGURA 14.2 Cartões usados como estímulos por Bartlett (1932).

ções controladas que verdadeiros experimentos" (Roediger, 1997, p. 489).

E o que foi que Bartlett descobriu? Primeiro, em relação à "posição" (que, para ele, era a capacidade de lembrar acertadamente a sequência das figuras), ele descobriu algo semelhante ao moderno efeito da posição serial, ou seja, recordação perfeita do primeiro rosto e recordação melhor do que estava no início e no fim do que os dos que estavam no meio. Com "direção do olhar", ele se referia ao fato de os rostos estarem voltados para a direita ou para a esquerda, e aqui ele detectou pouca precisão: em mais da metade das vezes, os participantes fizeram a escolha errada. Quanto à precisão de detalhes ("transferência"), a transposição de detalhes de uma figura para outra, e "importação", atribuição aos cartões de detalhes inexistentes — Bartlett encontrou diversos erros:

> À exceção de seis, todos os vinte sujeitos transferiram detalhes. [...] Quatro casos relacionavam-se ao cachimbo, quatro ao bigode e quatro ao distintivo.
>
> Na primeira descrição livre dos rostos, houve dezenove casos de introdução de detalhes exteriores à série por parte de treze dos sujeitos. A influência das perguntas — mesmo no caso de perguntas factuais diretas — na indução desse tipo de importação de detalhes pode ser bem grande.
>
> Talvez o mais curioso é que a importação tinha seguramente maior probabilidade de ocorrer em relação aos detalhes mais notáveis. Contudo, quando consideramos que essa relevância do detalhe é, no geral, determinada por um interesse especial, vemos que isso, afinal, é simplesmente o que se poderia esperar. Por exemplo, um sujeito, oficial do exército, tinha particular interesse pelos distintivos dos quepes militares. Em suas descrições, ele os transformou nos distintivos dos regimentos com os quais tinha mais familiaridade no trabalho. (Bartlett 1932/1967, pp. 57-8)

Embora não os apresente com muita minúcia, os resultados de Bartlett se parecem muito com os dos modernos estudos feitos com a memória das testemunhas oculares: a falta de precisão, o acréscimo de detalhes originalmente não vistos e os efeitos nocivos das perguntas indutoras. O estudo demonstra também a importância dos interesses e atitudes da pessoa que memoriza (por exemplo, o oficial interessado em distintivos), um dos temas principais do livro, e não do tipo do material de estímulo em si.

O mais famoso dentre os estudos de memória feitos por Bartlett usava o que ele chamou de "método da reprodução repetida". Os participantes recebiam uma história de cerca de trezentas palavras e deveriam lê-la duas vezes, na velocidade com que normalmente liam. A história era uma lenda dos índios norte-americanos chamada "A guerra dos espíritos". Assim, tratava-se de uma história proveniente de uma cultura muito diferente da cultura inglesa do início do século XX que, além disso, tinha certos elementos que provavelmente não "fariam sentido" para um inglês típico. A história era a seguinte:

> Uma noite dois jovens de Egulac desceram o rio para caçar focas e, enquanto lá estavam, a neblina e o silêncio caíram. Então eles ouviram gritos de guerra e pensaram: "Talvez esteja havendo uma festa guerreira". Foram sorrateiramente para a margem e esconderam-se atrás de uma árvore. De repente surgiram canoas e ouviu-se o rumor cada vez mais próximo dos remos. Uma canoa com cinco homens aproximou-se; eles disseram:
> — O que vocês acham? Queremos que venham conosco. Vamos subir o rio para guerrear.
> Um dos jovens respondeu:
> — Não tenho flechas.
> — As flechas estão na canoa.
> — Eu não irei. Poderia ser morto. Meus parentes não sabem aonde eu fui. Mas você — disse ele ao outro — pode ir com eles.
> Então um dos jovens seguiu, mas o outro voltou para casa.
> E os guerreiros subiram o rio até uma cidade que fica do outro lado de Kalama. As pessoas foram para o rio e começaram a lutar; muitos morreram. Mas de repente o jovem ouviu um dos guerreiros dizer:
> — Rápido, vamos voltar para casa: aquele índio foi ferido.
> Então pensou: "Oh, eles são espíritos". Ele não se sentia mal, mas eles diziam que havia sido ferido.
> Então as canoas voltaram a Egulac, e o jovem foi para casa e acendeu uma fogueira. E contou a todos o seguinte:
> — Vejam; eu acompanhei os espíritos e fomos guerrear. Muitos dos nossos morreram e muitos dos que nos atacaram morreram. Eles disseram que fui atingido, mas eu não me senti mal.
> Ele contou tudo e então se calou. Quando o sol nasceu, ele caiu. Algo negro saiu-lhe da boca. Seu rosto se contorceu. As pessoas se levantaram e choraram.
> Ele estava morto. (Bartlett 1932/1967, p. 65)

Eu imagino que essa história pareça um pouco estranha aos que não são membros dessa cultura. Isso foi o que acharam os vinte sujeitos de Bartlett (sete mulheres e treze homens). Quinze minutos depois da leitura da história, Bartlett pediu-lhes que a contassem do modo mais fiel possível. Posteriormente, com intervalos que variavam de horas a meses, ele lhes pediu que a contassem novamente. Há inclusive o caso de um dos participantes, que Bartlett reencontrou seis *anos* depois e a quem voltou a pedir que fizesse o mesmo. Seu relato dos resultados reproduz dezenas das histórias relembradas e, em seguida, apresenta um resumo dos tipos de erros encontrados. A capacidade de lembrar naturalmente decaía com o passar do tempo, mas o que pareceu mais intrigante a Bartlett foi a qualidade das reproduções. Os participantes não apenas lembravam menos, mas também formulavam o que conseguiam lembrar de acordo com sua necessidade de criar uma história coerente e compreensível dentro do seu próprio sistema de conhecimento. Assim, "a coisa negra que lhe saía da boca" tornou-se "a espuma que lhe saía da boca" para um dos participantes e "a alma que deixava o corpo" para outro. Além disso, a ambiguidade acerca dos espíritos (se eles já eram espíritos, como poderiam ser mortos?) levou outro participante a decidir que "espíritos" era simplesmente uma referência a determinada tribo; que a transformação (ou "racionalização", conforme Bartlett) "tornava a coisa toda mais compreensível" (p. 68). Outros lembraram-se — errônea, porém logicamente — que os "espíritos" só apareceram depois que alguns índios haviam sido mortos na batalha. Para resumir, em geral os sujeitos relembraram a história dentro do contexto de seus próprios esquemas culturais da guerra e da morte. Assim, para Bartlett, a memória não seria apenas o ato de reproduzir traços mnemônicos intactos, mas um processo ativo de *construção*. Em suas palavras,

> Nos muitos milhares de casos de recordação que coletei, [...] a recordação literal foi muito rara. Com poucas exceções, [...] a reexcitação de traços individuais não parece de maneira alguma ser o que estava acontecendo. [...] Na verdade, se considerarmos os fatos em vez das pressuposições, a recordação parece ser muito mais um caso de construção que de mera reprodução. [...] A condensação, a elaboração e a invenção são características muito mais comuns da recordação normal, as quais muitas vezes envolvem a fusão de materiais que originalmente pertencem a diferentes "esquemas" (Bartlett 1932/1967, pp. 204-05)

Bartlett tomou o termo "esquema" emprestado de um neurologista britânico Henry Head. Depois de declarar que não gostava do termo ("Ele é ao mesmo tempo muito categórico e muito vago", p. 201), passa a utilizá-lo em sua teoria. Conforme dito anteriormente, os esquemas podem ser vistos como conceitos gerais que compõem a nossa compreensão do mundo, e a construção das recordações se baseia neles. Portanto, quando, por exemplo, o participante do experimento lembra da "espuma que lhe saía da boca", em vez da expressão mais obscura "algo negro que lhe saía da boca", os esquemas que essa pessoa possui sobre a doença e a morte estão contribuindo para a construção da memória. As ideias de Bartlett sobre a memória não tiveram muita repercussão nos Estados Unidos, tendo surgido, como surgiram, no apogeu do behaviorismo. Só na década de 1960, depois da confluência que gerou a psicologia cognitiva, foi que a importância do seu trabalho começou a ser reconhecida. Sua noção da memória como construção é hoje amplamente aceita e constitui um elemento importante na compreensão de fenômenos como a falsa memória (por exemplo, Roediger e McDermott, 1995) e a memória da testemunha ocular (por exemplo, Loftus, 1979).

Uma Convergência de Influências

As influências que deram origem à moderna psicologia cognitiva provêm tanto de dentro da própria psicologia — sob a forma de uma suspeita cada vez maior quanto à aplicabilidade dos princípios condicionantes e associacionistas — quanto de fora, por meio de diversas disciplinas que inicialmente ganharam ímpeto no contexto da Segunda Guerra Mundial ou após o fim do conflito (Segal e Lachman, 1972).

Influências Internas à Psicologia

Nas décadas de 1940 e de 1950, surgiu entre os psicólogos a preocupação crescente de que os princípios condicionantes e associacionistas não poderiam explicar devidamente todos os comportamentos humanos, em especial o comportamento linguístico. Embora os behavioristas radicais reduzissem os eventos mentais a reações musculares sutis a estímulos (Watson) ou os vissem simplesmente como outros tipos de comportamento sob o controle de contingências de reforço (Skinner), Tolman e Hull haviam tentado abordar o problema da "representação". Ou seja, ambos reconheciam que as pessoas agiam como se fossem influenciadas por representações ou concepções internas do mundo exterior (por exemplo, as recordações). Hull lidou com a questão evitando os conceitos mentalistas e propondo sequências internas de estímulos e reações que se encadeavam mediante o reforço das experiências. Tolman foi além e propôs que os construtos internos, como as expectativas e os mapas cognitivos, serviam para orientar o comportamento. Porém, ambas as abordagens falharam na explicação de comportamentos distintivamente humanos, como a linguagem, e as tentativas de sujeitar a linguagem ao condicionamento fracassaram.

A adequação dos princípios associacionistas também foi colocada em questão, em especial pelo neuropsicólogo Karl Lashley (Capítulo 3), ex-colega de pesquisa de Watson na Johns Hopkins e crítico de longa data das formulações watsonianas simplistas de estímulo-reação. Em 1948, Lashley participou do Hixon Symposium, uma reunião interdisciplinar que reuniu psicólogos, matemáticos, neurologistas e psiquiatras para discutir a questão geral da relação entre o córtex cerebral e o comportamento. A palestra de Lashley, publicada três anos depois nos anais do simpósio, tratava do problema da ordem serial e do fracasso generalizado da teoria da associação em sua tentativa de explicá-lo (Lashley, 1951). Em resumo, o **problema da ordem serial** diz respeito à questão de como explicar, em termos de mecanismos cerebrais, as sequências lineares de comportamento, desde a série de movimentos praticados pelos dedos quando se toca um violino, na música, à memorização de listas de palavras para a produção de orações, na linguagem, por exemplo. Um dos princípios básicos da teoria da associação era que os elementos adjacentes numa sequência se associam ou "encadeiam" porque são vivenciados de modo simultâneo (isto é, contíguo). Lashley argumentava que essa formulação era inadequada. No caso de habilidades motoras complexas, como no exemplo de tocar um violino, a sequência de comportamentos ocorre demasiado rápido para que um elemento dependa da análise neurológica do elemento que o precede e seja o estímulo para o seguinte. Além disso, a produção oral de uma oração é mais complexa que o simples sequenciamento das palavras, conforme o demonstram as regras da sintaxe e os lapsos de língua. Assim, duas orações, uma na voz ativa e a outra na passiva, têm ordem sintática completamente diferente e, no entanto, o mesmo sentido. E certos erros de fala, como a transposição dos sons iniciais de duas palavras, envolvem a antecipação de palavras ou segmentos de palavras que deveriam aparecer posteriormente na oração.[1] Em vez de um modelo cortical baseado no conceito de cadeias associativas lineares, Lashley argumentava que o cérebro era um sistema que exercia controle organizacional sobre padrões complexos de comportamento.

O artigo de Lashley foi bem recebido, mas, como no caso do trabalho de Bartlett, sua importância para o desenvolvimento da psicologia cognitiva não foi imediatamente reconhecida, conforme mostra uma cuidadosa análise de citações do psicólogo e historiador Darryl Bruce (1994). As referências ao artigo acumularam-se de modo bastante lento ao longo da década de 1950 e, de repente, aumentaram drasticamente em número em meados dos anos de 1960, década em que a psicologia cognitiva teve seu maior impulso. Assim, o artigo sobre a ordem serial estava um pouco à frente de sua época. Não obstante, contribuiu para a massa crítica que estava começando a formar-se nos anos do pós-guerra e, por fim, conduziu à emergência da psicologia cognitiva.

Influências Externas à Psicologia

Outros fatos relevantes para o movimento cognitivo ocorreram em disciplinas muito distantes da psicologia. Um dos mais críticos foi o desenvolvimento da ciência da computação, acelerado nos anos de 1940 pelas necessidades militares da Segunda Guerra Mundial, com a demanda de instrumentos como sistemas de radar automatizados (Baars, 1986). Naturalmente, os filóso-

---

1. Um exemplo desse tipo de erro, que constitui a base dos trocadilhos, seria dizer: "chentar no são", em vez de "sentar no chão".

fos e psicólogos têm uma longa história de utilização de tecnologias contemporâneas como metáforas do comportamento humano. Os exemplos vão desde Descartes, que usou as figuras hidráulicas de jardim em seu modelo do sistema nervoso, até Watson, que comparou a central comutadora telefônica às conexões entre estímulos e reações subjacentes à relação estímulo-ação. No pós-guerra, não demorou para que os cientistas começassem a ver paralelos entre o computador e o cérebro.

O computador é essencialmente um dispositivo que recebe informações do ambiente, processa-as internamente e gera um *output*. Por analogia, se poderia dizer que o cérebro faz o mesmo. O matemático John von Neuman empregou exatamente essa metáfora na palestra de abertura do Hixon Symposium em 1948. A analogia reapareceu algumas vezes nos anos de 1950 até que, na década de 1960, a descrição de fenômenos cognitivos em jargão da área de computação e a apresentação de modelos cognitivos em forma de organogramas tornaram-se lugar-comum. O melhor exemplo — que logo passaria a fazer parte da maioria dos capítulos dedicados à memória nos livros de introdução à psicologia — é o modelo proposto por Atkinson e Shiffrin (1968). Você provavelmente conhece o organograma da Figura 14.3, uma versão simplificada do deles, ou alguma de suas variantes. Ele introduziu as conhecidas distinções entre a limitada memória de curto prazo (MCP), análoga à RAM (Random Access Memory) do computador, e a memória de longo prazo (MLP), comparada à memória permanente do computador, e utilizou amplamente o jargão computacional. Assim, os seres humanos não memorizam simplesmente as coisas, eles "transferem informações da MCP para a MLP", e não recordam simplesmente as coisas, eles "recuperam informações da MLP".

Uma das vantagens da metáfora do computador era que ela constituía uma forma cientificamente respeitável de discutir processos mentais internos complexos, calan-

DATA-CHAVE 1932

Este ano marcou a publicação do clássico estudo de Bartlett sobre a memória, *Remembering: A Study in Experimental and Social Psychology*.

Os seguintes fatos também ocorreram:

- Um aluno da pós-graduação em Harvard, B. F. Skinner (Capítulo 11), fez sua primeira apresentação profissional numa conferência: o encontro anual da American Psychological Association, ocorrido nesse ano em Cornell
- Amelia Earhart tornou-se a primeira mulher a realizar um voo transatlântico solitário, indo de Newfoundland à Irlanda em 13h30.
- Foram iniciadas as obras da ponte Golden Gate, em San Francisco, Califórnia (concluída em 1937)
- Jack Sharkey (EUA) derrotou Max Schmeling (Alemanha) e ganhou o título mundial dos pesos pesados
- O austríaco Adolph Hitler adquiriu cidadania alemã
- Aldous Huxley publicou *Admirável mundo novo*
- Johnny Weissmuller fez seu primeiro filme de Tarzã, e Shirley Temple fez sua estreia no mundo do cinema, aos quatro anos de idade
- Nasceram:
  John Updike, escritor norte-americano vencedor do prêmio Pulitzer com dois dos cinco volumes da série que tem como protagonista Rabbit Angstrom
  Andrew Young, político, diplomata e líder dos direitos civis nos Estados Unidos
  Sylvia Plath, escritora norte-americana, autora de *A redoma de vidro*, romance semiautobiográfico sobre a convivência com o distúrbio bipolar
- Morreram:
  George Eastman, inventor norte-americano de materiais fotográficos
  John Philip Souza, compositor de marchas norte-americano (por exemplo, *Stars and stripes forever*)
  William Wrigley, fundador norte-americano da megaindústria de goma de mascar

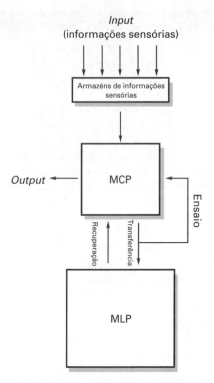

FIGURA 14.3 Exemplo típico de um organograma que, como o modelo proposto por Atkinson e Shiffrin (1968), ilustra o modelo de memória de dois estágios.

do assim as críticas behavioristas de que os cientistas da psicologia não deveriam lidar com misteriosas entidades inobserváveis intervenientes entre estímulo e reação, além de evitar os antigos problemas da introspecção. Como disse George Miller, "[o]s computadores nos fornecem a prova da complexidade que é possível nos sistemas de processamento de informações. Isso nos tornou muito mais livres" (citado por Baars, 1986, p. 212). E o refinamento na descrição do fluxo de informações dentro do sistema trouxe ainda mais respeitabilidade. Isso ocorreu em 1949, com a publicação de *The Mathematical Theory of Communication*, de Shannon e Weaver, que introduziu a **teoria da informação** e o conceito de *bit*, abreviatura de *"binary digit"* ou dígito binário. Shannon, um engenheiro elétrico, reconhecia a relação entre os operadores lógicos "verdadeiro" e "falso" e os dois estados ("ligado" e "desligado") de um relé eletromagnético. Em seu trabalho com Weaver, ele define o *bit* como a quantidade de informação que permite a decisão entre duas alternativas igualmente prováveis. Assim, a informação reduz a incerteza. Quando jogamos uma moeda para o alto, por exemplo, temos um *bit* de informação porque o ato nos diz qual de dois possíveis resultados é verdadeiro. A cada vez que o número de alternativas dobra, um novo *bit* de informação é acrescentado: em quatro alternativas, é preciso termos dois *bits* de informação para reduzir a incerteza; em oito, três *bits* e assim sucessivamente. A importância do conceito está em haver permitido um meio de padronizar unidades de informação, independentemente da forma que essa tenha (por exemplo, lançar uma moeda, jogar dados, números, letras etc.). O *bit* acabou se tornando mais importante para a ciência da computação que para a psicologia cognitiva, mas nos anos de 1950 contribuiu para dar mais legitimidade ao estudo científico da mente.

Uma terceira área de desenvolvimento exterior à psicologia — mas relacionada ao ataque do behaviorismo dentro da psicologia — foi a linguística. Sob a liderança de Noam Chomsky (nascido em 1928), do Massachusetts Institute of Technology (MIT), houve uma proliferação de teorias acerca da estrutura e da produção da linguagem na década de 1950 que foi muito além de qualquer coisa concebível pelos behavioristas. Chomsky chamou a atenção dos psicólogos em 1959, quando escreveu uma resenha extremamente crítica de *Verbal Behavior*, criativa tentativa de Skinner (1957) de colocar a linguagem em termos operantes (Chomsky, 1959). Para Chomsky, a aquisição da linguagem se processava rápido demais para que o condicionamento tivesse importância. Mesmo que aprendêssemos uma sentença por segundo, não haveria nem em uma vida inteira segundos suficientes para a aprendizagem de todas as sentenças que podemos produzir. Além disso, as pessoas normalmente criam e/ou compreendem sentenças que nunca viram ou ouviram antes. A linguagem é simplesmente demasiado complexa para o que Chomsky julgou ser uma explicação behaviorista excessivamente simplista.

Em decorrência do trabalho de Chomsky e outros linguistas, a linguagem passou a ser vista não como um comportamento verbal que resultava do condicionamento e da aprendizagem associativa, mas da aplicação de um conjunto hierárquico de regras chamado **gramática**. Além de permitirem ao indivíduo gerar um número praticamente infinito de sentenças gramaticais, essas regras permitem-lhe também identificar imediatamente as sentenças não gramaticais. Para usarmos um dos exemplos favoritos de Chomsky (Gardner, 1985), podemos facilmente reconhecer a sentença "*Colorless green ideas sleep furiously*" como perfeitamente gramatical, ainda que tola, ao passo que não temos dificuldade em classificar essas mesmas palavras, se estiverem em outra ordem ("*Sleep ideas green colorless furiously*"), como uma sentença agramatical.* Segundo Chomsky, as sentenças que usamos não podem ser resultado de mera aprendizagem, mas sim da aplicação sistemática de uma gramática. Além disso, essa capacidade de usar uma gramática é instintivamente humana — Chomsky acreditava que a linguagem era o atributo que mais claramente distinguia os seres humanos dos de outras espécies. Para ele, todas as línguas têm princípios comuns, aos quais chamou **universais da linguagem**, e o cérebro humano está estruturado para poder compreender esses universais automaticamente (Chomsky, 1966). Ao lado de outros linguistas, Chomsky defendeu sua visão nativista da linguagem com base no fato de que, (a) como em outros comportamentos específicos da espécie, aparentemente há um período crítico para a aquisição da linguagem e (b) as tentativas de ensinar as habilidades necessárias à aprendizagem de uma língua a outras espécies (usando, por exemplo, a linguagem de sinais) fracassaram.[2]

O questionamento do behaviorismo/associacionismo, juntamente com os avanços da ciência da computação, teoria da informação e linguística, ajudou a mudar o clima intelectual entre os psicólogos experimentais. E, assim, durante os anos de 1950 e início dos de 1960 foram publicados diversos trabalhos seminais que levaram ao reconhecimento de que a psicologia experimental já não era a que havia sido. Alguns referem-se aos fatos dessa época como uma "revolução" na psicologia, questão que analisaremos agora no *Close-Up* deste capítulo. Independentemente de serem revolução ou evolução, sem dúvida esses fatos são reflexo de uma mudança de rumo na psicologia experimental.

---

* Numa tradução literal, "Verdes ideias incolores dormem furiosamente" e "Sono ideias verdes incolores furiosamente", respectivamente. (N. da T.)

2. Os chimpanzés e outros primatas tiveram bastante sucesso na aprendizagem do uso da linguagem de sinais e na comunicação simbólica de suas necessidades, mas o consenso geral tanto entre os linguistas quanto entre os psicólogos cognitivos é que essa aprendizagem é imitativa e não demonstra indícios de recorrer a uma gramática verdadeiramente baseada em regras. Para uma revisão desse tema, consulte Anderson (1990).

CLOSE-UP
QUE REVOLUÇÃO?

Não resta dúvida de que na década de 1960 havia, nos Estados Unidos, mais psicólogos experimentais interessados no estudo dos processos cognitivos que nas duas décadas anteriores e que, à exceção de alguns redutos skinnerianos renitentes, o behaviorismo começou a perder sua força a partir de então. Para alguns, essa mudança constituiu uma "revolução" na psicologia (por exemplo, Segal e Lachman, 1972; Sperry, 1993), e pelo menos dois dos livros que documentam a transição para o cognitivismo incluem a expressão "revolução cognitiva" no título (Baars, 1986; Gardner, 1985). Por outro lado, o psicólogo e historiador Thomas Leahey (1992) argumentou que o desenvolvimento da psicologia cognitiva não preenche nenhum dos requisitos tidos como critério na determinação de uma revolução científica. Evidentemente, a resolução do problema exige alguma compreensão do que em ciência se entende como "revolução".

Em 1962, um livro pequeno (apenas 172 páginas) mas de importância capital, intitulado *The Structure of Scientific Revolutions*, surgiu na cena acadêmica, propondo uma nova maneira de ver o progresso na ciência. Seu autor, Thomas Kuhn — físico que se tornou historiador —, criticava a noção tradicional, de base iluminista, de que o progresso científico requer o acúmulo gradual de conhecimento objetivo ao longo do tempo. Para ele, a ciência prossegue através da história estabelecendo "paradigmas" consensuais que norteiam os cientistas e então passa de um paradigma a outro. Quando essa mudança ocorre, tem-se uma revolução.

Segundo Kuhn, todas as ciências começam num "estágio pré-paradigmático". Nessa fase, há uma concorrência entre diferentes escolas de pensamento dentro de uma disciplina, as quais discutem acerca de problemas fundamentais pertinentes a conceitos e definições. Por fim, uma dessas escolas obtém a maioria das adesões e se estabelece como **paradigma**. O paradigma, na visão de Kuhn, é uma visão de mundo onipresente na comunidade científica que organiza o que se conhece em uma grande teoria, determina como os termos se definem e quais os problemas que os cientistas devem solucionar e dita os métodos de pesquisa pertinentes. A física newtoniana é o exemplo mais típico. Após o estabelecimento de um paradigma, existe um período de **ciência normal**, durante o qual o paradigma norteia a pesquisa destinada a fornecer-lhe respaldo empírico. Como todos os paradigmas possuem em si alguma verdade, boa parte dessa pesquisa de fato respalda o paradigma, mas nem toda ela. Em geral os dados e conclusões anômalos são ignorados ou encontram uma explicação apenas convincente, mas às vezes as previsões falham e a ciência entra num período de "crise", no qual a confiança no paradigma começa a declinar. Por fim, um ou dois cientistas criativos desenvolvem uma nova ideia que explique as anomalias, além de tudo que o paradigma em crise explica. Se essa nova ideia for suficientemente forte e bem promovida, pode tornar-se um novo paradigma, substituindo o antigo. Nesse caso, diz-se que houve uma revolução. A substituição da física de Newton pela de Einstein é o exemplo típico.

As ideias de Kuhn foram aplicadas à história da psicologia. Para Kirsh

(1977), por exemplo, o primeiro paradigma da psicologia poderia ser chamado de "mentalismo", e abarcaria o pensamento wundtiano, estruturalista e funcionalista. Seu interesse principal seria o estudo científico da experiência consciente humana. Porém, problemas relacionados com a introspecção levaram o paradigma à crise que conduziu à revolução behaviorista. Argumentos semelhantes foram propostos por Palermo (1971), para quem nos anos de 1960 e de 1970 a psicologia estava vivendo uma segunda revolução, passando do behaviorismo à psicologia cognitiva. As mudanças do mentalismo ao behaviorismo, e deste à psicologia cognitiva, têm um certo apelo intuitivo e uma certa verdade em termos de visão geral.

Segundo Leahey (1992), porém, vestir a história da psicologia com a roupa de Kuhn pode levar à simplificação excessiva de eventos complexos e perpetuar mitos. No que diz respeito à assim chamada "revolução cognitiva", por exemplo, ele argumenta que (a) os behavioristas discordavam num número excessivo de problemas básicos (por exemplo, estímulo-reação/E-R ou estímulo-organismo-reação/E-O-R?) para que o behaviorismo tenha sido um paradigma no sentido dado por Kuhn, (b) qualquer transição que possa ter havido do behaviorismo para a psicologia cognitiva foi demasiado gradual para que o termo "revolução" faça sentido, (c) as primeiras pesquisas cognitivas não foram motivadas pela percepção de uma "crise" no behaviorismo, mas sim por diversos outros fatores e (d) os próprios psicólogos cognitivos discordam em demasiadas questões fundamentais para que a psicologia cognitiva possa constituir um paradigma no sentido atribuído por Kuhn.

Leahey (1992) também fez uma interessante sugestão: a de que a *própria* aparição do livro de Kuhn em 1962 contribuiu para criar o "mito" de que uma *revolução* cognitiva estaria se processando. Em sua reflexão sobre essa época, o pesquisador James Jenkins lembrou que ela foi "um período cheio de emoções. Todos já partiam do princípio de que as coisas estavam fervilhando e [...] um novo dia estava para raiar. E, naturalmente, todos carregavam por toda parte sua copiazinha [do livro] de Kuhn" (citado por Baars, 1986, p. 249). Embora não tenha negado que de fato estavam ocorrendo mudanças, Leahey concluiu que "*não havia nenhuma percepção de uma revolução até que o livro de Kuhn a sugeriu*" (p. 315, itálico no original). Vale a pena observar que tudo isso estava ocorrendo num período particularmente turbulento da história dos Estados Unidos. Nos anos de 1960, os protestos contra a guerra do Vietnã e o movimento pelos direitos civis criaram um clima no qual era lugar-comum falar de subverter a ordem estabelecida, não confiar em ninguém com mais de 30 anos e rejeitar a autoridade institucional nos *campi* das universidades. Como aluno da pós-graduação em psicologia cognitiva nessa época, lembro-me de que a mensagem da mudança revolucionária de Kuhn teve repercussão entre meus professores e colegas. Por exemplo, além de ter sido o primeiro que tivemos de ler para um seminário sobre os "processos mentais superiores", esse livro influiu na discussão que tivemos ao longo de todo o semestre. Portanto, por formular uma nova maneira de ver a história da ciência numa cultura repleta de apelos de mudança, o livro de Kuhn pode ter ajudado a criar a ideia de uma "revolução cognitiva".

Números Mágicos, Filtros Seletivos e TOTEs

Talvez o primeiro psicólogo a reconhecer a relevância da teoria da informação para a psicologia tenha sido George A. Miller (nascido em 1920). Na qualidade de pesquisador* do laboratório psicoacústico de Harvard de 1944 a 1948, Miller (Figura 14.4) investigou a percepção da fala, um problema que derivava do contexto militar: a dificuldade de ouvir mensagens faladas quando se está dentro de aviões ruidosos (Hilgard, 1987). Dessa pesquisa surgiu um curso, oferecido aos alunos da graduação de Harvard, chamado "A psicologia da fala e da comunicação", e desse curso surgiu o primeiro livro de Miller, *Language and Communication* (1951). Logo depois da publicação do pioneiro trabalho de Shannon e Weaver (anteriormente discutido), Miller apresentou a teoria da informação aos psicólogos num artigo publicado na *Psychological Review* (Miller e Frick, 1949). E, sete anos depois, publicou um artigo com um título mais enigmático do que os normalmente encontrados nas empertigadas publicações acadêmicas: "The Magical Number Seven, Plus or Minus Two: Some Limits on Our Capacity for Processing Information", (Miller, 1956). As conclusões do artigo estavam destinadas a figurar em quase todos os capítulos sobre memória dos livros de introdução à psicologia, e o artigo em si tornou-se o mais citado nos cem anos de história da *Psychological Review* (Kintsch e Cacioppo, 1994).

No artigo, que era a versão impressa de uma palestra feita na Eastern Psychological Association no ano anterior, Miller mostra como conceitos da teoria da informação — *bit* e capacidade de canal, por exemplo — poderiam ser usados para descrever os limi-

FIGURA 14.4 George Miller.

tes de nossa capacidade de processar informações em diversos tipos de tarefas. A última parte do artigo contém a informação mais frequentemente citada: a análise da limitada capacidade da memória imediata. Para Miller, dependendo do tipo de informação memorizada, o número de itens que as pessoas conseguem processar de cada vez está entre cinco (no caso de monossílabos) e nove (no caso de dígitos binários). Reconhecendo que o volume de informações em *bits* pode variar drasticamente, de acordo com o tipo de material estudado, ele introduziu o termo *chunk* (porção) para referência às informações mantidas na memória imediata. Por conseguinte, o limite de capacidade da memória de curto prazo foi identificado como sete, mais ou menos dois, *chunks* de informação, sendo cada *chunk* ou porção uma unidade pequena e coerente de informação. Além disso, Miller aplicou o conceito de **recodificação**, proveniente da teoria da informação, para levar em consideração o fato de que os seres humanos têm a capacidade de reorganizar da-

---

* Miller ocupou em Harvard o cargo de "Research Fellow", que não tem correspondência no sistema universitário brasileiro. Trata-se de um cargo cujo detentor acumula as funções de pesquisador e membro do conselho administrativo reitoral. (N. da T.)

dos, introduzindo assim mais informações em cada *chunk*. Para ele, como "a extensão da memória equivale a um número fixo de *chunks*, podemos aumentar o número de *bits* por informação que ela contém simplesmente criando *chunks* cada vez maiores, cada um dos quais contendo mais informações que antes" (Miller, 1956, p. 349). Miller utilizou o exemplo da aprendizagem do código Morse para explicar a questão. O aprendiz primeiro ouve cada ponto e traço como uma unidade à parte. Porém, com a experiência, as combinações entre esses sons são recodificadas (organizadas em *chunks*) como letras, depois palavras e depois frases, de modo que o operador experiente pode, de fato, manter muito mais pontos e traços na memória imediata que o aprendiz.

Em meados da década de 1950 foram publicados também diversos trabalhos ingleses que aplicavam ideias provenientes da teoria da informação à atenção, fenômeno cognitivo que havia sido bastante negligenciado desde os tempos de Wundt. O principal expoente foi um aluno de Bartlett em Cambridge, Donald Broadbent (1926-1993), que inicialmente se interessara pela psicologia durante a Segunda Guerra Mundial, enquanto fazia o treinamento para pilotos da Royal Air Force. Embora impressionado pela complexidade técnica da aeronave que pilotava, ele havia ficado frustrado diante da falha dos engenheiros em levar em conta o piloto humano no projeto dos controles e do instrumental dos *cockpits*. A semelhança entre os indicadores muitas vezes induzia a erros de percepção e atenção: por exemplo, Broadbent lembrouse de uma ocasião em que, na aterrissagem, pensara estar voando a 2 mil pés, para descobrir em seguida que estava olhando para o indicador errado e que, na verdade, estava voando a 2 mil rpm (Broadbent, 1980).

Depois da guerra, Broadbent foi para Cambridge, estudou com Bartlett e, por fim, foi nomeado diretor do laboratório de lá, a Unidade de Psicologia Aplicada. Na década de 1950, ao lado de Colin Cherry, professor de telecomunicações, contribuiu de modo pioneiro para a moderna pesquisa da atenção utilizando um procedimento de **escuta dicótica** no qual os participantes eram submetidos simultaneamente a dois canais de informações, cada um dos quais conectado a um ouvido. Broadbent e Cherry conseguiram documentar limites na capacidade de utilização de canais duplos de comunicação, mostrando, por exemplo, que enquanto se cuidava de uma mensagem, muito pouco da segunda poderia ser lembrado depois (por exemplo, Cherry, 1953). Broadbent resumiu essa pesquisa em *Perception and Communication* (1958) e propôs um modelo de atenção baseado em um **filtro seletivo** simples. Em sua opinião, quando nos defrontamos com dois fluxos de informação, nosso limitado sistema de capacidades separa as informações com base em características físicas, permitindo-nos filtrar as mensagens e, assim, excluir uma e selecionar a outra para consideração e processamento. O problema da atenção seletiva — que os livros-textos de introdução à psicologia logo passaram a chamar de "fenômeno do coquetel" porque a tarefa se parece à de atentar para duas conversas ao mesmo tempo — constitui até hoje uma área de pesquisa importante e atuante da psicologia cognitiva.

Um terceiro exemplo da transição para a psicologia cognitiva nos anos de 1950 foi um livro. Intitulado *Plans and the Structure of Behavior*, ele foi o resultado da colaboração entre George Miller, famoso pelo artigo do 7 + ou – 2, Eugene Galanter, psicólogo experimental de Harvard e especialista em matemática e computação, e Karl Pribram, conhecido neurocientista. O livro construía-se em torno da ideia de "plano", definido como "qualquer processo hierárquico no organismo que possa controlar a ordem pela qual uma sequência de operações deve ser executada" (Miller, Galanter e Pribram, 1960, p. 16). Em consonância com a metáfora do computador — que estava entrando rapidamente em voga —, os autores compararam explicitamente esses planos ao programa de um computador. O segundo principal conceito era o de "imagem", definida em termos gerais pelos autores como "todo o conhecimento acumulado e organizado que o organismo tem de si mesmo e de seu mundo" (p. 17). Conforme os autores, o livro dedicava-se ao problema de "analisar a relação entre a Imagem e o Plano" (Miller, Galanter e Pribram, 1960, p. 18).

Hoje, talvez o livro seja mais lembrado por haver tomado emprestado o conceito de *feedback* do campo da **cibernética** (isto é, o estudo dos princípios envolvidos no controle de qualquer sistema vivo ou não). Numa ruptura radical com a tradição behaviorista/associacionista, eles propuseram que um sistema de *feedback* poderia substituir o arco reflexo como unidade básica do controle do comportamento. Num sistema assim, a operação de uma parte produz resultados que são retroalimentados e monitorados, afetando assim a futura operação do sistema como um todo. O termostato e o aquecedor, por exemplo, funcionam em conjunto num sistema de *feedback* simples. Num dia frio, o termostato envia um sinal ao aquecedor para que este se ligue automaticamente, aumentando assim a temperatura ambiente. Esse aumento da temperatura é lido pelo termostato, que por fim "avisa" ao aquecedor que pare. A temperatura cai, aciona outro sinal do termostato para início do aquecedor e assim sucessivamente. A longo prazo, o sistema de *feedback* produz um "estado estável", uma temperatura que não varia muito em relação à configuração do termostato. Miller e seus colegas criaram, para o caso dos sistemas humanos de *feedback*, o conceito básico de **TOTE**, acrônimo que significa "*Test-Operate-Test-Exit*" (Testar-Operar-Testar-Sair), mostrado na Figura 14.5. Ele se inicia com uma fase de Teste que busca incongruências no sistema (por exemplo, no caso do termostato, uma diferença entre a temperatura desejada e a temperatura real). Se não houver nenhuma incongruência, não acontece nada, mas se houver, ocorre uma operação

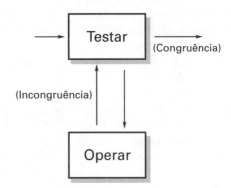

FIGURA 14.5 O TOTE (Test-Operate-Test-Exit) básico proposto por Miller, Galanter e Pribram em *Plans and the Structure of Behavior* (1960).

para reduzi-la. É feito então outro Teste e assim sucessivamente até que não se verifique nenhuma incongruência. No caso dos seres humanos, esses TOTEs são organizados hierarquicamente, como no exemplo da Figura 14.6, que apresenta o exemplo fornecido pelos autores de um sistema de dois níveis para a colocação de um prego na parede. O primeiro Teste destina-se a verificar se o prego está saliente: em caso negativo, não há necessidade de voltar a usar o martelo; em caso afirmativo, o TOTE de segundo nível é ativado para alterar o estado do prego.

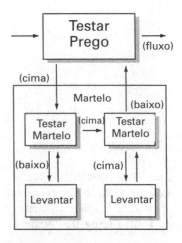

FIGURA 14.6 TOTEs organizados para ilustrar um plano hierarquizado de colocação de pregos (figura extraída de Miller, Galanter e Pribram, 1960).

Neisser e o "Batismo" da Psicologia Cognitiva

O artigo do 7 + ou − 2 de Miller, o trabalho dos ingleses sobre a atenção e *Plans and the Structure of Behavior* foram apenas três dos fatos mais importantes dentro dos vários que marcaram uma mudança fundamental na psicologia experimental da década de 1950, legitimando o estudo de temas mentalísticos até esse momento desprezados. A década de 1960, uma década tumultuada em que a mudança da ordem estabelecida se tornou um tema familiar (consulte o *Close-Up* deste Capítulo), continuou a fornecer *momentum* a essa mudança. Além disso, a psicologia experimental beneficiou-se da concessão de mais verbas governamentais a todas as pesquisas científicas, parte da estratégia durante a guerra fria de restabelecer a supremacia científica dos Estados Unidos depois do sucesso soviético no espaço (por exemplo, lançando em órbita o primeiro satélite — o Sputnik — em 1957). Em meados dessa década, o volume de pesquisa já dava ensejo a resumos que tinham a extensão de livros e começaram a surgir textos sobre psicologia cognitiva. Cabe destacar *Cognitive Psychology*, de Ulric Neisser (1967), que deu um nome específico às ideias convergentes de pessoas como Miller, Broadbent e outros. Neisser (Figura 14.7) posteriormente diria que havia recebido "cartas em que as pessoas se mostravam satisfeitas por eu ter dado [ao movimento] um nome, pois estavam interessadas em todos os tópicos que eu abordava, mas a área não tinha uma identidade teórica" (citado por Baars, 1986, p. 278). Depois de Neisser, ele ganhou essa identidade.

Quando aluno da graduação, em Harvard, Ulric Neisser (nascido em 1928) estudou com George Miller, recordando-se depois que seu curso sobre fala e comunicação abordava "tópicos bastante inusitados [como] linguística, acústica, fisiologia da articulação e matemática da engenharia" (Neisser, 1988, p. 82). O interesse de Neisser pela cognição veio com a experiência, levando-o a fazer um mestrado em Swarthmore, o lar eleito pelo gestaltista Köhler, e outros cursos de pós-graduação no MIT antes de obter um doutorado em psicoacústica em Harvard em 1956. Em seguida, ele ensinou em Brandeis, Cornell e Emory antes de voltar a Cornell, de onde hoje é professor emérito.

No capítulo de abertura, Neisser (1967) começa afirmando que os tempos haviam mudado na psicologia:

> Uma geração atrás, um livro como este teria precisado no mínimo de um capítulo de defesa contra a posição behaviorista. Hoje, felizmente, a opinião mudou e pouca ou nenhuma defesa é necessária. Na verdade, os próprios teóricos do estímulo-reação estão inventando mecanismos hipotéticos com muito entusiasmo e quase nenhum remorso. A razão essencial para o estudo dos processos cognitivos é tão clara quanto a razão para o estudo de qualquer outra coisa: o fato de eles existirem. [...] Os processos cognitivos sem dúvida existem; portanto, dificilmente seu estudo será acientífico (p. 5)

FIGURA 14.7 Ulric Neisser.

Quanto à questão do que a "psicologia cognitiva" realmente significava, Neisser a considerava o estudo experimental de todos os processos cognitivos, e por "cognição" referia-se

[a] *todos os processos pelos quais o* input *sensorial é transformado, reduzido, elaborado, armazenado, recuperado e usado.* Ela diz respeito a todos esses processos mesmo quando eles agem na ausência de estímulos relevantes, como no caso das imagens e das alucinações. Termos como sensação, percepção, imagens, retenção, recordação, resolução de problemas e pensamento, entre muitos outros, referem-se a aspectos ou estágios hipotéticos da cognição. (p. 4, itálico no original)

Os capítulos do livro de Neisser — *Cognitive Psychology* — estão repletos de detalhes experimentais de alguns dos meios pelos quais o processador humano pode transformar as informações. Em consonância com a novidade da psicologia cognitiva, cerca de 60% das suas 321 referências aludem a pesquisas publicadas na década de 1960 (Weaver, 1998). O grosso do livro refere-se ao processamento inicial de informações visuais e auditivas, mas também há capítulos sobre a memória, a linguagem e a relação entre a memória e o pensamento, esta constante de um breve capítulo final.

A Evolução da Psicologia Cognitiva

O interesse despertado pela psicologia cognitiva continuou crescendo rapidamente depois da publicação do livro de Neisser em 1967. Os departamentos de psicologia apressaram-se em criar laboratórios cognitivos e contratar psicólogos cognitivistas, promoveram-se congressos sobre a cognição e publicaram-se as comunicações em livros (por exemplo, o Loyola Symposium, em Solso, 1973) e foram criadas redes informais, como a S.W.I.M. (Southeastern Workers in Memory). As publicações tradicionais, como o *Journal of Experimental Psychology*, passaram a apresentar mais pesquisas cognitivas e novas publicações foram criadas: *Cognitive Psychology*, em 1970, *Cognition*, em 1972, *Cognitive Science*, em 1977, e *Memory and Cognition*, em 1983. Além disso, a psicologia cognitiva atingiu outras subdisciplinas da área, como a psicologia do desenvolvimento, a psicologia social, a psicologia da personalidade e a psicologia do anormal. Nem a psicologia animal ficou imune: os pesquisadores começaram a investigar a "cognição animal" (por exemplo, Flaherty, 1985).

Dentro da própria psicologia cognitiva, houve mudanças na década de 1970, mais uma vez lideradas por Neisser. Em *Cognition and Reality* (1976), ele argumentou que, apesar de haver produzido resultados importantes, a tradição de laboratório na psicologia cognitiva não havia gerado dados úteis sobre o processamento de informações no contexto do mundo real em número suficiente. Ele inclusive criticou seu próprio livro de 1967 por ter demasiada pesquisa pura de laboratório. Reconhecendo explicitamente a influência de Bartlett, ele lançou um apelo por mais pesquisas relativas ao que chamou de **validade ecológica**, isto é, pesquisas que tivessem relevância para as **atividades cognitivas diárias** das pessoas em sua tentativa de adaptar-se ao ambiente. E incitou os psicólogos experimentais a "fazerem um maior esforço para entender a cognição conforme esta ocorre no ambiente normal e no contexto da atividade natural e seu sentido. Isso não significa o fim dos experimentos de laboratório, mas o compromisso com o estudo de variáveis ecologicamente importantes, e não daquelas que são fáceis de administrar" (Neisser, 1976, p. 7).

O apelo de Neisser foi ouvido por muitos dentre os psicólogos cognitivos. Nos anos 1980 e 1990 houve um aumento no número de pesquisas sobre temas como a memória das testemunhas oculares (por exemplo, Loftus, 1979) e a memória de longo prazo de tópicos aprendidos na escola, como espanhol (por exemplo, Bahrick, 1984). Embora esses fatos estejam demasiado perto do presente para uma análise histórica imparcial, a virada para a cognição do dia a dia não deveria surpreender, dado o que se sabe sobre a história do pensamento funcionalista na psicologia norte-americana. A pesquisa que ajuda a compreender como o indivíduo se adapta ao ambiente e que tem aplicações práticas é o tipo de pesquisa que sempre encontrou ressonância no espírito pragmático e funcional que a psicologia adquire nesse país.

Além do interesse pela validade ecológica, outro aspecto da evolução dos interesses dos pesquisadores da psicologia tem sido a criação da **ciência cognitiva**, um campo interdisciplinar que inclui a psicologia cognitiva, a linguística, a ciência da computação, a antropologia cultural e a epistemologia. Gardner (1985) a definiu em termos gerais como "um esforço de base empírica para responder antigas questões epistemológicas, em especial as que dizem respeito à natureza do conhecimento, seus componentes, suas fontes, seu desenvolvimento e sua utilização" (p. 6). O termo "ciência cognitiva" começou a aparecer em meados da década de 1970 e institucionalizou-se quando se criou uma publicação especializada com esse título em 1977. No editorial de abertura de *Cognitive Science*, Collins (1977) ressaltou que a disciplina poderia ter-se chamado "epistemologia aplicada ou teoria da inteligência, mas alguém das altas esferas disse que o nome deveria ser ciência cognitiva. Que assim seja" (p. 1).

Vale a pena observar que, apesar de o nome ser relativamente novo, a ciência cognitiva não o é. Ela começou a surgir no pós-guerra, quando as já mencionadas "influências externas à psicologia" (teoria da informação, ciência da computação, linguística) contribuíram para a emergência daquilo que os psicólogos começaram a chamar de "psicologia cognitiva". Porém, de uma perspectiva mais ampla, está claro que algo mais que uma nova psicologia estava surgindo, e alguns de seus atores principais tinham consciência disso. George Miller, por exemplo, atribuiu as origens da ciência cognitiva a um simpósio de teoria da informação ocorrido em 1956 no MIT (Baars, 1986) e, em 1960, Miller e Jerome Bruner fundaram em Harvard o Center for Cognitive Studies, um centro destinado especificamente ao fomento do estudo interdisciplinar da cognição. Bruner, mais tarde, lembraria que Miller e ele haviam resolvido "que a psicologia era uma área complicada demais para deixar nas mãos dos psicólogos, [então] o que precisávamos era criar uma aliança com colegas de outras áreas que fossem, cada um em seu contexto, interessados pela questão de como os seres humanos adquiriam e empregavam o conhecimento" (Bruner, 1988, p. 92).

A Inteligência Artificial

Um importante foco de interesse entre os cientistas cognitivos tem sido uma área aplicada da ciência da computação: a **inteligência artificial** (IA), que pode ser definida simplesmente como a área que investiga se as máquinas podem funcionar com algum grau de inteligência. Os que trabalham em IA estão interessados em diversos temas, mas estes geralmente se incluem em duas categorias. Alguns pesquisadores interessam-se basicamente em compreender a inteligência humana, estudando-a por meio da tentativa de criar programas de computador que simulem o processo cognitivo humano. Tomemos a resolução de problemas entre os seres humanos, por exemplo. A ideia é que, caso se consiga fazer um computador resolver problemas do mesmo modo que as pessoas, as estratégias de resolução de problemas embutidas no programa do computador poderão então ser consideradas análogas às das pessoas. Essa foi a abordagem adotada por dois pioneiros da IA, Herbert Simon (nascido em 1916) e Alan Newell (1927-1992). Simon, cujo trabalho sobre a tomada de decisões valeu-lhe o prêmio Nobel de economia em 1978, e Newell, um físico, colaboraram na produção de simulações dos processos de pensar e resolver problemas em computadores nas décadas de 1950 e de 1960. Seu primeiro trabalho juntos, o Logic

Theorist/TL (Teórico Lógico/TL), destinava-se a resolver problemas da lógica formal, ao passo que seu último e mais ambicioso projeto, o General Problem Solver/GPS (Solucionador Geral de Problemas/SGP), voltava-se para uma faixa mais ampla de problemas (Newell e Simon, 1972).

Tanto o TL quanto o SGP ilustram uma importante distinção, na ciência da computação, entre algoritmos e heurística. O **algoritmo** é um conjunto de regras que garantidamente produz uma solução por meio do trabalho sistemático em todas as etapas possíveis. A **heurística**, por sua vez, é uma estratégia ou "regra geral" que, embora não garanta uma solução, é mais eficaz que um algoritmo. Podemos ilustrar essa diferença com um problema comum, o anagrama. Quando se propõe a reorganização das letras "LTEAGST" para formação de uma palavra, a abordagem algorítmica tentaria todas as possíveis combinações de letras até a obtenção de uma solução. Isso não seria problema para um computador, que realiza operações muito rápido e não se entedia. Porém, os seres humanos provavelmente tentariam resolver o anagrama usando uma abordagem heurística, como, por exemplo, "não considerar combinações pouco comuns de pares de letras". Assim, uma pessoa* provavelmente experimentaria a combinação "ST", mas não "GT", na tentativa de resolver o anagrama.

O principal produto da heurística inserido no SGP de Simon e Newell chamava-se **análise de meios-fins**. Tratava-se de um sistema de *feedback* que envolvia a avaliação do estado atual em relação ao estado pretendido, a identificação da diferença entre os dois, a identificação e aplicação de um operador (algum comportamento) para redução dessa diferença, a reavaliação do novo estado em relação ao estado pretendido e assim sucessivamente, até que o estado atual se tornasse o estado pretendido. Newell e Simon (1972) desenvolveram o programa dando problemas (de álgebra, por exemplo) às pessoas e pedindo-lhes que externassem o que pensavam descrevendo os processos de raciocínio à medida que os iam utilizando, procedimento que tinha uma interessante semelhança em relação à introspecção. Em seguida, eles criaram o programa do SGP de uma maneira que simulava o que os sujeitos faziam. Por conseguinte, com base no princípio de que, se pudessem simular o pensamento humano e fazer o computador produzir soluções como as dadas pelas pessoas, chegariam à compreensão do pensamento humano, que era o objetivo. Essa estratégia de simulação foi usada em tentativas de estudo de processos cognitivos que iam desde o reconhecimento de padrões à memória e ao pensamento. Mas, depois de atingir seu apogeu na década de 1970, esse tipo de simulação começou a perder o interesse, em parte devido ao abandono do SGP quando ele não se revelou um solucionador tão "geral" de problemas quanto inicialmente se pensava (Gardner, 1985).

A segunda abordagem da IA, que vem predominando desde os anos de 1980, é a criação de um programa de computador que realize uma tarefa do modo mais eficiente possível, independentemente do modo como os seres humanos possam comumente realizá-la. Ou seja, o objetivo é criar sistemas especializados que lidem de modo inteligente com os problemas. Entre os resultados encontram-se programas de xadrez que derrotam campeões mundiais, robôs e sistemas tutoriais interativos. Essa segunda utilização da IA levantou a questão da possibilidade de dizer-se que os computadores pensam, o que, por sua vez, levou ao debate sobre a natureza do pensamento e sobre o que é ser humano. Isto é, a IA tem renovado alguns dos problemas que sempre interessaram aos psicólogos.

A questão de haver uma verdadeira inteligência num computador já fora discutida em 1950, num artigo intitulado "Computing Machinery and Intelligence", escrito por Alan Turing (1912/1954), brilhante matemático inglês. Turing teve participação

---

* Pelo menos, uma pessoa que só falasse inglês. (N. da T.)

decisiva na vitória dos aliados na Segunda Guerra Mundial ao ajudá-los a decifrar o supostamente inviolável código "Enigma" dos alemães e, assim, informar os estrategistas aliados dos movimentos das tropas e das estratégias alemãs. Nesse artigo de 1950, ele descrevia um "jogo da imitação" que fornecia uma série de critérios para determinar se era possível dizer que os computadores pensavam. Desde então, o jogo ficou conhecido como "**teste de Turing**". No artigo ele propunha que se imaginasse uma situação na qual uma pessoa que estivesse numa sala fizesse uma série de perguntas a um ser humano e a um computador, ambos numa sala à parte. Com base nos dois grupos de respostas, a pessoa que fazia as perguntas deveria tentar distinguir as respostas dadas pela outra pessoa e pelo computador. O ser humano tentaria convencer o interrogador de que também era uma pessoa, e o computador faria o mesmo. Se o interrogador não conseguisse discriminar entre o ser humano e a máquina com base nas respostas, de acordo com Turing, deveria concluir-se então que não havia diferenças significativas entre a inteligência humana e a inteligência artificial — ou seja, que os computadores podem pensar exatamente como os seres humanos.

A ideia de que o computador pensa de maneira equivalente ao ser humano, referida às vezes como IA forte, foi duramente criticada, em especial por John Searle. Os proponentes da **IA forte** acham que o pensamento é essencialmente a manipulação de símbolos que dependem de regras, habilidade presente tanto nos seres humanos quanto nos computadores. Embora aceitasse a validade da assim chamada **IA fraca**, a ideia de que os computadores podem produzir *insights* importantes sobre a natureza do pensamento humano, Searle argumentou que a IA forte não tinha fundamento. Para ilustrar a questão, ele descreveu um problema que ficou conhecido como **problema da sala chinesa** (1980). Imagine que você está isolado numa sala com um enorme livro de regras que especifica todas as combinações de marcas compreendidas na escrita chinesa. Esse livro lhe permite examinar uma sequência dessas marcas, sob a forma de uma pergunta escrita por um falante nativo de chinês, e produzir uma resposta escrita precisa usando outros símbolos chineses — ou seja, o falante de chinês poderia escrever-lhe uma pergunta usando símbolos chineses e você poderia usar seu livro de regras para gerar uma resposta que fosse aceitável para o interrogador. Com efeito, suas respostas poderiam ser indistinguíveis das respostas dadas por outro falante nativo de chinês, o que significa que você passaria no teste de Turing. A questão é se isso significa que você entende chinês, e para Searle a resposta é "não". Segundo ele, o pensamento envolve mais que a simples manipulação de símbolos conforme regras fixas; ele envolve também a semântica — um nível mais profundo de compreensão que vai além das regras de organização dos símbolos. Os computadores podem manipular símbolos de formas que apresentam complexidade considerável, mas não têm nenhuma compreensão do que estão fazendo, do mesmo modo que você não teria nenhuma compreensão de chinês enquanto estivesse na sala chinesa.

O conhecimento da história da psicologia que você vem acumulando pode ajudá-lo a colocar o debate sobre a IA em perspectiva, pois o problema não é novo, mas sim uma extensão do ancestral problema mente-corpo (ou mente-cérebro). Um dos problemas recorrentes da psicologia é determinar se as explicações puramente mecânicas são suficientes à compreensão do comportamento e dos processos mentais dos seres humanos. Desde a época do fascínio de Descartes pelas figuras movidas pela hidráulica dos jardins da realeza da França aos fisiologistas do século XIX, que achavam que todas as funções vitais poderiam ser reduzidas ao movimento de objetos materiais, e ao modelo mecanicista de estímulo-reação de Watson, que igualou o comportamento humano ao de uma central comutadora telefônica, as metáforas mecânicas para os atos e funções dos seres humanos tornaram-se comuns. Não é provável que os debates em torno da IA resolvam o problema.

Avaliando a Psicologia Cognitiva

Apesar de ter sido considerada um arcabouço teórico extremamente abrangente e até mesmo um "paradigma" da moderna psicologia, a psicologia cognitiva foi também muito criticada. Compreensivelmente, o crítico mais eloquente foi B. F. Skinner (Capítulo 11), o principal behaviorista da segunda metade do século XX. Skinner opôs-se à criação de mecanismos mentais hipotéticos (por exemplo, a memória de curto prazo) que, em sua opinião, facilmente se reificam em "ficções explanatórias". Isto é, em vez de buscarem as causa do comportamento no ambiente e na história de aprendizagem de cada um (que, segundo Skinner, era o que deveria ser feito), os psicólogos cognitivos transformaram esses mecanismos hipotéticos em entidades reais, causais. Para ele, a atribuição de falhas na rememoração à capacidade limitada da memória de curto prazo dificilmente explicava o fenômeno. Skinner lamentava a disseminação das ideias cognitivistas na área da psicologia, observando sarcasticamente que se fosse feito um gráfico da utilização do adjetivo "cognitivo" na literatura da psicologia, seria mostrado um crescimento exponencial após 1960: "Há hoje em dia algum campo da psicologia em que não se tenha a impressão de ganho com o acréscimo desse charmoso adjetivo ao substantivo ocasional?" (Skinner, 1987, p. 783).

Uma segunda crítica geral à psicologia cognitiva deriva da metáfora do computador e de sua implicação de que o ser humano é como uma máquina. Segundo os críticos, essa visão ignora aspectos significativos do comportamento humano, como a emoção e a motivação (por exemplo, Zajonc, 1980) ou a intencionalidade (Searle, 1980). Com uma referência à divisão oitocentista tripartite das atividades mentais — as cognitivas, as afetivas (emocionais) e as conativas (motivacionais/comportamentais) — Hilgard (1980) estabelece argumento semelhante, afirmando que a psicologia cognitiva trata apenas de uma parte do todo. Uma crítica relacionada é que os psicólogos cognitivos às vezes ignoram a realidade neurológica, criando modelos de processamento mental que contradizem o que se sabe sobre o funcionamento do sistema nervoso.

Apesar dos problemas, o estudo dos processos cognitivos chegou a praticamente todas as áreas da moderna investigação psicológica. A onipresença dos fatores cognitivos talvez seja um indício do quanto esses processos sempre foram importantes para a psicologia, mesmo quando sua importância foi questionada pelos expoentes do behaviorismo, e de sua posição central na própria definição do que significa ser humano.

OUTRAS ÁREAS DE PESQUISA

Na época de Descartes, primeira metade do século XVII, os estudiosos acreditavam que era possível obter um conhecimento científico universal. O próprio Descartes fez disso a sua meta ao escrever *The World* (concluído em 1633, mas só publicado postumamente), que versava sobre temas que iam desde a anatomia à meteorologia. Naturalmente que hoje, era da especialização e da explosão da informação, ninguém pode esperar adquirir conhecimento integral de uma ciência, quanto mais da ciência. Mesmo dentro de uma determinada ciência, como a psicologia, o conhecimento abrangente é praticamente impossível. O psicólogo cognitivo que estuda a memória no testemunho ocular, por exemplo, provavelmente sabe muito pouco sobre a pesquisa feita na psicologia do desenvolvimento sobre o apego nas crianças. Na verdade, é quase certo que o psicólogo cognitivo que estuda a memória no testemunho ocular ache difícil manter-se em dia até mesmo com a literatura de outras áreas da psicologia cognitiva.

Acabamos de ver que a psicologia cognitiva veio a dominar os interesses dos acadêmicos/pesquisadores tradicionais na segunda metade do século XX. Alguns conceitos da psicologia cognitiva tiveram importante influência sobre diversas subdisciplinas da psicologia. Na psicologia social, por exemplo, houve muita pesquisa da "cognição social" nos anos 1980 (por exemplo, Fiske e Taylor, 1984). Porém, essas especialidades têm sua própria história e, embora sua análise detalhada esteja muito além do escopo deste livro, analisaremos rapidamente um pouco da história de quatro áreas de pesquisa fora da psicologia cognitiva. Em vez de escrever uma ou duas linhas sobre a longa lista de estudiosos que deram suas contribuições a essas áreas, prefiro deter-me em uma figura conhecida de cada subdisciplina e observar atentamente a influência dessa pessoa. As quatro áreas consideradas são: (a) o estudo da relação entre o cérebro e o comportamento, antes chamada psicologia fisiológica e agora conhecida como neurociência; (b) a psicologia social, estudo da influência dos fatores sociais sobre o comportamento; (c) a psicologia da personalidade, estudo das diferenças individuais em vários traços pessoais; e (d) a psicologia do desenvolvimento, estudo das mudanças de comportamento à medida que envelhecemos.

O Cérebro e o Comportamento

Um dos mistérios que mais persistem na psicologia diz respeito à relação entre os estímulos que promovem mudanças físicas no organismo, em especial no sistema nervoso, e a experiência psicológica desses estímulos. Os psicólogos dedicados à pesquisa há muito desistiram da ideia de resolver a questão mente-corpo por meio da ciência — essa questão é filosófica. Assim, embora possam especificar em incrível grau de detalhe como o funcionamento de certas combinações de neurônios do córtex estriado se correlaciona à percepção de uma linha apresentada num determinado ângulo, eles não podem responder à pergunta: "Mas como o acionamento desses neurônios provoca a experiência psicológica da linha inclinada?" Reconhecendo essa limitação fundamental, os psicólogos fisiológicos voltaram-se para a busca de relações entre eventos físicos e mentais por meio da investigação do funcionamento do cérebro e do sistema nervoso e da correspondência entre a atividade dessas estruturas e a experiência e o comportamento.

O Capítulo 3 esquematizou a história das tentativas de entender o cérebro, concentrando-se nos últimos duzentos anos e terminando em Karl Lashley. Como você deve estar lembrado, Lashley investigou a questão da localização da função nos primeiros anos do século XX, concordando com Pierre Flourens, o grande neurologista francês do século anterior, em que o cérebro funciona mais como um sistema integrado que como um conjunto de estruturas de funções diferentes. Ironicamente, as conclusões a que Lashley chegou em 1929 sobre a equipotencialidade e a ação de massa tiveram o efeito de reduzir o interesse nas pesquisas sobre o cérebro e incentivar os behavioristas a pensar que se poderia estudar detalhadamente o condicionamento deixando de lado o sistema nervoso. Skinner (1938) reforçou o ponto ao rejeitar explicitamente a necessidade de explicações fisiológicas do comportamento (Hilgard, 1987).

Donald O. Hebb (1904-1985)

O interesse pelo estudo da relação entre o cérebro e o comportamento foi reavivado por Donald Hebb (Figura 14.8), ex-aluno de Lashley e único psicólogo canadense eleito (em 1960) para a presidência da American Psychological Association (Hilgard, 1987) até hoje. Hebb começou devagar, mal conseguindo formar-se e ser aceito — graças a certas relações pessoais — na pós-graduação da McGill University de Montreal. Na McGill, ele conheceu dois ex-alunos de Pavlov[3] e aprendeu as técnicas pavlovianas

---

3. Um deles era Boris Babkin, em cuja biografia de Pavlov (1949) figura a descrição do laboratório usada no Capítulo 10 deste livro.

FIGURA 14.8 Donald Hebb.

de condicionamento. Como Pavlov, Hebb também estava intrigado com a relação entre o cérebro e o comportamento, mas ficou cético diante do modelo pavloviano do córtex. Depois de obter um mestrado em 1934, Hebb sentiu-se animado a candidatar-se à pós-graduação na University of Chicago para estudar com Lashley, que na época estava no auge da fama. Lashley aceitou o jovem canadense e, quando se transferiu para Harvard no ano seguinte, levou Hebb consigo, de maneira que o doutorado deste foi concluído em Harvard em 1938. Porém, as perspectivas de emprego eram parcas, em decorrência não apenas dos efeitos da Grande Depressão, mas também do fato de que a "psicologia fisiológica estava em seu longo período de declínio, entre 1930 e 1950" (Hebb, 1980, p. 287).

Hebb teve a sorte de conseguir um emprego como assistente de pesquisa de Wilder Penfield, da McGill University, que estava em busca de alguém para estudar os efeitos da cirurgia cerebral sobre o comportamento. Penfield estava apenas começando sua famosa pesquisa do tratamento cirúrgico da epilepsia, no qual alguns pacientes relataram o que parecia ser recordações intactas durante a estimulação elétrica do lobo temporal (Penfield e Perot, 1963). Essa pesquisa coadunava-se também com a ideia de Lashley da equipotencialidade — a capacidade mental dos pacientes aparentemente não decaía nem mesmo após a perda de porções substanciais dos lobos frontais. A posição de Hebb nessa pesquisa era central. Ela exerceu sobre ele um profundo efeito: "definiu o curso de todo o trabalho que faria subsequentemente, e eu não a teria encontrado em nenhum outro lugar" (Hebb, 1980, p. 290). Com base nessa experiência e em sua pesquisa anterior, Hebb chegou à conclusão geral de que a inteligência humana se desenvolve durante a tenra infância e que "as lesões cerebrais sofridas pelos bebês interferem nesse processo, mas as mesmas lesões na maturidade não o revertem" (p. 292). Portanto, para ele, as experiências da tenra infância eram cruciais ao desenvolvimento cortical relacionado à inteligência.

A dois anos muito frutíferos com Penfield seguiram-se três de ensino na Queens University de Ontário. Em 1942, Hebb voltou a trabalhar com Lashley, que acabara de ser nomeado diretor do Yerkes Laboratory of Primate Biology da Flórida, estudando o comportamento dos primatas por cinco anos. Em 1947, sua carreira voltou ao ponto de partida, com a oferta para trabalhar como professor na McGill University. Em um ano, Hebb tornou-se catedrático do departamento e concluiu sua distinguida carreira na McGill.

Hebb é mais conhecido pelo livro que escreveu em 1949, *The Organization of Behavior*, responsável por reavivar o interesse pela relação entre o cérebro e o comportamento entre os psicólogos norte-americanos (Glickman, 1996). Já pelo título se pode ver claramente que o livro é mais que uma simples descrição do funcionamento do sistema nervoso. Hebb estava tentando desenvolver uma teoria que integrasse plenamente a fisiologia e a psicologia, em vez de simplesmente reduzir o psicológico ao fisiológico. Conforme diria posteriormente ao criticar esse pensamento reducionista, não seria "possível substituir concepções psicológicas por concepções fisiológicas, nem agora nem no futuro, mas é possível manter uma vinculação (traduzibilidade de termos) entre os dois universos de discurso" (Hebb, 1960, p. 744).

Segundo Hebb, a organização cortical ocorre com o desenvolvimento daquilo que chamou de "reunião de células" e "sequências de fases". A **reunião de células** é a unidade básica e consiste num conjunto de neurônios que se associam uns aos outros por meio da repetição de experiências sensoriais. Hebb (1949) reconhecia as origens associacionistas de seu construto, dizendo que a "ideia geral é antiga: a de que duas células ou sistemas de células que repetidamente estão ativos ao mesmo tempo tendem a 'associar-se', de modo que a atividade em um facilita a atividade no outro" (p. 70). As reuniões de células podem ser deflagradas tanto por eventos sensoriais quanto por outras reuniões de células. As **sequências de fases** são níveis superiores de organização que envolvem a incorporação de várias reuniões de células e, para Hebb, eram o equivalente fisiológico do pensamento. Juntas, as reuniões de células e as sequências de fases explicam o fato de que os estímulos não apenas produzem reações, mas são mediados pelo cérebro. Como você deve ter notado, isso se parece bastante com o "O" da formulação E-O-R de Robert Woodworth (Capítulo 7) e dos neobehavioristas Tolman e Hull (Capítulo 11), só que é mais explicitamente fisiológico.

A fim de considerar os efeitos da experiência e, assim, fornecer uma explicação fisiológica da aprendizagem, Hebb apresentou a seguinte proposição: as reuniões de células e as sequências de fases se formavam porque a estimulação repetida de células adjacentes produzia mudanças estruturais no nível sináptico. Assim, "[q]uando um axônio da célula A está próximo o bastante para excitar a célula B e repetidamente [...] participa do seu acionamento, ocorre algum processo de crescimento ou mudança metabólica numa ou em ambas as células, de modo que a eficiência de A como uma das células que acionam B aumenta" (Hebb, 1949, p. 62). Essa ideia passou a ser chamada "regra de Hebb", e as sinapses que se alteram em decorrência da experiência são muitas vezes chamadas **sinapses de Hebb**.

Hebb aplicou sua teoria a tópicos como a atenção, a emoção e a doença mental. Seu livrinho, aliado a avanços tecnológicos na medição das ondas cerebrais, como o eletroencefalograma (EEG), reavivou o interesse no estudo da relação entre o cérebro e o comportamento. A história é demasiado complexa para ser contada aqui, mas alguns dos avanços mais importantes das décadas de 1950 e de 1960 foram (a) a descoberta de centros de reforço no cérebro por James Olds e Peter Milner, alunos de Hebb (1954); (b) o uso do EEG para identificar os estágios do sono e a descoberta do sono com movimentos oculares rápidos (sono REM) por Eugene Aserinsky e Nathaniel Kleitman (1953); (c) o desenvolvimento da operação do cérebro dividido como meio de controle da epilepsia e de análise das funções dos hemisférios esquerdo e direito por Roger Sperry (1961); e (d) a identificação das células corticais ("detectores de características") que reagem a eventos específicos no campo visual por David Hubel e Torsten Wiesel (1963). Sperry, Hubel e Wiesel ganharam prêmios Nobel por seu trabalho.

Mais recentemente, o estudo da interface cérebro-comportamento se tornou cada vez mais interdisciplinar. Assim, do mesmo modo que a ciência cognitiva reúne diversas disciplinas, a "biopsicologia", a "neuropsicologia", a "neurociência do comportamento", a "neurociência cognitiva" e até a "neurociência cognitiva social" dizem respeito a especialidades em evolução, que cruzam as fronteiras disciplinares e requerem formação em departamentos de psicologia, biologia e ciência da computação.

A Psicologia Social

A psicologia social começou a definir-se como subdisciplina identificável da psicologia graças aos esforços de Floyd Allport (1890/1978), cujo irmão Gordon terá destaque na seção deste capítulo dedicada à psicologia da personalidade. Floyd estudou com Hugo Münsterberg em Harvard, ali obtendo seu doutorado em 1919 sob a orientação de Herbert Langfeld. A sua tese era uma pesquisa da facilitação social, a influência das pessoas sobre o comportamento do indivíduo, e foi essa pesquisa que deu o tom behaviorista que Allport adotaria na abordagem da psicologia social. Ele opunha deliberadamente a sua psicologia social, que enfatizava o comportamento do indivíduo e a influência do ambiente social, a uma versão diferente, que evoluiu para a moderna sociologia, cuja ênfase está muito mais nos processos grupais (Parknovnik, 2000). Por exemplo, ao estudar a resolução de problemas por parte de grupos, Allport insistia que a explicação final do comportamento que se verificava em seguida estava nos atos de cada uma das pessoas que formavam o grupo. Quando o ponto de vista adotado se volta mais para o grupo, a ênfase pode recair na influência de algum "processo grupal" sobre a solução do problema. Allport criticou a tendência a explicar o comportamento por meio da referência a processos grupais, denominando-a a "falácia do grupo" (Danziger, 2000), e promoveu sua visão em *Social Psychology* (F. Allport, 1924), texto ao qual se atribui a criação da psicologia social conforme costuma ser ensinada hoje nos cursos dos departamentos de psicologia (Hilgard, 1987).

Leon Festinger (1919-1989)

A ênfase de Allport no indivíduo dentro da psicologia social foi colocada em questão pelo trabalho de Kurt Lewin. Já vimos que, além de muitas outras contribuições, Lewin (Capítulo 9) foi um pioneiro da psicologia social graças a seus estudos sobre a liderança e a sua pesquisa-ação. A influência gestaltista era evidente em seu conceito de processos grupais. Para relacionar a Gestalt à psicologia social, poderíamos dizer que o comportamento do grupo é mais que a soma dos comportamentos individuais de cada um de seus membros. A influência de Lewin foi muito ampla, tendo-se verificado de uma forma especialmente direta em seu aluno mais famoso, Leon Festinger (Figura 14.9), embora a metodologia deste utilizasse controles experimentais mais rígidos que a de Lewin (Danziger, 2000).

Filho de imigrantes judeus do leste da Europa, Leon Festinger nasceu e criou-se em Nova York. Quando se formou no City College of New York em 1939, ele já tinha um texto (escrito com um de seus professores da faculdade, Max Hertzman) publicado no prestigioso *Journal of Experimental Psychology* (Hertzman e Festinger, 1940). Hertzman foi responsável também por apresentar-lhe as ideias de Lewin, o que levou Festinger a candidatar-se à pós-graduação

FIGURA 14.9 Leon Festinger.

na University of Iowa para poder estudar diretamente com o mestre. Orientado por Lewin, Festinger obteve um Ph.D. três anos depois, em 1942, e permaneceu ligado a Lewin até a morte prematura deste em 1947. Durante a Segunda Guerra Mundial, Festinger atuou como estatístico do comitê de seleção e treinamento de pilotos de aeronaves e, após a guerra, reuniu-se a Lewin no MIT, em Boston, onde Lewin acabara de inaugurar o Research Center for Group Dynamics. Depois da morte de Lewin, Festinger estava no grupo que transferiu o centro para a University of Michigan. Festinger foi dessa universidade para a University of Minnesota em 1951 e para Stanford em 1955, até que retornou a Nova York em 1968, onde ensinou na New School for Social Research até a sua morte (Zajonc, 1990). Foi durante a época que ensinou em Stanford que Festinger criou fama e atraiu alunos que também se tornariam importantes psicólogos sociais (por exemplo, Elliot Aronson). Ao longo dos anos, esses alunos permaneceram sempre muito fiéis a ele, por mais exigente que fosse como professor, não tolerando os raciocínios imprecisos (Brehm, 1998).

Festinger fez importantes pesquisas sobre vários temas da psicologia social, mas é lembrado por ter desenvolvido aquela que pode ser vista como a mais importante teoria da área, a da dissonância cognitiva. Festinger esboçou a primeira versão dessa teoria em 1954 e a descreveu detalhadamente num livro em 1957 (Festinger, 1957). A influência da teoria foi substancial. Você encontrará melhor descrição da teoria da dissonância cognitiva e seus famosos estudos num livro de psicologia social, mas, em geral, ela pode ser resumida da seguinte maneira:

- as pessoas estão motivadas a serem coerentes em seus pensamentos, sentimentos e atos;
- sempre que elas pensam duas coisas incompatíveis, há uma **dissonância cognitiva**, que é um estado de desconforto emocional e cognitivo, e
- sempre que experimentam dissonância cognitiva, as pessoas se motivam a reduzi-la e voltar ao estado de coerência interna.

Para ilustrar a teoria, vejamos o exemplo que Festinger sempre usava, o da pessoa inteligente que fuma. Como todo mundo, o fumante quer ser coerente. No entanto, ele tem dois pensamentos que são incoerentes: "Estou fumando" e "Pesquisas indicam que o tabagismo vai me matar". Presumindo que essa pessoa não é suicida, esses pensamentos criam dissonância, que a pessoa está motivada a reduzir. Isso pode ser feito de várias maneiras: a pessoa pode parar de fumar, questionar a validade das conclusões das pesquisas ou acrescentar outros elementos à situação, dizendo, por exemplo, que todo mundo tem de morrer e que, embora não seja o ideal, fumar ajuda a controlar o peso. Um dos critérios das boas teorias é a produção de pesquisas e, a julgar por esse critério, a teoria da dissonância de Festinger foi excepcionalmente produtiva, gerando centenas de experimentos e situações aplicadas que iam das consequências da tomada de decisões aos efeitos da hipocrisia (Harmon-Jones e Mills, 1999).

Do ponto de vista histórico, a pesquisa de Festinger é importante porque criou uma tradição experimental na psicologia social que se caracterizou pelo emprego de situações de pesquisa cuidadosamente organizadas e enganosas (Korn, 1997). Esses ambientes de pesquisa destinavam-se a envolver os participantes no experimento de tal maneira que suas "verdadeiras" reações às situações que provocavam dissonância pudessem ser medidas e, assim, submeter a teoria a um duro teste. Provavelmente, o exemplo mais famoso é o de um estudo que Festinger fez com um aluno da graduação de Stanford, Merrill Carlsmith (Festinger e Carlsmith, 1959). Os alunos que se inscreveram para participar do estudo primeiro passaram uma hora fazendo uma série de tarefas incrivelmente chatas e, em seguida, graças a uma história bem ardilosa, eram induzidos a dizer que o estudo era muito interessante ao que aparentemente seria o candidato seguinte na fila. Desse modo, Carlsmith (que conduziu o estudo) convenceu os participantes a mentir, situação que promovia dissonância ("Sou uma pessoa honesta" está em dissonância em relação a "Acabo de dizer a alguém que um experimento muito chato na verdade é interessante"). Como incentivo, os participantes receberiam US$ 1 ou US$ 20 pela mentira. Por fim, depois perguntou-se aos participantes (a título de informação para uma suposta pesquisa do departamento de psicologia, o que era mais um engodo) o que eles realmente acharam do experimento. Os resultados revelaram que aqueles que haviam recebido US$ 20 ainda achavam o experimento chato, mas os que haviam recebido US$ 1 haviam mudado de atitude e já estavam achando que o experimento afinal de contas tinha um certo interesse. Festinger e Carlsmith concluíram que, quando vivenciavam a dissonância cognitiva em relação à mentira, os participantes que haviam recebido US$ 20 a justificavam dizendo que era uma pequena mentira que valia o dinheiro. Já os que haviam recebido US$ 1 não tinham justificativa suficiente e então se convenciam de que na verdade não haviam mentido — que o estudo, afinal de contas, era mesmo interessante!

O estudo de Festinger e Carlsmith (1959) é um exemplo típico da pesquisa feita no laboratório de Festinger. Os estudos dele eram produções de montagem intrincada, que muitas vezes exigiam horas de ensaio. Da *performance* de Carlsmith, por exemplo, Aronson (1991) diria depois:

> Uma das recordações mais vívidas dos anos de aluno da pós-graduação no laboratório de Leon são as horas, ao mesmo tempo emocionantes e tediosas, que passamos antes daquele experimento, treinando e dirigindo a *performance* de um aluno muito precoce da graduação chamado Merril Carlsmith até que ele "representasse" como queríamos. Inicialmente, Merrill [...] insistia em repetir as falas de uma forma muito dura e artificial, mas nós continuamos fazendo-o ensaiar, muitas e muitas vezes, até que no fim ele ficou extremamente convincente. (p. 216)

O cuidado com que essas produções eram coreografadas promovia aquilo que os psicólogos sociais chamam de *realidade experimental* (Aronson, 1999). Os participantes caíam inteiramente nas armadilhas da pesquisa e reagiam como se realmente estivessem envolvidos nas situações criadas. Obviamente, isso significa que os participantes dos estudos de Festinger eram rotineiramente enganados quanto a seu verdadeiro objetivo, o que colocou esses estudos no centro de várias discussões acerca da ética do subterfúgio na pesquisa (por exemplo, Korn, 1997). Festinger depois afirmaria haver parado de fazer pesquisa em psicologia social em 1964, basicamente porque estaria buscando um novo desafio (que encontrou no estudo da arqueologia), mas também porque achava a crescente preocupação com a ética da pesquisa irritante. Ele não era insensível ao problema, tendo criticado duramente a pesquisa do exército, que deu LSD a soldados que ignoravam o que estavam ingerindo a fim de observar suas reações (consulte Thomas, 1995, para mais informações sobre esse infeliz episódio). Diante desse tipo de coisa, ele via pouco risco "em enganar temporariamente as pessoas para estudar uma questão importante" (Festinger, 1980, p. 249). Seja como for, os procedimentos de Festinger deram a tônica para que a pesquisa em psicologia social dos anos de 1960 e de 1970 ficasse conhecida por seu alto teor de subterfúgio.

Outro legado do programa de pesquisa de Festinger diz respeito ao projeto de pesquisa. Festinger foi claramente influenciado por Lewin em termos dos temas que estudou, mas achava que a forma pela qual Lewin abordava o projeto de pesquisa era demasiado informal e necessitava um controle mais preciso. Além disso, foi no início dos anos 1950 que a análise da variância (ANOVA), desenvolvida pelo estatístico britânico *Sir* Ronald Fisher na década de

1920, passou a ser amplamente utilizada para analisar dados (Rucci e Tweney, 1980).[4] A ANOVA caiu como luva nos projetos de pesquisa de Festinger, pois permitia análises precisas dos principais efeitos de variáveis independentes manipuladas (por exemplo, US$ 1 X US$ 20), além de interações entre variáveis. Além disso, como observou Danziger (2000), a ANOVA estava sendo cada vez mais usada nas áreas mais tradicionais da psicologia experimental na década de 1950 e, ao aplicar a lógica da ANOVA à sua pesquisa, Festinger contribuiu para aumentar a reputação científica da psicologia social, que não era muito bem vista entre os experimentalistas da época.

Festinger pode ter deixado a psicologia social em 1964, mas sua influência persistiu. Por exemplo, a longevidade da dissonância é evidente na publicação de uma coletânea de ensaios, escritos por ex-alunos de Festinger e alunos desses ex-alunos, em 1999 com o título: *Cognitive Dissonance: Progress on a Pivotal Theory in Social Psychology* (Harmon-Jones e Mills, 1999). Em vez de ser apenas uma revisão dos quase cinquenta anos da teoria da dissonância, lança também um olhar sobre o futuro, pois seus organizadores acreditam "que o futuro da pesquisa da dissonância promete ser tão emocionante quanto os últimos quarenta anos de trabalho com a teoria" (pp. 18-9).

Festinger, que era um fumante inveterado, morreu de câncer do fígado em 1989. Talvez pensando em seu tantas vezes citado exemplo do fumante e talvez reduzindo a dissonância até o fim, dizem que anunciou quando soube que estava doente: "Não deixem de dizer a todo mundo que não foi câncer de pulmão!" (citado por Zajonc, 1990, p. 662).

A Psicologia da Personalidade

Na maioria das pesquisas constantes deste capítulo, o objetivo era entender os princípios gerais dos processos cognitivos ou do comportamento. Assim, quando Miller declarou que havia um limite na capacidade da memória de curto prazo, quando Hebb detalhou as ações das reuniões de células e quando Festinger discutiu os processos de redução da dissonância, estavam descrevendo princípios gerais que presumivelmente afetariam a todos os seres humanos. Essa é uma abordagem da ciência conhecida como **nomotética**. Por outro lado, há outra abordagem da ciência que se concentra na análise detalhada de cada indivíduo em si e investiga meios de determinar como um indivíduo difere de outro. A estratégia científica que se concentra em cada indivíduo em si adota uma abordagem **idiográfica**. A distinção entre o nomotético e o idiográfico é às vezes atribuída a Gordon Allport, o psicólogo que apresentamos nesta seção do capítulo, mas Hugo Münsterberg também usava os termos e a distinção foi originalmente proposta pelo filósofo alemão Windelband no século XIX (Hilgard, 1987). Além disso, como você poderá lembrar se tiver lido o Capítulo 12, Henry Murray, colega de Allport em Harvard, também defendia essa estratégia.

A psicologia da personalidade possui tanto elementos idiográficos quanto nomotéticos. Os pesquisadores da personalidade buscam princípios gerais (por exemplo, fatores que influem na timidez) e também analisam cuidadosamente os indivíduos, medem-nos com relação a suas características e determinam em que os de uma pessoa diferem dos de outra (o nível de timidez de Fred em relação ao de Ted, por exemplo). O conceito de "personalidade" é em grande parte uma invenção do século XX e o in-

---

4. Fisher desenvolveu a ANOVA no contexto da pesquisa agrícola, na qual se examinavam, por exemplo, os efeitos de um tipo ou quantidade de fertilizante na produção de milho. Ele publicou esse trabalho num livro genérico sobre estatística na década de 1920 (Fisher, 1925), mas a descrição mais elaborada que fez da técnica foi publicada dez anos depois (Fisher, 1935). Se você já conhece a técnica e já calculou ou leu uma "razão F" em algum impresso da SPSS, provavelmente já sabe que o "F" corresponde à inicial do sobrenome do inventor do teste.

ventor, como você verá em seguida, foi Gordon Allport.

Gordon Allport (1897-1967)

A psicologia social e a psicologia da personalidade têm importantes relações históricas, inclusive uma relação de parentesco. Gordon Allport (Figura 14.10) nasceu em Indiana e criou-se em Cleveland, Ohio, tendo sido o mais novo de quatro filhos. Ele e seus irmãos foram criados para dar valor ao trabalho árduo, à abnegação, à moral estrita e ao tipo de idealismo que se manifesta por meio do dever de servir aos outros (Bruner, 1968). Você já leu a respeito de um dos irmãos de Gordon neste mesmo capítulo: o texto de 1924 de Floyd foi um passo importante na criação da identidade da psicologia social como subdisciplina da psicologia. Gordon teve exatamente o mesmo efeito em relação à psicologia da personalidade quando publicou, em 1937, um texto chamado *Personality: A Psychological Interpretation* (G. Allport, 1937).

Terminada a faculdade, Allport estava inseguro quanto ao que faria no futuro, mas passou um ano refletindo sobre isso enquanto ensinava inglês e sociologia numa escola masculina de orientação norte-americana em Istambul, na Turquia. Por insistência do irmão, que nessa época lecionava em Harvard, Allport candidatou-se à pós-graduação de lá e, além de ter sido aceito, recebeu uma bolsa de pesquisa. Por sugestão de Floyd, ele escolheu como tema para a tese a personalidade, um tópico que estava em emergência. Que esse tema estava muito longe da psicologia experimental tradicional ficou claro para ele em 1921, quando apresentou seu trabalho sobre a personalidade num encontro dos Experimentalistas de Titchener na Clark University, a convite de Herbert Langfeld, de Harvard, que sempre os frequentava. Conforme o que Boring (1967) diria depois em sua história do grupo:

FIGURA 14.8 Gordon Allport.

Houve uma longa discussão dos modos de aparência das cores de David Katz e, em seguida, pediu-se a Langfeld que fizesse sua apresentação, e ele então chamou Gordon Allport para falar sobre sua análise da personalidade. À comunicação de Allport seguiu-se um longo silêncio e então Titchener disse: "Como estávamos dizendo, os modos de aparência das cores são...". A psicologia social e a psicologia da personalidade eram consideradas pelos Experimentalistas tão proibidas quanto a psicologia animal. "Pra que você deixou ele trabalhar nisso?", perguntou Titchener a Langfeld depois. (p. 323)

Impávido, Allport terminou seu doutorado sobre os traços da personalidade em apenas dois anos, em 1922. Em seguida, viajou pela Europa por mais dois anos com uma bolsa de estudos antes de retornar a Harvard, na qualidade de professor do novo departamento de Ética Social. Lá, criou um curso sobre a personalidade que por fim se transformaria no famoso livro de 1937 (Allport, 1937). Muitos anos depois, sua visão da personalidade na maturidade foi publicada em *Pattern and Growth in Personality* (Allport, 1961). Ele permaneceu em Harvard por dois anos e, depois de quatro anos em Dartmouth, aceitou um convite para voltar para Harvard e lá concluiu sua distinta carreira.

Apesar de ter feito pesquisa na tradição nomotética, Allport era um defensor do ideal idiográfico de que cada pessoa era uma personalidade única e de que se poderia aprender muito com o estudo rigoroso dos indivíduos. Em sua concepção da personalidade, a unidade básica era o **traço**, que para ele significava um determinado padrão de pensamento, emoção e comportamento que caracterizava uma pessoa e a distinguia das demais. O traço era "uma espécie de hábito de uma ordem superior, embora bem mais generalizado" (Nicholson, 2003, p. 154). Allport identificava três tipos de traços, os quais difeririam em nível de generalidade e importância: cardinal, central e secundário. Os **traços cardinais**, não presentes em todos, eram os atributos predominantes numa determinada pessoa, a ponto de a descrição de um traço cardinal permitir a identificação dessa pessoa pelos demais. A maior parte do que as pessoas fazem estaria relacionada a esse traço. Napoleão, por exemplo, poderia ser descrito por meio do traço cardinal da necessidade de poder. Os **traços centrais** eram os dez ou doze atributos que forneceriam uma descrição resumida precisa de um indivíduo. Por exemplo, são os tipos de termos que normalmente se veem em cartas de recomendação (Hilgard, 1987). Os **traços secundários** eram características menos óbvias, manifestas em relativamente poucos comportamentos e talvez conhecidas apenas pelos amigos mais íntimos de uma pessoa.

Em consonância com sua visão idiográfica, Allport defendia o **estudo de caso**, a análise profunda de uma pessoa, como forma de estudar a personalidade.[5] Na qualidade de editor ou editor associado do *Journal of Abnormal and Social Psychology* de 1937 até sua morte, em 1967, ele foi responsável pela aceitação de muitos artigos de estudo de caso para publicação (Pettigrew, 1969). Embora pessoalmente só tivesse levado a termo um estudo de caso detalhado, este ficou famoso: *Letters from Jenny* (1965). Esse longo estudo descrevia a personalidade de "Jenny Masterson" (pseudônimo) com base na análise atenta de 301 cartas escritas ao longo de doze anos por uma mulher de meia-idade a um jovem casal (Hall e Lindzey, 1970). Mas Allport também fez pesquisa na tradição nomotética, em parte para dar legitimidade "científica" a sua área de estudo, numa época (década de 1930) em que a psicologia era em geral dominada pela pesquisa experimental neobehaviorista nomotética e a de Harvard, pela presença do protótipo do experimentalista, E. G. Boring (Nicholson, 2003). Então, por exemplo, com Philip Vernon, professor visitante da Inglaterra e ex-aluno de Bartlett, Allport criou *A Study of Values* (Allport e Vernon, 1931), um teste que media a força do sistema de valores de uma pessoa, com base na teoria dos seis "tipos ideais" desenvolvida pelo psicólogo alemão Eduard Spranger. Os seis tipos eram: teórico, estético, social, político, econômico e religioso, e Allport e Vernon criaram um popular procedimento de autossondagem para medir a força de cada um desses tipos.

Allport ganhou destaque quando as teorias psicanalíticas de Freud estavam começando a se popularizar nos Estados Unidos. Porém, ao contrário de Henry Murray (Capítulo 12), seu colega em Harvard, ele não era exatamente fã da teoria psicanalítica. Embora não tenha rejeitado o conceito de inconsciente, ele não o considerava essencial à compreensão da personalidade de

---

5. Em Harvard, Allport foi colega de Henry Murray (Capítulo 12), que defendia com a mesma veemência o estudo a fundo do indivíduo. Allport não compartilhava do entusiasmo de Murray pela psicanálise, mas quando se ventilou que o contrato deste poderia não ser renovado em 1937 devido às objeções dos experimentalistas da universidade (por exemplo, Boring), Allport deu todo o seu apoio a Murray, cujo contrato foi, por fim, renovado (Nicholson, 2003).

uma pessoa. Além disso, achava excessiva a ênfase que Freud dava ao sexo e rejeitou a ideia de que o nosso passado tivesse tanto efeito sobre o presente e o futuro. Além disso, não ficara impressionado com a estratégia psicanalítica de avaliação da personalidade que entrara em cena, cujo melhor exemplo é o teste dos borrões criado por Rorschach em 1921. Esse teste, por sinal, se popularizou a ponto de haverem sido catalogados 38 artigos a respeito na década de 1920 e mais 230 na de 1930 (Klopfer, 1973). Esses testes "projetivos" partiam do princípio de que as pessoas não seriam capazes de fazer uma descrição precisa da própria personalidade, pois achava-se que boa parte desta estaria enterrada no inconsciente. O argumento era que, mediante a observação das reações das pessoas a estímulos ambíguos (os borrões), se poderia inferir a sua "verdadeira" personalidade por meio de um processo de interpretação, mas Allport não concordava com a ideia. Talvez em função de sua própria calma e racionalidade, ele estava convencido de que as pessoas eram capazes de conhecer a si mesmas e, portanto, de responder com precisão a questionários de autoavaliação da personalidade. Para Allport (1953, citado por Hall e Lindzey, 1970), a estratégia psicanalítica:

> parece marcar a culminância de uma era centenária de irracionalismo e, portanto, de desconfiança. Então o próprio sujeito não tem direito a crédito? [...] Não se confia na avaliação consciente do indivíduo e desconsidera-se a tendência contemporânea geral de suas motivações, preferindo-se atribuir sua conduta a estágios formativos anteriores. O indivíduo perde seu direito à credibilidade. E, enquanto ele está ocupado em cuidar de sua vida no presente, pensando já no futuro, a maioria [dos psicanalistas] empenha-se em retroceder e fazê-la remontar ao passado. (p. 280)

A crítica de Allport à psicanálise freudiana era intelectualmente legítima. Contudo, seu desagrado também pode ter sido até certo ponto influenciado por um encontro que teve com Freud em Viena, ao voltar da Turquia, logo antes de dar início à sua pesquisa de pós-graduação. Depois de marcar audaciosamente uma hora com Freud, Allport foi conduzido ao famoso consultório e viu-se sem saber o que dizer para iniciar a conversa de um modo que pudesse impressionar a celebridade. Na esperança de obter uma rápida interpretação freudiana, descreveu um incidente que presenciara certa vez num bonde, ao ver um garoto que lhe parecera excessivamente preocupado com a sujeira: "Ele repetia para a mãe: 'Não quero sentar ali [...], não deixe aquele homem sujo sentar perto de mim'" (Allport, 1967, citado por Nicholson, 2003, p. 69). Allport aparentemente esperava que Freud fizesse uma análise da relação entre mãe e filho. Mas, em vez disso, ele "fixou sobre mim seu amável olhar terapêutico e perguntou-me: 'E esse garoto era você?'" (p. 69).

Allport é com justiça considerado o pai da moderna teoria da personalidade, como se pode depreender do título de uma recente biografia sua: *Inventing Personality* (Nicholson, 2003). Foi ele o principal responsável por transformar o estudo oitocentista do "caráter" no estudo da "personalidade" que se passou a fazer no século XX. Vale a pena ressaltar ainda que Allport deu importantes contribuições à área do seu irmão, a psicologia social, com um trabalho sobre a natureza do preconceito (*The Nature of Prejudice*, 1954), e que sua profunda espiritualidade o levou a escrever sobre a psicologia e a religião (*The Individual and His Religion*, 1950).

Por suas contribuições à psicologia da personalidade e por sua defesa de uma psicologia idiográfica, Gordon Allport recebeu diversos prêmios e homenagens ao longo de sua carreira. Mas o que mais valorizava eram dois volumes de artigos publicados por 55 de seus ex-alunos de pós-graduação, a ele presenteados quando estava próximo da aposentadoria. Em sua autobiografia, Allport (1967) disse que esses alunos lhe haviam dado "dois volumes finamente encadernados, contendo seus próprios escritos e a seguinte inscrição: 'De seus alunos, em agradecimento a seu respeito por nossa individualidade'. Essa é uma honra de caráter muito íntimo, que prezo acima de todas" (p. 24).

A Psicologia do Desenvolvimento

O interesse pelo desenvolvimento tem uma longa história, que antecede a própria criação da psicologia. Já vimos que a questão inato x adquirido é atemporal. Desde que a psicologia foi criada como disciplina, o interesse dos psicólogos pelo desenvolvimento sempre foi muito grande, transparecendo tanto no movimento em prol do estudo da criança iniciado por G. Stanley Hall na virada do século XX quanto na importância dada aos primeiros anos de vida por freudianos e behavioristas (naturalmente que por razões distintas). Durante os anos do apogeu do neobehaviorismo, um suíço que se tornou um dos mais famosos psicólogos do século XX, estava estudando atentamente o desenvolvimento cognitivo das crianças e, inclusive, de seus próprios filhos.

Jean Piaget (1896-1980)
Todos os alunos que já fizeram um curso de psicologia do desenvolvimento conhecem o nome de Jean Piaget e provavelmente terão visto uma foto em que uma criança de 6 ou 7 anos observa os níveis de água de dois recipientes de tamanhos diferentes. Piaget era mestre em criar demonstrações simples de fenômenos cognitivos complexos, e sua tarefa de conservação do volume — na qual as crianças em fase "pré-operacional" dificilmente reconhecem que o volume de um líquido permanece o mesmo quando é transferido para um recipiente mais alto ou mais baixo — está entre as mais conhecidas.

Jean Piaget (Figura 14.11) nasceu na Suíça e, exceto por alguns breves períodos, lá viveu toda a sua vida. Como John Stuart Mill e Francis Galton, também fora uma criança precoce. Quando garoto, era muito interessado por ciências biológicas e, aos 10 anos de idade, publicou uma descrição de uma página de uma andorinha albina numa revista de história natural local. Passou a maior parte da adolescência coletando e classificando moluscos, sobre os quais publicou diversos artigos, e até recebeu um convite para trabalhar como curador da seção de moluscos de um renomado museu de Genebra, o qual precisou recusar por ainda ter dois anos de escola secundária pela frente (Piaget, 1952). Aos 18 anos, diplomou-se na graduação e, três anos depois, obteve um Ph.D. em biologia e fama internacional como especialista em moluscos.

Em seus anos de escola, Piaget interessou-se também pelos problemas filosóficos da epistemologia, em especial pela questão de como adquirimos o conhecimento que temos do mundo. Conhecendo a fundo a literatura em filosofia e psicologia (inclusive William James e Sigmund Freud), ao concluir o doutorado em biologia, ele decidiu analisar o problema mais de perto. E teve

FIGURA 14.11 Jean Piaget, com dois de seus sujeitos de pesquisa preferidos (foto extraída de Popplestone e McPherson, 1994).

uma oportunidade para isso em 1919, quando conheceu Théodore Simon (o colega com quem Binet fizera a revisão de seus testes), que convidou o jovem biólogo para trabalhar no projeto de testagem da inteligência no laboratório de Binet, em Paris. Por conseguinte, Piaget passou os anos seguintes estudando a inteligência verbal de crianças em idade escolar. Sua tarefa inicial era padronizar um teste de raciocínio criado pelo psicólogo britânico Cyril Burt. Mas, enquanto estava envolvido nisso, ele descobriu que estava menos interessado em saber se as crianças respondiam corretamente às questões que nos processos de raciocínio que elas utilizavam para chegar às respostas. Especialmente reveladores eram os processos cognitivos deflagrados quando as crianças davam respostas erradas. Para analisar essas estratégias, Piaget começou a entrevistar as crianças, perguntando-lhes como haviam resolvido os problemas. Dessa experiência, ele concluiu que a cognição nas crianças é diferente não apenas quantitativa, mas também qualitativamente da cognição nos adultos. Ou seja, as crianças não só sabem menos que os adultos; elas pensam de maneira inteiramente diferente. Esse *insight* por fim levou Piaget à sua famosa teoria dos estágios do desenvolvimento cognitivo.

Com a experiência no laboratório de Binet e os trabalhos que publicara, em 1921 Piaget recebeu um convite para dirigir um instituto de pesquisa da infância em Genebra. Na década de 1920, ele também lecionou nas universidades de Genebra e Neuchâtel (sua cidade natal) e, além de diversos artigos, publicou cinco livros. O primeiro deles, *The Language and Thought of the Child* (1923/1959), rendeu a Piaget renome internacional quando ainda tinha vinte e tantos anos (Brainerd, 1996).

Nesse período, Piaget e sua mulher tiveram três filhos: duas meninas, em 1925 e 1927, e um menino, em 1931. Dispostos a não perder nenhuma oportunidade, ele e a mulher observaram sistematicamente os filhos enquanto estes cresciam. Uma importante lição para Piaget foi que as entrevistas verbais que usava no laboratório de Binet não serviam para nada com bebês em fase pré-verbal; portanto, outros procedimentos de observação teriam de ser usados. Por exemplo, ele inferiu que os bebês estavam aprendendo a relação entre causa e efeito observando sua tendência à repetição sistemática de ações e desenvolveu seu famoso conceito da "permanência do objeto" observando se os bebês buscavam ou não objetos que não estavam à vista. Foi nesses anos da década de 1930 que Piaget concebeu algumas de suas mais famosas demonstrações da cognição infantil e formulou sua teoria dos estágios do desenvolvimento cognitivo (Brainerd, 1996).[6] Ele chamou a essa abordagem de **epistemologia genética**, usando o termo "genética" para referência a processos do desenvolvimento, não à hereditariedade (ou seja, do mesmo modo que G. Stanley Hall usara o termo uma geração antes). Isso mostra que o foco de Piaget estava na determinação precisa da maneira como o conhecimento, representado por estruturas mentais hipotéticas que denominou **esquemas**, se desenvolvia no indivíduo.[7] A seu ver, em vez de serem receptáculos passivos de suas experiências, as crianças formulavam ativamente o próprio conhecimento. Além disso, ele acreditava que as estruturas do conhecimento formavam "todos" que não poderiam ser reduzidos a seus elementos. Essa última questão naturalmente está relacionada à psicologia da Gestalt (Capítulo 9), e Piaget não apenas conhecia o trabalho dos gestaltistas, mas também lhes era grato por mostrarem que não estava sozinho na formulação de uma teoria baseada nas "estruturas de um todo".

___

6. Conforme você deve estar lembrado, os estágios são: sensório-motor (0-2 anos), pré-operacional (2-7), operacional concreto (7-11) e operacional formal (11-idade adulta). Para mais informações, consulte qualquer livro-texto de psicologia do desenvolvimento.

7. Assim, no que se refere às estruturas cognitivas, Piaget chegou a uma conclusão semelhante à de Bartlett e usou o mesmo termo que este.

Conforme suas próprias palavras, "o contato com o trabalho de Köhler e Wertheimer causou-me [profunda] impressão. [...] Tive especialmente o prazer de concluir que minha pesquisa anterior não era simples loucura, já que se poderia conceber, com base numa hipótese central de subordinação das partes ao todo organizador, não apenas uma teoria consistente, mas também uma esplêndida série de experimentos" (Piaget, 1952, p. 248).

No início da década de 1950, Piaget criou seu próprio instituto de pesquisa na Universidade de Genebra, o Centro Internacional de Epistemologia Genética, que dirigiu até o fim da vida (Voyat, 1981). Apesar de sua fama na Europa, ele ainda era relativamente pouco conhecido nos Estados Unidos, em parte porque nem todos os seus trabalhos estavam sendo traduzidos para o inglês, mas também porque os norte-americanos estavam ocupados com o behaviorismo. Contudo, Piaget tampouco era inteiramente desconhecido nos Estados Unidos, pois fizera parte do grupo de jovens psicólogos estrangeiros (entre os quais estavam Pavlov e Lewin) que participou do Congresso Internacional de Yale em 1929 e, além disso, Harvard lhe conferira um título honorífico numa conferência promovida em comemoração ao seu tricentésimo aniversário, em 1936 (Kessen, 1996). Além disso, como você pode ter depreendido da citação do último parágrafo, os editores da prestigiosa série *History of Psychology in Autobiography* (entre os quais, E. G. Boring) incluíram Piaget em sua quarta edição, publicada em 1952. Contudo, o trabalho de Piaget só ficou mais conhecido no país a partir da década de 1960, justamente quando a psicologia cognitiva começava a ocupar o centro da psicologia experimental norte-americana. Depois de um congresso dedicado a seu trabalho em Dedham, Massachusetts, patrocinado pelo Social Science Research Council (Kessen e Kuhlman, 1962), e a publicação de *The Developmental Psychology of Jean Piaget* (1963), de John Flavell, as ideias de Piaget explodiram no país, dando-lhe o *status* que tem hoje: o de um dos psicólogos mais influentes do século XX (Kessen, 1996).

EM PERSPECTIVA: A CIÊNCIA DA PSICOLOGIA

Abrimos o Capítulo 13 com a descrição da divisão da moderna psicologia entre os que estudam os princípios da psicologia — os pesquisadores e acadêmicos — e os que aplicam esses princípios — os praticantes. O Capítulo 13 abordou os últimos e este, os primeiros. Vale a pena ressaltar que, em ambos os capítulos, nós mal arranhamos a superfície. O capítulo anterior concentrou-se na psicologia clínica e na psicologia industrial, deixando de lado outras importantes áreas de aplicação: psicologia escolar, psicologia da comunidade, psicologia da reabilitação e psicologia legal, para citar apenas algumas. Este capítulo, da mesma maneira, concentrou-se na psicologia cognitiva e apresentou amostras das psicologias fisiológica, social, da personalidade e do desenvolvimento. Basta olhar rapidamente os textos de introdução à psicologia mais recentes para ver que muita coisa foi omitida. Porém, meu objetivo jamais foi a descrição abrangente da psicologia dos últimos dois terços do século XX. Em vez disso, o objetivo foi, por um lado, dar-lhe uma ideia da tremenda diversidade de interesses verificada entre os psicólogos e, por outro, mostrar algumas das interseções entre esses interesses — além, é claro, de despertar seu interesse por esses temas para estudá-los mais atentamente por conta própria. O capítulo final aborda mais detidamente a questão da diversidade e termina com uma breve discussão de outra questão: há hoje em dia uma ou muitas psicologias?

RESUMO

A VOLTA DA PSICOLOGIA COGNITIVA

- Depois da Segunda Guerra Mundial, os psicólogos começaram a envolver-se cada vez mais no estudo dos processos mentais, tema que havia sido um interesse central dos pioneiros da psicologia. O movimento da psicologia cognitiva nos Estados Unidos desenvolveu-se gradualmente nas décadas de 1950, de 1960 e de 1970, ao tempo em que o behaviorismo perdia força. A mudança foi mais evolucionária que revolucionária.

- No período em que o behaviorismo dominou a psicologia nos Estados Unidos (décadas de 1930 e de 1940), alguns pesquisadores norte-americanos (por exemplo, Stroop) continuaram estudando temas cognitivos, e os psicólogos europeus, que nunca aderiram ao behaviorismo como os americanos, deram importantes contribuições à compreensão dos processos mentais. O psicólogo britânico Frederick Bartlett é o principal exemplo. Ele criticou o tipo de pesquisa de memória que se fazia, baseada em laboratório e na memorização de sílabas sem sentido, propondo em vez disso uma pesquisa que se baseasse em situações da vida real. Ele achava que a memória era construtiva e se baseava em esquemas, ou seja, os conceitos básicos que as pessoas têm do mundo fenomênico. Sua pesquisa com "A guerra dos espíritos" mostrou que a memória é influenciada por esquemas próprios de cada cultura.

- Dentro da psicologia, o movimento cognitivo ganhou força com os problemas criados dentro da tradição behaviorista/associacionista. No Hixon Symposium, em 1948, Lashley mostrou que os princípios associacionistas não podiam explicar o problema da ordem serial e que o behaviorismo não explicava o comportamento linguístico.

- Fora da psicologia, os avanços na ciência da computação, na teoria da informação e na linguística contribuíram para a evolução da psicologia cognitiva. Os pesquisadores começaram a criar modelos de processos cognitivos que usavam o programa de computador como metáfora, ressaltando o conceito do indivíduo como processador de informações, em vez de um reagente a estímulos. Chomsky argumentou que o behaviorismo skinneriano não tinha relevância para o estudo da linguagem, propondo uma explicação nativista para a aquisição da linguagem.

- Na década de 1950 foram publicados diversos livros e artigos seminais, entre os quais o artigo de Miller sobre os limites da capacidade de processamento de informações da memória imediata (7 + ou − 2), a pesquisa de Broadbent sobre a atenção seletiva e o livro de Miller, Galanter e Pribram sobre "planos", que apresentava, em lugar do conceito do arco reflexo, a ideia do *feedback* de informação na forma de TOTEs.

- A primeira maior síntese da pesquisa de laboratório em psicologia cognitiva surgiu em 1967 com o livro de Neisser, que também promoveu a autoidentificação do campo como "psicologia cognitiva". Cerca de dez anos depois, Neisser colocou em questão a ênfase da psicologia cognitiva na pesquisa básica de laboratório e, conforme ao espírito de Bartlett, lançou um apelo para que se fizesse mais pesquisa sobre os processos cognitivos conforme funcionam no dia a dia, ou seja, em sua função de promover a adaptação do indivíduo ao ambiente (isto é, uma pesquisa que tivesse validade ecológica).

- A psicologia cognitiva atingiu outras áreas dentro da psicologia. Além disso, o campo interdisciplinar da ciência cognitiva evoluiu paralelamente à psicologia cognitiva. A ciência cognitiva abrange a psicologia, a ciência da computação (por exemplo, a inteligência artificial), a linguística, a antropologia e a epistemologia. O campo da inteligência artificial abrange o estudo de simulações computadorizadas de processos cognitivos humanos e o desenvolvimento de sistemas especializados, nos quais o computador age de forma inteligente. Não há consenso entre os pesquisadores quanto ao ponto até o qual o raciocínio da máquina se assemelha ao humano.

OUTRAS ÁREAS DE PESQUISA

- Além da psicologia cognitiva, houve importantes avanços em outras áreas de pesquisa de interesse dos psicólogos, em especial na compreensão (a) da relação entre o cérebro e o comportamento, (b) do efeito do ambiente social sobre o comportamento individual, (c) da natureza da personalidade humana e (d) do processo do desenvolvimento humano.

- Durante a segunda metade do século XX, o interesse pelo estudo da relação entre o cérebro e o comportamento ganhou impulso. Esse interesse foi deflagrado por avanços tecnológicos (por exemplo, o EEG) e, em especial, pela pesquisa e teoria de Donald Hebb. O modelo do cérebro proposto por Hebb baseava-se na reunião de células, um grupo interligado de neurônios, e na sequên-

cia de fases, uma organização de reuniões de células que constitui o equivalente neurológico do raciocínio. As sinapses de Hebb são sinapses que sofreram mudança estrutural em decorrência de um processo de aprendizagem.
- Floyd Allport e Kurt Lewin são importantes pioneiros da psicologia social, mas Leon Festinger (aluno de Lewin) desenvolveu a teoria da psicologia social mais importante do século XX: a teoria da dissonância cognitiva. Os experimentos de Festinger ficaram famosos pela precisão e elegância do projeto e pela ampla utilização de subterfúgios.
- Gordon Allport foi um defensor da tradição idiográfica (o estudo em profundidade dos indivíduos), em oposição à tradição nomotética (o estudo de princípios gerais). Mais que qualquer outra pessoa, Allport foi responsável por tornar a psicologia da personalidade um tópico de estudo na psicologia. Para ele, as pessoas poderiam ser caracterizadas com base em seus traços cardinais, centrais e secundários.
- Na psicologia do desenvolvimento, a figura mais importante do século XX foi o psicólogo suíço Jean Piaget, cuja epistemologia genética (isto é, o interesse pela compreensão do crescimento e desenvolvimento do conhecimento no indivíduo) e teoria de estágios do desenvolvimento cognitivo foram influentes nos Estados Unidos depois que o interesse dos psicólogos norte-americanos passou do comportamento aos processos cognitivos.

QUESTÕES PARA ESTUDO

1. Cite dois exemplos de pesquisa que demonstram o interesse pela psicologia cognitiva mesmo durante o apogeu do behaviorismo.
2. Descreva a crítica de Bartlett à abordagem que Ebbinghaus tinha da memória. Em que diferia a sua metodologia?
3. Descreva o estudo em que Bartlett utilizou "A guerra dos espíritos" e use-o para explicar por que ele achava que a memória era construtiva. Não deixe de incluir o termo "esquema" em sua resposta.
4. Qual era o problema da ordem serial e por que ele criou um problema para o behaviorismo?
5. Descreva como o desenvolvimento da psicologia cognitiva foi influenciado pela ciência da computação e pela teoria da informação.
6. Para Chomsky, o behaviorismo não havia conseguido explicar a linguagem. Quais os seus argumentos?
7. Descreva como as revoluções científicas se processam, segundo o modelo de Thomas Kuhn.
8. Afirmamos no *Close-Up* que na verdade não houve uma "revolução cognitiva". Explique.
9. O que George Miller descobriu acerca da memória de curto prazo?
10. Descreva como Broadbent estudou a atenção seletiva e a conclusão a que ele chegou.
11. Qual a influência do livro sobre os "Planos" na psicologia cognitiva?
12. Qual a influência de cada um dos dois livros de Neisser descritos neste capítulo?
13. Qual a diferença entre psicologia cognitiva e ciência cognitiva?
14. Use um anagrama para explicar a distinção entre algoritmo e heurística.
15. O que é "inteligência artificial" e qual a sua relação com o teste de Turing?
16. Trace uma distinção entre IA forte e IA fraca e mostre como o problema da sala chinesa leva as pessoas a posicionar-se em favor de uma ou outra.
17. Afirma-se que Donald Hebb foi responsável por reavivar o interesse pelo estudo da relação entre o cérebro e o comportamento. Explique.
18. Descreva as ideias de Hebb em relação à organização cortical e os efeitos da experiência sobre o cérebro.
19. Floyd Allport e Kurt Lewin conceitualizavam a psicologia social de diferentes maneiras. Em que essas concepções diferiam?
20. Descreva a teoria da dissonância cognitiva, de Festinger.
21. Descreva o impacto de Festinger na natureza da pesquisa em psicologia social.
22. Trace uma distinção entre as abordagens nomotética e idiográfica na psicologia.
23. Descreva a influência de Gordon Allport sobre a psicologia da personalidade. Por que se costuma dizer que ele "inventou" a personalidade?
24. Por que Piaget se autointitulava um epistemologista genético? Qual a razão do reconhecimento tardio da importância do seu trabalho nos Estados Unidos?

LEITURA SUPLEMENTAR

BAARS, B. J. (1986). *The cognitive revolution in psychology*. Nova York: Guilford Press.

Descrição detalhada do movimento cognitivo, do ponto de vista de que a psicologia cognitiva representa uma mudança revolucionária em relação ao behaviorismo; digna de menção por conter extensas entrevistas com figuras-chave, entre as quais B. F. Skinner, George Miller, Ulric Neisser e Noam Chomsky.

BRUCE, D. (1994). Lashley and the problem of serial order. *American Psychologist*, 49, 93-103.

Descrição de fácil leitura do artigo sobre a ordem serial que Lashley apresentou no Hixon Symposium e do seu impacto na época e posteriormente; mostra que esse artigo, apesar de não ter sido reconhecido de imediato como um avanço, foi decisivo para a psicologia cognitiva. Sua importância só foi devidamente reconhecida depois que a psicologia cognitiva tornou-se mais estabelecida.

KORN, J. H. (1997). *Illusions of reality: A history of deception in social psychology*. Albany, NY: SUNY Press.

Análise equilibrada e profunda do uso de subterfúgios na pesquisa em psicologia social e das implicações éticas do seu emprego; possui capítulos dedicados ao trabalho de Lewin, Festinger e Stanley Milgram, cujos estudos sobre a obediência nas décadas de 1960 e 1970 são sempre incluídos nos capítulos sobre a ética dos livros de metodologia da pesquisa.

LEAHEY, T. H. (1992). The mythical revolutions of American psychology. *American Psychologist*, 47, 303-18.

Descrição cuidadosa de vários modelos de critérios necessários à existência de uma "revolução" na ciência, seguida de uma análise da razão pela qual nem o behaviorismo nem a psicologia cognitiva, apesar de sua importância histórica, podem ser considerados revolucionários.

NICHOLSON, I. A. M. (2003). *Inventing personality: Gordon Allport and the science of selfhood*. Washington, DC: American Psychological Association.

Biografia intelectual de Allport voltada para a primeira metade de sua carreira; mostra como ele transformou o estudo oitocentista do "caráter" no estudo novecentista da personalidade; enfatiza a defesa de Allport da abordagem idiográfica da psicologia e situa sua obra e sua vida no contexto social, político e institucional da época.

CAPÍTULO **15**

UNINDO O PASSADO DA PSICOLOGIA A SEU PRESENTE

> Mas fica a impressão de que não somos nada senão nossa história. Ela é a nossa força de coesão.
> — Sigmund Koch, 1992

VISÃO GERAL E OBJETIVOS DO CAPÍTULO

Este capítulo será necessariamente incompleto, pois nos últimos trinta ou quarenta anos o crescimento da psicologia foi exponencial e exigiria um livro à parte só para contar esquematicamente a sua história (os livros de introdução à psicologia, mesmo que tenham mais de quinhentas páginas, mal arranham a superfície). O objetivo do capítulo, mais modesto, será o de examinar algumas das tendências mais importantes dos últimos anos. Uma das formas em que a psicologia mudou nos últimos anos foi na área da diversidade. As mulheres e as minorias vêm tendo dificuldade de penetrar numa área historicamente dominada por representantes brancos do sexo masculino, embora tenha havido algumas melhorias depois da Segunda Guerra, especialmente nos últimos trinta anos. Outras tendências recentes na psicologia norte-americana são esboçadas na segunda parte do capítulo, e isso está de acordo com um dos temas deste livro: a compreensão do presente exige a compreensão do passado. O capítulo se encerra com uma discussão acerca da possibilidade de considerar a psicologia uma disciplina unificada. Depois da conclusão deste capítulo final, você deve ser capaz de:

- Descrever os indicadores do aumento da diversidade na psicologia
- Descrever as barreiras enfrentadas pelas mulheres e pelos representantes de minorias na psicologia
- Descrever a carreira e a contribuição de Eleanor Gibson
- Descrever a carreira e a contribuição de Kenneth e Mamie Clark, em especial o efeito do seu trabalho sobre a decisão concernente ao caso *Brown v. Board of Education* em 1954
- Citar cinco tendências atuais da psicologia e mostrar como sua compreensão exige o conhecimento da história
- Explicar por que se pode dizer que a psicologia consiste em muitas disciplinas, e não apenas uma
- Explicar o papel da história como uma força unificadora na psicologia

O CRESCIMENTO E A DIVERSIDADE DA PSICOLOGIA

Uma indicação do crescimento organizado da psicologia ao longo dos últimos cem anos está nos dados relativos aos associados da maior organização da categoria nos Estados Unidos, a American Psychological Association. Desde suas origens, no estúdio de G. Stanley Hall em 1892, até meados da década de 1920, a APA cresceu de modo estável, porém nada espetacular. Os primeiros 31 membros fundadores passaram a 125 na virada do século e a 375 no fim da Primeira Guerra Mundial (Fernberger, 1932, p. 5). Entretanto, com a criação da classe dos membros associados em 1925, a curva de crescimento mudou. Depois da Segunda Guerra Mundial, o total de membros atingiu cinco mil e vem aumentando gradativamente desde então, tendo atingido a marca dos setenta mil em 1990 (Bulatao, Fulcher e Evans, 1992). Desde a virada do século XXI, o total de membros da APA está se aproximando rapidamente dos cem mil.[1] E a previsão é de que esse crescimento continue no futuro, pois além de a psicologia ser uma das opções mais procuradas pelos alunos da graduação, o número de candidatos a pós-graduação em psicologia excede em muito o de vagas, apesar da criação de novos programas a cada ano.

Além da expansão refletida no número de filiados à APA, a psicologia também se expandiu ao longo dos anos em termos de diversificação. Uma das formas assumidas pela diversidade é a especialização. Como vimos nos dois últimos capítulos, os psicólogos já não são apenas psicólogos — eles são psicólogos do desenvolvimento, psicólogos sociais, psicólogos industriais, psicólogos clínicos, psicólogos cognitivos e psicólogos da personalidade, entre muitas outras possibilidades. E mesmo esses rótulos são demasiado amplos. Os psicólogos do desenvolvimento, para ficarmos só em um exemplo, não podem aspirar a conhecer tudo que a sua subárea compreende. Eles precisam especializar-se ainda mais, concentrando-se, por exemplo, em desenvolvimento de conceitos na infância, relações intergrupais na adolescência ou memória autobiográfica nos idosos. Outro indício da diversidade cada vez maior da psicologia está nos tipos diversos de pessoas que entram na área. Depois da década de 1980, a probabilidade de um psicólogo ser mulher e/ou não ter pele branca aumentou.

As Mulheres na História da Psicologia

Os problemas enfrentados pelas mulheres na psicologia já foram abordados algumas vezes neste livro. No Capítulo 6, vimos as dificuldades vividas por pioneiras como Mary Calkins, Margaret Washburn e Christine Ladd-Franklin, que não conseguiam cargos acadêmicos em tempo integral (caso de Ladd-Franklin), quando não eram obrigadas a lecionar em pequenas faculdades — desprovidas de programas de pós-graduação — para mulheres (Calkins e Washburn). Esse último problema na verdade piorou na década de 1920, quando muitas dessas pequenas faculdades começaram a substituir as professoras por professores para "aumentar" seu prestígio (Diehl, 1992). Outra antiga barreira era a exclusão das mulheres da importantíssima rede de comunicação informal dos psicólogos dedicados à pesquisa, conforme vimos no Capítulo 7. Embora admitisse algumas mulheres em seu programa de pós-graduação em Cornell, E. B. Titchener vetava-lhes a participação em seu "clube" experimentalista. Depois da morte de Titchener em 1927, o grupo reorganizou-se sob o nome de Society of Experimental Psychologists (SEP) e votou pela inclusão das mulheres, mas a verdade é que continuaram existindo obstáculos reais. Duas mulheres (Washburn e June Downing, que morreu antes de participar de alguma das reuniões) foram eleitas membros fundadores do novo grupo. Washburn foi inclusive a anfitriã de

---

[1]. Em agosto de 2003, a APA possuía noventa mil membros, segundo dados do registro de filiações da entidade.

FIGURA 15.1 Eleanor Gibson recebendo a medalha nacional da ciência em 1992.

um dos encontros da SEP em Vassar, em 1931.[2] No entanto, nas fotos do grupo feitas na década de 1940 e início da de 1950 simplesmente não se vê nenhuma mulher e só em 1958 foi admitida outra (Furumoto, 1988). Embora fosse relativamente pequena em termos do número de membros, a SEP formava uma rede fechada que influía nas contratações e no progresso das pessoas dentro da academia.[3] Portanto, por muitos anos, a exclusão das mulheres do grupo tornou-lhes praticamente impossível o sucesso na carreira científica. Apesar dos obstáculos, algumas o conseguiram, e um bom exemplo do pós-guerra está numa das mais celebradas cientistas da psicologia do desenvolvimento.

Eleanor Gibson (1910-2002)

Em junho de 1992, George Bush entregou a *National Medal of Science*, a maior honraria que um presidente pode conceder a um cientista nos Estados Unidos, a Eleanor Gibson (Figura 15.1). O prêmio coroou uma vida dedicada à pesquisa de tópicos como o desenvolvimento da percepção da profundidade e os processos básicos envolvidos na leitura. Até aquele momento, apenas nove outros psicólogos haviam recebido esse prêmio (Kent, 1992). Gibson é também a pessoa a quem nos referimos antes como a primeira mulher desde Downing e Washburn a ser eleita para a SEP (em 1958). Hoje, provavelmente os alunos a associam à criação do "abismo visual", utilizado no estudo da percepção da profundidade entre os bebês. Sua carreira é um exemplo de perseverança.

Gibson interessou-se inicialmente pela psicologia quando estava no Smith College, uma faculdade de ciências humanas para mulheres no oeste de Massachusetts (*alma mater* de Mary Calkins), onde aprendeu a conduzir estudos sobre ratos em labirintos com um ex-aluno de Harvey Carr (Capítulo

---

2. Walter Miles, de Stanford, participou do encontro de 1931 em Vassar e registrou um interessante comentário de Washburn sobre Titchener. O que se lê no dia 1º de abril em seu diário é o seguinte: "Atitude de Washburn em relação a T. Ele nunca descobriu nada, não criou nenhum aparelho, simplesmente não era um experimentador. [...] Seus pontos fortes eram a erudição e o dom de dar palestras". Aparentemente, Washburn também achava que parte da razão para Titchener "lhe haver dado muito pouco" era o fato de "eles serem mais ou menos da mesma idade" (Miles, 1931).

3. Hoje em dia, a SEP existe basicamente como uma sociedade honorária de psicólogos experimentalistas. De seus aproximadamente duzentos membros, cerca de trinta são mulheres, a maioria das quais eleita na década de 1990 (Goodwin, 2005).

7) e estudou a história da psicologia com um ex-aluno de E. G. Boring (Capítulo 1). No último ano da faculdade, ela fez um curso com Kurt Koffka (Capítulo 9), recém-contratado pelo Smith College, mas não ficou muito fascinada com a experiência — o gestaltista limitou-se a ler anotações do livro que lançaria em breve sobre a psicologia da Gestalt (Koffka, 1935). Ela teve mais sorte num curso de laboratório dado por um professor de psicologia experimental que acabava de chegar de Princeton, James Gibson, o qual se tornaria um dos mais famosos pesquisadores da percepção do século XX. Eleanor apaixonou-se pelo curso e pelo professor, ficou no Smith por um ano após a formatura, obteve um diploma de mestrado e casou-se com seu professor predileto.

Entusiasmada com a pesquisa da psicologia, Gibson foi para Yale em 1935, ansiosa para estudar no laboratório de primatas do famoso Robert Yerkes (Capítulo 8). Só que lá ela logo encontrou uma realidade muito diferente do mundo abrigado que tinha em Smith. Com alguma dificuldade, conseguiu marcar uma hora com Yerkes, que parecia estar curioso em saber por que ela estava lá. Quando Gibson lhe disse que queria trabalhar para ele, Yerkes "levantou-se, caminhou até a porta, abriu-a e disse: 'No meu laboratório não entram mulheres'" (Gibson, 1980, p. 246). Embora chocada e um tanto decepcionada, ela recusou-se obstinadamente a ir embora de Yale até que, por fim, convenceu o neobehaviorista Clark Hull (Capítulo 11) de sua capacidade e obteve um doutorado sob orientação dele em 1938. Depois de um breve retorno ao Smith College, ela mudou-se para Ithaca, no estado de Nova York, quando o marido foi contratado pela Cornell University. As regras antinepotistas em vigor em Cornell — grande problema para muitas psicólogas casadas com professores — a impediam de empregar-se lá, mas ela perseverou mais uma vez: por dezesseis anos, trabalhou como "pesquisadora adjunta" sem vencimentos, mantendo-se graças a uma série de prestigiosas e competitivas bolsas de pesquisa. Foi nesses anos que ela desenvolveu o abismo visual e realizou com Richard Walk seus pioneiros estudos sobre a percepção da profundidade (por exemplo, Gibson e Walk, 1960). Com a remoção das regras antinepotistas em Cornell em 1966, Gibson foi imediatamente contratada como professora em tempo integral. Em 1974, foi agraciada com o título Susan Linn Sage Endowed Professor of Psychology e, em 1980, apesar de nunca ter se aposentado, recebeu o título de professora emérita (Pick, 1994). Gibson continuou na ativa, tendo em 1994 abordado a questão do futuro da psicologia defendendo veementemente uma teoria da interação entre o organismo e o ambiente baseada numa abordagem desenvolvimentista (Gibson, 1994). Logo após sua morte em 2002, um ex-aluno escreveu sobre sua capacidade como professora:

> Ela era uma mentora muito especial para todos os alunos: atiçava a nossa curiosidade e desde o início nos transformava em colaboradores de sua busca de conhecimento sobre o desenvolvimento. Estava sempre disposta a conversar e ávida para discutir as nossas ideias. Era impressionante a facilidade que tinha de tomar as ideias menos depuradas de qualquer aluno, refletir um pouco sobre elas e devolvê-las — e isto é muito importante, *junto* com os créditos pela autoria — praticamente irreconhecíveis, pois estavam transformadas em ideias realmente boas, elaboradas, claras e muitas vezes precisas o bastante para se tornarem elegantes planos de estudo. Seus padrões eram muito altos, e ela nos ensinava com o exemplo, enquanto generosamente dividia os créditos. Sua ciência caracterizava-se pelo projeto experimental inteligente e rigoroso, pelo cuidado com o detalhe nos procedimentos experimentais e pela profunda atenção dedicada às bases teórico-conceituais do problema investigado. (Pick, 2003, p. 26)

Eleanor Gibson é apenas um dos exemplos da cientista extremamente talentosa que encontrou obstáculos na carreira simplesmente por ser mulher. Nos Estados Unidos, a situação melhorou um pouco nos anos de 1960 e de 1970, quando surgiu o movimento feminista, em decorrência do movimento geral em favor dos direitos civis. O Civil Rights Act, lei dos direitos civis, de 1964 proibiu a discriminação não só contra as mulheres, mas também contra as minorias e, em 1972, o Parágrafo IX proibiu especificamente a discriminação em relação ao sexo na educação superior (Russo, 1988). No âmbito da APA, formaram-se comissões para avaliação do *status* das mulheres nas décadas de 1960 e de 1970 e, em 1973, criou-se uma divisão para a psicologia da mulher (a divisão 35, The Society for the Psychology of Women). Hoje, o número de mulheres que se formam em psicologia é o dobro do de homens, e cerca de 60% dos doutorados na área de psicologia são concluídos por mulheres. Embora a maioria dos professores seja constituída por homens, começam a notar-se algumas mudanças: o percentual de professoras das pósgraduações em psicologia passou de 20% em meados da década de 1980 a pouco mais de 30% dez anos depois ("Sex, Race/Ethnicity Data", 1995).

As Minorias na História da Psicologia

Assim como ocorreu com as mulheres, os membros de grupos minoritários ficaram de fora ao longo da maior parte da história da psicologia. Porém, ao contrário do caso delas, não houve melhoras substanciais na situação nem dos negros nem da maioria dos representantes de outros grupos minoritários no pós-guerra e, assim, esses grupos continuam mal representados na área da psicologia. Em 1991, por exemplo, apenas 14% dos diplomas de graduação, 11% dos diplomas de mestrado e 9% dos diplomas de doutorado foram outorgados nos Estados Unidos a membros de minorias ("Sex, Race/Ethnicity Data", 1995). Desses, cerca de metade foi para alunos de origem afro-americana; um quarto, para alunos de origem hispânica e o restante, para alunos de origem indígena ou asiática. A APA está tratando da questão neste momento, tendo criado uma comissão de recrutamento e treinamento de minorias étnicas e instituído um grupo de trabalho sobre a diversidade ligado ao comitê de assuntos educacionais.

Apesar de enfrentarem barreiras no mínimo tão grandes quanto as enfrentadas pelas mulheres, os psicólogos que pertencem a grupos minoritários deram sua contribuição à história da psicologia. Vimos que alguns psicólogos judeus europeus — como Wertheimer e Lewin — exilaram-se nos Estados Unidos e se tornaram figuras importantes na psicologia norte-americana. E o conseguiram apesar de um antissemitismo que, embora não fosse tão virulento quanto a versão nazista da Alemanha, se fazia sentir de qualquer modo. Os gestaltistas já eram conhecidos o bastante para obter empregos ao chegar no país, mas o mesmo não se pode dizer de outros psicólogos judeus, em especial durante a Grande Depressão, quando o desemprego grassou em todos os setores. Conforme disse, por exemplo, o historiador Andrew Winston (1996), as cartas de recomendação da década de 1930 muitas vezes reforçavam o estereótipo dos judeus como astutos e calculistas, ressentidos, querelantes, fechados em sua própria cultura e defensivamente agressivos. Os candidatos a cargos acadêmicos perdiam imediatamente qualquer chance caso se fizessem acompanhar de uma carta que dissesse que eles possuíam tais atributos, e a situação tampouco melhorava muito se eles recebessem elogios que dissessem, por exemplo, que embora fossem judeus, eles não eram "típicos". Ao recomendar um de seus alunos Robert Woodworth disse, por exemplo, que "como seu nome indica, [ele é] judeu, mas tenho certeza de que você terá nele um excelente colega, [...] cheio de espírito de cooperação e desejo de encaixar-se na equipe" (citado por Winston, 1996, p. 30).

Porém, as dificuldades enfrentadas pelos judeus eram poucas diante das que aguardavam os norte-americanos de ascendência africana. Pelo menos, ninguém acusava os

FIGURA 15.2 Kenneth e Mamie Phipps Clark em fotos tiradas cerca de cinco anos depois da decisão do caso Brown.

judeus de não serem intelectualmente capazes. Por outro lado, a capacidade dos negros foi muitas vezes questionada, e isso se aplica especialmente aos anos de formação da psicologia como disciplina. Conforme vimos no Capítulo 6, pessoas como Francis Sumner enfrentaram imensos obstáculos quando decidiram cursar uma pós-graduação e dedicar-se a uma carreira acadêmica. Sumner, por fim, conseguiu chegar à Howard University, em Washington, D.C., onde criou o mais importante programa de psicologia numa universidade historicamente negra. Dois de seus mais destacados alunos foram Kenneth e Mamie Phipps Clark.

Kenneth B. (1914-2005) e Mamie Phipps Clark (1917-1983)

No dia 17 de maio de 1954, a Suprema Corte dos Estados Unidos chegou a uma decisão que é considerada talvez a mais importante do século XX. Com base num processo contra o Board of Education (Conselho de Educação) de Topeka, Kansas, a Corte declarou, por unanimidade de votos, que "na área da educação pública, a doutrina da 'separação, mas com igualdade' não tem lugar. A segregação nas instalações educacionais são intrinsecamente desiguais" (citado por Morison, 1965, p. 1.086). A decisão do caso *Brown v. Board of Education* (Brown contra o Conselho de Educação) revogava uma decisão tomada anteriormente: em 1896, no caso *Plessy v. Ferguson* (Plessy contra Ferguson), a Corte havia decidido pela legalidade da segregação entre brancos e negros nas instalações públicas (por exemplo, escolas e sanitários), contanto que as instalações reservadas para os negros tivessem qualidade igual à das destinadas aos brancos. Ao declarar a doutrina da "separação, mas com igualdade" inconstitucional, a decisão do caso *Brown v. Board of Education* contribuiu para abrir caminho para o movimento em prol dos direitos civis das décadas de 1960 e de 1970. Essa decisão teve importância também para a história da psicologia porque levou em conta, expressamente, provas apresentadas por psicólogos dos efeitos adversos da segregação sobre os jovens norte-americanos de origem africana. Embora não tenham sido as únicas pesquisas que influíram na decisão, os estudos sobre a autoestima das crianças negras feitos por Kenneth e Mamie Phipps Clark (Figura 15.2) tornaram-se símbolos da contribuição da psicologia para um momento que representou um marco na história dos Estados Unidos.[4]

---

4. Em sua decisão, apesar de não citar especificamente a pesquisa feita pelo casal Clark, a Suprema Corte cita o resumo geral, feito por Kenneth Clark, de toda a pesquisa científica social relativa ao problema dos efeitos da segregação sobre o desenvolvimento (Keppel, 2002).

Kenneth B. Clark nasceu na zona do Canal do Panamá e frequentou a escola pública na cidade de Nova York e a Howard University, em Washington, D.C. Mamie Phipps era uma raridade: uma norte-americana de origem africana criada num ambiente de relativa afluência. Seu pai era médico em Hot Springs, Arkansas, e, embora tivesse sido criada aprendendo "o que não deveria fazer" (citada por Lal, 2002, p. 21), ela não havia passado por muitas das humilhações diárias associadas à condição de negra habitante do sul do país. Mamie também foi para a Howard University, onde planejava estudar matemática. Só que o plano mudou quando conheceu o futuro marido, que a convenceu a estudar psicologia, como ele estava fazendo. Juntos, sofreram a influência de Sumner e obtiveram diplomas de graduação e mestrado (em 1935 e 1936, no caso de Kenneth, e 1938 e 1939, no de Mamie) na Howard e de doutorado na Columbia (1940 e 1943, respectivamente). Poucos meses antes da formatura de graduação de Mamie, os dois casaram-se em segredo.

A pesquisa que tornou o casal mais conhecido nasceu da dissertação de mestrado de Mamie no fim da década de 1930 (Lal, 2002), tendo sido posteriormente apresentada como "Racial identification and preference in Negro children" (Clark e Clark, 1947). A pesquisa ficou informalmente conhecida como "os estudos dos bonecos" e tinha como sujeitos crianças pequenas brancas e negras, em idade escolar, tanto do norte como do sul do país. O procedimento consistia em mostrar a essas crianças quatro bonecos — um casal de pele clara e outro de pele escura — e fazer-lhes várias perguntas, entre as quais: "Qual o boneco com que você quer brincar?", "Qual o boneco que você acha que é mau?" e "Qual o boneco que se parece com você?" (citado por Phillips, 2000, p. 147). O que eles descobriram foi que as crianças negras preferiam os bonecos brancos e tendiam a considerar os bonecos negros "maus". Em alguns casos, essas crianças até se achavam mais parecidas com os bonecos brancos. Num procedimento um pouco diferente, o casal pediu às crianças que pintassem os bonecos com giz de cera, verificando que as crianças negras quase sempre pintavam a pele dos bonecos com um tom mais claro que o da sua própria pele (Herman, 1995). Por fim, o casal Clark concluiu que um dos efeitos mais insidiosos da segregação se verificava na autoestima das crianças negras. E se a infância molda o adulto, esses efeitos seriam deletérios e duradouros.

A estratégia legal no caso *Brown v. Board of Education* evoluiu a partir de quatro lutas judiciais em quatro diferentes cortes estaduais em torno do mesmo problema: a revogação da doutrina da "separação, mas com igualdade". Um dos arquitetos dessa estratégia foi Thurgood Marshall, que depois se tornaria o primeiro norte-americano de origem africana a ser nomeado para a Suprema Corte. Ele a explicou da seguinte maneira:

> Se o seu carro atropelasse o meu cliente, você teria de pagar, e minha função como advogado seria convocar a depor especialistas que provassem a extensão do dano causado. Precisamos exatamente desse tipo de prova no caso das escolas. Quando Bob Carter me mostrou o teste dos bonecos de Ken Clark, pensei que ali estava um meio promissor de mostrar os danos causados aos jovens segregados. (Citado por Kluger, 1987, p. 316)

Kenneth Clark depôs em três dos quatro casos que confluíram no que foi levado à Suprema Corte, tendo até mesmo levado os bonecos para mostrar ao júri (Benjamin e Crouse, 2002). Esses casos culminaram na decisão do caso Brown e, embora os "estudos dos bonecos" não tenham sido citados no texto da decisão, o juiz Earl Warren fez menção à importância do depoimento dos cientistas sociais, que atestaram os efeitos da segregação sobre as crianças negras (Jackson, 2000).

Depois de obter seu doutorado, Mamie Clark foi trabalhar na Riverdale Home for

Children, tendo prestado serviços psicológicos a crianças negras sem teto. Em 1946, com apoio do marido e alguma verba do pai, ela criou no Harlem o Northside Center for Child Development, do qual se tornou diretora executiva. O centro, que propiciava terapia e assistência aos jovens do Harlem e suas famílias, transformou-se num modelo de tratamento baseado numa abordagem interdisciplinar: a equipe de Clark tinha "psiquiatras, psicólogos, assistentes sociais, professores e pediatras" (Lal, 2002, p. 25). Nessa mesma época, Kenneth começou a ensinar no City College of New York, dando início a uma carreira que culminou em sua eleição para a presidência da American Psychological Association em 1971. Além de ter sido o primeiro, ele foi até agora o único norte-americano de origem africana a exercer o cargo.

Conforme dissemos anteriormente, os membros de grupos minoritários não estão bem representados na psicologia hoje em dia. Contudo, a APA empreendeu alguns esforços ao longo dos anos para estabelecer um clima de inclusão. Em 1950, por exemplo, o conselho da APA emitiu a resolução de só promover reuniões anuais em cidades onde não houvesse discriminação ostensiva. O encontro de 1957, por exemplo, foi transferido de Miami para Nova York, depois da divulgação de que alguns hotéis não aceitariam negros como hóspedes (Smith, 1992). Em função principalmente do empenho de Kenneth Clark durante a sua presidência da entidade, a APA criou em 1972 a comissão de responsabilidade ética e social na psicologia (Pickren e Tomes, 2002); que deu origem à atual comissão para assuntos referentes a minorias étnicas. O programa de apoio acadêmico às minorias da APA começou a conceder ajuda financeira para alunos de pós-graduação em 1974 e em 1987, foi criada a Divisão 45, a Society for the Psychological Study of Ethnic Minority Issues, dedicada ao estudo psicológico de problemas relativos a minorias étnicas.

TENDÊNCIAS NA PSICOLOGIA CONTEMPORÂNEA

No Capítulo 1, tentei mostrar por que a compreensão do presente da psicologia requer algum conhecimento do seu passado, algo defendido com eloquência por E. G. Boring na citação que abre o capítulo. Espero que você tenha juntado o que aprendeu em seu curso de história da psicologia e neste livro ao conhecimento acumulado em outros cursos que fez, a fim de enriquecer sua compreensão do presente da psicologia. Esta penúltima seção do livro identifica rapidamente cinco tendências contemporâneas na psicologia, nenhuma das quais pode ser bem entendida se não soubermos um pouco de história da psicologia. Conforme as vejo, essas tendências são:

1. *O estudo acelerado da relação entre o cérebro e o comportamento*, com o acréscimo do termo "neurociência" a um número cada vez maior de subdisciplinas (por exemplo, neurociência cognitiva). Esse avanço foi propiciado em grande parte pelo surgimento de inovações tecnológicas radicais, porém o conhecimento atual repousa numa longa história de estudo do cérebro (Capítulo 3), e os principais problemas envolvidos (por exemplo, a questão mente-corpo, a localização da função) permanecem ancorados na história da filosofia e da fisiologia (Capítulos 2 e 3).

2. *O retorno vigoroso do pensamento evolucionista*, acompanhado de uma mudança no sentido da herança no que se refere à questão inato x adquirido. O Capítulo 5 contou a história de Darwin e sua influência durante os anos formativos da psicologia. Um aspecto dessa influência consistiu na tendência a explicar alguns comportamentos com base em mecanismos evolucionários e, consequentemente, a ficar do lado da herança na questão inato x adquirido. As explicações evolucionistas

saíram de moda na psicologia norte-americana durante a era do behaviorismo, o que fez a balança pesar mais do lado da aprendizagem nesse debate. Porém, nos últimos anos o peso parece estar mudando de lado novamente. Tem-se dado muita atenção à genética do comportamento, o estudo das influências genéticas no comportamento e nos processos mentais, e a psicologia evolucionária tornou-se um curso no currículo dos programas de psicologia, já havendo vários livros-textos sobre o tema hoje em dia (por exemplo, Buss, 1999).
3. *Mudanças significativas propiciadas pela capacidade dos atuais computadores.* A história da metodologia da pesquisa é um tema que merece estudo à parte, mas aqui você viu alguns dos seus elementos: o texto de Woodworth (a "bíblia de Columbia", Capítulo 8) e a influência da pesquisa da ANOVA sobre os projetos de pesquisa da psicologia social (Capítulo 14). Um efeito de ambos esses elementos foi a relativa negligência que sofreram os projetos de pesquisa correlacional, mas eles vêm se tornando cada vez mais frequentes (e mais sofisticados) nos últimos anos, com o desenvolvimento de *software* estatístico capaz de efetuar rapidamente análises altamente complexas com múltiplas variáveis (por exemplo, regressão múltipla).
4. *A profissionalização cada vez maior dos praticantes da psicologia.* Como vimos na seção de abertura do Capítulo 13, existe uma longa história de desconforto entre os pesquisadores e acadêmicos, de um lado, e os que praticam a psicologia profissionalmente, do outro. Conhecer essa história permite-nos compreender a razão de algumas tensões entre os dois grupos e colocar em perspectiva as tentativas já empreendidas de criar uma ponte entre eles.
5. *A crescente fragmentação da psicologia.* Ela exige um tratamento um pouco mais demorado, que será feito agora na seção com que encerraremos o livro.

O FUTURO: PSICOLOGIA OU PSICOLOGIAS?

Não resta dúvida de que a psicologia cresceu muito e se especializou cada vez mais ao longo da segunda metade do século XX. Portanto, vale a pena refletirmos sobre a questão de o campo poder ser considerado de algum modo um campo unificado. No início do século XXI, a psicologia existe como uma só área ou como várias?

Em primeiro lugar, a questão implica que a psicologia foi unificada em algum momento anterior, no entanto não está claro se ela *já* foi uma disciplina coerente. Talvez a psicologia tenha se aproximado da unidade em seus primeiros anos, quando tentava forjar para si uma identidade distinta daquela da fisiologia e da filosofia, mas é evidente que mesmo então havia grandes divergências. Os conflitos entre Titchener e outros psicólogos quanto à própria definição da psicologia ilustram bem a questão, como também as rixas entre facções opostas dentro da APA. Conforme vimos nos Capítulos 12 e 13, os praticantes da psicologia estavam insatisfeitos com a APA nas duas décadas anteriores à Segunda Guerra Mundial, mas a reorganização de 1945 tornou a entidade mais interessante para eles. Porém, o espírito de cooperação que sobreveio à guerra e motivou a APA logo dissipou-se, dando lugar a conflitos entre os que desejavam que a associação mantivesse o seu papel tradicional — de promotora da psicologia científica — e aqueles que achavam que ela deveria ser um meio de promoção da prática da psicologia. A insatisfação dos cientistas da psicologia levou-os a criar a Psychonomic Society em 1960 e a tentar reorganizar ainda mais a APA. Entre essas tentativas, inclui-se uma que não vingou, em meados da década de 1980, e contribuiu diretamente para a criação da American Psychological Society (APS). Portanto, pelo menos do ponto de vista organizacional, a psicologia no início do século XXI caracteriza-se mais pela falta de unidade que por outra coisa.

Quanto à moderna psicologia como disciplina intelectual, poucos analistas se dispõem a vê-la como um campo unificado, exceto no sentido institucional de que, apesar dos novos campos interdisciplinares que se vêm criando, a maioria dos psicólogos continua se formando em "departamentos de psicologia" (Hilgard, 1987) e de acordo com a definição relativamente consistente — que a vê como a ciência do comportamento e dos processos mentais — que consta na maioria dos livros de introdução à disciplina. Abordando a questão da fragmentação num simpósio da APA em comemoração ao centenário do laboratório de Wundt em 1979, George Miller, formado na psicologia experimental tradicional de E. G. Boring, disse haver descoberto "várias outras psicologias, todas clamando para si a propriedade do termo, todas competindo por discípulos, e cada uma desprezando as outras. Em resumo, descobri que a psicologia é um zoológico intelectual" (Miller, 1992, p. 40). Pode-se ter uma ideia da variedade das espécies desse zoo com as especialidades próprias de apenas algumas das 56 divisões da APA:

- 3 Psicologia experimental
- 7 Psicologia do desenvolvimento
- 14 Psicologia industrial/organizacional
- 12 Psicologia clínica
- 16 Psicologia escolar
- 22 Psicologia da reabilitação
- 25 Análise do comportamento
- 26 História da psicologia
- 28 Psicofarmacologia e abuso de substâncias
- 30 Hipnose psicológica
- 36 Psicologia da religião
- 38 Psicologia da saúde
- 52 Psicologia internacional

Muitos psicólogos pertencem a mais de uma divisão, mas está muito claro que a APA é como um grande guarda-chuva que abriga interesses radicalmente divergentes. Além disso, algumas áreas da psicologia experimental representadas pela APS ampliam ainda mais a gama de especialidades. É difícil imaginar que o neuropsicólogo que estuda os efeitos do neurotransmissor X sobre a memória, o psicólogo do desenvolvimento que estuda a brincadeira paralela entre as crianças, o psicólogo industrial que cria uma avaliação de desempenho e o clínico que trabalha num centro de atendimento a vítimas de estupro possam ter muito em comum.

Talvez seja mais razoável imaginar que a psicologia não seja uma só disciplina, mas várias. Sigmund Koch (1917-1996), um dos maiores teóricos da psicologia, defendeu essa visão por anos a fio, recomendando a substituição do termo "psicologia" pelo rótulo mais pluralista de "estudos psicológicos" (Koch, 1993). Para ele, esse seria um processo histórico semelhante ao que se verifica em outras ciências: a biologia, por exemplo, abrange uma ampla gama de "estudos biológicos" (como a botânica, a zoologia etc.). Do mesmo modo, o pesquisador da memória e ex-presidente da APS Gordon Bower sugeriu, num simpósio da APA sobre a fragmentação da psicologia, que haveria uma conotação mais positiva se denominássemos esse fenômeno "especialização", em vez de "fragmentação" (Bower, 1993). Embora o termo "psicologia" não tenha sido substituído por "estudos psicológicos", a maioria dos psicólogos concordaria com o argumento de Koch e Bower de que a psicologia hoje é realmente formada por diversas subdisciplinas, cada qual uma especialidade em si. Bower usou a metáfora de uma árvore que cresce para ilustrar sua ideia, comparando o crescimento e a diversificação da psicologia ao processo de crescimento da árvore que, com o tempo, vai produzindo cada vez mais galhos. E comparou o cientista da psicologia a um "pequenino inseto que se alimenta de uma folha suculenta que está na ponta de um galhinho e, às vezes, também conversa com outros insetos que também estão se alimentando da mesma folha" (p. 905).

Se existe algum senso de unidade na moderna psicologia que não no sentido institucional, derivado da categoria acadêmica "departamento de psicologia", ou no definidor, encontrado nos textos de psicologia geral, poderíamos dizer que ele provém da história da psicologia. Como disse Koch (1992), "fica a impressão de que não somos nada senão nossa história. Ela é a nossa força de coesão" (p. 966). Independentemente de nossa especialidade na atualidade, existem origens (para continuarmos com a metáfora da árvore, um só tronco e uma só raiz) e temas comuns, muitos dos quais foram discutidos neste livro. Espero que o que você leu nestas páginas o incentive a procurar aprender ainda mais sobre o que une os psicólogos e contribua para aprofundar a sua compreensão da riqueza da herança de nossa disciplina.

RESUMO

O CRESCIMENTO E A DIVERSIDADE DA PSICOLOGIA

- A psicologia tem crescido muito em seus mais de cem anos de existência como disciplina independente e, se ela cresceu, os interesses dos psicólogos se especializaram mais. Ao longo da maior parte da história da psicologia, os principais psicólogos foram homens e brancos, situação que agora está mudando, especialmente com a entrada cada vez maior de mulheres na área. Embora tenham sido excluídas das mais altas esferas da psicologia durante a maior parte do século XX, algumas delas fizeram importantes contribuições. Eleanor Gibson é um dos principais exemplos do período pós-guerra: superando os estereótipos que viam com maus olhos a "mulher cientista", ela tornou-se uma das mais destacadas psicólogas do desenvolvimento, conhecida por sua pesquisa da percepção da profundidade (abismo visual) e da leitura.
- Os grupos minoritários, entre os quais os de judeus e norte-americanos de origem africana, também sofreram discriminação ao longo da história da psicologia. Os negros, em especial, tiveram de enfrentar os preconceitos derivados da crença do início do século XX na superioridade racial genética dos machos brancos e a política social das escolas separadas porém (não exatamente) iguais. A pesquisa sobre a autoestima das crianças negras realizada por Kenneth e Mamie Phipps Clark foi muito útil na derrubada do conceito da educação separada porém igual para negros e brancos com a decisão do caso *Brown v. Board of Education* em 1954.

TENDÊNCIAS NA PSICOLOGIA CONTEMPORÂNEA

- No momento, evidenciam-se cinco principais tendências na moderna psicologia: o aumento do interesse na neurociência, o desenvolvimento da psicologia evolucionária, a expansão do impacto dos computadores, o aumento do nível de profissionalização e a crescente especialização. Nenhuma delas pode ser bem compreendida sem algum conhecimento da história.

PSICOLOGIA OU PSICOLOGIAS?

- No fim do século XX, a psicologia não se mostrava uma disciplina unificada e, tendo em vista a recorrência dos debates sobre questões fundamentais, talvez ela nunca o tenha sido. A psicologia moderna é marcada pela crescente especialização e talvez seja mais adequado substituir a ideia de um único campo ("a" psicologia) pelo conceito de Koch, segundo o qual existem diversos estudos psicológicos. Contudo, uma das forças unificadoras da psicologia está na história da disciplina.

QUESTÕES PARA ESTUDO

1. Descreva os efeitos do grupo de experimentalistas de Titchener e da SEP sobre as oportunidades para as mulheres na psicologia experimental.
2. Quais foram as barreiras enfrentadas por Eleanor Gibson em sua destacada trajetória como psicóloga experimental?
3. Por que era difícil para alguns professores judeus encontrar emprego nos Estados Unidos, especialmente na década de 1930?
4. Qual era a essência da decisão relativa ao caso *Brown v. Board of Education*, que decisão anterior ela revogou e qual o papel desempenhado pela psicologia?
5. Descreva os "estudos dos bonecos" feitos por Mamie e Kenneth Clark e como eles contribuíram para o caso *Brown v. Board of Education*.
6. Descreva cinco tendências evidentes na moderna psicologia.
7. Explique por que talvez seja melhor usarmos o termo "psicologias", em vez de "psicologia".
8. Por que a psicologia pode ser considerada uma disciplina unificada?

LEITURA SUPLEMENTAR

GUTHRIE, R. V. (1976). *Even the rat was white: A historical view of psychology*. Nova York: Harper & Row.

Livro breve que documenta a pesquisa feita no século XIX e início do século XX sobre a psicologia e a raça e possui capítulos sobre as primeiras pesquisas que comparavam o desempenho de negros e brancos segundo várias escalas de medição e sobre os efeitos da legislação baseada na eugenia; inclui informações biográficas sobre Sumner e, um pouco menos detalhadas, sobre as contribuições de vários outros psicólogos norte-americanos de origem africana (por exemplo, Herman Canady, Kenneth e Mamie Phipps Clark).

History of psychology: The contributions of KENNETH B. AND MAMIE PHIPPS CLARK. (2002). *American Psychologist, 57*, 19-59.

Série de quatro artigos (Lal, Keppel, Benjamin e Crouse e Pickren e Tomes) que descrevem a vida, a obra e o impacto do casal Clark, do Northside Center e da decisão do caso Brown à formação da comissão de responsabilidade social e ética.

KOCH, S. (1992). Postscript: The second century of psychology at age 12 and the American Psychological Association at age 100. *In* S. KOCH e D. E. LEARY (orgs.), *A century of psychology as a science* (pp. 951-68). Washington, DC: American Psychological Association.

Parte final de um grande grupo de capítulos sobre os avanços na psicologia ao longo de cem anos (mais doze), reimpressão revisada de um livro originalmente publicado em 1985, baseado num simpósio realizado em 1979 em comemoração ao centenário da abertura do laboratório de Wundt; descrição eloquente das ideias de Koch acerca do status da psicologia como disciplina.

WINSTON, A. S. (1996). *Defining difference: Race and racism in the history of psychology*. Washington, D.C.: American Psychological Association.

Volume cujos capítulos versam sobre a mudança do conceito de raça ao longo do tempo, a influência de ideias racistas sobre a psicologia, o uso político da pesquisa e o modo como os psicólogos (por exemplo, Clark) encararam o racismo.

REFERÊNCIAS BIBLIOGRÁFICAS

Adams, G. (1934, janeiro). The rise and fall of psychology. *The Atlantic Monthly*, 82-92.

Allport, F. H. (1924). *Social psychology*. Boston: Houghton Mifflin.

Allport, G. W. (1937). *Personality: A psychological interpretation*. Nova York: Holt.

Allport, G. W. (1950). *The individual and his religion*. Nova York: Macmillan.

Allport, G. W. (1954). *The nature of prejudice*. Cambridge, MA: Addison-Wesley.

Allport, G. W. (1961). *Pattern and growth in personality*. Nova York: Holt, Rinehart, & Winston.

Allport, G. W. (1965). *Letters from Jenny*. Nova York: Harcourt, Brace, & World.

Allport, G. W. (1967). Gordon Allport. In E. G. Boring e G. Lindzey (orgs.), *A history of psychology in autobiography*, Vol. 5 (pp. 3-25). Nova York: Appleton-Century.

Allport, G. W., e Vernon, P. E. (1931). *A study of values*. Boston: Houghton.

Anastasi, A. (1954). *Psychological testing*. Nova York: Macmillan.

Anastasi, A. (1993). A century of psychological testing: Origins, problems, and progress. In T. K. Fagan e G. R. Vandenbos (orgs.), *Exploring applied psychology: Origins and critical analyses* (pp. 13-36). Washington, D.C.: American Psychological Association.

Anderson, J. R. (1990). *Cognitive psychology and its implications* (3ª ed.). Nova York: Freeman.

Angell, J. R. (1904). *Psychology*. Nova York: Holt.

Angell, J. R. (1948). The province of functional psychology. In W. Dennis (org.), *Readings in the history of psychology* (pp. 439-56). Nova York: Appleton-Century-Crofts. (Artigo originalmente publicado em 1907).

Appleby, J., Hunt, L., e Jacob, M. (1994). *Telling the truth about history*. Nova York: W. W. Norton.

Aronson, E. (1991). Leon Festinger and the art of audacity. *Psychological Science*, 2, 213-17.

Aronson, E. (1999). *The social animal* (8ª ed.). Nova York: W. H. Freeman.

Arnett, J. J., e Cravens, H. (2006). G. Stanley Hall's Adolescence: A centennial reappraisal. Introduction. *History of Psychology*, 9, 165-71.

Asch, S. E. (1968). Wolfgang Kohler: 1887-1967. *American Journal of Psychology*, 81, 110-19.

Aserinsky, E., e Kleitman, N. (1953). Regularly occurring periods of eye motility and concomitant phenomena during sleep. *Science*, 118, 273-74.

Ash, M. G. (1985). Gestalt psychology: Origins in Germany and reception in the United States. In C. E. Buxton (org.), *Points of view in the modern history of psychology* (pp. 295-344). Nova York: Academic Press.

Ash, M. G. (1992). Cultural contexts and scientific change in psychology: Kurt Lewin in Iowa. *American Psychologist*, 47, 198-207.

Atkinson, R. C., e Shiffrin, R. M. (1968). Human memory: A proposed system and its control processes. In K. W. Spence e J. T. Spence (orgs.), *The psychology of learning and motivation: Advances in research and theory* (pp. 89-195). Nova York: Academic Press.

Averill, L. A. (1982). Recollections of Clark's G. Stanley Hall. *Journal of the History of the Behavioral Sciences*, 18, 341-46.

Baars, B. J. (1986). *The cognitive revolution in psychology*. Nova York: Guilford Press.

Babkin, B. P. (1949). *Pavlov: A biography*. Chicago: University of Chicago Press.

Bache, R. M. (1895). Reaction time with reference to race. *Psychological Review*, 2, 475-486.

Baddeley, A. (1990). *Human memory: Theory and practice*. Boston: Allyn & Bacon.

Bahrick, H. P. (1984). Semantic memory content in permastore: 50 years of memory for Spanish learned in school. *Journal of Experimental Psychology: General*, 113, 1-29.

Bakan, D. (1966). The influence of phrenology on American psychology. *Journal of the History of the Behavioral Sciences*, 2, 200-20.

Baker, D. B. (1988). The psychology of Lightner Witmer. *Professional School Psychology*, 3, 109-21.

Baker, D. B., e Benjamin, L. T., Jr. (2000). The affirmation of the scientist-practitioner: A look back at Boulder. *American Psychologist*, 55, 241-47.

Balance, W. D. G., e Bringmann, W. G. (1987). Fechner's mysterious malady. *History of Psychology Newsletter*, 19 (1,2), 36-47.

Baldwin, J. M. (1913). *History of psychology: A sketch and an interpretation*. Nova York: Putnam.

Barenbaum, N. B. (2006). Henry A. Murray: Personology as biographym science, and art. In D. A. Dewsbury, L.T. Benjamin, Jr., e M. Wertheimer (orgs.), *Portraits of pioneers in psychology, Volume 6* (pp. 169-87). Washington, D.C.: American Psychological Association.

Barker, R., Dembo, T., e Lewin, K. (1941). Frustration and regression: An experiment with young children. *University of Iowa Studies in Child Welfare, 18*, Nº 1.

Barone, D. F. (1996). John Dewey: Psychologist, philosopher, and reformer. In G. A. Kimble, C. A. Bonneau e M. Wertheimer (orgs.), *Portraits of pioneers in psychology, Volume II* (pp. 47-61). Washington, D.C.: American Psychological Association.

Bartlett, F. C. (1958). *Thinking: An experimental and social study*. Londres: Allen & Unwin.

Bartlett, F. C. (1967). *Remembering: A study in experimental and social psychology*. Cambridge, UK: Cambridge University Press. (Obra originalmente publicada em 1932.)

Bayton, J. A. (1975). Francis Sumner, Max Meenes, and the training of black psychologists. *American Psychologist, 30*, 185-86.

Beam, A. (2001). *Gracefully insane: The rise and fall of America's premier mental hospital*. Nova York: Perseus Books.

Beers, C. W. (1908). *A mind that found itself*. Nova York: Longmans Green.

Bell, C. (1965). Bell on the specificity of sensory nerves, 1811. In R. J. Herrnstein e E. G. Boring (orgs.), *A sourcebook in the history of psychology* (pp. 23-6). Cambridge, MA: Harvard University Press. (Obra originalmente publicada em 1811.)

Bell, L. V. (1980). *Treating the mentally ill: From colonial times to the present*. Nova York: Praeger Publishers.

Benjamin, L. T., Jr. (1993). *A history of psychology in letters*. Dubuque, IA: Brown & Benchmark.

Benjamin, L. T., Jr. (1996). Harry Hollingworth: Portrait of a generalist. In G. A. Kimble, C. A. Bonneau, e M. Wertheimer (orgs.), *Portraits of pioneers in psychology, Volume II* (pp. 119-35). Washington, D.C.: American Psychological Association.

Benjamin, L. T., Jr. (2000). Hugo Münsterberg: Portrait of an applied psychologist. In G. A. Kimble e M. Wertheimer (orgs.), *Portraits of pioneers in psychology, Volume IV* (pp. 112-29). Washington, D.C.: American Psychological Association.

Benjamin, L. T., Jr., e Baker, D. B. (2003). Harry Hollingworth and the shame of applied psychology. In D. B. Baker (org.), *Thick description and fine texture: Studies in the history of psychology* (pp. 38-56). Akron, OH: University of Akron Press.

Benjamin, L. T., Jr. e Baker, D.B. (2000). Boulder at 50: Introduction to the section. *American Psychologist, 55*, 233-36.

Benjamin, L. T., Jr., e Crouse, E. M. (2002). The American Psychological Association's response to *Brown v. Board of Education*. *American Psychologist, 57*, 38-50.

Benjamin, L. T., Jr., Durkin, M., Link, M., Vestal, M., e Accord, J. (1992). Wundt's American doctoral students. *American Psychologist, 47*, 123-31.

Benjamin, L. T., Jr., Rogers, A. M., e Rosenbaum, A. (1991). Coca-Cola, caffeine, and mental deficiency: Harry Hollingworth and the Chattanooga trial. *Journal of the History of the Behavioral Sciences, 27*, 42-55.

Benjamin, L. T., Jr., e Vandenbos, G. R. (2006). The window on psychology's literature: A history of *Psychological Abstracts*. *American Psychologist, 61*, 941-54.

Bergin, A. E. (1971). The evaluation of therapeutic outcomes. In A. E. Bergin e S. L. Garfield (orgs.), *Handbook of psychotherapy and behavior change: An empirical analysis*. Nova York: John Wiley & Sons.

Berkeley, G. (1948). An essay towards a new theory of vision. In A. A. Luce e T. E. Jessup (orgs.), *The works of George Berkeley, Bishop of Cloyne. Vol. 1*. Londres: Thomas Nelson & Sons. (Obra originalmente publicada em 1709.)

Berkeley, G. (1957). *Treatise concerning the principles of human knowledge*. Indianápolis: Bobbs-Merrill. (Obra originalmente publicada em 1710.)

Binet, A., e Henri, V. (1965). Alfred Binet (1857-1911) and Victor Henri (1872-1940) on the psychology of individual differences. In R. J. Herrnstein e E. G. Boring (orgs.), *A sourcebook in the history of psychology* (pp. 428-33). Cambridge, MA: Harvard University Press. (Obra originalmente publicada em 1895.)

Bingham, W. V. (1952). Walter Van Dyke Bingham. In E. G. Boring, H. S. Langfeld, H. Werner e R. M. Yerkes (orgs.), *A history of psychology in autobiography, Vol. 4* (pp. 1-26). Worcester, MA: Clark University Press.

Bjork, D. W. (1983). *The compromised scientist: William James in the development of American psychology*. Nova York: Columbia University Press.

Bjork, D. W. (1993). *B. F. Skinner: A life*. Nova York: Basic Books.

Blodgett, H. C. (1929). The effect of the introduction of reward upon the maze performance of rats. *University of California Publications in Psychology, 4*, 113-34.

Blumenthal, A. L. (1975). A reappraisal of Wilhelm Wundt. *American Psychologist, 30*, 1081-088.

Blumenthal, A. L. (1980). Wilhelm Wundt and early American psychology: A clash of cultures. *In* R. W. Rieber e K. Salzinger (orgs.), *Psychology: Theoretical-historical perspectives* (pp. 25-42). Nova York: Academic Press.

Boakes, R. (1984). *From Darwin to behaviourism: Psychology and the minds of animals*. Nova York: Cambridge University Press.

Boorstin, D. J. (1971). *Democracy and its discontents: Reflections on everyday America*. Nova York: Random House.

Boorstin, D. J. (1983). *The discoverers*. Nova York: Vintage Books.

Boring, E. G. (1929). *A history of experimental psychology*. Nova York: Century.

Boring, E. G. (1942). *Sensation and perception in the history of experimental psychology*. Nova York: Appleton-Century-Crofts.

Boring, E. G. (1950). *A history of experimental psychology* (2ª ed.). Englewood Cliffs, NJ: Prentice-Hall.

Boring, E. G. (1961a). Edward Bradford Titchener, 1867-1927. *In* E. G. Boring (org.), *Psychologist at large: An autobiography and selected essays* (pp. 246-65). Nova York: Basic Books.

Boring, E. G. (1961b). Psychologist at large, 1960. *In* E. G. Boring (org.), *Psychologist at large: An autobiography and selected essays* (pp. 3-83). Nova York: Basic Books.

Boring, E. G. (1963a). Eponym as placebo. *In* R. I. Watson e D. T. Campbell (orgs.), *History, psychology, and science: Selected papers by Edwin G. Boring, Harvard University* (pp. 5-25). Nova York: John Wiley.

Boring, E. G. (1963b). Fechner: Inadvertent founder of psychophysics. *In* R. I. Watson e D. T. Campbell (orgs.), *History, psychology, and science: Selected papers by Edwin G. Boring, Harvard University* (pp. 126-31). Nova York: John Wiley.

Boring, E. G. (1963c). The influence of evolutionary theory upon psychological thought. *In* R. I. Watson e D. T. Campbell (orgs.), *History, psychology, and science: Selected papers by Edwin G. Boring, Harvard University* (pp. 159-84). Nova York: John Wiley.

Boring, E. G. (1967). Titchener's Experimentalists. *Journal of the History of the Behavioral Sciences, 3,* 315-25.

Bower, G. H. (1993). The fragmentation of psychology? *American Psychologist, 48,* 905-07.

Brainerd, C. J. (1996). Piaget: A centennial celebration. *Psychological Science, 7,* 191-95.

Bramel, D., e Friend, R. (1981). Hawthorne, the myth of the docile worker, and class bias in psychology. *American Psychologist, 36,* 867-78.

Bregman, E. O. (1934). An attempt to modify the emotional attitudes of infants by the conditioned response technique. *Journal of Genetic Psychology, 45,* 169-98.

Brehm, J. W. (1998). Leon Festinger: Beyond the obvious. *In* G. A. Kimble e M. Wertheimer (orgs.), *Portraits of pioneers* in *psychology. Volume III* (pp. 329-44). Washington, D.C.: American Psychological Association.

Brentano, F. (1995). *Psychology from an empirical standpoint*. Londres: Routledge. (Obra originalmente publicada em 1874.)

Breuer, J., e Freud, S. (1955). *Studies on hysteria*. Nova York: Basic Books. (Obra originalmente publicada em 1895.)

Brewer, W. F., e Schommer-Aikins, M. (2006). Scientists are not deficient in mental imagery: Galton revised. *Review of General Psychology, 10,* 130-46.

Bridgman, P. W. (1927). *The logic of modern physics*. Nova York: Macmillan.

Brigham, C. C. (1923). *A study of American intelligence*. Princeton, NJ: Princeton University Press.

Bringmann, W. G., Balance, W. D. G., e Evans, R. B. (1975). Wilhelm Wundt 1832-1920: A brief biographical sketch. *Journal of the History of the Behavioral Sciences, 11,* 287-97.

Bringmann, W. G., Bringmann, N. J., e Balance, W. D. G. (1980). Wilhelm Maximilian Wundt 1832-1920: The formative years. *In* W. G. Bringmann e R. D. Tweney (orgs.), *Wundt studies: A centennial collection* (pp. 13-32). Toronto: C. J. Hogrefe.

Bringmann, W. G., Bringmann, N. J., e Ungerer, G. A. (1980). The establishment of Wundt's laboratory: An archival and documentary study. *In* W. G. Bringmann e R. D. Tweney (orgs.), *Wundt studies: A centennial collection* (pp. 123-57). Toronto: C. J. Hogrefe.

Broadbent, D. E. (1980). Donald E. Broadbent. *In* G. Lindsey (org.), *A history of psychology in autobiography, Vol. 7* (pp. 39-73). San Francisco: Freeman.

Broadbent, D. E. (1958). *Perception and communication*. Londres: Pergamon Press.

Broca, P. (1965). Paul Broca (1824-1880) on the speech center, 1861. *In* R. J. Herrnstein e E. G. Boring (orgs.), *A sourcebook in the history of psychology* (pp. 223-29). Cambridge, MA: Harvard University Press. (Obra originalmente publicada em 1861.)

Brown, R., e McNeill, D. (1966). The tip of the tongue phenomenon. *Journal of Verbal Learning and Verbal Behavior; 5,* 325-27.

Browne, J. (1995). *Charles Darwin: Voyaging*. Nova York: Knopf.

Browne, J. (2002). *Charles Darwin: The power of place*. Princeton, NJ: Princeton University Press.

Brozek, J., Watson, R. I., e Ross, B. (1970). A summer institute on the history of psychology: Part II.

Journal of the History of the Behavioral Sciences, 6, 25-35.
Brubacher, J. S., e Rudy, W. (1976). *Higher education in transition: A history of American colleges and universities, 1636-1976* (3ª ed.). Nova York: Harper and Row.
Bruce, D. B. (1986). Lashley's shift from bacteriology to neuropsychology, 1910-1917, and the influence of Jennings, Watson, and Franz. *Journal of the History of the Behavioral Sciences*, 22, 27-44.
Bruce, D. B. (1991). Integrations of Lashley. In G. A. Kimble, M. Wertheimer, e C. L. White (orgs.), *Portraits of pioneers in psychology* (pp. 306-23). Washington, D.C.: American Psychological Association.
Bruce, D. B. (1994). Lashley and the problem of serial order. *American Psychologist*, 49, 93-103.
Bruner, J. S. (1968). Gordon Willard Allport: 1897-1967. *American Journal of Psychology*, 81, 279-84.
Bruner, J. S. (1988). Founding the Center for Cognitive Studies. In W. Hirst (org.), *The making of cognitive science: Essays in honor of George A. Miller* (pp. 90-9). Nova York: Cambridge University Press.
Bryan, W. L. (1904). Theory and practice. *Psychological Review*, 11, 71-82.
Buckley, K. W. (1989). *Mechanical man: John Broadus Watson and the beginnings of behaviorism*. Nova York: Guilford Press.
Bulatao, E. Q., Fulcher, R., e Evans, R. B. (1992). Appendix: Statistical data on the American Psychological Association. In R. B. Evans, V. S. Sexton, e T. C. Cadwallader (orgs.), *The American Psychological Association: A historical perspective* (pp. 391-94). Washington, D.C.: American Psychological Association.
Burnham, J. C. (1972). Thorndike's puzzle boxes. *Journal of the History of the Behavioral Sciences*, 8, 159-67.
Buss, D. M. (1999). *Evolutionary psychology: The new science of the mind*. Boston: Allyn & Bacon.
Cairns, R. B. (1994). The making of a developmental science: The contributions and intellectual heritage of James Mark Baldwin. In R. D. Parke, P. A. Ornstein, J. J. Reiser e C. Zahn-Waxler (orgs.), *A century of developmental psychology* (pp. 127-43). Washington, D.C.: American Psychological Association.
Calkins, M. W. (1894). Association I. *Psychological Review*, 1, 476-83.
Calkins, M. W. (1896). Association II. *Psychological Review*, 3, 32-49.
Calkins, M. W. (1906). A reconciliation between structural and functional psychology. *Psychological Review*, 13, 61-81.
Calkins, M. W. (1907). *The persistent problems of philosophy*. Nova York: Macmillan.
Calkins, M. W. (1913). Psychology and the behaviorist. *Psychological Bulletin*, 10, 288-91.
Calkins, M. W. (1930). Mary Whiton Calkins. In C. Murchison (org.), *A history of psychology in autobiography*, Vol. 1 (pp. 31-62). Worcester, MA: Clark University Press.
Camfield, T. M. (1973). The professionalization of American psychology, 1870-1917. *Journal of the History of the Behavioral Sciences*, 9, 66-75.
Candles, D. K. (1993). *Feral children and clever animals: Reflections on human nature*. Nova York: Oxford University Press.
Capshew, J. H. (1996). Engineering behavior: Project Pigeon, World War II, and the conditioning of B. F. Skinner. In L. D. Smith e W. R. Woodward (orgs.), *B. F. Skinner and behaviorism in American culture* (pp. 128-50). Bethlehem, PA: Lehigh University Press.
Capshew, J. H. (1999). *Psychologists on the march: Science, practice, and professional identity in America, 1929-1969*. Nova York: Cambridge University Press.
Capshew, J. H. e Hearst, E. (1980). Psychology at Indiana University: From Bryan to Skinner. *Psychological Record*, 30, 319-42.
Carmichael, L. (1957). Robert Mearns Yerkes, 1876-1956. *Psychological Review*, 64, 1-7.
Carr, E. H. (1961). *What is history?* Nova York: Vintage Books.
Carr, H. A. (1925). *Psychology: A study of mental activity*. Nova York: Longmans, Green.
Carr, H. A. (1935). *An introduction to space perception*. Nova York: Longmans, Green.
Carr, H. A., e Watson, J. B. (1908). Orientation in the white rat. *Journal of Comparative Neurology and Psychology*, 18, 27-44.
Cashman, S. D. (1993). *America in the gilded age* (3ª ed.). Nova York: New York University Press.
Cattell, J. M. (1886). The time it takes to see and name objects. *Mind*, 11, 63-5.
Cattell, J. M. (1895). Report of the Secretary and Treasurer for 1894. *Psychological Review*, 2, 149-52.
Cattell, J. M. (1948). The influence of the intensity of the stimulus on the length of the reaction time. In W. Dennis (org.), *Readings in the history of psychology* (pp. 439-56). Nova York: Appleton-Century-Crofts. (Obra originalmente publicada em 1885.)
Cattell, J. M. (1948). Mental tests and measurements. In W. Dennis (org.), *Readings in the history of psychology* (pp. 347-54). Nova York: Appleton-Century-Crofts. (Obra originalmente publicada em 1890.)
Cautin, R. L. (2006). David Shakow: Architect of modern clinical psychology. In D. A. Dewsbury, L. T. Benjamin e M. Wertheimer (orgs.), *Portraits of*

pioneers in psychology, Vol. 6 (pp. 207-21). Washington, D.C.: American Psychological Association.

Cherry, E. C. (1953). Some experiments on the recognition of speech with one and with two ears. *Journal of the Acoustical Society of America, 25,* 975-79.

Chomsky, N. (1959). Review of Skinner's Verbal Behavior. *Language, 35,* 26-58.

Chomsky, N. (1966). *Cartesian linguistics.* Nova York: Harper & Row.

Clark, K., e Clark, M. (1947). Racial identification and racial preferences in Negro children. In T. M. Newcomb e E. L. Hartley (orgs.), *Readings in social psychology* (pp. 169-78). Nova York: Holt.

Cohen, E. (1991, outono). Psychology's attic. *Akron, 6 (1),* 12-9.

Cohen, I. B. (1995). *Science and the founding fathers.* Nova York: W. W. Norton.

Collins, A. (1977). Why cognitive science? *Cognitive Science, 1,* 1-2.

Collins, J. (1931). Lightner Witmer: A biographical sketch. In R. A. Brotemarkle (org.), *Clinical psychology: Studies in honor of Lightner Witmer* (pp. 3-9). Filadélfia, University of Pennsylvania Press.

Colp, R., Jr. (1986). "Confessing a murder": Darwin's first revelations about transmutation. *Isis, 77,* 9-32.

Conley, J. J. (1984). Not Galton, but Shakespeare: A note on the origin of the term "nature and nurture". *Journal of the History of the Behavioral Sciences, 20,* 184-85.

Coon, D. J. (1992). Testing the limits of sense and science: American experimental psychologists combat spiritualism, 1880-1920. *American Psychologist, 47,* 143-51.

Coon, D. J. (1994). "Not a creature of reason": The alleged impact of Watsonian behaviorism on advertising in the 1920s. In J. T. Todd e E. K. Morris (orgs.), *Modern Perspectives on John. B. Watson and classical behaviorism* (pp. 37-63). Westport, CT: Greenwood Press.

Costall, A. (1993). How Lloyd Morgan's Canon backfired. *Journal of the History of the Behavioral Sciences, 29,* 113-22.

Cottingham, J. (1986). *Descartes.* Nova York: Basil Blackwell.

Crane, L. (1925). A plea for the training of psychologists. *Journal of Abnormal and Social Psychology, 20,* 228-33.

Cravens, H. (1992). A scientific project locked in time: The Terman genetic studies of genius, 1920s-1950s. *American Psychologist, 47,* 183-89.

Croce, P. J. (1995). *Science and religion in the era of William James: Eclipse of certainty, 1820-1880.* Chapel Hill: University of North Carolina Press.

Cronbach, L. J. (1957). The two disciplines of scientific psychology. *American Psychologist, 12,* 671-84.

Cronbach, L. J., Hastorf, A. H., Hilgard, E. R., e Maccoby, E. E. (1990). Robert R. Sears (1908-1989). *American Psychologist, 45,* 663-64.

Crutchfield, R. S. (1961). Edward Chace Tolman: 1886-1959. *American Journal of Psychology, 74,* 135-41.

Cushman, P. (1992). Psychotherapy to 1992: A historically situated interpretation. In D. K. Freedheim (org.), *History of psychotherapy: A century of change* (pp. 21-64). Washington, D.C.: American Psychological Association.

Dallenbach, K. M. (1913). The measurement of attention. *American Journal of Psychology, 24,* 465-507.

Danziger, K. (1980). The history of introspection reconsidered. *Journal of the History of the Behavioral Sciences, 16,* 241-62.

Danziger, K. (2000). Making social psychology experimental: A conceptual history, 1920-1970. *Journal of the History of the Behavioral Sciences, 36,* 329-47.

Darwin, C. (1839). *Journal of researches into the geology and natural history of the various countries visited by the H.M.S. Beagle.* Londres: Henry Colburn.

Darwin, C. (1871). *The descent of man, and selection in relation to sex.* Londres: Murray.

Darwin, C. (1872). *The expression of the emotions in man and animals.* Londres: Murray.

Darwin, C. (1877) A biographical sketch of an infant. *Mind, 2,* 285-94.

Darwin, C. (1958). Autobiography. In F. Darwin (org.) *The autobiography of Charles Darwin and selected letters* (pp. 5-58). Nova York: Dover. (Obra originalmente publicada em 1892.)

Darwin, C. (1958). *On the origin of species by means of natural selection, or the preservation of favoured races in the struggle for life.* Nova York: Mentor Books. (Obra originalmente publicada em 1859.)

Degler, C. N. (1991). *In search of human nature: The decline and revival of Darwinism in American social thought.* Nova York: Oxford University Press.

Dennis, P. M. (1984). The Edison questionnaire. *Journal of the History of the Behavioral Sciences, 20,* 23-37.

Dennis, W. (org.) (1984). *Readings in the history of psychology.* Nova York: Appleton-Century-Crofts.

Denny-Brown, D. (1952). Charles Scott Sherrington: 1857-1952. *American Journal of Psychology, 65,* 474-77.

Descartes, R. (1960). *Discourse on method* (Trad. L. J. Lafleur). Indianápolis: Bobbs-Merrill. (Obra originalmente publicada em 1637.)

Descartes, R. (1969). Passions of the soul. In E. S. Haldane e G. R. T. Ross (trads.) *The philosophical works of Descartes, Vol. I* (pp. 329-427). Nova York: Cambridge University Press. (Obra originalmente publicada em 1649.)

Desmond, A., e Moore, J. (1991). *Darwin: The life of a tormented evolutionist.* Nova York: W. W. Norton.

Dewey, J. (1886). *Psychology.* Nova York: Harper.

Dewey, J. (1899). *The school and society.* Chicago: University of Chicago Press.

Dewey, J. (1900). Psychology and social practice. *Psychological Review, 7,* 105-24.

Dewey, J. (1948). The reflex arc concept in psychology. In W. Dennis (org.), *Readings in the history of psychology* (pp. 355-65). Nova York: Appleton-Century-Crofts. (Obra originalmente publicada em 1896.)

Dewsbury, D. A. (1984). *Comparative psychology in the twentieth century.* Stroudsburg, PA: Hutchinson Ross.

Dewsbury, D. A. (1990). Early interactions between animal psychologists and animal activists and the founding of the APA committee on precautions in animal experimentation. *American Psychologist, 45,* 315-27.

Dewsbury, D. A. (1990). Whither the introductory course in the history of psychology? *Journal of the History of the Behavioral Sciences, 26,* 371-77.

Dewsbury, D. A. (1992). Triumph and tribulation in the history of comparative psychology. *Journal of Comparative Psychology, 106,* 3-19.

Dewsbury, D. A. (1994). John B. Watson: Profile of a comparative psychologist and proto-ethologist. In J. T. Todd e E. K. Morris (orgs.), *Modern perspectives on John B. Watson and classical behaviorism* (pp. 141-44). Westport, CT: Greenwood Press.

Dewsbury, D. A. (1996). Robert M. Yerkes: A psychobiologist with a plan. In G. A. Kimble, C. A. Bonneau e M. Wertheimer (orgs.), *Portraits of pioneers in psychology. Vol. II* (pp. 87-105). Washington, D.C.: American Psychological Association.

Dewsbury, D. A., e Bolles, R. C. (1995). The founding of the Psychonomic Society. *Psychonomic Bulletin and Review, 2,* 216-33.

Diagnostic and statistical manual of mental disorders (4ª ed.) (1994). Washington, D.C.: American Psychiatric Association.

Diamond, I. T. (1985). A history of the study of the cortex: Changes in the concept of the sensory pathway. In G. A. Kimble e K. Schlesinger (orgs.), *Topics in the history of psychology. Vol. 1* (pp. 305-87). Hillsdale, NJ: Lawrence Erlbaum Associates.

Diehl, L. A. (1992). The discovering of Iva Lowther Peters: Transcending male bias in the history of psychology. In J. C. Christer e D. Howard (orgs.), *New directions in feminist psychology: Practice, theory, and research* (pp. 101-15). Nova York: Springer.

Dollard, J., Doob, L. W., Miller, N. E., Mowrer, O. H., e Sears, R. R. (1939). *Frustration and aggression.* New Haven: Yale University Press.

Donnelly, M. E. (org.). (1992). *Reinterpreting the legacy of William James.* Washington, D.C.: The American Psychological Association.

Dorn, H. (1972). Ernst Heinrich Weber. In C. C. Gillespie (org.), *Dictionary of scientific biography. Vol. XIV.* Nova York: Charles Scribner's Sons.

Douthat, R. (dezembro de 2006). They made America. *The Atlantic, 298,* 59-78.

Duncan, C. P. (1980). A note on the 1929 International Congress of Psychology. *Journal of the History of the Behavioral Sciences, 16,* 1-5.

Duncker, K. (1945). On problem solving. *Psychological Monographs, 58, Whole Nº 270.* (Obra originalmente publicada em 1935.)

Ebbinghaus, H. (1908). *Psychology: An elementary textbook* (Trad. M. Meyer). Boston: D. C. Heath.

Ebbinghaus, H. (1964). *Memory: A contribution to experimental psychology* (Trad. H. A. Ruger e C. A. Bussenius.). Nova York: Dover. (Obra originalmente publicada em 1885.)

Ebbinghaus, H. (1965). Hermann Ebbinghaus (1850-1909) on the completion test. In R. J. Herrnstein e E. G. Boring (orgs.), *A sourcebook in the history of psychology* (pp. 433-37). Cambridge, MA: Harvard University Press. (Obra originalmente publicada em 1897.)

Eiseley, L. (1958). *Darwin's century: Evolution and the men who discovered it.* Nova York: Doubleday.

Ellenberger, H. F. (1970). *The discovery of the unconsciousness.* Nova York: Basic Books.

Ellenberger, H. F. (1972). The story of "Anna O": A critical review with new data. *Journal of the History of the Behavioral Sciences, 8,* 267-79.

Elliott, M. H. (1928). The effect of change of reward on the maze performance of rats. *University of California Publications in Psychology, 4,* 19-30.

Elmes, D. G., Kantowitz, B. H., e Roediger, H. L., III. (2003). *Research methods in psychology* (7ª ed.). St. Paul, MN: West.

English, H. B. (1929). Three cases of "conditioned fear response". *Journal of Abnormal and Social Psychology, 24,* 221-25.

Estes, W. K. (1981). The bible is out. *Contemporary Psychology, 26,* 327-30.

Evans, R. B. (1972). E. B. Titchener and his lost system. *Journal of the History of the Behavioral Sciences, 8,* 168-80.

Evans, R. B. (1984). The origins of American academic psychology. In J. Brozek (org.), *Explorations in the history of psychology in the United States* (pp. 17-60). Lewisburg, PA: Bucknell University Press.

Evans, R. B., Sexton, V. S., e Cadwallader, T. C. (1992). *The American Psychological Association: A historical perspective.* Washington, D.C.: American Psychological Association.

Eysenck, H. J. (1952). The effects of psychotherapy: An evaluation. *Journal of Consulting Psychology, 16*, 319-24.

Eysenck, H. J. (org.) (1960). *Behaviour therapy and the neuroses.* Londres: Pergamon.

Fancher, R. E. (1985). *The intelligence men: Makers of the IQ controversy.* Nova York: W. W. Norton.

Fancher, R. E. (1990). *Pioneers of psychology* (2ª ed.). Nova York: W. W. Norton.

Farr, R. M. (1983). Wilhelm Wundt (1832-1920) and the origins of psychology as an experimental and social science. *British Journal of Social Psychology, 22*, 289-301.

Farson, R. (1978). The technology of humanism. *Journal of Humanistic Psychology, 18*, 5-35.

Fearing, F. (1930). *Reflex action: A study in the history of physiological psychology.* Nova York: Hafner.

Fernberger, S. W. (1931). The history of the psychological clinic. In R. A. Brotemarkle (org.), *Clinical psychology: Studies in honor of Lightner Witmer* (pp. 10-36). Filadélfia: University of Pennsylvania Press.

Fernberger, S. W. (1932). The American Psychological Association: A historical summary, 1892-1930. *Psychological Bulletin, 29*, 1-89.

Ferrier, D. (1876). *The functions of the brain.* Nova York: Putnam.

Ferster, C. B., e Skinner, B. F. (1957). *Schedules of reinforcement.* Nova York: Appleton-Century-Crofts.

Festinger, L. (1957). *A theory of cognitive dissonance.* Evanston, IL: Row, Peterson, & Co. Festinger, L. (1980). Looking backward. In L. Festinger (org.), *Retrospections on social psychology* (pp. 236-54). Nova York: Oxford University Press.

Festinger, L., e Carlsmith, J. M. (1959). Cognitive consequences of forced compliance. *Journal of Abnormal and Social Psychology, 58*, 203-11.

Finger, S. (2000). *Minds behind the brain: A history of the pioneers and their discoveries.* Nova York: Oxford University Press.

Fisher, R. A. (1925). *Statistical methods for research workers.* Londres: Oliver & Boyd.

Fisher, R. A. (1935). *The design of experiments.* Londres: Oliver & Boyd.

Fiske, S. T., e Taylor, S. E. (1984). *Social cognition.* Reading, MA: Addison-Wesley.

Flaherty, F. C. (1985). *Animal learning and cognition.* Nova York: McGraw-Hill.

Flavell, J. H. (1963). *The developmental psychology of Jean Piaget.* Princeton, NJ: Van Nostrand Reinhold.

Flourens, P. (1978). Phrenology examined (Trad. C. D. Meigs). In D. N. Robinson (org.), *Significant contributions to the history of psychology. Series E. Volume II.* Washington, D.C.: University Publications of America. (Obra originalmente publicada em 1846.)

Forrest, D. W. (1974). *Francis Galton: The life and work of a Victorian genius.* Nova York: Taplinger.

Forrest, D. W. (1999). *Hypnotism: A history.* Nova York: Penguin.

Frank, J. D. (1978). Kurt Lewin in retrospect — A psychiatrist's view. *Journal of the History of the Behavioral Sciences, 14*, 223-27.

Freeman, F. N. (1922). The mental age of adults. *Journal of Educational Research, 6*, 441-44.

Freeman, F. S. (1977). The beginnings of Gestalt psychology in the United States. *Journal of the History of the Behavioral Sciences, 13*, 352-53.

Freud, A. (1937). *The ego and mechanisms of defense.* Nova York: International Universities Press.

Freud, S. (1938). *The interpretation of dreams.* In A. A. Brill (org. e trad.). *The basic writings of Sigmund Freud* (pp. 179-549). Nova York: Random House. (Obra originalmente publicada em 1900.)

Freud, S. (1938). *The psychopathology of everyday life.* In A. A. Brill (org. e trad.). *The basic writings of Sigmund Freud* (pp. 33-178). Nova York: Random House. (Obra originalmente publicada em 1901.)

Freud, S. (1938). *Three contributions to the theory of sex.* In A. A. Brill (org. e trad.). *The basic writings of Sigmund Freud* (pp. 551-629). Nova York: Random House. (Obra originalmente publicada em 1905.)

Freud, S. (1938). *Wit and its relation to the unconscious.* In A. A. Brill (org. e trad.). *The basic writings of Sigmund Freud* (pp. 631-803). Nova York: Random House. (Obra originalmente publicada em 1905.)

Freud, S. (1959). *Beyond the pleasure principle.* (Trad. J. Strachey). Nova York: Bantam Books. (Obra originalmente publicada em 1920.)

Freud, S. (1959). *The ego and the id.* (Trad. J. Strachey). Nova York: Bantam Books. (Obra originalmente publicada em 1923.)

Freud, S. (1977). *Five lectures on psycho-analysis.* (Trad. J. Strachey). Nova York: W. W. Norton. (Obra originalmente publicada em 1909.)

Fritsch, G. e Hitzig, E. (1965). Gustav Fritsch (1838-1927) e Eduard Hitzig (1838-1907) on cerebral motor centers, 1870. In R. J. Herrnstein e E. G. Boring (orgs.), *A sourcebook in the history of psychology* (pp. 229-233). Cambridge, MA: Harvard University Press. (Obra originalmente publicada em 1870.)

Fuchs, A. H. (2000). Contributions of American mental philosophers to psychology in the United States. *History of Psychology, 3*, 3-19.

Fuchs, A. H., e Viney, W. (2002). The course in the history of psychology: Present status and future concerns. *Journal of the History of the Behavioral Sciences, 5*, 3-15.

Furumoto, L. (1979). Mary Whiton Calkins (1863-1930): Fourteenth president of the American Psychological Association. *Journal of the History of the Behavioral Sciences, 15,* 346-56.

Furumoto, L. (1988). Shared knowledge: The Experimentalists, 1904-1929. In J. G. Morawski (org.), *The rise of experimentation in American psychology* (pp. 94-113). New Haven, CT: Yale University Press.

Furumoto, L. (1989). The new history of psychology. In I. S. Cohen (org.), *The G. Stanley Hall lecture series. Vol. 9* (pp. 9-34). Washington, D.C.: American Psychological Association.

Furumoto, L. (1991). From "paired associates" to a psychology of self: The intellectual odyssey of Mary Whiton Calkins. In G. A. Kimble, M. Wertheimer, e C. L. White (orgs.), *Portraits of pioneers in psychology* (pp. 56-72). Washington, D.C.: American Psychological Association.

Furumoto, L. (1992). Joining separate spheres — Christine Ladd-Franklin, woman-scientist (1847-1930). *American Psychologist, 47,* 175-82.

Galef, B. G., Jr. (1998). Edward Thorndike: revolutionary psychologist, ambiguous biologist. *American Psychologist, 53,* 1128-134.

Gall, F. J. (1965). Franz Joseph Gall (1758-1828) on phrenology, the localization of the functions of the brain, 1825. In R. J. Herrnstein e E. G. Boring (orgs.), *A sourcebook in the history of psychology* (pp. 211-20). Cambridge, MA: Harvard University Press. (Obra originalmente publicada em 1825.)

Gallistel, C. R. (1981). Bell, Magendie, and the proposals to restrict the use of animals in neurobehavioral research. *American Psychologist, 36,* 357-60.

Galton, F. (1874). *English men of science: Their nature and nurture.* Londres: Macmillan.

Galton, F. (1883). *An inquiry into human faculty and its development.* Londres: Macmillan.

Galton, F. (1891). *Hereditary genius.* Nova York: D. Appleton. (Obra originalmente publicada em 1869.)

Galton, F. (1908). *Memories of my life.* Londres: Methuen.

Galton, F. (1965). Galton on mental capacity, 1883. In R. J. Herrnstein e E. G. Boring (orgs.), *A sourcebook in the history of psychology* (pp. 421-23). Cambridge, MA: Harvard University Press. (Obra originalmente publicada em 1883.)

Gantt, W. H. (1973). Reminiscences of Pavlov. *Journal of the Experimental Analysis of Behavior, 20,* 131-36.

Gardner, H. (1985). *The mind's new science: A history of the cognitive revolution.* Nova York: Basic Books.

Garrett, H. E. (1951). *Great experiments in psychology* (3ª ed.). Nova York: Appleton-Century-Crofts.

Gay, P. (1988). *Freud: A life for our time.* Nova York: W. W. Norton.

Gibson, E. J. (1980). Eleanor Gibson. In G. Lindsey (org.), *A history of psychology in autobiography, Vol. 7* (pp. 239-71). San Francisco: Freeman and Company.

Gibson, E. J. (1994). Has psychology a future? *Psychological Science, 5,* 69-76.

Gibson, E. J., e Walk, R. D. (1960). The "visual cliff". *Scientific American, 202,* 64-71.

Gilbreth, F. B., e Gilbreth, L. M. (1916). *Fatigue study: The elimination of humanity's greatest unnecessary waste.* Nova York: Sturgis & Walton.

Gilbreth, F. B., e Gilbreth, L. M. (1917). *Applied motion study.* Nova York: Sturgis & Walton.

Gilbreth, F. B., Jr., e Carey, E. G. (1949). *Cheaper by the dozen.* Nova York: Bantam.

Gilderhus, M. T. (2000). *History and historians: A historiographic introduction* (4ª ed.). Upper Saddle River, NJ: Prentice-Hall.

Gillespie, R. (1988). The Hawthorne experiments and the politics of experimentation. In J. G. Morawski (org.), *The rise of experimentation in American psychology* (pp. 114-37).

Gillespie, R. (1991). *Manufacturing knowledge: A history of the Hawthorne experiments.* Nova York: Cambridge University Press.

Gillies, D. (1993). *Philosophy of science in the twentieth century: Four central themes.* Oxford, UK: Blackwell Press.

Glass, C. R., e Arnkoff, D. B. (1992). Behavior therapy. In D. K. Freedheim (org.), *History of psychotherapy: A century of change* (pp. 587-628). Washington, D.C.: American Psychological Association.

Gleaves, D. H., e Hernandez, E. (1999). Recent formulations of Freud's development and abandonment of his seduction theory: Historical/scientific clarification or a continued assault on truth? *History of Psychology, 2,* 324-354.

Glickman, S. E. (1996). Donald Olding Hebb: Returning the nervous system to psychology. In G. A. Kimble, C. A. Bonneau, e M. Wertheimer (orgs.), *Portraits of pioneers in psychology, Vol. II* (pp. 227-44). Washington, D.C.: American Psychological Association.

Goddard, H. H. (1910). Four hundred feeble-minded children classified by the Binet method. *Journal of Genetic Psychology, 17,* 387-97.

Goddard, H. H. (1912). *The Kallikak family: A study in the heredity of feeble-mindedness.* Nova York: Macmillan.

Goddard, H. H. (1913). The Binet tests in relation to immigration. *Journal of Psycho-Asthenics, 18,* 105-07.

Goddard, H. H. (1917). Mental tests and the immigrant. *Journal of Delinquency, 2,* 243-77.

Goddard, H. H. (1928). Feeblemindedness: A question of definition. *Journal of Psycho-Asthenics, 33,* 219-27.

Goldstein, E. B. (1996). *Sensation and perception* (4ª edição). Pacific Grove, CA: Brooks/Cole.

Goodenough, F. L. (1950). Edward Lee Thorndike: 1874-1949. *American Journal of Psychology, 63,* 291-301.

Goodwin, C. J. (1985). On the origins of Titchener's Experimentalists. *Journal of the History of the Behavioral Sciences, 21,* 383-89.

Goodwin, C. J. (1987). In Hall's shadow: Edmund Clark Sanford (1859-1924). *Journal of the History of the Behavioral Sciences, 23,* 153-68.

Goodwin, C. J. (1991a). Misportraying Pavlov's apparatus. *American Journal of Psychology, 104,* 135-41.

Goodwin, C. J. (1991b). Using psychologists' letters to teach about introspection. *Teaching of Psychology, 18,* 237-38.

Goodwin, C. J. (2003). An insider's look at experimental psychology in America: The diaries of Walter Miles. In D. Baker (org), *Thick description and fine texture: Studies in the history of psychology* (pp. 57-75). Akron, OH: University of Akron Press.

Goodwin, C. J. (2005). Reorganizing Titchener's Experimentalists: The origins of the Society of Experimental Psychology. *History of Psychology, 8,* 347-61.

Gould, S. J. (1981). *The mismeasure of man.* Nova York: W. W. Norton.

Gravitz, M. A. (1988). Early uses of hypnosis as surgical anesthesia. *American Journal of Clinical Hypnosis, 30,* 201-08.

Gray, J. A. (1979). *Ivan Pavlov.* Nova York: Viking.

Gray, P. H. (1962). Douglas Alexander Spalding: The first experimental behaviorist. *Journal of General Psychology, 67,* 299-307.

Green, M., e Rieber, R. W. (1980). The assimilation of psychoanalysis in America. In R. W. Rieber e K. Salzinger (orgs.), *Psychology: Theoretical-historical perspectives* (pp. 263-304). Nova York: Academic Press.

Greenwood, J. D. (2003). Wundt, Volkerpsychologie, and experimental social psychology. *History of Psychology, 6,* 70-88.

Grmek, M. D. (1972). François Magendie. In C. C. Gillespie (org.), *Dictionary of scientific biography,* Vol. IX. Nova York: Scribner.

Grob, G. N. (1983). *Mental illness and American society, 1875-1940.* Princeton, NJ: Princeton University Press.

Grob, G. N. (1991). *From asylum to community: Mental health policy in modern America.* Princeton, NJ: Princeton University Press.

Grob, G. N. (1994). *The mad among us: A history of the care of America's mentally ill.* Nova York: Free Press.

Gundlach, H. U. K. (1986). Ebbinghaus, nonsense syllables, and three-letter words. *Contemporary Psychology, 31,* 469-70.

Guthrie, E. R. (1935). *The psychology of learning.* Nova York: Harper and Brothers.

Guthrie, R. V. (1976). *Even the rat was white: A historical view of psychology.* Nova York: Harper & Row.

Guttman, N. (1977). On Skinner and Hull: A reminiscence and projection. *American Psychologist, 32,* 321-28.

Haldane, J. B. S. (1954). Introducing Douglas Spalding. *British Journal of Animal Behavior, 2,* 1-11.

Hale, N. G., Jr. (1971). *Freud and the Americans: The beginnings of psychoanalysis in the United States, 1876-1917.* Nova York: Oxford University Press.

Hall, C. S. (1954). *A primer of Freudian psychology.* Nova York: World Publishing Company.

Hall, C. S., e Lindzey, G. (1970). *Theories of personality* (2ª ed.). Nova York: John Wiley & Sons.

Hall, G. S. (1887). Editorial. *American Journal of Psychology, 1,* 3-4.

Hall, G. S. (1890-1891). Review of "The Principles of Psychology". *American Journal of Psychology, 3,* 578-91.

Hall, G. S. (1904). *Adolescence.* Nova York: Appleton.

Hall, G. S. (1922). *Senescence: The last half of life.* Nova York: Appleton.

Hall, G. S. (1923). *Life and confessions of a psychologist.* Nova York: Appleton.

Hall, G. S. (1948). The contents of children's minds. In W. Dennis (org.), *Readings in the history of psychology* (pp. 255-76). Nova York: Appleton-Century-Croft. (Obra originalmente publicada em 1883.)

Hannush, M. J. (1987). John B. Watson remembered: An interview with James B. Watson. *Journal of the History of the Behavioral Sciences, 23,* 137-52.

Harlow, J. M. (1869). *Recovery from the passage of an iron bar through the head.* Boston: Clapp.

Harmon-Jones, E., e Mills, J. (orgs.). (1999). *Cognitive dissonance: Progress on a pivotal theory in social psychology.* Washington, D.C.: American Psychological Association.

Harris, B. (1979). Whatever happened to little Albert? *American Psychologist, 34,* 151-60.

Harrower-Erickson, M. R. (1942). Kurt Koffka: 1886-1941. *American Journal of Psychology, 55,* 278-81.

Hartley, D. (1971). *Observations on man, his frame, his duty and his expectations,* Vol. I. Nova York: Garland. (Obra originalmente publicada em 1749.)

Haupt, E. J. (1998). The origins of American Psychology in the work of G. E. Müller: Classical psychophysics and serial learning. In R. W. Rieber e K. D. Salzinger (orgs.), *Psychology: Theoretical-historical perspectives* (2ª ed.) (pp. 17-75). Washington, D.C.: American Psychological Association.

Havens, L. L. (1965). Emil Kraepelin. *Journal of Nervous and mental disease, 141*, 16-28.

Hawkins, H. (1960). *Pioneer: A history of the Johns Hopkins University, 1874-1899*. Ithaca, NY: Cornell University Press.

Hebb, D. O. (1949). *The organization of behavior*. Nova York: John Wiley.

Hebb, D. O. (1959). Karl Spencer Lashley (1890-1958). *American Journal of Psychology, 72*, 142-50.

Hebb, D. O. (1960). The American revolution. *American Psychologist, 15*, 735-45.

Hebb, D. O. (1980). D. O. Hebb. In G. Lindsey (org.), *A history of psychology in autobiography, Vol. 7* (pp. 273-303). San Francisco: Freeman and Company.

Heidbreder, E. (1933). *Seven psychologies*. Nova York: Appleton-Century-Crofts.

Heims, S. (1978). Kurt Lewin and social change. *Journal of the History of the Behavioral Sciences, 14*, 238-41.

Helmholtz, H. (1965). Hermann Ludwig Ferdinand von Helmholtz (1821-1894) on the three-color theory of vision and visual specific nerve energies, 1860. In J. Herrnstein e E. G. Boring (orgs.), *A sourcebook in the history of psychology* (pp. 223-29). Cambridge, MA: Harvard University Press. (Obra originalmente publicada em 1860.)

Henle, M. (1974). E. B. Titchener and the case of the missing element. *Journal of the History of the Behavioral Sciences, 10*, 227-37.

Henle, M. (1980). The influence of Gestalt psychology in America. In R. W. Rieber e K. Salzinger (orgs.), *Psychology: Theoretical-historical perspectives* (pp. 177-90). Nova York: Academic Press.

Henle, M. (1986). One man against the Nazis — Wolfgang Kohler. In M. Henle (org.), *1879 and all that: Essays in the theory and history of psychology* (pp. 225-37). Nova York: Columbia University Press.

Herman, E. (1995). *The romance of American psychology: Political culture in the age of experts*. Berkeley, CA: University of California Press.

Hertzman, M., e Festinger, L. (1940). Shifts in explicit goals in a level of aspiration experiment. *Journal of Experimental Psychology, 27*, 439-52.

Hicks, L. H., e Ridley, S. E. (1979). Black studies in psychology. *American Psychologist, 34*, 597-602.

Hilgard, E. R. (1948). *Theories of learning*. Nova York: Appleton-Century-Crofts.

Hilgard, E. R. (1957). Lewis Madison Terman: 1877-1956. *American Journal of Psychology, 70*, 472-79.

Hilgard, E. R. (1964). Introduction to Dover Edition of "Memory: A contribution to experimental psychology". Nova York: Dover.

Hilgard, E. R. (1967). Kenneth Wartinbee Spence: 1907-1967. *American Journal of Psychology, 80*, 314-18.

Hilgard, E. R. (1980). The trilogy of mind: Cognition, affection, and conation. *Journal of the History of the Behavioral Sciences, 16*, 107-17.

Hilgard, E. R. (1982). Robert I. Watson and the founding of Division 26 of the American Psychological Association. *Journal of the History of the Behavioral Sciences, 18*, 308-11.

Hilgard, E. R. (1987). *Psychology in America: A historical survey*. San Diego: Harcourt Brace Jovanovich.

Hindeland, M. J. (1971). Edward Bradford Titchener: A pioneer in perception. *Journal of the History of the Behavioral Sciences, 7*, 23-8.

Hoffeld, D. R. (1980). Mesmer's failure: Sex, politics, personality, and the zeitgeist. *Journal of the History of the Behavioral Sciences, 16*, 377-86.

Hofstadter, R., e Hardy, C. D. (1952). *The development and scope of higher education in the United States*. Nova York: Columbia University Press.

Hollingworth, H. L. (1916). *Vocational psychology: Its problems and methods*. Nova York: D. Appleton and Company.

Hollingworth, H. L. (1990). *Leta Stetter Hollingworth: A biography*. Bolton, MA: Anker Publishing. (Obra originalmente publicada em 1943.)

Horley, J. (2001). After "The Baltimore Affair": James Mark Baldwin's life and work, 1908-1934. *History of Psychology, 4*, 24-33.

Hornstein, G. A. (1992). The return of the repressed: Psychology's problematic relations with psychoanalysis, 1909-1960. *American Psychologist, 47*, 254-63.

Hothersall, D. (1995). *History of psychology* (3ª ed.). Nova York: McGraw-Hill.

Hubel, D. H., e Wiesel, T. N. (1963). Receptive fields of cells in the striate cortex of very young, visually inexperienced kittens. *Journal of Neurophysiology, 26*, 994-1002.

Hull, C. L. (1920). Quantitative aspects of the evolution of concepts. *Psychological Monographs, 28*, Nº 123.

Hull, C. L. (1928). *Aptitude testing*. Yonkers-on-Hudson, NY: Word Book.

Hull, C. L. (1933). *Hypnosis and suggestibility: An experimental approach*. Nova York: Appleton-Century-Crofts.

Hull, C. L. (1943). *Principles of behavior*. Nova York: Appleton-Century-Crofts.

Hull, C. L. (1952a). *A behavior system*. New Haven, CT: Yale University Press.

Hull, C. L. (1952b). Clark L. Hull. In E. G. Boring, H. S. Langfeld, H. Werner, e R. M. Yerkes (orgs.), *A history of psychology in autobiography, Vol. 4* (143-62). Worcester, MA: Clark University Press.

Hume, D. (1969). *A treatise of human nature* (E. C. Mossner, org.). Baltimore: Penguin. (Obra originalmente publicada em 1739-740.)

Humphrey, G. (1962). *Introduction to "The wild boy of Aveyron"*. Nova York: Appleton-Century-Crofts.

Hunter, W. S. (1919). *General psychology*. Chicago: University of Chicago Press.

Hunter, W. S. (1949). James Rowland Angell, 1869-1949. *American Journal of Psychology, 62*, 439-50.

Itard, J. M. G. (1962). *The wild boy of Aveyron*. Trad. G. Humphrey e M. Humphrey. Nova York: Appleton-Century-Crofts. (Obra originalmente publicada em 1801.)

Izard, C. E. (1977). *Human emotions*. Nova York: Plenum.

Jackson, J. P., Jr. (2000). The triumph of the segregationalists? A historiographic inquiry into psychology and the *Brown* litigation. *History of Psychology, 3*, 239-61.

Jacobson, E. (1929). *Progressive relaxation*. Chicago: University of Chicago Press.

James, W. (20 de dezembro de 1891). *Letter to M. W. Calkins*. Calkins Papers, Wellesley College, Wellesley, MA.

James, W. (1950). *Principles of psychology, Vol. 1*. Nova York: Dover. (Obra originalmente publicada em 1890.)

James, W. (1950). *Principles of psychology, Vol. 2*. Nova York: Dover. (Obra originalmente publicada em 1890.)

James, W. (1961). *Psychology: The briefer course*. Nova York: Harper & Row. (Obra originalmente publicada em 1892.)

Jaynes, J. (1969a). The historical origins of "ethology" and "comparative psychology". *Animal Behaviour, 17*, 601-06.

Jaynes, J. (1969b). Edwin Garrigues Boring: 1886-1968. *Journal of the History of the Behavioral Sciences, 5*, 99-112.

Jeffreys, M. V. C. (1967). *John Locke: Prophet of common sense*. Londres: Methuen.

Jenkins, J. G. (1935). Review of *Remembering* by F. C. Bartlett. *American Journal of Psychology, 47*, 712-15.

Jenkins, J. G., e Dallenbach, K. M. (1924). Minor studies from the psychological laboratory of Cornell University: Oblivescence during sleep and waking. *American Journal of Psychology, 35*, 605-12.

Johnson, M. G., e Henley, T. B. (orgs.). (1990). *Reflections on "The Principles of Psychology"*. Hillsdale, NJ: Lawrence Erlbaum.

Johnston, T. D. (2003). Three pioneers of comparative psychology in America, 1843-1890. *History of Psychology, 6*, 14-51.

Jonçich, G. (1968). *The sane positivist: A biography of Edward L. Thorndike*. Middletown, CT: Wesleyan University Press.

Jones, E. (1953, 1955, 1957). *The life and work of Sigmund Freud (Vols.1-3)*. Nova York: Basic Books.

Jones, M. C. (1924a). The elimination of children's fear. *Journal of Experimental Psychology, 7*, 382-90.

Jones, M. C. (1924b). A laboratory study of fear: The case of Peter. *Pedagogical Seminary, 31*, 308-15.

Joynt, R. J. (1973, outubro). Phrenology in New York State. *New York State Journal of Medicine*, 2382-384.

Jung, C. G. (1919). *Studies in word association*. Nova York: Moffat-Yard.

Kant, I. (1952). *Critique of judgment* (Trad. J. C. Meredith). Oxford: Oxford University Press. (Obra originalmente publicada em 1790.)

Kant, I. (1959). *Critique of practical reason*. (Trad. T. K. Abbott). Nova York: Longmans, Green. (Obra originalmente publicada em 1788.)

Kant, I. (1965). *Critique of pure reason*. (Trad. N. K. Smith). Nova York: St. Martin's. (Obra originalmente publicada em 1781.)

Katona, G. (1940). *Organizing and memorizing*. Nova York: Columbia University Press.

Kazdin, A. E. (1978). *History of behavior modification: Experimental foundations of contemporary research*. Baltimore: University Park Press.

Kent, D. (1992, setembro). E. Gibson, A. Newell receive National Medal of Science. *APS Observer, 5* (1), 14-5.

Kent, D. (1994). Interview with APS president-elect Richard F. Thompson. *APS Observer, 7*, 4, 10.

Keppel, B. (2002). Kenneth B. Clark in the patterns of American culture. *American Psychologist, 57*, 29-37.

Kessen, W. (1996). American psychology just before Piaget. *Psychological Science, 7*, 196-99.

Kessen, W., e Kuhlman, C. (orgs.). (1962). Thought in the young child: Report of a conference on intellective development with particular attention to the work of Jean Piaget. *Monographs of the Society for Research in Child Development, 27* (Serial Nº 83).

Kevles, D. J. (1968). Testing the Army's intelligence: Psychologists and the military in World War I. *Journal of American History, 55*, 565-81.

King, D. B. (1992). Evolution and revision of the Principles. *In* M. E. Donnelly (org.), *Reinterpreting the legacy of William James* (pp. 67-75). Washington, D.C.: The American Psychological Association.

King, H. (1955). *The history of the telescope*. Londres: Griffin.

Kinnaman, A. J. (1902). Mental life of two Macacus rhesus monkeys in captivity, II. *American Journal of Psychology, 13*, 173-218.

Kintsch, W. (1985). Reflections on Ebbinghaus. *Journal of Experimental Psychology: Learning, Memory, and Cognition, 11*, 461-63.

Kintsch, W., e Cacioppo, J. T. (1994). Introduction to the 100th anniversary issue of the *Psychological Review. 101*, 195-99.

Kirsch, I. (1977). Psychology's first paradigm. *Journal History of the Behavioral Sciences, 13*, 317-25.

Klein, A. G. (2002). *Forgotten voice: A biography of Leta Stetter Hollingworth.* Scottsdale, AZ: Great Potential Press.

Klein, D. B. (1970). *A history of scientific psychology: Its origins and philosophical background.* Nova York: Basic Books.

Kline, L. W. (1899). Suggestions toward a laboratory course in comparative psychology. *American Journal of Psychology, 10*, 399-430.

Klopfer, W. G. (1973). The short history of projective techniques. *Journal of the History of the Behavioral Sciences, 9*, 60-5.

Kluger, R. (1987). *Simple justice: The history of Brown v. Board of Education and black America's struggle for equality.* Nova York: Knopf.

Knapp, T. J. (1985). Contributions to the history of psychology: XXXIX. T. V. Moore and his Cognitive Psychology of 1939. *Psychological Reports, 57*, 1311-316.

Koch, S. (1992). Postscript: The second century of psychology at age 12 and the American Psychological Association at age 100. In S. Koch e D. E. Leary (orgs.), *A century of psychology as science* (pp. 951-68). Washington, D.C.: American Psychological Association.

Koch, S. (1993). "Psychology" or "the psychological studies?" *American Psychologist, 48*, 902-04.

Koffka, K. (1922). Perception: An introduction to Gestalt-theorie. *Psychological Bulletin, 19*, 531-85.

Koffka, K. (1924). The *growth of the mind: An introduction to child psychology* (Trad. R. M. Ogden). Nova York: Harcourt, Brace. (Obra originalmente publicada em 1921.)

Koffka, K. (1935). *Principles of Gestalt psychology.* Nova York: Harcourt, Brace.

Köhler, W. (1926). *The mentality of apes.* (Trad. E. Winter). Nova York: Harcourt, Brace. (Obra originalmente publicada em 1917.)

Köhler, W. (1947). *Gestalt psychology.* Nova York: Liveright. (Obra originalmente publicada em 1929.)

Köhler, W. (1969). *Gestalt psychology.* In D. L. Krantz (org.), *Schools of psychology: A symposium* (pp. 69-85). Nova York: Appleton-Century-Crofts. (Obra originalmente publicada em 1967)

Korn, J. H. (1997). *Illusions of reality: A history of deception in social psychology.* Albany, NY: SUNY Press.

Korn, J. H., Davis, R., e Davis, S. F. (1991). Historians' and chairpersons' judgments of eminence among psychologists. *American Psychologist, 46*, 789-92.

Kramer, P. D. (2006). *Freud: Inventor of the modern mind.* Nova York: HarperCollins.

Krantz, D. L. (1969). The Baldwin-Titchener controversy. In D. L. Krantz (org.), *Schools of psychology: A symposium* (pp. 1-19). Nova York: Appleton-Century-Crofts.

Kroll, J. (1973). A reappraisal of psychiatry in the Middle Ages. *Archives of General Psychiatry, 29*, 276-83.

Kuhn, T. S. (1962). *The structure of scientific revolutions.* Chicago: University of Chicago Press.

Ladd, G. T. (1887). *Elements of physiological psychology.* Nova York: Scribners.

Ladd, G. T., e Woodworth, R. S. (1911). *Elements of physiological psychology* (edição revista). Nova York: Scribners.

Lakin, M. (1996). Carl Rogers and the culture of psychotherapy. *The General Psychologist, 32*, 62-8.

Lal, S. (2002). Giving children security: Mamie Phipps Clark and the racialization of child psychology. *American Psychologist, 57*, 20-8.

Landy, F. J. (1992). Hugo Münsterberg: Victim or visionary? *Journal of Applied Psychology, 77*, 787-802.

Landy, F. J. (1993). Early influences on the development of industrial/organizational psychology. In T. K. Fagan e G. R. Vandenbos (orgs.), *Exploring applied psychology: Origins and critical analyses* (pp. 83-118). Washington, D.C.: American Psychological Association.

Larson, C., e Sullivan, J. J. (1965). Watson's relation to Titchener. *Journal of the History of the Behavioral Sciences, 1*, 338-54.

Lashley, K. S. (1929). *Brain mechanisms and intelligence.* Chicago: University of Chicago Press.

Lashley, K. S. (1951). The problem of serial order in behavior. In L. A. Jeffress (org.), *Cerebral mechanisms in behavior: The Hixon symposium* (pp. 112-46). Nova York: John Wiley.

Lathem, E. C. (1994). *Bernard Bailyn on the teaching and writing of history: Responses to a series of questions.* Hanover, NH: University Press of New England.

Leacock, S. (1924, março). A manual of the new mentality. *Harper's Monthly Magazine, 47*, 480.

Leahey, T. H. (1979). Something old, something new: Attention in Wundt and modern cognitive psychology. *Journal of the History of the Behavioral Sciences, 15*, 242-52.

Leahey, T. H. (1981). The mistaken mirror: On Wundt's and Titchener's psychologies. *Journal of the History of the Behavioral Sciences, 17*, 273-82.

Leahey, T. H. (1992). The mythical revolutions of American psychology. *American Psychologist, 47*, 308-18.

Leary, D. E. (1992). William James and the art of human understanding. *American Psychologist, 47*, 152-60.

Leary, D. E. (2006). G. Stanley Hall, a man of many words: The role of reading, speaking and writing in his psychological work. *History of Psychology, 9,* 198-223.

Leibnitz, G. W. (1982). *New essays on human understanding* (Trad. P. Remnant e J. Bennett). Nova York: Cambridge University Press. (Obra originalmente publicada em 1765.)

Lesch, J. E. (1972). George John Romanes. *In* C. C. Gillespie (org.), *Dictionary of scientific biography*, Vol. XI. Nova York: Scribner.

Lewin, K. (1931). Environmental forces in child behavior and development. *In* C. Murchison (org.), *Handbook of child psychology* (pp. 94-127). Worcester, MA: Clark University Press.

Lewin, K. (1935). *A dynamic theory of personality* (Trad. D. K. Adams e K. E. Zener). Nova York: McGraw-Hill.

Lewin, K. (1936). *Principles of topological psychology* (Trad. F. Heider e G. M. Heider). Nova York: McGraw-Hill.

Lewin, K. (1937). Carl Stumpf. *Psychological Review, 44,* 189-94.

Lewin, K., Lippitt, R., e White, R. (1939). Patterns of aggressive behavior in experimentally created "social climates". *Journal of Social Psychology, 10,* 271-99.

Lewis, R. W. B. (1991). *The Jameses: A family narrative.* Nova York: Farrar, Straus, & Giroux.

Ley, R. (1990). *A whisper of espionage.* Garden Park, NY: Avery Publishing Group.

Leys, R., e Evans, R. B. (1990). *Defining American psychology: The correspondence between Adolf Meyer and Edward Bradford Titchener.* Baltimore, MD: The Johns Hopkins University Press.

Lippit, R., e White, R. K. (1943). The "social climate" of children's groups. *In* R. G. Barker, J. S. Kounin e H. F. Wright (orgs.), *Child behavior and development* (pp. 485-508). Nova York: McGraw-Hill.

Lippmann, W. (1922a). A future for tests. *New Republic, 33,* 9-10.

Lippmann, W. (1922b). The abuse of tests. *New Republic, 32,* 297-98.

Lloyd, M. A., e Brewer, C. B. (1992). National conferences on undergraduate education. *In* A. E. Puente, J. R. Matthews e C. B. Brewer (orgs.), *Teaching psychology in America: A history* (pp. 263-84). Washington, D.C.: American Psychological Association.

Locke, J. (1960). *Two treatises on government.* Nova York: Cambridge University Press. (Obra originalmente publicada em 1690.)

Locke, J. (1963). *Some thoughts concerning education.* Alemanha: Scientia Verlag Aalen. (Obra originalmente publicada em 1693.)

Locke, J. (1963). *An essay concerning human understanding.* Alemanha: Scientia Verlag Aalen. (Obra originalmente publicada em 1690.)

Loftus, E. F. (1979). *Eyewitness testimony.* Cambridge, MA: Harvard University Press.

Logan, C. A. (2002): When scientific knowledge becomes scientific discovery: The disappearance of classical conditioning before Pavlov. *Journal of the History of the Behavioral Sciences, 38,* 393-403.

Macfarlane, D. A. (1930). The role of kinesthesis in maze learning. *University of California Publications in Psychology, 4,* 277-305.

Mach, E. (1914). *Analysis of sensations.* La Salle, IL: Open Court. (Obra originalmente publicada em 1886.)

MacLeod, C. M. (1992). The Stroop task: The "gold standard" of attention measures. *Journal of Experimental Psychology: General, 121,* 12-4.

MacMillan, M. B. (1986). A wonderful journey through skull and brain: The travels of Mr. Gage's tamping iron. *Brain and Cognition, 5,* 67-107.

Madigan, S., e O'Hara, R. (1992). Short-term memory at the turn of the century: Mary Whiton Calkins's memory research. *American Psychologist, 47,* 170-74.

Magendie, F. (1965). François Magendie (1783-1855) on spinal nerve roots, 1822. *In* R. J. Herrnstein e E. G. Boring (orgs.), *A sourcebook in the history of psychology* (pp. 19-22). Cambridge, MA: Harvard University Press. (Obra originalmente publicada em 1822.)

Malone, J. C. (1991). *Theories of learning: A historical approach.* Belmont, CA: Wadsworth.

Marrow, A. J. (1969). *The practical theorist: The life and work of Kurt Lewin.* Nova York: Basic Books.

Maslow, A. H. (1954). *Motivation and personality.* Nova York: Harper.

Maslow, A. H. (1971). *The farther reaches of human nature.* Nova York: Viking.

Mayer, R. E. (1992). *Thinking, problem solving, cognition* (2ª ed.). Nova York: Freeman.

Mazlish, B. (1975). *James and John Stuart Mill: Father and son in the nineteenth century.* Nova York: Basic Books.

McCullough, D. (1992). *Brave companions: Portraits in history.* Nova York: Simon & Schuster.

McDougall, W. (1908). *Introduction to social psychology.* Londres: Methuen.

McGinnies, E. (1949). Emotionality and perceptual defense. *Psychological Review, 56,* 244-51.

McGuire, W. (org.). (1974). *The Freud/Jung letters.* Princeton, NJ: Princeton University Press.

McReynolds, P. (1987). Lightner Witmer: Little-known founder of clinical psychology. *American Psychologist, 42,* 849-58.

McReynolds, P. (1996). Lightner Witmer: The father of clinical psychology. *In* G. A. Kimble, C. A. Bonneau e M. Wertheimer (orgs.), *Portraits of pioneers in psychology*, Vol. II (pp. 63-71). Washington, D.C.: American Psychological Association.

McReynolds, P. (1997). *Lightner Witmer: His life and times*. Washington, D.C.: American Psychological Association.

Menninger, K. (1963). *The vital balance: The life process in mental health and illness*. Nova York: Viking Press.

Merton, R. K. (1961). Singletons and multiples in scientific discovery: A chapter in the sociology of science. *Proceedings of the American Philosophical Society, 105*, 470-86.

Micale, M. S. (1985). The Salpêtrière in the age of Charcot: An institutional perspective on medical history in the late nineteenth century. *Journal of Contemporary History, 20*, 703-31.

Miles, W. R. (29 de março de 1928). *Anotação em diário*. Escritos de Walter Miles, Archives of the History of American Psychology, University of Akron, Akron, Ohio.

Miles, W. R. (1929). *Anotação em diário* (Caixa 1165, Pasta 4). Dos escritos de Walter R. Miles, Archives of the History of American Psychology, Akron, Ohio.

Miles, W. R. (1930). On the history of research with rats and mazes: A collection of notes. *Journal of General Psychology, 3*, 324-37.

Miles, W. R. (1931, 1º de abril). *Anotação em diário*. Escritos de Walter Miles, Archives of the History of American Psychology, University of Akron, Akron, Ohio.

Mill, J. S. (1869). *The subjection of women*. Londres: Longmans, Green, Reader, and Dyer.

Mill, J. (1948). Analysis of the phenomena of the human mind. *In* W. Dennis (org.), *Readings in the history of psychology* (pp. 140-54). Nova York: Appleton-Century-Crofts. (Obra originalmente publicada em 1829.)

Mill, J. S. (1987). *The logic of the moral sciences*. LaSalle, IL: Open Court Classics. (Reimpressão do sexto livro de *A system of logic, ratiocinative and inductive, being a connected view of the principles of evidence, and the methods of scientific investigation*, de Mill; obra originalmente publicada em 1843.)

Mill, J. S. (1989). *Autobiography*. Londres: Penguin. (Obra originalmente publicada em 1873.)

Miller, G. A. (1951). *Language and communication*. Nova York: McGraw-Hill.

Miller, G. A. (1956). The magic number seven plus or minus two: Some limits on our capacity for processing information. *Psychological Review, 63*, 81-97.

Miller, G. A. (1992). The constitutive problem of psychology. *In* S. Koch e D. E. Leary (orgs.) *A century of psychology as science* (pp. 40-5). Washington, D.C.: American Psychological Association.

Miller, G. A., e Frick, F. C. (1949). Statistical behavioristics and sequences of responses. *Psychological Review, 56*, 311-24.

Miller, G. A., Galanter, E., e Pribram, K. H. (1960). *Plans and the structure of behavior*. Nova York: Holt.

Miller, N. E., e Dollard, J. (1941). *Social learning and imitation*. New Haven, CT: Yale University Press.

Mills, E. S. (1974). George Trumbull Ladd: The great textbook writer. *Journal of the History of the Behavioral Sciences, 10*, 299-303.

Mills, J. A. (1988). The genesis of Hull's *Principles of Behavior*. *Journal of the History of the Behavioral Sciences, 24*, 392-401.

Mills, W. (1899). The nature of animal intelligence and the methods of investigating it. *Psychological Review, 6*, 262-72.

Minton, H. L. (1987). Lewis M. Terman and mental testing: In search of the democratic ideal. *In* M. M. Sokal (org.), *Psychological testing and American society, 1890-1930* (pp. 95-112). New Brunswick, NJ: Rutgers University Press.

Minton, H. L. (1988). *Lewis M. Terman: Pioneer in psychological testing*. Nova York: Nova York University Press.

Monastersky, R. (1997). The call of catastrophes. *Science News, 151*, 20.

Montague, H., e Hollingworth, L. S. (1914). The comparative variability of the sexes at birth. *American Journal of Sociology, 20*, 342.

Moore, T. V. (1939). *Cognitive psychology*. Filadélfia: Lippincott.

Moorehead, A. (1969). *Darwin and the Beagle*. Nova York: Harper & Row.

Morawski, J. G. (1986). Organizing knowledge and behavior at Yale's Institute of Human Relations. *Isis, 77*, 219-42.

Morgan, C. L. (1903). *An introduction to comparative psychology*. Londres: Walter Scott. (Obra originalmente publicada em 1895.)

Morgan, M. J. (1977). *Molyneux's question*. Nova York: Cambridge University Press.

Morison, S. E. (1965). *The Oxford history of the American people*. Nova York: Oxford University Press.

Moskowitz, M. J. (1977). Hugo Münsterberg: A study in the history of applied psychology. *American Psychologist, 32*, 824-42.

Mowrer, O. H., e Mowrer, W. M. (1938). Enuresis — a method for its study and treatment. *American Journal of Orthopsychiatry, 8*, 436-59.

Münsterberg, H. (1908). *On the witness stand*. Nova York: The McClure Company.

Münsterberg, H. (1909). *Psychotherapy*. Nova York: Moffat, Yard.

Münsterberg, H. (1913). *Psychology and industrial efficiency*. Nova York: Houghton Mifflin.

Murchison, C. (org.) (1926). *Psychologies of 1925*. Worcester, MA: Clark University Press.

Murchison, C. (org.) (1930). *Psychologies of 1930*. Worcester, MA: Clark University Press.

Murphy, G., e Ballou, R. O. (orgs.) (1960). *William James on psychical research*. Nova York: Viking.

Murray, H.A. (1938). *Explorations in personality: A clinical and experimental study of fifty men of college age*. Nova York: Oxford University Press.

Napoli, D. S. (1981). *Architects of adjustment: The history of the psychological profession in the United States*. Port Washington, NY: Kennikat Press.

Neisser, U. (1967). *Cognitive psychology*. Nova York: Appleton-Century-Crofts.

Neisser, U. (1976). *Cognition and reality*. San Francisco: Freeman and Company.

Neisser, U. (1988). Cognitive reflections. In W. Hirst (org.), *The making of cognitive science: Essays in honor of George A. Miller* (pp. 81-8). Nova York: Cambridge University Press.

Neugebauer, R. (1978). Treatment of the mentally ill in medieval and early modern England: A reappraisal. *Journal of the History of the Behavioral Sciences, 14*, 158-69.

Newell, A., e Simon, H. A. (1972). *Human problem solving*. Englewood Cliffs, NJ: Prentice-Hall.

Newman, E. B. (1944). Max Wertheimer: 1880-1943. *American Journal of Psychology, 57*, 428-35.

Nicholson, I. A. M. (2003). *Inventing personality: Gordon Allport and the science of selfhood*. Washington, D.C.: American Psychological Association.

Nicolai, G. F. (1907). Die physiologische methodik zur erforschung der tierpsyche, ihre möglichkeit und ihre anwendung [O método fisiológico de pesquisa em psicologia animal, seu método e aplicação]. *Journal für Psychologie und Neurologie, 10*, 1-27.

Ogden, R. M. (1951). Oswald Külpe and the Würzburg school. *American Journal of Psychology, 64*, 4-19.

Oldfield, R. C. (1972). Frederick Charles Bartlett: 1886-1969. *American Journal of Psychology, 85*, 133-40.

Olds, J., e Milner, P. (1954). Positive reinforcement produced by electrical stimulation of septal area and other regions of rat brain. *Journal of Comparative and Physiological Psychology, 47*, 419-27.

Olton, D. S. (1979). Mazes, maps, and memory. *American Psychologist, 34*, 583-96.

O'Donnell, J. M. (1979). The crisis of experimentalism in the 1920s: E. G. Boring and his uses of history. *American Psychologist, 34*, 289-95.

O'Donnell, J. M. (1985). *The origins of behaviorism: American psychology, 1870-1920*. Nova York: New York University Press.

Palermo, D. (1971). Is a scientific revolution taking place in psychology? *Science Studies, 1*, 135-55.

Palmer, R. R. (1964). *A history of the modern world* (2ª ed.). Nova York: Alfred A. Knopf.

Parkovnick, S. (2000). Contextualizing Floyd Allport's Social Psychology. *Journal of the History of the Behavioral Sciences, 36*, 429-41.

Parsons, H. M. (1974). What happened at Hawthorne? *Science, 183*, 922-32.

Pastore, N. (1990). Espionage. *Journal of the History of the Behavioral Sciences, 26*, 366-71.

Paul, G. L. (1966). *Insight vs. desensitization in psychotherapy*. Palo Alto, CA: Stanford University Press.

Pavlov, I. P. (novembro de 1906). The scientific investigation of the psychical faculties or processes in the higher animals. *Science, 24*, 613-19.

Pavlov, I. P. (1928). *Lectures on conditioned reflexes* (Trad. W. H. Gantt). Nova York: International Publications.

Pavlov, I. P. (1960). *Conditioned reflexes: An investigation of the physiological activity of the cerebral cortex* (Trad. G. V. Anrep). Nova York: Dover. (Obra originalmente publicada em 1927 pela Oxford University Press)

Penfield, W., e Perot, P. (1963). The brain's record of auditory and visual experience. *Brain, 86*, 595-696.

Perin, C. T. (1942). Behavior potentiality as a joint function of the amount of training and the degree of hunger at the time of extinction. *Journal of Experimental Psychology, 30*, 93-113.

Perloff, R., e Naman, J. L. (1996). Lillian Gilbreth: Tireless advocate for a general psychology. In G. A. Kimble, C. A. Bonneau, e M. Wertheimer (orgs.), *Portraits of pioneers in psychology, Vol. II* (pp. 107-16). Washington, D.C.: American Psychological Association.

Pervin, E. J. (1991). *Introduction to personality* (5ª ed.). Nova York: HarperCollins.

Peterson, D. R. (1992). The doctor of psychology degree in professional psychology. In D. K. Freedheim (org.), *History of psychotherapy: A century of change* (pp. 829-49). Washington, D.C.: American Psychological Association.

Pettigrew, T. F. (1969). Gordon Willard Allport, 1897-1967. *Journal of Personality and Social Psychology, 12*, 1-5.

Philbrick, N. (2006). *Mayflower*. Nova York: Viking.

Phillips, L. (2000). Recontextualizing Kenneth B. Clark: An Afrocentric perspective on the paradoxical legacy of a model psychologist-activist. *History of Psychology, 3*, 142-67.

Piaget, J. (1952). Jean Piaget. In E. G. Boring, H. S. Langfeld, H. Werner e R. M. Yerkes (orgs.), *A history of psychology in autobiography, Vol. 4* (pp. 237-56). Nova York: Russell & Russell.

Piaget, J. (1959). *The language and thought of the child*.

Londres: Routledge and Kegan Paul. (Obra originalmente publicada em 1923.)
Pick, A. (2003). A role model for generations. *APS Observer, 16* (4), 26.
Pick, H. L., Jr. (1994). Eleanor J. Gibson: Learning to perceive and perceiving to learn. In R. D. Parke, P. A. Ornstein, J. J. Rieser e C. Zahn-Waxler (orgs.), *A century of developmental psychology* (pp. 527-44). Washington, D.C.: American Psychological Association.
Pickren, W. E., e Tomes, H. (2002). The legacy of Kenneth B. Clark to the APA: The Board of Social and Ethical Responsibility for Psychology. *American Psychologist, 57*, 51-9.
Pillsbury, W. B. (1955). Harvey A. Carr: 1873-1954. *American Journal of Psychology, 67*, 149-51.
Poffenberger, A. T. (1940). Leta Stetter Hollingworth: 1886-1939. *American Journal of Psychology, 53*, 299-301.
Poffenberger, A. T. (1957). Harry Levi Hollingworth: 1880-1956. *American Journal of Psychology, 70*, 136-40.
Poffenberger, A. T. (1962). Robert Sessions Woodworth: 1869-1962. *American Journal of Psychology, 75*, 677-89.
Popplestone, J. A. (1975). Retrieval of primary sources. *Journal of the History of the Behavioral Sciences, 11*, 20-2.
Popplestone, J. A. (1987). The legacy of memory in apparatus and methodology. In W. Traxel (org.), *Ebbinghaus-Studien 2* (pp. 203-215). Passau: Passavia Universitätsverlag.
Popplestone, J. A., e McPherson, M. W. (1984). Pioneer psychology laboratories in clinical settings. In J. Brozek (org.), *Explorations in the history of psychology in the United States* (pp. 196-272). Lewisburg, FA: Bucknell University Press.
Popplestone, J. A., e McPherson, M. W. (1994). *An illustrated history of American psychology.* Dubuque, IA: Brown & Benchmark.
Porter, J. P. (1904). A preliminary study of the psychology of the English sparrow, *American Journal of Psychology, 15*, 313-46.
Prentice, W. C. H. (1951). Edgar John Rubin: 1886-1951. *American Journal of Psychology, 64*, 608-09.
Prytula, R. E., Oster, G. D., e Davis, S. F. (1977). The "rat rabbit" problem: What did John B. Watson really do? *Teaching of Psychology, 4*, 44-6.
Radbill, S. X. (1972). Robert Whytt. In C. C. Gillespie (org.), *Dictionary of scientific biography, Vol. XIV.* Nova York: Scribner.
Raimy, V. C. (org.) (1950). *Training in clinical psychology.* Englewood Cliffs, NJ: Prentice-Hall.
Ramón y Cajal, S. (1999). *Advice for a young investigator.* (Trad. N. Swanson e L. W. Swanson). Cambridge, MA: MIT Press.

Raphelson, A. C. (1973). The pre-Chicago association of the early functionalists. *Journal of the History of the Behavioral Sciences, 9*, 115-22.
Reed, J. (1987). Robert M. Yerkes and the mental testing movement. In M. M. Sokal (org.), *Psychological testing and American society, 1890-1930* (pp. 75-94). New Brunswick, NJ: Rutgers University Press.
Restak, R. (1984). *The brain.* Toronto: Bantam Books.
Restle, F. (1957). Discrimination of cues in mazes: A resolution of the "place-vs.-response" question. *Psychological Review, 64*, 217-28.
Richards, R. J. (1983). Why Darwin delayed, or interesting problems and models in the history of science. *Journal of the History of the Behavioral Sciences, 19*, 45-53.
Richardson, J. T. E. (2003). Howard Andrew Know and the origins of performance testing on Ellis Island, 1912-1916. *History of Psychology, 6*, 143-70.
Rilling, M. (2000). How the challenge of explaining learning influenced the origins and development of John. B. Watson's behaviorism. *American Journal of Psychology, 113*, 275-301.
Robinson, D. N. (1981). *An intellectual history of psychology* (2ª ed.). Nova York: Macmillan.
Robinson, J. K., e Woodward, W. R. (1996). Experimental analysis of behavior at Harvard: From cumulative records to mathematical models. In L. D. Smith e W. R. Woodward (orgs.), *B. F. Skinner and behaviorism in American culture* (pp. 254-72). Bethlehem, PA: Lehigh University.
Roediger, H. L., III. (1985). Remembering Ebbinghaus. *Contemporary Psychology, 30*, 519-23.
Roediger, H. L. III. (1997). Remembering. *Contemporary Psychology, 42*, 488-92.
Roediger, H. L. III, e McDermott, K. B. (1995). Creating false memories: Remembering words not presented in lists. *Journal of Experimental Psychology: Learning, Memory, and Cognition, 21*, 803-14.
Rogers, C. R. (1942). *Counseling and psychotherapy.* Boston: Houghton-Mifflin Company.
Rogers, C. R. (1954). Changes in the maturity of behavior as related to therapy. In C. R. Rogers e J. A. Precker (orgs.), *Psychotherapy and personality change* (pp. 215-37). Chicago: University of Chicago Press.
Rogers, C. R. (1961a) This is me. In C. R. Rogers (org.), *On becoming a person* (pp. 3-27). Boston: Houghton-Mifflin.
Rogers, C. R. (1961b) Some hypotheses regarding the facilitation of personal growth. In C. R. Rogers (org.), *On becoming a person* (pp. 31-8). Boston: Houghton-Mifflin.
Rogers, C. R. (1961c). Some directions evident in therapy. In C. R. Rogers (org.), *On becoming a person* (pp. 73-106). Boston: Houghton Mifflin.

Rohles, F. H., Jr. (1992). Orbital bar pressing: A historical note on Skinner and the chimpanzees in space. *American Psychologist, 47,* 1531-533.

Romanes, G. J. (1886). *Animal Intelligence.* Nova York: D. Appleton. (Obra originalmente publicada em 1882.)

Rosenzweig, S. (1992). *The historic expedition to America (1909): Freud, Jung, and Hall the king-maker.* St. Louis: Rana House.

Rosnow, R. L., e Rosenthal, R. (1993). *Beginning behavioral research.* Nova York: Macmillan.

Ross, D. (1969). The "zeitgeist" and American psychology. *Journal of the History of the Behavioral Sciences, 5,* 256-62.

Ross, D. (1972). *G. Stanley Hall: The psychologist as prophet.* Chicago: University of Chicago Press.

Rubin, E. (1958). Figure and ground. In D. C. Beardslee e M. Wertheimer (orgs.), *Readings in perception* (pp. 194-203). Princeton. NJ: Van Nostrand. (Obra originalmente publicada em 1915.)

Rucci, A. J., e Tweney, R. D. (1980). Analysis of variance and the "second discipline" of scientific psychology: A historical account. *Psychological Bulletin, 87,* 166-84.

Ruse, M. (1979). *The Darwinian revolution: Science red in tooth and claw.* Chicago: University of Chicago Press.

Russo, N. F. (1988). Women's participation in psychology: Reflecting and shaping the social context. In A. N. O'Connell e N. F. Russo (orgs.), *Models of achievement: Reflections of eminent women in psychology, Vol. 2* (pp. 9-27). Hillsdale, NJ: Lawrence Erlbaum.

Rutherford, A. (2003). B. F. Skinner's technology of behavior in American life: From consumer culture to counterculture. *Journal of the History of the Behavioral Sciences, 39,* 1-23.

Ryan, W. C. (1939). *Studies in early graduate education.* Nova York: Carnegie Foundation.

Sahakian, W. S. (org.) (1968). *History of psychology: A source book in systematic psychology.* Itasca, IL: F. E. Peacock.

Sahakian, W. S. (1975). *History and systems of psychology.* Nova York: John Wiley.

Samelson, F. (1981). Struggle for scientific authority: The reception of Watson's behaviorism in 1913. *Journal of the History of the Behavioral Sciences, 17,* 399-425.

Sanford, E. C. (8 de agosto de 1910). *Carta a E. B. Titchener.* Escritos de Titchener, Cornell University Archives, Ithaca, NY.

Satariano, W. A. (1979). Immigration and the popularization of social science, 1920 to 1930. *Journal of the History of the Behavioral Sciences, 15,* 310-20.

Scarborough, E., e Furumoto, L. (1987). *Untold lives: The first generation of American women psychologists.* Nova York: Columbia University Press.

Schlereth, T. J. (1991). *Victorian America: Transformations in everyday life.* Nova York: HarperCollins.

Schulman, B. J. (2001). *The seventies: The great shift in American culture, society, and politics.* Cambridge, MA: Perseus.

Schultz, D. P. (1981). *A history of modern psychology* (3ª ed.). Nova York: Academic Press.

Schultz, D. P., e Schultz, S. E. (1987). *A history of modern psychology* (4ª ed.). San Diego: Harcourt, Brace, Jovanovich.

Scott, W. D. (1903). *The theory of advertising.* Boston: Small & Maynard.

Scott, W. D. (1908). *The psychology of advertising.* Boston: Small & Maynard.

Scott, W. D. (1910). *Human efficiency in business.* Nova York: Macmillan.

Scott, W. D. (19111). *Increasing human efficiency in business.* Nova York: Macmillan.

Scott-Kakures, D., Castagnetto, S., Benson, H., Taschek, W., e Hurley, P. (1993). *History of philosophy.* Nova York: HarperCollins.

Scripture, E. W. (1895). *Thinking, feeling, doing.* Nova York: Chautauqua-Century Press.

Searle, J. R. (1980). Minds, brains, and programs. *Behavioral and Brain Sciences, 3,* 417-24.

Sechenov, I. M. (1965). *Reflexes of the brain.* Cambridge, MA: MIT Press. (Obra originalmente publicada em 1863.)

Sechzer, J. A., (1983). The ethical dilemma of some classical animal experiments. *Annals of the New York Academy of Sciences, 406,* 5-12.

Segal, E. M., e Lachman, R. (1972). Complex behavior or higher mental processes: Is there a paradigm shift? *American Psychologist, 27,* 46-55.

Sex, race/ethnicity data available. (inverno de 1995). *Trends in Education: APA Education Directorate News, 2 (1),* 2-3.

Sexton, V. S. (1965). Clinical psychology: An historical survey. *Genetic Psychology Monographs, 72,* 401-34.

Shakow, D. (1930). Hermann Ebbinghaus. *American Journal of Psychology, 42,* 505-18.

Shannon, C. E., e Weaver, W. (1949). *The mathematical theory of communication.* Urbana: University of Illinois Press.

Sherrington, C. S. (1906). *The integrative action of the nervous system.* New Haven, CT: Yale University Press.

Shorter, E. (1997). *A history of psychiatry: From the era of the asylum to the age of Prozac.* Nova York: Wiley.

Simon, L. (1998). *Genuine reality: A life of William James.* Chicago: University of Chicago Press.

Simonton, D. K. (1994). *Greatness: Who makes history and why.* Nova York: Guilford Press.

Singer, C. A. (1957). *A short history of anatomy and physiology from the Greeks to Harvey.* Nova York: Dover.

Skinner, B. F. (1938). *The behavior of organisms: An experimental analysis.* Nova York: Appleton-Century-Crofts.

Skinner, B. F. (1945). An operational analysis of psychological terms. *Psychological Review,* 52, 270-77.

Skinner, B. F. (1948). *Walden Two.* Nova York: Macmillan.

Skinner, B. F. (1953). *Science and human behavior.* Nova York: Macmillan.

Skinner, B. F. (1956). A case history in scientific method. *American Psychologist,* 12, 221-23.

Skinner, B. F. (1957). *Verbal behavior.* Nova York: Appleton-Century-Crofts.

Skinner, B. F. (1960). Pigeons in a pelican. *American Psychologist,* 15, 28-37.

Skinner, B. F. (1979). *The shaping of a behaviorist.* Nova York: Knopf.

Skinner, B. F. (1981). Pavlov's influence on psychology in America. *Journal of the History of the Behavioral Sciences,* 17, 242-45.

Skinner, B. F. (1984). *A matter of consequences.* Nova York: NYU Press.

Skinner, B. F. (1987). Whatever happened to psychology as the science of behavior? *American Psychologist,* 42, 780-86.

Skinner, B. F. (1990). Can psychology be a science of the mind? *American Psychologist,* 45, 1206-210.

Small, W. S. (1901). Experimental study of the mental processes of the rat, II. *American Journal of Psychology,* 12, 206-39.

Smith, L. D. (1992). On prediction and control: B. F. Skinner and the technological ideal of science. *American Psychologist,* 47, 216-23.

Smith, L. D. (1996a). Knowledge as power: The Baconian roots of Skinner's social meliorism. In L. D. Smith e W. R. Woodward (orgs.), *B. F. Skinner and behaviorism in American culture* (pp. 56-82). Bethlehem, PA: Lehigh University Press.

Smith, L. D. (1996b). Conclusion: Situating B. F. Skinner and behaviorism in American culture. In L. D. Smith e W. R. Woodward (orgs.), *B. F. Skinner and behaviorism in American culture* (pp. 294-315). Bethlehem, FA: Lehigh University Press.

Smith, M. B. (1992). The American Psychological Association and social responsibility. In R. B. Evans, V. S. Sexton, e T. C. Cadwallader (orgs.), *The American Psychological Association: A historical perspective* (pp. 327-45). Washington, D.C.: American Psychological Association.

Sobel, D. (1995). *Longitude: The true story of a lone genius who solved the greatest scientific problem of his time.* Nova York: Walker.

Sobel, D. (2000). *Galileo's daughter: A historical memoir of science, faith, and love.* Nova York: Penguin.

Sokal, M. M. (1971). The unpublished autobiography of James McKeen Cattell. *American Psychologist,* 26, 626-35.

Sokal, M. M. (1980). Biographical approach: The psychological career of Edward Wheeler Scripture. In J. Brozek e L. J. Pongratz (orgs.), *Historiography of modern psychology: aims, resources, approaches* (pp. 255-78). Toronto: C. J. Hogrefe.

Sokal, M. M. (1981a). The origins of the Psychological Corporation. *Journal of the History of the Behavioral Sciences,* 17, 54-67.

Sokal, M. M. (org.) (1981b). *An education in psychology: James McKeen Cattell's journal and letters from Germany and England, 1880-1888.* Cambridge, MA: The MIT Press.

Sokal, M. M. (1984). The Gestalt psychologists in behaviorist America. *American Historical Review,* 89, 1240-263.

Sokal, M. M. (1987). James McKeen Cattell and mental anthropometry: Nineteenth-century science and reform and the origins of psychological testing. In M. M. Sokal (org.), *Psychological testing and American society* (pp. 21-45). New Brunswick, NJ: Rutgers University Press.

Sokal, M. M. (1992). Origins and early years of the American Psychological Association, 1890-1906. *American Psychologist,* 47, 111-22.

Sokal, M. M., e Rafail, P. A. (1982). *A guide to manuscript collections in the history of psychology and selected areas.* Millwood, NY: Kraus International.

Solso, R. L. (org.) (1973). *Contemporary issues in cognitive psychology: The Loyola symposium.* Washington, D.C.: V. H. Winston.

Spence, K. W. (1952). Clark Leonard Hull: 1884-1952. *American Journal of Psychology,* 65, 639-46.

Sperry, R. W. (1961). Cerebral organization and behavior. *Science,* 133, 1749-757.

Sperry, R. W. (1993). The impact and promise of the cognitive revolution. *American Psychologist,* 48, 878-85.

Spillman, J., e Spillman, L. (1993). The rise and fall of Hugo Münsterberg. *Journal of the History of the Behavioral Sciences,* 29, 322-38.

Spurzheim, J. G. (1978). Outlines of phrenology. In D. N. Robinson (org.), *Significant contributions to the history of psychology, Series E, Volume II.* Washington, D.C.: University Publications of America. (Obra originalmente publicada em 1832.)

A stash in the stacks. (agosto/setembro de 1996). *Civilization,* 3(4),15.

Sterns, C. Z. (1985). Victorian sexuality: Can historians do it better? *Journal of Social History,* 18, 625-34.

Stetson, G. R. (1897). Some memory tests of whites and blacks. *Psychological Review,* 4, 285-89.

Steudel, J. (1972). Johannes Peter Müller. In C. C. Gillespie (org.), *Dictionary of scientific biography, Vol. IX*. Nova York: Scribner.

Stevens, S. S. (1935). The operational definition of concepts. *Psychological Review, 42*, 517-27.

Stocking, G. W., Jr. (1965). On the limits of "presentism" and "historicism" in the historiography of the behavioral sciences. *Journal of the History of the Behavioral Sciences, 1*, 211-17.

Stricker, G., e Cummings, N. A. (1992). The professional school movement. In D. K. Freedheim (org.), *History of psychotherapy: A century of change* (pp. 801-28). Washington, D.C.: American Psychological Association.

Stroop, J. R. (1992). Studies of interference in serial verbal reactions. *Journal of Experimental Psychology: General, 121*, 15-23. (Obra originalmente publicada em 1935.)

Strunk, O., Jr. (1972). The self-psychology of Mary Whiton Calkins. *Journal of the History of the Behavioral Sciences, 8*, 196-203.

Sulloway, F. J. (1979). *Freud: Biologist of the mind*. Nova York: Basic Books.

Sulloway, F. J. (1982). Darwin and his finches: The evolution of a legend. *Journal of the History of Biology, 15*, 1-53.

Swazey, J. P. (1972). Charles Scott Sherrington. In C. C. Gillespie (org.), *Dictionary of scientific biography, Vol. XII*. Nova York: Scribner.

Taylor, D. W. (1972). Santiago Ramón y Cajal. In C. C. Gillespie (org.), *Dictionary of scientific biography, Vol. XI*. Nova York: Scribner.

Temkin, O. (1947). Gall and the phrenological movement. *Bulletin of the History of Medicine, 21*, 275-321.

Terman, L. M. (1906). Genius and stupidity: A study of some of the intellectual processes of seven "bright" and seven "stupid" boys. *Pedagogical Seminary, 13*, 307-73.

Terman, L. M. (1924). The mental test as a psychological method. *Psychological Review, 31*, 93-117.

Terman, L. M. (1925). *Genetic studies of genius, Vol. 1: Mental and physical traits of a thousand gifted children*. Stanford, CA: Stanford University Press.

Terman, L. M. (1932). Trails to psychology. In C. Murchison (org.), *A history of psychology in autobiography, Vol. II* (pp. 297-332). Worcester, MA: Clark University Press.

Terman, L. M., e Oden, M. H. (1947). *Genetic studies of genius, Vol. 4: The gifted child grows up: Twenty-five years' follow-up of a superior group*. Stanford, CA: Stanford University Press.

Terman, L. M., e Oden, M. H. (1959). *Genetic studies of genius, Vol. 5: The gifted group at mid-life: Thirty-five years' follow-up of the superior child*. Stanford, CA: Stanford University Press.

Thomas, E. (1995). *The very best men*. Nova York: Simon & Schuster.

Thomson, K. S. (1975). HMS Beagle, 1820-1870. *American Scientist, 63*, 664-72.

Thorndike, E. L. (1899). A reply to "The nature of animal intelligence and the methods of investigating it". *Psychological Review, 6*, 412-20.

Thorndike, E. L. (1900). Comparative psychology. *Psychological Review, 7*, 424-26.

Thorndike, E. L. (1936). Edward Lee Thorndike. In C. Murchison (org.), *A history of psychology in autobiography, Vol. 3* (pp. 263-70). Worcester, MA: Clark University Press.

Thorndike, E. L. (1948). Animal intelligence. In W. Dennis (org.), *Readings in the history of psychology* (pp. 377-87). Nova York: Appleton-Century-Crofts. (Obra originalmente publicada em 1898.)

Thorndike, E. L., e Woodworth, R. S. (1901). The influence of improvement in one mental function upon the efficiency of other functions, I. *Psychological Review, 8*, 247-61.

Thorndike, E. L. (2000). *Animal intelligence: Experimental studies*. New Brunswick, NJ: Transaction Publishers. (Obra originalmente publicada em 1911.)

Thorndike, R. L. (1991). Edward L. Thorndike: A professional and personal appreciation. In G. A. Kimble, M. Wertheimer e C. L. White (orgs.), *Portraits of pioneers in psychology* (pp. 139-51). Washington, D.C.: American Psychological Association.

Titchener, E. B. (1895). Note. *American Journal of Psychology, 7*, 448-49.

Titchener, E. B. (1898). Postulates of a structural psychology. *Psychological Review, 7*, 449-65.

Titchener, E. B. (1899). *An outline of psychology*. Nova York: Macmillan. (Obra originalmente publicada em 1896.)

Titchener, E. B. (1901). *Experimental psychology: A manual of laboratory practice, Vol. 1: Qualitative experiments. Part 1: Student's manual; part 2: Instructor's manual*. Nova York: Macmillan.

Titchener, E. B. (1905a). *Experimental psychology: A manual of laboratory practice. Vol. 2: Quantitative experiments. Part 1: Student's manual; part 2: Instructor's manual*. Nova York: Macmillan.

Titchener, E. B. (1905b). Review [of Thorndike's *Elements of Psychology*]. *Mind, 56*, 552-54.

Titchener, E. B. (6 de junho de 1906). Carta a L. N. Wilson. Escritos de Wilson, Clark University, Worcester, MA.

Titchener, E. B. (1909). *A text-book of psychology*. Nova York: Macmillan.

Titchener, E. B. (1914). On "Psychology as the behaviorist views it". *Proceedings of the American Philosophical Society, 53*, 1-17.

Titchener, E. B. (1921a). Wilhelm Wundt. *American Journal of Psychology, 32,* 161-78.

Titchener, E. B. (1921b). George Trumbull Ladd. *American Journal of Psychology, 32,* 600-01.

Todd, J. T. (1994).What psychology has to say about John B. Watson: Classical behaviorism in psychology textbooks, 1920-1989. In J. T. Todd e E. K. Morris (orgs.), *Modern perspectives on John B. Watson and classical behaviorism* (pp. 75-107). Westport, CT: Greenwood Press.

Todd, J. T., e Morris, E. K. (1986). The early research of John B. Watson: Before the behavioral revolution. *The Behavior Analyst, 9,* 71-88.

Todes, D. P. (1997). From the machine to the ghost within: Pavlov's transition from digestive physiology to conditional reflexes. *American Psychologist, 52,* 947-55.

Tolman, E. C. (1922). A new formula for behaviorism. *Psychological Review, 29,* 44-53.

Tolman, E. C. (1932). *Purposive behavior in animals and men.* Nova York: Appleton-Century-Crofts.

Tolman, E. C. (1938). The determiners of behavior at a choice point. *Psychological Review, 45,* 1-41.

Tolman, E. C. (1942). *Drives toward war.* Nova York: D. Appleton-Century Company.

Tolman, E. C. (1948). Cognitive maps in rats and men. *Psychological Review, 55,* 189-208.

Tolman, E. C. (1952). Edward Chace Tolman. In E. G. Boring, H. S. Langfeld, H. Werner, e R. M. Yerkes (orgs.), *A history of psychology in autobiography, Vol. 4* (pp. 323-39). Worcester, MA: Clark University Press.

Tolman, E. C. (1959). Principles of purposive behavior. In S. Koch (org.), *Psychology: A study of a science. Study 1, Volume 2* (pp. 92-157). Nova York: McGraw-Hill.

Tolman, E. C., e Honzik, C. H. (1930). Introduction and removal of reward, and maze performance in rats. *University of California Publications in Psychology, 4,* 257-75.

Tolman, E. C., e Nyswander, D. B. (1927). The reliability and validity of maze-measures for rats. *Journal of Comparative Psychology, 7,* 425-60.

Tolman, E. C., Ritchie, B. F., e Kalish, D. (1946a). Studies in spatial learning. II. Place learning versus response learning. *Journal of Experimental Psychology, 36,* 221-29.

Tolman, E. C., Ritchie, B. F., e Kalish, D. (1946b). Studies in spatial learning. I. Orientation and the short-cut. *Journal of Experimental Psychology, 36,* 13-24.

Tolman, E. C., Tryon, R. C., e Jeffress, L. A. (1929). A self-recording maze with an automatic delivery table. *University of California Publications in Psychology, 4,* 99-112.

Tolstoy, L. (1942). *War and peace* (Trad. L. Maude e A. Maude). Nova York: Simon and Schuster.

Triplett, R. G. (1982). The relationship of Clark L. Hull's hypnosis research to his later learning theory: The continuity of a life's work. *Journal of the History of the Behavioral Sciences, 18,* 22-31.

Tryon, R. C. (1963). Psychology in flux: The academic-professional polarity. *American Psychologist, 18,* 134-43.

Turing, A. M. (1950). Computing machinery and intelligence. *Mind, 59,* 433-60.

Turner, R. S. (1972). Hermann von Helmholtz. In C. C. Gillespie (org.), *Dictionary of scientific biography, Vol. VI.* Nova York: Scribner.

Twitmyer, E. B. (1905). Knee-jerks without stimulation of the patellar tendon. *Psychological Bulletin, 2,* 43-4.

Valentine, C. W. (1930). The innate bases of fear. *Journal of Genetic Psychology, 37,* 394-420.

Vandenbos, G. R., Cummings, N. A., e DeLeon, P. H. (1992). A century of psychotherapy: Economic and environmental influences. In D. K. Freedheim (org.), *History of psychotherapy: A century of change* (pp. 65-102). Washington, D.C.: American psychological Association.

Veysey, L. R. (1965). *The emergence of the American university.* Chicago: University of Chicago Press.

Viney, W. (1996). Dorothea Dix: An intellectual conscience for psychology. In G. A. Kimble, C. A. Bonneau e M. Wertheimer (orgs.), *Portraits of pioneers in psychology, Vol. II* (pp. 15-31). Washington, D.C.: American Psychological Association.

Viney, W., e Zorich, S. (1982). Contributions to the history of psychology: XXIX. Dorothea Dix and the history of psychology. *Psychological Reports, 50,* 211-18.

Viteles, M. S. (1932). *Industrial psychology.* Nova York: Norton.

Voyat, G. (1981). Jean Piaget: 1896-1980. *American Journal of Psychology, 94,* 645-48.

Vrooman, J. R. (1970). *René Descartes: A biography.* Nova York: Putnam.

Wade, N. J. (1994). Hermann von Helmholtz. *Perception, 23,* 981-89.

Wallin, J. E. W. (1966). A red-letter day in APA history. *Journal of General Psychology, 75,* 107-14.

Warner, L. H., e Warden, C. J. (1927). The development of a standardized animal maze. *Archives of Psychology, 15* (92).

Warren, R. M. (1984). Helmholtz and his continuing influence. *Music Perception, 1,* 253-75.

Washburn, M. F. (1908). *The animal mind.* Nova York: Macmillan.

Washburn, M. F. (1932). Margaret Floy Washburn. In C. Murchison (org.), *A history of psychology in autobiography, Vol. 2* (pp. 333-58). Worcester, MA: Clark University Press.

Washburn, M. F. (1935). James Mark Baldwin (1861-1934). *American Journal of Psychology, 47,* 168-69.

Watson, J. B. (1903). *Animal education: An experimental study of the psychical development of the white rat, correlated with the growth of its nervous system.* Chicago: University of Chicago Press.

Watson, J. B. (1907). Kinesthetic and organic sensations: Their role in the reactions of the white rat to the maze. *Psychological Review Monograph Supplements, 8*(33).

Watson, J. B. (1909). Some experiments bearing upon color vision in monkeys. *Journal of Comparative Neurology and Psychology, 19,* 1-28.

Watson, J. B. (fevereiro de 1910). The new science of animal behavior. *Harper's Monthly Magazine, 120,* 346-53.

Watson, J. B. (1913). Psychology as the behaviorist views it. *Psychological Review, 20,* 158-77.

Watson, J. B. (1914). *Behavior: An introduction to comparative psychology.* Nova York: Holt.

Watson, J. B. (1916). The place of the conditioned reflex in psychology. *Psychological Review, 23,* 89-116.

Watson, J. B. (1919). *Psychologiy from the standpoint of the behaviorist.* Filadélfia: Lippincott.

Watson, J. B. (junho de 1926). How we think: A behaviorist's view. *Harper's Monthly Magazine, 153,* 40-5.

Watson, J. B. (1928). *Psychological care of infant and child.* Nova York: W. W. Norton.

Watson, J. B. (1930). *Behaviorism* (2ª ed.). Nova York: W. W. Norton. (Obra originalmente publicada em 1924.)

Watson, J. B. (1936). Autobiography. In C. Murchison (org.), *A history of psychology in autobiography, Vol. 3* (pp. 271-81). Worcester, MA: Clark University Press.

Watson, J. B., & Morgan, J. J. B. (1917). Emotional reactions and psychological experimentation. *American Journal of Psychology, 28,* 163-74.

Watson, J. B., e Rayner, R. (1920). Conditioned emotional reactions. *Journal of Experimental Psychology, 3,* 1-4.

Watson, R. I. (1953). A brief history of clinical psychology. *Psychological Bulletin, 50,* 321-46.

Watson, R. I. (1960). The history of psychology: A neglected area. *American Psychologist, 15,* 251-55.

Watson, R. I., e Evans, R. B. (1991). *The great psychologists: A history of psychological thought* (5ª ed.). Nova York: HarperCollins.

Weaver, K. A. (1998). Capturing the fervor of cognitive psychology's emergence. *Teaching of Psychology, 25,* 136-38.

Webb, M. E. (1988). A new history of Hartley's "Observations on Man". *Journal of the History of the Behavioral Sciences, 24,* 202-11.

Weiner, J. (1994). *The beak of the finch.* Nova York: Vintage Books.

Wertheimer, M. (1965). Experimental studies on the seeing of motion. In R. J. Herrnstein e E. G. Boring (orgs.), *A sourcebook in the history of psychology* (pp. 163-68). Cambridge, MA: Harvard University Press. (Obra originalmente publicada em 1912.)

Wertheimer, M. (1967). Gestalt theory. In W. D. Ellis (org.), *A source book of Gestalt psychology* (pp. 1-11). Londres: Routledge and Kegan Paul. (Palestra originalmente proferida em 1924.)

Wertheimer, M. (1967). Laws of organization in perceptual forms. In W. D. Ellis (org.), *A source book of Gestalt psychology* (pp. 71-88). Londres: Routledge and Kegan Paul. (Obra originalmente publicada em 1923.)

Wertheimer, M. (1978). Humanistic psychology and the humane but tough-minded psychologist. *American Psychologist, 33,* 739-45.

Wertheimer, M. (1982). *Productive thinking.* Chicago: University of Chicago Press. (Obra originalmente publicada em 1945.)

White, M. (1997). *Isaac Newton: The last sorcerer.* Reading, MA: Perseus Books.

White, R. K. (1978). Has "field theory" been "tried and found wanting?" *Journal of the History of the Behavioral Sciences, 14,* 242-46.

Wiggins, J. G., Jr. (1994). Would you want your child to be a psychologist? *American Psychologist, 49,* 485-92.

Williams, D. H., Bellis, E. C., e Wellington, S. W. (1980). Deinstitutionalization and social policy: Historical perspectives and present dilemmas. *American Journal of Orthopsychiatry, 50,* 54-64.

Williams, S. B. (1938). Resistance to extinction as a function of the number of reinforcements. *Journal of Psychology, 23,* 506-21.

Windholz, O. (1986). A comparative analysis of the conditioned reflex discoveries of Pavlov and Twitmyer, and the birth of a paradigm. *Pavlovian Journal of Biological Science, 21,* 141-47.

Windholz, G, (1997). Ivan P. Pavlov: An overview of his life and psychological work. *American Psychologist, 52,* 941-46.

Windholz, G., e Lamal, P. A. (1985). Köhller's insight revisited. *Teaching of Psychology, 12,* 165-67.

Winston, A. S. (1990). Robert Sessions Woodworth and the "Columbia Bible": How the psychological experiment was redefined. *American Journal of Psychology, 103,* 391-401.

Winston, A. S. (1996). "As his name indicates": R. S. Woodworth's letters of reference and employment for Jewish psychologists in the 1930s. *Journal of the History of the Behavioral Sciences, 32,* 30-43.

Winters, B. (1950). Franz Anton Mesmer: An inquiry into the antecedents of hypnosis. *Journal of General Psychology, 43,* 63-75.

Wissler, C. (1965). Clark Wissler (1870-1947) on the inadequacy of mental tests. *In* R. J. Herrnstein e E. G. Boring (orgs.), *A sourcebook in the history of psychology* (pp. 442-45). Cambridge, MA: Harvard University Press. (Obra originalmente publicada em 1901.)

Witmer, L. (14 de julho de 1893). *Carta a Hugo Münsterberg.* Escritos de Münsterberg, Boston Public Library, Boston, MA.

Witmer, L. (1909). The study and treatment of retardation: A field of applied psychology. *Psychological Bulletin, 6,* 121-27.

Witmer, L. (1911). Criminals in the making. *The Psychological Clinic, 4,* 221-38.

Witmer, L. (1931). Clinical psychology. *In* R. A. Brotemarkle (org.), *Clinical psychology: Studies in honor of Lightner Witmer* (pp. 341-52). Filadélfia: University of Pennsylvania Press. (Obra originalmente publicada em 1907)

Wolpe, J. (1958). *Psychotherapy by reciprocal inhibition.* Palo Alto, CA: Stanford University Press.

Woodworth, R. S. (1917). Some criticisms of the Freudian psychology. *American Journal of Psychology, 12,* 174-94.

Woodworth, R. S. (1918). *Dynamic psychology.* Nova York: Columbia University Press.

Woodworth, R. S. (1921). *Psychology.* Nova York: Holt.

Woodworth, R. S. (1930). Robert S. Woodworth. *In* C. Murchison (org.), *A history of psychology in autobiography, Vol. 2* (pp. 359-80). Worcester, MA: Clark University Press.

Woodworth, R. S. (1931). *Contemporary schools of psychology.* Nova York: Ronald Press.

Woodworth, R. S. (1938). *Experimental psychology.* Nova York: Holt.

Woodworth, R. S. (1958). *Dynamics of behavior.* Nova York: Holt.

Woodworth, R. S., e Schlosberg, H. (1954). *Experimental psychology* (2ª ed.) Nova York: Holt.

Wright, R. (1994). *The moral animal.* Nova York: Vintage Books.

Wundt, W. (1904). *Principles of physiological psychology* (5ª ed.) (Trad. E. B. Titchener). Nova York: Macmillan. (Obra originalmente publicada em 1873-1874.)

Yerkes, R. M. (1911). *Introduction to psychology.* Nova York: Holt.

Yerkes, R. M. (org.). (1921). Psychological examining in the United States Army. *Memoirs of the National Academy of Sciences, 15,* 1-890.

Yerkes, R. M., e Morgulis, S. (1909). The method of Pavlov in animal psychology. *Psychological Bulletin, 6,* 257-73.

Yoakum, C. S., e Yerkes, R. M. (1920). *Army mental tests.* Nova York: Holt.

Young, R. M. (1972). Franz Joseph Gall. *In* C. C. Gillespie (org.), *Dictionary of scientific biography, Vol. V.* Nova York: Scribner.

Youniss, J. (2006). G. Staley Hall and his times: Too much so, yet not enough. *History of Psychology, 9,* 224-35.

Zajonc, B. F. (1980). Feeling and thinking: Preferences need no inferences. *American Psychologist, 35,* 151-75.

Zajonc, R. B. (1990). Leon Festinger (1919-1989). *American Psychologist, 45,* 661-62.

Zeigarnik, B. (1967). On finished and unfinished tasks. *In* W. D. Ellis (org.), *A source book of Gestalt psychology* (pp. 300-14). Londres: Routledge and Kegan Paul. (Obra originalmente publicada em 1927.)

Zilboorg, G. (1941). *A history of medical psychology.* Nova York: W. W. Norton.

GLOSSÁRIO

Ablação Método de estudo do cérebro promovido por Flourens, no qual a função de uma determinada parte do órgão é avaliada depois da sua destruição.

Ação de massa Princípio, associado a Lashley, que propunha um limite na equipotencialidade: quanto maior a quantidade de massa cerebral destruída, maior a dificuldade das áreas remanescentes de assumir sua função cerebral.

Ação direta do sistema nervoso Princípio da expressão emocional proposto por Darwin, segundo o qual certas expressões (por exemplo, o ruborizar-se) são efeitos colaterais da excitação fisiológica que acompanha as emoções sentidas com mais força.

Acomodação Fenômeno visual descrito por Berkeley; tendência da lente do olho a mudar de forma conforme os objetos se aproximem ou se afastem do observador.

Afasia motora Distúrbio que caracterizava um paciente de Broca (Tan) que tinha aparelho fonador e inteligência normais, porém apresentava uma grave incapacidade de expressar verbalmente as ideias.

Afasia sensorial Distúrbio caracterizado pela incapacidade de compreender a fala e, embora não haja dificuldade na sua produção, a fala produzida é incoerente e/ou ilógica.

Algoritmo Na matemática e na ciência da computação, conjunto de regras que garantidamente produz uma solução final para um problema por meio da avaliação exaustiva de todas as possíveis soluções.

Ambiente comportamental Para os gestaltistas, esse seria o ambiente conforme é percebido, em oposição ao ambiente físico (isto é, o ambiente geográfico).

Ambiente geográfico Para os gestaltistas, esse era o ambiente físico, que se opunha ao ambiente percebido (o ambiente comportamental).

Âmbito externo Para Lewin, todos os eventos exteriores ao espaço vital de uma pessoa — portanto, eventos que não têm efeito sobre o indivíduo num determinado momento.

Análise de meios-fins Principal heurística usada no solucionador geral de problemas (SGP), uma simulação computadorizada de lógica, criada por Newell e Simon, que envolve um sistema de *feedback* para reconhecimento de diferenças entre o estado atual e o estado pretendido, a fim de reduzir essa diferença até a sua eliminação por meio de uma série de operações.

Análise dos sonhos Uma das pedras angulares da psicanálise freudiana. Para Freud, os sonhos eram a "via régia" para o inconsciente, e o conteúdo superficial ou manifesto dos sonhos precisava ser analisado para que se obtivesse seu conteúdo mais profundo, ou latente.

Ansiedade moral Na teoria freudiana, a sensação de culpa ou vergonha que provém do medo de violar o próprio código moral.

Ansiedade neurótica Na teoria freudiana, a ansiedade que provém do medo de que os impulsos baseados no id fujam ao controle.

Ansiedade objetiva Na teoria freudiana, a ansiedade resultante de uma ameaça legítima da realidade.

Antítese Princípio darwiniano de expressão emocional, conforme o qual algumas emoções que constituem o oposto de outras se refletiam em expressões igualmente opostas.

Antropomorfismo Tendência a atribuir características humanas a entidades não humanas que está ligada a Romanes e às origens da psicologia comparada.

Apercepção Alto nível de percepção, no qual a atenção se concentra inteiramente num objeto e o apreende em toda a sua plenitude. Associado originalmente a Leibniz, o conceito ocupou lugar central na psicologia de Wundt.

Aprendizagem latente Para Tolman, essa era a aprendizagem que, apesar de ocorrida, não se verificava no desempenho do animal.

Aprendizagem por associação em pares Procedimento de aprendizagem inventado por Calkins no qual são apresentados pares de estímulos e, decorrido o tempo estipulado no estudo, os estímulos são reapresentados separadamente para verificar a ocorrência da reação associada.

Aprendizagem por tentativa e erro Explicação dada por Thorndike para o comportamento dos gatos que estudou: eles escapavam das gaiolas experimentando vários comportamentos até chegar ao que funcionava. A ideia também foi usada por Morgan para dar uma explicação parcimoniosa do comportamento dos cães que fugiam dos quintais.

Aprendizagem serial Procedimento usado por Ebbinghaus que envolvia a memorização de uma lista de estímulos verbais (por exemplo, sílabas sem sentido) seguida de sua memorização na mesma ordem de apresentação.

Arco reflexo Unidade básica do comportamento que foi reduzida pelos fisiologistas ao estímulo que produz uma sensação, ao processamento central que produz uma ideia e à reação motora. Essa análise foi rejeitada por Dewey, que achava que o arco deveria ser visto como uma unidade coordenada que promovia a adaptação do indivíduo ao ambiente.

Argumento do desígnio Explicação da grande diversidade existente na natureza que a atribui a um ser superior (isto é, Deus) e está associada ao Reverendo Paley.

Arquivo Repositório de dados não publicados que são úteis para os historiadores.

Associação Para Locke, uma força que atrai as ideias (análoga à da gravidade, de Newton).

Associacionismo Escola de pensamento filosófico relacionada ao empirismo que enfatiza as regras segundo as quais se formam as relações entre as ideias e as experiências.

Associações remotas Associações indiretas estudadas por Ebbinghaus entre os itens de uma lista que estão separados por mais de um desses itens.

Atitudes conscientes Na escola de Würzburg, atitudes que diziam respeito a processos mentais tais como a hesitação e a dúvida, verificados nos estudos do pensamento sem imagens.

Atomismo Crença segundo a qual a natureza será mais bem compreendida quando se reduz sua complexidade a seus elementos menores e mais fundamentais (opõe-se ao holismo).

Atributos No sistema de Titchener, os atributos eram os meios de classificação dos vários elementos da experiência consciente (por exemplo, o elemento da sensação possuía os atributos da qualidade, intensidade, duração e clareza).

Atrição Problema metodológico na pesquisa longitudinal, verificado quando os participantes abandonam o estudo, que se mostrou surpreendentemente baixo no estudo longitudinal das crianças bem-dotadas feito por Terman.

Autoatualização Para os psicólogos humanistas, estado no qual as pessoas atingem todo o seu potencial.

Bit Abreviatura de "*binary digit*" (dígito binário): quantidade de informação que possibilita a opção entre duas alternativas.

Boa continuação Princípio organizador da Gestalt que consiste na tendência a organizar as percepções conforme uma direção de fluxo uniforme.

Cadeia da vida Crença de que todas as espécies da Terra poderiam ser colocadas numa escala linear com referência a seu nível de complexidade.

Cânon de Lloyd Morgan Princípio da parcimônia, segundo o qual a melhor explicação de um fenômeno era aquela que partia do menor número de pressupostos. Para Morgan, não era necessário propor a existência de capacidades mentais além das exigidas pela sobrevivência de uma dada espécie.

Caso de Anna O. Famoso caso de histeria tratado por Breuer e relatado por este e Freud em *Studies on Hysteria*. O caso propiciou a Freud o *insight* de que os histéricos sofriam de recordações de eventos traumáticos, distorcendo os detalhes ao longo dos anos.

Catarse Na psicanálise freudiana, a liberação emocional ocorrida quando se ganha um *insight* das origens inconscientes de um problema (era parte essencial do caso de Anna O.).

Catastrofismo Teoria segundo a qual a mudança geológica se processava de maneira infrequente e decorria de eventos catastróficos, como o dilúvio bíblico.

Causa e efeito Uma das leis da associação de Hume. Para ele, não podemos ter certeza quanto às causas fundamentais dos eventos, só sabemos que eles ocorrem juntos com regularidade.

Chunk Para Miller, uma unidade significativa de informação. Pensa-se que a capacidade da memória de curto prazo seja de 7 + ou – 2 *chunks* (ou blocos) de informação.

Cibernética Estudo dos princípios (por exemplo, o *feedback*) envolvidos no controle e manutenção de um sistema (vivo ou não). O sistema de *feedback* foi adotado por Miller, Galanter e Pribram quando propuseram o conceito de TOTE.

Ciência cognitiva Campo interdisciplinar que inclui a psicologia cognitiva, a linguística, a ciência da computação, a antropologia cultural e a epistemologia.

Ciência normal Na abordagem da história da ciência proposta por Kuhn, esse é o período durante o qual um paradigma está em vigor e as atividades dos cientistas pautam-se pelas restrições impostas por esse paradigma.

Complexo de inferioridade Conceito associado a Adler, que acreditava que boa parte do comportamento humano poderia ser vista como uma tentativa de compensar os sentimentos de inferioridade.

Comportamento molar Para Tolman, padrões amplos de comportamento voltado para um objetivo que se opunham ao comportamento molecular, resultante de um modelo reducionista de comportamento.

Condicionamento de Tipo S Termo usado por Skinner para definir o condicionamento pavloviano clássico, no qual se forma uma associação entre dois estímulos (S, de *stimulus*, estímulo) que produzem a mesma reação.

Condicionamento do Tipo R Termo usado por Skinner para definir o condicionamento operante, no qual se forma uma associação entre um comportamento (R, de *reaction*, reação) e uma consequência.

Condicionamento operante O condicionamento skinneriano, no qual um comportamento se verifica e suas consequências imediatas determinam a probabilidade de sua ocorrência futura.

Conexionismo Modelo de aprendizagem proposto por Thorndike, no qual a ênfase recaía no desenvolvimento e fortalecimento das conexões entre situações de estímulos e reações que se tornavam mais fortes com a aprendizagem por tentativa e erro.

Confiabilidade O ponto até o qual repetidas medições produzem o mesmo resultado; algumas das pesquisas de Tolman com labirintos voltavam-se para os fatores que influem sobre a confiabilidade desses labirintos.

Conflito de aproximação-aproximação Para Lewin, situação na qual a pessoa vive um conflito resultante da necessidade de fazer uma opção entre dois objetivos de valência positiva.

Conflito de aproximação-evitação Para Lewin, situação na qual a pessoa vive um conflito que se verifica quando um objetivo promove tendências tanto de aproximação quanto de evitação.

Conflito de evitação-evitação Para Lewin, situação na qual a pessoa vive um conflito resultante da necessidade de fazer uma opção entre dois objetivos de valência negativa.

Consciência Sensação de alerta; percepção. A melhor forma de estudá-la foi objeto de polêmicas no fim do século XIX e início do século XX.

Conservação de energia Tese associada a Helmholtz — e por ele usada para combater o vitalismo — que propunha que a energia total de um sistema permanece constante, mesmo que ele sofra mudanças.

Contiguidade espacial Segundo Hartley, a vivência simultânea de dois eventos produz a sua associação.

Contiguidade temporal Segundo Hartley, a vivência de dois eventos em sucessão imediata produz a sua associação.

Contiguidade Uma das leis de associação de Hume e lei fundamental de Hartley: os eventos que são vivenciados conjuntamente, seja simultaneamente (contiguidade espacial) ou sucessivamente (contiguidade temporal), se associam uns aos outros.

Contrato social Proposta que implica a existência de um contrato implícito entre o governo — que cuida do bem comum — e os governados — que concordam em obedecer às leis, pagar impostos etc.

Controle de estímulo Num ambiente no qual o comportamento é reforçado regularmente, diz-se que o estímulo assume controle sobre o comportamento.

Convergência Fenômeno visual descrito por Berkeley: tendência dos músculos oculares de fazer com que os olhos se movam no sentido do "cruzamento", à medida que os objetos se aproximam.

Correlação Ferramenta estatística que avalia o grau de relação entre duas variáveis. É um conceito criado por Galton em seus estudos da inteligência.

Cronometria mental Nome dado à pesquisa novecentista do tempo de reação, na qual o objetivo era medir o tempo exigido por eventos mentais diversos.

Cursos de repetição Cursos de instrução sobre as técnicas básicas de laboratório predominantes nas universidades norte-americanas no fim do século XIX.

Darwinismo social Crença associada a Spencer segundo a qual as forças evolucionárias eram naturais e inevitáveis e qualquer tentativa de perturbar sua ação (por exemplo, criando programas para os pobres) era inútil e destinada ao fracasso.

Dediferenciação Para Lewin, processo que ocorre sob *stress*, no qual o indivíduo inverte o processo normal de diferenciação e regride, adotando comportamentos anteriores, mais primitivos (semelhante à regressão freudiana).

Definição operacional Uma definição em termos de um conjunto específico e observável de operações (por exemplo, fome = 24 horas sem comer). De um modo mais geral, equivale à definição precisa de termos científicos.

Demência precoce Termo usado por Kraepelin para referência ao distúrbio que hoje é conhecido como esquizofrenia.

Dessensibilização sistemática Na terapia do comportamento, procedimento no qual a reação de medo é substituída por uma reação incompatível (por exemplo, de relaxamento). Seus pioneiros foram Jones e Wolpe, que lhe deu o nome.

Determinismo Posição filosófica segundo a qual todos os eventos do universo possuem causas prévias.

Dicotomia cartesiana Desde Descartes, a distinção entre os seres humanos (mente + corpo) e os animais (apenas o corpo mecânico).

Diferenças individuais Originalmente usado para referência à variação individual entre os membros de uma determinada espécie, o termo passou a ser usado em psicologia com a acepção mais geral de estudo das características que diferenciam uma pessoa de outra (por exemplo, a inteligência).

Diferenciação Para Lewin, processo do desenvolvimento no qual o espaço vital de uma criança se torna mais complexo. Para Pavlov, refere-se à discriminação, a capacidade de distinguir entre dois estímulos.

Disposição mental No laboratório de Würzburg, referia-se ao efeito provocado por passar instruções aos observadores que os predispunham a pensar de certo modo; para os gestaltistas, um modo habitual, fixo, de pensar.

Dissonância cognitiva Na teoria proposta por Festinger, estado de desconforto cognitivo que resulta da experiência simultânea de dois pensamentos incoerentes ou do comportamento em que o indivíduo contraria as próprias convicções.

dmp Ou diferença minimamente perceptível: ponto em que a diferença (em peso, cor, tom etc.) entre dois estímulos mal é detectável.

Doutrina do crânio Crença frenológica, segundo a qual o contorno do crânio refletia a forma do cérebro, que permitia a medição das faculdades por meio da medição do contorno do crânio.

Dualista No problema mente-corpo, alguém (por exemplo, Descartes) que acredita que a mente e o corpo são duas essências separadas e distinguíveis.

Educação progressiva Abordagem da educação, associada a Dewey, cuja ênfase recaía em levar o aluno a aprender fazendo (aprendizagem pela ação).

Efeito Hawthorne Tendência que apresenta o desempenho dos participantes de um experimento quando estes sabem que estão sendo observados. O nome provém dos estudos realizados na fábrica da Western Electric em Hawthorne, nos Estados Unidos.

Efeito von Restorff Maior grau de rememoração das informações que se destacam de algum modo em relação às demais informações que devem ser aprendidas.

Efeito Zeigarnik Consiste na tendência das pessoas a lembrar mais das tarefas que ainda não foram concluídas que daquelas que já foram finalizadas. O efeito tem o nome da aluna de Lewin que o investigou.

Ego Na teoria freudiana, o centro da personalidade, o mediador entre as exigências do id e do superego e as restrições da realidade.

Empatia Capacidade de compreender, cognitiva e emocionalmente, o que outra pessoa está vivendo. Segundo Rogers, é um importante pré-requisito para o sucesso da terapia.

Empirista Alguém que acredita que nosso conhecimento de mundo seja construído a partir das experiências que vivemos; escola de pensamento associada a filósofos britânicos como Locke, Berkeley e Mill.

Energias nervosas específicas Doutrina proposta por Bell e Müller, segundo a qual diferentes nervos sensoriais transmitem diferentes qualidades. De acordo com a doutrina, nossa percepção do mundo é indireta, pois é mediada pela ação do sistema nervoso.

Epistemologia genética Psicologia de Piaget, voltada para a análise do modo como o conhecimento se desenvolve no indivíduo.

Epistemologia Ramo da filosofia dedicado ao estudo da natureza e das origens do conhecimento humano.

Epônimos Movimentos ou períodos históricos nomeados com base numa figura historicamente importante (por ex., biologia darwiniana).

Equação pessoal Calibração da reação de um astrônomo em relação à de outro, necessária porque os diferentes tempos de reação dos astrônomos produziam diferentes medidas astronômicas.

Equilíbrio Para Lewin, estado de estabilidade no qual todas as necessidades estão, de momento, satisfeitas.

Equipotencialidade Princípio associado a Lashley, segundo o qual se uma parte do cérebro for destruída, outras áreas se incumbirão de desempenhar a mesma função (até certo ponto).

Ergonomia Estudo do modo como os sistemas e equipamentos podem ser projetados com vistas a evitar o erro humano. Gilbreth foi sua pioneira.

Eros Na teoria freudiana, nome dado ao instinto de vida, manifesto no impulso sexual.

Erro de estímulo Tendência a relatar os produtos da experiência consciente, em vez da experiência consciente em si, que, segundo Titchener, deveria ser evitada para que se pudesse obter uma correta introspecção.

Escolástica Tradição educacional que alia o uso cuidadoso da razão à sabedoria da igreja e da autoridade aristoteliana.

Escuta dicótica Na pesquisa da atenção seletiva, experimento no qual uma pessoa usa fones de ouvido para escutar uma mensagem em um ouvido e outra, no outro.

Espaço vital Para Lewin, campo em que o indivíduo age, o qual inclui todos os fatores que influem sobre seu comportamento num dado momento.

Espiritismo Crença popular no século XIX com referência à vida após a morte e à nossa capacidade de comunicação com os mortos. William James acreditava que as alegações dos espíritas deveriam ser avaliadas com seriedade.

Espíritos animais Essência hipotética que, segundo alguns (por exemplo, Descartes), habitava o sistema nervoso e impulsionava o movimento muscular.

Esquemas Termo usado tanto por Bartlett quanto por Piaget para referência a estruturas mentais hipotéticas que representam o conhecimento.

Estampagem Tendência instintiva dos patos (e animais de espécies congêneres) recém-nascidos de seguir o primeiro objeto móvel avistado. Conceito associado a Lorenz, mas também observado por Spalding e Watson.

Estímulo condicional No condicionamento pavloviano, qualquer estímulo que se emparelha a outro não condicionado para a produção de uma reação condicionada (por exemplo, o tom).

Estímulo não condicionado Todo estímulo que produz uma reação reflexa específica (por exemplo, o alimento promove a produção de saliva).

Estruturalismo Escola de psicologia associada a Titchener que se voltava para a identificação dos elementos estruturais da experiência consciente humana, principalmente por meio de métodos básicos de laboratório e introspecção.

Estudo de caso Método de pesquisa que envolve a análise profunda de um único indivíduo e era defendido por Allport como meio de investigação da personalidade.

Estudos com gêmeos Inicialmente sugeridos por Galton como meio de demonstrar o caráter hereditário da inteligência.

Etologia O estudo do comportamento dos animais em seu ambiente natural. Embora esteja associado a Lorenz, tem suas origens na obra de Spalding.

Eugenia Termo criado por Galton para referência a diversos métodos (por exemplo, o cruzamento seletivo) de melhoria da qualidade de uma espécie, em particular a humana.

Experiência de pico Na psicologia humanística, uma experiência rara de extremo júbilo, prazer ou realização.

Experimento da complicação Experimento novecentista do tempo de reação que se caracterizava pelo uso do método subtrativo de Donders, no qual os tempos de reação em tarefas simples eram subtraídos dos tempos de reação em tarefas mais "complicadas".

Extinção No condicionamento pavloviano, a eliminação gradual de uma reação condicionada depois da apresentação repetida de um estímulo condicionado na ausência de um estímulo não condicionado.

Fala subvocal Definição de pensamento proposta por Watson.

Fechamento Princípio de organização da Gestalt que consiste na tendência a preencher lacunas na percepção a fim de perceber figuras inteiras.

Fenômeno fi Termo cunhado por Wertheimer para referência ao movimento aparente, selecionado para evitar a ideia de que havia a percepção ilusória de um movimento "aparente".

Ficções explanatórias Para Skinner, construtos hipotéticos propostos como mediadores entre estímulos e reações que erroneamente passam a ser usados como explicações de fenômenos comportamentais (por exemplo, lembrar apenas algumas palavras devido à capacidade limitada da memória de curto prazo).

Figura e fundo Princípio de organização da Gestalt segundo o qual uma tendência perceptual fundamental é a de separar as figuras inteiras dos fundos que lhes correspondem.

Filtro seletivo Para Broadbent, um modelo de atenção seletiva que se baseia em nossa tendência a separar as informações de acordo com características físicas (por exemplo, tom) e, então, a concentrar-nos numa mensagem enquanto filtramos as demais.

Fixidez funcional Fracasso na resolução de um problema devido à incapacidade de pensar em dar a um determinado objeto um uso diferente daquele que supõe sua função normal.

Fontes primárias Materiais escritos ou criados mais ou menos na mesma época de um evento histórico, como cartas, diários, discursos, minutas de reuniões e arquivos de universidades.

Fontes secundárias Materiais escritos ou criados algum tempo depois de um evento histórico que servem para resumir ou também analisar esse evento.

Força do hábito Para Hull, uma variável interveniente que influenciava o comportamento e estava em função direta do número de ensaios de reforço ($_sH_R$).

Formação de reação Para Freud, um mecanismo de defesa no qual os impulsos inaceitáveis são recalcados e substituídos por seus opostos.

Fracionamento Procedimento desenvolvido no laboratório de Külpe em Würzburg, no qual eventos complexos eram divididos em partes ("fracionados") e, em seguida, cada parte era submetida a introspecção.

Frenologia Primeira localização séria da teoria das funções, propunha que cada local específico do cérebro abrigava "faculdades", que a força de uma faculdade era proporcional ao volume de massa cerebral a ela associado e que as faculdades poderiam ser avaliadas medindo-se os contornos do crânio.

Função periódica Conceito usado no início do século XX para referência à suposta incapacidade da mulher ao longo do período da menstruação.

Funcionalismo Escola de psicologia preferida pela maioria dos primeiros psicólogos norte-americanos, que se voltava para o estudo da experiência consciente humana a partir de uma perspectiva evolucionária. Sua ênfase recaía no estudo do valor adaptativo de processos mentais e comportamentais diversos.

Generalização Quando se aprende a reagir a um estímulo, tendência a reapresentar essa reação depois da apresentação de um segundo estímulo semelhante ao primeiro.

Geocêntrico Antigo ponto de vista astronômico que colocava a terra no centro do universo conhecido.

Gestalt de sinais Para Tolman, variável interveniente que se referia às relações aprendidas entre estímulos e a expectativa do animal estudado quanto às consequências da seleção do caminho A em detrimento do caminho B.

Glândula pineal Parte do cérebro selecionada por Descartes como local das interações entre mente e corpo.

Gramática Conjunto de regras que permite (a) a produção de todas as possíveis sentenças de uma língua e (b) o reconhecimento e a rejeição das sentenças que não se incluem nesse grupo (as sentenças agramaticais).

Hábito introspectivo Resultado da prática extensiva da introspecção, consistia na capacidade dissociativa de tomar notas mentais de uma experiência enquanto esta se processava.

Hábitos úteis associados Crença de Darwin segundo a qual as expressões emocionais eram produtos de forças evolucionárias. Certas expressões (por exemplo, a de desdém) originalmente teriam a função de ajudar o organismo a sobreviver.

Heliocêntrico Ponto de vista astronômico proposto por Copérnico e desenvolvido por Galileu, que colocava o sol no centro do universo conhecido.

Herança de características adquiridas Teoria associada a Lamarck, segundo a qual as características desenvolvidas em decorrência da experiência ao longo da vida poderiam ser transmitidas biologicamente à prole.

Heurística Na matemática e na ciência da computação, regra geral que, embora não garanta a obtenção da solução de um problema, provavelmente chegará a uma que é mais eficaz que a solução obtida por um algoritmo (por exemplo, análise de meios-fins).

Hipnotismo Estado de exacerbação da sugestionabilidade cujos pioneiros foram Mesmer e Elliotson. O termo foi cunhado por Braid.

Hipótese da sedução Ideia inicial de Freud de que a histeria decorria de abuso sexual na infância.

Hipótese da variabilidade A ideia de que os homens teriam maior grau de variabilidade na maioria dos traços que as mulheres e, portanto, detinham vantagem seletiva em termos evolucionários.

Histeria Distúrbio cujos diversos sintomas (como, por exemplo, a paralisia) indicam danos neurológicos que, na verdade, não existem.

História externa História que analisa fatores externos a uma disciplina (por exemplo, sociais, políticos, institucionais e econômicos) que, porém, influem em sua história.

História interna História das ideias, teorias e conclusões de uma disciplina que não leva em consideração a influência de fatores externos, contextuais.

Historicista Interpretação de eventos históricos feita sob o prisma do conhecimento e dos valores vigentes na época dos eventos.

Historiografia A escrita da história; metodologia e teoria históricas.

Holismo O pressuposto filosófico subjacente à psicologia da Gestalt. Segundo essa visão — que se opõe ao atomismo —, os todos (por exemplo, as ideias complexas) são mais que a soma dos elementos que os constituem (por exemplo, sensações, ideias simples).

IA forte Abordagem da inteligência artificial segundo a qual a inteligência da máquina é, em última análise, equivalente à inteligência humana (ver também IA fraca).

IA fraca Abordagem da inteligência artificial segundo a qual a inteligência da máquina pode trazer *insights* valiosos sobre a natureza da inteligência humana, mas que não considera a primeira equivalente à segunda (V. também IA forte).

Id Na teoria freudiana, a parte da personalidade que reflete os instintos biológicos básicos do sexo e da agressividade.

Idade mental Tradução errônea do termo "nível mental", proposto por Binet, que indicava em anos o nível de capacidade mental de uma criança.

Idealismo subjetivo Para Berkeley, postura filosófica segundo a qual a realidade do mundo material não pode ser determinada com segurança; contudo, podemos ter certeza da realidade de nossas percepções.

Ideia complexa Para Locke, consistia na combinação de ideias simples.

Ideia inata Ideia que existe ou pode ser deduzida na ausência da experiência direta por meio do raciocínio (a ideia da "extensão" de um objeto concreto no espaço foi usada por Descartes como exemplo).

Ideias derivadas Para Descartes, ideias que resultam de nossas experiências no mundo.

Ideias Para Hume, as ideias eram "cópias vagas" das impressões sensoriais.

Ideias simples Para Locke, ideias resultantes da experiência sensorial ou de simples reflexão.

Idiográfica Tradição de pesquisa (oposta à estratégia nomotética) que consiste na análise profunda de casos individuais. Além disso, analisa as diferenças entre um indivíduo e outro.

Iluminismo Período histórico que foi de meados do século XVIII ao fim do século XIX e caracterizou-se pela crença de que o verdadeiro conhecimento seria obtido por meio do uso da ciência e da razão e de que o progresso era bom e inevitável.

Impressões Para Hume, estas eram as sensações básicas, a matéria-prima da experiência.

Inconsciente coletivo Conceito de Jung segundo o qual o inconsciente abrange as experiências coletivas de nossos ancestrais e se reflete em temas recorrentes, comuns às mitologias de culturas diversas.

Indutiva Abordagem do conhecimento associada a *Sir* Francis Bacon, segundo a qual os princípios científicos gerais são generalizações feitas depois da coleta de grandes volumes de dados.

Inferência inconsciente Para Helmholtz, processo — exterior à consciência — no qual a percepção é influenciada por experiências do passado.

Inibição retroativa Interferência de uma atividade qualquer entre a aprendizagem de uma lista de estímulos e sua rememoração.

Insight Para os gestaltistas, a solução súbita de um problema, ocorrida quando o indivíduo reorganizava os elementos da situação desse problema numa nova configuração.

Instinto Diz-se que o comportamento é instintivo quando explicações alternativas, decorrentes da aprendizagem ou da experiência, podem ser excluídas. Os pioneiros da investigação dos instintos foram os psicólogos comparatistas, especialmente Spalding.

Inteligência artificial Investigação da questão da possibilidade de as máquinas agirem com algum grau de inteligência.

Intencionalidade Para Tolman, o termo significava a orientação segundo um objetivo e constituía uma característica universal do comportamento aprendido.

Interacionista Dualista que acredita que o corpo e a mente têm influência direta um sobre o outro.

Introspecção Método segundo o qual se experimentava um fenômeno e, em seguida, fornecia-se uma descrição de sua experiência consciente.

Introspecção experimental sistemática Forma de introspecção (mais elaborada que a de Wundt) associada a Külpe e Titchener, na qual à experiência de eventos mentais complexos seguiam-se detalhadas descrições introspectivas.

Isomorfismo Para os gestaltistas, a ideia de que a experiência perceptual e os eventos fisiológicos a ela subjacentes são funcionalmente equivalentes.

Lei de Bell-Magendie Afirmação de que as raízes posteriores da medula espinhal controlam a sensação, e as anteriores, o movimento motor; às vezes considerada um exemplo de "múltiplo".

Lei de Jost Se duas associações têm igual força, o exercício da prática fortalece mais a associação mais antiga que a mais recente.

Lei de Weber À medida que a intensidade do estímulo A aumenta, são cada vez maiores as diferenças necessárias entre ele e um estímulo B para que uma pessoa perceba a distinção entre ambos; a dmp dividida pelo tamanho do estímulo-padrão é uma constante.

Lei do efeito Princípio proposto por Thorndike, segundo o qual os comportamentos que se mostravam eficazes na resolução de problemas se fortaleceriam, ao passo que aqueles que não o faziam se enfraqueceriam.

Lei do exercício Princípio proposto por Thorndike, segundo o qual as relações aprendidas entre estímulos e reações se fortaleceriam com prática adicional.

Limiar absoluto Ponto no *continuum* de uma dimensão física na qual o aumento da estimulação física provoca a percepção inicial do estímulo.

Limiar de diferença Ponto no *continuum* de uma dimensão física em que a diferença entre dois estímulos é inicialmente detectada.

Limiar de dois pontos Ponto em que a percepção de dois toques na pele muda da "percepção de um só ponto" para a de "dois pontos"; tema estudado exaustivamente por Weber.

Limiares Pontos no *continuum* da percepção quando se passa da ausência de percepção consciente a alguma percepção (limiar absoluto) ou da percepção de que um estímulo é diferente de outro (limiar de diferença). Conceito, associado a Leibniz, que começou a ser tratado como tema da psicologia experimental por Weber e Fechner.

Livre associação Na psicanálise freudiana, procedimento de sondagem do inconsciente no qual os pacientes falam sobre o que quer que lhes venha à mente, sem censura interna.

Lobotomia Procedimento cirúrgico criado por Moniz na década de 1930 que requer o corte de algumas das conexões entre o córtex e os centros cerebrais inferiores. Originalmente destinada ao tratamento de doenças mentais graves, a lobotomia foi abandonada quando se descobriu que, além de ter eficácia marginal, ela muitas vezes era indicada sem critério.

Localização da função Refere-se à questão da possibilidade de determinadas partes do cérebro terem funções específicas.

Luta pela existência Ideia-chave na teoria de Darwin, ela provinha de Malthus, para quem o crescimento da população iria por fim exceder o suprimento de alimentos, gerando a competição por recursos limitados.

Magnetismo animal Crença de Mesmer e alguns de seus contemporâneos na influência de forças magnéticas sobre os organismos vivos e na cura de doenças por meio da utilização de ímãs.

Manifesto behaviorista Artigo escrito por Watson em 1913, no qual ele defendia a abordagem behaviorista na psicologia.

Mapa cognitivo Para Tolman, a memória espacial hipotética de um labirinto adquirida em decorrência da simples vivência desse labirinto (ou seja, não há necessidade de reforço).

Materialismo Posição filosófica segundo a qual a única realidade é a realidade física e a matéria viva pode ser reduzida a propriedades físicas e químicas. Essa posição, que se opunha ao vitalismo, foi adotada pela maioria dos fisiologistas do século XIX.

Mecanicista Alguém que explica as ações de um organismo em termos mecânicos.

Mecanismos de defesa Na teoria freudiana, formas de pensar ou comportar-se que servem para defender o ego contra a ansiedade.

Memória ecológica Estudo da memória à medida que esta se apresenta nas situações do dia a dia.

Meritocracia Modelo de sociedade baseado na ideia de que os mentalmente mais competentes deveriam ser os líderes, o qual foi defendido pela maioria dos psicólogos norte-americanos dedicados à testagem mental, em especial por Terman.

Mesmerismo Versão inicial do hipnotismo, associada a Mesmer, segundo a qual a histeria e outros distúrbios poderiam ser curados com o uso de ímãs.

Metapsicologia Para Freud, uma teoria geral das causas dos processos mentais e do comportamento humano.

Método anedótico Método de pesquisa no qual as provas consistem num acúmulo de exemplos destinados a respaldar um princípio ou teoria. O método, que está ligado a Romanes e às origens da psicologia comparada, foi também usado pelos frenologistas. O recurso extremo a esse tipo de provas promove o risco de se ignorarem evidências contrárias que poderiam levar à refutação de uma hipótese.

Método clínico Método de estudo do cérebro inicialmente proposto por Broca, no qual os *déficits* de comportamento ou cognição são correlacionados a lesões cerebrais detectadas na autópsia.

Método conjunto Combinação, proposta por J. S. Mill, dos métodos da concordância e da diferença.

Método da concordância Na *lógica* de Mill, método no qual a causa proposta está presente sempre que seu efeito também está presente.

Método da diferença Na *lógica* de Mill, método no qual a ausência do efeito proposto sempre se faz acompanhar da ausência da causa proposta.

Método da economia Medida da memória usada por Ebbinghaus baseada na diferença entre o tempo necessário à aprendizagem inicial de uma lista de sílabas sem sentido e o tempo necessário à reaprendizagem dessa lista algum tempo depois.

Método de enquete Método de pesquisa surgido com os questionários de Darwin, sobre a emoção, e de Galton, sobre diversos temas (Galton é normalmente considerado o criador do método).

Método do ajuste Método da psicofísica descrito por Fechner, no qual o sujeito controla diretamente um estímulo físico, ajustando-o até que ele mal possa ser detectado.

Método dos estímulos constantes Método da psicofísica descrito por Fechner, no qual estímulos de intensidades físicas variáveis são apresentados em ordem aleatória.

Método dos limites Método da psicofísica, descrito por Fechner, que alterna ensaios ascendentes (o estímulo inicialmente está abaixo do limiar e vai aumentando de intensidade até ser detectado) e ensaios descendentes (o estímulo inicialmente está bastante acima do limiar e vai diminuindo de intensidade até deixar de ser detectado).

Método subtrativo Método introduzido por Donders para medir a duração dos eventos mentais: os tempos de reação de tarefas simples eram subtraídos dos tempos de reação de tarefas mais "complicadas".

Modelo do cientista-praticante Modelo de treinamento em psicologia clínica, em nível de pós-graduação (Ph.D.), que exige uma tese baseada em pesquisa; também chamado de modelo de Boulder.

Modelo E-O-R Proposto por Woodworth para reconhecimento da importância do organismo, o qual intervém entre o estímulo e a reação.

Mônadas Para Leibniz, os elementos fundamentais das realidades física e mental.

Movimento aparente Fenômeno estudado por Wertheimer, no qual os estímulos estacionários parecem mover-se em determinadas circunstâncias.

Múltiplo Descoberta simultânea ou quase simultânea de algum fenômeno, usada como exemplo da importância do *Zeitgeist* e da abordagem naturalista da história.

Nativismo Tendência extremamente nacionalista, na qual os "forasteiros" são considerados inferiores e perigosos. Essa tendência caracterizou os Estados Unidos na década de 1920 e contribuiu para as restrições à imigração.

Nativista Alguém que defende a existência de ideias inatas ou, em geral, acredita que parte do conhecimento, das faculdades ou da capacidade é inato.

Naturalista Abordagem que frisa a importância das forças ambientais e situacionais na formação da história.

Neobehaviorismo Movimento behaviorista que surgiu na década de 1930, associado a Tolman e Hull, entre outros.

Neuro-hipnologia Termo criado por Braid em decorrência de sua crença de que o hipnotismo estava associado ao sono.

Neurose experimental No condicionamento pavloviano, uma reação emocional que ocorre depois do treinamento de uma discriminação entre dois estímulos ao qual se segue um processo de assemelhação entre esses estímulos, a tal ponto que eles não possam mais ser discriminados.

Nível mental Termo usado por Binet para indicar o nível de capacidade mental das crianças — os resultados daquelas que precisavam de reforço situavam-se dois níveis abaixo da norma para sua idade cronológica.

Nomotética Estratégia de pesquisa que se opõe à estratégia idiográfica e busca descobrir os princípios gerais aplicáveis, até determinado ponto, a todos os indivíduos.

Observador Nome dado ao participante de um experimento psicológico no fim do século XIX e início do século XX, assim chamado porque a atividade primária era a observação das próprias atividades mentais por meio da introspecção.

Oftalmoscópio Aparelho inventado por Helmholtz para examinar a retina.

Operacionismo Postura filosófica segundo a qual os conceitos científicos deveriam ser definidos em termos do conjunto de operações usadas para medi-los.

Operações convergentes Dizem respeito a uma série de estudos, cada um dos quais com diferentes definições operacionais dos principais construtos que, apesar disso, levam à mesma conclusão geral.

Operante Qualquer comportamento apresentado por um organismo e controlado pelas consequências imediatas do comportamento.

Ortogenia Nome dado por Witmer à sua estratégia de auxílio às crianças e adolescentes que tinham problemas escolares (como, por exemplo, problemas de aprendizagem) a superar.

Papel em branco Expressão usada por Locke, tomada de empréstimo a Aristóteles, para referência à natureza da mente no momento do nascimento. O conhecimento adquirido por meio da experiência seria análogo à escrita no papel em branco.

Paradigma Na abordagem da história da ciência proposta por Kuhn, é uma teoria abrangente que determina que problemas serão resolvidos e que métodos serão usados para resolvê-los.

Paralelismo Posição dualista associada, entre outros, a Leibniz em relação à questão mente-corpo, a qual propõe que mente e corpo são entidades à parte entre as quais, apesar de não haver interação, há perfeita harmonia.

Pensamento sem imagens Qualquer processo de raciocínio que não se reduzia a imagens mentais. Titchener o considerava uma ficção, pois acreditava que todo pensamento incluía imagens.

Pequenas percepções Para Leibniz, as percepções que, apesar de estarem abaixo do limiar da consciência, eram essenciais nos níveis mais altos de percepção.

Percepção interna Versão da introspecção proposta por Wundt, na qual os "observadores" forneciam breves reações verbais a estímulos controlados (por exemplo, nos experimentos de psicofísica ou tempo de reação).

Período crítico Certos comportamentos instintivos (por exemplo, a estampagem) devem desenvolver-se dentro de um período determinado e limitado de tempo; caso contrário, não se desenvolverão. A ideia está associada a Lorenz e a outros etologistas europeus, mas foi proposta também por Spalding.

Personalística Abordagem da história cuja ênfase recai nas pessoas e em seus papéis na moldagem dos fatos históricos.

Positivismo lógico Movimento filosófico associado ao Círculo de Viena que ampliou o alcance do pensamento positivista, distinguindo entre eventos teóricos e observáveis e descrevendo meios de relacioná-los mediante definições operacionais.

Positivismo Postura filosófica associada a Comte, para quem o único conhecimento de que podemos ter certeza é aquele que provém de eventos objetivos e publicamente observáveis.

Potencial de reação Para Hull, a probabilidade de ocorrência de uma reação num dado momento, a depender de fatores como o impulso e a força do hábito ($_sH_R$).

Pragmatismo Postura adotada por diversos filósofos norte-americanos do fim do século XIX e, em especial, por William James, os quais julgavam o valor das ideias por sua utilidade em ajudar as pessoas a adaptar-se ao ambiente.

Prägnanz Princípio de organização da Gestalt referente à percepção (tradução: "boa figura"); tendência que têm as nossas percepções a refletir a realidade o mais fielmente possível.

Presentismo Interpretação de eventos históricos feita a partir dos valores e do conhecimento atuais.

Princípios organizadores da Gestalt Princípios perceptuais descritos pelos gestaltistas que resumem as formas como os fenômenos sensoriais se organizam numa figura significativa, num "todo".

Problema da ordem serial O problema da explicação de sequências de eventos comportamentais em termos neurológicos. A questão foi colocada por Lashley como um problema não solucionável pelos tradicionais modelos behavioristas de estímulo-reação.

Problema da percepção Para Helmholtz, o dilema colocado pelo fato de a percepção humana ser extraordinária, ao passo que os mecanismos (por exemplo, o olho e o ouvido) aparentemente possuem defeitos de projeto.

Problema da sala chinesa Problema de raciocínio proposto por Searle que dá o exemplo de algo que passaria no teste de Turing, mas ainda assim não serviria de respaldo à tese da IA forte.

Problema das espécies Problema da origem das espécies tratado pelos iluministas, que se viam diante de uma incerteza cada vez maior quanto aos relatos bíblicos.

Programas de reforço Especificação da relação entre o número ou o padrão das reações e a administração de reforçadores sempre que o reforço não acompanha cada comportamento.

Projeção Para Freud, um mecanismo de defesa segundo o qual as características pessoais indesejadas são atribuídas a outros.

Proximidade Princípio de organização da Gestalt referente à percepção; tendência a perceber uma "afinidade" entre objetos muito próximos.

Psicofísica Estudo defendido por Weber e, em especial, Fechner da relação entre os estímulos físicos e a percepção desses estímulos.

Psicologia analítica Teoria psicológica proposta por Jung, a qual difere da de Freud em vários aspectos, inclusive na redução da ênfase na sexualidade.

Psicologia clínica Campo da psicologia ligado ao diagnóstico e tratamento de distúrbios mentais e comportamentais assim denominado por Witmer.

Psicologia comparada Estudo das semelhanças e diferenças entre as espécies; provém da implicação de continuidade entre as espécies proposta pela teoria darwiniana.

Psicologia da engenharia Ramo da psicologia voltado para o projeto de objetos destinados à melhor utilização possível pelos seres humanos (por exemplo, mediante a redução de erros perceptuais ou da fadiga).

Psicologia das faculdades Abordagem da psicologia predominante do início a meados do século XIX que derivava do realismo escocês. Sua ênfase recaía na existência real da mente, à qual se atribuíam inúmeros atributos inatos ("faculdades"), como a inteligência e o julgamento.

Psicologia do ato Abordagem proposta por Brentano, segundo a qual a psicologia deveria ser o estudo dos atos — e não dos conteúdos — mentais; a percepção de um evento por exemplo, não deveria ser analisada com base em seus elementos, mas sim no ato da percepção (como o indivíduo percebe o evento e o que este significa para ele).

Psicologia do eu Abordagem teórica da psicologia, adotada por Calkins e influenciada por James, segundo a qual a consciência é, em última análise, autoconsciência.

Psicologia dos instrumentos de sopro Termo usado (sarcasticamente) por William James para descrever a pesquisa além da psicofísica e do tempo de reação, que se baseava no uso extensivo de aparelhos que, como os instrumentos de sopro, eram feitos de latão.

Psicologia escolar Campo da psicologia voltado ao desenvolvimento de programas para tratamento de crianças e adolescentes com problemas escolares (por exemplo, deficiências de aprendizagem). Embora não tenha usado o termo, foi Witmer o pioneiro dessa área.

Psicologia evolucionária Ramo da psicologia surgido no fim do século XX que tem suas origens no pensamento darwinista e propõe que praticamente todos os comportamentos humanos — e especialmente o social — devem ser entendidos num contexto evolucionário, como produtos da seleção natural.

Psicologia genética Abordagem — associada a Hall — que enfatiza a evolução e o desenvolvimento da mente e abrange a psicologia do desenvolvimento, a psicologia comparada e a psicologia do anormal.

Psicologia humanística Movimento cujos pioneiros foram, entre outros, Rogers e Maslow. Consistia numa reação aos pressupostos deterministas do behaviorismo e da psicanálise e partia do princípio de que os seres humanos caracterizam-se pelo livre-arbítrio, pela busca de sentido e pelo potencial de autoatualização.

Psicologia individual Termo usado tanto por Binet quanto por Adler. Para o primeiro, a psicologia deveria voltar-se para os meios de identificação e medição das diferenças individuais (por exemplo, a testagem mental), em vez de voltar-se para leis gerais; para Adler, a psicologia individual constituía sua versão da psicanálise, que enfatizava os fatores sociais no desenvolvimento do indivíduo.

Psicologia legal Psicologia aplicada à área do direito, da qual Münsterberg foi o pioneiro.

Psy.D. Diploma concedido aos psicólogos clínicos formados nos Estados Unidos conforme o modelo de Vail, que dá mais peso à prática e menos à experiência de pesquisa que o modelo do cientista-praticante de Boulder.

Qualidade da forma De acordo com a descrição de von Ehrenfels, é a qualidade geral de uma entidade (por exemplo, uma melodia ou um quadrado), que existe acima e além de cada um de seus componentes (por exemplo, notas e linhas).

Qualidades primárias Para Locke, os atributos de um objeto que são inerentes a esse objeto e existem independentemente da percepção (por exemplo, a extensão no espaço).

Qualidades secundárias Para Locke, atributos de um objeto que, para existir, dependem da percepção (por exemplo, as cores).

Quociente de inteligência Termo inventado por Stern e usado por Terman nos testes de Stanford-Binet, o "QI" é igual à idade mental dividida pela idade cronológica e multiplicada por 100.

Racionalismo Tradição filosófica associada a Descartes, que preconiza o uso da razão e da lógica para chegar à verdade.

Recalque Para Freud, um mecanismo de defesa no qual os impulsos indesejáveis e as lembranças traumáticas são expulsos do consciente para o inconsciente.

Recapitulação Teoria — proposta por Hall e baseada em ideia semelhante na biologia — segundo a qual o desenvolvimento do indivíduo espelha a evolução da espécie a que ele pertence.

Recodificação Para Miller, processo de reorganização da informação que aumenta o volume de informações por *chunk*.

Redução dos impulsos Conceito central na teoria da aprendizagem de Hull: a aprendizagem exigia reforçadores, que eram quaisquer estímulos (por exemplo, a comida) que reduzissem um impulso forte (por exemplo, a fome).

Reflexão Técnica terapêutica usada por Rogers para mostrar que o terapeuta poderia demonstrar empatia: o terapeuta reformula os comentários do cliente de modo a mostrar-lhe que o compreende.

Reflexo condicionado O resultado do condicionamento pavloviano. Com o emparelhamento de um estímulo condicionado (condicional) como, por exemplo, o tom, a um estímulo não condicionado como, por exemplo, o alimento, o estímulo condicionado por fim promove uma reação ou reflexo condicionado.

Reflexo não condicionado Para Pavlov, toda relação entre estímulo e reação (por exemplo, alimento-salivação) que não precisa ser aprendida.

Reforçadores primários Para Hull, eram os reforçadores que não dependiam da aprendizagem (por exemplo, o alimento).

Reforçadores secundários Para Hull, esses são os reforçadores aprendidos graças à associação a reforçadores primários (por exemplo, o dinheiro).

Relaxamento progressivo Técnica de relaxar gradual e sistematicamente grupos musculares importantes introduzida por Jacobson e usada por Wolpe na dessensibilização sistemática.

Repetição Para Hartley e outros filósofos britânicos, o fator que influi mais diretamente na força de uma associação.

Replicação Processo de repetição de um experimento para julgar a sua validade e generalidade.

Resistência Na psicanálise freudiana, verifica-se quando o indivíduo não consegue estabelecer associações livres e indica a presença de material recalcado.

Retardado Termo usado por Goddard para referência a adolescentes ou adultos cuja idade mental se situasse entre 8 e 12 anos.

Reunião de células Para Hebb, unidade básica do sistema nervoso: conjunto de neurônios que se associam uns aos outros por terem sido ativados juntos repetidamente.

Sangria Técnica médica promovida por Benjamin Rush. Pensava-se que a sangria aliviasse, entre outras coisas, os distúrbios mentais, supostamente causados pelo excesso de tensão no sistema circulatório.

Seleção natural Ideia central na teoria da evolução de Darwin, segundo a qual, na luta pela existência, os organismos que possuíam variações adaptativas teriam maior probabilidade de sobreviver (isto é, de ser selecionados pela natureza) e transmitir seus atributos à geração seguinte.

Semelhança Uma das leis de associação propostas por Hume: os objetos semelhantes acabam por ser associados uns aos outros.

Sequências de fases Para Hebb, um nível mais alto de organização cortical que o da reunião de células, no qual se formam combinações de reuniões de células.

Sílabas sem sentido Combinações de consoante-vogal-consoante inventadas por Ebbinghaus para uso como material de estímulo em seus estudos sobre a formação e a retenção das associações.

Similaridade Princípio de organização da Gestalt referente à percepção; tendência a perceber uma "afinidade" entre objetos que se parecem.

Sinapse Espaço físico entre os neurônios; ideia inicialmente proposta por Sherrington.

Sinapses de Hebb Para Hebb, são as sinapses cuja estrutura se altera em decorrência da aprendizagem.

Sistema hipotético-dedutivo Abordagem geral adotada por Hull, segundo a qual as hipóteses da pesquisa são deduzidas dos postulados formais da teoria. Os resultados da pesquisa respaldam a teoria ou levam à sua modificação.

Soma espacial Processo descrito por Sherrington que respalda a sua proposta da sinapse: embora alguns estímulos possam, individualmente, deixar de promover uma reação, a presença de vários estímulos espacialmente próximos a produz.

Soma temporal Processo descrito por Sherrington que respalda a sua proposta da sinapse: embora alguns estímulos possam, individualmente, deixar de promover uma reação, a presença de vários estímulos em contiguidade temporal a produz.

Sublimação Para Freud, processo que permite a canalização da energia psíquica associada à sexualidade ou à agressividade para atividades socialmente aceitáveis.

Sugestão Capacidade de aceitar acriticamente uma ideia ou ordem de outra pessoa, a qual subjaz à hipnose e era essencial à visão que Liebeault e Bernheim, da escola de Nancy, tinham do fenômeno.

Superego Na teoria freudiana, a parte da personalidade que reflete os valores morais das pessoas.

Tambor da memória Dispositivo inventado por G. E. Müller para apresentação de estímulos verbais num experimento de memória.

Tânatos Na teoria freudiana, nome dado ao instinto de morte, que se manifesta na agressividade.

Teoria da emoção de James-Lange Teoria segundo a qual as emoções fortes eram, em essência, a reação fisiológica que se seguia à percepção do evento que as deflagrava.

Teoria da informação Influência externa à psicologia que diz respeito à maneira pela qual a informação é estruturada (em bits) e processada e contribuiu para o desenvolvimento da psicologia cognitiva.

Teoria da ressonância Teoria da audição associada a Helmholz, que propôs que diferentes frequências de som estimulavam receptores situados em diferentes locais ao longo da membrana basilar da cóclea, no ouvido interno.

Teoria de campo Teoria associada a Lewin e Tolman; para o primeiro, derivava da convicção de que, para compreender o comportamento, era preciso conhecer todas as forças que atuavam sobre o indivíduo num determinado momento; para o segundo, refletia até que ponto seu neobehaviorismo foi influenciado pelos gestaltistas.

Teoria do processo oponente Teoria da visão de cores associada a Hering, que propunha que as células sensíveis a cores são arrumadas em pares oponentes (por exemplo, vermelho-verde e azul-amarelo).

Teoria tricromática Teoria de Young-Helmholtz da visão de cores, que propunha a existência de três diferentes células sensíveis às cores no olho, uma para cada uma das cores primárias (vermelho, verde, azul). Acredita-se que a visão de cores resulte de várias combinações do acionamento dessas células.

Terapia centrada no cliente Abordagem humanística da psicoterapia criada por Rogers, segundo a qual a responsabilidade pela mudança terapêutica pertence, em última análise, ao cliente, ao passo que a responsabilidade do terapeuta seria criar uma atmosfera conducente a essa mudança.

Teste Alfa do exército Teste grupal de inteligência criado por Yerkes para testagem da capacidade dos soldados alfabetizados na Primeira Guerra Mundial.

Teste Beta do exército Teste grupal de inteligência criado por Yerkes para testagem da capacidade dos soldados analfabetos na Primeira Guerra Mundial.

Teste de associação de palavras Procedimento — associado tanto a Galton quanto a Jung — usado para investigar a natureza das associações mentais que consiste na reação com a primeira palavra que vier à mente quando diante de uma palavra usada como estímulo.

Teste de completar Teste mental desenvolvido por Ebbinghaus para medir a fadiga mental de crianças em idade escolar. Por voltar-se para a atividade mental superior, antecipava-se a uma abordagem posteriormente adotada por Binet.

Teste de Turing Em inteligência artificial, problema de raciocínio proposto por Turing para distinção entre os seres humanos e os computadores.

Teste mental Qualquer teste destinado a medir a atividade ou capacidade mental; termo introduzido em 1890 por Cattell.

Topologia Campo matemático de geometria espacial não quantitativa usado por Lewin como base para a sua teoria de campo.

TOTE Unidade de *feedback* (*Test-Operate-Test-Exit*) usada em substituição ao arco reflexo. Proposta por Miller, Galanter e Pribram, foi influenciada pelos avanços da cibernética.

Traço Atributo característico e distintivo de uma pessoa.

Traço cardinal Para Allport, os traços cardinais são os mais essenciais, aqueles que caracterizam o indivíduo.

Traço central Para Allport, conjunto de traços que, depois dos traços cardinais, resumem a personalidade do indivíduo.

Traços secundários Para Allport, características da personalidade que nem sempre se evidenciam.

Transferência (1) O efeito — positivo ou negativo — da aprendizagem numa situação sobre a aprendizagem em outra situação. Os primeiros estudos sobre o tema foram feitos por Woodworth e Thorndike.

Transferência (2) Na psicanálise freudiana, ocorre quando o paciente cria um forte apego emocional ao terapeuta.

Tratamento moral Para Pinel e Tuke, abordagem do tratamento da doença mental que previa melhoria da nutrição e das condições de vida, além de recompensas pelo comportamento produtivo.

Tropismos Movimentos forçados; reações automáticas a estímulos específicos, conforme os estudos de Loeb.

Uniformitarianismo Teoria geológica defendida por Lyell segundo a qual a mudança geológica se processava gradualmente, no decorrer de um longo período e em virtude de fenômenos regulares como a erosão.

Universais linguísticos Para Chomsky, os princípios comuns a todas as línguas, cuja existência respalda a ideia de que, na espécie humana, a linguagem é inata.

Valência Para Lewin, termo que descreve se um objeto é valorizado ou não por uma pessoa, casos em que teria valência positiva e negativa, respectivamente.

Validade ecológica Na psicologia cognitiva, a pesquisa que é relevante para a compreensão das atividades cognitivas diárias é considerada uma pesquisa de validade ecológica.

Variação concomitante Método que, com base na lógica de Mill, analisa se as mudanças no evento X estão associadas a mudanças no evento Y.

Variáveis intervenientes Termo, usado por Tolman e Hull, que se referia a fatores internos hipotéticos (por exemplo, o mapa cognitivo, no caso de Tolman, e a força do hábito, no de Hull) que intervinham entre estímulo e reação.

Variável dependente Qualquer variável que, numa pesquisa, seja medida como resultado de um estudo experimental (utilização inicialmente proposta por Woodworth).

Variável independente Qualquer variável de pesquisa que possa ser diretamente manipulada pelo experimentador. Nessa acepção, o termo foi introduzido por Woodworth.

Vetor Para Lewin, refere-se à direção do objetivo desejado.

Visão binocular A visão que envolve o uso de dois olhos e auxilia a percepção da profundidade.

Vitalismo Crença, oposta ao materialismo, na existência de uma "força vital" que estava além dos componentes físicos e químicos dos organismos vivos.

Voluntarismo Sistema psicológico proposto por Wundt, assim chamado devido à ênfase na ideia de que a mente organiza ativamente as informações.

Zeitgeist O clima geral intelectual, político e cultural de uma determinada era.

CRÉDITOS DE FOTOS, TEXTOS E ILUSTRAÇÕES

CRÉDITOS DE FOTOS

Capítulo 1 Figura 1.1: Cortesia da University of New Hampshire. Figura 1.2: Cortesia do *Harvard Alumni Bulletin*. Figura 1.3: Rick Zaidan/Zaidan Photography.

Capítulo 2 Figura 2.1: Cortesia da New York Public Library. Figura 2.2: De René Descartes, *L'homme et un Traité de la Formation du Foetus*. Figura 2.4: Coleção Granger. Figura 2.5: Cortesia de Jeff Miller.

Capítulo 3 Figura 3.1: ©SSPL/The Image Works. Figura 3.4: Do Phrenological Journal, Nova York: Fowler & Wells Publishers, vol. 73, capa. 1881. Figura 3.6: Cortesia do Musée Dupuytren. Figura 3.9: Cortesia da U.S. National Library of Medicine. Figura 3.10: Coleção Granger, Nova York.

Capítulo 4 Figura 4.4: Coleção Granger, Nova York. Figura 4.5: Cortesia dos Archives of the History of American Psychology, University of Akron. 4.6: Cortesia dos Clark University Archives.

Capítulo 5 Figura 5.2a: Hulton Archive/Stringer/Getty Images. Figura 5.2b: Mary Evans/Photo Researchers, Inc. Figura 5.3: Coleção Granger, Nova York. Figura 5.4: Reproduzida com a permissão dos Syndics of Cambridge University Library. Figura 5.5: De Darwin: The Expression of the Emotions in Man and Animals, 1872. Murray Publishers, Ltd. Figura 5.6: Dept. of Earth Sciences, University of Bristol. Figura 5.7: ©Corbis. Figura 5.8: ©SSPL/The Image Works.

Capítulo 6 Figura 6.1: Cortesia dos Clark University Archives. Figura 6.2: Cortesia da Houghton Library, Harvard University. Figura 6.3: Cortesia da Houghton Library, Harvard University. Figura 6.4: Cortesia dos Archives of the History of American Psychology, University of Akron. Figura 6.5a e Figura 6.5b: Cortesia dos Clark University Archives. Figura 6.7: Foto de Partridge, cortesia dos Wellesley College Archives.

Capítulo 7 Figura 7.1: Cortesia dos Archives of the History of American Psychology, University of Akron. Figura 7.4: Cortesia da Society of Experimental Psychology. Figura 7.5: Time Life Pictures/Stringer/Getty Images. Figura 7.8: Cortesia University Press of New England. Reproduzida com permissão. Figura 7.9a e Figura 7.9b: Robert Mearns Yerkes Papers, Manuscripts and Archives, Yale University Library. Figura 7.11: Cortesia dos Psychology Archives, University of Akron.

Capítulo 8 Figura 8.1: De Scripture, E. W. (1895), Thinking, Feeling, Doing. Meadville, PA: Chautauqua-Century Press. Figura 8.2, Figura 8.3 e Figura 8.4: Cortesia dos Archives of the History of American Psychology, University of Akron. Figura 8.5: De Henry H. Goddard, The Kallikak Family, 1912. Figura 8.6: Cortesia da U.S. National Library of Medicine. Figura 8.7: Cortesia dos Psychology Archives, University of Akron. Figura 8.8: Cortesia da U.S. National Library of Medicine. Figura 8.11: Cortesia do National Research Council. Reproduzida com permissão da National Academy Press. Figura 8.12: Cortesia dos Psychology Archives, University of Akron. Figura 8.13: UPI/Corbis-Bettmann.

Capítulo 9 Figura 9.1: UPI/Corbis-Bettmann/©Corbis. Figura 9.2: Cortesia dos Archives of the History of American Psychology, University of Akron. Figura 9.7: De The Mentality of Apes, de W. Kohler, 1926. Routledge, Ltd. Reproduzida com permissão.

Capítulo 10 Figura 10.3: Coleção Granger, Nova York. Figura 10.4a: ©1991 Board of Trustees of the University of Illinois. Reproduzida com permissão. Figura 10.4b: De G. F. Nicolai, Die physiologische methodik zur erforschung der tierpsyche, ihre moglichkeit und ihre anwendung, 1907. Journal für Psychologie und Neurologie, 10:1-27. Figura 10.6: Cortesia dos Archives of the History of American Psychology, University of Akron. Figura 10.7a, Figura 10.7b e Figura 10.7c: De PSYCHOLOGICAL CARE OF INFANT & CHILD, de John B. Watson. ©1928 W. W. Norton & Company, Inc. Usada com permissão da W. W. Norton & Company, Inc. Figura 10.8: Cortesia dos Archives of the History of American Psychology, University of Akron. Figura 10.9: Cortesia dos Psychology Archives, University of Akron.

Capítulo 11 Figura 11.2 e Figura 11.8: Cortesia dos Archives of the History of American Psychology, University of Akron. Figura 11.10: UPI/Bettmann/©Corbis-Bettmann. Figura 11.11: Walter Dawn/©Photo Researchers. Figura 11.12a: Cortesia da Gerbrands Corporation.

Capítulo 12 Figura 12.1: Cortesia da National Library of Medicine. Figura 12.2a: Da coleção de Robert Foster. Figura 12.3: ©Corbis. Figura 12.4: Cortesia da National Library of Medicine. Figura 12.5: Cortesia de Frank J. Sulloway. Figura 12.6: ©AP/Wide World Photos. Figura 12.7: Mary Evans/Sigmund Freud Copyrights. Figura 12.8: University of Pennsylvania Archives.

Capítulo 13 Figura 13.1: Cortesia dos Psychology Archives, University of Akron. Figura 13.2: Bettmann/©Corbis. Figura 13.3: ©Ted Polumbaum/LIFE. Figura 13.4: Bettmann/©Corbis. Figura 13.6 (esquerda) e Figura 13.6 (direita): Propriedade dos AT&T Archives. Reproduzida com permissão da AT&T.

Capítulo 14 Figura 14.1: Cortesia dos Psychology Archives, University of Akron. Figura 14.4: ©1998 J. T. Miller. Figura 14.7: Cortesia da Emory University. Figura 14.8: McGill University Archives. Figura 14.9: ©Estate of Francis Bello/Photo Researchers. Figura 14.10 Coleção Granger, Nova York. Figura 14.11: Cortesia dos Archives of the History of American Psychology, University of Akron.

Capítulo 15 Figura 15.1: Cortesia da George Bush Presidential Library & Museum. Figura 15.2a e Figura 15.2b: Cortesia dos Archives of the History of American Psychology, Robert V. Guthrie Papers — University of Akron.

CRÉDITOS DE TEXTO E ILUSTRAÇÕES

Capítulo 1 Página 33: De "The 'zeitgeist' and American Psychology", de D. Ross, 1969, *Journal of the History of the Behavioral Sciences*, 5, p. 257. Copyright 1969. Reproduzido com permissão da John Wiley & Sons, Inc.

Capítulo 2 Páginas 68-71: De *Autobiography*, de J. S. Mills, Nova York: Penguin Books Ltd. (Obra originalmente publicada em 1873.) Copyright 1989.

Capítulo 3 Página 90: De "Helmholtz and his continuing influence", de R. M. Warren, *Music Perception*, 1, p. 257. Copyright 1984. Reproduzido com permissão da University of California Press e do Dr. Warren. Páginas 99-101: De Broca, citado por *A Source Book in the History of Psychology*, de Herrnstein e Boring, 1965, Cambridge, MA: Harvard University Press. (Obra originalmente publicada em 1861.) Figura 3.7: De Fritsch & Hitzig, citado por *A Source Book in the History of Psychology*, de Herrnstein e Boring, 1965, Cambridge, MA: Harvard University Press. (Obra originalmente publicada em 1870.) Figura 3.8: De *A History of Experimental Psychology*, de E. G. Boring, 1950, Englewood Cliffs, NJ: Prentice Hall. Copyright 1950. Reproduzido com permissão de Frank Boring. Figuras 3.11 e 3.12: De *Brain Mechanisms and Intelligence*, de K. S. Lashley, 1963. (Obra originalmente publicada em 1929.) Copyright 1963. Reproduzido com permissão da Simon & Schuster.

Capítulo 4 Figuras 4.2 e 4.3: De *Sensation and Perception in the History of Experimental Psychology*, de E. G. Boring, 1942. Copyright 1942. Reproduzido com permissão de Frank Boring. Páginas 135-138: De *An education in Psychology: James McKeen Cattell's Journal and Letters from Germany and England*, de M. M. Sokal (org.), 1981, Cambridge, MA: MIT Press. Copyright 1981. Reproduzido com permissão da MIT Press. Páginas XX-XX: De *Memory: A Contribution to experimental psychology*, de H. Ebbinghaus, 1964, Nova York: Dover Publications. (Obra originalmente publicada em 1885.) Copyright 1964. Página XX: De "Oswald Kulpe and the Wurzburg school", de R. M. Ogden, 1951, *American Journal of Psychology*, 64, p. 9. Copyright 1951. Considerado de domínio público pela University of Illinois Press.

Capítulo 6 Páginas 192-196: De *The Principles of Psychology, Vol. 1*, de W. James, 1950, Nova York: Dover Publications. (Obra originalmente publicada em 1890.) Copyright 1950. Páginas 196-197: De *Psychology: The Briefer Course*, de W. James, 1961, Nova York: Harper Collins. (Obra originalmente publicada em 1892.) Copyright 1961. Páginas 200: De "carta de 6 de junho de 1906 a L. N. Wilson", de E. B. Titchener. Reproduzida com base nos documentos de Wilson encontrados nos Clark University Archives. Páginas 203-204: De "Recollections of Clark's G. Stanley Hall", de L. A. Averill, 1982, *Journal of the History of the Behavioral Sciences*, 18, p. 342. Copyright 1982. Reproduzido com permissão da John Wiley & Sons, Inc. Página 204: De "On the history of research with rats and mazes", de R. W. Miles, 1930, *Journal of General Psychology*, 3, p. 331. Copyright 1930. Reproduzido com permissão da Helen Dwight Reid Educational Foundation. Publicado por Heldref Publications, Washington D.C.

Capítulo 7 Páginas 231-232: De "carta de 8 de agosto de 1910 a E. B. Titchener", de E. C. Sanford. Reproduzida com base nos documentos de Titchener por permissão da Division of Rare and Manuscript Collections, Cornell University Library. Página 232: De "carta de 14 de julho de 1893 to Hugo Münsterberg", de Lightner Witmer. Reproduzida com base nos documentos de Münsterberg; cortesia da Boston Public Library. Página 234: De "Psychology as the Behaviorist views it", de J. B. Watson, 1913, *Psychological Review*, 20, p. 164. Copyright 1913. Considerado de domínio público pela American Psychological Association. Páginas 235-248: De *Animal Intelligence: Experimental Studies*, de E. L. Thorndike. Copyright 2000 Transaction Publishers. Reproduzido com permissão do editor. Nova reprodução ou disseminação sem a permissão do editor são expressamente proibidas.

Capítulo 8 Figura 8.9 e Figura 8.10: De *Army Mental Tests*, de Yoakum e Yerkes, 1920, Nova York: Henry Holt & Company. Copyright 1920. Figura 8.11: De *The Mismeasure of Man* (p. 178), de J. S. Gould, 1981, Nova York: W. W. Norton. Copyright 1981. Páginas 290-293: De *Psycho-*

logy and Industrial Efficiency, de H. Münsterberg, 1913, Boston, MA: Houghton Mifflin Co. Copyright 1913.

Capítulo 9 Páginas 313-315: De *The Mentality of Apes*, de W. Köhler, 1926, UK: Routledge Ltd. Copyright 1926. Reproduzido com permissão da Routledge. Figura 9.8 e Figura 9.9: Quatro figuras, conforme especificado em *Productive Thinking*, de Max Wertheimer, 1982, Nova York: Harper Collins Publishers. (Obra originalmente publicada em 1945.) Copyright 1959 de Valentin Wertheimer. Copyright renovado em 1987 por Michael Wertheimer. Reproduzido com permissão da Harper Collins Publishers, Inc. Figura 9.10: De "On Problem Solving", de K. Duncker, 1945, *Psychological Monographs, Vol. 1*, p. 2. Copyright 1945. Tabela 9.1: De *Child Behavior and Development*, de R. Lippit & R. K. White (G. R. Barker, J. S. Kounin & H. F. Wright, orgs.), 1943, NY: McGraw Hill. Copyright 1943. Página 328: De "Has 'field theory' been 'tried and found wanting?'", de R. K. White, 1978, *Journal of the History of the Behavioral Sciences, Vol. 14*, pp. 245-46. Copyright 1978. Reproduzido com permissão da John Wiley & Sons, Inc.

Capítulo 10 Figura 10.1: De *Lectures on Conditioned Reflexes*, de I. P. Pavlov, (W. H. Gantt, trad.), 1928, Nova York: International Publishers. Copyright 1928. Reproduzido com permissão da International Publishers Co., Inc. Páginas 342-343: De *Conditioned Reflexes: An Investigation of the Physiological Activity of the Cerebral Cortex*, de I. P. Pavlov, (G. V. Anrep, trad.), 1960. (Obra originalmente publicada em 1927.) Copyright 1927. Reproduzido com permissão da Oxford University Press. Página 345: Dos documentos de W. R. Miles (recorte do diário de W. R. Miles). Reproduzido com permissão dos Archives of the History of American Psychology, University of Akron. Páginas 351-355: De "Psychology as the behaviorist views it", de J. B. Watson, 1913, *Psychological Review, 20*, pp. 158, 164, 163, 167. Copyright 1913. Considerado de domínio público pela American Psychological Association.

Capítulo 11 Figuras 11.3a, 11.3b e 11.4: De *Purposive Behavior in Animals and Men*, de E. C. Tolman. Reproduzido com permissão da Irvington Publishers, Inc. Copyright 1932 Appleton-Century-Crofts. Figura 11.5: De "Studies in spatial learning. II. Place learning versus response learning", de E. C. Tolman, B. F. Ritchie e D. Kalish, 1946, *Journal of Experimental Psychology, 36*, p. 223. Copyright 1946. Considerado de domínio público pela American Psychological Association. Páginas 381-382, Figuras 11.6a e 11.6b: "Cognitive Maps in Rats and Men", de E. C. Tolman, 1948, *Psychological Review, 55*, p. 208. Copyright 1948. Considerado de domínio público pela American Psychological Association. Figuras 11.9a e 11.9b: De *Principles of Behavior*, de C. L. Hull, 1943. Copyright 1943 Appleton-Century-Crofts. Reproduzido com permissão da Sra. Ruth Hull Low e do Dr. Richard Low.

Capítulo 13 Páginas 460-464: De *On Becoming a Person*, by Carl R. Rogers. Copyright 1961, renovado em 1989 por Carl R. Rogers. Reproduzido com permissão da Houghton Mifflin Company. Todos os direitos reservados. Figura 13.5: Cortesia dos Archives of the History of American Psychology — The University of Akron.

Capítulo 14 Páginas 478-481: De *Remembering: A Study in Experimental and Social Psychology*, de F. C. Bartlett, 1967 (obra originalmente publicada em 1932), Cambridge, UK. Reproduzido com permissão da Cambridge University Press. Figuras 14.5 e 14.6: De *Plans and the Structure of Behavior*, de George A. Miller, Eugene Galanter e Karl H. Pribram, 1960. Reproduzido em Nova York: Adams, Bannister, Cox, 1986, pp. 26 e 36. Página 502: De "Leon Festinger and the art of audacity", de E. Aronson, *Psychological Science, 2*, 1991. Reproduzido com permissão da Blackwell Publishers. Página 504: De "Titchener's experimentalists", de E. G. Boring, *Journal of the History of the Behavioral Sciences, 3*. Copyright 1967. Reproduzido com permissão da John Wiley & Sons, Inc. Página 506: De *Theories of Personality*, 2ª ed., de C. S. Hall e G. Lindzey, Nova York: John Wiley & Sons, Inc. Copyright 1970. Reproduzido com permissão do editor.

Capítulo 15 Página 515: Dos documentos de W. R. Miles (anotação no diário de Miles feita em 1º de abril de 1931). Reproduzido com permissão dos Archives of the History of American Psychology, University of Akron. Páginas 516-517: De "A role model for generations", de A. Pick, *APS Observer, 16(4)*, 2003. Reproduzido com permissão da American Psychological Society. Página 518: De *Simple Justice: The History of* Brown v. Board of Education *and Black America's Struggle for Equality*, de R. Kluger, 1987, Nova York: Random House.

ÍNDICE REMISSIVO

AAAP, *ver* American Association for Applied Psychology
AACP, *ver* American Association of Clinical Psychologists
Ablação, 80, 96, 98, 103, 107, 111, 122
Abordagem idiográfica, 503
Abordagem indutiva da ciência, 48
Ação de massa, equipotencialidade e, 98, 107-11, 497
Ação direta do sistema nervoso, 164
Acomodação, 60, 75, 89
Adolescence, 207, 208
Afasia
  motora, 101, 111
  sensorial, 101
Aids in the Selection of Salesmen, 294
Ajuste, método do, 121
Alfa (exército), 258, 281-83, 286, 298, 470
Algoritmo, 494
Allport, Floyd, 500, 505, 511
Allport, Gordon, 393, 475, 503-06, 511
Alquimia, 23, 27, 72
Ambiente comportamental, 312, 330
Ambiente geográfico, 312-13, 320
Âmbito externo, 320
American Association for Applied Psychology (AAAP), 443, 446, 450, 461
American Association of Clinical Psychologists (AACP), 442, 450
American Association of the Feeble-Minded, 268
American Association of University Professors, 239
American Journal of Psychology, 201-02, 208, 213-14, 216, 218, 224, 227
American Philosophical Association, 197, 212, 219
American Psychological Association (APA), 18, 21, 41, 43, 107, 181, 197, 206, 218-19, 226, 239, 241, 248, 264, 281, 363, 402, 429, 483, 497, 514, 520
American Psychological Society (APS), 21, 471, 521
American Psychologist, 18-9
Amherst College, 95, 250
Análise da variância (ANOVA), 502
Análise de impressões digitais, 172
Análise de meios-fins, 494
Análise dos sonhos, 429, 445
Analysis of the Phenomena of the Human Mind (Mill), 66, 69
Angell, James Rowland, 216, 221, 237, 239, 240, 243, 254, 261, 285, 294, 348, 386
Animal Education: An Experimental Study of the Physical Development of the White Rat, Correlated with the Growth of Its Nervous System (Watson), 349
Animal Intelligence: Experimental Studies (Thorndike), 245
Animal Life and Intelligence (George Romanes), 168
Anna O., caso de, 426-427
Ansiedade
  Hierarquia da, 458-59
  moral, 432
  neurótica, 432
  objetiva, 432
Antioch College, 200
Antítese, 164
Antivivisseccionistas, 350
Antropomorfismo, 168, 179
APA, *ver* American Psychological Association
Apercepção, 73, 134, 144, 232, 436
Aprendizagem em gaiolas, 169
  Thorndike acerca da, 169
Aprendizagem,
  latente, 375-379, 405
  por associação em pares, 210, 219
  por memorização, 136
  por tentativa e erro, 179, 247, 255, 329, 335
  psicologia da Gestalt e, 313-315, 330
  serial, 136
Aptitude Testing (Hull), 382
Aquino, Tomás de, 47, 148
Aquisitividade, 92, 93, 94
Archives of the History of American Psychology (AHAP), 7, 19, 34-5, 41-2
Arco reflexo, 237-39, 241, 490
Área de Broca, 101
Argumento do desígnio, 148-49, 153, 178-79, 191
Aristóteles, 3, 47-8, 66, 76
Arquivo, 18, 33-8, 41-43, 124, 203, 308, 384, 441
Associação, 46, 54, 57, 59, 62-5, 70, 76, 80, 126, 134-35, 139-40, 142, 148, 175-79, 182, 184, 189, 208, 210-11, 219, 230, 237, 293, 334, 340, 393, 405, 428-29, 434, 482
  de palavras, 143, 177, 208, 293, 304, 434
  investigação, 175
  pesquisa sobre, 189, 210, 318
  teste, 177
Associacionismo, 54, 57, 62, 64, 70, 72, 134, 136, 182-83, 364
  behaviorismo e, 485
  definição de, 62
  Hartley, David, e, 76
  Hume, David, e, 62, 75
  Mill, John Stuart, e, 45, 54, 66-71
Associações remotas, 138-39
Association for Psychological Science (APS), 21, 297, 451, 471
Atenção, modelo de filtragem seletiva da, 489, 510

Atitudes conscientes, 143, 145
Atomismo, 46, 57, 59, 65, 302
Ato reflexo, 52-3, 82, 87, 105, 169, 341
Atributos, 57, 91-92, 137, 173, 182, 194, 222, 232-34, 254, 292, 460
Atrição, 277
Audição, Helmholz acerca da, 80, 86, 88-90
Autoanálise, 430
Autoatualização, 459-60, 462, 464
Autoobservação, 142

Bacon, Francis, 48, 54-5, 75, 335, 368, 399
Baldwin, James Mark, 5, 18, 24, 182, 193, 203, 214-17, 219, 222, 231, 234, 351
Bartlett, Frederick C., 346, 475, 477-83, 489, 492, 505, 509-10
  acerca da memória, 346, 475, 477-83, 489
Beagle, ver *H.M.S. Beagle*, viagem do
Beers, Clifford, 415, 442, 444
Beginner's Psychology (A) (Titchener), 225
Behavior of Organisms (The) (Skinner), 393, 403
Behavior System (A) (Hull), 387
Behavior: An Introduction to Comparative Psychology (Watson), 373
Behaviorism (Watson), 361, 369
Behaviorismo, 57, 59, 94, 106, 133, 143, 169, 223, 234-35, 242-43, 252-53, 287, 301, 310, 328-29, 333, 346, 351, 353-55, 359-63, 367-74, 382, 390-94, 400, 402-05, 449, 455, 459, 464, 475-77, 481, 484-87, 496, 509, 521
  antecedentes do, 334
  contribuição de Pavlov para o, 243, 333-35
  evolução do, 367
  fundação do, 347, 364
  intencionado, 373, 405
  neobehaviorismo, 368-69, 372, 403, 507
  origens do, 333
  popularização, 361
  positivismo lógico e operacionismo e, 367, 369
  pós-watsoniano, 368, 404
  publicidade e, 333, 358-360, 362

radical, 391, 399, 402
  sistema hipotético-dedutivo e, 384-387
  Watson, John B., e a fundação do, 347, 364
  watsoniano, 334, 362-63, 367
Behaviour Research and Therapy (Eysenck), 458
Bell, Charles, 84-6, 412
Berkeley, George, 59-62, 75-76, 79, 89-90, 182-183
Beta (exército), 258, 281-282, 284, 286, 298, 470
  subtestes, 284
Beyond the Pleasure Principle (Freud), 431-32
Bíblia, 47, 148, 152, 237
Biblioteca do Congresso, 22, 34-5
Binet, Alfred, 139, 175, 257-58, 264-69, 272-76, 281, 298, 423, 441, 508
Bingham, Walter Van Dyke, 258, 293-94, 298, 449, 466-67
Bit, 484, 488
Boa continuação, 311, 330
Boring, Edward G., 17-8, 21, 29-32, 37-9, 83, 84, 116-19, 121, 123,126-27, 132-33, 140, 162, 182, 184, 215, 224, 227-28, 235, 243, 253, 257, 290, 363, 370, 392-93, 420-21, 436, 443, 505-06, 509, 516, 520, 522
Bowdoin College, 183, 214
Boyle, Robert, 55, 59
Brain Mechanisms and Intelligence (Lashley), 107
Brandeis University, 459
Breuer, Joseph, 426-27, 430-31, 445
British Royal Society, 55, 340
Broca, Paul, 90, 100-02, 111
Brooklyn College, 459
Brown University, 295
Brown v. Board of Education, 513, 518-19, 523
Bryn Mawr College, 186
Buonarotti, Michelangelo, 47

Cadeia da vida, 149
Cajal, Santiago Ramón y, 104-06, 111
California School of Professional Psychology (CSPp), 465
Calkins, Mary Whiton, 36-7, 181-82, 189, 193, 208-14, 219, 228, 290, 353, 514-15
  acerca da associação, 210

vida e obra de, 209
Cambridge University, 150, 165, 167, 178, 210, 223-24, 240, 250, 267, 289, 477, 489
Cânone da parcimônia de Lloyd Morgan, 170, 312
Características adquiridas, 159
  herança de, 149, 163, 178
Carnegie Institute (Carnegie Institute of Technology), 294, 298, 466-67
Carnegie-Mellon University, 294
Carr, E. H., 20
Carr, Harvey, 221, 242, 255, 349, 515
Cartas (como fontes), 38, 42
Cartesianismo, 47, 50
  precursores do, 47
  racionalismo e, 50
Catarse, método da, 426-27, 445
Catastrofismo, 152
Cattell, James McKeen, 33, 128, 130, 143, 189, 198, 201, 213, 221, 243, 255, 257, 260-61, 297, 336, 439, 466, 472
Causa e efeito, 63, 74, 508
CCI, *ver* Commission on Community Interrelations (CCI)
Células corticais, 499
Centro da fala, descoberta do, 100
Centro Internacional de Epistemologia Genética, 509
Cerebelo, 84, 91, 98
Cérebro
  comportamento e, 109, 409, 476, 497-99, 510, 520
  mapeamento do, 101-03
Charcot, Jean-Martin, 410, 422-23, 426, 445
Cheaper by the Dozen (Gilbreth e Gilbreth), 295
Child Welfare Research Station, 319, 331
Chomsky, Noam, 126, 484-85, 510
Christ's College (Cambridge), 150
Chunk, 488-89
Churchill, Winston, 38
Cibernética, 490
Ciência, 47-48
  abordagem indutiva da, 48
  abordagem nomotética X abordagem idiográfica da, 503
  cognitiva, 476, 493, 499, 510
  heroica, 80
  normal, 486
  pragmatismo e, 259

visão positivista da, 221
Cinestesia, 109, 117, 206, 231, 349, 364
Círculo de Viena, 369
Círculos sensoriais, 117
City College of New York, 500, 520
Civilization, 35
Civil Rights Act (Lei dos Direitos Civis), 517
laboratório da, 36
Clark, Kenneth B., 518-20, 523
Clark, Mamie Phipps, 518-20, 523
Clark University, 18, 29, 31, 36, 128, 170, 185, 188, 199-200, 202-04, 209, 217-18, 224-25, 237, 268, 273-74, 296, 427, 431, 434-35, 504
Coca-Cola Company, 296, 466
Cognição, 170, 177, 183, 216, 315, 318, 328, 376, 409, 475, 477, 491-93, 497, 508
  pesquisa gestaltista sobre, 317, 331
  psicologia da Gestalt e, 306, 313, 330
Cognition and Reality (Neisser), 492
Cognitive Dissonance: Progress on a Pivotal Theory in Social Psychology (Harmon-Jones e Mills), 503
Cognitive Psychology (Neisser), 477, 491-92
Cognitive Science, 492-93
Columbia Teacher's College,
Columbia University, 140, 213, 217, 221-22, 236, 239-40, 243, 245, 248-55, 261-67, 277-78, 294, 296, 324, 352, 360, 461, 466, 519, 521
Comércio, psicologia aplicada ao, 260, 285-94, 449, 466, 472
Commission on Community Interrelations (CCI), 327
Committee on Psychology and the Public Service, 443
Committee on Social Utilization of Unemployed Psychologists, 443
Committee on Training in Clinical Psychology (CTCP), 452
Complexo de inferioridade, 434
Comportamento
  análise experimental do, 368, 393-94, 403
  cérebro e, 109, 409, 476, 497-99, 510, 520

sistema nervoso e, 103, 109, 111
tecnologia do, 361, 399, 401, 406
Comportamento animal, Watson e, 28, 106, 334, 348, 351, 364, 368, 372, 398, 403
Comportamento molar, 374-75, 405
Comportamento molecular, 374
"Computing Machinery and Intelligence" (Turing), 494
Concordância, método da, 70-71, 75
Condicionamento, 23, 32-3, 106, 109, 170, 243, 248, 287, 296, 333-34, 336, 338-47, 352-60, 363, 367, 372, 393, 396, 404, 435, 442, 457-59, 475, 482-85, 497-98
  clássico, 343, 357, 396, 405, 442
  direto, 457
  do tipo R, 393
  do tipo S, 393
  operante, 248, 393-96, 400, 405
Conditioned Reflexes (Pavlov), 347
Conditioned Reflexes: An Investigation of the Physiological Activity of the Cerebral Cortex, 340
Conexionismo, 243, 247
Conferência de Clark, 436
Conferência de Vail, 464
Confiabilidade, 378, 405, 466, 471
Conflitos
  aproximação-aproximação, 321
  aproximação-evitação, 321, 328, 331
  evitação-evitação, 321
Congresso Internacional de Yale, 319, 369, 509
Consciência, 28, 73, 81-2, 85, 119, 125, 133, 162, 170, 182, 184, 194-97, 212, 214, 221, 223, 229-33, 241, 261, 279-80, 310, 352-53, 368, 386, 421, 432
Conservação da energia, 87, 110
Contemporary Schools of Psychology (Woodworth), 252, 368
Contexto filosófico da psicologia, 45-76
  cartesianismo, 50-4
  empirismo britânico, 45, 48, 54, 57, 62-4, 333, 373, 394, 403
  reações racionalistas ao empirismo, 72, 76
Contiguidade, 63, 65-66, 76, 135, 140, 211, 388, 405

espacial, 65
  temporal, 65, 388
Contrato social, 54
Contributions to a Theory of Sensory Perception (Wundt), 123-24
Controle de estímulo, 396
Convergência, 60, 75, 81
Coolidge, Calvin, 288
Cornell University, 29, 36, 39, 132, 212-14, 217, 221-24, 229, 231, 234, 240, 243, 253-54, 289, 307, 319, 322-24, 331, 336, 384, 483, 491, 514, 516
Correlação, 92, 175, 253, 263, 297, 353, 385, 468
Córtex cerebral, 98, 482
Counseling and Psychotherapy (Rogers), 462
Crânio, doutrina do, 93
Cranioscopia, 92-3
Crianças
  criação, 400-01, 406
  Freud acerca da sexualidade das, 430-31, 445
  frustração em, 331
  psicologia do desenvolvimento e, 507-08
  superdotadas, 258, 276-78
  terapia do jogo e, 433
Crianças superdotadas
  Estudos de Terman sobre, 276-77
  Hollingworth acerca de, 277-78
Critique of Judgment (Kant), 74, 535
Critique of Practical Reason (Kant), 73, 535
Critique of Pure Reason (Kant), 73, 535
Cronometria mental, 127, 141, 143-44, 261
CTCP, *ver* Committee on Training in Clinical Psychology (CTCP)
Cursos de repetição, 221, 225-27

Dartmouth College, 294
Darwin, Charles, 31-33, 147-82, 186, 191, 194, 217, 221, 235-36, 337, 340, 425, 445, 520
  como geólogo, 151-53
  como naturalista, 150
  como zoólogo, 153
  história da psicologia e, 162
  sobre a evolução das expressões emocionais, 162
Darwin, Erasmus, 32, 149, 161

Darwin's Century: Evolution and Men Who Discovered It (Eisley), 161
Darwinismo social, 236, 239
Da Vinci, Leonardo, 47
Débiles, 266, 298
Dediferenciação, 324
Definições operacionais, 370-371, 373, 400, 404, 435
Demência precoce, 417-18, 444
Descartes, René, 45, 47-55, 57, 61-5, 72-76, 80-2, 94, 110, 483, 485, 496
Descent of Man (The) (Darwin, Charles), 161-62, 164
Desenvolvimento emocional, estudo do, 351, 355, 364
Dessensibilização sistemática, 358, 458
Determinismo, 59, 192, 218, 445, 471
Deus, 32, 47-8, 51, 55-6, 59, 61-3, 69, 73-4, 118, 148-49, 152, 155-56, 183, 191, 310, 382, 429
Developmental Psychology of Jean Piaget (The) (Flavell), 509
Dewey, John, 33, 201, 221, 237, 239, 254, 257, 259, 261
Diagnostic and Statistical Manual of Mental Disorders (DSM-IV), 416
Diários (como fontes), 34-5, 38, 42
Dicotomia cartesiana, 51, 75
Diferença, método da, 71
Diferenças individuais, 58, 94, 128, 130, 147, 159, 162, 171-72, 175, 177, 179, 216, 233-36, 241, 260-61, 264-66, 298, 336, 343, 441, 497
Diferenciação, 323-24, 342, 364, 396
Diploma de Psy.D., 439, 465
Discourse on Method (Descartes), 50
Discursos como fontes, 18, 34
Disposição mental, 550
Dissonância cognitiva, 501-02
Dix, Dorothea, 414-15, 444
dmp (diferença minimamente perceptível), 118, 120
Doença mental, 397, 408-18, 455, 460, 499
  a psicanálise de Freud e o tratamento da, 424-26
  diagnóstico da, 416-17
  mesmerismo e hipnose para tratamento da, 418-23, 444
  primeiros tratamentos da, 410-11

psicologia clínica nos Estados Unidos e, 435-37, 439
Doutrina do crânio, 93
Drives Toward War (Tolman), 383
DSM-IV, *ver Diagnostic Statistical Manual of Mental Disorders (DSM-IV)*, 413
Dualismo, 51, 340
Dynamic Psychology, 252

Ebbinghaus, Hermann, 24, 45-6, 113, 135-40, 144, 176, 210-11, 240, 264-65, 476-78
Educação, 39, 46, 66, 69, 181, 187-90, 196, 199, 201-03, 206-09, 234, 239, 243, 251, 260, 265-67, 275, 277, 363, 403, 517-18
  Locke, John, acerca da, 55, 58-9
  na Alemanha, 113-15
  para minorias, 181, 185, 187-88
  para mulheres, 185
  progressiva, 239
Education in Psychology (An): James McKeen Cattell's Journal and Letters from Germany and England, 1880-1888 (Sokal), 130
Educational Psychology (Thorndike), 250
Efeito
  Hawthorne, 468-73
  Stroop, 404, 476
  von Restorff, 317
  Zeigarnik, 321-22, 331
"Effects of Psychotherapy: An Evaluation (The)" (Eysenck), 454
Ego, 423
Ego and Mechanisms of Defense (The) (Freud, A.), 433
Elements of Intellectual Philosophy, 183, 218
Elements of Mental Philosophy, 183
Elements of Physiological Psychology (Ladd e Woodworth), 214-15, 219
Elements of Psychophysics (Fechner), 120, 135
Eletroencefalograma (EEG), 499
Emoções:
  James acerca das, 196-97
  teoria das emoções de James-Lange, 182, 196, 233
Empatia, 214, 463
Empirismo, 45, 48, 54, 57, 59, 62-3, 70, 403
  associacionismo britânico e, 57, 62, 136, 182

Berkeley, George, e, 59
Locke, John, e, 54
reações racionalistas ao, 72
Energia(s)
  conservação da, 87
  específica(s), 90
Energias nervosas específicas, 85, 89-90, 110
English Men of Science: Their Nature and Nurture (Galton), 173
Enurese noturna, 455
Epilepsia, 98, 422, 498-99
Epistemologia, 55, 62, 493, 507-11
Epistemologia genética, 508-09, 511
Epônimos, 31-2, 161, 363
Equação pessoal, 127
Equilíbrio, 81, 302, 320, 432, 453
Equipotencialidade, ação de massa e, 98, 107, 109, 111, 497
Ergonomia, 295, 298
Erikson, Erik, 436
Eros, 431
Erro de estímulo, 231
Erros de fala, 482
Escalas de Binet-Simon, 258, 267, 269, 273, 275
Escola de Würzburg, 141
  predisposições mentais e pensamento sem imagens, 141
Escolas pertencentes à "Ivy League", 185-86
Escuta dicótica, 489
Espaço vital, 313, 320-21, 328, 331
Espiritismo, 96, 182, 197, 201-02
Espíritos animais, 52-3, 65
Esquemas, 478, 481, 508
Esquizofrenia, 13, 134, 416-17, 434
Essay Concerning Human Understanding (Locke), 55, 72
Essay Towards a New Theory of Vision (An) (Berkeley), 60
Estampagem, 166, 249, 352
Estilos de liderança, 325-26, 328, 331
Estimulação elétrica (do cérebro), 101-03, 111, 498
Estímulo(s)
  condicionado (EC), 341, 357
  condicional, 341, 357
  constantes, método dos, 120-21, 144
  de controle, 125
  não condicionado (ENC), 341

Estruturalismo, 132, 194, 212, 217, 221-24, 227, 233-35, 241, 252-54, 301
Estudo da sala de teste de montagem de relés, 469
Estudo de caso, 271, 384, 505
Estudo de Eysenck, 454
Estudo sobre o bebê Albert, 355, 358-59, 372, 457
Estudos com gêmeos, 172
Estudos com labirintos, 351
Estudos de Hawthorne, 468, 470, 472
Etologia, 148, 165-66, 249
Eugenia, 148, 174, 179, 260
Eugenics Society, 174
Evolução, teoria da, 32-3, 109, 126, 149, 153, 157-62, 177, 206, 213
  a pessoa de Darwin e, 150-52
  conforme desenvolvida por Darwin, 149, 153-54, 157
  elementos da, 158
  viagem do *Beagle* e, 147, 151-59
Examination of Phrenology (Flourens), 96
Examination of Sir William Hamilton's Philosophy (Mill), 69
Existência, luta pela, 177, 273
Expectativa, 376
Experiências
  conscientes, 110, 124-25, 133-34, 143-44, 222, 230, 232, 241, 254, 301, 336, 346, 362, 476, 487
  de pico, 460, 471
  humanas conscientes, 110, 124, 232, 346, 476, 487
  mediatas, 125
Experimentalistas, 21, 37, 213-14, 222, 226-28, 245, 254, 281, 324, 354, 451, 502, 504-05, 515
Experimental Psychology (Woodworth), 252
Experimental Psychology: A Manual of Laboratory Practice (Titchener), 225
Experimento(s)
  da complicação, 113, 128-29
  qualitativos, 225-27
  quantitativos, 225-26
  tempo de reação, 226
Explorations in Personality (Murray), 436
Expressions of the Emotions in Man and Animals (Darwin, Charles), 161-62

Expressões emocionais, evolução das, 162
Extinção, 341-43, 364, 395-96

Fabric of the Human Body (Vesalius), 47
Falácia do grupo, 500
Família Kallikak, 258, 269, 271, 298
Fechamento, 312
Fechner, Gustav, 113, 116, 118-21, 135, 140, 144
Fenômeno fi, 305, 330
Festinger, Leon, 327, 459, 475, 500-03, 511
Ficções explanatórias, 398, 406, 496
Filtro seletivo, 489
Fisher, Ronald, 502-503
Fixidez funcional, 317-18, 331
Flourens, Pierre, 23, 79, 90, 92, 96, 98, 101, 107-08, 497
  estudos ablativos e, 90, 96, 111
Fontes
  cartas como, 38
  diários como, 34, 35, 38
  discursos como, 18, 34
  primárias, 33-4, 42
  primárias X secundárias, 17, 346
  secundárias, 25, 33-6, 346
Formação de reação, 433, 445
Fracionamento, 142, 230
Frenologia, 79, 91-9, 103, 110, 167, 183, 288, 297, 362
  marketing da, 95-96
Freud, Sigmund, 37, 87, 177, 237, 251, 409, 423-38, 445, 507
  contribuições de, 437
  criação da psicanálise e, 428
  críticas a, 437-38
  infância e formação de, 424
  lealdade e dissensão e, 433
  método da catarse e, 426
  teoria psicanalítica, evolução da, 431
Frustração, 324, 326, 331, 371, 381, 390, 401, 427-28
Frustration and Aggression (Dollard, Doob, Miller, Mowrer e Sears), 390
Função
  cerebral, localização da, 91-2, 98, 103, 110
  contralateral, 91
  estudos ablativos sobre a, 96-8, 103, 107, 122

estudos clínicos da, 98-101
frenologia e, 91-8
mapeamento do cérebro e, 101-02
periódica, 186, 278-79
Funcionalismo, 162, 177, 212, 221-22, 235-43, 253-55, 348
  amadurecimento do, 242, 255
Funcionalistas de Chicago, 236, 333
  Angell, James R., 239
  Carr, Harvey, 242
  Dewey, John, 237
Funcionalistas de Columbia, 243
  Thorndike, Edward L., 243-50
  Woodworth, Robert. S., 250-53
Functions of the Brain (Ferrier), 103
Furumoto, Laurel, 17, 25, 31, 33, 37, 186, 209, 211-14, 229, 515

Gage, Phineas, 99, 111
Galilei, Galileu, 48-50, 55-7, 59, 90
Gall, Franz Josef, 91-2, 94, 96, 106, 183
Galton, Francis, 23, 147, 162, 171, 179, 261, 507
Generalização, 342, 357, 359, 364, 396
Genetic Studies of Genius: Mental and Physical Traits of a Thousand Gifted Children (Terman), 276
Gestalt de sinais, 376
Gestaltistas, 66, 70, 142, 294, 297, 301-04, 306-07, 309-13, 317-20, 328-30, 374, 387, 477, 508, 517
Gestalt Psychology (Köhler), 307, 310, 312
Gibson, Eleanor, 307, 513, 515-16, 523
Gifted Children: Their Nature and Nurture (Hollingworth), 278
Gilbreth, Frank, 295
Gilbreth, Lillian Moller, 294-96, 466, 470
Girador, 412
Glândula pineal, 53
Goddard, Henry H., 26, 35, 257, 268-77, 286-87, 298, 431
  família Kallikak e, 269-72
  imigrantes e, 272-73
Golgi, Camillo, 104-06
Gramática, 126, 485
Grande Depressão, 322, 362, 369, 443, 467, 498, 517

Growth of the Mind (The) (Koffka), 306
Grupo topológico, 323, 374
G. Stanley Hall Lecture Series, 25
Guerra e paz (Tolstói), 32
Guide to manuscript Collections in the History of Psychology and Selected Areas, 35
Gutenberg, Johannes, 47

Hábito, 83, 164, 182, 195, 211, 230-31, 234
  da introspecção, 230
  força do, 384, 388-90, 405
Hábitos úteis associados, 163
Hall, G. Stanley, 18, 25, 36, 130, 143, 181-82, 188, 194, 199, 238, 384, 431, 450, 507-08, 514
  formação de, 200-01
Handbook of Child Psychology (Lewin), 323
Handbook of Human Physiology (Müller), 85
Handbook of Physiological Optics (Helmholtz), 88
Hartley, David, 62, 64-6, 70-3, 82, 182
Harvard Psychological Clinic, 436
Harvard University, 29, 31, 37, 100, 106, 183, 185-86, 191-93, 200-01, 209-12, 219, 225, 232, 244, 250-51, 280-81, 285-94, 298, 369-74, 392-93, 398, 403, 435-36, 483, 488-93, 498-500, 503-05, 509
Head, Henry, 481
Hebb, Donald O., 106, 229, 475-76, 497-99, 503, 510
Hegel, G. W. F., 20, 31
Helmholtz, Hermann von, 80, 85-91, 102, 110, 116, 119, 123, 127, 139, 158, 191, 201, 213, 304, 425
  acerca da percepção, 90-1
  acerca da visão e da audição, 88-90
Herança de características adquiridas, 149, 163, 178
Hereditary Genius (Galton), 172-73
"Heterodoxy Club", 278
Heurística, 494
Hipnose, 265, 289-90, 386, 405, 409-10, 418, 420-24, 426, 428, 436, 522
  do mesmerismo à, 420, 444
  teoria de Liebeault-Bernheim da, 421-22

Hipnotismo, 96, 421-22, 444
  controvérsias no, 421-23
Hipótese da frustração-agressividade, 390
Hipótese da sedução, 430,
Hipótese da variabilidade, 186, 278-79
Histeria, 410, 422-23, 426-31, 444-55, 458
História
  externa, 17, 27-8, 34, 42
  interna, 17, 27-8, 34, 42
  naturalística, 31-2, 160
  personalística, 31, 32, 160
  problemas no relato da, 36-8
  razões para o estudo da, 20-4
História da psicologia, 17-23, 25-30, 32-42, 46, 106, 115, 117, 132-33, 137, 147, 162, 181, 192, 217, 242, 252-53, 308, 363, 368, 402-03, 409, 444, 455, 486-87, 495, 514, 516-23
  Darwin, Charles e, 162
  interna X externa, 27-8
  minorias na, 517-18
  mulheres na, 514-15
  personalística X naturalística, 32-3
  presentismo X historicismo, 25
  problemas-chave da, 36
  razões para o estudo da, 23-4
  velha X nova, 25
Historicismo, 25
Historiografia, 34, 38-42, 257
  definição de, 34
  fontes de dados e, 34
  problemas da, 38
  verdade histórica e, 40
History of British India (Mill), 66
History of Experimental Psychology (A) (Boring), 18, 39, 133, 257
History of Psychology in Autobiography (A) (James), 189
History of Psychology in Autobiography (A) (Terman), 288
Hixon Symposium, 482-83, 510
HMS Beagle, viagem do, 151-55
Holismo, 46, 65, 302
Hollingworth, Harry, 258, 260, 277, 293, 296-99, 466
Hollingworth, Leta, 258, 277-79, 442, 461
Hospício de Salpêtrière, 411, 421-26
Hospício de Worcester, 414-415
Hospícios, 411-12, 414
Hospital Estadual de Worcester, 414-15

Hospital Geral de Viena, 426
Howard University, 189, 518-19
Hull, Clark, 204, 267, 373, 380, 382, 384, 386, 389, 395, 516
  avaliação, 382, 390
  sistema de, 387
Humana, experiência consciente, 110, 124, 232, 346, 476, 487
  elementos estruturais da, 232-33
Hume, David, 46, 62-6, 71-6, 182-83, 233
Huxley, Thomas, 160, 168
Hypnosis and Suggestibility: An Experimental Approach (Hull), 368

IA fraca, 495, 511
Id, 432, 445
Idade mental, 268-69, 273-75, 286-87, 298
Ideal tecnológico, 399
Idealismo subjetivo, 61, 75
Idea of a New Anatomy of the Brain: Submitted for the Observation of his Friends (Bell), 84
Ideia complexa, 57, 63, 65-6, 70
Ideias
  derivadas, 51
  inatas, 51, 55-7, 63, 69, 75-6
  simples, 57, 63, 70
Idiotas, 92, 194, 268, 271, 415
Igreja anglicana (igreja da Inglaterra), 59-60, 64, 148, 150, 160
Igreja Católica, 48-9, 77
Ilhas Galápagos, Darwin e, 153-56, 178
Iluminismo, 80-1, 110, 148, 178, 410-11, 413, 486
Imagens, investigação, 175-77
Imbecis, 26, 268, 271
Imigrantes, Goddard e, 272-73
Impressões, 63-5, 70, 75
Impulsos neurais, velocidade dos, 87-8
Inconsciente coletivo, 434
Increasing Human Efficiency in Business (Scott), 288
Indiana University, 274, 393
Índios norte-americanos, 187, 480
Individual and His Religion (The) (Allport), 506
Industrial Psychology, 467
Inferência inconsciente, 88
Inibição retroativa, 140, 144
Insight, 193, 314-15, 317, 329, 404, 427, 454, 463, 508
Instinto, estudo do, 165-66, 244, 269, 368, 425, 432, 459

Institute of Human Relations (IHR), 386, 388
Instituto de Medicina Experimental, 337-38, 345
Instituto de Psicologia, 305, 309, 319, 386-87
Instituto de Psicologia de Berlim, 319
Integrative Action of the Nervous System (The) (Sherrington), 105
Inteligência:
 controvérsia em torno da, 286, 298
 natureza da, 148, 172, 285, 288
Inteligência artificial (IA), 476, 493, 495, 510
 forte, 495, 511
 fraca, 495, 511
Intencionalidade, 374-76, 382, 496
Interacionismo, 50-1, 64, 75-6
Interpretação dos sonhos, A (Freud), 429, 430, 433
Interpretation of Dreams(The) (Freud), 429, 430, 433
Introduction to Comparative Psychology (An) (Romanes), 168, 373
Introspecção, 125-26, 132, 140-45, 193, 215, 221-22, 230-35, 242, 252, 254, 335-36, 347-48, 352-54, 364, 368, 373, 484, 487, 494
 experimental sistemática, 125, 142, 230, 233
 hábito da, 230
Inventing Personality (Nicholson), 506
Isomorfismo, 313, 330
Isomorfismo psicofísico, 313
Itard, Jean, 410-11, 413, 444

James, William, 31, 37, 69, 122, 143, 165, 181-83, 189-93, 197-200, 208-12, 218-19, 223, 238, 240, 250, 289, 373, 415, 435, 507
 acerca da consciência, 194
 acerca das emoções, 196-97
 acerca do hábito, 195
 anos de formação de, 190-91
 educação de, 191-92
 espiritismo e, 197
 últimos anos de, 197
Johns Hopkins University, 106, 130, 143, 185, 201-03, 206, 212-13, 217, 237-38, 261, 333, 350-51, 354-56, 359-61, 384, 482

Journal of Abnormal and Social Psychology, 505
Journal of Abnormal Psychology, 435
Journal of Experimental Psychology, 356, 390, 402, 492, 500
Journal of Genetic Psychology, 206
Journal of Humanistic Psychology (A), 464
Journal of the History of the Behavioral Sciences, 19, 25
Jung, Carl, 208, 237, 351, 431, 434, 436, 445

Kallikak Family: A Study in the Heredity of Feeblemindedness (The) (Goddard), 269
Kant, Immanuel, 2-74, 76, 302, 330
Koffka, Kurt, 294, 297, 301-02, 305-07, 310, 312-13, 318-19, 323, 329-31, 373-74, 516
Köhler, Wolfgang, 294, 301, 305, 307-08, 330
Külpe, Oswald, 113-14, 125, 128-29, 135, 141-44, 223-24, 230, 234, 304, 306, 476

Labirinto(s)
 de Carr, 242, 349-50
 em forma de T, 376-79
Laboratório
 antropométrico, 174
 de psicologia, 36, 87, 122, 124, 192, 197, 201, 215, 242, 260, 265, 289, 334, 416, 439, 476-77
Ladd-Franklin, Christine, 141, 182, 212-13, 219, 228, 514
Ladd, George Trumbull, 182, 214
Lafayette College (Easton, PA), 261
Language and Communication (Miller), 488
Language and Thought of the Child (The) (Piaget), 508
Lapsos de língua, 445, 482
Lashley, Karl, 79-80, 98, 106-11, 313, 329, 354, 380, 482, 497-98, 510
Later Maturity of the Gifted (The) (Sears), 276
Laura Spelman Rockefeller Memorial, 360, 386
Lectures on Human and Animal Psychology (Wundt), 123, 126, 244

Lei
 de Bell-Magendie, 80, 83-4, 110
 de Jost, 141
 de Weber, 116-20
 do efeito, 248, 255, 329
 do exercício, 248, 255
Leibnitz, Gottfried Wilhelm, 46, 72-6, 134
Letters from Jenny (Pettigrew),
Lewin, Kurt, 280, 301, 309, 312, 318, 331, 500, 511, 517
 avaliação, 328
 como psicólogo do desenvolvimento, 322-23
 como psicólogo social, 325
 efeito Zeigarnik e, 321-22
 juventude e início da carreira de, 318-19
 teoria de campo e, 320-21
Life and Confessions of a Psychologist (Hall), 208
Limiar(es), 73, 116-21, 175
 absoluto, 120
 de diferença, 120-21
 de dois pontos, 116-17
Limites, método dos, 120-21
Lista de obras proibidas, 48
Livre associação, 428-29, 445
Lobotomia, 450, 455-57, 471
 pré-frontal, 456
 transorbital, 456-57, 471
Locke, John, 45, 54-62, 71-5, 182, 373
 acerca da compreensão humana, 55-8
 acerca da educação, 58-9
Logic of Modern Physics (The) (Bridgman), 369-70
Los Angeles State Normal School, 274
Loyola Symposium, 492
Luta pela sobrevivência, 26, 156, 159, 239

macarthismo, 383
Magendie, François, 83-5, 110, 238
"Magical Number Seven, Plus or Minus Two: Some Limits on Our Capacity for Processing Information (The)" (Miller), 488
Magnetismo animal, mesmerismo e, 418
Malthus, Thomas, 156-59, 178
Manifesto behaviorista (Watson), 333-34, 351-52, 368
"Manuals (The)" (Titchener), 221, 225-26, 229, 254, 294

Mapas cognitivos, 368, 380, 382, 482
Maslow, Abraham, 35, 449, 459-60, 464, 471
Massachusetts Institute of Technology (MIT), 319, 327, 373, 484
Materialismo, 59, 61, 75, 86-7, 113, 118-19, 121, 144, 192, 218, 445
Mathematical Theory of Communication (The) (Shannon e Weaver), 484
Maudsley Hospital, 458
McCarthy, Joseph, 383
McCullough, David, 21-2
McGill University, 497-98
McLean Asylum, 413
McPherson, Marion White, 19, 34-5
Mead, Margaret, 327
Mecanicismo, 45, 50-1, 75, 170, 252, 334, 337, 340, 348, 425, 459, 495
Mecanismos de defesa, 432-33, 445
Medical Inquiries and Observations upon the Diseases of the Mind (Rush), 412
Memória
  Bartlett acerca da, 478-80
  construção da, 477
  de curto prazo, 137, 262, 382, 398, 476, 483, 488, 496, 503
  de longo prazo, 483, 492
  ecológica, 139
  estudo experimental da, 135, 141
  natural, 136
  tambor de, 141
Memory: A Contribution to Experimental Psychology (Ebbinghaus), 135
Memory and Cognition, 492
Mental Development in the Child and the Race (Baldwin), 215
Mentality of Apes (The) (Köhler), 307, 309, 313-14
Meritocracia, 69, 275-76, 288, 295, 298, 362
Merton, Robert, 32
Mesmerismo, 418-21
  do mesmerismo à hipnose, 418, 420-21
  magnetismo animal e, 418-20
Metapsicologia, 431, 438

Método
  anedótico, 167
  clínico, 80, 98-9, 111
  conjunto, 71
  da concordância, 70-1
  da diferença, 71
  da economia, 137-38
  da enquete, 173, 175, 194
  do ajuste, 121
  dos estímulos constantes, 121
  dos limites, 120-21
  subtrativo, 127
Miles, Walter, 35-7, 204-05, 344-45, 385, 515
Mill, John Stuart, 45, 54, 66-71, 81, 113, 165, 171, 507
Miller, George A., 137, 484, 488-89, 491, 493, 522
Mind, 161, 262
Mind That Found Itself (A) (Beers), 415
Minorias, educação para, 181, 185, 187-88
Minorias na história da psicologia, 517-18
Mito de Freud, 410, 424, 430, 435
  "do herói", 424
Modelo de Boulder, 452-53, 464-65
  do cientista-praticante, 454, 465
  E-O-R, 252
Mônadas, 73-4
Monadologia, 72, 76
Morgan, Conwy Lloyd, 164, 168-69, 179, 205, 243-44, 312
Morril Land Grant Act (Lei Morril de doação de terras), 185
Movimento aparente, 301-02, 304-06, 310, 330
  da higiene mental, 415, 442, 444
Movimento da testagem mental, 257, 260, 286, 297, 368, 442
  Binet, Alfred, e, 264-69
  Cattell, James McKeen, e, 260-64
  controvérsia em torno da inteligência, 286, 298
  estudo de Wissler sobre a, 263-64
  Goddard, Henry H., e, 257, 286-87
  programa de testagem do exército, 280, 285-86, 294, 298
  Terman, Lewis, e, 273-75
  Yerkes, Robert M., e, 280-81
Mulheres, 68, 141, 166, 172, 175, 181, 186-87, 208-14, 222, 228-29, 236, 269, 271, 277-80, 293, 307, 324, 438, 469, 513-517
  como pioneiras, 181, 212-13, 470, 514

derrubando mitos sobre, 277-78
educação para, 185-87, 209, 211
experimentalistas e, 213
na história da psicologia, 514-17
Müller, G. E., 135, 139-41, 213, 305, 310, 318
Múltiplo, 32, 42, 83, 88
Münsterberg, Hugo, 37, 197, 210-11, 217, 232, 257-58, 289-94, 298, 373, 440, 449, 466-67, 500, 503
  seleção de funcionários e, 290-93
Musée Depuytren, 101

NASA, 400
National Academy of Sciences, 214, 250
National Committee for Mental Hygiene, 416
National Origins Act (Lei das origens nacionais), 287
National Science Foundation, 19
Nativismo, 50, 287
Nativista, 51, 75, 485, 511
Natural Theology (Paley), 148
Nature of Prejudice (The) (Allport), 506
Neisser, Ulric, 474, 476, 491-92, 510
Neobehaviorismo, 369, 372-73, 394, 403, 475, 507
Neurociência
  cognitiva, 499-500, 520
  cognitiva social, 500
  do comportamento, 499
Neuro-hipnologia, 421, 444
Neuropsicologia, 475, 499
Neurose experimental, 324, 342-43, 364
New Essays On Human Understanding (Leibniz), 72
"New Formula for Behaviorism (A)" (Tolman), 374
New Republic, 287, 436
New School for Social Research, 306, 330, 360, 501
Newton, Isaac, 27, 49, 55, 65, 80, 162, 387
Nível mental, 267-68, 273, 275, 298
Norte-americanos de ascendência africana, 517-18, 523-24
Northwestern University, 288, 294, 374, 383, 466
NOVA (A), *ver* Análise da variância (ANOVA), 502-03, 521

Nova psicologia, 46, 75, 79, 113-15, 118, 121-25, 133, 135, 143, 181-82, 189, 191, 199-201, 210-18, 222-25, 238, 242, 257-58, 289, 296-97, 409, 440, 493
aplicação da, 257-97
estudo experimental da memória, 135, 141
movimento da testagem mental, 260, 286, 297, 368, 442
profissionalização da, 199, 218

Observador, 32, 57, 117, 127-29, 142-43, 169, 176, 183, 225-26, 230-31, 234, 240, 248, 303, 315, 324, 330, 336, 342, 404
Observations on Man, His Frame, His Duty, and His Expectations (Hartley), 64
Oftalmoscópio, 88
Ohio State University, 273, 462
Old Farmer's Almanac, 96
Olfatômetro, 225-26
On Liberty (Mill), 68
On the Origin of Species by Means of Natural Selection or the Preservation of Favoured Races in the Struggle for Life (Darwin, Charles), 158
On the Witness Stand (Münsterberg), 290
Operacionismo, 369-72, 404
Operações convergentes, 371
Operante, 393
"Operational Definition of Concepts (The)" (Stevens), 370
Organization of Behavior (The) (Hebb), 498
Organizing and Memorizing (Katona), 317
Origin of Species (Darwin, Charles), 158
Ortogenia, 441, 446
Ótica, 49, 60-1, 88-9
Outline of Psychology (An) (Titchener), 222
Outlines of Phrenology (Spurzheim), 92-3
Oxford University, 54-55, 223

Papel em branco, a mente como, 46, 56, 75
Paradigma, 396, 486-87, 496
Paralelismo psicofísico, 64, 313
Parcimônia
cânon de Lloyd Morgan, 168-70, 312
princípio da, 168

Passions of the Soul (The) (Descartes), 51, 64
Pattern and Growth in Personality (Allport), 505
Pavlov, Ivan Petrovich, 23, 33, 65, 83, 106-07, 243, 329, 333, 335-47, 352-54, 357, 361-65, 369, 372, 386, 392-96, 404, 442, 458, 497-98, 509
clássico de, 340-343
desenvolvimento do fisiologista, 336-38
equipamentos de, 338-39, 345
laboratório de, 338-39
os norte-americanos e, 345-47
os soviéticos e, 343-45
pesquisa sobre condicionamento
Pearson, Karl, 175
Pedagogical Seminary, 206
Pensamento como fala subvocal (O), 353
Pensamento produtivo, 313, 315-16, 331
Pensamento sem imagens, 143, 222, 234, 335, 368
Pequenas percepções, 73
Percepção
Helmholtz acerca da, 90
interna, 125, 127, 230
pequena, 73
problema da, 90, 111
psicologia da Gestalt e, 310-11
sensação e, 126
Perception and Communication (Broadbent), 489
Perceptor permanente, 61, 75, 183
Perigo vermelho, 469
Período crítico, 166, 179, 485
Permanência do objeto, 508
Personality: A Psychological Interpretation (Allport), 504
Pesquisa
ação, 302, 326-27, 331, 500
condicionamento clássico, 343
de Pavlov, 340
programa de Tolman, 378
sobre associação, 210-11
sobre cérebro e comportamento, 496-97
sobre cognição, 317
sobre psicologia da personalidade, 496
sobre psicologia do desenvolvimento, 496-507
sobre psicologia social, 500-01
sobre transferência, 247, 251

Pesquisa-ação, 302, 326, 327, 331, 500
Pesquisadores, 450-52
Philosophical Studies (Wundt), 126, 213
Phrenological Journal, 95-7
Physiological Psychology (Wundt), 121, 123-24, 200, 214-15, 303
Piaget, Jean, 216, 475, 477, 507, 509
Pinel, Phillipe, 411, 413, 419, 444
Planck, Max, 302, 330, 429
Plans and the Structure of Behavior, 489-91
Platão, 47, 66
Plea for the Training of Psychologists (A)" (Crane), 465
Plessy v. Ferguson, 518
Popplestone, John, 19, 34-5, 37, 141, 199, 224, 261, 266, 268, 305, 388, 507
Popular Science Monthly, 336
Positivismo, 335, 364
lógico, 367, 369-76, 382, 387, 391, 404-05
Potencial de reação, 388-90
Pragmatismo, 192, 218, 221, 259, 297, 364, 403
Prägnanz, 312, 330
Praticantes, 179, 449-52, 521
Presentismo, 25, 27, 74, 91, 455
Primeira Guerra Mundial, 26, 29, 81, 264, 281, 289, 294, 306-08, 319, 344, 368, 374, 383, 431, 442, 466, 477, 514
Primer of Psychology (Titchener), 225
Princeton University, 189, 214-17, 516
Principia Mathematica (Newton), 55, 80, 387
Princípios de organização da Gestalt, 310-12, 317, 330
Principles of Behavior (Hull), 387-88
Principles of Geology (Lyell),
Principles of Gestalt Psychology (Koffka), 307
Principles of Physiological Psychology (Wundt), 121, 200
Principles of Psychology (James), 152
Problema
da ordem serial, 482
da percepção, 90
da sala chinesa, 495
das espécies, 148-49, 155, 161

Proceedings of the British Society for Psychical Research (James), 198
Processos mentais superiores, estudos sobre, 125-26
Productive Thinking (Wertheimer), 306, 313, 315, 330
Programa de testagem do exército, 280, 285-86, 294, 298
    Teste Alfa do exército, 258, 281-83, 286, 298, 470
    Teste Beta do exército, 258, 281-82, 284, 286, 298, 470
Programas de reforço, 397-398,
Projeção, 217, 432, 433, 445
Projeto Pombo, 399, 400
Protótipo do experimentalista, 140, 505
Proximidade, princípio da, 311
Pseudoproblemas, 370-71
Psicanálise, 409, 418, 423, 426-37, 506
    criação da, 428
    fundação da, 423
    no século XX, 430-31
    nos Estados Unidos, 435
    sexo, importância do, 429
Psicofísica, 113-40, 194, 202, 215, 224-25, 230, 258, 262, 351-52, 370
    elementos de, 120-21
Psicologia
    analítica, 434, 445
    crescimento e diversidade da, 514
    da engenharia, 470, 472
    da personalidade, 424, 492, 497, 500, 503-04, 506
    das faculdades, 181, 183, 189, 192, 214-19, 251
    de laboratório, fracasso da, 403
    do ato, 303
    do desenvolvimento, 24, 206-07, 215-16, 219, 241, 254, 301-02, 306, 323, 325, 330, 351, 475-77, 492, 496-97, 507-08, 511, 515, 522
    do eu, 212
    dos instrumentos de sopro, 194, 203, 225
    econômica, 288
    escolar, 441, 470, 509, 522
    evolucionista, 178
    futuro da, 202, 516
    individual, 258, 266, 267, 298, 434, 445
    social, 24, 126, 325-30, 492, 497, 500-06
    tendências na contemporaneidade, 520-21
Psicologia aplicada, 29, 39, 44, 235, 253-54, 257-58, 260, 264, 277, 280, 289-90, 294, 296-98, 333, 363, 449, 466-67, 470
    diversidade da, 289
Psicologia clínica, 258, 409-10, 439-45, 449-54, 464-65, 470-71, 509, 522
    antes da Primeira Guerra Mundial, 26
    antes da Segunda Guerra Mundial, 442
    convergência de influências na, 481
    emergência da moderna, 452, 471
    estudo de Eysenck, 454
    modelo de Boulder, 452-53, 464-65
    nos Estados Unidos, 409, 439, 445, 465, 470
    primeira clínica, 439, 445
    terapia do comportamento, 404, 449-50, 454, 457-59, 471
Psicologia cognitiva, 38, 106, 126, 133, 137, 211, 301, 319
    avaliação, 497
    Bartlett, Frederick C., e, 477-82
    batismo, 491
    evolução, 475, 492, 510
    origens da moderna, 476
Psicologia comparada, 28, 31, 34, 106, 162, 167-70, 177, 204, 214, 223, 241, 243-44, 255, 280, 335, 345, 348, 368, 374
    nos Estados Unidos, 170-71
    origens da, 162, 178
Psicologia da Gestalt, 238, 253, 301-30, 368-69, 373, 390, 437, 508, 516
    ambiente comportamental X ambiente geográfico, 312-13
    cognição e aprendizagem e, 313-14
    expansão da, 318
    isomorfismo psicofísico, 313
    nos Estados Unidos, 328
    organização perceptual, princípios de, 310-12
    origens da, 302-04
    percepção e, 310
    Wertheimer, Max, e, 304-06
Psicologia experimental, 28-9, 31, 39, 87, 102, 106, 113-15, 121-22, 124, 129-33, 137, 140-41, 191-93, 201, 203, 213, 215, 222, 224, 227, 234, 251, 257-58, 279
    experimentalistas, 21, 37, 213-14, 222, 226-28, 245, 254, 281, 324, 451, 503-05
    "os Manuais", 221, 225-26, 229, 254, 294
Psicologia industrial, 234, 257, 288, 290, 294-99, 442, 449-52, 467-72, 509, 522
    Bingham, Walter Van Dyke, e, 293-94
    Gilbreth, Lillian Moller, e, 294-95
    Hollingworth, Harry, e, 296
    seleção de funcionários e, 290-291
Psicoterapia, 21, 24, 298, 363, 400, 403, 438, 449-60
    abordagem humanística da, 459-60
Psychological
    Abstracts, 216
    Bulletin, 216, 306, 313, 345
    Care of Infant and Child (Watson), 361-62
    Clinic (The), 440
    Corporation, 264, 294, 360, 466-67
    from an Empirical Standpoint (Bretano), 303
    Monographs, 317
    Research, 198
    Review, 264
    Science, 21, 297, 451
    Science in the Public Interest, 451
Psychologies of 1925 (Murchison), 368
    of 1930 (Murchison), 368
Psychology (Dewey), 237-38
Psychology (Woodworth), 252
    and Industrial Efficiency (Münsterberg), 290, 466
    A Study of Mental Activity (Carr), 243
    from the Standpoint of a Behaviorist (Watson), 354
    of Advertising (The) (Scott), 288
    of Productive Thought (Duncker), 317
    The Briefer Course (James), 193
Psychotherapy (Münsterberg), 284
Psychopathology of Everyday Life (The) (Freud), 531
Publicidade, 201, 288, 298, 333-34, 353, 358-63, 365, 466

Purdue University, 295
Purposive Behavior in Animals and Men (Tolman), 374

QI/Testes de QI. *Ver também* Quociente de inteligência (QI), 23, 26, 29, 35, 96, 257, 267-68, 273, 275-76, 285-88, 295, 298, 362, 441
Institucionalização, 273
Quacres, *ver* Society of Friends, 411, 412
Qualidade da forma, 330
Qualidades primárias, 57, 61, 75, 182
Qualidades secundárias, 57, 182
Qualidades, primárias X secundárias, 46, 57, 61, 75, 182
Quociente de inteligência (QI), 264. *Ver também* QI/Testes de QI, 275

Racionalismo, 50, 69
Racionalismo, cartesianismo e, 50
Reação não condicionada (RNC), 341
Realidade experimental, 328, 502
Recalque, 430-32, 435, 438
Recapitulação, 207, 219
Recodificação, 488
Redução de impulsos, 388, 405
Reflexão, 463, 471
Reflexes of the Brain (Sechenov), 337
Reflexo condicionado (RC), 83, 329, 341-42
Reflexo não condicionado (RNC), 341
Reforçadores primários, 388
    secundários, 388
Relações objetais, 438
"Relatório Shakow", 453
Relaxamento progressivo, 458
Remembering: A Study in Experimental and Social Psychology (Bartlett), 477, 483
Repetição, 65, 139, 225, 266, 478, 508
Replicação, 129, 338, 359, 378
Research Center for Group Dynamics, 319, 327, 501
Resistência, 58, 428-29, 435
Reunião de células, 499, 510
Revolução Francesa, 81, 83, 411
Revolução Industrial, 81, 150
Rogers, Carl, 449-50, 459-65

Romanes, George, 164, 167-70, 176, 223
Royal Air Force, 489
Royal Society, 55, 161, 173, 340
Rush, Benjamin, 411-12
Rússia, *ver* União Soviética

Sangria, 412
Schedules of Reinforcement (Fernster e Skinner), 398, 403
School and Society(The) (Dewey), 239
Schools of Contemporary Psychology (Woodworth), 329
Science, 198, 264, 466
    and Human Behavior (Skinner), 394-97
Scott Company (The), 466
Segregação de figura e fundo, 310
Seguin, Edouard, 413
Segunda Guerra Mundial, 21, 23, 27, 40, 294, 317, 323, 326, 373, 397-403, 409, 439, 442-43, 449-53, 465, 467, 470, 475-76, 481-82, 489, 495, 501, 514, 521
Seleção
    de dados, problemas com, 36, 43
    de empregados, psicologia industrial e, 287, 467
    natural, 32, 40, 147, 156, 158-61, 171-73, 178, 186
Selection in Relation to Sex (Darwin, Charles), 161
Semelhança, 45, 63, 162
Sem sentido, sílabas, 46, 136-42, 211, 317, 375, 384, 478
Senescence: The Last Half of Life, 208
Sensação, percepção e, 126
Sequências de fases, 499
Seven Psychologies (Heidbreder), 18
Sexualidade
    foco de Freud na, 429-31
    Hall, G. Stanley, acerca da, 206-08
Sherrington, Charles, 105-106, 251
Sílabas sem sentido, 136-37, 140, 142-44, 211, 317, 375, 478, 510
Sinapse(s), 105-06, 110
    de Hebb, 499, 511
Sistema
    estruturalista, 229
    hipotético-dedutivo, 384, 405

Sistema nervoso
    ação direta do, 164
    aprendizagem e córtex, 106-09
    ato reflexo, 82-3
    comportamento e, 103-05
    energia dos nervos, 85
    estudos sobre, 105, 127
    funcionamento do, 81-2
    impulsos neurais, velocidade dos, 87-8
    lei de Bell-Magendie, 83-5
    sinapse, 105-06, 110
    teoria dos neurônios e, 103-05
Skinner, B. F., 48, 248-49, 335, 346-47, 361, 367-68, 373, 391-405, 481-84, 496-97
    análise experimental do comportamento e, 393-94
    avaliação, 402-03
    problema da explicação e, 398-99
    teoria e, 396
Smith College, 209, 307, 323, 515-16
Social and Ethical Interpretations in Mental Development (Baldwin), 215
Psychology (Allport), 501
Science Research Council, 509
Sociedade de Psiquiatria e Neurologia de Viena, 430
Psicanalítica de Viena, 433-34
Society for the Psychological Study of Social Issues (SPSSI), 326, 520
    for the Psychological Study of Social Issues (SPSSI), 326, 520
    for the Psychology of Women, 517
    of Friends, 411-412
Solucionador geral de problemas (SGP), 494
Soma
    espacial, 105
    temporal, 105
Some Thoughts Concerning Education (Locke), 55, 58
Sono REM, 499
Spalding, Douglas, 164-67, 170, 179, 249, 352
SPSSI, *ver* Society for the Psychological Study of Social Issues (SPSSI)
Spurzheim, Johann, 91-6, 103, 183
St. Mary's College, 19
Structure of Scientific Revolutions (The) (Kuhn), 486
Studies on Hysteria (Freud e Breuer), 427

Study of American Intelligence (A) (Brigham), 286
of Values (A) (Allport e Vernon), 505
Subjection of Women (The) (Taylor), 68
Sublimação, 433
Sugestão, 418-23
Superego, 432-33, 438
Swarthmore College, 310
System of Logic, Ratiocinative and Inductive, Being a Connected View of the Principles of Evidence, and the Methods of Scientific Investigation (A) (Mill), 70
Systematic Psychology: Prolegomena (Titchener), 233

Tânatos, 431
TAT, *ver* Teste de Apercepção Temática (TAT)
Taylor, Helen, 68
TCGE, *ver* Teste de Classificação Geral do Exército, 294, 470
Técnica de Moniz, 457
Telling the Truth About History (Appleby, Hunt e Jacob), 40
Tempo de reação (TR), 86-8, 102, 105, 116, 123-32, 141-45, 175, 187, 194, 203, 215-16, 225-26, 234, 240, 243, 252, 258-62, 292
aparato, 226
experimento, 128, 226
Teoria
da hipnose de Liebeault-Bernheim, 421
da informação, 484-85, 488-89, 493, 510
da ressonância, 89, 110
das emoções de James-Lange, 182, 196, 218, 233
de campo, 302, 318, 320, 328, 331, 375-76
do processo oponente, 89
dos neurônios, 103, 105
heliocêntrica, 45
psicanalítica, evolução da, 431-33
tricromática, 88-9, 110
Teórico lógico (TL), 494
Terapia centrada no cliente, 449-50, 454, 460-63, 471
do comportamento, 404, 449-50, 454, 457-59, 471
do jogo, 433
Terman, Lewis M., 252, 271-77, 281, 285-88, 295, 319
estudos sobre crianças superdotadas, 277, 298
Testagem da inteligência, nascimento da, 264, 280
Teste(s)
de Apercepção Temática (TAT), 436
de Classificação Geral do Exército (TCGE), 294, 470
de completar, 282
de QI de Stanford-Binet, 275
de Turing, 495
duplos, 138
nacionais de inteligência, 285
Textbook of Psychology (A) (Titchener), 224
Theories of Learning (Hilgard), 347
Theory of Advertising (The) (Scott), 288
of the Sensation of Tone as a Physiological Basis for the Theory of Music (The) (Helmholtz), 89
"The Psychology of Management", 295
Thinking, Feeling, Doing (Scripture), 258-259, 288
Thorndike, Edward L., 243-51, 313-14, 329, 335, 340, 466
acerca da aprendizagem em gaiolas, 245-48
controvérsia Thorndike-Mills, 248
Three Contributions to the Theory of Sex (Freud), 531
Titchener, E. B., 29, 36, 38, 57, 132, 140-41, 208, 212-16, 221-22, 224, 514
contribuições à psicologia, 233-34
formação de, 223-24
sistema estruturalista de, 229
Tolman, Edward C., 109, 204, 367-68, 372-83, 386-91, 396-02, 481-82, 499
avaliação, 382-83
programa de pesquisa de, 378
sistema de, 374
Tolo, 269, 298
Tolstói, Leon, 32
Topologia, 320
Torre do Silêncio, 339
TOTE, 490
Traço, 26, 172, 268, 275, 392, 422, 505
cardinal, 505, 510
central, 505
secundário, 505
Tradição escolástica, 48
Tranquilizador, 412
Transferência, 247-48, 251-52, 357-59, 440
Tratamento dos doentes mentais, 411, 444
moral, 411, 414, 418, 444
Treatise Concerning the Principles of Human Knowledge (Berkeley), 60-1
of Human Nature (A) (Hume), 62
on Man (Descartes), 52
Tropismos, 348
Tuke, William, 411-13
Two Treatises on Government (Locke), 54

Um Estranho no Ninho (Kesey), 457
União Soviética, 337, 344, 383, 454, 469
Unidade de Psicologia Aplicada, 489
Uniformitarianismo, 152
Universais da linguagem, 485
Universidade(s)
alemãs, 114, 139, 184-185
de Frankfurt, 305-07
de Halle, 184
de Leipzig, 116, 118-19, 123-30, 133-34, 141-43, 194, 201, 213-15, 221-24, 230, 236, 240, 261, 288-89, 416, 440
de Viena, 418-419, 433
Nacional do México, 217
norte-americanas, 183-184, 222, 225
Buscar também pelo nome específico da universidade
University College (Bristol), 168
College, (Londres), 420
of Chicago, 185, 202, 206, 237, 294, 334, 347-49, 359, 362, 498
of Edinburgh, 62, 306
of Illinois, 462, 465
of Iowa, 280, 319, 387, 501
of Michigan, 237-39, 384, 501
of Minnesota, 106, 240, 281, 285, 393, 501
of Pennsylvania, 206, 228-29, 232, 262, 310, 439-40, 467
of Wisconsin, 307, 383-86, 461

Untold Lives: The First Generation of American Women Psychologists (Scarborough e Furumoto), 212
Upham, Thomas, 183-84, 214
U.S. Public Health Service, 452

Valência, 321, 324
Validade ecológica, 492-93, 510
Variação concomitante, 70-1, 76
Variáveis
  dependentes, 252, 362
  independentes, 252-53
  intervenientes, 374-76, 382, 398, 405
Varieties of Religious Experience (James), 197
Vassar College, 186, 212-13
Velocidade subvocal, 353
Verbal Behavior (Chomsky), 484
Verdade, 40-1, 335
Vestiges of Creation (Darwin, Charles), 157
Veterans Administration (VA), 452
Vetor, 321, 323
Vineland Training School for the Feeble-Minded, 268-73
Visão
  da noite, 119, 121
  diurna, 119, 121
  geocêntrica do universo, 47
  Helmholtz acerca da, 88-9
  teoria da, 61, 88, 213
Vital and Other Involuntary Motions of Animals (The) (Whytt), 82
Vitalismo, 86-7
Vocational Guidance Clinic,
Vocational Psychology: Its Problems and Methods (Hollingworth), 279

Voluntarismo, 134

Walden Two (Skinner), 335, 400-02
Wallace, Alfred Russell, 32-3, 158, 161, 178
War Landscape (The) (Lewin), 319
Washburn, Margaret Floy, 212-15, 228-29, 514-16
Watson, John B., 28, 106, 253, 333, 347, 360
  avaliação, 362
  behaviorismo e, 347
  como funcionalista, 347-48
  comportamento animal e, 351-52
  manifesto behaviorista de, 352-53
  na Johns Hopkins, 350-51
  na publicidade, 359-360
Watson, Robert I., 18-9, 34, 41, 133
Weber, Ernst, 116-18
Wellesley College, 25, 36, 141, 186, 189, 209-12
Wernicke, Carl, 101
Wertheimer, Max, 301-02, 304-07, 309-19, 329, 460, 464, 509, 517
Western Electric, 468-70
West Virginia State College, 187
Whisper of Espionage: Wolfgang Köhler and the Apes of Tenerife (A) (Ley), 308
Whytt, Robert, 78, 82-3, 105, 110
Wilberforce College, 188
Wild Boy of Aveyron (The) (Itard), 413
Williams College, 200

Wissenschaft, 114, 135, 143, 184
Wit and Its Relation to the Unconscious (Freud), 431
Witmer, Lightner, 229, 232, 409, 439-41, 450, 467
Woodworth, Robert S., 141, 215, 221, 243, 247, 250-53, 296, 329, 336, 361, 368, 435, 466, 499, 517, 521
World (The) (Descartes), 49, 496
Wundt, Wilhelm, 18, 38-40, 74, 102, 110, 113-15, 118, 121-35, 139-44, 182, 189-94, 199-201, 208, 213, 215, 221, 223-24, 227, 230, 233, 240, 244, 254, 257, 260-61, 288-89, 303, 333, 416-17, 440, 466, 476, 489, 522
  cronometria mental e, 127-30
  laboratório de, 115, 124-28, 130-32, 142, 201, 223, 240, 260, 288, 416-17, 522
  legado de, 134
  nova psicologia e, 121
  reescrevendo a história de, 132
  sensação e percepção e, 126-127

Yale University, 105, 185-86, 209, 240, 286, 305, 322, 347, 386
Yerkes Laboratory of Primate Biology, 106, 498
Yerkes, Robert M., 28, 31, 257, 280, 285, 290, 298, 345, 373, 516
York Retreat, 411-12, 444

Zeitgeist, 31-33, 51, 59, 83, 160, 167, 363, 425,
Zoonomia (Darwin, Erasmus), 149

CRONOLOGIA

1900-1950

Adorno et al.: *The Authoritarian Personality*	1950	Forças da Coreia do Norte invadem a Coreia do Sul
Modelo de Boulder para a formação de clínicos	1949	Gilbreth e Cary: *Cheaper by the Dozen*
Skinner: *Walden Two*	1948	
	1947	A Bell Labs inventa o transistor
Spock: *Baby and Child Care*	1946	Prêmio Nobel de Física: Percy Bridgman
Wertheimer: *Productive Thinking*	1945	Bombas atômicas lançadas no Japão; fim da Segunda Guerra Mundial
	1944	Dia D: desembarque de tropas na Normandia
Hull: *Principles of Behavior*	1943	Oscar de melhor filme: *Casablanca*
	1942	
	1941	Ataque a Pearl Harbor; Estados Unidos entram na Segunda Guerra Mundial
Hilgard e Marquis: *Conditioning and Learning*	1940	Hemingway: *Por quem os sinos dobram*
Freud morre em Londres	1939	Alemanha invade a Polônia; começa a Segunda Guerra Mundial
Woodworth: "Bíblia de Columbia"	1938	
Psicólogos aplicados criam a AAAP	1937	Steinbeck: *Ratos e homens*
	1936	Olimpíadas de Berlim; quatro medalhas de ouro para Jesse Owens
Koffka: *Principles of Gestalt Psychology*	**1935**	
	1934	Toynbee: *A Study of History*
	1933	Hitler assume o cargo de chanceler da Alemanha
Bartlett: *Remembering*	1932	
	1931	Al Capone é preso por sonegação de impostos
Lewin apresenta a fórmula $C = f(P, A)$	**1930**	
Congresso internacional de Yale/Formação da Psi Chi	1929	*Crash* do mercado de ações dos Estados Unidos
Sumner assume cargo na Howard University	1928	Amelia Earhart é a primeira mulher a cruzar o Atlântico voando
	1927	Babe Ruth atinge a marca dos sessenta *home runs* no beisebol
	1926	
Köhler: *Mentality of Apes*	**1925**	Julgamento de Scopes no "Monkey Trial"
	1924	Ghandi faz greve de fome por 21 dias em sinal de protesto na Índia
Freud: *O ego e o id*	1923	
	1922	James Joyce: *Ulisses*
Fundação do National Institute for Industrial Psychology	1921	Sacco e Vanzetti culpados de assassinato
Watson e Rayner: estudo sobre o bebê Albert	**1920**	Wharton: *A idade da inocência*
	1919	Fim da Primeira Guerra Mundial; primeiro encontro da Liga das Nações em Paris
Testes Alfa e Beta do exército norte-americano	1918	Red Sox ganham a World Series pela terceira vez em quatro anos
	1917	
Teste de QI Stanford-Binet, de Terman	1916	Estabelecido o National Park Service
	1915	Einstein propõe a teoria geral da relatividade
	1914	A Primeira Guerra Mundial começa na Europa; abertura do Canal do Panamá
Manifesto behaviorista de Watson	1913	
Wertheimer: estudo sobre o movimento aparente	1912	S.S. Titanic afunda
	1911	
	1910	W. E. B. Dubois funda a NAACP
Palestras de Freud na Clark University	1909	Robert Peary chega ao Polo Norte
Washburn: *Animal Mind*	1908	Foster: *A room with a view*
	1907	Baden-Powell funda a liga dos escoteiros
Discurso presidencial de Angell sobre o funcionalismo	1906	
Calkins torna-se a primeira mulher eleita para a presidência da APA	**1905**	
Pavlov ganha o prêmio Nobel	1904	Barrie: *Peter Pan*
Primeira palestra pública de Pavlov sobre o condicionamento (Madri)	1903	London: *Chamado selvagem*
	1902	Doyle: *O cão dos Baskerville*
Lançamento do primeiro manual de laboratório de Titchener (o segundo foi lançado em 1905)	1901	J. P. Morgan organiza a empresa siderúrgica norte-americana
Freud: *The Interpretation of Dreams*	**1900**	Planck formula a teoria quântica na física